Récolte des olives, province de Jaén.

Spectacle de flamenco, Séville.

GEO**GUIDE**

Andalousie
2008/2009

David Fauquemberg

GEOGuide France

Alsace	Martinique
Bordelais Landes	Normandie
Bretagne Nord	Paris
Bretagne Sud	Pays basque
Charente-Maritime	Périgord Quercy
et Vendée	et Agenais
Corse	Provence
Côte d'Azur	Pyrénées
Guadeloupe	Réunion
Languedoc-	Tahiti Polynésie
Roussillon	française

GEOGuide Étranger

Andalousie	Italie du Sud
Argentine	Londres
Athènes et	Maroc
les îles grecques	Île Maurice
Belgique	Mexique
Crète	Pays basque
Croatie	Portugal
Cuba	Québec
Égypte	Rome
Espagne, côte est	Sicile
Irlande	Toscane Ombrie
Italie du Nord	Tunisie
	Venise

★ Incontournable touristique
de la destination, cf. carte couleur
en page de garde
☆ À ne pas manquer dans la région
☺ Coup de cœur de l'auteur

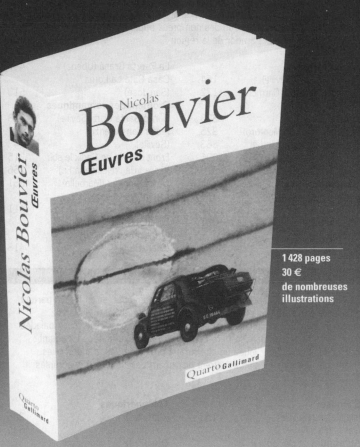

L'Andalousie à la carte

L'ANDALOUSIE EN AMOUREUX

Les grands classiques romantiques comme l'Alcázar de Séville, l'Albaicín et l'Alhambra de Grenade ou la Judería de Cordoue font figure d'incontournables. Une escapade à deux du côté de Ronda, des falaises du Cabo de Gata ou de la lagune del Rocío ne manque pas non plus de charme. Et pourquoi ne pas s'offrir une nuit dans l'un des nombreux petits hôtels de caractère ou dans un prestigieux Parador de la région ?

L'ANDALOUSIE EN FAMILLE

En ville, les Andalous sortent souvent avec leurs enfants, et on trouve partout de grands parcs ou des plages familiales. Celles de la Costa de la Luz sont plus tranquilles que celles de la Costa del Sol. Pensez aussi aux balades pour petits et grands dans le parc de la sierra de Cazorla. Idée logement : si vous êtes en voiture, louez un gîte rural à proximité des grandes villes. Quant aux pensions, la plupart offrent des chambres triples ou quadruples assez bon marché.

L'ANDALOUSIE DES SPORTIFS

Les fans de plongée sous-marine apprécieront les fonds protégés et les épaves du parc de Cabo de Gata. Les randonneurs profiteront eux à loisir d'immenses espaces naturels sillonnés de sentiers. La sierra Nevada et la sierra de Cazorla comptent parmi les meilleures destinations. Les grimpeurs s'attaqueront aux imposantes falaises calcaires d'El Chorro, dans la province de Málaga. Avis aux fans de glisse : Tarifa est l'un des spots de planche et de kitesurf les plus prisés au monde. Sur la Costa del Sol, golfs et centres nautiques sont légion.

L'ANDALOUSIE CÔTÉ PLAGES

Avec plus de 700km de côte, la région est propice au farniente. Pour profiter du soleil en toute tranquillité, cap sur la Costa de la Luz et ses magnifiques plages de sable fin. À l'opposé, la Costa del Sol est l'endroit idéal pour... un bain de foule. Plusieurs parcs naturels s'ouvrent sur le littoral : tandis que celui du Cabo de Gata est réputé pour ses petites calanques, à découvrir en kayak, les marais de la Doñana sont célèbres pour leurs oiseaux migrateurs. Pour les amateurs, la région offre également de très belles plages réservées aux nudistes.

L'ANDALOUSIE DES PANORAMAS

Prenez de la hauteur ! Parcourez les chemins de randonnée des sierras :
le parc naturel de Cazorla ou celui de Grazalema sont les plus spectaculaires.
Ne manquez pas de faire halte dans l'un des "villages blancs", perchés en
altitude. Dans les villes, grimpez en haut de la Giralda de Séville ou de l'Alhambra
de Grenade. Depuis la province de Cadix, les côtes africaines ne sont jamais
bien loin et les *azoteas*, ces terrasses sur les toits des maisons, sont idéales
pour prendre l'apéritif au coucher du soleil.

Chambres avec vue

Parador de Carmona	173
Parador Casa del Corregidor (Arcos de la Frontera)	248
Los Jarales (env. Marbella)	365
Parador de Granada	438
Casas Faldas del Castillo (Salobreña)	465
Parador de Cazorla	499

Terrasses

El Huerto de Juan Ranas (Grenade)	430
Restaurant du Parador (Grenade)	430

Sites naturels

Route de Zahara de la Sierra	251
Upper Rock Nature Reserve (Gibraltar)	280
Château d'Almodóvar del Río (env. Cordoue)	311
Castillo de la Calahorra (env. Guadix)	447

Belvédères

Torre Tavira (Cadix)	216
Torre de la Calahorra (Cordoue)	306
Torre de la Vela (Grenade)	413
Mirador Cerro de la Bala (Guadix)	447

L'ANDALOUSIE À L'OMBRE

Enregistrant les températures les plus élevées d'Europe, dépassant souvent
les 40°C, l'été andalou peut se révéler torride ! Dénicher un petit coin
de fraîcheur s'impose souvent. Dormir dans une grotte, flâner au bord d'un lac,
faire une pause dans un parc ombragé, siroter un verre dans un bar creusé
à flanc de montagne... autant d'options pour savourer pleinement l'Andalousie
tout au long de la période estivale.

Hébergements

Humaina (env. Málaga)	356
Cuevas El Abanico (Grenade)	437

Restaurants-bars

Restaurant El Trillo (Grenade)	429
Chez Juan y Julia (Guadix)	448

Balades au frais

Parque de María Luisa (Séville)	150
Gruta de las Maravillas (Aracena)	198
Patios del Palacio de Viana (Cordoue)	308
Casa de las Torres (Úbeda)	485

L'ANDALOUSIE DES SAVEURS

Des *doradas* ou *sardinas* pêchées le long des côtes au jambon de l'arrière-pays,
en passant par l'huile d'olive artisanale de Baeza ou le gazpacho des villages
blancs... la région est propice à de bonnes tablées. Chers aux Andalous, les
produits du terroir sont partout d'excellente qualité. Les repas s'accompagnent
volontiers d'un verre de jerez ou de manzanilla.

Poissons et fruits de mer

Viandes

Spécialités de *jamón*

Vins, fromages et huiles d'olive

Auberges

L'ANDALOUSIE DES SAVOIR-FAIRE

Poteries aux couleurs vives, tapis de laine… l'artisanat andalou emprunte beaucoup à la tradition arabe. Toutefois, d'une région à l'autre, les savoir-faire, les teintes et les motifs varient. Le travail du cuir occupe également une place de choix. Vous trouverez la tenue complète du *caballero* aux alentours d'El Rocio, et l'élégance des belles Andalouses à Cordoue, Séville et Cadix.

Céramiques

Cuirs et tissus

Marqueterie

Éventails, châles et peignes

Orfèvrerie

L'ANDALOUSIE DU FLAMENCO

Sous le signe de la passion, pétri de contrastes, le flamenco doit sa naissance à la rencontre entre un peuple, les gitans, et l'Andalousie. Mélange hybride de cultures, il permet de mieux comprendre l'histoire de la région. De Séville à Cadix en passant par Grenade, Cordoue ou Jerez de la Frontera, festivals de musique et de danse, fondations, musées et *peñas* (associations culturelles) vous permettront de vous mêler aux *aficionados* et de vous initier ainsi à un univers complexe et vibrant, bien au-delà des clichés.

L'ANDALOUSIE POUR FAIRE LA FÊTE

La *marcha* bat son plein la nuit, en Andalousie, essentiellement à Séville, Málaga, Cadix ou Grenade. Les fêtards envahissent alors bars à tapas, bars de nuit et discothèques. En été, les stations balnéaires de la Costa del Sol attirent les noctambules venus de toute l'Europe : pas question de rentrer vous coucher avant le lever du soleil...

L'ANDALOUSIE MAURESQUE ET MUDÉJARE

Héritage de plus de sept siècles d'occupation maure, l'Andalousie recèle des joyaux de l'architecture hispano-musulmane. Laissez-vous envoûter par les subtils jeux d'eau et de lumière des jardins de l'Alhambra à Grenade. Perdez-vous dans les ruelles des anciennes cités d'*Al-Andalus*, admirez les stucs extravagants de la Mezquita de Cordoue... L'Andalousie mauresque et mudéjare vous invite à un somptueux voyage architectural.

L'ANDALOUSIE RENAISSANCE

La Renaissance, qui a déferlé sur l'Espagne à la fin du xvᵉ siècle, s'est imprégnée du génie ibérique. Les amoureux du genre admireront les ornementations de style plateresque sur la façade de l'hôtel de ville de Séville, ou la rigueur et la sobriété du style herrerien sur le palais de Charles Quint dans l'Alhambra. Autre style à suivre, celui, plus italien, qui imprègne les édifices religieux d'Antequera, Úbeda et Baeza.

L'ANDALOUSIE BAROQUE

Expression de ferveur religieuse venue de la Contre Réforme, le baroque andalou est partout. Ses décors tourmentés, ses ors et sa statuaire vous marqueront par leur exubérance. Ne manquez pas la cathédrale de Cadix ou le maître-autel de l'église del Carmen, à Antequera. Une promenade dans Séville et Cordoue s'impose et, surtout, n'oubliez pas de pousser la porte des églises : leur beauté vient de l'intérieur…

GEOPANORAMA

L'Andalousie hante nos rêves depuis que les romantiques ont évoqué ses villes aux parfums d'Orient, où résonnaient l'esprit bohème, les accords de guitare et les chants gitans. Patrie du flamenco, de la corrida, des tapas, des fêtes populaires, la région se prête facilement aux clichés. Pourtant, les peuples antiques ont laissé leur empreinte : de l'époque musulmane subsistent monuments fastueux et villages au tracé labyrinthique. La Reconquête et le commerce avec les Amériques ont donné un patrimoine chrétien hors du commun. Une richesse culturelle qui ne doit pas faire oublier la beauté insolite des grands espaces : les marais de Doñana, les vastes régions montagneuses ou les plages de la Costa de la Luz sont autant de bonnes surprises pour les amoureux de nature. Enfin, et surtout, les Andalous, qui, toujours soucieux de partager leurs traditions, sont un peuple sensible aux plaisirs de la discussion, de la table et de la fête.

Comprendre l'Andalousie

GEO**MEMO**

Situation géographique	à l'extrême sud de l'Espagne
Superficie	87 600 km²
Point culminant	mont Mulhacén (3 482 m)
Statut	communauté autonome regroupant 8 provinces (du nom de leur capitale) : Almería, Cadix, Cordoue, Grenade, Huelva, Jaén, Málaga, Séville
Capitale	Séville
Langue	castillan
Religion	catholicisme

Géographie et environnement

une position avantageuse

L'Espagne se trouve à la jonction de l'Atlantique et de la Méditerranée, de l'Europe et de l'Afrique. Le territoire espagnol occupe la majeure partie de la péninsule Ibérique. Il comporte également l'archipel des Baléares, les îles Canaries et les enclaves de Ceuta et Melilla sur la côte nord du Maroc. Sa superficie totale de 505 975km^2 le place au quatrième rang européen, après la Russie, l'Ukraine et la France. Quatre pays frontaliers : la France, le Portugal, la principauté d'Andorre et le Maroc (auxquels il faut ajouter l'enclave anglaise de Gibraltar). Porte du continent africain, l'Espagne n'en est séparée que par les 13km du détroit de Gibraltar. Sa côte méridionale marquait jadis, au cap Sagres, la fin des terres connues. La proximité des vents alizés en faisait le point de départ idéal des grands voyages d'exploration. Des facteurs qui ont eu une influence sur l'histoire politique, coloniale et économique du pays. Revers de la médaille : cette situation excentrée, renforcée par la présence des Pyrénées, a longtemps été synonyme d'isolement.

un relief compartimenté

Il a pour élément majeur la Meseta : un immense plateau central, d'une altitude moyenne de 660m. La rigidité de ce socle hercynien lui a permis de résister aux plissements alpins. Ces derniers ne réussirent qu'à le soulever et à l'incliner légèrement vers l'ouest, créant à sa périphérie de hauts rebords montagneux : monts Cantabriques au nord, monts Ibériques au nord-est, serranía de Cuenca à l'est et sierra Morena au sud. La Meseta est également coupée en son centre par les sierras de Guadarrama et de Gredos. Deux chaînes montagneuses rattachées au système alpin viennent s'accoler à l'ensemble : au nord, les Pyrénées et, au sud, les cordillères Bétiques. Surprise : l'Espagne est le deuxième pays le plus élevé d'Europe, juste après la Suisse. Seule une faible proportion du territoire se trouve au-dessous de 500m. Exceptions notables, les bassins d'effondrement de l'Èbre au nord, et du Guadalquivir au sud. Ces deux grands fleuves sont les seuls à ne pas suivre l'inclinaison de la Meseta, au contraire du Tage, du Douro, du Miño et du Guadiana. Ses 3 900km de côtes font de l'Espagne un pays maritime. Cependant, les plaines littorales sont partout étroites, dépassant rarement 30km de large. Les côtes sont très escarpées. Les grands sites portuaires y sont rares, à l'exception de Vigo, Ferrol, La Corogne, Barcelone et Valence. Autre conséquence de cette géologie agitée : des sols arides, mais riches en minerais (fer, manganèse, houille…). Enfin, l'omniprésence des montagnes entraîne une répartition très irrégulière des précipitations. De cruelles sécheresses alternent avec des crues et des inondations aux effets parfois dramatiques.

l'Andalousie

Située à l'extrême sud du pays, elle représenta longtemps l'ultime frontière de l'Europe. La petite ville de Tarifa, au bord du détroit de Gibraltar, n'est qu'à 13,5km du Maroc. L'Andalousie est la plus vaste région d'Espagne, avec une superficie comparable à celle du Portugal, et supérieure à un pays comme l'Autriche : 87 600km^2. Ses 800km de côtes se répartissent entre la Méditerranée et l'Atlantique. À l'image de l'Espagne, cette région est dominée par de multiples chaînes montagneuses, qui séparent des

Relief

OCÉAN ATLANTIQUE

FRANCE

MONTS CANTABRIQUES

SIERRA DE LA CABRERA

PYRÉNÉES

EBRE

MIÑO

DOURO

MONTS IBÉRIQUES

PORTUGAL

SIERRA DE GATA

SIERRA DE GUADARRAMA

SIERRA DE GREDOS

SERRANÍA DE CUENCA

TAGE

GUADIANA

JÚCAR

BALÉARES

SIERRA MORENA

BÉTIQUES

GUADALQUIVIR

SEGURA

MULHACÉN
3 482 M
▲

CORDILLÈRES

SIERRA NEVADA

MAROC

MER MÉDITERRANÉE

N

150 km

vallées assez étroites. Au nord, les monts arrondis et boisés de la sierra Morena atteignent 1 000 m d'altitude. Ils se dressent contre la Meseta. Le défilé de Despeñaperros constitue depuis toujours le point de passage obligé vers la Castille. La côte méditerranéenne est dominée par les monts des cordillères Bétiques. Au nord-est, la cordillère Subbétique atteint 2 107 m dans le parc de Cazorla. Au sud, la chaîne Pénibétique culmine dans la sierra Nevada, au mont Mulhacén (3 482 m), toit de l'Espagne continentale. La Costa del Sol est ainsi particulièrement étroite, ce qui n'a empêché ni la création de plusieurs ports importants, ni une urbanisation frénétique, liée au tourisme. La Costa Tropical, au sud de Grenade, est encore davantage enclavée. La côte orientale de l'Andalousie est extrêmement aride. Le désert de Tabernas, près d'Almería, avait tout pour réussir au cinéma : il a souvent servi de cadre à des westerns. L'arrière-pays montagneux souffre, lui, de son isolement et de l'aridité des sols. Mais, côté Atlantique, le paysage s'ouvre totalement sur l'Océan. Le vaste bassin du Guadalquivir occupe l'espace laissé par un ancien golfe marin. Cette plaine immense représente 65 % du territoire andalou. Ses sols noirs très fertiles et l'abondante présence de l'eau ont donné naissance à une agriculture prospère. Le Guadalquivir (de l'arabe *Wad-al-Kebir*, le grand fleuve) prend naissance dans la sierra de Cazorla, près de Jaén. Ses 670 km de long en font le 5ᵉ fleuve d'Espagne. Navigable autrefois jusqu'à Cordoue, il ne l'est plus que jusqu'à Séville. Son delta est en grande partie recouvert de marécages. Le parque nacional de Doñana, véritable merveille naturelle, occupe plus de 54 000 ha de ces zones humides. À l'ouest de Gibraltar, la Costa de la Luz déroule ses longues plages de sable au bord de l'Atlantique. Le fleuve Guadiana forme une frontière naturelle avec le Portugal voisin.

environnement

Le peuplement massif des côtes méridionales et l'irrigation à outrance des zones agricoles entraînent une pénurie chronique en eau et de graves conséquences sur l'environnement. C'est le problème de l'eau qui a sensibilisé autorités et citoyens aux questions d'écologie. Depuis les années 1980, plusieurs lois protégeant le littoral de l'urbanisation sauvage ont ainsi été votées. Mais à voir le résultat, on peut se demander qui les respecte… La fin de cette décennie a vu en outre la création de nombreux parcs naturels. Les parcs nationaux, peu nombreux et gérés par l'État, sont étroitement protégés. L'Andalousie en compte deux : le parc de Doñana et celui de la sierra Nevada. Les parcs, les réserves et les zones naturels sont gérés par les régions et visent à protéger des espaces sauvages sensibles. Plus de quatre-vingt zones protégées en Andalousie occupent un peu moins de 20% de son territoire, ce qui la situe au premier rang national en matière de défense de l'environnement. Cependant, les problèmes sont loin d'avoir disparu et continuent de mobiliser les associations écologistes. Car ces espaces naturels sont régulièrement menacés par deux ennemis sournois : la construction de grands ensembles immobiliers destinés aux touristes et l'installation de pôles industriels polluants.

Flore et faune

flore

On oppose généralement la végétation de l'Espagne humide (au nord) à celle de l'Espagne méditerranéenne et aride (au sud). Mais l'Espagne du Sud, en raison de la variété de son relief, de ses sols et de son climat, rassemble une grande diversité d'arbres et de plantes. En Andalousie, le paysage le plus représenté est celui de la forêt dite méditerranéenne et de la garrigue : chêne vert (*encina*), chêne rouvre (*roble*), chêne-liège (*alcornoques*), arbustes (genévrier, lentisque, arbousier, olivier sauvage ou *acebuche*), buissons épineux et plantes aromatiques telles que le romarin, le thym et la lavande. Sur les contreforts de la sierra Morena, et notamment dans les parcs d'Aracena, d'Hornachuelos et de Montoro, la présence des hommes depuis des millénaires a contribué à l'apparition d'un type particulier de paysage : la *dehesa*. Un terme qui désigne de grandes prairies parsemées d'immenses chênes verts. Dans ces régions, les chênes-lièges abondent également et fournissent une matière première récoltée selon des méthodes traditionnelles. Le parc de los Alcornocales, dans la province de Cadix, rassemble la plus grande forêt de chênes-lièges d'Europe. Sur les contreforts de la sierra Nevada, on trouve également des hêtres et des mélèzes. En altitude, la végétation s'efface peu à peu, et ne subsistent que des buissons résistants. Sur les côtes dominent les pins, en particulier le pin d'Alep et le pin parasol. Sur la côte atlantique, le pin maritime a été introduit pour fixer les grandes dunes de sable. Dans la sierra de Grazalema et la sierra de las Nieves (provinces de Cadix et Málaga) a survécu une espèce de pin née à l'ère tertiaire : le pin d'Espagne ou *pinsapo*, qu'on ne trouve plus guère que là et au Maroc. Les régions de haute montagne se distinguent par une richesse florale extraordinaire. Au printemps, des milliers de fleurs sauvages apparaissent. Le parc de Cazorla compte à lui seul 1 300 espèces de fleurs (soit plus que l'Angleterre tout entière), dont 24 n'existent pas ailleurs, comme la jolie violette de Cazorla. La sierra Nevada en regroupe plus de 1 700, dont 66 endémiques. Aux abords des grandes zones humides, comme l'embouchure du Guadalquivir, on trouve des saules, des aulnes, des peupliers et des frênes. Le parc de Doñana est l'endroit parfait pour découvrir un type de végétation qui pousse au pied des dunes, près des marécages : le matorral, sorte de maquis méditerranéen. Des espèces étrangères et peu adaptées aux écosystèmes locaux ont été introduites au XIXᵉ siècle. Vous serez ainsi surpris de découvrir de nombreux bosquets d'euca-lyptus. La végétation de la province d'Almería s'adapte aux conditions désertiques de cette région, souvent amplifiées par l'érosion et la pollution humaine : mines, agriculture intensive… C'est une végétation de steppe aride, où dominent l'alfa et les buissons ras. On y trouve des espèces plus exotiques, comme le palmier nain, l'aloès et le fi-guier de Barbarie. Enfin, l'agriculture a profondément modifié paysages et écosys-tèmes. Depuis le XIXᵉ siècle, la monoculture de l'olivier, autrefois associé à d'autres cultures comme le blé ou l'orge, a réduit considérablement la diversité de la flore. Une situation portée à l'extrême dans les provinces de Cordoue et de Jaén. La même re-marque s'applique aux vastes étendues consacrées aux cultures maraîchères inten-sives dans la région d'Almería. Les grands bosquets d'orangers et de citronniers cohabitent avec une espèce très répandue : la serre recouverte de plastique.

faune

La faune andalouse est d'une richesse hors du commun, notamment grâce à la pré-servation de vastes espaces sauvages. La faune dominante s'apparente à celle du reste de l'Europe : lièvre, perdrix, sanglier, chevreuil, cerf. Les massifs montagneux abritent également des chèvres sauvages et des bouquetins (sierra de Cazorla, Alpujarras). Le lynx d'Espagne (*lince ibérico*), plus petit que son cousin des Alpes, est une espèce en voie d'extinction. Il survit dans les parcs de Doñana et de Montoro. Ce dernier compte aussi quelques meutes de loups, très menacées elles aussi. C'est également dans certaines régions isolées d'Andalousie que survit la seule es-pèce de mangouste d'Europe, le *meloncillo*. Mais la plus grande richesse de l'Espagne du Sud, il faut la chercher du côté des oiseaux. Les grands oiseaux de proie sont légion dans les régions montagneuses : vautour moine (*buitre negro*, le plus gros oiseau d'Europe), vautour fauve (*buitre leonado*), vautour percnoptère (*ali-moche*), aigle royal et aigle impérial espagnol (*águila imperial*), extrêmement menacé. Surtout, l'Espagne du Sud, qui n'est séparée de l'Afrique que par le détroit de Gibraltar, est une importante zone de migration. Les flamants roses (*flamencos*) sont omniprésents une bonne partie de l'année dans les lagunes. Celle de Fuente de Piedra, près d'Antequera, en accueille de 12 000 à 15 000 couples chaque année, ce qui en fait la première ou deuxième colonie d'Europe selon les années. Un peu partout, dans les campagnes andalouses, on aperçoit les grands nids des cigognes blanches ou noires, on croise des groupes de grues picorant dans les champs. Le paradis absolu des ornithologues est bien sûr le parc de Doñana, dont les vastes marécages accueillent des centaines de milliers de flamants, de canards, de foulques, de spatules, de hérons, d'ibis. Et quelques espèces très rares comme le foulque cornu (*focha cornuda*), un canard noir doté de deux petites "cornes" rouges au sommet du crâne. Enfin, si la plupart des fonds marins d'Espagne du Sud recèlent des espèces de poissons les plus courantes en Méditerranée (sardines,

GEOPANORAMA

rougets, daurades, etc.), ils se situent aussi, de par leur ouverture sur l'Atlantique, sur la route de migration de nombreuses espèces de cétacés. Au large de Tarifa ou de Gibraltar, vous pourrez ainsi observer baleines, cachalots et orques (plus rares), ainsi qu'un grand nombre de dauphins. Enfin, la migration des grands thons a donné lieu depuis l'Antiquité à la fameuse pêche à la madrague, à l'aide de grands filets fixes.

Climat

La diversité climatique de l'Espagne répond à celle du relief. La Meseta est caractérisée par un climat continental extrême, avec des étés caniculaires et des hivers parfois glaciaux. Les côtes septentrionales baignent, au sens propre, dans un climat océanique frais et pluvieux. Au sud de l'Espagne, on trouve un climat méditerranéen extrêmement sec. Les températures estivales de cette région sont les plus élevées d'Europe. Elles dépassent souvent les 40°C à l'ombre de juin à septembre. La vallée du Guadalquivir connaît ainsi des hivers doux et très plaisants, et des étés torrides. Sur les côtes, en revanche, le climat reste agréable toute l'année, car les brises marines estivales diminuent la sensation de chaleur. Le vent soufflant plus à l'ouest, sur la Costa de la Luz, fait le bonheur des véliplanchistes qui, à Tarifa, ont trouvé leur Mecque. De manière générale, les massifs de l'arrière-pays connaissent des températures moins élevées que la plaine, des hivers plus froids. Pour ce qui est des précipitations, le sud de l'Espagne est une terre de forts contrastes. Vers l'est, la proximité de l'anticyclone saharien renforce la sécheresse estivale. La région d'Almería est la plus aride d'Europe, avec 100mm de précipitations, qui se réduisent certaines années à un ou deux jours de pluie. À l'opposé, la sierra de Grazalema, près de Ronda, est réputée comme la zone la plus humide du pays, avec une moyenne annuelle de 2 200mm. En montagne, les pluies hivernales se transforment en neige avec l'altitude, surtout dans la sierra de Cazorla et la sierra Nevada. Cette dernière possède un vaste domaine skiable, le plus méridional d'Europe. Les pistes restent en général ouvertes jusqu'en mai.

Histoire

Antiquité

Jusqu'à l'arrivée des Romains, la péninsule Ibérique est conçue comme un "bout du monde". Son relief cloisonné et son ouverture vers l'Europe, la Méditerranée et l'Atlantique ont encouragé le brassage de populations très diverses. Dans la partie méridionale du pays, correspondant à l'Andalousie et au Levant, deux civilisations, dont les sources grecques et phéniciennes ont gardé de nombreuses traces, se développent. Dans la vallée du Guadalquivir et la région de Huelva, les mystérieux Tartessiens (IXᵉ-VIᵉ siècle av. J.-C.) provoquent l'admiration des premiers voyageurs grecs par la richesse et le raffinement de leur éphémère civilisation. Cette dernière serait née des contacts entre les populations locales et les marchands phéniciens, qui fondent la colonie de Gades (vers 1100 av. J.-C.) sur le site de l'actuelle Cadix. Les Phéniciens découvrent là des terres riches en minerais, notamment aux alentours de l'actuelle Huelva (Minas de Ríotinto). Dans le même temps, la culture ibère se développe plus à l'est, dans les provinces d'Alicante, de Murcie et d'Albacete. Les premiers voyageurs grecs, attirés par des richesses minières devenues légendaires, arrivent dans la région au VIᵉ siècle av. J.-C. Ce sont eux qui utilisent pour la première fois le nom *Iberia*. Les peuples méditerranéens, très tôt civilisés et habitués aux échanges avec les Phéniciens et les Grecs, vont ensuite se prêter sans trop de résistance à la romanisation. Au centre, au nord et à l'ouest de la péninsule se sont installées dès le IXe siècle av. J.-C. des peuplades celtes. Leur tradition guerrière et leur société moins sophistiquée expliquent une résistance plus grande aux envahisseurs romains. Se mélangeant peu à peu aux populations ibères, elles vont donner naissance à la culture celtibère. Enfin, dans les massifs côtiers du Nord et les montagnes des Pyrénées occidentales vivent les Basques, les Astures et les Cantabrais, peuples représentant des cultures isolées et réfractaires qui résisteront presque totalement à la romanisation.

l'*Hispania* romaine

C'est avec sa colonisation par Rome que la péninsule va pour la première fois se présenter comme un territoire unifié géographiquement et culturellement. Mais la présence romaine dans la région n'est pas née d'une volonté impérialiste. Elle découle du conflit qui l'oppose à sa grande rivale Carthage pour le contrôle de la Méditerranée. En 241 av. J.-C., Rome gagne contre Carthage la première guerre punique, privant du même coup son ennemi de ses bases en Corse, en Sicile et en Sardaigne. Les Carthaginois se tournent alors vers la péninsule Ibérique, attirés eux aussi par sa grande richesse en minerais, et prennent possession des régions méridionales. En 226 av. J.-C., Romains et Carthaginois signent le traité de l'Èbre, délimitant leurs zones d'influences respectives : au nord de l'Èbre pour Rome, au sud pour Carthage. C'est alors que les armées carthaginoises d'Hannibal attaquent Sagunto (au nord de Valence) en 219. Sagunto est située au sud de l'Èbre, mais les Romains la considèrent comme une ville alliée. Ils répondent donc à l'attaque en déclenchant la seconde guerre punique. En 218, les soldats romains débarquent en Espagne (*Hispania*). En 206, Scipion l'Africain prend la principale base des Carthaginois, *Carthago Nova* (actuelle Carthagène). Peu après, il conquiert le dernier bastion carthaginois : *Gadir* (Cadix). La victoire est totale. Découvrant le potentiel agricole et minier des lieux, les Romains ne s'en tiennent pas là. Commence alors un long processus de romanisation. En 197 av. J.-C., Rome crée les deux provinces d'*Hispania Citerior* ("la plus proche", dans le Levant) et d'*Hispania Ulterior* ("la plus lointaine", en Andalousie). La conquête de la partie centrale et septentrionale de la péninsule sera difficile, en raison de la résistance farouche des populations celtibères. La pacification définitive de ces régions ne sera acquise qu'en 133 av. J.-C., avec la prise de *Numancia*. Pendant un siècle, l'*Hispania* connaîtra de nombreux affrontements, cette fois liés aux querelles intestines de l'époque républicaine romaine (IIe-Ier siècle av. J.-C.). Sertorius, qui a dû fuir Rome, fonde en Hispanie son propre gouvernement. Mais il est assassiné en 72 av. J.-C., et l'armée romaine de Pompée rétablit l'autorité de Rome sur la région. En 59, Jules César se dirige vers l'Hispanie après avoir franchi le Rubicon, déclarant la guerre aux partisans de son rival Pompée. La péninsule hispanique, pro-Pompée, est le théâtre de nouveaux affrontements, dont César sort vainqueur en remportant la bataille de *Ilerda* (Lérida). Dès lors, la majeure partie de la péninsule jouit de la *Pax romana* et connaît une ère de grande prospérité, qui culmine à l'époque impériale (Ier-IIe siècle ap. J.-C.). Elle est désormais divisée en trois provinces : la *Bética* (avec pour capitale *Corduba*, Cordoue), la *Lusitania* (Mérida) et la Tarraconensis (plus au nord, avec pour capitale *Tarraco*, Tarragone). La langue latine et le mode de vie romain se répandent rapidement. Les villes se développent en respectant les critères architecturaux romains et on y construit de grands édifices publics et religieux. En Andalousie, *Itálica* (la première ville fondée, en 206 av. J.-C.), *Hispalis* (Séville) et *Corduba* comptent parmi les cités les plus prestigieuses. *Itálica* donnera à Rome deux empereurs : Trajan (de 98 à 117 ap. J.-C) et son successeur Hadrien (117-138). À Cordoue, les arts et lettres se développent au sein de l'aristocratie locale, comme en témoignent les œuvres du grand rhéteur Sénèque, de son fils le philosophe Sénèque (Iᵉʳ s. ap. J.-C.), ou encore celles du poète Lucain (vers 39-65 ap. J.-C.), enfants du pays. Dans le même temps, les échanges commerciaux (huile, vin, poisson, artisanat, minerais) prospèrent avec la métropole, grâce à l'établissement de ports de commerce, notamment *Gades* (Cadix) et de pêche, tels que *Baelo Claudia* (près de Tarifa), et à la construction d'un réseau de voies terrestres sans précédent. La plus importante d'entre elles est la célèbre *Via Augusta* : de Cadix, elle remonte tout le bassin du Guadalquivir, avant d'obliquer vers l'est en direction de Carthagène, puis au nord vers la Gaule, en passant par Valence. Des ponts de facture très solide sont construits, notamment celui qui enjambe le Guadalquivir à Cordoue. Mais après trois siècles de stabilité et de prospérité, la situation commence à se détériorer.

les Wisigoths

La crise politique qui secoue Rome de 235 à 285 ap. J.-C. affecte les provinces hispaniques, qui sont régulièrement attaquées par des tribus venues du nord des Pyrénées. Les villes commencent à perdre de leur éclat. Finalement, en 409, l'invasion de la péninsule par les Vandales, les Suaves et les Alains vient mettre fin à la domination de Rome sur la péninsule Ibérique. Les Suaves occupent la Galice. Les Vandales s'installent dans l'ancienne *Bética* (ils pillent *Hispalis* en 426) et y resteront vingt ans avant de partir pour l'Afrique du Nord. Certains ont voulu y voir l'origine du nom Andalousie, qui serait une déformation de Vandalousie. Rien n'est moins sûr. En 415, devant l'ampleur du désastre, l'empereur romain Honorius signe un pacte avec les Wisigoths : il leur accorde des territoires dans le sud de la Gaule, s'ils acceptent de débarrasser l'Hispanie de ses envahisseurs. Les Wisigoths arrivent donc à leur tour et, à la chute de l'Empire romain (fin Vᵉ siècle), ils s'établissent à Tolède. Le siège du pouvoir wisigoth se trouve alors à *Arelate* (Arles), et l'Hispanie devient une province administrée par un comte. Mais en 507, la victoire des Francs à Vouillé (près de Poitiers) chasse les Wisigoths vers la péninsule. Ils y établiront un royaume dont la capitale sera d'abord Barcelone (531), puis Tolède à partir de 561. Ils dominent presque tout le territoire en 585. Dans le nord, les irréductibles Basques, Cantabrais et Astures résistent toujours. Au sud, les Byzantins tiennent les régions de Carthagène et de Málaga, ainsi que les Baléares. Du royaume wisigoth, on sait finalement peu de chose. L'absence de rébellions des populations hispano-romaines laisse penser que les Wisigoths changèrent peu le système politique et fiscal introduit par leurs prédécesseurs. Le christianisme s'était répandu très tôt en Hispanie et l'empereur Constantin en avait fait la religion officielle de Rome en 312. Cette religion, majoritaire à l'arrivée des Wisigoths, se développe sous leur règne. En 560, elle est déclarée religion d'État. L'Église et plus particulièrement les évêques jouent un rôle essentiel dans la vie politique. Ce qui se traduit notamment par la persécution des communautés juives du pays. L'*Hispania* romaine comptait à son apogée quelque 4 millions d'habitants. Ils ne sont pas plus de 2 millions en 711. Entre-temps s'est installée une lente décadence, avec plusieurs épisodes de peste et de famine. Le royaume est marqué par les incessantes intrigues et usurpations auxquelles se livrent les puissants pour s'asseoir sur le trône. Une manie qui sera fatale au pouvoir wisigoth. Quand le roi Witiza meurt en 710, deux partis s'affrontent : celui d'Akhila II, son fils, et celui de Roderick, seigneur de la *Bética*, qui s'empare finalement du trône. Son règne durera quelques mois.

Al-Andalus

Depuis la mort de Mahomet en 632, les successeurs du Prophète, ou califes, vont de conquête en conquête au Moyen-Orient. Ils occupent à présent toute l'Afrique du Nord, devenue une province du grand califat de Damas sous le nom d'*Ifriqiya*. Longtemps, la peur des furies océanes a limité les incursions de l'autre côté du détroit. Le gouverneur d'*Ifriqiya*, Musa ibn Nusayr, restera dans l'histoire comme celui qui ordonna la conquête musulmane de la péninsule Ibérique. Fut-il réellement, comme certains le pensent, appelé à la rescousse par Akhila II, désireux de mettre à bas le pouvoir usurpé de Roderick ? Ne fit-il que profiter de la confusion régnant de l'autre côté de la mer ? La légende veut même que ce passionné d'astrologie ait vu en rêve que son destin était de conquérir l'Espagne... Quoi qu'il en soit, l'ordre est donné de traverser le détroit. Cette expédition, menée par Tariq ibn Ziyad, va changer pour toujours l'histoire de la région. Cette dernière prend presque aussitôt un nom qui deviendra bientôt légendaire : *Al-Andalus*. En avril 711, Tariq débarque près de l'actuelle Algésiras, à la tête de 7 000 hommes à peine, pour l'essentiel des Berbères. Trois mois plus tard, il remporte contre les soldats wisigoths du roi Roderick la grande bataille du Guadalete. Tariq aurait ordonné au préalable que l'on brûle ses navires : c'est le début d'une longue marche en avant. Ses troupes remontent le cours du Guadalquivir et, en octobre, atteignent Cordoue. Bientôt, elles prennent Tolède, ancienne capitale du royaume wisigoth. En 713, ils sont à Saragosse, puis en 719 atteignent Barcelone, avant de franchir les Pyrénées jusqu'au bas Languedoc (Septimanie wisigothique). L'arrêt de cette marche vers le nord est essentiellement dû à des révoltes berbères en Afrique du Nord et en Espagne. Et, bien sûr, à la fameuse victoire de Charles Martel à Poitiers en 732. En 751, *Al-Andalus* est intégré à l'Empire musulman, comme émirat dépendant du califat omeyyade de Damas. En 755, la situation reste confuse et les différents gouverneurs qui se disputent terres et pouvoirs en Espagne dépendent de moins en moins du calife de Damas.

l'Andalousie des Omeyyades

756 marque un tournant décisif dans l'histoire d'*Al-Andalus*. Abd al-Rahman Ier, seul survivant de la dynastie des Omeyyades, récemment détrônée et massacrée par les Abbassides, arrive à Cordoue après des mois de fuite. Il prend vite le pouvoir et rompt les liens politiques avec le calife abbasside de Damas en proclamant l'émirat indépendant de Cordoue. Seule concession : le statut d'émirat reconnaît toujours l'autorité du calife de Damas en matière de religion. Cordoue devient le centre d'une civilisation qui provoque l'admiration de tous les voyageurs. La mosquée de Cordoue est érigée en 785. Les musulmans ne sont pas hostiles à l'égard des juifs et des chrétiens, considérés comme des religions du Livre : pour l'islam, Abraham et Jésus sont des prophètes légitimes, précédant Mahomet. Ils conservent leur liberté de culte, en échange du versement d'un tribut dont sont exemptés ceux qui se convertissent à l'islam. Les villes de Cordoue, Málaga, Grenade ou encore Tolède comptent d'importantes communautés juives. Les juifs cohabitent en paix avec les musulmans et les mozarabes, c'est-à-dire les autochtones demeurés chrétiens, par opposition aux

muladies convertis à l'islam. Les campagnes andalouses prospèrent comme jamais auparavant, grâce à l'introduction de nouvelles techniques d'irrigation. *Noria* (roues à eau), *acequia* (canal d'irrigation), *aljibe* (citerne), l'essentiel du vocabulaire espagnol dans ce domaine vient de l'arabe. Les musulmans apportent avec eux les moulins à eau et à vent, le coton, la canne à sucre, le riz et la soie, dont Grenade devient un important centre producteur. *Al-Andalus* possède des villes d'une beauté et d'un degré de civilisation enviés de tous. Cordoue (100 000 hab.) ou Tolède (35 000 hab.) sont les cités les plus importantes d'Europe. De temps à autre, l'émirat de Cordoue reprend les armes et part mater quelque rébellion locale, ou combattre les infidèles qui occupent les régions du nord de la péninsule. Les territoires de Castille, de León et de Navarre, demeurés aux mains des chrétiens, doivent ainsi payer un tribut annuel et affronter régulièrement les puissantes armées venues du sud. De 886 à 912, Cordoue fait face à de multiples révoltes régionales, dont celle d'Ibn Afsun, seigneur de Bobastro, qui mettra en péril le pouvoir omeyyade. Mais l'émir Abd al-Rahman III, arrivé sur le trône en 912, réduit une à une les résistances et rétablit définitivement l'ordre en 928. Le prestige dont jouit *Al-Andalus* dans le monde musulman est alors à son comble. Abd al-Rahman III en profite pour sauter le pas de l'indépendance politique mais aussi religieuse d'*Al-Andalus* en proclamant le califat de Cordoue (929). Commence alors une courte période de gloire. Abd al-Rahman III fait construire à quelques kilomètres de Cordoue une magnifique ville califale, la Medina Azahara. C'est l'âge d'or des Omeyyades, qui continue sous le règne du fils d'Abd al-Rahman III, Al-Hakam II. En 976, à la mort de ce dernier, le pouvoir revient à son fils Hisham II, âgé seulement de onze ans. Mais c'est un jeune vizir intelligent et ambitieux qui, à force d'intrigues, va prendre en coulisses la place du calife. Ses glorieuses campagnes contre les chrétiens lui vaudront son nom d'Al-Mansûr (Almanzor), "le victorieux". En 997, ses armées saccagent la ville sainte de Saint-Jacques-de-Compostelle. En 1002, Al-Mansûr est tué au combat. C'est le début du déclin de Cordoue. La guerre civile qui fait rage à partir de 1008 entraînera en 1031 la chute définitive du califat et l'émiettement d'*Al-Andalus* en une multiplicité de petits royaumes, les taifas.

des taifas aux Almohades

Berbères à Grenade et à Málaga (Hammudies), Slaves (d'anciens esclaves affranchis et mercenaires, qui occupaient souvent les postes très élevés sous le califat) à Almería et à Valence, les nombreuses ethnies en présence se partagent le gâteau. À *Isbiliya* (Séville), la dynastie arabe des Abbadides bâtit un puissant royaume. Mais la chute du califat a affaibli l'Espagne musulmane. C'est au tour des rois musulmans de se voir harcelés par les seigneurs chrétiens du nord et de leur verser des tributs en échange de la paix : les *parias*. Les armées chrétiennes ne cessent de gagner du terrain. En 1085, Alfonse VI de Castille s'empare du royaume de Tolède. Acculés, les rois arabes de Séville et Badajoz font appel aux Almoravides, qui viennent de conquérir le Maroc. Ceux-ci remportent de nombreuses victoires contre les chrétiens et s'efforcent de remettre en ordre et d'unifier à nouveau *Al-Andalus*. Vers 1140, les Almoravides sont supplantés au Maroc par une autre dynastie, les Almohades. Ces derniers s'emparent de l'Andalousie en 1146 et font de Séville la capitale de leur royaume. L'Espagne musulmane vit son dernier sursaut culturel et militaire. En 1212, la victoire des chrétiens à Las Navas de Tolosa sonne le glas des ambitions almohades. En 1266, tout l'ouest d'*Al-Andalus* est repris par les chrétiens. Seul résiste encore le puissant royaume nasride de Grenade, qui s'étend de Gibraltar à Almería.

la reconquête chrétienne

Pendant des siècles, les seigneurs chrétiens du Nord sont impuissants à contrecarrer le pouvoir militaire des Omeyyades. Pélage, un noble wisigoth qui a fui devant l'avancée des armées musulmanes en 711, s'est réfugié dans les montagnes asturiennes. De là, il organise la résistance des tribus de la région, et parvient même à remporter une victoire légendaire contre les musulmans, en 722 à Covadonga. Ce noyau de résistance donnera naissance au royaume d'Asturies-León. Plus à l'est, et notamment sur les terres reconquises par Charlemagne, se forment de petits territoires chrétiens : la Catalogne, l'Aragon, la Navarre. La Castille, qui n'était qu'un comté dépendant des Asturies, proclame son indépendance au Xe siècle. Peu à peu, à partir du IXe siècle, ces minuscules principautés vont chercher à étendre leurs terres vers le sud, aux dépens des musulmans mais également les uns des autres. En 813, la découverte en Galice de ce que l'Église présente comme le tombeau de l'apôtre saint Jacques fait de la ville de Saint-Jacques-de-Compostelle un lieu saint, et la destination d'un important pèlerinage. Elle sert aussi de motivation morale pour unifier les chrétiens et faire germer l'idée d'une reconquête des territoires du Sud. La décomposition du califat a rendu plus pressante la menace des chrétiens du Nord. En 1037, Ferdinand Ier règne sur la Castille et le León. En 1085, son fils Alphonse VI conquiert Tolède, site stratégique pour les musulmans. Pendant un peu plus d'un siècle, l'arrivée des Almoravides puis des Almohades fait reculer les chrétiens, en proie à des luttes intestines et des guerres civiles dues à de tumultueuses successions. Rodrigo Diaz de Vivar, plus connu sous le surnom d'El Cid, s'empare ainsi de Valence en 1094 pour son propre compte et au détriment d'Alphonse VI, et défendra cette ville arabe contre les Berbères. Certains mercenaires chrétiens participent même un temps à la lutte des Almoravides contre les Almohades. 1212 est une date charnière : les rois de Castille, Aragon et Navarre s'unissent enfin pour affronter ces mêmes Almohades à Las Navas de Tolosa. Ils profitent de la présence dans leurs rangs des chevaliers de Saint-Jacques, de Calatrava et d'Alcántara. Des ordres religieux et militaires qui joueront un rôle essentiel dans la Reconquête et recevront en échange de nombreux territoires en Andalousie. Les Almohades sont mis en déroute. La fin de leur éphémère royaume est proche.

les années décisives

En 1236, Ferdinand III le Saint, roi de Castille et León, prend Baeza, puis Cordoue. En quelques années, il contrôle la vallée du Guadalquivir, de Jaén (1245) à Séville (1248). Il meurt en 1252, laissant le soin à son fils Alphonse X le Sage de continuer son œuvre. Ce qu'il fait, reprenant Cadix, Murcie et Carthagène en 1264. Les premières années du règne d'Alphonse X (1252-1284), érudit passionné de cultures musulmane et juive, resteront comme l'époque dorée de la coexistence entre chrétiens et mudéjars (les musulmans qui demeurèrent après la Reconquête). À Tolède et à Séville, le roi crée des écoles de traducteurs pour sauvegarder les grands textes des trois cultures, à Murcie une université pluriculturelle. Mais en 1264, l'imposition de taxes supplémentaires et l'obligation de changer leurs coutumes conduisent les mudéjars à se soulever. Ils seront finalement expulsés de Jaén, puis de Séville et Cordoue, à destination de Grenade ou du Maroc. En 1246, Ferdinand III avait rencontré le tout nouvel émir de Grenade Mohammed ibn Nasr, fondateur du royaume nasride sur un territoire arraché aux Almohades. Il s'était engagé à respecter les frontières de son futur royaume, en l'échange d'un tribut annuel et de son aide pour reprendre Séville aux Almohades. D'*Al-Andalus* ne subsiste plus alors que l'enclave nasride de Grenade, qui s'étend du sud de la région de Murcie jusqu'à Málaga et résistera jusqu'en 1492. Pendant plus de deux siècles, les petits villages fortifiés à la frontière entre royaumes nasride et castillan seront le théâtre de combats épisodiques. Les nombreux noms de localités qui finissent par "de la Frontera" sont un souvenir de cette époque.

les Rois Catholiques

Du XIIIᵉ au XVᵉ siècle, la domination castillane devient de plus en plus marquée. Mais la Couronne est minée par des luttes de succession et des querelles permanentes entre le pouvoir central et les nobles. L'un d'eux, Henri de Trastamare, assassine même le roi Pierre Iᵉʳ le Cruel en 1369. Au XIVᵉ siècle, l'Espagne connaît de mauvaises récoltes qui amènent la famine, et dans son sillage une grande épidémie de peste en 1348. À la fin du siècle, les communautés juives sont désignées comme bouc émissaire, et victimes de pogroms dans toute la péninsule. Isabelle de Castille et Ferdinand II d'Aragon se marient en 1469, avant d'accéder au trône respectivement en 1474 et 1479. Dès 1478, ils mettent en place l'Inquisition, dont la tâche principale sera de harceler les juifs. En 1492, ces derniers sont sommés de se convertir ou de s'exiler : 150000 juifs partent pour le Portugal puis l'Afrique du Nord et la Turquie. Ils formeront la communauté séfarade (Espagne, en hébreu). Les autres se convertissent au moins officiellement : on les appellera *marranes* (convertis). L'Inquisition leur fera souffrir mille sévices, et plus d'un finira sur le bûcher. Au milieu du XVIᵉ siècle est créé un certificat de *limpieza de sangre* (pureté de sang). La répression devient plus féroce encore sous le règne de Philippe II (1556-1598). Les juifs sont finalement expulsés en 1609. En 1482, Ferdinand et Isabelle lancent une véritable croisade contre le royaume nasride. Alhama de Granada puis Málaga tombent la même année. Les bastions des montagnes de la province de Málaga résistent plus longtemps. Enfin, en 1492, c'est la chute de Grenade. La plupart des musulmans partent pour le Maroc. Ceux qui restent sont d'abord bien traités. Mais des expropriations abusives et l'attitude intolérante des autorités provoquent une révolte en 1500. Sur les conseils de l'Inquisition, les Rois Catholiques résolvent la question de manière brutale en 1502. Comme les juifs en 1492, les musulmans ont le choix entre partir (ce qui impliquait quitter leurs enfants après le versement d'une forte somme) ou se convertir. La plupart des 300000 musulmans choisirent de se convertir, ou plutôt d'être baptisés. Les *moriscos* (morisques), comme on les appellera désormais péjorativement les convertis, sont exilés dans les montagnes des Alpujarras. Ils seront finalement expulsés d'Espagne après la révolte des Alpujarras en 1568-1572. En 1492, juste après la prise de Grenade, Isabelle et Ferdinand accordent enfin à Christophe Colomb ce qu'il leur demandait en vain depuis des années : leur appui pour tenter de gagner les Indes par l'ouest. La première expédition quitte Palos de la Frontera, près de Huelva, le 3 août 1492. Le 12 octobre, Colomb accoste sans le savoir sur les rives d'un nouveau continent. Trois autres voyages suivront (cf. GEORégion Huelva, Découvrir les environs). Isabelle et Ferdinand reçoivent au passage le titre de Rois Catholiques, que leur attribue le pape en 1494, et meurent respectivement en 1504 et 1516.

l'Espagne impériale

À la mort de Ferdinand, le pouvoir passe aux mains de son petit-fils Charles (Carlos). La mère de ce dernier est Doña Juana ou Jeanne la Folle, fille des Rois Catholiques, dont ceux-ci ne voulaient pas comme héritière. Son père est Philippe le Beau, héritier de Maximilien Ier, saint empereur germanique. En 1517, Charles Ier hérite donc d'un immense royaume : Castille, Aragon, colonies d'Amérique, Navarre, Sardaigne, Sicile et Naples. Il met plusieurs années à faire accepter son autorité en Espagne. En 1520, il est préféré à François Ier et prend la tête du Saint Empire germanique sous le nom de Charles Quint. Au total, il possède désormais quelque 70 titres. Sous son règne a lieu la conquête des Amériques par Hernán Cortés et Francisco Pizarro, qui s'emparent avec violence des empires aztèque et inca. Avec la découverte des gisements d'or du haut Pérou en 1545, les richesses affluent en Espagne. Séville, plaque tournante des échanges avec les Amériques, devient le centre du commerce mondial. Elle restera la ville la plus prospère d'Espagne jusqu'à 1680, date à laquelle elle doit partager avec Cadix la poule aux œufs d'or. Deux siècles de splendeur économique, architecturale et artistique pour Séville et l'Andalousie. L'Espagne impériale règne sans partage sur l'Europe de l'Ouest, grâce à la toute-puissance de sa flotte. Charles Quint guerroie sans relâche, dilapidant ainsi l'argent des colonies : contre François Ier, contre l'Italie (il fait même emprisonner le pape en 1527 !), contre les Ottomans en Afrique du Nord et à Venise. En 1541, les Espagnols essuient une cuisante défaite devant Alger contre ces derniers. La Réforme luthérienne s'est développée sous le règne de Charles Quint. En 1555, il perd l'Allemagne, demeurée aux mains des Princes Protestants, et abdique, laissant le pouvoir à son fils Philippe II. La Contre-Réforme fait rage. Philippe II est animé d'un véritable fanatisme religieux, qui s'exprime dans la terrible persécution des marranes et des morisques, qui seront finalement expulsés par son héritier, Philippe III. La domination des Habsbourg espagnols sur l'Europe reste bien réelle. Mais en 1588, la soi-disant Invincible Armada espagnole échoue dans sa tentative d'envahir l'Angleterre. L'Espagne a perdu sa maîtrise des mers, ce qui entraînera à terme la perte des colonies. Le XVIIe siècle est marqué par une série de famines et d'épidémies, qui déciment notamment la population andalouse. L'empire, engagé dans d'incessantes guerres, commence vraiment à décliner dans les années 1640, avec les révoltes du Portugal et de la Catalogne et une succession de défaites contre les Français et les Hollandais. En 1648, à la fin de la guerre de Trente Ans, l'Espagne est forcée de reconnaître l'indépendance de ces derniers. En 1659, le traité des Pyrénées reconnaît la victoire de Louis XIV et signe la fin de l'hégémonie espagnole. La guerre de Succession d'Espagne (1702-1714) met un point final à l'empire des Habsbourg. D'un côté, Louis XIV (puisque l'État, c'est lui), qui veut mettre sur le trône espagnol son petit-fils Philippe d'Anjou. De l'autre, l'Angleterre, les Provinces-Unies et l'Empire autrichien qui s'opposent à la création d'une telle alliance franco-espagnole. En 1714, le traité d'Utrecht offre le pouvoir à Philippe d'Anjou. En contrepartie, l'Espagne cède à ses rivaux toutes ses possessions du nord de l'Europe. L'article X stipule que la péninsule de Gibraltar appartient désormais à l'Angleterre. On en parle toujours…

le XVIIIe siècle

Philippe d'Anjou accède au trône sous le nom de Philippe V et inaugure en Espagne la dynastie des Bourbons, qui règne toujours aujourd'hui. Philippe V va mener à bien son projet d'unification du royaume, en abolissant les chartes régionales pour imposer partout les mêmes lois. Il est ainsi le premier roi d'Espagne à proprement parler, c'est-à-dire régnant sur un pays unifié politiquement. Le XVIIIe siècle est une période de reprise économique et le Sud espagnol en profite pour se doter de somptueux édifices baroques, notamment à Séville. Surtout, les fruits du commerce, jusque-là théoriquement réservés à la Castille et aux ports du bassin du Guadalquivir (Séville, Sanlúcar, El Puerto, Cadix), vont enfin être redistribués plus largement. En 1778, un décret libéralise le commerce avec les colonies : Valence, Alicante, Bilbao et Barcelone en seront les principales bénéficiaires. Mais ce décret officialise par ailleurs une situation de fait : le contrôle économique des colonies, où se sont établis des comptoirs anglais, échappe de plus en plus à la Couronne espagnole. Comme dans le reste de l'Europe, le XVIIIᵉ siècle est marqué en Espagne par une forte croissance démographique : la population passe de 7 millions à 11 millions.

Napoléon et la guerre d'Indépendance

À la fin du XVIIIᵉ siècle, l'Espagne se trouve dans une situation explosive. D'un côté, des structures rigides tant au niveau politique qu'économique. La noblesse possède toujours la terre. Le monde clérical et en particulier l'Inquisition sont omniprésents. L'agriculture reste archaïque et l'industrie très limitée. De l'autre, un profond désir de changement, tant chez les paysans oppressés par le joug féodal que dans les villes (Cadix, Bilbao, Málaga, Barcelone) où s'est développée une classe bourgeoise enrichie par le commerce. Les idées des Lumières se répandent au sud des Pyrénées, par l'intermédiaire des journaux. C'est alors qu'éclate la Révolution française. La peur de la contagion incite les autorités à prendre des mesures conservatrices, en suspendant notamment la liberté de la presse (1791). L'exécution de Louis XVI en 1793 entraîne la rupture des relations avec la France : la Convention déclare la guerre à l'Espagne. L'armée espagnole, incapable de réagir, va de défaite en défaite. En 1795, par la paix de Bâle, l'Espagne devient officiellement l'alliée de la France. Les conséquences de cette alliance seront terribles, car l'Espagne est désormais l'ennemie de l'Angleterre. Les guerres menées aux côtés de Napoléon contre le Portugal et l'Angleterre sont un désastre : au cap de San Vicente (1797) puis à Trafalgar (1804), la flotte espagnole est anéantie par les Anglais, qui auront désormais le champ libre dans le commerce avec les colonies d'Amérique latine. L'isolement de ces dernières fait naître des désirs d'indépendance. En 1807, le traité de Fontainebleau engage de nouveau les Espagnols à partir en guerre contre le Portugal avec les Français. Mais lorsque les troupes napoléoniennes pénètrent en Espagne, il devient vite évident que Napoléon a d'autres projets : occuper le pays. En juin 1808 commence la guerre d'Indépendance, qui durera cinq ans. Un conflit doublé d'une guerre civile, puisqu'une partie de l'armée se range du côté de Napoléon, tandis que l'autre résiste. Goya rendra dans ses toiles et ses dessins l'atrocité de cette période. En juillet, Charles IV doit abdiquer au profit de Joseph Bonaparte, frère de Napoléon. En 1808, les Français viennent à bout de Saragosse, Barcelone puis Valence et Alicante. Dans les années suivantes, les villes tombent les unes après les autres. Le gouvernement formé par les patriotes s'était retiré très tôt à Séville, qui sera pendant deux ans la capitale du pays. De là, l'avance des Français le contraint à partir pour Cadix en 1810. La ville résistera farouchement jusqu'en 1812 et le retrait des assaillants. Pendant le siège, le parlement des Cortes rédige une Constitution d'inspiration ouvertement libérale, visant à réformer la monarchie. En 1813, les troupes anglaises de Wellington font reculer les Français, entraînant la capitulation de Joseph Bonaparte, qui s'enfuit en France. En 1814, le traité de Valençay marque la fin de la guerre.

la fin de l'Ancien Régime

Ferdinand VII, le fils de Charles IV, revient en Espagne en mars 1814. Il commence par abolir la Constitution rédigée à Cadix, puis poursuit les libéraux. Il rétablit l'Inquisition. La société de l'Ancien Régime reprend son cours. Ravagée par la guerre, l'Espagne est en ruine. De plus, entre 1810 et 1825, les colonies d'Amérique latine obtiennent l'une après l'autre leur indépendance. L'Espagne est désormais une puissance mineure, et l'économie aura du mal à se remettre de la perte de cet immense marché, qui empêchera en particulier la création d'une industrie digne de ce nom (à l'exception de la Catalogne). En 1820, le commandant Rafael del Riego proclame la Constitution de Cadix et rallie à sa cause les libéraux de Barcelone, La Corogne, Saragosse ou encore Murcie. Ferdinand VII est contraint d'accepter la Constitution et convoque le parlement des Cortes. Cette première expérience libérale durera trois ans, avant que les troupes absolutistes françaises ne rétablissent l'ordre antérieur en 1824. Jusqu'à sa mort en 1833, Ferdinand VII règne en tyran. Cette période a gardé le triste nom de *Decada Ominosa* ("décade abominable") : exécution des libéraux, censure féroce de l'Inquisition, dépression économique, exil massif.

l'instabilité du XIXᵉ siècle

Avant de mourir, Ferdinand a désigné comme héritière sa fille, Isabelle II. Seul problème : la loi salique de 1713 stipule que les femmes sont exclues des successions dynastiques. Don Carlos, le frère du roi, annonce qu'il n'accepte pas la désignation de sa nièce. De 1833 à 1840, les carlistes (ceux qui supportent don Carlos) et les partisans d'Isabelle s'affrontent. En 1840, les carlistes sont battus. Pendant ce temps, le gouvernement libéral convoqué par la régente (Isabelle est mineure) a voté en 1835 un décret qui ordonne la vente des biens du clergé. En 1855 viendra le tour de toutes les terres publiques. L'État, agissant à court terme dans le but de renflouer ses caisses, compromet par là l'avenir du pays : la masse des paysans sans terres s'alourdit, les terrains communaux qui permettaient à ceux-ci de survivre disparaissent et les riches bourgeois monopolisent ces terres vendues à bas prix. Les effets sont particulièrement néfastes en Andalousie. Les années suivantes sont marquées par une grande instabilité politique : libéraux et conservateurs se succèdent au pouvoir, au gré des *pronunciamientos* et des guerres carlistes. En 1868, Isabelle II est renversée. Amédée de Savoie est nommé roi en 1871. En 1873, il abdique et la Première République est proclamée. Mais la situation se détériore vite : la monarchie est rétablie dès 1875. Alphonse XII, fils d'Isabelle II, est nommé roi et Cánovas del Castillo devient Premier ministre. Il forme un gouvernement civil et rétablit une monarchie parlementaire dotée d'un Sénat et d'un Congrès. En 1898, l'Espagne, défaite par la flotte des États-Unis, perd ses dernières colonies : Cuba, Porto Rico et les Philippines. En 1902, Alphonse XIII est nommé roi. Les dernières décennies du XIXᵉ siècle sont marquées par la création du parti socialiste espagnol (PSOE) et l'apparition de mouvements syndicalistes et ouvriers, comme le syndicat socialiste Unión General de Trabajadores (UGT), liés au développement de l'industrie, notamment dans les villes du nord. Les idées de Bakounine puis de Marx se répandent un peu partout et connaissent un grand succès parmi les masses rurales d'Andalousie et de Castille, ainsi que dans les usines de Barcelone. Le premier congrès anarchiste se réunit à Cordoue en 1872. En 1909, un soulèvement des secteurs populaires barcelonais est sévèrement réprimé : c'est la "Semaine tragique". En 1911 est fondée à Séville l'organisation anarchiste Confederación Nacional del Trabajo (CNT), qui restera le principal mouvement ouvrier espagnol jusqu'en 1936.

vers la Deuxième République

L'Espagne reste neutre pendant la Première Guerre mondiale. Elle tire d'abord de grands profits du renforcement de ses exportations vers les puissances en guerre puis, avec le blocus allemand sur l'Atlantique nord en 1917, connaît une brusque récession. Dans une ambiance sociale surchauffée par les nouvelles de la Révolution russe, une grève générale éclate en août 1917. La restauration de l'ordre se fait au prix d'un climat politique désormais très tendu et d'un engouement accru du monde ouvrier pour le syndicalisme : en 1919, la CNT compte 700 000 membres. À partir de 1918, les soulèvements de paysans andalous contre les grands propriétaires se multiplient. En 1921, l'armée espagnole perd 21 000 hommes au Maroc, protectorat espagnol depuis 1912. De 1923 à 1930, Miguel Primo de Rivera prend la tête d'une dictature militaire avec la bénédiction d'Alphonse XIII. En avril 1931, en apprenant la victoire des républicains aux élections municipales, Alphonse XIII abdique. La Deuxième République est proclamée. La gauche gouverne, mais se heurte à une forte opposition. D'un côté, les conservateurs sont hostiles à l'anticléricalisme affiché du gouvernement, aux réformes agraires qui prévoient des expropriations et aux lois imposant un salaire minimum et de meilleures conditions de travail. De l'autre, la CNT provoque des grèves de plus en plus violentes. Dans le Sud, les occupations de grandes propriétés se multiplient. En 1932, une grève paysanne est férocement réprimée (21 morts) à Casas Viejas, près de Cadix. Les syndicats gagnent de nombreux adhérents dans toute l'Espagne du Sud. Les conservateurs aussi s'organisent : ils créent un mouvement de droite, la Confederación Española de Derechas Autonomas (CEDA). Les élections de novembre 1933 amènent au pouvoir une coalition de droite et d'extrême droite. Le Parti radical et la CEDA sont majoritaires. Devant la politique ultraconservatrice du gouvernement, les mouvements sociaux mettent le pays en ébullition. En coulisses, des complots militaires se trament. En octobre 1934, l'UGT et le PSOE appellent à la grève générale. La Catalogne décide alors, après une vaine tentative en 1931, de déclarer son autonomie au sein d'une fédération espagnole. Les mineurs des Asturies prennent les armes et se soulèvent contre le pouvoir. Ce soulèvement pousse le gouvernement à faire venir des troupes coloniales du Maroc et à confier la gestion de la crise à un jeune et déjà prestigieux officier : Francisco Franco. La répression est féroce.

la guerre civile espagnole

En réaction se crée pour la première fois une large alliance électorale entre les partis de gauche. Les élections de janvier 1936 sont ainsi remportées haut la main par le Front populaire : socialistes, Gauche républicaine, Union républicaine et Esquerra catalane. La CEDA domine l'opposition. Tout va désormais aller très vite. Le 13 juillet, des officiers de police assassinent l'un des chefs de l'opposition, José Calvo Sotelo. Un groupe de militaires décide de profiter du choc pour fomenter un coup d'État depuis le Maroc.

Le coup d'État Le but affiché est de restaurer l'ordre et la monarchie. Forts de l'armée coloniale et du soutien en Espagne des carlistes (au total 70 000 hommes), les putschistes débarquent en Espagne. Leur objectif est le centre du pouvoir : Madrid. Bien vite, les deux camps s'organisent, républicains loyalistes contre nationalistes insurgés, reprenant à peu près la carte des élections de 1936 : les grandes villes industrielles du Nord et de l'Est du côté des républicains, le Centre et le Sud plutôt favorable aux conservateurs. Les insurgés prennent très vite Séville, mais se heurtent à une forte résistance dans les principales autres villes. À Valence, en Catalogne et dans le Pays basque, ils échouent complètement. Cordoue résistera longtemps. Mais ils s'emparent de Saragosse, de la Galice, de la Navarre, de la Castille, de Pampelune, de Burgos et de Valladolid. Le coup d'État se transforme alors en une guerre civile qui durera trois ans, marquée par de nombreuses exactions et exécutions sommaires dans les deux camps.

La guerre d'Espagne Séville et la vallée du Guadalquivir deviennent la principale base des nationalistes. Franco, l'un des auteurs du coup d'État, est désigné comme généralissime et chef de l'insurrection. Il s'appuie sur les membres de la Phalange, mouvement d'extrême droite. À Madrid, les républicains s'organisent, les syndicalistes et les communistes entrent dans le gouvernement. Les milices ouvrières sont armées dès octobre. Des volontaires venus des quatre coins du monde, et particulièrement de l'internationale communiste et syndicaliste, forment les Brigades internationales, qui compteront près de 35 000 hommes, dont 10 000 Français. Des intellectuels, comme Hemingway, se joignent au combat. La bataille de Madrid est lancée. Le gouvernement s'exile à Valence, en laissant l'armée républicaine, les milices et les Brigades internationales défendre la ville. Les insurgés obtiennent l'aide de Mussolini et de Hitler, qui leur fournissent matériel, troupes et finances. La France et l'Angleterre, favorables aux républicains, décident pourtant de ne pas intervenir, soucieuses de ne pas compromettre le fragile équilibre du continent. Seule la Russie soviétique soutient le régime, en envoyant des renforts dès octobre 1936. En février 1937, Málaga est prise par les troupes de Franco. L'est de l'Andalousie et Valence resteront républicains jusqu'à la fin de la guerre. Dans les mois qui suivent, les franquistes reprennent les Asturies, Santander et Bilbao. C'est dans le cadre de ces opérations que les avions allemands bombardent et rasent la ville basque de Guernica. Un drame qui a inspiré le célèbre tableau de Picasso. Les dissensions entre les différentes forces du camp républicain, en désaccord sur la manière de continuer le combat, commencent à se faire sentir. En mai 1937, les communistes du PSUC et les républicains de Companys affrontent les communistes du Poum et les anarchistes. Socialistes et communistes s'entre-déchirent. À la fin de l'année, les franquistes isolent la Catalogne, tandis que les Brigades internationales quittent le pays à la demande du gouvernement. Barcelone, où s'était réfugié ce dernier, tombe début 1939. Sans même attendre la fin du conflit, la France et l'Angleterre reconnaissent la légitimité des forces nationalistes. En mars 1939, Franco entre dans Madrid. Des milliers de républicains s'exilent aussitôt, notamment vers la France. La guerre civile prend officiellement fin le 1er avril. Elle a fait 350 000 victimes.

l'Espagne franquiste

Franco règne désormais sans partage sur l'Espagne, avec la bénédiction de l'Église et des militaires. Il est chef des armées, du gouvernement et du parti unique, le FET y de la JONS. Tout commence bien sûr par une féroce répression : 7 000 professeurs sont emprisonnés et 600 exécutés. Marxistes, francs-maçons et juifs sont traqués. Carlistes et phalangistes participent à l'encadrement et à l'embrigadement de la population. L'Église reprend le contrôle de l'éducation, le divorce est supprimé et le mariage religieux rendu obligatoire. Franco doit faire face à des noyaux de résistance républicaine jusqu'en 1950 et à des conspirations visant à rétablir la monarchie des Bourbons. L'Espagne se tient à l'écart de la Seconde Guerre mondiale, puis est mise au ban des Nations unies de 1945 à 1955. La dépression économique et le sous-développement se font cruellement sentir dans certaines régions : environ 1,5 million d'Andalous émigrent dans les années 1950-1970 à la recherche de travail. Mais à partir de 1960, l'Espagne en général connaît une industrialisation et un développement économique sans précédent. La fin du règne de Franco est marquée par la crise économique et les aspirations autonomistes de la Catalogne et du Pays basque, où l'ETA entre dans la lutte armée. En 1969, soucieux d'assurer le futur dictatorial, Franco avait désigné Juan Carlos Ier de Bourbon, petit-fils d'Alphonse XIII, comme son successeur. De fait, Juan Carlos monte sur le trône à la mort de Franco, en 1975.

l'Espagne contemporaine

Ceux qui soupçonnaient Juan Carlos de vouloir reprendre la ligne dure de Franco allaient être surpris : il s'avéra être l'homme idéal pour mettre le pays sur la voie d'une transition démocratique. Adolfo Suárez est nommé Premier ministre par le roi. En 1977 est rétablie la liberté des partis politiques. Les premières élections depuis 1936 sont enfin organisées en 1978. Le parti centriste (UCD) de Suárez l'emporte devant les socialistes du PSOE. La même année est votée par référendum la nouvelle Constitution (qui subsiste toujours). Elle définit les cadres de la monarchie parlementaire. Mais son aspect le plus neuf est l'organisation de l'Espagne comme un État semi-fédéral composé de communautés autonomes. En février 1981, Juan Carlos déjoue avec sang-froid une tentative de coup d'État militaire. En 1982, le PSOE gagne les élections et l'Andalou Felipe González prend la tête du gouvernement. Il y restera quatorze ans, marqués par une lutte sans merci contre l'ETA. En 1986, l'Espagne entre dans la CEE. En 1992, les Jeux de Barcelone et l'Exposition universelle de Séville (Expo' 92) mettent l'Espagne en pleine lumière. En 1996, le Parti populaire (PP) de José María Aznar remporte les élections. Il est réélu en 2000. Il entame une politique d'austérité pour réduire le déficit et le chômage, et il intensifie la lutte contre le terrorisme basque et ses alliés politiques. Il engage l'Espagne dans la guerre en Irak. Le Parti populaire est battu aux élections de mars 2004, marquées par le brutal attentat du 11 mars à Madrid. José Luis Rodríguez Zapatero, du parti socialiste (PSOE), devient chef du gouvernement. En Andalousie, Manuel Chaves (PSOE), ancien ministre du Travail (1986-1990), gouverne la région (Junta de Andalucía). De nouvelles élections, tant au niveau national, que régional sont prévues pour l'année 2008.

Politique

institutions

L'actuelle Constitution espagnole a été adoptée en 1978 par référendum. Elle définit le royaume d'Espagne comme une monarchie parlementaire. Le roi reste le chef de l'État et le commandant en chef des forces armées. Depuis 1975, il s'agit de

Juan Carlos Ier de Bourbon. Il dispose de pouvoirs importants : désignation du chef du gouvernement (représentant le parti majoritaire aux élections), dissolution du Parlement. Mais l'exécutif est aux mains du chef du gouvernement. En 1996, José María Aznar (PP) a succédé à Felipe González (PSOE) et a été réélu en 2000. En 2004, José Luis Rodríguez Zapatero (PSOE) a succédé à Aznar. Le Parlement (*Cortes Generales*) détient le pouvoir législatif. Il est composé de deux chambres : la Chambre des députés (*Congreso de los Diputados*) et le Sénat (*Senado*). Les membres de ces deux chambres sont élus au suffrage universel tous les quatre ans. Le territoire espagnol est divisé en dix-sept communautés autonomes. Chacune possède sa propre assemblée, dirigée par un président élu tous les quatre ans, et associée à un conseil exécutif. Les domaines de la défense, de la politique étrangère, de la justice et de la monnaie sont réservés exclusivement au gouvernement national. Les communautés jouissent d'une certaine autonomie dans les autres domaines. L'Andalousie par exemple dispose d'un réel pouvoir de décision en ce qui concerne l'industrie, les transports, l'éducation, l'environnement, la santé. Certes, les projets les plus ambitieux sont difficilement réalisables sans l'appui financier du gouvernement central. Mais la liberté d'action des assemblées régionales est tout de même remarquable. Les dix-sept communautés sont divisées en provinces, cinquante au total. L'Andalousie en compte huit (Séville, Huelva, Cadix, Cordoue, Málaga, Grenade, Jaén et Almería). Enfin, les municipalités, dirigées par un maire élu tous les quatre ans, possèdent des prérogatives assez étendues. Enclavées sur la côte nord du Maroc, les deux villes autonomes de Ceuta et Melilla ont un statut à part.

principaux partis politiques

Le Parti populaire (PP) appartient à la droite libérale. Le PSOE (Parti socialiste ouvrier espagnol), au pouvoir, est le principal parti de gauche. L'Andalousie, patrie de Felipe González, est l'un des bastions historiques du PSOE. La Gauche unie (IU pour Izquierda Unida) est une petite coalition à majorité communiste. Le Parti andalousiste (PA), comme d'autres partis nationalistes, n'intervient qu'au niveau régional.

Économie

L'entrée de l'Espagne dans la CEE, en 1986, a marqué le début du redressement d'un pays longtemps économiquement en retard. Après la crise du début des années 1990, la politique d'austérité du gouvernement Aznar a rétabli la situation. L'économie espagnole se porte relativement bien et continue d'obtenir de bons résultats au niveau de la croissance, de l'emploi et des finances publiques. Elle occupe désormais le 9e rang mondial. Seule la balance commerciale reste largement déficitaire.

une croissance accélérée

L'Andalousie a longtemps été très en retard économiquement par rapport au reste du pays et un fort contraste opposait le Nord, riche et industriel, au Sud, pauvre et désœuvré. Un déséquilibre qui touchait une large partie de l'Andalousie. Mais le développement de l'agriculture, du tourisme ces vingt dernières années, l'Expo' 92 de Séville et d'importants investissements dans l'équipement et le bâtiment ont apporté à cette région un dynamisme salvateur permettant ainsi de réduire le contraste Nord-Sud. Cette croissance économique, soutenue maintenant depuis une dizaine

GÉOPANORAMA

d'années, a entraîné la création de nombreux emplois et, sur la période 1985-2005, cette évolution a été quatre fois supérieure à la moyenne européenne. Cependant, le taux de chômage reste élevé avec 12% de la population active contre 8% pour l'ensemble de l'Espagne.

agriculture

L'agriculture est un des principaux moteurs de l'économie andalouse : la vallée du Guadalquivir, les serres d'Almería et de Huelva se placent au premier rang des producteurs agricoles de cette communauté autonome. L'huile d'olive (l'Andalousie produit plus de 20% de la production mondiale), les fruits et les légumes génèrent la plus forte rentabilité et représentent un tiers des exportations de produits agricoles. En particulier, un quart des agrumes européens (oranges, citrons et pamplemousses) sont produits en Andalousie, région par ailleurs connue pour ses cultures de tomates, de poivrons et de fraises. Le développement de l'agriculture passe également par la filière biologique qui fédère en Espagne de plus en plus d'agriculteurs. Environ 540 000ha de terres andalouses sont bio, soit plus de la moitié de la surface dédiée à ce mode de culture dans le pays. La quasi-totalité de la production bio est destinée au marché international.

pêche

La flotte de pêche espagnole est l'une des plus vastes du monde. Les principaux ports sont Vigo et La Corogne au nord-ouest, Cadix au sud. Cependant, avec la fermeture de la pêche dans les eaux marocaines et les mesures de politique européenne, ce secteur vit aujourd'hui une véritable mutation pour assurer la modernisation de sa flotte, la pérennité des lieux de pêche mais aussi tout simplement de l'activité. Ainsi, en Andalousie, l'aquaculture est un secteur en expansion : l'élevage de bars et de daurades produit environ 7 000t par an.

industrie

L'axe Séville-Cadix-Huelva constitue le principal pôle industriel andalou. C'est là que se développent les secteurs de la chimie, de la pétrochimie, des chantiers navals et de la construction aéronautique. Mais il faut se tourner vers Málaga pour trouver les nouvelles technologies, notamment l'industrie des télécommunications et du matériel électronique. La bijouterie constitue également un secteur très important : 60% de la production espagnole proviennent du site de Cordoue. Enfin, depuis le début des années 2000, en Andalousie comme dans le reste du pays, le secteur du bâtiment est un moteur de développement économique de premier ordre, notamment pour les infrastructures de tourisme.

construction

Avec le changement de siècle, un des grands moteurs de l'économie espagnole a été la construction. Elle a connu une croissance énorme et les prix de l'immobilier se sont même multipliés par deux en cinq ans dans certaines régions espagnoles. En 2007, cette tendance à la hausse commence juste à s'estomper.

tourisme

Les services occupent près de 66% de la population active et représentent environ 80% du PIB. Le domaine le plus lucratif est évidemment le tourisme : l'Espagne est le deuxième pays touristique d'Europe, juste après la France. Un engouement qui ne s'est jamais démenti depuis le milieu du XXᵉ siècle. Aujourd'hui, ce sont près de 60 millions de personnes qui visitent chaque année le pays dont près de la moitié séjournent en Andalousie. Les zones les plus fréquentées, outre les îles, sont les côtes du sud de l'Espagne : Costa del Azahar (Valence), Costa Blanca (Alicante et Murcie) et enfin la Costa del Sol qui, avec Séville, Grenade et Cordoue, attirent en Andalousie le plus grand nombre de visiteurs. L'intérieur de la région, même s'il connaît une moindre fréquentation, devient au fil des années une destination de plus en plus recherchée. Le secteur touristique fournit environ 12% du PIB andalou, et le nombre d'emplois liés à ce secteur représente 65% des emplois. Mais l'impact sur l'environnement et l'identité des régions concernées est énorme.

Population

une répartition inégale

Les dernières estimations portent la population espagnole à près de 45 millions. Cela correspond à une densité de 89 habitants au km², l'une des plus basses de l'Union européenne. La population est inégalement répartie à travers le pays. Certaines zones rurales ont été quasiment désertées, notamment en Castille et León. À l'inverse, des régions prospères comme le Pays basque (293 hab./km²), la Catalogne (219) ou la Communauté valencienne (201) ont attiré des populations très importantes. L'Andalousie a longtemps alimenté les riches régions du Nord en main-d'œuvre, désertifiant ainsi son arrière-pays. Même si le dynamisme des grandes villes et du secteur touristique tend à enrayer cet exode, la densité reste assez faible : 81 hab./km². Dans le Sud, Valence et Séville commencent à jouer un rôle de contrepoids à la domination de Madrid et Barcelone. Avec près de 8 millions d'habitants, l'Andalousie est la communauté la plus peuplée, devant la Catalogne (7 millions).

une population en mutation

Au cours des 25 dernières années, l'Espagne a subi de profondes transformations sociales. Les comportements et les caractéristiques de la population se sont assimilés à ceux des autres grands pays occidentaux. L'image d'une population espagnole jeune et en forte croissance ne correspond plus à la réalité. Certes, les Espagnols sont jeunes, mais le pays, en ce domaine, vit sur ses acquis. Car depuis 1975, le taux de natalité a fortement régressé pour atteindre, en 2005, 10,1‰, taux inférieur à la moyenne européenne. La tendance commence juste à s'inverser. Le taux de croissance démographique est quasi nul et c'est seulement grâce à l'arrivée massive d'immigrés depuis les années 2000, que la pyramide des âges est en cours de stabilisation. L'image de la famille espagnole typique en subit le contrecoup : la taille moyenne des familles diminue régulièrement et la proportion de personnes vivant seules augmente. Le niveau d'éducation et l'indépendance économique des Espagnoles ont beaucoup progressé. La part des femmes dans la population active, qui n'était que de 20% dans les années 1960, atteint aujourd'hui près de 49%, chiffre qui tend à rejoindre la moyenne européenne. Autre surprise, dans un pays traditionnellement catholique : le nombre de mariages a chuté ces dernières années. Sacrilège : on se marie moins en Espagne que dans tout autre pays d'Europe, Suède exceptée. Le concubinage est de mieux en mieux accepté. Le taux de divorce est au moins aussi élevé que dans le reste de l'Europe et la proportion des enfants nés hors mariage augmente. La famille garde tout de même une grande importance dans la vie quotidienne, surtout dans le Sud. Les différentes générations sortent souvent ensemble. Le domicile reste le lieu de l'intimité familiale : les repas et fêtes entre amis à la maison sont rares. Mais il est vrai que les prix bon marché des restaurants incitent aussi à se retrouver plus facilement à l'extérieur. L'évolution récente des mœurs espagnoles a donc produit un mélange contradictoire et attachant : on préserve les traditions (la gastronomie, les fêtes, la famille), tout en cherchant à être au goût du jour.

émigration et immigration

L'Espagne a longtemps été une terre d'émigration, en raison de son retard économique et des conflits politiques du xxᵉ siècle. En 1969, 3,4 millions d'Espagnols vivaient hors de leur pays, mais ce chiffre a aujourd'hui largement reculé. Avec le boum économique, l'Espagne est même naturellement devenue, depuis les années 1985-1990, une terre d'accueil pour une grande majorité d'immigrés en provenance des pays d'Europe, venus s'installer sur la Costa del Sol et la Costa Blanca. Depuis la fin des années 1990, les mouvements migratoires ont augmenté et évolué, attirant essentiellement des immigrés économiques d'origine marocaine, latino-américaine et d'Europe de l'Est, qui se sont installés sans heurts. Aujourd'hui, les immigrés représentent près de 10% de la population totale espagnole, contre 2,3% en 2000. L'immigration est désormais devenue une question politique de premier ordre.

gitanos

Sur les 600 000 gitans vivant en Espagne, la moitié environ habite en Andalousie. Sans doute originaires du nord de l'Inde, qu'ils auraient quittée au xᵉ siècle, ils sont arrivés en Espagne du Sud au xvᵉ siècle. Ils ont longtemps été harcelés par les autorités. Des brimades continuelles les ont peu à peu amenés à abandonner leur vie nomade. Malgré tout, cette communauté a réussi à préserver en grande partie sa culture et ses coutumes. Une tradition riche, qui a notamment donné à l'Andalousie l'un de ses symboles : le flamenco. Aujourd'hui, même si certains ont réussi à accéder à des fonctions administratives ou économiques importantes, la grande majorité de ses membres vit dans les faubourgs misérables des grandes villes.

Langues

La langue officielle espagnole est le castillan (*castellano*). L'accent andalou risque de dérouter un peu les hispanophones. À Séville et plus encore dans les petits villages, on avale systématiquement le *s* final des mots au pluriel ainsi que bon nombre de syllabes jugées inutiles. *Cansado* (fatigué) devient ainsi "cansao", et poisson se dit "pecao" pour… *pescado* ! Le son de la *jota* (lettres *j* et le *g* dans certaines positions) est plus doux qu'ailleurs, et se prononce dans la plupart des cas comme un *h* aspiré. *Gitana* (gitane) se prononce par exemple "hitana". Quant au double *l*, censé se prononcer comme dans le français "paille", il est en Andalousie plus proche du son "dje".

Ainsi, *lluvia* (la pluie) se dit "djouvia", et non pas "youvia". De plus, les Andalous semblent hermétiques à toute autre forme de prononciation. Au début, la communication peut donc s'avérer délicate. Ne dit-on pas, d'ailleurs, que Felipe González, né Andalou, dut prendre des cours de diction pour se débarrasser de son accent, afin de réussir en politique ? Ne vous inquiétez pas, cependant : avec un peu d'entraînement, on finit par s'y faire. De plus en plus d'Espagnols parlent au moins quelques bribes d'une langue étrangère, notamment ceux qui travaillent dans le domaine du tourisme. En Espagne du Sud, le français est toutefois bien moins répandu que l'anglais, clientèle oblige. De manière générale, l'anglais a supplanté le français comme première langue apprise à l'école. Mais attention : la plupart du temps, il sera plus facile de décrypter l'espagnol lui-même que l'anglais parlé avec un accent andalou. Certaines visites bilingues de grands sites touristiques font vraiment plaisir à entendre…

Architecture

préhistoire

Les vestiges d'architecture préhistorique, pour l'essentiel des constructions funéraires, abondent en Espagne. Les dolmens d'Antequera (2500-1800 av. J.-C.) sont les plus impressionnants de toute l'Europe occidentale : ils atteignent une longueur de plus de 25m. Le site de Los Millares (2700-1800 av. J.-C.), près d'Almería, a conservé d'impressionnants vestiges d'un village fortifié et d'une nécropole. À voir également, les tombes mégalithiques de la Peña de los Gitanos, près de Montefrío (province de Grenade).

époque romaine

Dans les premiers siècles de leur présence dans la péninsule Ibérique (IIe siècle av. J.-C.-Ve siècle ap. J.-C.), les Romains édifient de somptueuses cités. Leur architecture reprend les critères des villes romaines. La ville est fortifiée et traversée par deux rues principales qui se coupent au niveau du forum, espace public par excellence où sont regroupés les monuments civils et religieux. Ils construisent également des aqueducs (Ségovie) et des ponts (Cordoue) monumentaux, ainsi que des bains publics très sophistiqués. Autre legs important de cette période : la tradition des patios intérieurs, reprise avec bonheur par les musulmans puis les chrétiens. À ne pas manquer : les remarquables sites d'Itálica près de Séville ou de Baelo Claudio près de Tarifa et la nécropole de Carmona (près de Séville).

Wisigoths

De la période wisigothe (V[e]-VIe siècle) subsistent en Espagne du Sud quelques monuments religieux. Ils se caractérisent par leur architecture sobre et harmonieuse. À voir : l'Ermita de los Santos Mártires Justo y Pastor à Medina Sidonia. Cet ermitage est le plus vieil édifice chrétien d'Andalousie (630).

Al-Andalus

La longue présence musulmane dans la péninsule se ressent encore fortement de nos jours dans le tracé de certains quartiers et la présence de nombreux monuments.

Le cœur des cités hispano-andalouses était la médina (*al-madinat*) qui était fortifiée et comportait une mosquée (*mezquita*). En s'agrandissant, la population se rassemblait par professions ou ethnies dans différents quartiers, avec chacun sa propre mosquée. La mosquée primitive devenait alors la mosquée principale ou *aljama*. Les communautés juives vivaient dans des quartiers séparés, les *juderías*. Bon nombre de centres historiques et de villages ont gardé en Espagne du Sud le tracé sinueux des ruelles de leur ancienne médina. Les souks, cœur de la vie commerciale, ne se tenaient pas sur les places mais le long des rues. Les villes comptaient de nombreux bains publics ou hammams. L'Andalousie en a gardé quelques-uns, parfaitement conservés. Quand la médina ne pouvait plus accueillir les nouveaux arrivants, ceux-ci s'installaient dans des quartiers à l'extérieur des murailles : les *arrabales*. Les médinas des villes importantes ou stratégiques étaient dominées par un puissant château : alcázar (*al-Qasar*) ou alcazaba (*al-Qasaba*) pour les fortifications indépendantes de la médina et où vivaient les autorités. En Andalousie ont subsisté de nombreuses portes fortifiées musulmanes, qui atteignirent dans les derniers siècles d'*Al-Andalus* un très haut degré de sophistication. À voir : la Judería et la Mezquita de Cordoue ; l'Alhambra et le quartier de l'Albaycín de Grenade ; les alcazabas de Málaga, Antequera, Almería, Alicante, Sagunto ; les villages blancs de la province de Cadix. L'architecture hispano-musulmane est d'une harmonie et d'un raffinement incomparables, encore bien représentée de nos jours en Andalousie. On y distingue plusieurs périodes.

Période califale Elle débute en 756 avec la création de l'émirat de Cordoue par Abd al-Rahman Ier, de la dynastie des Omeyyades. Le manifeste architectural en est la mosquée de Cordoue (785). Elle reprend bien sûr des éléments des grandes mosquées du Proche-Orient, notamment celle de Damas, en Syrie, d'où était originaire l'émir. La mosquée est fortifiée, comporte une tour d'où le muezzin appelait à la prière (le minaret), une grande cour intérieure où les musulmans s'adonnaient aux ablutions rituelles. À l'intérieur, l'espace de prière, dépouillé au maximum, est tout entier orienté vers la niche du *mihrab*, d'où l'imam dirigeait la prière. Mais déjà, on remarque la présence d'éléments originaux, apparus au contact des civilisations qui ont précédé les musulmans en Andalousie. La double rangée d'arcades superposées est un emprunt aux aqueducs romains. Les arcs en fer à cheval (outrepassés) sont un héritage wisigoth. Autres innovations, qui seront une constante dans l'art califal : sur les arches, l'alternance entre la pierre blanche et les briques rouges, et les chapiteaux des colonnes avec des reliefs sculptés en forme de copeaux. Cette architecture connaît son apogée juste après la proclamation du califat par Abd al-Rahman III en 929. Peu après, il fait construire à l'extérieur de la ville une cité somptueuse, la Medina Azahara. L'architecture raffinée de cette dernière, notamment dans le superbe salon d'Abd al-Rahman III, servira de modèle à toutes les constructions postérieures. On fait grand usage des stucs dans l'ornementation des murs. Le stuc est un enduit principalement composé de plâtre, que l'on moule pour composer des motifs variés. Motifs atauriques (décor floral et végétal très stylisé), tracés géométriques, et inscriptions calligraphiques : les motifs sont identiques dans l'ensemble du monde musulman, mais ils ont la réputation d'être plus délicats, réalisés avec plus de minutie en Andalousie. Les décors de stucs encadrant les arcs (*alfiz*) sont une invention de l'art califal. Apparaissent également les séries d'arcs entrecroisés du plus bel effet, les arcs polylobés, les décorations à base d'arcs entremêlés et colorés au-dessus des portes. Autant d'éléments que l'on retrouve dans les derniers remaniements de la mosquée de Cordoue. À voir : Mezquita et Medina Azahara de Cordoue, mosquée (xᵉ siècle) d'Almonaster la Real près d'Aracena (au nord de Huelva).

Période almohade Après la chute du califat, la dynastie des Almohades investit l'Andalousie dans la foulée des Almoravides. Ils s'installent à Séville dans la seconde moitié du xiiᵉ siècle. L'architecture almohade se distingue par l'ampleur des édifices. À Séville, elle s'illustre par une immense mosquée, censée rivaliser avec celle des Omeyyades, à Cordoue. Elle est en partie détruite lors de la Reconquête, mais il en reste l'un des plus beaux minarets du monde musulman : la Giralda. Sur la tour, on remarque une autre caractéristique de l'architecture almohade : les briques sont disposées en petits arcs entrecroisés qui forment losanges ou chevrons, donnant lieu à des jeux d'ombre et de lumière. Ce motif almohade répété à l'infini est appelé *sebka*. Les Almohades développent également les ornementations des façades avec des azulejos (céramiques) colorés. Autre nouveauté : les arcs en fer à cheval, dont le sommet était en demi-cercle à la période califale, prennent la forme d'un arc brisé chez les Almohades. L'Alcázar de Séville était à l'origine le palais fortifié des rois almohades, mais seul le patio del Yeso a été conservé lors du remaniement par Pierre le Cruel. Ce patio témoigne d'une grande maîtrise dans l'ornementation en stuc. À voir : la Giralda, le patio del Yeso dans l'Alcázar et la Torre del Oro à Séville, la mosquée de l'Alcázar à Jerez.

Période nasride Le royaume nasride ne tombera qu'en 1492, plus de deux siècles après le reste d'*Al-Andalus*. Deux siècles pendant lesquels l'architecture hispano-musulmane atteint un haut degré de sophistication. Le palacio Nazaries, dans l'Alhambra de Grenade, est le chef-d'œuvre de cet art. On ne peut pas parler d'innovation, puisque les Nasrides reprennent et assemblent des éléments qui existent déjà. Mais l'harmonie de l'ensemble et le raffinement poussé à l'extrême de la décoration sont uniques. Les stucs sont d'une richesse sans précédent et s'ornent d'une calligraphie légère, les soubassements sont recouverts de céramiques colorées, les plafonds en bois prennent des formes géométriques savamment distillées. Sans oublier les moucharabiehs, ces panneaux de bois ou de pierre ouvragés avec art et incrustés dans l'ouverture des fenêtres. Ou encore les mouqarnas (*muqarnas*), ces petites niches disposées en alvéoles sous les voûtes, et qui rappellent des stalactites.

style mudéjar

Ce style est sans doute le seul genre architectural propre à l'Espagne. Il est représenté dans de très nombreux édifices publics et religieux d'Espagne du Sud construits du xiiiᵉ au xviᵉ siècle. C'est un art de synthèse, né de la coexistence de deux civilisations. Le mot mudéjar vient de l'arabe *mudayyan* (soumis) et désigne les musulmans qui ont signé un pacte leur permettant de rester après la Reconquête, en conservant leur religion et leurs coutumes. Ils habitaient des quartiers séparés et payaient un tribut aux Rois Catholiques. Au début, les chrétiens occupaient les édifices musulmans, y compris les mosquées, consacrées aux rites chrétiens. Mais bien vite s'imposa la nécessité de construire de nouvelles églises et des palais. Les seigneurs chrétiens, impressionnés par l'architecture d'*Al-Andalus*, font alors appel aux artisans mudéjars. Ces derniers jouissaient en effet d'une excellente réputation, car ils construisaient vite et bien avec des matériaux peu coûteux. Mais le style mudéjar ne se réduit pas à une copie des édifices musulmans antérieurs.

GEOPANORAMA

Il adapte les techniques et les motifs hispano-musulmans aux évolutions de l'architecture chrétienne. Ainsi, surtout dans le Nord du pays et à Tolède, un style roman original apparaît au XIᵉ-XIIᵉ siècle. La pierre est remplacée par la brique, mieux connue des artisans et moins coûteuse, les arcs séparant les nefs sont en fer à cheval (au lieu du demi-cercle de l'arc en plein cintre roman), les voûtes sont remplacées par des armatures en bois, le clocher est un minaret aménagé pour y installer des cloches. Plus tard, le gothique s'impose, et les artisans mudéjars mêlent les formes ogivales aux motifs décoratifs musulmans et à l'usage des briques : de ce mélange naît le gothique-mudéjar, très fréquent dans les églises médiévales andalouses. Façades et clochers reprennent la disposition géométrique des briques chère aux Almohades, en y ajoutant souvent des céramiques colorées. Le talent exceptionnel des ébénistes mudéjars s'exprime dans la somptueuse marqueterie des plafonds à caissons ou des poutres. À Grenade, la Reconquête tardive, alors que les styles chrétiens étaient bien établis, limite le mudéjar à quelques édifices secondaires, comme le clocher de l'église San Nicolas. À Málaga, il connaît une grande diffusion, notamment dans la province de la Axarquía (à l'est de Málaga). À voir l'Alcázar à Séville, chef-d'œuvre du genre. Toujours à Séville, les églises Santa Marina, San Pedro et Omnium Sanctorum et les palais de la Casa de Pilatos et de la Condesa de Altamira. À Cordoue, la magnifique voûte de la Capilla Real dans la Mezquita et la synagogue de la Judería. À El Puerto de Santa María, l'église du Castillo de San Marcos, la première église mudéjare d'Andalousie. À Huelva, le monastère de la Rábida. À Carmona, l'église San Mateo.

roman et mozarabe

Le style roman se développe dès le Xᵉ siècle dans les églises du Nord espagnol, notamment le long de l'itinéraire menant à Saint-Jacques-de-Compostelle. Mais lorsque l'Andalousie est reconquise, le gothique s'est déjà imposé : c'est pourquoi le roman est pratiquement inexistant dans cette région. L'église de Santa Cruz à Baeza (province de Jaén) est une remarquable exception. Mais en Andalousie, on trouve de très beaux vestiges d'églises mozarabes, c'est-à-dire édifiées par les chrétiens restés en *Al-Andalus*. Il s'agit souvent d'églises taillées en partie dans la roche, comme les émouvantes églises rupestres de la Virgen de la Cabeza, à côté de Ronda, et de Bobastro, près d'El Chorro (province de Málaga).

gothique

Le gothique, né en France, n'arrive que tardivement en Espagne, dans le courant du XIIIᵉ siècle. Très vite se développent des styles régionaux. En Andalousie, le gothique de la Reconquête se teinte de mudéjar. Au XVᵉ siècle, les rois castillans accueillent des artistes venus d'Europe du Nord, qui apportent avec eux les formes audacieuses du gothique flamboyant, bien connu pour ses flèches et portails ciselés. Avec la cathédrale de Séville (1402-1509) apparaît un gothique aux proportions gigantesques tant en largeur qu'en hauteur, et qui redéfinit l'agencement intérieur des différents espaces liturgiques. À la toute fin du XVᵉ siècle, à l'époque de gloire des Rois Catholiques Isabelle et Ferdinand, une architecture d'une richesse ornementale stupéfiante voit le jour en Espagne : c'est le style isabélin. La pierre des façades et des portails est ciselée comme de la dentelle, intégrant des sculptures de saints, des représentations des emblèmes royaux, mais aussi souvent des motifs d'inspiration mudéjare. Le portail de l'église El Sagrario à Málaga, la façade exubérante du Palacio de Jabaquinto à Baeza (province de Jaén) et surtout la splendide Capilla Real de Grenade (1506-1521, par Enrique Degas) appartiennent à ce genre éphémère. Il faut également savoir que les premiers retables apparaissent dans les églises gothiques du XVe siècle. Ces grands panneaux de bois sculptés et colorés, représentant des scènes saintes, sont le domaine où s'exprime dans toute sa force le talent artistique de l'époque (comme les vitraux en France ou les fresques en Italie). Ils occupent généralement le maître-autel ainsi que certaines chapelles latérales des églises.

Renaissance

Dès la fin du XVe siècle, les richesses nouvelles venues d'Amérique et l'ouverture de l'Espagne sur le reste de l'Europe créent les conditions idéales pour un grand renouveau de l'architecture. Les liens de plus en plus étroits tissés avec l'Italie permettent d'introduire la Renaissance dans les arts espagnols. Mais sa rigueur classique (colonnes, frontons et chapiteaux antiques, statuaire de marbre) sera malmenée par le génie espagnol. Car, entre 1475 et 1550 triomphe une variante nationale à l'ornementation débordante et aux lignes peu orthodoxes : l'architecture plateresque. Son nom lui vient de la ressemblance des façades sculptées au minutieux travail de ciselure réalisé sur les objets religieux de l'époque par les orfèvres (*plateros*). Aux arcs en plein cintre (demi-cercle parfait), aux colonnes et chapiteaux classiques se mêle donc ce décor travaillé, portant les armes des rois et des seigneurs au milieu de motifs gothiques, mudéjars et classiques. La façade de l'hôtel de ville de Séville, réalisée par Diego de Riaño, est une parfaite illustration de ce style. Ensuite, au fil du siècle, l'architecture Renaissance va s'imposer avec de plus en plus d'austérité et de rigueur. Diego de Siloé sera l'un des maîtres de la Renaissance andalouse en édifiant la cathédrale de Grenade. Puis viennent les cathédrales de Málaga, de Cordoue et de Guadix. Le palais de Charles Quint de l'Alhambra (1526-fin XVIe siècle), à Grenade, se présente comme une prouesse d'équilibre et de sobriété. Une œuvre de l'architecte Pedro Machuca, qui a étudié dans l'école de Michel-Ange en Italie. On retrouve cette sobriété un peu austère dans la physionomie de l'Escurial près de Madrid. L'architecte qui supervisa les travaux, Juan de Herrera, donnera son nom à cette architecture Renaissance très proche des canons romains : le style herrerien. Herrera est par ailleurs l'auteur des Archives des Indes à Séville (1583-1646). Enfin, l'un des plus grands créateurs de l'architecture Renaissance espagnole, Andrés de Vandelvira (1509-1576), dont le style classique et harmonieux est pétri d'influences italiennes, fait des merveilles à Jaén (cathédrale), Baeza (couvent de San Francisco) et Úbeda (Capilla del Salvador et palais). À ne pas manquer pour les amateurs du genre.

baroque

Le baroque, art de la Contre-Réforme, envahit l'Espagne aux XVIIe et XVIIIe siècles. Destiné à soutenir la foi au moyen de nombreuses et émouvantes représentations des saints, il se caractérise par sa riche statuaire et son ornementation fournie. Les façades et l'intérieur des églises des siècles antérieurs sont remaniés dans ce sens. À Grenade, Alonso Cano dessine la façade de la cathédrale (1667). Les murs se couvrent de volutes torturées et de stucs colorés aux formes complexes, les retables prennent des proportions gigantesques et se parent de décors exubérants. Ils abritent souvent une niche où est exposée une relique ou une statue de saint, le *camarín*.

Le retable du maître-autel de l'église del Carmen (XVIIIe siècle), à Antequera, est un des sommets du genre. À Séville, Leonardo de Figueroa réalise la belle église del Salvador, et Vicente Acero la manufacture de tabacs. Ce même Acero dessine également les plans de la gigantesque cathédrale de Cadix, dernier grand édifice andalou de ce type, dont les travaux débutent en 1722. Comme toujours, l'Espagne a su adapter d'une manière très particulière un genre architectural venu d'ailleurs. Au début du XVIIIe siècle, la famille d'architectes des Churrigera donne son nom à un style qui pousse jusqu'à l'extrême les lois du baroque. Le style churrigueresque, très présent en Andalousie, se reconnaît aux colonnes salomoniques (vrillées et décorées de motifs végétaux) qui encadrent les portails, aux stucs luxuriants et aux entrelacs de formes géométriques, extrêmement travaillées, qui dominent à l'intérieur. La sacristie de la Cartuja (chartreuse) de Grenade (1727-1764) en est l'illustration la plus aboutie. La ville de Priego de Córdoba (province de Cordoue) est un détour incontournable si vous aimez ce style, car elle compte plusieurs chefs-d'œuvre churrigueresques.

l'ère du "néo" et le modernisme

Du milieu du XVIIIe siècle à la fin du XIXe siècle, la mode est au "néo". Néoclassique d'abord, style qui culmine avec le Prado de Madrid, dessiné par Juan de Villanueva (1739-1811). Mais aussi, et notamment en Andalousie, des styles plus inattendus. L'ancienne gare ferroviaire de la Plaza de Armas (achevée en 1901), à Séville, est ainsi réalisée dans le style néomudéjar, mêlant arcs en fer à cheval et céramiques colorées à une impressionnante coupole en verre et fer forgé. Au début du XXe siècle, dans la lancée de l'Art nouveau, naît en Catalogne le mouvement moderniste. Son chef de file, maître en recherche de nouveaux horizons architecturaux, est le Barcelonais Antonio Gaudí (1852-1926), auteur à Barcelone de la Sagrada Família, de la Pedrera et du parc Güell. Ce courant fut également très vivant dans la région de Valence. Pour la période la plus récente, l'architecte valencien Santiago Calatrava est l'auteur remarqué de monuments aux lignes audacieuses, dont le pont de la Cartuja de Séville.

Peinture et sculpture

art ibère (Ve-IIe siècle av. J.-C.)

C'est l'une des bonnes surprises d'un voyage en Espagne du Sud : les musées archéologiques permettent de découvrir les sculptures ibères, à la forte personnalité. À voir : les lions du Musée archéologique de Cordoue, très impressionnants. Mais le chef-d'œuvre de l'art ibère est une magnifique statue de femme : la *Dame d'Elche* (IVe siècle av. J.-C.), exposée au Musée archéologique de Madrid.

art romain (IIe siècle av. J.-C.-Ve siècle ap. J.-C.)

La présence romaine a laissé derrière elle de somptueuses mosaïques et sculptures monumentales en marbre, ainsi que des sarcophages funéraires et objets en bronze finement ciselés. Les collections les plus remarquables sont celles des musées archéologiques de Cordoue, Séville et Grenade et du Musée municipal de Cadix. À Cordoue, l'Alcázar de los Reyes Cristianos abrite également de très belles pièces. De même que la Casa de Pilatos à Séville. À voir, également, la statue d'éphèbe en bronze du musée d'Antequera.

GEOPANORAMA

art hispano-musulman (VIIIe-XVe siècle)

La sculpture musulmane est indissociable de l'architecture, où l'ornementation joue un rôle essentiel : motifs géométriques et végétaux, calligraphie, mosaïques de pierres semi-précieuses montrent le talent des artistes d'*Al-Andalus*. Parmi les plus belles sculptures, citons les lions de l'Alhambra et l'extraordinaire statue de cerf en bronze qui se trouve au Musée archéologique de Cordoue. Les musées d'Espagne du Sud rassemblent d'importantes collections de céramiques richement décorées, l'un des domaines phares de l'art hispano-musulman. Les artistes étaient passés maîtres dans l'art de fabriquer des vernis aux reflets colorés et métalliques, vraiment captivants. L'orfèvrerie, notamment à Grenade, atteint un haut degré de raffinement, de même que la broderie sur soie et la marqueterie.

gothique (XIIIe-XVe siècle)

La peinture gothique s'épanouit au XIVe siècle en Espagne. La peinture sur bois polychrome, à vocation religieuse (retables), est florissante, notamment en Catalogne. En Andalousie, l'influence flamande est omniprésente dans les œuvres de Juan Sánchez de Castro et Juan Núñez (Séville) ou Pedro de Córdoba (Cordoue). Les statues gothiques en bois coloré, très réalistes, s'inspirent de la sculpture flamande. Représentant des personnages saints, elles sont très présentes dans les églises d'Espagne du Sud, où elles sont l'objet d'une grande vénération. Dans la cathédrale de Séville, la Virgen del Pilar de Pedro Millán en est un bon exemple.

Renaissance (XVIe siècle)

En peinture, l'esthétique de la Renaissance italienne pénètre en Espagne par Valence au début du XVe siècle, par l'intermédiaire de peintres qui ont voyagé à Florence et imitent Léonard de Vinci : Fernando Yáñez et Fernando de los Llanos. Vincente Macip s'inspire de Raphaël. En Andalousie, le peintre d'origine flamande Alejo Fernández est l'auteur de la *Vierge des Navigateurs* (Alcázar de Séville) et du *Christ à la colonne* (musée de Cordoue). À Séville, Luis de Vargas, Luis de Morales et le Belge Pedro de Campaña introduisent le maniérisme, style raffiné développé en Italie. La sculpture sur bois, qui fait encore usage des dorures, atteint un haut degré de raffinement. Les chœurs des principales églises andalouses se parent de stalles en bois ciselé d'une grande finesse. Le travail de la pierre et du marbre entre également dans l'ornementation des édifices publics et religieux. Le plus grand sculpteur de cette période est Bartolomé Ordóñez, mort en 1520 alors qu'il terminait le magnifique monument funéraire en marbre de Jeanne la Folle et de Philippe le Beau (Capilla Real de Grenade).

baroque (XVIIe-XVIIIe siècle)

Peinture Le XVIIe siècle est l'âge d'or de la peinture espagnole. Le baroque, fer de lance de la Contre-Réforme, est particulièrement brillant en Andalousie, qui profite des richesses nées du commerce avec les colonies d'Amérique. L'école sévillane est l'une des plus importantes. Pacheco (1564-1654) aura une grande influence sur ses successeurs, en fixant les canons des représentations religieuses. Zurbarán (1598-vers 1664) réalise de somptueux portraits de saints et de religieux et ses grandes compositions ornent les églises des monastères de la région. Son art, qui mêle mysticisme et réalisme, témoigne d'une grande maîtrise de la lumière. À voir : sa *Crucifixion*, au musée des Beaux-Arts de Séville, ainsi que de nombreuses œuvres du musée de Cadix. Mais la vedette incontestée reste Murillo (1618-1682), comme le prouve son omniprésence dans les églises et musées de la région. Son œuvre fait la part belle aux portraits de la Vierge ou de personnages saints, mais il figure aussi des scènes de rue empreintes d'un tendre réalisme. Elle est représentée dans les plus grands musées du monde. À voir : la salle qui lui est consacrée au musée des Beaux-Arts de Séville. Enfin, le Sévillan Valdés Leal (1622-1690), sans doute le plus "baroque" de tous, est connu pour ses compositions macabres sur des sujets religieux. Ses meilleures œuvres se trouvent à l'Hospital de la Caridad de Séville. Mais la figure majeure du XVIIe siècle reste le grand Diego Velázquez (1599-1660). Né et formé à Séville, il a réalisé l'essentiel de son œuvre à Madrid, comme peintre officiel de Philippe IV. La composition subtile des *Ménines* a eu une grande influence sur l'histoire de la peinture. Sans oublier, bien sûr, l'immense El Greco (le Grec), né en Crète en 1541, mais qui s'installa à Tolède en 1577, après quelques années en Italie. Son œuvre reste l'une des plus originales de l'époque baroque, avec un art des formes et des couleurs plus tourné vers l'émotion que soucieux de réalisme.

Sculpture Les statues de saints, réalisées le plus souvent en bois et richement colorées, atteignent à l'époque baroque des sommets d'émotion. Les meilleurs représentants de cet art sont sans conteste les maîtres andalous, qui réalisent des figures saintes d'une beauté frappante, souvent destinées aux processions de la Semaine sainte. À Séville, Juan Martínez Montañés (1568-1649) est surnommé *el díos de la madera* ("le dieu du bois") pour la magie créatrice dont il fait preuve. Ses sculptures se caractérisent par un réalisme douloureux. À voir à Séville : le *Christ de la clémence* dans le musée de la cathédrale et le *Jésus de la Passion* de l'église du Salvador. Son disciple Juan de Mesa (1583-1627) est connu de tous comme l'auteur du *Jesús del Gran Poder*, la plus admirée des statues baroques et la grande vedette de la Semaine sainte à Séville. À Grenade, Alonso Cano (1601-1667) se distingue par la diversité de ses talents : sculpteur, peintre et architecte, il laisse derrière lui plusieurs chefs-d'œuvre dans chacun de ces arts. À voir : son *Immaculée Conception* dans la cathédrale de Grenade, et l'extraordinaire façade ciselée de cette dernière. Ses élèves connurent aussi la gloire. Tout particulièrement Pedro de Mena, à qui l'on doit les stalles et les deux statues des Rois Catholiques de la cathédrale de Málaga, et Pedro Roldán, dont l'*Enterrement du Christ* à l'Hospital de la Caridad de Séville est une merveille. Sa fille, La Roldana, sera également un grand sculpteur. Certains lui attribuent la statue de la Macarena, autre figure emblématique de la Semaine sainte à Séville.

XIXe siècle

Moins riche que les précédents, ce siècle voit cependant éclore le talent de celui qui occupe, avec Velázquez et El Greco, le panthéon de la peinture espagnole : Francisco de Goya (1746-1828). Ses toiles et gravures s'attachent à montrer la folie de son temps ainsi que ses propres démons. Sa célèbre toile *El Dos de Mayo*, représentant les exécutions sommaires du 2 mai 1808, souligne la violence de la guerre d'Indépendance. Certains de ses tableaux sont exposés dans la cathédrale de Séville et l'Oratorio de la Santa Cueva de Cadix. Les successeurs de Goya, pris dans l'académisme régnant, sont pour la plupart des représentants du néoclassicisme, du romantisme puis de l'impressionnisme. Plus intéressante, l'apparition à la fin du siècle d'un style réaliste centré sur les coutumes (*costumbres*) et l'âme des régions espagnoles : le *costumbrismo*. Vous en trouverez de bons exemples aux musées des Beaux-Arts de Séville, Cadix et Cordoue.

XXe siècle

Si vous allez à Cordoue, vous n'échapperez pas au peintre Julio Romero de Torres (1880-1930), qui a droit à son propre musée. Beaucoup plus connu en dehors de Cordoue, Pablo Ruiz Picasso (1881-1973) est né à Málaga, mais part pour Barcelone en 1891 puis s'installe en France dès 1904. Il serait vain de résumer ici une œuvre multiple, qui éclaboussera de son génie la majeure partie du siècle, du cubisme à l'art contemporain. Un grand musée consacré à Picasso s'est ouvert en 2003 dans sa ville natale, Málaga, où l'on peut visiter également la maison du peintre. L'autre grande figure du cubisme espagnol est le Madrilène Juan Gris (1887-1927), qui comme Picasso s'installe très tôt à Paris. Le surréalisme est marqué par l'œuvre du catalan Joan Miró (1893-1983), dont les compositions colorées parsemées de symboles ont fait le tour du monde. Mais la palme du surréalisme revient sans conteste à Salvador Dalí (1904-1989), qui étudia l'art à Madrid avant de voyager à Paris et aux États-Unis. Après la Seconde Guerre mondiale apparaissent des artistes novateurs, au premier rang desquels le Catalan Antoni Tàpies (né en 1923), maître de la peinture abstraite. Des collectifs d'artistes se forment à Valence (Equipo Crónica, influencé par le pop art), Madrid (El Paso) et Cuenca (Equipo 57). En sculpture, le Basque Eduardo Chillida (1924-2002) occupe le devant de la scène avec ses compositions aux formes abstraites. À voir : le Centre d'art contemporain de la Cartuja à Séville, le musée de la Gravure contemporaine à Marbella.

Littérature, musique et cinéma

littérature

Les prédécesseurs Les premières grandes œuvres espagnoles sont latines. Originaires de Cordoue, le philosophe stoïcien Sénèque (Ier siècle ap. J.-C.), avec sa *Lettre à Lucilius* et son *De vita beata*, puis son neveu le poète Lucain (39-65 ap. J.-C.), avec sa *Pharsale*, eurent un grand rayonnement dans l'Empire romain. Soupçonnés de conspiration par Néron, ils furent condamnés au suicide. Puis vint la poésie hispano-andalouse en langue arabe. Au XIe siècle, elle atteint son apogée avec les poètes Ibn Zaydin, Ibn Khafaja et Al-Mu'tahib. Au XIIe siècle apparaît Ibn Quzman, qui révolutionne les conventions de la poésie arabe classique.

Les précurseurs Au début de la Reconquête naissent les premières grandes œuvres de la littérature écrites en castillan, devenu langue officielle à la place du latin sous le règne d'Alphonse X. Au XIIe siècle *El Cantar del Mío Cid*, qui conte les hauts faits du célèbre Cid dans la région de Valence, inaugure le genre du poème épique. Au XIIIe siècle, Berceo évoque la vie des saints et les miracles de la Vierge dans *Los Milagros de Nuestra Señora*. Au XIVe siècle, l'archiprêtre Juan Ruiz fait preuve d'un sens aiguisé de l'observation des hommes dans le *Libro del Buen Amor* (*Livre du bon amour*). Au XVe siècle apparaissent les romances, chansons populaires et poétiques à la gloire des chevaliers espagnols qui deviendront un genre majeur de la poésie nationale. Jorge Manrique (1440-1478), gentilhomme andalou, écrit ses *Coplas*, poème émouvant sur la mort de son père.

XVIe-XVIIe siècle C'est l'âge d'or de la littérature espagnole, qui lui donne ses génies les plus universels. L'influence italienne introduit en Espagne la forme poétique du sonnet. La poésie mystique connaît son heure de gloire sous les plumes enflammées de saint Jean de la Croix (1542-1591), sainte Thérèse de Jesús (1515-1582) et le frère Luis de León. Mais les grands noms de cette période sont Lope de Vega (1562-1635) et Tirso de Molina (1583-1648), créateur du personnage de Don Juan, pour le théâtre. Sans oublier Calderón de la Barca (1600-1681), auteur du sublime *La vie est un songe*. Le Cordouan Luis de Góngora (1561-1627) se distingue par le lyrisme de sa poésie. Le jésuite Baltasar Gracián (1601-1658) par sa prose empreinte de philosophie et de morale. Francisco de Quevedo (1580-1645) par ses poèmes baroques. Et puis il y a, bien sûr, l'immense Cervantès (1547-1616). Son *Don Quichotte*, devenu universel, répond à la mode des romans de chevalerie, qui proliférèrent après 1508, date de la publication de l'*Amadis de Gaulle*. C'est pour avoir trop lu ces romans que Don Quichotte sombre dans la folie et part à l'aventure sur sa Rossinante, accompagné de son fidèle Sancho Pança, et pour les beaux yeux de sa Dulcinée.

XVIIIe-XIXe siècle À côté d'un tel foisonnement de génie, le siècle suivant paraît bien fade. Il est pourtant marqué par l'avènement des Lumières, relayées en Espagne par de nombreux essais critiques. Et notamment ceux de Jovellanos (1744-1811), l'un des inspirateurs de la Constitution de Cadix (1812). Au XIXe siècle, l'Espagne verra naître deux grands poètes romantiques : le Sévillan Gustavo Adolfo Bécquer (1836-1870) et Mariano José de Larra (1809-1837). Ils moururent jeunes (le second se suicida). Leurs poèmes désespérés témoignent de cette période noire de l'histoire espagnole. Le grand romancier Benito Pérez Galdós (1843-1920) décrit avec réalisme Madrid et les événements de son temps, notamment dans ses *Episodios nacionales* (*Épisodes nationaux*).

XXe siècle La "Génération de 98" (née en 1898) va dominer la scène pendant trente ans. Le Basque Miguel de Unamuno (1864-1936) en est le chef de file. Certains ont vu dans son *Sentimiento Trágico de la Vida* (*le Sentiment tragique de la vie*, 1912) un manifeste de l'existentialisme avant l'heure. Sa hargne de lutteur et sa mort tragique au début de la guerre civile ont fait de lui un des grands hommes de l'Espagne contemporaine. Côté poésie, on retiendra bien sûr l'Andalou Antonio Machado (1875-1939), mais aussi Juan Ramón Jiménez (1881-1958), originaire de Moguer, près de Huelva, et prix Nobel en 1956. Puis vient le tour de la talentueuse "Génération de 27", avec de nombreux maîtres andalous, comme les poètes Rafael Alberti, natif d'El Puerto de Santa María, et Luis Cernuda, de Séville. Sans oublier le plus grand auteur du siècle en Espagne : Federico García Lorca (1898-1936), qui léguera à la postérité une bouleversante œuvre poétique (*El Romancero Gitano*) et théâtrale (*Bodas de Sangre*, *Noces de sang*) avant d'être assassiné dans sa chère Grenade par les franquistes. Après la victoire de Franco, l'exil de nombreux auteurs et l'étroit contrôle exercé sur la création jugulent la littérature. Il faudra attendre les années 1960 pour voir réapparaître le talentueux Fernando Arrabal, longtemps exilé. Parmi les romanciers récents, on ne peut omettre l'excellent Andalou Antonio Muñoz Molina, bien connu en France. Né à Úbeda en 1956, il a écrit notamment *El invierno en Lisboa* (*Un hiver à*

Lisbonne), un hommage aux films noirs américains et aux pianistes de jazz, ou encore *Sefarad*, un livre dédié aux exilés, aux disparus et aux déportés du xxe siècle.

musique classique

À l'orée du xxe siècle, les compositeurs espagnols découvrent le nationalisme musical : il s'agit, à l'image de ce qui se fait dans d'autres pays, d'exalter dans la musique l'âme d'une nation. Un projet qui préside à la création des *Suites Iberia* d'Albéniz (1860-1909) et des *Danzas españolas y Goyescas* de Granados (1867-1916). Mais le plus grand compositeur espagnol est sans conteste le Gaditan Manuel de Falla. Né à Cadix en 1876, il s'installe à Grenade en 1919, et finira sa vie en Argentine, contraint à l'exil par la guerre civile. Ses pièces *Noches en los Jardines de España* (*Nuits dans les jardins d'Espagne*), *El Amor brujo* (*l'Amour sorcier*) et *El Sombrero de tres picos* (*le Tricorne*) intègrent les accents mélancoliques de l'ère musulmane et du flamenco, dont il sera un ardent défenseur. Il crée d'ailleurs avec García Lorca le Concours de *cante jondo* de Grenade en 1922.

cinéma

Le premier grand nom du cinéma espagnol est Luis Buñuel, qui commence sa carrière à Paris. Ses films *Un chien andalou* (1928), réalisé en collaboration avec Dalí, et *l'Âge d'or* (1930) sont deux sommets du cinéma surréaliste. En 1932, il s'attaque au sujet dramatique de la pauvreté des régions isolées d'Espagne dans *Las Hurdes* (*Terres sans pain*). Pendant la guerre civile, il réalise un documentaire pro-républicain *Madrid 36*, avant de s'exiler aux États-Unis puis au Mexique. La figure de Buñuel réapparaîtra quelques décennies plus tard, avec des films de facture plus classique : *Journal d'une femme de chambre* (1963, avec Jeanne Moreau), *Belle de jour* (1966, avec Catherine Deneuve), *le Charme discret de la bourgeoisie* (1972) ou encore *Cet obscur objet du désir* (1977). Le début de l'ère franquiste soumet le cinéma à une censure telle qu'il devient essentiellement un art de propagande. Dans les années 1960 apparaît la nouvelle vague espagnole, dont le chef de file est Carlos Saura. Son film *Ana et les loups* (1972) dénonce le système et les valeurs franquistes. Mais il est surtout connu à l'étranger pour ses films *Carmen* (1983) et *Tango* (1998). Il s'est également attaché à mettre en scène l'âme du flamenco dans *Sevillanas* (1992) et *Flamenco* (1995). En pleine *movida* madrilène, explosion de vitalité succédant à la chape de plomb du franquisme, éclôt le talent d'un jeune réalisateur : Pedro Almodóvar. Il allait bientôt devenir la coqueluche des cinéphiles du monde entier, avec ses films inclassables qui mêlent le tragique au comique. À voir ou à revoir : *Mujeres al borde de un ataque de nervios* (*Femmes au bord de la crise de nerf*, 1988), *Tacones lejanos* (*Talons aiguilles*, 1991), *Todo sobre mi madre* (*Tout sur ma mère*, Oscar du meilleur film étranger en 1999), *Hable con Ella* (*Parle avec elle*, 2002) et *Volver*, dont les actrices ont reçu le prix d'interprétation féminine (collectif) à Cannes en 2006. Il a révélé au grand public international la plupart des meilleurs acteurs espagnols actuels : Victoria Abril, Marisa Paredes, Carmen Maura et Antonio Banderas (ce dernier avant sa période hollywoodienne). Si vous voulez pénétrer dans l'univers du macho espagnol, ne manquez pas non plus de voir *Jamón Jamón* (1992) de Bigas Luna, le réalisateur qui a découvert Penélope Cruz et Javier Bardem. Enfin, Alejandro Amenabar (*Tesis*, 1996 ; *Abre los ojos*, 1997, *Les Autres*, 2001, *Mar Adentro*, Oscar du meilleur film étranger 2005) est une des nouvelles valeurs sûres du cinéma espagnol.

GÉOPANORAMA

Flamenco

historique

Les racines du flamenco gardent une bonne part de mystère. On sait cependant qu'il doit sa naissance à la rencontre entre un peuple, les gitans, et une terre, l'Andalousie. Les gitans, originaires du nord de l'Inde, émigrent massivement au cours du IXe siècle. Ils traversent alors l'Asie Mineure, pénètrent en Turquie, en Europe centrale puis, plus tard, en Europe du Nord. Les premières mentions de leur présence en Espagne remontent au début du XVe siècle. En 1462, on retrouve leur trace en Andalousie, dans la région de Jaén. Commence alors un long processus d'assimilation des folklores andalous, nourris aux sources de trois cultures : musulmane, chrétienne et juive. Le *cante jondo* (chant profond, le chant flamenco dans sa plus grande pureté) apparaît seulement au cours du XVIIIe siècle. Il se développe le long de la basse vallée du Guadalquivir, entre Séville (quartier de Triana), Jerez (quartiers de Santiago et San Miguel) et Cadix. Bien sûr, il est difficile de se faire une idée de ce qu'étaient ces premiers chants, même si l'on sait qu'ils sont à la base des structures, des rythmes et des mélodies du flamenco contemporain. Les années 1840-1860 constituent ce qu'on appelle l'âge d'or du flamenco. C'est la période fondatrice des grands genres du flamenco. Le chant commence à se faire connaître, et deux interprètes de cette époque sont restés dans la légende : El Planeta et El Fillo.

du *café-cantante* au théâtre

De 1860 à 1920, le flamenco monte sur scène dans les cafés musicaux (*café-cantante*) et devient plus facile d'accès, même s'il reste assez confidentiel. Les chanteurs sont alors professionnels à part entière et gagnent un grand respect parmi les mélomanes. El Nitri, Silverio ou Chacón sont encore aujourd'hui l'objet d'une grande vénération de la part des amateurs avertis (*aficionados*). En 1901 apparaissent les premiers disques, qui nous permettent de savoir comment chantaient ces grands maîtres, et combien ils ont influencé leurs successeurs. En 1922, un groupe d'intellectuels emmené par le compositeur Manuel de Falla et le poète Federico García Lorca organise à Grenade le Concurso nacional de Cante Jondo, destiné à mettre en valeur cet art. De 1920 au début des années 1950, le flamenco se montre surtout dans les théâtres. Peu adapté aux grandes scènes et aux foules nombreuses, il manque d'y perdre son âme. Dans l'*opera flamenca*, forme conçue pour les exigences des grandes salles, le flamenco est réduit à quelques figures joyeuses, comme le *fandango*. Les voix, préférant la puissance et les effets faciles à la sincérité, perdent en profondeur et ne sont pas sans rappeler l'opérette à la française. Le chanteur Pepe Marchena excelle dans ce genre. Le flamenco est en danger. Mais dans les années 1950-1960, la publication d'études universitaires et d'anthologies de qualité, ainsi que la création de festivals (Cordoue) et de centres d'études (Jerez) redorent son blason.

le renouveau du flamenco

Les formes traditionnelles renaissent dans toute leur diversité, dans un grand élan créateur. Le flamenco a le vent en poupe. Les chanteurs Terremoto, Chocolate ou encore Enrique Morente unissent dans une même admiration les connaisseurs et les néophytes. Dans les années 1970, les touristes affluent en Espagne, et l'on voit apparaître des salles de flamenco qui leur sont destinées : les *tablaos*. Dans le même temps, la production discographique explose et le flamenco se diffuse à grande échelle. Au cours des vingt dernières années, la vulgarisation de cette musique difficile à comprendre se poursuit, avec la création d'une multitude de festivals. Des spectacles de qualité, rassemblés sous le nom de Nouveau théâtre flamenco, font le tour du monde. Le flamenco voit apparaître ses premières grandes stars internationales. Les danseurs Antonio Gades et Cristina Hoyos sont acclamés dans les plus grands théâtres et aujourd'hui, ce sont les danseuses comme Sara Baras et Eva Yerbabuena qui remplissent les théâtres d'Espagne… et du monde. Paco de Lucía, né en 1947 à Algésiras, séduit le grand public avec son jeu de guitare absolument prodigieux et ouvre à son art de nouveaux horizons. Si les gitans ont inventé le flamenco, ils ne prétendent pas en avoir le monopole : Paco de Lucía, qui n'est pas gitan, est depuis plusieurs décennies un dieu vivant. Et puis il y a Camarón de la Isla, la star absolue du peuple flamenco qui ne s'est jamais remis de sa mort précoce, en 1992. Né en 1952 à San Fernando (près de Cadix), Camarón se révèle très jeune comme l'un des plus grands chanteurs de l'histoire. Sa voix douloureuse, rauque et puissante exprime dans toutes ses nuances l'âme gitane. Accompagné par Paco de Lucía ou Tomatito, il revisite les styles traditionnels dont il respecte les canons tout en leur donnant une énergie très contemporaine. Il fait quelques incursions du côté de la pop music, avec des orchestrations très *seventies*, mais revient toujours à ses racines. Son influence sur les jeunes chanteurs actuels est évidente, et semble même limiter fortement leur créativité. Quant à Paco de Lucía, avec ses improvisations d'une richesse harmonique et mélodique sans précédent, il a ouvert la voie à ce qu'on appelle le *nuevo flamenco*. Un mélange de jazz, de musiques du monde et de rythmes flamencos, dans lequel excellent des artistes comme Jorge Pardo (saxophone), Carlos Benavent (basse), Chano Domínguez (pianiste) ou encore les chanteurs Estrella Morente, fille d'Enrique Morente, et Diego el Cigala qui se fait accompagner par de vieux musiciens cubains.

mieux comprendre le flamenco

Musiciens et danseurs Pour comprendre vraiment cet art, il faudrait le vivre. Car le flamenco *puro* (pur) est intimement lié à l'âme gitane, pétrie de souffrances et de passions contrastées. Il suffit d'avoir assisté une fois au surgissement brutal d'un chant sincère et sans inhibition pour s'en convaincre. Lorsque le *duende* (moment d'exaltation des musiciens) est là, on comprend qu'il y a quelque chose d'irrationnel dans ce chant. Une étrangeté renforcée par le fait que les harmonies du flamenco, issues d'un mélange de cultures orientale et occidentale, sont inhabituelles pour des oreilles habituées au rock, à la musique classique ou au jazz. À l'origine, le flamenco ou *cante jondo* s'identifiait au chant, qui est la base de cet art. La voix est par définition l'instrument le plus personnel, le plus à même de transmettre les émotions. Aujourd'hui, la danse et la guitare sont mieux connues du grand public, mais le chant reste pour les *aficionados* le vrai cœur de la musique flamenca. Le chanteur de flamenco s'appelle *cantaor* (ou *cantaora*), et non pas *cantante* comme pour les autres musiques. Les paroles ou *coplas* doivent respecter certaines conventions rythmiques et thématiques en fonction du style de morceau. Elles sont en général d'une grande mélancolie, et très poétiques. "*Hasta los árboles sienten / que se les caigan las hojas / y esta gitana no siente / la perdición de su honra*" : "Même les arbres sentent la chute de leurs feuilles, et cette gitane ne sent pas qu'elle perd son honneur".

Le *cantaor* est souvent entouré de compagnons qui marquent la structure rythmique, ou *compás*, du morceau en tapant dans leurs mains (*palmas*). La guitare est apparue tardivement dans le flamenco, dont elle semble à présent indissociable. Le *tocaor* (guitariste de flamenco) marque le *compás*, accompagne et soutient le chant. Parfois, emporté par l'inspiration, il se lance dans de courtes improvisations, les *falsetas*. C'est Paco de Lucía qui a fait de la guitare flamenca un instrument soliste, où domine l'improvisation. Aujourd'hui, il est fréquent que se joignent au *tocaor* d'autres musiciens, en général un bassiste, un flûtiste ou saxophoniste et un percussionniste. Mais le troisième pilier du flamenco, c'est la danseuse (*bailaora*, et non pas *bailarina* comme en danse classique) ou le danseur (*bailaor*). Enveloppée dans une robe de gitane, la danseuse suit l'évolution du morceau, dont elle doit également respecter la structure. Les mouvements des bras et des mains s'accompagnent de coups rythmés avec les pieds (*zapateado*). Les talons (*taconeos*) et les pointes marquent ainsi le *compás* du morceau. Quand la *bailaora* fait preuve d'une grâce soudaine dans un mouvement, ses compagnons la gratifient d'un "*¡guapa !*" ("que tu es belle !") admiratif. Les exclamations "*¡olé !*", "*¡arsa !*" ou "*¡agua !*" font partie intégrante de la musique. Car dans le flamenco, la notion de groupe, de communauté, est toujours présente. Les danseurs, vêtus de noir, sont d'une virtuosité et d'une énergie hors du commun. Codifié jusque dans ses moindres détails, le flamenco se distingue pourtant par la liberté et la fantaisie extraordinaires de ses interprètes.

Les différents genres Le flamenco compte un grand nombre de variétés (*palos*), qui se distinguent par leur mélodie, leur thème, leur rythme. Certains chants se font sans accompagnement (*palos secos*), si ce n'est celui des *palmas*. Ce sont des chants austères et profonds, comme l'émouvant *martinete*, rythmé par les coups d'un marteau sur une enclume, car il fut inventé par les forgerons. Parmi les chants accompagnés, les plus mélancoliques sont la *seguiriya*, la *soleá*, le *tango* et la *toná*. Beaucoup plus joyeux et propices à des solos enflammés de danse et de guitare, la *alegría*, le *fandango* et la *bulería*. La *soleá por bulería*, très répandue, est une *bulería* plus lente qui s'achève en *soleá*. Chaque style possède ses propres conventions, et souvent même ses paroles traditionnelles, que les interprètes doivent respecter. Même si tous ces styles sont joués un peu partout, chaque ville s'enorgueillit de posséder le meilleur *fandango* (Huelva), la meilleure *bulería* (Jerez), la meilleure *alegría* (Cadix et Cordoue). Chaque région a par ailleurs développé des formes propres, comme la *malagueña* (*fandango* de Málaga), la *rondeña* (*fandango* de Ronda) ou la *granaína* (Grenade). D'autres chants sont adaptés du folklore venus des Amériques : la *guajira* et la *rumba* ont ainsi des origines cubaines. Enfin, il ne faut pas oublier les *saetas*, ces complaintes flamencas chantées *a cappella* au passage du Christ ou de la Vierge lors des processions de la Semaine sainte.

où voir du flamenco ?

Les lieux les plus visibles sont les *tablaos*, ces cafés-cabarets spécialement destinés aux touristes, et souvent situés près des monuments historiques. La qualité dépend du lieu et de la saison. En pleine période touristique, il y a souvent deux spectacles par soirée et les prix montent. À éviter dans les stations balnéaires de la côte (notamment à Marbella), sous peine de se retrouver en face d'une vague parodie des Gipsy King, sourires et jolies robes en plus. Tourisme oblige, les *tablaos* privilégient la danse en tenue de gitane, plus facilement accessible que le chant et la guitare, laissés au second plan. Mais certains *tablaos*, en particulier à Séville, Jerez, Cordoue et Grenade proposent des spectacles de qualité, faisant intervenir de jeunes artistes issus des grandes écoles de flamenco. Ne vous attendez pas à voir surgir le *duende*, mais on peut passer une soirée agréable et se familiariser avec cette musique. Hors saison, les *tablaos* accueillent parfois de grands artistes pour des soirées exceptionnelles. À Grenade, des spectacles de *zambra* (danse et musique festive) sont organisés dans les grottes du quartier du Sacromonte. Pour participer à des soirées de flamenco entre *aficionados*, l'idéal est de frapper à la porte des *peñas flamencas*, ces associations où l'on assiste parfois à d'authentiques merveilles. Plus difficiles d'accès, elles raviront cependant les amateurs persévérants. Nous en indiquons quelques-unes dans le guide. À Jerez, elles sont particulièrement dynamiques et accueillantes. À Séville et à Grenade, les bars organisent souvent de bons concerts. C'est aussi en se promenant dans les quartiers gitans que l'on entend du bon flamenco, quelques improvisations au détour d'un patio. Un homme gratte sa guitare, un autre le rejoint et se met à chanter, une femme danse un pas de *bulería*... On touche du doigt l'essentiel, sans beau costume, seule l'émotion s'exprime. Mais la meilleure solution réside dans les nombreux festivals organisés en Espagne du Sud. Les plus prisés sont le Concurso nacional de Arte Flamenco de Cordoue (tous les trois ans, le prochain en 2010), la Biennale de flamenco de Séville (prochaine en septembre 2008), le festival de flamenco de Jerez (en mars) et le Potaje Gitano de Utrera (fin juin). Au printemps, le festival itinérant Flamenco Viene del Sur propose de bons concerts et spectacles dans les théâtres des villes andalouses. Le Festival de la Guitarra de Cordoue (juillet) accueille les meilleurs guitaristes de flamenco. Le Festival de Música y Danza de Grenade (juin-juillet) propose chaque année plusieurs spectacles de flamenco. En été, les festivals se multiplient : il y a toujours quelque chose d'intéressant à y voir. En France, le festival d'art flamenco de Mont-de-Marsan (début juillet) jouit d'une excellente réputation.

à écouter et à voir

Les disquaires andalous proposent en général une grande sélection de flamenco : c'est le moment de faire des achats.

Chanteurs Pour découvrir les chanteurs les plus classiques, la collection "Grands cantaores du flamenco" du Chant du Monde est excellente. Les volumes consacrés à La Niña de los Peines, Terremoto de Jerez, Rafael Romero ou encore Manolo Caracol sont magnifiques. Parmi les chanteurs plus modernes, on ne peut échapper à Camarón de la Isla : *Como el agua* (avec Paco de Lucía), *Paris 1987* (concert avec Tomatito). José Mercé est une autre valeur sûre : *Cuerpo y alma* (anthologie), *Del almanecer* (avec V. Amigo). À écouter également : Chocolate, Enrique Morente, El Lebrijano (et son opéra flamanca *Tierra*), Carmen Linares, Arcangel, Rancapino, Estrella Morente (*Mujeres*, 2006) et Diego el Cigala (*Dos lágrimas*, 2007).

Guitaristes Paco de Lucía : *Zyryab, Almoraima, Solo quiero caminar, En vivo desde el Teatro Real* (concert de Madrid). Manolo Sanlúcar est l'autre monstre sacré de la guitare : *Tauromagia, Locura de brisa y trino* (avec Carmen Linares). Autre vedette actuelle, Vicente Amigo : *De mi corazón al aire, Ciudad de las ideas*. À écouter également : Tomatito, Fosforito. Le disque *En public à Bobigny* de Pedro Bacán est idéal pour se familiariser avec les différentes ambiances du flamenco.

Flamenco-jazz Jorge Pardo, Carles Benavent et Di Geraldo, *Concierto de Sevilla* ; Jorge Pardo et Chano Domínguez, *10 de Paco* ; Tomatito et Michel Camilo, *Spain*. Bebo Valdés et El Cigala, *Lágrimas Negras* (*Larmes noires*).

Films *Flamenco* et *Carmen* (BO de Paco de Lucía) de Carlos Saura ; *Vengo* de Tony Gatlif (avec Antonio Canales, musique de Tomatito).

cours

Les écoles se sont multipliées ces dernières années, et proposent en général plusieurs sessions de cours par an, dont des cours d'été. Les villes les plus dynamiques dans ce domaine sont Grenade et Jerez.

sites Internet

Plusieurs sites (en espagnol) offrent des explications sur les différents styles (avec écoute), des listes de cours et de lieux de concerts, ainsi que la programmation des spectacles et des festivals.
http://caf.cica.es Le site du Centre andalou de flamenco de Jerez.
www-org.andalucia.org/flamenco Très bien fait, avec de nombreux liens.
www.flamenco-world.com Achats de disques en ligne, actualités et festivals.

Corrida

Non, les Espagnols ne vont pas aux arènes tous les dimanches, et tous ne sont pas passionnés de tauromachie. Mais il existe encore un réel engouement (*afición*), très palpable en Andalousie, qui possède quelques temples de l'art taurin : la Maestranza de Séville, celle de Ronda, les arènes d'El Puerto de Santa María. On ne saurait conseiller aux âmes sensibles et hostiles *a priori* à la corrida de tenter l'expérience. Car la corrida est bien une tradition cruelle et violente, tout entière tournée vers la mort du taureau. Mais on peut à l'inverse être sensible au sens artistique, à la bravoure insensée et à la classe des plus grands *diestros* (toreros).

historique

La corrida moderne est une invention relativement récente. Mais ses origines remontent à l'Antiquité, où l'on trouve de nombreuses traces de rituels impliquant le taureau. Au Moyen Âge, les nobles espagnols se livraient à des jeux taurins, mais à cheval et armés d'une pique. Il s'agissait pour eux de s'entraîner à la guerre. C'est pourquoi les premières arènes (comme celles de Ronda) furent construites pour ces écoles équestres qu'étaient les Maestranzas. Depuis le Moyen Âge, les joutes à pied étaient interdites, mêmes si elles se déroulaient parfois dans les petits villages de montagne. C'est à Ronda que la dynastie des Romero et, surtout, Pedro Romero (1754-1839) inventent la corrida moderne à la fin du XVIIIe siècle, en défiant à nouveau le taureau à pied, et avec une cape. Cet événement, autrefois chaotique, adopte également à l'époque un déroulement très strict, découpé en trois temps (*tercios*), comme aujourd'hui. Puis, au début du XXe siècle, les immenses matadors Joselito et Belmonte font entrer l'art de toréer dans son âge contemporain.

L'habit de Lumière (*traje de luces*) La tenue des toreros, richement décorée, provoque l'admiration des néophytes. Mais son ornementation n'est pas gratuite. Elle est le fruit d'une longue évolution. La coupe de la veste et du pantalon, courts et serrés, était d'abord propre aux toreros andalous, mais elle a peu à peu séduit tous les autres. Les ornementations en or étaient autrefois réservées aux rois et aux évêques. En obtenant le droit d'en garnir leur tenue, les matadors, souvent issus de milieux pauvres, affirmèrent leur mérite aristocratique acquis dans l'arène.

Olé ! Cette exclamation emblématique de la corrida, du flamenco et de l'Espagne vient de l'arabe *wa-llah* (par Dieu !), qui exprime l'admiration.

déroulement de la corrida

La corrida débute traditionnellement à *las cinco de la tarde* (17h). Mais à Séville, elle commence en général à 18h, et parfois à 12h le dimanche. Chaque corrida compte six taureaux pour trois matadors. Elle dure environ deux heures. La corrida s'ouvre par l'entrée de deux cavaliers en habits qui vont symboliquement demander au président la clé du toril, avant de laisser entrer les trois matadors suivis de leurs *cuadrillas* (quadrilles, les assistants et *banderilleros* du matador). C'est le *paseíllo*, ou présentation des protagonistes. Ces derniers vont alors se réfugier derrière les abris en bois aménagés le long des barrières (*burladeros*). La corrida peut commencer. Elle se déroule en trois principaux moments, ou *tercios*.

Premier tercio La sortie du taureau est un moment crucial. Les *aficionados* observent la présentation, la vaillance, l'engagement de la bête, afin de savoir s'il est apte à combattre. Les matadors et leurs assistants attirent le taureau pour scruter ses réactions, déterminer son caractère. Le matador fait alors quelques passes de *capote* (grande cape bicolore), d'abord très larges (*largas*), puis en se rapprochant petit à petit de l'animal. Les plus appréciées sont les *verónicas*. Le matador tient son *capote* des deux mains, devant lui : comme sainte Véronique, tenant devant elle le voile avec lequel elle a essuyé le visage du Christ. Le matador se dégage au dernier moment, faisant passer le taureau à droite ou à gauche. La *passe de farol*, où le matador projette la cape au-dessus de son épaule au passage du taureau, est très spectaculaire. Le matador peut aussi toréer sur ses genoux (*de rodillas*). Il arrive que l'un des toreros, soucieux d'impressionner le public, décide d'attendre la sortie du taureau, à genoux et à quelques mètres de la porte (*a portagayola*). Si le taureau présente de graves défauts (manque de puissance, boiterie, problème de vue), le public peut demander qu'on le remplace. S'il manque de bravoure, la foule crie "*¡manso !*" ("doux, tranquille"), pour inciter le président à le retirer. On fait alors entrer dans l'arène un groupe de bœufs équipés de cloches, qui vont aider à faire sortir le taureau. Si le taureau est accepté, les trompettes sonnent pour annoncer l'entrée du picador, monté sur un puissant cheval. Ce dernier est désormais protégé par une épaisse cuirasse, heureuse innovation car autrefois les accidents étaient fréquents. Le matador amène le taureau à proximité du cheval puis, quand il est dans la position souhaitée, le laisse charger l'animal. Le taureau enfonce ses cornes dans la cuirasse, tandis que le picador lui plante sa pique dans le garrot. Si le taureau pousse avec force et équilibre, les *aficionados* se réjouissent. S'il refuse la lutte, ou si le picador est trop dur avec lui, ils protestent. Les toreros attirent le taureau pour soulager son effort, puis le ramènent vers le cheval, en principe deux ou trois fois. Quand le matador estime que l'épreuve a assez duré, il demande au président le changement de *tercio*, et le picador se retire.

Deuxième tercio C'est le moment des banderilles (*banderillas*). Elles peuvent être posées par le matador lui-même, mais c'est de plus en plus rare. En général, celui-ci possède dans sa *cuadrilla* deux *banderilleros*. Le *banderillero* tient une banderille dans chaque main : chacune porte les couleurs de la *cuadrilla*. Si le taureau a refusé le combat dans le *tercio* précédent, le président peut le condamner aux banderilles noires, particulièrement cruelles. Quand le taureau est bien placé par le torero, le *banderillero* l'appelle et court à sa rencontre. La pose des banderilles prend différents noms en fonction de l'angle de la course et de la manière de les planter. L'une des plus impressionnantes est celle qu'on appelle de *frente* (de face), où le *banderillero* marche vers le taureau, plante les banderilles en passant entre les cornes, puis se retire juste à temps pour ne pas être attrapé. S'il passe les bras sur le côté de la tête, on appelle cela *al natural*, et s'il saute à pieds joints tout en s'éloignant des cornes, *al quiebro*. Chaque banderillero pose en principe deux paires de banderilles.

Troisième tercio Voilà venu le moment du tête-à-tête final entre le taureau et le matador : la *faena*. Le matador, s'il se sent bien, peut dédier son taureau à une personnalité présente dans les gradins (en lui lançant sa coiffe), ou même au public tout entier (en la posant au milieu de l'arène). On appelle cela le *brindis* (porter un toast). Il prend alors sa *muleta* (petite cape rouge munie d'une armature en bois) et une épée légère. Cette fois, la taille réduite de la cape impose un véritable corps à corps. Le taureau, attiré par le mouvement, se dirige vers la *muleta* agitée par le torero, dont le corps doit rester immobile. Le risque survient lorsque le taureau commence à chercher (*buscar*) l'homme derrière la *muleta*. Chaque passe ou *suerte* comporte trois phases : il faut attirer le taureau (*citar*), le faire passer près du corps en le dirigeant avec la *muleta* (*cargar la suerte*), puis dégager la *muleta* (*rematar la suerte*), souvent avec beaucoup de grâce. Il existe plusieurs genres de passes : *al natural* (face au taureau, la *muleta* tendue devant soi), *de pecho* (sur le côté, en offrant son dos à la bête), *ayudado* (en dégageant la *muleta* à l'aide de l'épée). Lorsque le torero enchaîne plusieurs passes *al natural*, gardant les pieds joints sans bouger d'un centimètre, le taureau revenant encore et toujours vers la *muleta*, les "¡ olé !" fusent dans le public. On juge le torero sur la manière dont il tire parti des qualités du taureau, sur la bravoure dont il fait preuve en toréant près de l'animal sans se dégager à son approche, et sur l'harmonie, la qualité esthétique de ses passes. Certains toreros sont réputés pour leur vaillance, d'autres, plus imprévisibles, pour leur élégance et l'émotion qu'ils dégagent : ce sont les *toreros de arte*. Lorsque la *faena* est réussie, l'impression de symbiose est extraordinaire, et souvent la fanfare se met à jouer. Après chaque passe, le torero peut laisser le taureau s'arrêter (*parar*). Certains n'hésitent alors pas à se rapprocher à quelques centimètres de lui, à lui toucher les cornes en lui parlant, à le défier de la voix ou de la *muleta*, en la passant derrière le dos. Il faut vraiment le voir pour le croire. Car si le torero a mal jugé, et que le taureau n'est pas vraiment arrêté, c'est le coup de corne (*cornada* ou *cogida*) assuré. Il faut s'y préparer, car les *cogidas* sont fréquentes, mais rarement fatales depuis que des centres de secours ont été installés dans les arènes. Il arrive que le torero blessé se relève et finisse la *faena* avant d'être évacué. À la fin de la *faena* vient le moment fatidique de la mise à mort (*estocada*). Le matador prend son épée d'estocade. Il effectue encore quelques passes, afin de préparer le taureau et de le placer. Car l'épée ne peut entrer que dans un minuscule espace entre les épaules du taureau, qui doit avoir la tête baissée. Quand le taureau est bien placé, le torero fait baisser la tête au taureau à l'aide de la *muleta*, et projette son épée (*entrar a matar*). Cela peut se faire en avançant vers le taureau (*a volapié*) ou en le laissant venir à soi (*recibir*). C'est le moment de tous les dangers, car le torero doit entrer dans le territoire du taureau en se découvrant : les coups de corne les plus graves arrivent en général à ce moment. Le torero, s'il fait preuve d'hésitation et de maladresse au moment de l'estocade, peut perdre tout le profit d'une bonne *faena*. Rien de plus cruel qu'un torero qui s'y reprend à cinq ou six fois, blessant à chaque fois le taureau. Si l'épée a été enfoncée correctement, le taureau meurt rapidement, parfois avec l'aide d'un coup de dague au niveau des cervicales. Les muletiers entrent alors dans l'arène, attachent les cornes du taureau, et le sortent. Si le taureau a été brave, il a droit à un "tour d'honneur". S'il a été exceptionnel, le torero peut demander sa grâce, ce qui est rarissime. Dans ce cas, le taureau est épargné et servira de reproducteur.

Fin de la corrida Si le torero a été jugé mauvais, il sort sous les sifflets du public. À Séville, il est sanctionné par un grand silence. S'il a été bon, mais avec un taureau moyen, il a droit à un tour d'honneur (*vuelta al ruedo*). Mais si les spectateurs jugent qu'ils ont assisté à un grand moment, ils sortent leurs mouchoirs blancs et les agitent pour demander un trophée (*trofeo*) au président. Celui-ci peut accorder une oreille (*una oreja*), ou deux oreilles si le public insiste (*dos orejas*). Si le spectacle a été hors du commun, le torero obtient deux oreilles et la queue (*rabo*). Lorsque le torero a été bon avec ses deux taureaux, et a obtenu des trophées, on dit qu'il triomphe, et il sort par la grande porte des arènes, porté par ses compagnons (*salir por la puerta grande*).

où voir une corrida ?

La corrida à proprement parler est la *corrida de toros*, qui fait intervenir des matadors de taureaux (toreros confirmés) et des *toros bravos* (taureaux de combat). Mais avant de recevoir l'alternative, c'est-à-dire de devenir matador, les jeunes toreros, ou *novilleros*, toréent d'abord de jeunes taureaux (*novillos*). Ce genre de corrida est la *novillada*. Ce peut être un bon moyen de découvrir l'art de toréer. Enfin, les ferias traditionnelles accueillent en général des corridas à cheval très spectaculaires, ou *rejoneos*. Les matadors à cheval ou *rejoneadores* font preuve d'une dextérité époustouflante. Les meilleures corridas ont lieu au moment des grandes ferias, surtout celles de Séville, Madrid, Pampelune, El Puerto de Santa María ou encore Valence. Il y en a en général une par jour pendant deux semaines. On arrive toujours à trouver des places au dernier moment, sauf pour les plus attendues. Pour les meilleures corridas de la Feria de Séville, ou pour les Corridas Goyescas de Ronda, il faudra venir très longtemps à l'avance, ou être prêt à payer très cher les revendeurs qui abondent aux abords des arènes. La composition du *cartel* (affiche), établi quelques semaines ou jours avant le début des corridas, est primordiale. Les connaisseurs sauront vous renseigner sur la qualité de chaque corrida. Les taureaux viennent-ils d'un bon élevage ? La corrida rassemble-t-elle des matadors réputés ? Les trois matadors en présence ont-ils des styles qui s'accordent bien ? Autant de paramètres dont dépend *a priori* la qualité de l'événement. Les places situées à l'ombre (*sombra*) sont très difficiles à obtenir. Vous serez sans doute au soleil (*sol*).

L'arène est divisée en sections numérotées (*tendidos*) : essayez d'être situé côté soleil, mais à la limite de la section *sombra*. Vous serez ainsi plus près de l'action. Les places sont réparties plus ou moins loin de l'arène : *barrera* (le long des barrières), *tendido* (intermédiaire) ou *grada* (tout en haut) sont les catégories habituelles. Si vous êtes assis près d'un connaisseur, n'hésitez pas à poser des questions. Si elles sont formulées en espagnol, on vous répondra souvent avec passion. De manière générale, mieux vaut éviter les petites corridas organisées dans les stations balnéaires, notamment sur la Costa del Sol.

grands toreros espagnols

Pedro Romero (1754-1839), de Ronda, est l'un des pères fondateurs de la tauromachie moderne. On dit qu'il tua 5 600 taureaux sans jamais être blessé. Le Sévillan Juan Belmonte (1892-1962) fut le grand protagoniste du début du xxe siècle. Il révolutionna l'art de toréer. Il fut en effet le premier à oser toréer sans bouger, à diriger la bête avec la *muleta*, à l'arrêter pour la défier. "Là où il n'y a pas de poésie, il n'y a pas de torero", a-t-il dit un jour. Il est resté dans l'histoire comme le plus grand des artistes. José Gomez Ortega dit "Gallito" ou "Joselito" (1895-1920) est l'autre grande figure du début du xxe siècle, aussi vaillant et fin technicien que Belmonte était artiste. Leur rivalité forma ce que l'on considère comme l'âge d'or de la corrida. Joselito mourut dans l'arène de Talavera. Qui ne connaît pas Manolete (1917-1947) ? Né et élevé à Cordoue, où il est encore aujourd'hui l'objet d'une immense vénération, c'est un véritable mythe. Torero d'une bravoure sans égale, il ne reculait jamais à l'approche du taureau, et portait l'estocade avec un sang-froid et un courage inouïs. Il mourut des suites des blessures infligées par le taureau Islero, dans les arènes de Linares. El Cordobés (né en 1936) : comme son nom l'indique, il est originaire de la province de Cordoue (du village de Palma del Río précisément). L'idole des jeunes (et surtout des femmes) dans les années 1960, avec son style spectaculaire – tape-à-l'œil et superficiel disent ses détracteurs. Curro Romero (né en 1935) : l'enfant chéri de Séville, archétype du *torero de arte*, plus artiste que brave. Gitan d'origine, Curro Romero a réalisé dans sa carrière quelques corridas d'une grande beauté, dont les *aficionados* sévillans se souviennent avec émotion. Sans oublier Luis Miguel Dominguín (né en 1926), magistral torero des années 1940-1970 et grand ami de Hemingway. Parmi les principaux matadors actuels, citons Alejandro Talavante, César Jiménez, El Cid, Enrique Ponce, El Juli et José Tomás, retourné aux arènes en 2007 après cinq années d'absence. Certains le considèrent comme l'un des meilleurs.

ganaderías

Les élevages de *toros bravos* sont légion en Andalousie. On peut parfois les visiter, en prenant rendez-vous avec les propriétaires. Les grands éleveurs ou *ganaderos* sont des personnages respectés. Les provinces de Cadix (Arcos, Medina Sidonia), Séville (aux abords des marécages du Guadalquivir) et Huelva (Aracena) sont les plus riches en *ganaderías*.

sites Internet (en espagnol)

Idéal pour se tenir au courant de l'actualité taurine : www.mundo-taurino.org ; www.noticiastaurinas.com ; www.portaltaurino.com

Gastronomie

La gastronomie espagnole est trop souvent réduite à quelques clichés rebattus : charcuteries, paella et gaspacho… Elle est pourtant très diverse, tant chaque région, chaque ville a su garder vivantes ses traditions culinaires, objets d'une grande fierté. C'est particulièrement vrai pour l'Andalousie, où le voyageur curieux et gourmet fera chaque jour la découverte de nouveaux plats. On peut cependant dégager quelques constantes au niveau national. Tout d'abord, l'huile d'olive, la tomate, l'ail et l'oignon entrent dans la composition de presque toutes les recettes, dans une conception très méditerranéenne de la cuisine. La viande et les œufs sont également incontournables, et de ce point de vue les végétariens seront peu gâtés. Enfin, la cuisine espagnole s'est traditionnellement développée autour de la marmite familiale accrochée dans l'âtre de la cheminée, où les plats mijotaient pendant de longues heures. D'où l'importance des ragoûts (*guisos*) et autres pot-au-feu (*cocidos*), dont chaque région possède ses propres variantes.

généralités et vocabulaire (cf. GEODocs, Lexique)

Légumes et féculents En Andalousie, important centre agricole, les légumes (*verduras*) sont souvent d'une grande fraîcheur. On consomme avant tout la tomate (*tomate*), les oignons (*cebolla*), le poivron (*pimiento*) souvent farci de morue (*pimiento relleno*), l'aubergine (*berenjena*), le concombre (*pepino*), les haricots (*judías*), les cœurs d'artichaut (*alcachofas*) et les cœurs de laitue (*lechuga*). À la carte, vous aurez en général le choix entre plusieurs types de salades garnies (*ensaladas*). Le féculent le plus courant est la pomme de terre (*patata*), qui entre dans la confection de nombreuses recettes, des *patatas a lo pobre* (recette campagnarde avec du lard et du fromage) aux frites (patatas fritas), en passant par les *patatas bravas* (avec une sauce piquante) et les *patatas aliñadas* (en vinaigrette). Partout, on trouve aussi des recettes à base de pois chiches (*garbanzos*), qui entrent dans la composition des ragoûts et des pot-au-feu, et de fèves (*habas*). Les pâtes (*pastas*) ne sont pas très utilisées dans la cuisine espagnole. Enfin, dans les montagnes andalouses, on mange de très bons champignons (*setas*).

Viande L'Andalousie est une terre d'élevage. La viande (*carne*) est servie à presque tous les repas. On mange beaucoup d'agneau (*cordero*) et, dans les régions de montagne, du cabri (*cabrito*). L'agneau de lait (*cordero lechal*) est un mets recherché. La viande de bœuf (*buey, vaca*) et de veau (*ternera*) est omniprésente. Mais le porc (*cerdo*) est sans conteste la viande la plus populaire. À la campagne, lorsque vient la saison de la chasse, le sanglier (*jabalí*) est une pièce de choix. Quant au lapin (*conejo*), il est assez peu consommé. Les pièces de viande les plus courantes sont le *lomo* (échine de porc, entrecôte pour le veau et le bœuf), le *solomillo* (filet de porc, aloyau de bœuf), la *chuleta* et les *chuletitas* (côtes et côtelettes), le *filete* (escalope) ou encore la *pierna* (gigot d'agneau).

Volailles et œufs Le poulet (*pollo*) apparaît sur quasiment tous les menus. On peut notamment acheter du poulet grillé (*pollo asado*), même si la pièce la plus appréciée du poulet est le blanc (*pechuga de pollo*), qui est souvent préparé en sauce ou en salades. Le canard (*pato*) est une volaille peu fréquente sur les cartes des restaurants. Assez populaire, surtout à Séville, la caille (*codorniz*) se mange grillée, sans accompagnement et sert souvent de tapas. Dans les régions montagnardes, la perdrix (*perdiz*) est l'un des gibiers les plus appréciés. Les œufs (*huevos*) constituent l'un des éléments clés de la gastronomie espagnole. La célèbre *tortilla de patatas* (omelette aux pommes de terre, préparée à l'huile d'olive) se mange à toute heure du jour. Les œufs se préparent également sur le plat (*huevos fritos*), durs (*huevos cocidos*), presque jamais pochés ou à la coque. Ils entrent par ailleurs dans la composition des *revueltos*, très appréciés : œufs brouillés garnis de légumes, de charcuteries, de viande, etc. À essayer sur la côte : la *tortilla de camarones* (omelette très cuite aux petites crevettes). Dans la province de Málaga, les œufs de caille (*huevo de codorniz*) entrent dans la composition de nombreuses tapas.

Poissons et fruits de mer En Espagne du Sud, le poisson (*pescado*) est un ingrédient essentiel de la gastronomie. Les variétés les plus courantes sont la morue (*bacalao*), la daurade (*dorada*), les sardines (*sardinas*), la sole (*lenguado*), le thon (*atún*) et son proche cousin le *melva*, l'espadon (*emperador* ou *pez espada*), le chien de mer (*cazón*), la truite (*trucha*) ou encore le saumon (*salmón*). Sur la côte atlantique, vous rencontrerez souvent le bar (*lubina*) et l'excellente *corvina* (corbeau de mer). Les fruits de mer (*mariscos*) sont également très présents à l'heure des tapas ou sur la carte des restaurants. Le calamar (*calamar*) grillé est un incontournable, ainsi que la seiche (*sepia* ou *choco* à Huelva), les *puntillitas* (petites seiches grillées) et les *chipirones* (encornets). Les petites crevettes grises s'appellent *camarones*, les roses de taille moyenne *gambas* et les gros bouquets *langostinos*. À ne pas confondre avec les langoustines (*cigalas*). Ne vous inquiétez pas : on s'y fait très vite, et de toute façon tout est délicieux. La langouste (*langosta*) est plus fréquente que le homard (*bogavante*). Le crabe se dit *cangrejo*, le tourteau *cámbaro*, l'étrille *nécora* et l'écrevisse *cangrejo de río*. Parmi les coquillages, citons les moules (*mejillones*), les petites clovisses (*coquinas*). Poissons et fruits de mer se mangent frits (*fritos*), grillés sur une planche métallique (*a la plancha*) ou encore marinés (*en adobo*). Un petit conseil : le lundi est le plus mauvais jour pour commander poisson et fruits de mer, car les pêcheurs espagnols ne travaillent jamais le dimanche.

Petit déjeuner Les inconditionnels des viennoiseries seront déçus : ce n'est assurément pas la spécialité locale. Si vous persistez quand même, commandez un *croissant* ou *una napolitana con chocolate* (pain au chocolat). Mais en Andalousie, le petit déjeuner se compose traditionnellement d'un café au lait (*café con leche*) accompagné de tartines grillées (*tostadas*) et d'un jus d'orange fraîchement pressé, qui déborde du verre. Commandez une *media tostada* si vous ne voulez qu'une tartine, et une *tostada entera* si vous en désirez deux. Les tartines se garnissent de beurre et confiture (*mantequilla y mermelada*) ou, lorsqu'on veut vraiment être andalou, d'une bonne couche d'huile d'olive (*aceite*), verte et savoureuse à souhait. Difficile la première fois, mais après une semaine on est sous le charme. Encore mieux, les *tostadas con aceite y tomate*, avec de l'huile d'olive et une fine couche de tomate écrasée. Si vous prenez votre petit déjeuner à l'heure de l'*almuerzo* (vers 11h), il sera de bon ton de commander un sandwich (*bocadillo*) ou une portion d'omelette de pommes de terre (*pincho de tortilla*). Enfin, plus consistant encore : le *chocolate con churros*. De longs beignets trempés dans un chocolat chaud et épais à souhait. Pas très diététique, mais irrésistible. De nombreux cafés les préparent, ainsi que de petites échoppes (*churrerias*) souvent installées à proximité des marchés municipaux.

les spécialités andalouses

Dans l'intérieur des terres, on trouve mille sortes de soupes (*sopas*) et potages (*potajes*), souvent servis en entrée dans les menus du jour. Les régions de montagne se sont fait une spécialité des jambons (*jamón serrano*) et autres charcuteries (*chacinas*) : les jambons de Jabugo et de Trevélez sont les plus réputés du pays, ce qui est quelque chose. Côté viande, le bœuf, l'agneau et le porc sont souvent délicieux. À Cordoue ou à Jerez, on ne peut passer à côté de la queue de taureau (*rabo de toro* ou *cola de toro*) préparée au vin de Montilla (*a la montillana*) ou de Jerez (*al Jerez*). À Cordoue, le *flamenquin* (rouleau de jambon et de veau pané) est un autre incontournable. À Jerez, les gourmets se délecteront des traditionnels rognons au jerez (*riñones al Jerez*). Le gibier occupe également une place de choix : perdrix (*perdiz*), caille (*codorniz*), lapin (*conejo*), sanglier (*jabalí*). Dans les restaurants bon marché, une salade est souvent servie d'office avec le menu du jour. Il s'agit en général de la salade *pipirrana* : thon, salade, tomates, oignons, poivron et concombre. Parmi les nombreux ragoûts régionaux, citons le *menudo gitano* de Grenade, à base de tripes et de pois chiches. Sur la côte, les innombrables poissons et fruits de mer frais de la Méditerranée et de l'Atlantique sont un vrai délice. Il n'est pas rare pour un Andalou de se rendre dans une ville simplement pour déguster quelque spécialité du cru : *langostinos* (grosses crevettes) de Sanlúcar, *coquinas* (petites clovisses) de Málaga, thon (*atún*) pêché dans les madragues de Barbate et Tarifa ou encore *gambas* (crevettes moyennes) et *chocos* (seiches) de Huelva. Les plats de poisson se comptent par centaines, tirant parti à la fois de la richesse des côtes et des nombreuses influences dont s'est nourrie la gastronomie andalouse, comme pour la *corvina en amarillo*, préparée au safran. Mais le poisson et les fruits de mer se dégustent souvent très simplement : en friture (*fritura*, délicieux si c'est à l'huile d'olive) ou au gril (*a la plancha*). Cadix se distingue par la diversité et la qualité de ses poissons frits. En été, sur les côtes andalouses, ne manquez pas de dîner un soir dans un *chiringuito*, l'un de ces nombreux restaurants de fortune qui ouvrent sur les plages, et où l'on grille le poisson devant vous. Ah ! la daurade (*dorada*) cuite au feu de bois, avec juste quelques gouttes de citron et une poignée de sel… À essayer également si vous en avez l'occasion : les poissons et fruits de mer préparés *a la sal*, c'est-à-dire grillés dans une croûte de sel. Sanlúcar de Barrameda, qui possède d'excellentes salines, se distingue dans cet exercice. Dans toute l'Andalousie, et tout particulièrement à Cordoue et à Séville, on prépare de succulentes spécialités de morue (*bacalao*).

Gaspacho Le *gazpacho* (qui se prononce en Andalousie "gaspacho", d'où son orthographe courante en français) est un plat d'été, d'une fraîcheur parfaite lors des grandes chaleurs. Si vous en commandez un en plein mois de février, il est peu probable qu'il soit fait maison… Parler de "gaspacho andalou" est presque une offense aux habitants de la région, qui revendiquent avec fierté la paternité du plat. Il n'y aurait donc de gaspacho qu'andalou. Ou plutôt des gaspachos. Car il en existe des dizaines de variétés à travers l'Andalousie : les rouges (tomate), les blancs (légumes secs) et les verts (herbes et légumes). À Séville, on prépare le gaspacho le plus classique : une soupe froide aux tomates, avec de l'huile d'olive et du vinaigre de jerez (ou xérès). Et, bien sûr, du pain dur émietté : le nom du plat viendrait d'ailleurs de l'arabe "pain trempé", et à l'origine on n'y ajoutait même pas de tomates, puisqu'elles étaient inconnues dans la région. Aujourd'hui, outre les tomates, il est courant de faire entrer dans la recette concombres, oignons et poivrons. À Cordoue, on déguste le *salmorejo*, plus épais et servi à température ambiante avec des œufs durs effrités. Dans la région de Málaga, on sert plus volontiers la *porra*. La différence avec le gaspacho sévillan ne saute pas aux yeux, mais tout *Malagueño* qui se respecte vous assurera que ce n'est vraiment pas la même chose. Enfin, l'*ajo blanco* (ail blanc) est une recette que l'on trouve souvent au menu. Comme son nom l'indique, elle comporte beaucoup d'ail, mais également du citron et des amandes.

Huile d'olive et vinaigre Les oliviers recouvrent quasiment la moitié du territoire andalou, où l'on produit sans doute la meilleure huile d'olive (*aceite de oliva*) du monde. Les provinces de Cordoue et de Jaén sont les plus importantes en termes de production mais aussi de qualité. Quatre petites régions ont même obtenu l'honneur suprême d'une appellation d'origine contrôlée, à la manière des vins : ce sont celles de Baena et Priego de Córdoba au sud de Cordoue, de la sierra Mágina et de la sierra del Segura au nord-est de Jaén. Ne repartez pas d'Andalousie sans ramener quelques bouteilles, car les prix sont vraiment bas et la qualité inégalable. La meilleure huile est la *virgen extra*, issue de la première pression à froid. Autre condiment extraordinaire produit en Andalousie : le vinaigre de *jerez*. Ce vinaigre, que les gastronomes considèrent comme le fin du fin, est obtenu par le vieillissement en fût de chêne des vins de Jerez. Le résultat ? Quelques degrés d'alcool et des arômes à la fois forts et subtils qui lui ont permis d'obtenir une appellation d'origine (*DO*).

Jambons et charcuteries ibériques Le jambon est l'un des piliers de la gastronomie espagnole. Au bout de quelques jours, vous ne serez plus surpris par les jambons qui pendent par dizaines au-dessus des comptoirs. On distingue le *jamón serrano* (porc blanc), de bonne qualité, et le *jamón ibérico* (porc noir), haut de gamme. Les jambons sont d'abord conservés plusieurs mois dans une couche de sel marin, afin de les faire "transpirer", puis sont pendus dans un séchoir. Il s'écoule ainsi parfois dix-huit mois entre l'abattage de la bête et la commercialisation du produit. Dans tous les bars, le *jamón* se consomme en tapas, en sandwichs et même sous forme de ration à partager à plusieurs. La découpe en fines tranches, à même le jambon, est un art dans lequel sont passés maîtres les serveurs de la péninsule. L'Andalousie peut se vanter de posséder les deux types de jambon les plus réputés d'Espagne, ce qui n'est pas peu dire. Il s'agit des jambons produits à Jabugo (au nord de Huelva) et à Trevélez (Alpujarras, province de Grenade). Le *jamón ibérico* de Jabugo est élaboré à partir des porcs noirs (*pata negra*) qui paissent dans la région. Les meilleurs jambons proviennent des porcs exclusivement nourris de glands (*bellota*), qui donnent, dit-on, une saveur toute particulière à la viande. Le top du top, c'est le jambon 5J (*cinco Jotas*), dont la seule mention met l'eau à la bouche de tout Espagnol qui se respecte. Un vrai bonheur, qui fond sous la langue en dégageant des saveurs raffinées. À la différence de Jabugo, Trevélez n'est pas une zone d'élevage. Mais son altitude et la qualité de son air en font un excellent site pour le séchage des jambons, venus de toute l'Andalousie. Pour acheter un jambon entier d'une qualité acceptable, il faut en général compter 20 à 30€ le kilo. Dans toutes les villes d'Andalousie, vous pourrez aussi acheter le jambon à la coupe. À savoir également : le jambon blanc courant, tel qu'on le consomme en France et ailleurs, se nomme ici *jamón york*, et n'entre guère que dans la composition de sandwichs bon marché. Parmi les autres spécialités de charcuterie, on retiendra l'excellente *caña de lomo* (échine de porc séchée), le succulent *morcón* (préparé avec le gros intestin), la *butifarra* (proche de l'andouillette) ou encore la *morcilla* (boudin noir épicé). Les bars à tapas proposent souvent des plateaux de charcuteries (*tablas*).

Fromages Les fromages andalous ne comptent pas parmi les plus connus en Espagne, où l'on consomme plus volontiers les excellents fromages de la Mancha (*queso manchego*). À Antequera, Málaga, dans les Alpujarras et à Ronda (province de Málaga), on peut cependant savourer de très bons fromages de chèvre frais, parfois marinés dans l'huile d'olive. Ceux d'Aracena (au nord de Huelva) ne sont pas mal non plus. Les régions de Guadix (province de Grenade), des Pedroches (au nord de Cordoue) et de Grazalema produisent de délicieux fromages de brebis. Rappel : en Andalousie, le fromage se mange en entrée ou à l'apéritif !

Desserts L'Andalousie est réputée pour ses délicieuses pâtisseries et douceurs, issues d'une tradition judéo-musulmane qui fut perpétuée par les sœurs des couvents après la Reconquête. Parmi nos préférés, citons le *tocino de cielo* (un flan très sucré), le *yema* (un flan épais aux jaunes d'œufs), les *alfajores* (des biscuits feuilletés parfumés à l'anis, au citron) et les *tortas de aceite* (des galettes à l'huile d'olive). La plupart des couvents continuent à vendre leurs produits. Le rituel est toujours le même. Cachée derrière les parois d'un plateau tournant (*torno*), la sœur de service vous accueille d'un "*Ave María Purísima*", puis attend que vous prononciez les mots traditionnels : "*sin pecado concebiba*" (conçue sans péché). Alors, elle fait passer devant vous les différents gâteaux et pâtisseries qui sont vendus sur place. Autre solution, plus simple : les restaurants, qui proposent en général ce genre de spécialités. Les desserts les plus couramment proposés dans les bars-restaurants ne se distinguent cependant pas par leur originalité : la crème caramel (*flan*), la crème aux œufs et à la cannelle (*natillas*), le riz au lait (*arroz con leche*) ou une simple pomme (*manzana*).

les tapas

Les tapas sont une véritable institution en Espagne. Ce sont bien sûr ces petits amuse-gueules que l'on mange au comptoir, en dégustant une bière ou un verre de *fino* (vin sec de Jerez). Une coutume née dans la région andalouse de Jerez au XIXᵉ siècle, lorsque les bars ont commencé à poser sur les verres de vin une soucoupe contenant une tranche de jambon, du fromage, des olives. L'origine du nom viendrait de cette pratique visant, selon les versions, à couvrir (*tapar*) les verres pour les protéger des mouches, ou à couvrir… les petites faims ! Des tapas sont encore souvent servies avec chaque verre dans les provinces de Jaén et d'Almería. Ailleurs, et surtout dans les villes les plus touristiques, la tradition s'est un peu perdue et il faut désormais payer. Mais, payantes ou pas, les tapas font partie non seulement du mode de vie espagnol, mais encore de la richesse gastronomique nationale. Car le mot *tapa* désigne avant tout la taille du plat que l'on commande (par opposition aux *raciones* et *media raciones*, plus copieuses), sans préjuger de la qualité de celui-ci. De fait, et surtout en Andalousie, les tapas sont souvent de véritables morceaux de bravoure culinaire. Pour le comprendre, il faut avoir goûté aux tapas de *rabo de toro* (queue de taureau) que l'on sert à Cordoue, aux cailles grillées de Séville, au *jamón ibérico* de Huelva, au *serranito* (petit sandwich garni d'un filet de porc, de lard et de tomate) de Ronda, parmi tant d'autres. Certains affirment même que les tapas sont les précurseurs de la cuisine moderne : goûter à la variété

GEOPANORAMA

d'une cuisine savoureuse en petite quantité. *Ir de tapeo*, c'est-à-dire faire le tour des tapas, est une pratique dont les Andalous, et particulièrement les Sévillans, ont su faire un art. Le but du jeu, c'est d'aller de bar en bar, en commandant toujours ce qu'il y a de meilleur, car chaque lieu possède sa spécialité, bien connue des initiés. N'hésitez pas à demander conseil à vos voisins de comptoir, pour profiter au mieux du *tapeo*. Car les tapas ne sont rien d'autre que cela : la gastronomie comme prétexte à la discussion et aux rencontres. Le jambon (*jamón*) et le fromage (*queso*) sont d'indéboulonnables classiques, de même que les fruits de mer et le poisson, frits ou grillés. Parmi les tapas les plus courantes, citons la *tortilla*, la *ensaladilla rusa* (pommes de terre, petits pois et mayonnaise), les *albóndigas* (boulettes de viande aux herbes), les *croquetas* (croquettes de morue ou au jambon), les *pimientos* (poivrons marinés, parfois farcis, *rellenos*), les *boquerones* (anchois marinés ou grillés). Très répandus également en Espagne du Sud, les *montaditos*, petits sandwichs garnis d'échine de porc (*montadito de lomo*), de truite saumonée (*salmoneta*), etc. Attention, les *montaditos* se rencontrent partout, mais souvent sous des noms différents : *bocaditos*, *ligeritas*, etc. À Séville, dès les premiers beaux jours, on se rue sur les tapas d'escargots petits (*caracoles*) ou grands (*cabrillas*) préparés au court-bouillon.

Boissons

eau

L'eau du robinet est potable partout, même si son goût laisse parfois à désirer. Au restaurant, demandez au serveur de l'eau en carafe (*agua de grifo*), ou bien une bouteille d'eau minérale gazeuse (*agua mineral con gas*) ou plate (*agua sin gas*).

café et boissons non alcoolisées

Lorsque vous commandez un café, précisez toujours si vous le voulez noir (*café solo*), au lait (*café con leche*) ou avec un nuage de lait (*cortado*). Si vous demandez un simple *café*, on vous amènera en général un café au lait. Même chose pour le thé : il est souvent noyé dans 50% de lait. Si vous l'aimez nature, demandez-le avec le lait à part (*leche aparte*). Vous l'aurez remarqué, les fruits poussent partout dans cette région baignée de soleil. Les cafés proposent souvent un choix de jus de fruits frais (*zumos*). En vedette, le *zumo de naranja* (orange), véritable défi de prononciation espagnole. Vérifiez les prix, souvent élevés pour les jus frais.

bière

Sans atteindre les sommets du nord de l'Europe, les Espagnols sont de grands amateurs de bière (*cerveza*). Climat oblige, on la sert très fraîche. Le demi (25cl de bière pression) se dit *una caña*. Un *tubo* mesure 33cl et une *jarra* est l'équivalent d'une pinte (50cl). Il est utile de préciser, car si vous demandez juste *una cerveza*, on vous servira généralement une bière en bouteille, d'un coût sensiblement plus élevé. Là encore, les bouteilles sont de plusieurs tailles : *quinto* ou *botellín* (25cl), *tercio* ou *media* (33cl). Les inconditionnels du panaché commanderont *una clara*, ce qui ne choquera personne. Pour consommer local, essayer la Victoria, la San Miguel ou la Cruz-Campo.

vin

L'amour des Espagnols pour le vin ne date pas d'hier : la vigne apparaît sur la péninsule il y a plus de trente siècles, avec la fondation de Cadix par les Phéniciens. Rares sont les repas sans vin, qu'il soit rouge (*vino tinto*), blanc (*vino blanco*) ou rosé (*vino rosado*). De nos jours, près de 600 cépages différents sont cultivés en Espagne. Trempanillo, mourvèdre et bobal sont les trois principaux cépages rouges. Pour les vins blancs, ce sont l'albariño, le macabeo et le moscatel. La classification des vins espagnols, stricte et digne de confiance, vous aidera à vous y retrouver. Les vins de table (*vino de mesa*) sont extrêmement bon marché : dans le commerce, on trouve des bouteilles à environ 2€. Les vins régionaux (*vino comarcal*) sont d'une qualité légèrement supérieure. Le *vino de la Tierra* (correspondant au VDQS, vin de qualité supérieure, français) est la dernière étape avant d'atteindre le statut de *DO* (*Denominación de origen* ou appellation d'origine). Cette dernière vous garantit un vin produit avec sérieux. On compte plus de 50 *DO* en Espagne, chacune de ses régions produisant des vins de qualité et de prix variables. Quant au label suprême de *Di Calificada*, il n'a été attribué qu'aux excellents vignobles de la Rioja. Autre indication : la méthode de vieillissement du vin. Le *vino joven* est destiné à une consommation dans l'année. Le *vino de crianza* est conservé deux ans pour le rouge, un an pour le blanc et le rosé. La mention *reserva* indique un vieillissement plus long. La *gran reserva* désigne des crus supérieurs, portés à maturation pendant cinq ans avant d'être commercialisés. Dans la plupart des bars et restaurants, le vin peut s'acheter au verre (*copa*). Quant au vin en pichet (*vino de la casa*), il réserve parfois des surprises, bonnes ou mauvaises. Les meilleures régions viticoles d'Espagne restent la Catalogne (de très bons rouges et rosés), la Ribera del Duero (rouges de grande qualité), la Rueda (blancs faits de verdejo, très appréciés) et la Rioja (quelques excellents vins rouges à base de trempanillo). En choisissant un vin de ces régions, vous ne risquez pas d'être déçu. Certains vins de la région de Priorato en Catalogne se vendent même aussi cher que les crus classés bordelais. Ce sont des pièces de collection recherchées par les amateurs de vin du monde entier. Pour bien s'y retrouver : www.winesfromspain.com.

Vins andalous En Andalousie, la star incontestée reste le fameux *jerez* ou xérès, originaire des environs de Jerez, dans la province de Cadix. Un vin unique en son genre, grâce à l'originalité du terroir (soleil, sols crayeux) et des méthodes de vinification (la *solera*, un système particulier de vieillissement). D'une forte teneur en alcool, les vins de Jerez sont classés en trois principaux genres. Le *fino* est un vin sec, très clair et à peine doré. Il a un arrière-goût d'amande. Avec 15° à 17° d'alcool, c'est le jerez le plus léger. Consommé très frais, il s'accorde merveilleusement avec les tapas. L'*amontillado* est un peu plus foncé, et titre de 18° à 20° d'alcool. On le reconnaît à son goût de noix, caractéristique. L'*oloroso*, plus corsé, est un vin opulent pouvant titrer jusqu'à 22° d'alcool. Il développe tous ses arômes lorsqu'on le boit à température ambiante. À Sanlúcar de Barrameda, on produit la fameuse *manzanilla*, idéale avec un plateau de fruits de mer. Cette dernière est un *fino* au goût très particulier. On dit que cela vient des vents marins baignant les chais. Dans la région de Cordoue, essayez les vins de *Montilla-Moriles*, qui reprennent les classifications du jerez et une grande partie des méthodes de vinification. Goûtez de préférence au *fino*. Le vin doux de Málaga (*málaga dulce*) a connu un passé glorieux. On en raffolait de Rome à l'Angleterre. Depuis qu'une épidémie de mildiou a détruit les vignobles à la fin du XIXᵉ siècle, la mode est passée. Pourtant, servi très frais au dessert, le *málaga* est meilleur que jamais.

GÉOVOYAGE

Quand partir ? Les meilleures périodes pour voyager en Andalousie sont le printemps et l'automne : températures douces et soleil. Les plus belles fêtes locales se concentrent au printemps, saison dite haute, où les prix grimpent et où il est indispensable de réserver vols et hébergements (au moins six mois à l'avance pour Séville). Évitez les grandes villes de l'intérieur des terres l'été (Séville, Grenade, Cordoue) : la chaleur y est étouffante. Les régions côtières, elles, bénéficient d'un climat beaucoup plus tempéré et l'été y est agréable (attention au pic touristique du mois d'août). En montagne, la haute saison s'étend de juin à septembre et, pour les stations de ski de la sierra Nevada, de décembre à avril (affluence maximale de Noël à fin janvier). L'hiver, très doux, vous garantira le calme, sauf pendant les fêtes de fin d'année et du carnaval (en particulier à Cadix) : là encore, réservez longtemps à l'avance.

Se rendre en Andalousie

GEO**MEMO**

Saisons touristiques	haute saison : de fin mars-début avril à octobre avec pic de fréquentation au printemps (Semaine sainte, ferias) et en été ; basse saison : de novembre à février (hors fêtes de fin d'année)		
Températures	Séville	Grenade	Málaga
min./max. en janvier	5°C/15°C	2°C/12°C	8°C/16°C
min./max. en juillet	20°C/36°C	17°C/34°C	21°C/29°C
Précipitations			
moyenne en janvier	65mm/8j.	50mm/8j.	48mm/6j.
moyenne en juillet	1mm/<1j.	3mm/1j.	1mm/<1j.
Ensoleillement	5 à 6h/jour en hiver, 12h/jour en été		
Température de la mer	entre 12°C et 15°C en hiver ; été : 21°C (Golfe de Cadix), 23°C/25°C (Méditerranée)		
Enneigement	www.sierranevadaski.com		

Se rendre en Andalousie en avion

Les vols réguliers et directs vers le sud de l'Espagne sont assurés par les grandes compagnies aériennes nationales européennes. Seule Iberia fait escale à Madrid. Au départ du Canada, il faut également transiter par la capitale espagnole. En été, de nombreux charters viennent compléter ces liaisons.

de France

Iberia. La compagnie nationale espagnole assure deux vols quotidiens vers Séville au départ de Paris *via* Madrid. Comptez à partir de 310€ (hors promotion et réduction) pour un aller-retour. Iberia propose également par l'intermédiaire de Clickair des liaisons directes entre les deux villes deux fois par jour. Tarifs préférentiels jeunes, enfants et étudiants. ***Rens.*** *www.iberia.com* **France** *Points de vente à Paris (Orly-Ouest,Roissy-CDG) et en Province Tél. 0825 800 965* **Espagne** *Tél. 807 123 456*

Air France. De Paris, Air France assure 2 vols/jour vers Séville et 4 vols/jour vers Málaga. Billet AR Paris-Séville (trajet 2h20) à partir de 167€ et Paris-Malaga (trajet 2h30) à partir de 151€. Renseignez-vous bien sur les tarifs appliqués par Air France : gammes "Évasion" avec différents niveaux de prix en fonction de la date d'achat et tarifs préférentiels accordés aux moins de 25 ans. Enfin, la carte "Flying blue" permet de cumuler des *miles* afin de bénéficier de billets gratuits (carte nominative valable sur les vols en France et à l'étranger). En ligne : "Coup de cœur" est une sélection de destinations de dernière minute en France et en Europe proposée à prix réduit le mercredi, à partir de minuit. *France 49, av. de l'Opéra 75002 Paris Tél. 3654 www.airfrance.fr* **Espagne** *Tél. 902 20 70 90*

Transavia. Cette nouvelle compagnie aérienne à bas coûts, indépendante au sein du groupe Air France-KLM et tournée principalement vers le bassin méditerranéen, a commencé son activité au départ de Paris-Orly en juin 2007. Elle assure des liaisons directes vers Grenade à partir de 83€ AR. ***Rens.*** *Tél. 0892 05 88 88 www.transavia.com*

de Belgique

Iberia. Iberia propose une liaison quotidienne entre Bruxelles et Séville *via* Madrid. Billet AR à partir de 184€. ***Rens.*** *www.iberia.com* **Belgique** *Tél. 07 07 000 50* **Espagne** *Tél. 807 123 456*

Brussel Airlines. Cinq liaisons hebdomadaires entre Bruxelles et Séville (3h de vol) et de 4 à 5 liaisons quotidiennes entre Bruxelles et Málaga. Billet AS à partir de 50€. ***Rens.*** *www.brusselsairlines.com* **Belgique** *Brussels Airport, Zaventem Terminal des départs Rangées 4 et 5 Tél. 0902 51 600* **Espagne** *Tél. 807 22 00 03*

de Suisse

Iberia. Pas de vol direct entre la Suisse et Séville, uniquement des vols Genève-Séville *via* Madrid. Billet AR à partir de 552FS. ***Rens.*** *www.iberia.com* **Suisse** *Tél. 0848 000 15* **Espagne** *Tél. 807 123 456*

du Canada

Air Canada. La compagnie nationale canadienne propose des vols entre Montréal et Madrid. La liaison jusqu'à Séville s'effectue ensuite avec Iberia. Se renseigner auprès des agences. AR Montréal-Séville à partir de 1 000$. *Rens. www.aircanada.com Canada Comptoir de vente dans l'aéroport de Montréal Tél. 888 247 2262 Espagne Tél. 915 63 93 01 ou 914 11 42 97*

Se rendre en Andalousie en train

de France

Plusieurs TGV partent quotidiennement de Paris-Montparnasse vers Irún, relayés par des correspondances pour Madrid. Comptez une demi-journée de trajet. Le train-hôtel Elipsos Francisco de Goya relie également chaque jour Paris-Austerlitz à Madrid : il part à 19h43 et arrive à 9h13. Paris-Madrid (AS, 2ᵉ classe) en voiture-lit classe Touriste : comptez environ 150€. De Madrid, correspondances fréquentes pour Séville (2h25, 70€, environ 20 trains/jour), Cordoue (1h40, environ 55€, une vingtaine de trains/jour) ou Málaga (4h20, 65€, 6 trains/jour). Il existe également un train Talgo au départ de Montpellier et à destination de Valence (75€), Alicante (85€) et Carthagène (90€) (billet AS, 2ᵉ classe). *SNCF Tél. 3635 www.voyages-sncf.com Iberrail Tél. 01 40 82 63 60*

de Belgique

Un grand nombre de liaisons TGV-Thalys s'effectuent quotidiennement entre Bruxelles-Midi et Paris-Gare-du-Nord (environ 20 trajets/jour, AS en 2ᵉ classe à 80€). Il est nécessaire ensuite de prendre une correspondance (cf. de France). *Rens. Tél. 02 528 28 28 www.b-rail.be*

de Suisse

Le train-hôtel Elipsos Pau Casals quitte Zurich et Genève pour rejoindre Barcelona estación Francia *via* Berne, Lausanne, Genève, Perpignan, Figueras et Gérone (départ Genève 23h26 ; arrivée 9h02). 3 trains/semaine en basse saison, tlj. en haute saison. Billet AR Genève-Barcelone en 2ᵉ classe environ 415FS en siège inclinable en haute saison. De Barcelone, des correspondances sont possibles pour Madrid et Séville. *Rens. Tél. 0900 300 300 www.cff.ch*

pass Inter Rail

Les compagnies de chemin de fer de plusieurs pays se sont unies pour proposer deux pass, permettant de voyager en 1ʳᵉ ou en 2ᵈᵉ classe. *Rens. www.interrailnet.com*

Global Pass. Il est valable dans 30 pays d'Europe, pour une durée de 5 jours à un mois, sans limite de trajets. Pour un pass de 5 jours (utilisable sur une période de 10 jours) en 2ᵈᵉ classe, comptez 249€ en plein tarif, 159€ pour les moins de 26 ans. Pour 1 mois, comptez 599€ en plein tarif, 399€ pour les moins de 26 ans.

GÉOVOYAGE

One Country Pass. On l'utilise dans un seul pays européen, choisi parmi 27, pour une durée de 3, 4, 6 ou 8 jours consécutifs ou non, sur une période d'un mois. Les pays sont classés en 4 zones tarifaires, la zone 1 (la plus chère) comprenant la France, la Grande-Bretagne, l'Allemagne, la Suède et la Norvège. Pour un pass de 3 jours en zone 1, comptez 189€ en plein tarif, 125€ pour les moins de 26 ans. Pour 8 jours, comptez 299€ en plein tarif, 194€ pour les moins de 26 ans.

réductions

Avec le tarif **Loisir**, les voyageurs occasionnels qui réserveront le plus tôt possible leur billet bénéficieront de prix avantageux. Un tarif **Loisir "week-end"** (AR avec nuit du samedi sur place, ou AR dans la journée du samedi ou du dimanche) accorde également une remise, variable selon les disponibilités et la date de réservation. Les tarifs **Prem's** permettent d'obtenir des prix très attractifs (à partir de 17€ pour les trains Téoz, de 22€ pour les TGV), à condition de les réserver longtemps à l'avance (jusqu'à trois mois). Pour les voyageurs réguliers, des **cartes annuelles** attribuent des réductions diverses : carte Enfant + (69€, de 25 à 50% pour les enfants de moins de 12 ans, et 4 accompagnateurs au plus), 12-25 (49€, de 25 à 60%), Senior (55€, de 25 à 50% pour les plus de 60 ans) et Escapades (85€, de 25 à 40% pour tout AR de plus de 200km avec nuit du samedi sur place, ou AR dans la journée du samedi ou du dimanche). La SNCF propose également des avantages pour les professionnels, les grands voyageurs, les familles nombreuses, les groupes, etc. *Rens. SNCF Tél. 3635 www.voyages-sncf.com*

Se rendre en Andalousie en car

de France

Eurolines propose une centaine de destinations en Espagne au départ de 110 villes de France. Trois cars partent chaque semaine de Paris-Gallieni à destination de Séville. Comptez à partir de 133€ pour un AS. *Rens. Gare routière de Paris-Gallieni 28, av. du Général-de-Gaulle BP 313 93541 Bagnolet Cedex Tél. 0892 89 90 91 www.eurolines.fr*

de Belgique

Jusqu'à deux bus par semaine relient Bruxelles à Séville et desservent de nombreuses autres villes andalouses avec la compagnie Eurolines. Comptez pour un trajet Bruxelles-Séville, environ 22h de trajet et tarif AS à partir de 134€. *Rens. Gare du Nord Gare routière Rue du Progrès, 80 1000 Bruxelles Tél. 02 274 13 50 www.eurolines.be*

de Suisse

La compagnie de bus Alsa+Eggman ("Eurolines suisse") propose une liaison, d'environ 30h de voyage, entre Genève et Grenade (30h de trajet) ou Málaga (31h) 1 fois par semaine. Billet AR à partir de 411FS et 435FS. *Rens. Rue du Mont-Blanc, 14 1201 Genève Tél. 022 716 91 10 www.alsa-eggman.ch*

GÉOVOYAGE

Se rendre en Andalousie

OCÉAN ATLANTIQUE

PORTUGAL

ESPAGNE

FRANCE

ANDORRE

BALEARES

MER MÉDITERRANÉE

MAROC

N
200 km

pass et réductions

Le pass Eurolines, valable 15 ou 30 jours consécutifs, permet de voyager entre plus de 40 villes européennes. Pass jeune 15 jours à partir de 169€ et à partir de 199€ pour le Pass adulte. Des réductions, jusqu'à 70% sur la plupart des destinations, sont proposées en fonction de la date d'achat ; plus la réservation est éloignée de la date de départ, plus la réduction est importante. Par ailleurs, une réduction de 10%, sur les tarifs flexibles Eurolines est attribuée aux jeunes et aux séniors. **Rens.** www.eurolines-pass.com et www.eurolines.eu

Se rendre en Andalousie en voiture

de France

De Paris prendre l'A10 jusqu'à Bordeaux, puis la N10 en direction de Bayonne. Continuer sur l'A63/A8 jusqu'à Irun. De là, suivre la N1 ou AP1 – le nom des routes change en fonction de l'évolution des travaux sur le réseau routier –, pour rejoindre Valladolid, *via* Burgos, puis l'A62 jusqu'à Salamanca. Traverser enfin l'Extremadure jusqu'à Séville en empruntant l'A66/N630. Env. 1 730km et env. 50€ de péage. En revanche, pour rejoindre la province d'Almería, il vaut mieux passer par le centre de la France avec l'A10 et l'A71 jusqu'à Clermont-Ferrand, l'A75 et la N9 jusqu'à Montpellier, l'A9 jusqu'à Perpignan, puis rejoindre Barcelone et suivre la côte est espagnole sur l'A7. Paris-Almería, env. 1 850km et 85€ de péage.

de Belgique

Le plus simple est de passer par Paris. De Bruxelles, descendre jusqu'à Lille (A8), puis prendre l'"autoroute du Nord" vers Paris (cf. de France). Bruxelles-Séville env. 2 030km et 60€ de péage.

de Suisse

De Genève, prendre par Lyon (A40 et A42) et continuer jusqu'à Valence (A7) puis Orange et rejoindre l'A9 jusqu'à Perpignan (cf. de France). Genève-Séville, comptez env. 1 810km et 90€ de péage.

formalités

Enfin, pour circuler sans souci dans l'Union européenne, n'oubliez pas de vous munir de tous les papiers requis : papiers du véhicule, attestation d'assurance, permis de conduire et carte d'identité nationale ou passeport.

Voyagistes et centrales de réservation

Séjour, circuit, croisière ou aventure : à vous de définir les critères de votre voyage suivant votre budget et vos envies.

spécialistes de l'Espagne

Iberica. Spécialiste de l'Espagne et de ses îles : circuits, séjours, locations de villas ou d'appartements. *France 26, bd Beaumarchais 75011 Paris Tél. 01 40 21 88 88 ou 0826 100 805 www.iberica.fr*

Iberrail France. Séjours à la carte dans les Paradores et les Pousados. Iberrail France est le représentant dans l'Hexagone de la Renfe et de Trasmediterranea. *France 57, rue de la Chaussée-d'Antin 75009 Paris Tél. 01 40 82 63 64*

Images du Monde. Ce spécialiste du monde latin crée des itinéraires sur mesure pour individuels (transport, accueil sur place, locations de voiture, de maison..., guides, billets de spectacle, séjours pour handicapés). **Rens.** *www.images-du-monde. com* **France** *14, rue Lahire 75013 Paris Tél. 01 44 24 87 88*

Maeva. Résidences et hôtels à la mer, à la montagne ou à la campagne, et locations de vacances ; trois formules de locations de vacances en Espagne notamment : clubs de plein air (chalets, mobile homes), résidences et villages (maisonnettes jumelées). **France** *11, rue de Cambrai-L'Artois 75019 Paris Tél. (standard siège) 01 58 21 58 21 (nombreux autres points de vente en province) Tél. 0825 070 060 www.maeva.com*

Mondecom. Séjours, circuits et autotours en Espagne. **France** *38, rue René-Boulanger 75010 Paris Tél. 01 42 02 20 00 www.mondecom.fr*

généralistes

AFAT Voyages. Vols, séjours, week-ends, circuits et croisières toutes destinations. Comparaison en ligne des prix des billets d'avion, des hôtels ou des agences de location de voitures. **France** *www.afatvoyages.fr*

BHV / Lafayette Voyages. Billetterie air-fer-mer, réservation d'hôtels et location de voitures, circuits, séjours, croisières, week-ends et locations d'hébergements. **Rens.** *www.galerieslafayette.com* **France** *BHV 9, rue des Archives 75004 Paris Tél. 01 42 78 38 91 Galeries Lafayette-Magasin Homme 40, bd Haussmann 75009 Paris Tél. 01 42 82 36 36 (autres points de vente en province dans les magasins BHV et Galeries Lafayette) Tél. 0825 85 4000 (vente à distance).*

Casino Vacances. Week-ends et courts séjours, logements à louer dans l'Hexagone, séjours en France et à l'étranger, location de voiture, billets d'avion, hôtels. **France** *Tél. 0820 841 841 www.casinovacances.fr*

Ebookers.fr / La Compagnie des Voyages. Centrale de réservation sur Internet : séjours, destinations et offres de 70 compagnies aériennes. **Rens.** *www.ebookers.fr* **France** *28, rue Pierre-Lescot 75001 Paris Tél. 0892 893 892 pour les vols et 0825 700 725 pour les séjours*

Fnac Voyages. Billets d'avions, séjours, week-ends, séjours combinés, thématiques et sportifs, circuits et autotours, croisières. Offres adhérents. **Rens.** *www.fnac.com* **France** *Fnac Forum des Halles 1, rue Pierre-Lescot 75001 Paris (autres points de vente en île-de-France et en Province) Tél. 0825 09 06 06 (vente à distance)*

Hyper Vacances. Week-ends, pour toutes destinations. **Rens.** *www.hypervacances. com* **France** *1, avenue de la République 75011 Paris Tél. 01 55 28 31 00 et Lyon Tél. 04 72 67 00 19*

Jet Tours. Vols, séjours, circuits, croisières, voyages à la carte "Jumbo", voyages de noces, séjours en club de vacances "Eldorador" pour se retrouver en famille. **Rens.** *www.jettours.com* **France** *4 500 points de vente dans toute la France Tél. 0825 30 20 10*

GEOVOYAGE

Karavel. Agence de voyages à distance (téléphone et Internet) proposant de nombreuses offres de vacances toutes combinaisons. *Rens.* *www.karavel.com* *France* 20, rue de l'Échiquier 75010 Paris Tél. 0892 23 27 27

Leaderprice Voyages. Vols, week-ends, circuits, séjours, locations en France et à l'étranger. *Rens.* *www.leaderpricevoyages.fr* *France* Tél. 0825 002 003

Leclerc Voyages. Toutes prestations et destinations. *Rens.* *www.e-leclerc.com/ voyages* *France* Points de vente dans les magasins Leclerc

Magiclub Voyages. Une sélection de séjours et d'hôtels dans le monde entier, des vols réguliers et charters, réservation de voiture… *Rens.* *www.magiclub.com* *France* 33 bis, rue Saint-Amand 75015 Paris Tél. 01 48 56 20 00

National Tours. Ce voyagiste propose vols secs, voyages en autocar et en avion, promotions et coups de cœur vers le monde entier. *Rens.* *www.national-tours.com* *France* 20, rue d'Isly 35005 Rennes Tél. 02 99 85 87 87

Nouvelles Frontières. Vols secs, séjours en hôtels, hôtels-clubs, week-ends, excursions, circuits, croisières, séjours neige et spécial groupes… Enchères les mardis sur le site Internet (présentées dès le lundi soir). *France* Tél. 0825 000 747 *www.nouvelles-frontieres.fr* *Belgique* Tél. 02 547 44 44 *www.nouvelles-frontieres.be* *Suisse* Genève Tél. 022 906 80 80 Lausanne Tél. 021 616 88 91 *www.nouvelles-frontieres.ch*

Opodo. Tout pour programmer vos vacances en ligne : guides touristiques, horaires des vols, cartes, guide des aéroports, réservation de vols, d'hôtels et de voitures… *Rens.* *www.opodo.fr* *France* Tél. 0899 653 656 *(service séjours)* Tél. 0899 653 654 *(service vols)*

Printemps Voyages. Week-ends et courts séjours, parcours découverte et voyages de noces. *Rens.* *www.printempsvoyages.com* *France* Printemps de la maison 64, bd Haussmann, 2ᵉ étage, 75009 Paris Tél. 01 42 82 40 40 *(autres points de vente en île-de-France et en province dans certains magasins Printemps)*

Salaun Holidays. Ce voyagiste propose séjours et circuits dans le monde entier. *Rens.* *www.salaun-holidays.com* *France* 38, rue de Quimper 29590 Pont-de-Buis Tél. 02 98 73 05 77

Selectour Voyages. Vols secs, séjours, circuits, week-ends, thalassos et balnéothérapies, lunes de miel, voyages spécialisés seniors ou enfants. *Rens.* *www. selectour.com* *France* Tél. 0892 305 305

Thomas Cook France. Voyages dans le monde entier selon une quinzaine de thématiques : "Mer", "Soleil", "Montagne", "Balnéo-Thalasso", "Circuits", "Croisières", "Découvertes", "Famille", "Hôtels-Clubs", "Location", "Courts séjours", "Week-ends", "Voyages de noces", "Marathon", "Prestige". *Rens.* *www.thomascook.fr* *France* 460 points de vente en France Tél. 0825 825 055

Tours Chanteclerc. Tour opérateur canadien spécialiste de l'Europe. *Rens. www. tourschanteclerc.com www.capvoyages.com **Canada** CAP Voyages 4205, rue Beaubien Est (angle 23ᵉ avenue), Montréal Québec H1T 1S5 Tél. 514 728 4553 ou 1-800 300 0851*

VIP Tours. Vols secs, circuits, séjours et location de voitures en ligne. *Rens. www. viptourisme.com **France** 144, av. G.-Péri 92230 Genevilliers Tél. 01 41 21 40 00*

Vivacances.fr. Plateforme virtuelle de réservation toutes prestations et destinations. *Rens. www.vivacances.fr **France** Tél. 0892 350 340*

Voyages Carrefour / Voyages Champion. Toutes formules et destinations. *Rens. www.voyagescarrefour.com **France** Tél. 0826 826 823*

Voyages SNCF. Agence de voyages en ligne : billets (train, avion), location de voitures, séjours, week-ends et hôtels. *Rens. www.voyages-sncf.com **France** Tél. 0892 308 308*

Voyages Wasteels. Séjours, week-ends, vacances à la carte, croisières, hébergements, voyages en avion ou train et location de voitures, en France et dans le monde. 65 agences en France, 140 en Europe. *Rens. www.wasteels.fr **France** Tél. 0825 88 70 70*

Zig-Zag. Agence spécialisée dans les randonnées. Propose des itinéraires hors du commun à intérêt culturel. *Rens. www.zig-zag.tm.fr **France** 54, rue de Dunkerque 75009 Paris Tél. 01 42 85 13 93 **Belgique** Sfera Tours Rue Grétry, 22 1000 Bruxelles Tél. 02 223 49 48*

vols et séjours dégriffés

Airstop / Taxistop. "Faire plus avec moins". Airstop s'est spécialisé dans la vente de billets de dernière minute et autres tickets à bon marché, vers n'importe quelle destination. Taxistop s'efforce de compléter les places vides dans les voitures (covoiturage, eurostop) ou les logements (échange de maisons, bed&breakfast). ***Belgique Airstop** Tél. 070 233 188 www.airstop.be **Taxistop** Tél. 070 222 292 www.taxistop.be*

Anyway. Centrale de réservation en ligne auprès de 450 compagnies aériennes et 31 000 hôtels vers plus de 1 000 destinations. *Rens. www.anyway.com **France** Tél. 0892 302 301*

Auchan Voyages. Séjours et circuits à petits prix, séjours à la carte, promotions sur les billets d'avion et chambres d'hôtel. *Rens. www.voyagesauchan.com **France** Points téléphone dans les magasins Auchan Tél. 0825 015 115*

Bourse des Vols / Bourse des Voyages. Centrale de réservation en ligne de programmes de voyages proposés par les tour opérateurs : vols, séjours, clubs, circuits découverte, week-ends, croisières… *Rens. www.bourse-des-voyages.com www.bourse-des-vols.com **France** Tél. 0892 888 949*

Directours. Voyagiste sans intermédiaire : séjours, circuits et vols secs vers les destinations soleil à bas prix. **Rens.** www.directours.com **France** *90, av. des Champs-Élysées 75008 Paris Tél. 01 45 62 62 62*

Easy Voyage. Vaste choix parmi les offres de 80 tour opérateurs. Étude comparative de 1 200 hôtels dans le monde et carnets de voyages de plus de 250 destinations. **Rens.** www.easyvoyage.com **France** *77, rue Desnouettes 75015 Paris Tél. 01 44 25 94 00 Tél. 0899 700 207 (vols) 0899 700 320 (voyages)*

Go Voyages. Spécialiste du vol sec, Go Voyages peut vous trouver le billet au plus bas prix vers près de 1 000 destinations. **Rens.** www.govoyages.com **France** *Tél. 0892 230 200*

Joker. Cet organisateur belge de circuits en petits groupes propose des billets bradés au départ de Bruxelles, Paris, Francfort et Amsterdam. **Rens.** www.joker.be **Belgique** *Quai de Commerce, 27, 1000 Bruxelles Tél. 02 502 19 37*

Lastminute / Reductour / Degriftour / Travelprice.com Centrale de réservation en ligne de 11 mois à 1 jour avant votre départ. **Rens.** www.lastminute.com **France** *Tél. 0899 78 5000*

Promo Vacances. Offres de voyages en ligne toutes destinations : circuits, séjours ou croisières, voyages sportifs et thalassothérapie. **Rens.** www.promovacances. com **France** *Tél. 08 92 23 26 26*

Tati Vacances. Séjours et vols à petits prix. **Rens.** www.tativacances.com **France** *Tél. 0892 238 248*

Travelonweb. Billets d'avion, hôtels, voitures, cabarets et spectacles, séjours, croisières et week-ends dans le monde entier. **Rens.** www.travelonweb.com *Tél. 0826 828 824*

Voldiscount. Centrale de réservation en ligne de vols, séjours, circuits et croisières. **Rens.** www.voldiscount.com

Voyager moins cher. Comparateur en ligne. **Rens.** www. voyagermoinscher.com

jeunes et étudiants

Contacts. Immersion dans le pays avec cours particuliers ou en groupe, stages en entreprise, jobs au pair et séjours de perfectionnement en Europe, aux États-Unis, Canada et Australie. Hébergement en famille d'accueil ou en résidence. **Rens.** www.contacts.org **France** *27, rue de Lisbonne 75008 Paris Tél. 01 45 63 35 53*

Experiment. Pour les jeunes voyageurs souhaitant apprendre l'anglais, l'espagnol, l'allemand ou l'italien, séjourner au pair chez l'habitant ou travailler (stage, emploi, bénévolat). Ouvert aussi aux adultes (cours de langues). **Rens.** www.experiment-france.org **France** *89, rue de Turbigo 75003 Paris Tél. 01 44 54 58 00*

FUAJ (Fédération unie des auberges de jeunesse). 160 auberges de jeunesse en France et près de 4 000 dans le monde, ainsi que des activités sportives, culturelles et éducatives. Carte de membre obligatoire. **Rens.** *www.fuaj.org* **France** *27, rue Pajol 75018 Paris Tél. 01 44 89 87 27*

ISIC. La carte d'identité internationale des étudiants, et aussi des lycéens, collégiens et personnes en formation à temps complet, donne accès à de nombreux services et réductions (voyage, vie quotidienne, culture, loisirs...) dans 118 pays. **France** *2, rue Cicé 75006 Paris Tél. 01 40 49 01 01 Fax 01 40 49 01 02 infos@ carteisic.com www.isic.fr*

Jeunesse et Reconstruction. En Espagne, plus particulièrement chantiers de construction, stages à thème (archéologie, environnement, festivals), animations (aide aux personnees handicapés), etc. Dès 18 ans. **Rens.** *www.volontariat.org* **France** *10, rue de Trévise 75009 Paris Tél. 01 47 70 15 88*

Service Voyages ULB. Ce voyagiste spécialisé dans les périples pour les jeunes offre un grand nombre de séjours à l'étranger et des formules à prix négociés. **Rens.** *www.servicevoyages.be* **Belgique** *Campus ULB Av. Paul-Héger, 22 CP 166 1000 Bruxelles Tél. 02 648 96 58*

STA Travel. Voyages pour étudiants dans le monde : billets Euro Train, vols secs, location de voitures... Cartes jeunes ISIC (étudiants) et GO 25 (moins de 25 ans). **Rens.** *www.sta.ch* **Suisse** *Bd de Grancy, 20 1006 Lausanne (autre spoints de vente dans les grandes villes suisses) Tél. 058 450 48 50*

UCJG (Unions chrétiennes de jeunes gens) / YMCA (Young Men's Christian Association). Alliance œcuménique à orientation protestante proposant des hébergements en chambres individuelles ou doubles à petits prix. Carte membre obligatoire. **Rens.** *www.ucjg.fr www.ymca.int* **France** *5 pl. de Vénétie 75013 Paris Tél. 01 45 83 62 63*

Voyage Campus. Voyages économiques pour étudiants : voyage-étude pour apprendre une langue, PVT (Programme-Vacances-Travail), bénévolat... **Canada** *1613, rue Saint-Denis QC H2X 3K3 Montréal Québec Tél. 514 843 8511 www. travelcuts.com*

séjours sportifs

Adventure Center. Ce tour opérateur canadien organise safaris, expéditions, mais aussi voyages de trekking, voile, rafting et VTT à travers plus de 300 itinéraires dans le monde. **Rens.** *www.adventurecenter.com* **Canada** *1311, 63rd Street, suite 200, Emeryville CA 94608 Tél. 510 654 1879*

Allibert. Spécialiste des randonnées à pied, à skis ou à VTT dans les montagnes et déserts du monde. Circuits possibles pour tous niveaux. **Rens.** *www.allibert-trekking.com* **France** *37, bd Beaumarchais 75003 Paris Tél. 01 44 59 35 35 Tél. 0825 090 190*

Atalante. Spécialiste de la randonnée dans le monde, avec une philosophie fondée sur le respect de la nature et de l'autre. Également voyage équestre. Itinéraires à la carte selon trois niveaux de difficultés : Épicure (*), Apollon (**), Hercule (***). *France 5, rue du Sommerard 75005 Paris Tél. 01 55 42 81 00 www.atalante.fr*

Fun&Fly. Voyages sportifs en mer (plongée, golf, windsurf, kitesurf et surf). Possibilité notamment de passer des brevets de plongée et activités "outdoor" en dehors des sentiers battus (VTT, rafting, quad, motoneige, etc). *Rens. www.fun-and-fly.com France 55, bd de l'Embouchure 31200 Toulouse Tél. 05 62 72 46 00 et 0820 420 820*

Nomade Aventure. 450 aventures à pied ou en 4x4, en famille ou en liberté sur tous les continents. *Rens. www.nomade-aventure.com France 40, rue de la Montagne-Ste-Geneviève 75005 Paris 43, rue Peyrolières 31000 Toulouse Tél. 0825 701 702*

Sport Away Voyages. Séjours sportifs toutes destinations (golf, Hobie Cat, plongée, windsurf). *Rens. www.sport-away.com France BP 109 13321 Marseille Cedex 16 Tél. 04 95 06 12 20 et 0826 881 020*

Terres d'aventure. Spécialiste du voyage à pied. Nombreux circuits toutes destinations : "Voyages à pied", "Découvertes et explorations", "Désert d'aventure", "Neige d'aventure", "Famille". *Rens. www.terdav.com France 30, rue Saint-Augustin 75002 Paris Tél. 01 53 73 77 73 et 0825 847 800*

UCPA (Union nationale des centres sportifs de plein air). Une soixantaine d'activités, selon votre élément : "Air" (parachutisme, planeur), "Neige" (ski, raquettes), "Eau" (surf, raft) ou "Terre" (escalade, équitation). *Rens. www.ucpa.com France 104, bd Blanqui 75013 Paris (autres points de vente en province) Tél. 0825 820 830*

séjours à la carte

Arts et Vie. Circuits, week-ends et forums culturels (approche des arts et civilisations) dans le monde entier. *Rens. www.artsetvie.com France 251, rue de Vaugirard 75015 Paris Tél. 01 40 43 20 21 (autres points de vente en province)*

Clio. Itinéraires culturels classiques (animés par un conférencier) ou thématiques (festivals musicaux ou expositions dans les capitales du monde). Près de 200 voyages dans 80 pays. *Rens. www.clio.fr France 27, rue du Hameau 75015 Paris Tél. 0826 101 082*

Costa Croisières. Organisation de croisières vers les Caraïbes, la Méditerranée, l'Europe du Nord, le continent américain les Émirats, l'Extrême-Orient... *Rens. www.costacroisieres.fr France 2, rue Joseph-Monier Bâtiment C 92859 Rueil-Malmaison Tél. 01 55 47 55 00*

Croisières MSC (Mediterranean Shipping Cruises). Sur un paquebot de luxe, voguez vers la Méditerranée et l'Atlantique... *Rens. www.msccroisieres.fr France 153, av. d'Italie 75013 Paris Tél. 01 48 04 76 20 et 0800 506 500*

CroisiFrance. À bord du *Coral*, croisières sur la Méditerranée avec des escales en Andalousie, au départ de Marseille. ***Rens.*** *www.louiscruises.com* **France** *12, rue Lafayette 75009 Paris Tél. 01 42 66 97 25*

Donatello. Voyages sur mesure en Europe, en Afrique et dans l'océan Indien. ***Rens.*** *www.donatello.fr* **France** *Agence à Paris et dans de nombreuses villes de France Tél. 0826 10 20 05 ou 0826 102 102*

FRAM. Le leader des voyages organisés : courts, moyens et longs séjours, circuits, autotours, croisières, combinés... et clubs Framissima. ***Rens.*** *www.fram.fr* **France** *Nombreux points de vente à Paris et en province Tél. 0826 466 300*

Idée Nomade. Vacances à vocation culturelle. Formules autocar + hébergement en hôtel ou en auberge de jeunesse, et départs des principales grandes villes de province. ***Rens.*** *www.ideenomade.fr* **France** *Allées provençales 191, Giuseppe-Verdi 13100 Aix-en-Provence Tél. 04 42 990 990*

Intermèdes. Séjours, circuits et croisières culturels accompagnés par des conférenciers historiens. ***Rens.*** *www.intermedes.com* **France** *60, rue La Boétie 75008 Paris Tél. 01 45 61 90 90*

Rev'Vacances. Safaris, croisières, circuits, séjours et autotours sur les cinq continents. ***Rens.*** *www.rev-vacances.fr* **France** *31, av. de l'Opéra 75001 Paris Tél. 0825 139 900*

Terres de charme et Îles du monde. Séjours et circuits individuels rares et haut de gamme. ***Rens.*** *www.terresdecharme.com* **France** *19, av Franklin-Roosevelt 75008 Paris Tél. 01 55 42 74 10*

Terre Entière. Voyages culturels sur mesure avec conférenciers (circuits, croisières, pèlerinages...). Groupes constitués à la carte. ***Rens.*** *www.terreentiere.com* **France** *10, rue Mézières 75006 Paris Tél. 01 44 39 03 03 (réservation voyages organisés) ; 4, rue Madame 75006 Paris Tél. 01 44 39 06 26 (siège social et réservation voyage groupes constitués à la carte)*

Voyageurs du monde. Spécialiste du voyage individuel sur mesure dans 70 pays sur les cinq continents. À Paris, la Cité des Voyageurs vous accueille dans un espace de 1 800 m² dédié aux voyages. ***Rens.*** *www.vdm.com* **France** *Cité des Voyageurs 55, rue Sainte-Anne 75002 Paris Tél. 0892 23 56 56 (autres points de vente dans certaines villes de province)*

séjours en club

Club Med Voyages. Vacances farniente au Club, "Séjours et Aventures", croisières, circuits découverte à partir des villages, villas à louer et clubs en ville. ***Rens.*** *www. clubmed.com* **France** *Nombreux points de vente en Île-de-France et en province Tél. 0810 810 810*

GÉOPRATIQUE

Dégoter de bonnes petites pensions
en Andalousie, établir son budget
en fonction de la saison, savoir
où pratiquer la randonnée, le golf,
le ski ou l'escalade : de **A** comme
Ambassades à **V** comme Visa,
en passant par **H** comme
Hébergement, **J** comme Jours fériés
ou **S** comme Shopping, Sports,
etc. : toutes les réponses
à vos questions avant de partir
et sur place.

Informations utiles de A à Z

GÉO**MEMO**

Formalités	pour l'Andalousie et Gibraltar : carte d'identité ou passeport périmé depuis moins de 5 ans (pour les Canadiens : passeport en cours de validité) ; pour le Maroc : un passeport en cours de validité
Durée de vol	Paris-Séville : env. 2h30
Informations touristiques	OT de l'Espagne à Paris Tél. 01 45 03 82 50

GÉOPRATIQUE

Ambassades et consulats

Pour les représentations diplomatiques de pays francophones sur place, se reporter à la rubrique "Mode d'emploi" de Séville, Algésiras, Málaga et Grenade.

FRANCE
Ambassade d'Espagne. *22, avenue Marceau 75381 Paris Cedex 08 (métro Alma-Marceau) Tél. 01 44 43 18 00 www.amb-espagne.fr ambespfr@mail.mae.es*
Consulat d'Espagne à Paris. *165, boulevard Malesherbes 75840 Paris (métro Malesherbes) Tél. 01 44 29 40 00 www.cgesparis.org info@cgesparis.org*
Autres consulats d'Espagne en France. *Bayonne, Bordeaux, Lyon, Marseille, Montpellier, Pau, Perpignan, Strasbourg et Toulouse*

BELGIQUE
Ambassade d'Espagne. *Rue de la Science, 19 Bruxelles 1040 Tél. 02 230 03 40*
Consulat général d'Espagne. *Boulevard du Régent, 52 Bruxelles 1000 Tél. 02 509 87 70*

CANADA
Ambassade d'Espagne. *74, Stanley Avenue Ottawa (Ontario) K1M 1P4 Tél. 613 747 22 52*
Consulat d'Espagne. *1, Westmount Square, bureau 1456, Montréal (Québec) H3Z 2P9 Tél. 514 935 52 35*

SUISSE
Ambassade d'Espagne. *Kalcheggweg 24, 3000 Bern 15 Tél. 031 350 52 52*
Consulat général d'Espagne. *Marienstr. 12, 3005 Bern Tél. 031 356 22 20*

Argent, banques et change

monnaie et change

L'euro est la monnaie nationale espagnole. À titre indicatif, voici quelques taux de change en vigueur en novembre 2007 : l'euro vaut environ 1,30 dollar canadien et 1,70 franc suisse. 1€ = 0,70 livre de Gibraltar et 1€ = 11,30 dirhams marocains.

cartes de crédit

Les cartes Visa, MasterCard, American Express et Diners Club sont acceptées par la grande majorité des hôtels et restaurants, surtout dans les gammes de prix moyens à élevés. En revanche, dans les pensions et les petits bars-restaurants, demandez toujours s'il est possible de payer par carte (*tarjeta de crédito*), surtout à la campagne. Vous pouvez aussi régler vos achats par carte, même d'un faible montant, dans la plupart des magasins et sur présentation d'une pièce d'identité. En général, les adresses acceptant le paiement par carte affichent les logos correspondants sur la porte d'entrée. À noter : au moment de payer, vous n'aurez pas forcément à taper votre code personnel, mais à signer en bas du ticket d'achat. Conservez les reçus afin de pouvoir vérifier au retour les montants débités sur vos relevés de comptes, et contester les fraudes éventuelles. En cas de perte ou de vol, contactez les numéros suivants :

Visa. *Tél. 900 99 11 24 www.visa.com*
Mastercard. *Tél. 900 97 12 31 www.mastercard.com*
Diners Club. *Tél. 902 401 112, 912 11 43 00 et 901 10 10 11 (Espagne), (32) 2 626 50 04 (Belgique) 1416 369 63 13 (Canada) (33) 1 49 06 17 76 (France) (41) 1 58 750 81 81 (Suisse) www.diners club.com*
American Express. *www.americanexpress.com Tél. 902 37 56 37 et 917 43 70 00*

distributeurs de billets

Les grandes banques espagnoles et les réseaux bancaires Telebanco et ServiRed possèdent des distributeurs automatiques dans la grande majorité des villes, en général groupés le long des rues commerçantes du centre-ville. Si les aéroports et les gares sont toujours dotés de distributeurs, ce ne sont pas les lieux les plus sûrs pour retirer de l'argent. À la campagne, mieux vaut être prévoyant, car il peut s'avérer plus difficile de trouver des distributeurs. Renseignez-vous auprès de votre banque sur les éventuelles commissions au retrait et à l'achat.

chèques de voyage (*traveller's checks*)

Les chèques de voyage les plus courants (American Express, Visa, Thomas Cook) sont acceptés (sur présentation d'une pièce d'identité) dans les principales banques espagnoles, et dans les bureaux de change. Ils sont très rarement acceptés comme moyens de paiement dans les commerces. Selon le prestataire, les commissions sont variables. Demandez toujours confirmation de leur montant, ainsi que du taux de change pratiqué, souvent très défavorable près des sites touristiques. L'encaissement de chaque chèque donnant lieu à une commission, il est moins coûteux d'établir des chèques d'un montant assez élevé. Concernant les chèques American Express, il est possible de les changer, sans commission, dans les agences de Grenade, mais également dans les agences des banques Banco Santander, Caja España et BBVA (dans cette dernière, commission pour les chèques d'un montant inférieur à 100€), des banques espagnoles avec lesquelles American Express a noué un accord. En cas de vol ou de perte, vos chèques de voyage vous seront remplacés rapidement si vous êtes en mesure de fournir la liste des numéros des chèques et le reçu d'achat ; ne conservez pas ces informations au même endroit que vos chèques.
Interchange (American Express Grenade). *Calle Reyes Católicos, 31 Granada Tél. 958 22 45 12*

transferts d'argent internationaux

Le plus simple est de passer par l'un des deux grands services de virements internationaux : Western Union et MoneyGram. La commission est assez élevée, mais le transfert est très rapide. Conditions : avoir quelqu'un pour vous envoyer de l'argent (en espèces seulement) depuis une agence à l'étranger, et que vous-même trouviez une agence proche. Elles sont assez nombreuses en Andalousie. Dans les grandes villes, adressez-vous aux bureaux de la banque Banco Popular Español, de la Banco de Andalucía ou de la banque Cajamar, qui représentent MoneyGram. Ce service est également dispensé dans certaines centrales de téléphone (*locutorios*). Pour Western Union, adressez-vous aux bureaux de poste de la plupart des grandes villes : vous pouvez envoyer de l'argent (commissions importantes) ou en recevoir (service gratuit) par le biais de cette compagnie. Pour des transferts d'argent de banque à banque, contactez votre agence avant le départ, afin de savoir si votre établissement dispose d'un réseau de contacts en Espagne du Sud, et quelles sont les conditions d'un tel transfert. En général, ce genre de démarche risque de prendre une semaine environ. **Bureaux de poste concernés** *Tél. 902 197 197 www.westernunion.com* **Moneygram** *Tél. 901 20 10 10 www.moneygram.com*

Assurance

Si vous aimez tout prévoir, vous pouvez toujours souscrire un contrat d'assurance-voyage avant le départ. Lui seul vous couvrira en cas d'annulation de voyage, de vol ou de perte des bagages. Le contrat peut également comprendre une assistance-rapatriement (en cas d'accident ou de maladie) et une assurance-maladie (dépenses non couvertes par la Sécurité sociale ou avancées en cas d'hospitalisation). Les compagnies aériennes et les agences de voyages proposent ces forfaits d'assurance à l'achat du billet d'avion ou du séjour. Avant de vous engager, vérifiez qu'un tel service d'assurance n'est pas déjà inclus ou proposé à moindres frais avec votre carte bancaire, votre mutuelle ou l'assurance de votre voiture. Dans tous les cas, lisez bien les conditions et les limitations de l'assurance, essentielles mais souvent indiquées en tout petits caractères au bas du contrat. Vérifiez par exemple si le rapatriement d'urgence ou les sports à risques comme la plongée sous-marine ou la randonnée sont couverts. Sur place, pensez à emporter les coordonnées de votre compagnie d'assurances, ainsi que les références qui sont indiquées sur votre contrat. Principaux organismes :

Mondial Assistance. *Tél. 01 40 255 255 www.mondial-assistance.fr*
Europ Assistance. *Tél. 01 41 85 85 85 www.europ-assistance.fr*

Budget et prix

Voyager en Espagne n'est plus aussi économique qu'il y a quelques années. Le budget d'un séjour à Grenade ou à Séville, sans être aussi élevé que dans certaines autres grandes villes européennes, reste conséquent. En serrant au maximum les dépenses, les tout petits budgets survivront avec 40-50€ par personne et par jour. Au programme : camping, auberge de jeunesse ou chambre sans salle de bains dans une pension bas de gamme, sandwichs et tapas, peu de visites et encore moins de sorties. Le budget quotidien moyen tournera plutôt aux alentours de 50-70€ : logement en pension ou dans de petits hôtels, transports en commun, menus économiques, quelques visites et sorties. Avec 100€ par jour, vous pourrez dormir dans de bons hôtels, profiter de la gastronomie, louer éventuellement une voiture. Mais attention : l'établissement d'un budget est étroitement lié à la notion de saison : en haute saison, les indications précédentes sont à revoir à la hausse. Et si vous voulez vivre les grands événements du Sud espagnol (Semaine sainte et feria à Séville, Feria del Caballo à Jerez ou carnaval à Cadix…), il faudra prévoir au moins le double.

hébergement et restauration

Les prix de l'hébergement varient en fonction des catégories, mais également des différentes saisons. Mieux vaut en tenir compte dans la détermination de votre budget. Les prix indiqués ci-dessous pour une chambre double et pour un repas (boisson non comprise) le sont à titre indicatif.

	Dormir	**Manger**
Très petits prix	moins de 35€	moins de 12€
Petits prix	de 35 à 50€	de 12 à 20€
Prix moyens	de 51 à 70€	de 21 à 30€
Prix élevés	de 71 à 110€	de 31 à 60€
Prix très élevés	plus de 110€	plus de 60€

taxes

La taxe sur la valeur ajoutée ou *IVA* (*impuesto sobre el valo añadido*, se prononce "iba") appliquée à l'hébergement, aux consommations et à la restauration s'élève à 7%. Vérifiez bien si les prix affichés l'incluent, *"IVA incluido"* (c'est loin d'être toujours le cas, surtout dans les pensions et hôtels), ou non (*más IVA*). Même remarque pour la location de voitures, où l'*IVA* atteint 16%. Dans les pensions et certains hôtels, il est parfois possible d'économiser l'*IVA* si vous payez en argent liquide, sans facture (*sin factura*).

Carte internationale d'étudiant (ISIC)

Pour profiter des avantages qu'offre le statut d'étudiant en Espagne, pensez à demander, avant votre départ, la carte ISIC (12€). Elle vous donnera droit à des réductions sur les entrées des sites et musées, sur les trajets en train, en bus ou en bateau (avec certaines compagnies). Cette carte donne aussi accès à des billets d'avion à prix réduits pour l'Espagne, auprès des agences agréées. Pour l'obtenir, munissez-vous d'un justificatif officiel (carte d'étudiant, certificat d'inscription), d'une photo et présentez-vous dans l'une des agences de voyages mentionnées ci-dessous. Pour plus de détails et des informations complémentaires, consultez le site **www.isic.fr**.

FRANCE
ISIC France. *Tél. 01 40 49 01 01 www.isic.fr*

BELGIQUE
Connections. *Tél. 02 550 01 00 www.connections.be*
CJB L'Autre Voyage. *Rue Alphonse-Hottat, 22-24 Boîte 2 1050 Bruxelles Tél. 02 640 97 85 www.cjb-to.be*
Université libre de Bruxelles, service "Voyages". *Campus ULB Av. Paul-Héger, 22 CP166 Bruxelles 1000 Tél. 02 650 37 72*

SUISSE
STA Travel. *Rue de Rive, 10 1211 Genève 3 Tél. 058 450 48 00*

CANADA
Travel CUTS. *Tél. 514 864 5995 www.travelcuts.com*

Cartes et plans

Cartes routières Pour une vue d'ensemble de la péninsule Ibérique, consultez la carte Michelin nº734 au 1/1 000 000ᵉ ou l'atlas Michelin Espagne-Portugal au 1/400 000ᵉ. La carte Michelin nº446 couvre l'Andalousie. Méfiez-vous des cartes trop anciennes : les numéros des routes ont changé ces dernières années et de nouvelles routes ont été construites (cf. Transports intérieurs). Vous pourrez acheter ces documents sur place dans les librairies et les stations-service.

Plans de ville Les offices de tourisme tiennent à votre disposition des cartes souvent très bien faites, où figurent la plupart des rues, les principaux monuments et parfois les hébergements et les restaurants. Pour les grandes villes, demandez toujours si l'on peut vous donner un plan avec index des rues (*callejero*), plus pratique. Les plans de ville que l'on trouve dans le commerce (librairies, marchands de journaux) sont en général trop grands ou trop compliqués à utiliser en visitant la ville. Pratique : le site Internet **http://maps.google.es** aide à localiser les moindres hameaux, propose un plan de nombreuses villes et des parcours routiers.

Civisme

Depuis 2005, l'Espagne subit une sécheresse très préoccupante et les quelques pluies automnales n'ont pu contrer cette évolution inquiétante. Une campagne nationale de grande ampleur a donc été lancée pour sensibiliser la population au problème du manque d'eau et pour indiquer la conduite à tenir pour l'économiser : ne pas laisser couler l'eau inutilement pendant la toilette, préférer la douche au bain, réutiliser l'eau bouillie pour l'entretien ménager… Ces consignes concernent toutes les personnes résidant sur le sol espagnol. Et pour les voyageurs séjournant à l'hôtel, pourquoi ne pas suivre les éventuelles consignes de l'établissement en posant sa serviette de toilette sur le porte-serviettes quand elle peut resservir, plutôt que de la mettre par terre ou dans la baignoire pour un lavage après chaque usage ? Une idée parmi tant d'autres…

Cours de langues

Chaque ville comporte au moins une école de langues, permettant d'apprendre ou d'améliorer votre espagnol (un atout quand on sait que peu d'Andalous parlent une autre langue). Les universités organisent des programmes d'initiation ou de perfectionnement, dont certains limités à quelques semaines, et des cours d'été. Cette solution est d'un excellent rapport qualité-prix : un mois de cours à 20h par semaine revient en moyenne à 450€. Les écoles de langues privées sont un peu plus chères, et la qualité des cours varie. Mais elles proposent souvent des sessions de cours plus fréquentes. Nous avons sélectionné les meilleures écoles, notamment à Séville et à Grenade (cf. GÉORégions Séville et Grenade). Certains stages débouchent sur les *DELE* (*diplomas oficiales de Español como lengua extranjera*). Sur les panneaux d'affichage des établissements, on trouve des offres de cours particuliers, plus onéreux. À savoir : universités et écoles de langues proposent en général à leurs étudiants des solutions d'hébergement à prix réduit (chambre chez l'habitant, résidence universitaire, colocation, etc.). Consulter notamment le site de l'association andalouse d'écoles d'espagnol **www.aeea.es**.

Institut Cervantes de Paris. Renseignements sur les écoles de langues. *7, rue Quentin-Bauchart 75008 Paris Tél. 01 40 70 92 92 www.cervantes.es*

Décalage horaire

L'Espagne compte une heure de décalage par rapport à l'heure GMT en hiver (GMT + 1), 2 heures en été (GMT + 2). L'heure est donc la même qu'à Paris, Bruxelles ou Berne, et en avance de 6 heures par rapport à Montréal.

Douanes

La Belgique, la France et l'Espagne appartiennent à l'espace douanier européen dit "de Schengen", espace où la circulation des marchandises n'est soumise à aucune taxe. En vertu d'accords bilatéraux entre la Suisse et l'Espagne, les citoyens suisses n'auront pas à déclarer les produits les plus courants. Les Canadiens peuvent emporter chacun, sans payer de taxes en douane (*duty-free*), un maximum de 2 litres de vin ou 1 litre d'alcool fort, 200 cigarettes (ou 50 cigares), 50ml de parfum. Les sportifs peuvent également importer sans frais de douane : canne à pêche, vélo, paire de skis, raquette de tennis ou encore équipement de golf. Quant aux devises étrangères émises sous forme de pièces, billets ou encore chèques de voyage, aucune limite n'est fixée.

Hébergement

généralités

Prix et saisons En ce qui concerne les tarifs d'hébergement, l'Espagne du Sud compte trois saisons : basse (*temporada baja*), moyenne (*temporada media*) et haute (*temporada alta*), dont les dates varient d'un site à l'autre. C'est une donnée à considérer attentivement lorsque vous préparez votre voyage, surtout si votre budget est serré. Seule la basse saison met tout le monde d'accord : elle s'étend un peu partout de novembre à février, hors fêtes de fin d'année et fêtes locales. La moyenne saison se caractérise par des prix intermédiaires. Elle correspond aux périodes les moins animées d'avril à octobre : juillet à Cordoue, avril-début juin à Tarifa et dans les régions de montagne par exemple. La haute saison concerne en général la Semaine sainte (fin mars-début avril), les grandes fêtes locales (feria de Séville, carnaval de Cadix, Feria del Caballo à Jerez), les vacances d'été (sauf à l'intérieur des terres où la chaleur est à son comble : Séville, Grenade, Cordoue) et souvent les fêtes de fin d'année. Cas particulier, à Séville, les établissements doublent (parfois triplent) leurs tarifs lors de la Semaine sainte ou de la Feria de Abril, période considérée non pas comme "haute", mais "extra". Pour y voir clair et éviter les arnaques, il faut toujours consulter le tableau officiel des tarifs, obligatoirement affiché à la réception des hôtels : il indique les dates des différentes saisons et les tarifs correspondants.

Taxes Attention : les prix indiqués par les établissements n'incluent pas toujours l'*IVA*, TVA locale de 7% (cf. Budget et prix, taxes).

Réservations Si vous envisagez de voyager en haute saison en Espagne du Sud, il vous faudra absolument réserver, et longtemps à l'avance. Il est toujours possible de trouver une chambre à Séville lors de la Semaine sainte, ou à Málaga en pleine feria d'août, mais pour cela il faudra être courageux (faire le tour des pensions), vraiment chanceux (annulations de dernière minute) et peu regardant sur la qualité ou le prix. Attention : il est parfois nécessaire de verser un acompte pour obtenir une réservation en haute saison. De plus en plus d'hôtels offrent un service de réservation par Internet sur leur site Web. Que vous réserviez par téléphone ou par e-mail, on vous demandera en général les références de votre carte de crédit. Autre solution : le virement bancaire ou postal. En basse saison et en moyenne saison, la réservation n'est pas indispensable sauf à Séville et Grenade. À noter : il arrive que certaines pensions bas de gamme ne prennent pas de réservation (c'est notamment fréquent à Cadix). Dans ce cas, la solution consiste à faire le tour des pensions en fin de matinée : premier arrivé, premier servi !

Désagréments L'auberge espagnole (bon marché) ne doit pas sa réputation au hasard. Si vous avez le sommeil léger, armez-vous de patience et de boules Quiès. Car, c'est un fait, le niveau sonore est souvent peu compatible avec le sommeil. Télévision du réceptionniste hurlant toute la nuit (pour ne pas qu'il s'endorme !), voisins qui prennent une douche et discutent bruyamment en rentrant du restaurant (à 2h du matin, vous êtes en Espagne !), ambiance survoltée à la sortie du pub sous votre fenêtre, au milieu de la nuit. Et que dire des travaux qui commencent de bon matin dans la chambre d'à côté (le patron avait "oublié" de vous en parler) ? Bonne nuit !

hôtels

L'appellation hôtel recouvre un vaste éventail de catégories, qui vont du bouge miteux au palace. Certes, comme partout, les hôtels comptent de 1 à 5 étoiles. Mais mieux vaut ne pas trop s'y fier. Il est fréquent qu'un hôtel 1 étoile possède une piscine, des chambres décorées avec raffinement et ayant vue sur la mer, tandis que certains 2-étoiles sont pires que des pensions bas de gamme. La seule différence avec les pensions, c'est que les chambres des hôtels sont obligatoirement dotées d'une salle de bains. Pour le reste, comme nous le confiait le réceptionniste d'un palace 1 étoile : "Les étoiles, elles sont dans le ciel". Les tarifs pratiqués sont des indicateurs beaucoup plus fiables. En payant de 45 à 55€ pour une chambre double, vous aurez en général une chambre basique mais propre. À partir de 60-70€, surtout en basse saison et encore plus dans les petits villages, il n'est pas rare de tomber sur des hôtels de caractère installés dans des demeures anciennes. Enfin, si vous disposez de 100€ ou plus par nuit, ne les dépensez pas dans un hôtel international et impersonnel. L'Espagne du Sud regorge d'hôtels secrets et intimistes, véritables joyaux abrités dans l'écrin de leurs vieilles pierres. Sans oublier les célèbres *Paradores de España*. Ce réseau hôtelier, contrôlé depuis le début du XXe siècle par l'État espagnol, rassemble des hôtels de grand standing, souvent exceptionnels par leur architecture ou leur cadre. Ceux d'Úbeda, Grenade, Mazagón ou encore Arcos de la Frontera comptent parmi les fleurons de la chaîne. Bâtiments classés monuments historiques, œuvres d'art accrochées sur les murs, décoration raffinée, services haut de gamme et restaurants gastronomiques : le tout relativement accessible, puisque le prix des doubles débute à env. 100€ sans petit déjeuner-buffet. Mais ne réservez pas les yeux fermés : parmi les Paradores construits récemment, on trouve des hôtels finalement bien ordinaires. Les plus romantiques pourront dormir au cœur même du palais de l'Alhambra, dans le Parador de Grenade. À condition bien sûr d'en avoir les moyens : la double est à partir d'env. 275€. Si l'expérience Parador vous tente, sachez qu'il existe de nombreuses offres en dehors de la haute saison et sur réservation : couples de moins de 30 ans (env. 100€ la nuit), séjours de plus de 2 nuits (– 20%), carte 5 nuits (env. 470€), couples de plus de 60 ans (– 35%). Un bon tuyau pour ceux qui voyagent en août (basse saison à Séville, Grenade ou Cordoue) : consulter dans une agence de voyages les hébergements disponibles *via* le réseau Bancotel. Vous pourrez ainsi profiter d'un 3-étoiles ou plus pour env. 60€, piscine comprise (ce qui n'est pas un luxe lorsqu'il fait 40°C !).

Paradores de España. Réseau hôtelier contrôlé par l'État. *Tél. 902 54 79 79 Fax 902 52 54 32 www.parador.es*

Bancotel. *www.bancotel.com*

campings

Ouverts généralement d'avril à octobre, les campings d'Andalousie proposent des tarifs raisonnables, comparables à ceux pratiqués en France (fixés par la loi en fonction du niveau de confort, ils doivent être affichés à l'entrée). Pour deux adultes, une tente et une voiture, comptez en général de 25 à 35€. Bien équipés, les campings de la région ont cependant quelques défauts. Dans les villes ils sont souvent excentrés et situés au bord des grands axes. De plus, ils sont très appréciés des Espagnols, ce qui donne une idée du niveau d'animation et de bruit la nuit, surtout le week-end. Enfin, en raison des problèmes de sécheresse que connaît le Sud espagnol, de plus en plus de campings rationnent l'eau chaude à l'aide d'un système de jetons payants. Sans compter qu'à climat sec, sol… dur. Sur la côte, réservez votre emplacement si vous voulez venir en été, surtout en août. À noter : de plus en plus de campings louent des tentes familiales ou des chalets tout équipés. Pour ce qui est du camping sauvage, il est rarement toléré, et en particulier interdit dans les parcs naturels et sur la plupart des plages. Certaines localités proposent des *zonas de acampada*, terrains gratuits mais sans équipements (seulement pour les camping cars, se renseigner à la mairie). Quelques auberges de jeunesse possèdent des aires de camping (*campamentos*) à prix réduit : moins de 10€/pers., douche et petit déj. inclus. Les recharges et pièces Camping Gaz se trouvent partout. Les autres marques, en particulier les bonbonnes de gaz à vis, sont moins répandues.

Vaya camping *Centrale de réservation par Internet (en plusieurs langues) www.vaya-camping.net*

auberges de jeunesse

Les *albergues juveniles* sont assez nombreuses (une vingtaine en Andalousie), et bon marché. Chaque grande ville touristique en compte une. En revanche, il n'y en a pas beaucoup dans les régions plus isolées ou moins touristiques, notamment dans l'arrière-pays. Elles sont en général affiliées à l'Inturjoven : carte de membre obligatoire (lire "affiliation" ci-dessous) et réductions pour les moins de 26 ans. Particularité espagnole : la plupart des lits sont répartis en chambres doubles à quadruples, souvent dotées de salles de bains (les grands dortoirs classiques à lits superposés se font rares). La plupart du temps propres et assez calmes, les auberges de jeunesse sont cependant souvent excentrées, et imposent parfois des horaires stricts de couvre-feux. En outre, les tarifs pratiqués ne sont pas vraiment avantageux si vous voyagez à deux ou plus, surtout en haute saison et si vous avez plus de 26 ans. Dans ce cas, les chambres doubles des pensions bon marché reviennent

GÉOPRATIQUE

parfois moins cher, et vous serez dans le centre-ville. Mais disons-le, certaines sont vraiment des adresses formidables par leur cadre, leur situation, leur ambiance et les services qu'elles proposent : c'est notamment le cas pour celles de Cazorla (province de Jaén), de Pradollano dans la sierra Nevada (province de Grenade), ou de Marbella (province de Málaga), entre autres. Vous ne pourrez malheureusement pas vous y éterniser : la durée du séjour est parfois limitée dans les auberges de jeunesse du réseau. Pour une nuit, il faut compter de 16 à 22€. Mais les prix varient selon la saison. De manière générale, il n'est pas possible de cuisiner sur place, mais des repas sont proposés à env. 6€.

Inturjoven. *Tél. 902 51 00 00 www.inturjoven.com reservas. itj@juntadeandalucia.es*

AFFILIATION Une carte de membre du réseau International Youth Hostel Federation (IYHF) est en principe obligatoire pour avoir accès aux auberges de jeunesse. Il s'agit pour les Français de la carte FUAJ (Fédération unie des auberges de jeunesse), seule association française membre de l'IYHF. Valable pour l'année en cours, elle coûte 10,70€ pour les moins de 26 ans et 15,30€ pour les autres. À noter : dans certaines villes (Cadix par exemple), il existe des auberges de jeunesse indépendantes, qui n'exigent pas la carte du réseau mais proposent des prestations comparables.

FUAJ. *27, rue Pajol 75018 Paris Tél. 01 44 89 87 27 www.fuaj.org*
LAJ. *Rue de la Sablonnière, 28 Bruxelles 1000 Tél. 02 219 56 76 www.laj.be*
Schweizer Jugendherbergen. *Schaffhauserstrasse 14, PO Box 161 8042 Zurich Tél. 044 360 14 14 www.youthhostel.ch*
Tourisme jeunesse. *205, avenue Mont-Royal Montréal (Québec) H2T 1P4 Tél. 514 844 02 87 www.tourismej.qc.ca*

SAISONS La répartition des saisons diffère d'une ville à l'autre. La majorité des auberges appliquent le tarif de haute saison en été. À cette époque, pensez à réserver votre lit longtemps à l'avance, par le biais de l'Inturjoven. Mais celle de la sierra Nevada, au pied des pistes, ne le pratique que de décembre à avril. À savoir : dans les grandes villes touristiques comme Séville, Cordoue et Grenade, le tarif haute saison est appliqué de mars à octobre, et moyenne saison le reste du temps. Pour des réservations de dernière minute, adressez-vous directement à l'auberge concernée.

pensions

En dehors des auberges de jeunesse, les adresses les plus économiques sont les pensions, *pensiones* ou *hostales* en espagnol. Une terminologie un peu floue, puisqu'elle désigne aussi bien la vieille pension de famille délabrée que des établissements flambant neufs qui se rapprochent davantage d'un hôtel deux étoiles. Les prix débutent à environ 27€ pour une double (incluant draps, serviettes, plus rarement le petit déjeuner). À ce tarif, vous n'aurez pas de salle de bains indépendante, le confort sera rudimentaire et la propreté variable selon les établissements. Il est d'ailleurs conseillé de jeter un rapide coup d'œil à la chambre avant de la prendre. Ce type d'adresses conviendra parfaitement à ceux qui voyagent avec un budget serré et ont le goût de l'aventure. Vous tomberez parfois sur des pensions de famille pleines de charme et de nostalgie ; mais d'autres vous feront amèrement regretter de n'avoir pas dépensé quelques euros supplémentaires. Ces pensions bon marché n'acceptent que rarement les paiements par carte, et demandent souvent que la chambre soit payée dès votre arrivée. Pour 35 à 45€ la double, vous obtiendrez une chambre avec une salle de bains dotée d'une douche (*ducha*) ou même d'une baignoire (*baño completo*), et les risques de tomber sur une adresse mal tenue et inconfortable diminuent. Sachez qu'on peut négocier le prix, surtout si l'on reste plusieurs nuits. Entre 45 et 65€, il s'agira d'une pension de caractère très bien située, ou bien d'un établissement récent au profil d'un 2-étoiles.

gîtes et chambres d'hôtes

Le tourisme rural s'est beaucoup développé depuis quelques années dans le Sud espagnol. Le réseau est particulièrement dense dans la Alpujarra (province de Grenade) et l'arrière-pays de la Costa del Sol (province de Málaga). Les *casas rurales* sont des gîtes (location de maisons à la semaine) ou des chambres d'hôtes. On parle également d'*alojamiento rural* (logement rural). Dans l'ensemble, c'est une solution plutôt économique, parfaite pour sortir des sentiers battus et découvrir des paysages sauvages et de paisibles villages, tout en étant souvent proche des grands sites touristiques. Les offices de tourisme tiennent à disposition des listes de *casas rurales*, à consulter sur leur site Internet. Ci-dessous, les coordonnées des principales centrales de réservation pour l'Andalousie.

Red Andalucía de alojamientos rurales. 450 adresses en Andalousie. *Tél. 902 44 22 33 Fax 950 27 16 78 www.raar.es*

Viajes Rural Andalus. 650 adresses en Andalousie. *Tél. 952 27 62 29 Fax 952 27 65 56 www.ruralandalus.es*

Centia. Centro de Turismo Interior de Andalucía : édite un guide des gîtes ruraux en Andalousie (gratuit sur demande à josem.cantarero@juntadeandalucia.es). *Tél. 953 75 55 21 www.andalucia.org*

Rustic Blue. 400 adresses en Andalousie choisies avec soin. *Tél. 958 76 33 81 Fax 958 76 31 34 www.rusticblue.com*

Córdoba Rural. 95 adresses à Cordoue. *Tél. 902 11 34 80 Fax 957 51 36 78 www.cordobarural.com*

location d'appartements

Une solution souvent pratique pour de longs séjours dans les grandes villes, notamment à Séville. La durée de location minimale est en général de 3 jours, et il est plus économique de louer à la semaine. Dans ce cas, la location d'un appartement revient souvent moins cher que l'hôtel, à confort égal. Les grandes villes d'Espagne du Sud et les stations balnéaires comptent chacune plusieurs centrales de location. Hors saison, il est en général facile de trouver.

Horaires

L'Espagne du Sud, c'est officiel, est sur le même fuseau horaire que la France. Ne vous faites pas trop à cette idée, car sinon c'est le choc assuré. Outre des horaires de repas très particuliers (cf. Restauration), les Espagnols respectent la *siesta* entre 14h et 17h (18h en été). Le soir, en fin de semaine, les bars se remplissent à partir de 22h pour les tapas et 1h du matin pour un verre. Pour les boîtes de nuit, il faudra attendre 4 à 5h du matin ! En ce qui concerne les horaires des établissements publics, les banques sont généralement ouvertes du lun. au ven. de 9h à 14h et parfois le jeu. jusqu'à 17h. Les bureaux des administrations ferment à 14h. De leur côté, les grands magasins ouvrent sans interruption du lun. au sam. de 10h à 20h, mais un certain nombre de boutiques ferment encore à l'heure du déjeuner (de 14h à 17h) et le sam. après-midi. Quelques magasins sont ouverts le dim. Les musées et sites touristiques ouvrent habituellement du mar. au sam. de 9-10h à 13-14h et de 16h à 18-19h, le dim. et les j. fériés de 9h à 14h. Les monuments les plus importants restent ouverts aussi à l'heure du déjeuner (c'est-à-dire 14h-16h). Le lun. est traditionnellement jour de relâche. Musées et sites ferment tous le 1er janvier et le 25 décembre, et souvent le 6 janvier, le Vendredi saint et le 1er mai. Cependant, ces horaires varient grandement en fonction du lieu, de la saison, et d'autres facteurs parfois inaccessibles au non-initié… Pour éviter les mauvaises surprises, mieux vaut vérifier les heures d'ouverture auprès de l'office de tourisme local.

Internet et e-mail

sites sur l'Espagne

Internet est désormais très présent dans le tourisme espagnol : la plupart des villes, de nombreux hôtels et sites touristiques possèdent leur site, ce qui est pratique pour obtenir des informations de France ou faire des réservations.

www.spain.info/fr Le site de l'office de tourisme espagnol, très bien fait. Il comporte des liens avec des centrales de réservation d'hôtels.

www.amb-espagne.fr Le site de l'ambassade de France en Espagne, excellent pour la richesse et la diversité de ses liens.

www.canada-es.org Le site de l'ambassade du Canada en Espagne.

www.tourspain.es et **www.sispain.org** Informations générales et pratiques.

www.andalucia.org Site officiel de la *Junta* (région) andalouse, avec infos pratiques, calendrier des événements, service de réservation d'hôtels, etc. Un plus : cliquez sur le drapeau bleu-blanc-rouge de la page d'entrée, et vous obtiendrez infos et réservations en français.

www.lanetro.com Tout en espagnol, un guide des bonnes adresses et des sorties, ville par ville.

accès Internet sur place

Les cybercafés et autres centres Internet font désormais partie intégrante du paysage urbain. Comme partout, on les trouve plus particulièrement dans les quartiers d'étudiants et d'immigrés et à proximité des lieux touristiques. Souvent, ils font également *locutorio* (cabines téléphoniques). L'heure de connexion coûte entre 1 et 4€ environ. Il existe également des forfaits de plusieurs heures. Pour les adresses des principaux cybercafés de chaque ville, consultez les rubriques "Mode d'emploi" de cet ouvrage ou demander aux offices de tourisme. Les grands fournisseurs d'accès Internet possèdent un large réseau d'accès, qui englobe les principales villes d'Andalousie. Contactez votre fournisseur pour vous renseigner sur les modalités d'accès, le coût et les coordonnées téléphoniques adéquates.

Jours fériés

Ils sont légion en Espagne, certains nationaux, d'autres célébrés au niveau régional ou local. À prendre en compte aussi les innombrables fêtes religieuses, folkloriques et autres ferias des villes du Sud. Quelques établissements commerciaux restent ouverts ces jours-là, mais la plupart des musées ferment et la vie de la ville est tout de même franchement chamboulée. Ainsi, pendant la Feria de Abril, le centre-ville de Séville est complètement abandonné par les habitants et visiteurs, qui se rendent au parc de la Feria, en périphérie. De même qu'il ne reste qu'une poignée d'irréductibles touristes dans les rues de Grenade, le week-end de l'Assomption. Attention : lorsqu'un jour férié tombe un dimanche, il arrive souvent qu'il passe au lundi qui suit.

Jours fériés nationaux

1er janvier	Nouvel an (*año nuevo*)
6 janvier	Épiphanie (*epifanía*)
Fin mars-début avril	Vendredi saint (*Viernes santo*)
1er mai	Fête du travail (*Fiesta del Trabajo*)
15 août	Assomption (*La Asunción*)
12 octobre	Fête nationale (*Fiesta nacional de España*)
1er novembre	Toussaint (*Todos los Santos*)
6 décembre	Jour de la Constitution (*Día de la Constitución*)
8 décembre	Immaculée Conception (*La Inmaculada Concepción*)
25 décembre	Noël (*Navidad*)

Jours fériés supplémentaires en Andalousie

28 février	Jour de l'Andalousie (*Día de Andalucía*)
Fin mars-début avril	Jeudi saint (*Jueves santo*, veille du Vendredi saint)

Médias

presse écrite

Les principaux quotidiens nationaux sont *El País*, fondé en 1976 juste après la mort de Franco et symbole de l'Espagne démocratique, *El Mundo*, créé en 1990 et *l'ABC* qui représente une droite plus conservatrice. Tous les journaux nationaux contiennent des pages consacrées à la communauté autonome où ils sont diffusés. Dans la plupart des provinces d'Andalousie, on trouve également des quotidiens régionaux comportant des pages locales. Un excellent moyen de se tenir au courant de ce qui se passe dans la ville. Dans les pages pratiques figurent en outre les horaires des principales lignes de bus et de train, les adresses et numéros de téléphone des services de santé et de sécurité, les pharmacies de garde, les coordonnées et horaires des sites touristiques. La majorité des journaux régionaux publient une fois par semaine un supplément consacré aux sorties. Séville possède ainsi *El Correo*, Grenade *Ideal* (également publié à Jaén, Almería et sur la Costa del Sol), et Málaga *Sur*, dont paraît chaque semaine un supplément en anglais, *Sur in English*. Vous le trouverez dans les offices de tourisme, les hôtels et certains magasins de la province de Málaga et de l'Ouest de l'Andalousie. Les grandes villes publient également des magazines touristiques bilingues (espagnol/anglais), avec l'adresse des monuments, des suggestions de sorties, l'actualité culturelle du mois. Séville possède ainsi le *Giraldillo* et *The Tourist*, Grenade le *Granada* et la province de Cadix *El Visitante*. Les grands journaux et magazines anglais, allemands et américains sont disponibles dans les villes avec en général un ou deux jours de décalage. Les titres

GÉOPRATIQUE

francophones, à l'exception du *Monde*, se font nettement plus rares. Quelques bons sites Internet : *www.elpais.com*, *www.ideal.es*, *www.abc.es*, *www.diariodecadiz.com*

télévision

L'Espagne compte deux chaînes nationales publiques, TVE1 et La 2, et cinq chaînes indépendantes, Cuatro, La Sexta, Antena 3, Tele 5 et Canal Plus. Comme en France, cette dernière est payante et fonctionne avec un décodeur. Enfin, chaque région reçoit une ou plusieurs chaînes locales : en Andalousie, Canal Sur et Canal 2 Andalucía. Rien de bien spécial à propos de la télévision espagnole, sauf qu'on y voit BEAUCOUP de football et d'émissions de variétés. Quant aux jeux, feuilletons (les innombrables *telenovelas*) et autres émissions populaires, c'est un bon moyen de plonger au cœur de l'âme espagnole. Certains bars et hôtels disposent de la télévision par satellite. Les chaînes francophones TV5 Monde et France 24 sont disponibles sur le câble et par satellite, notamment sur le bouquet Canal Satellite Digital. TV5 Monde diffuse les journaux de France Télévision, de Radio Canada, de la RTBF et de la TSR.

radio

Des dizaines de radios locales ou nationales émettent sur la bande FM. La principale radio locale est Canal Sur Radio. Les amateurs de flamenco guetteront la fréquence de Radio Olé. Canal Fiesta Radio programme de la variété espagnole et pas mal de musique latino. Autre radio, nationale celle-là et plus sérieuse : la Cadena Ser, qui offre des émissions de qualité et de nombreux journaux d'informations. Quant à la radio publique Radio Nacional de España (RNE), elle rassemble plusieurs radios spécialisées (musique, informations, etc.), sur un modèle semblable à Radio France. Malheureusement, le réseau FM espagnol n'est pas très au point. On s'en rend vite compte en voiture, les fréquences de chaque radio tendent à changer très souvent, rendant l'écoute légèrement problématique. Emportez donc quelques CD. Autre particularité : dans le sud de l'Andalousie, notamment aux alentours de Tarifa, on capte clairement des radios de langue française, diffusées depuis le Maroc tout proche.

Offices de tourisme

en Espagne du Sud

La majorité des villes et des villages touristiques d'Espagne du Sud comptent au moins un office de tourisme (*oficina de turismo* ou *oficina de información turística*). Le personnel parle généralement l'anglais, plus rarement le français. Il vous fournira des renseignements et de la documentation sur la ville : plans (*un mapa*), liste des hébergements (*una lista de alojamientos*), des monuments avec leurs horaires, parfois de petits guides historiques et culturels de la ville. Dans tous les offices de tourisme, on trouve par ailleurs le petit feuillet mensuel *Qué hacer ?* (Que faire ?), avec les principaux événements du mois dans toute l'Andalousie.

à l'étranger

L'Espagne dispose d'un large réseau d'offices de tourisme à l'étranger, doublé d'un site d'informations en ligne très complet. *www.spain.info/fr*

Office de Paris. *43, rue Decamps 75016 Paris (métro : Rue-de-la-Pompe) Tél. 01 45 03 82 50 Ouvert lun.-jeu. 9h-17h, ven. 9h-14h www.spain.info/fr*
Office de Bruxelles. *Rue Royale, 97 1000 Bruxelles Tél. 02 280 19 26 ou 02 280 19 29 www.tourspain.be*
Office de Genève. *15, rue Ami-Lévrier 2e 1211 Genève 1 Tél. 022 731 11 33 Fax 022 731 13 66 www.spain.info*
Office de Toronto. *2, Bloor Street West Toronto, Ontario M4W 3E2 Tél. (1) 416 961 3131 www.tourspain.toronto.on.ca*

Photographie et vidéo

photo

Vous trouverez sans peine les grands types et marques de pellicules. Les prix sont identiques à ceux pratiqués dans le reste de l'Europe. Nombre de boutiques proposent un service de développement rapide de qualité tout à fait correct. Aux heures chaudes de la journée, surtout en été, la lumière éclatante du sud de l'Espagne écrase les contrastes et les perspectives. Mieux vaut utiliser des films à faible sensibilité (100 ISO), et ne sortir votre appareil qu'en début de matinée et en fin de journée, quand la lumière est plus favorable.

vidéo

Le format utilisé en Espagne (PAL) est incompatible avec le système français (SECAM) et nord-américain (NTSC). On trouve cependant tous les formats de cassettes (attention, le VHS tend à disparaître) et de minicassettes vidéo dans les magasins spécialisés. Pour la prise de vue, comme pour la photographie, tournez le matin avant 10h ou le soir après 16h. Les couleurs seront plus chaudes. Dans certains sites et dans les concerts et festivals, il est interdit de filmer, notamment au flash.

Plages

Ouverte à la fois sur la Méditerranée et l'Atlantique, l'Andalousie compte des centaines de kilomètres de plages. La côte la plus fréquentée est l'inévitable Costa del Sol (vers Málaga). De longues plages de sable brun bondées en été, surtout en août. Le tableau est malheureusement gâché par l'urbanisme sauvage qui sévit depuis des décennies. Le summum du gigantisme est atteint par la station balnéaire de Torremolinos (près de Málaga), avec ses immeubles de trente étages dont l'ombre envahit la plage dès le début de l'après-midi. Principal avantage des grandes stations balnéaires du Sud espagnol en été : une grande animation, qui ravira les amateurs de vie nocturne. Si vous rêvez de calanques isolées et de balades en bord de mer, visitez plutôt les parcs naturels côtiers, comme celui du Cabo de Gata (à l'est d'Almería). La Costa de la Luz, qui s'étend le long de l'Atlantique entre Huelva et Tarifa, possède les plus belles plages d'Andalousie. Aux abords du parc de Doñana, ce sont des kilomètres de sable clair, battus par la houle océane, qui s'offrent à vous. L'eau est certes un peu moins chaude, mais on y trouve une relative tranquillité en dehors du mois d'août. À noter : l'Andalousie compte quelque 70 plages labellisées "pavillon bleu", label octroyé par la Fondation pour l'éducation à l'environnement aux plages propres et bien aménagées (www.blue-flag.org), mais attention aux méduses qui envahissent les plages certains jours !

Poste

Horaires Le bureau de poste (*correos*) principal des grandes villes est généralement ouvert du lundi au vendredi de 8h30 à 20h, et le samedi de 9h à 13h. À noter : dans ce genre de bureau, il faut souvent retirer à l'entrée un ticket portant votre numéro de passage. Les bureaux de poste secondaires, et ceux des villes petites et moyennes, n'ouvrent en revanche que le matin, de 8h30 à 13-14h. Vous pouvez poster votre courrier dans les bureaux de poste ou les boîtes aux lettres jaunes (*buzones*) que l'on trouve dans les rues. À la campagne, il sera parfois difficile de trouver un bureau ouvert, mais il y aura toujours une boîte aux lettres, parfois dans l'épicerie du village.

Tarifs et délais Envoyer une lettre (*carta*) de moins de 20g ou une carte postale coûte env. 0,31€ pour l'Espagne, env. 0,60€ pour l'Europe et env. 0,82€ pour les autres pays. Pour les envois urgents (*urgentes*), comptez env. 2,37€/2,95€/2,80€. Si vous envoyez vos plis en recommandé (*certificada*), il faudra payer un supplément de 2,30€ env. Les timbres (*sellos*) sont en vente dans les bureaux de tabac (*estancos*) et de poste (*correos*). Le courrier arrive à destination en trois à quatre jours en moyenne pour l'Europe, et une dizaine de jours pour l'Amérique du Nord. En service rapide (*urgente*), il mettra un à deux jours de moins pour arriver. Envoyer un colis en Europe ou en Amérique revient respectivement à env. 21€ et à env. 19,30€ pour 1kg. Pour les colis express (*EMS Postal Exprés*), il vous en reviendra pour 1kg à env. 40€ pour un envoi en France et en Belgique, env. 48€ pour un envoi en Suisse, env. 56€ pour l'Amérique du Nord. *Renseignements, tél. 902 19 71 97 www.correos.es*

Poste restante Vous pouvez vous faire adresser du courrier en poste restante (*lista de correos*). Soit en indiquant le nom de la ville ou du village, le courrier arrivant alors en principe dans le bureau de poste central. Soit en indiquant l'adresse du bureau de poste de votre choix, à condition toutefois qu'il assure un service de poste restante. Le délai moyen de réception est semblable à celui de l'envoi vers l'étranger (voir ci-dessus). Pensez à vous munir d'une pièce d'identité. Si vous utilisez une carte ou des chèques de voyage American Express, on peut également vous envoyer des lettres à l'adresse de l'une de leurs agences. Ce service est gratuit. Il vous suffit de demander la liste des agences de la compagnie en Andalousie. Le courrier est délivré sur présentation du passeport.

Pourboire

Au bar ou au restaurant, les prix indiqués comprennent, sauf mention particulière, le service. Le pourboire n'a donc rien d'obligatoire, même s'il est de coutume d'en laisser un. Si le service et l'atmosphère vous sont agréables, n'hésitez pas. 5 à 10% du prix de la consommation semble une bonne moyenne. À noter : le pourboire n'est pas obligatoire dans les taxis, mais il est apprécié.

Restauration

Voir aussi la rubrique "Gastronomie" dans le GEOPanorama et dans le lexique du GEODocs.

Le rythme espagnol Les horaires de repas propres à l'Espagne du Sud sont assez inhabituels pour être précisés. En guise de petit déjeuner (*desayuno*), on avale généralement un simple café avant de se rendre au travail. Vers 11h-12h, on prend une collation plus consistante, composée en général d'un café et de tartines grillées (*tostadas*), ou d'une bière avec une omelette (*tortilla*) ou un sandwich (*bocadillo*). Vers 14h-15h, on prend le vrai repas, le plus copieux de la journée, l'*almuerzo* ou *comida*, qu'on prend de préférence assis à table. En fin de journée, vers 18h, on peut boire un café et manger une pâtisserie pour le goûter, la *merienda*. Vers 20h, c'est l'heure de l'apéritif : l'occasion de boire une bière et de grignoter quelques tapas au comptoir ou en terrasse. Le dîner (*cena*) ne débute pas avant 21h, et se prolonge jusqu'à 23h-0h, surtout en fin de semaine. Un repas au restaurant aux alentours de 13h ou 20h risque donc de manquer singulièrement d'ambiance et de faire sourire les Espagnols !

Bars à tapas et bars-restaurants Les bars à tapas et les bars-restaurants, qui proposent en général des tapas, des plats et des menus, sont la solution la plus économique. Vous pourrez y déguster les fameuses tapas, souvent présentées derrière une vitrine, à même le comptoir. Un bonheur qui se décline dans toutes les tailles. Ceux qui veulent juste picorer en sirotant leur bière commanderont *una tapa* (un amuse-gueule). Une petite faim, une envie de partager avec votre voisin(e) ? Visez plutôt *una media ración*. Si vous comptez en faire votre repas, demandez *una ración*. La taille des différentes formules varie beaucoup d'un bar à l'autre. Mieux vaut observer vos voisins, et ne pas hésiter à leur demander conseil. Sinon, cherchez l'ardoise sur laquelle sont détaillées les spécialités proposées. En commandant 3-4 tapas, deux *media-raciones* ou une *ración*, vous vous en tirerez la plupart du temps à environ 15€. Autre solution : le menu du jour (*menu del día*). La plupart des établissements proposent, à midi, cette formule qui ravira les voyageurs à petit budget : entrée, plat, dessert, pour un prix moyen de 9 à 13€. Attention : vérifiez toujours que l'*IVA*, les boissons et le pain sont bien compris dans le prix. Moins copieux, les *platos combinados*, ou plats garnis : un assortiment de viande, de poisson ou de charcuterie souvent servi avec des œufs, quelques légumes et des frites. Vous vous contenteriez bien d'un sandwich ? Examinez la liste des *bocadillos*, souvent inscrite à la craie sur un tableau. Parmi les favoris, le *bocadillo de lomo* (avec un savoureux filet de porc grillé) ou de *jamón* (au jambon de pays, un régal). Pour les petites faims, la plupart des bars servent aux clients des *montaditos*, sandwichs miniatures. Les bars sont par ailleurs l'endroit idéal pour prendre son petit déjeuner : un café et deux tartines grillées (*tostadas*) ne dépassent que très rarement 3€.

Restaurants Les restaurants proprement dits, plus confortables et globalement de meilleure qualité, coûtent un peu moins cher qu'en France. Les petits restaurants proposent pour le déjeuner des menus du jour à environ 14€ et parfois à moins de 10€. Quant aux bonnes tables, on s'en tire rarement à moins de 24-30€ par personne, vin non compris. Au final, en alternant un repas léger (sandwich, tapas) et un autre plus développé, on peut s'en sortir avec un total de 30€ par jour (hors petit déj.). Les fourchettes de prix indiquées ci-dessus sont calculées sur la base d'un repas pour une personne. À noter : nombre de bars-restaurants conjuguent les deux sortes de services détaillées précédemment : dans la salle du bar et au comptoir, on commande des tapas ou des plats bon marché, et dans la salle de restaurant, au fond, la carte est plus étoffée et les prix plus élevés.

GÉOPRATIQUE

Santé

Troubles et maladies Les principaux soucis de santé sont liés à la chaleur et au changement de régime alimentaire. Les malaises intestinaux endurés par certains voyageurs sont la plupart du temps bénins et passagers. C'est la fameuse turista. Les troubles liés aux excès du climat peuvent se révéler plus préoccupants. Attention aux risques d'insolation et de déshydratation lors des chaudes journées d'été. Que ce soit en ville, en randonnée ou à la plage, la prudence s'impose. En règle générale, la consommation régulière de boissons non alcoolisées, l'usage d'une crème solaire à fort indice et le port de lunettes de soleil et d'un chapeau à large bord permettront de minimiser les risques. Don Quichotte, souligne Cervantès, chevauchait tête nue sous le soleil de plomb du sud de l'Espagne. Pas étonnant qu'il ait pris des moulins pour des géants armés ! Autre nuisance, les moustiques, qui sévissent une bonne partie de l'année dans le sud de l'Espagne, notamment dans les régions marécageuses du bassin du Guadalquivir. Manches longues et produits antimoustiques de rigueur.

Se soigner Depuis le 1er juin 2004, la carte européenne de santé remplace les formulaires E111 et E128. Elle permet aux ressortissants de l'UE de bénéficier d'une couverture médicale dans tous les pays membres qu'ils visitent. Cette carte couvre vos frais de santé (urgents) sur place et vous évite d'avoir à débourser de l'argent. De retour en France, vous n'avez aucune démarche à entreprendre. L'organisme qui vous a soigné contactera directement la Sécurité sociale. Pour se procurer cette carte, il suffit de la demander à son centre de Sécurité sociale qui vous la délivrera gratuitement par courrier sous 15 jours. Attention, seuls seront couverts dans ce cadre les soins délivrés par des médecins et organismes publics. Si vous préférez vous adresser à des cliniques ou praticiens privés, sachez que les consultations, non remboursables, coûtent de 60 à 90€. La Sécurité sociale espagnole, comme tout système sanitaire d'État, a ses problèmes. Si vous n'êtes pas rassuré, vous pouvez souscrire, avant de partir, une assurance-voyage (cf. Assurance) comportant une couverture médicale. Les voyageurs soumis à des soins ou régimes spécifiques sont invités à se munir d'une lettre de leur médecin traitant, traduite en espagnol, et décrivant état de santé, traitement et médicaments prescrits. Autre solution, plus aléatoire : s'en remettre aux talents linguistiques du médecin local.

Sécurité

Les précautions habituelles liées au voyage sont valables en Andalousie comme ailleurs : ne laissez jamais sacs et objets de valeur sans surveillance, prenez garde aux *pickpockets* sur les sites touristiques. Il est en outre conseillé de ne jamais rien laisser dans votre voiture. Sans qu'il y ait besoin de dramatiser, les cas de vols par bris de vitre ou de serrure existent bel et bien. Dans les grandes villes, soyez prudents. Déposez vos affaires à l'hôtel dès votre arrivée et garez votre voiture dans un parking souterrain payant. Confiez vos papiers et effets personnels de valeur à la réception de l'hôtel, s'il dispose d'un coffre. À condition de faire preuve d'un minimum de vigilance, les villes du Sud ne présentent pas de dangers particuliers. Les gares, les aéroports, les lieux touristiques et certains quartiers (indiqués dans le guide) invitent à plus de prudence, surtout la nuit. Dans les villages où il n'y a pas de poste de police, vous trouverez la Guardia Civil, équivalent de la Gendarmerie française. **Urgences.** Police, pompiers et soins médicaux. *Tél. 112*

Shopping

Avec ses prix souvent avantageux par rapport à d'autres pays européens, l'Espagne du Sud ravira les inconditionnels du shopping. Les grandes villes possèdent évidemment de grandes galeries marchandes et accueillent des marchés animés. Les antiquaires sévillans jouissent d'une excellente réputation. Présents presque partout, les Corte Inglés sont de grands magasins où l'on trouve pratiquement tout. L'endroit idéal pour découvrir les principales marques espagnoles. À noter : les grandes stations balnéaires du Sud, comme Torremolinos et Marbella, sont très propices au lèche-vitrines. Sur la Costa del Sol, les *mercadillos* (petits marchés en plein air) se multiplient pendant l'été. L'Andalousie se distingue en outre par un grand choix d'articles artisanaux de qualité, à des prix très intéressants.

Que rapporter d'Andalousie ? La poterie et la céramique comptent parmi les produits les plus réputés. L'influence mauresque apparaît avec évidence dans les formes, les couleurs et l'ornementation. Celles-ci sont propres à chaque ville. À Séville (quartier de Triana), Úbeda (province de Jaén), Cordoue, Grenade ou Níjar (province d'Almería), vous pourrez ainsi acheter des pots, des cruches ou des jarres traditionnelles d'une grande qualité. L'artisanat de Cordoue est réputé depuis l'ère musulmane : la maroquinerie et les bijoux en argent sont les principales spécialités, même s'il est désormais difficile d'échapper aux articles un peu kitsch destinés aux touristes. Les villages de la Alpujarra (notamment à Trevélez et à Pampaneira) sont célèbres pour leurs tapis colorés, tissés à la main dans le respect des techniques ancestrales. Les *jarapas*, couvertures de Grazalema (province de Cadix), sont tissées à partir de vieux chiffons ; elles n'ont pas beaucoup changé depuis le temps où elles protégeaient des intempéries les légendaires brigands des montagnes de Ronda. Grenade et la Alpujarra possèdent d'excellents ateliers de bourrellerie et de sellerie. Tradition équestre oblige, vous pourrez également acheter à Séville ou à Jerez de superbes articles d'équitation (selles, couvertures, filets, bottes ou guêtres). Les habits traditionnels des ferias (chapeaux à large bord, pantalons rayés et veste courte pour les hommes, robes gitanes pour les femmes) sont des articles très prisés. On ne saurait trop recommander aux connaisseurs de jeter un œil aux ateliers de lutherie traditionnelle. Ils s'émerveilleront à la vue des lignes superbes des guitares classiques ou de flamenco, les plus renommées au monde. Le secret ? Des matériaux d'une grande noblesse (palissandre d'Inde, cèdre du Liban, ébène) et des techniques transmises de génération en génération depuis des siècles. Séville, Grenade, Jerez, Cordoue sont les meilleurs endroits pour acheter ou simplement regarder. Enfin, la vannerie est très répandue en Andalousie, où l'on fabrique paniers et corbeilles en osier. Si vous souhaitez rapporter des souvenirs gastronomiques, sachez que l'huile d'olive craint la lumière plus encore que la chaleur ; si vous êtes en voiture, transportez-la dans un sac opaque et évitez de la laisser au soleil. Pour le fromage de chèvre, vous pourrez rapporter seulement ceux qui sont conditionnés en bocaux dans de l'huile d'olive, ou les fromages secs.

Sports et loisirs

Le climat, le relief et la façade maritime de la région en font un terrain de prédilection pour tous les sports et loisirs de plein air. Lesquels ne se limitent pas au farniente balnéaire façon Costa del Sol.

GÉOPRATIQUE

sports nautiques

Du ski nautique au jet-ski, en passant par le catamaran et la croisière au long cours... Il y en a pour tous les goûts, en particulier dans les innombrables marinas des grandes stations touristiques. Les amateurs de planche à voile et de kitesurf ne manqueront pas d'aller à Tarifa, spot mythique, véritable Mecque du funboard.
Real Federación Española de Vela. Fédération de voile, à Madrid. *Tél.* 915 19 50 08 Fax 914 16 45 04 www.rfev.es

plongée sous-marine (*buceo*)

Les fonds océaniques de l'Ouest andalou, avec leurs puissants courants et leur visibilité réduite, s'y prêtent peu. Les eaux chaudes et limpides de la Méditerranée se révèlent plus propices. Possibilité de louer du matériel sur place, à condition de posséder les brevets adéquats, et d'obtenir les autorisations nécessaires auprès de la fédération locale. De nombreux clubs offrent des stages et des excursions à la journée. Le meilleur endroit de la région est sans conteste le littoral du Cabo de Gata, sauvage et préservé. Autre site réputé, le Castell de Ferro, près d'Almuñécar.
Federación Andaluza de Actividades Subacuáticas. Fédération andalouse de plongée. *Playa de las Almadrabillas, 10 04007 Almería Tél. 950 27 06 12 Fax 950 25 21 13 www.fedas.es*
www.buceo.com Autre site spécialisé.

randonnées

Quand on parle d'Espagne du Sud, on pense immédiatement aux plages, aux monuments, aux villes aux nuits survoltées. Pourtant, les régions montagneuses de l'arrière-pays recèlent des merveilles de nature sauvage et de villages retirés. Un aspect essentiel de la région, peu connu des touristes étrangers. Comme dans le reste de l'Europe, l'Espagne est sillonnée de PR® (chemins de petite randonnée) et de GR® (grande randonnée). Entretenus et balisés, ils sont souvent superbes. Le GR®7, sentier transeuropéen qui relie la Grèce à l'Andalousie, part d'Almaciles, au nord-est de Grenade. Il se divise ensuite en deux branches, qui traversent respectivement la province de Jaén et la Alpujarra. Le GR®10, autre chemin européen, sillonne également les environs. Certaines régions d'Andalousie font partie des plus beaux sites de randonnée en Europe : les parcs naturels de Cazorla (au nord-est de Jaén), de la sierra de Aracena (au nord de Huelva), de la sierra de Grazalema (à l'est de Cadix), des sierras Subbéticas (au sud de Cordoue) ainsi que la Alpujarra et la sierra Nevada dans la province de Grenade. Ces sites offrent des balades balisées adaptées à tous les niveaux, depuis la balade familiale jusqu'au trekking d'une semaine en autonomie complète. Les offices de tourisme locaux sauront vous conseiller sur les itinéraires les mieux adaptés à vos attentes. Prévoyez de préférence de randonner au printemps ou à l'automne. Quant au relief de haute montagne en sierra Nevada, il n'est praticable à coup sûr que de juin à septembre. Les amateurs de défis s'attaqueront au plus haut sommet de la péninsule : le Mulhacén (3482 m). Certains itinéraires permettent à des marcheurs expérimentés et bien équipés d'y accéder sans réelle difficulté. Du sommet, on aperçoit par temps clair le continent africain, et les monts de l'Atlas marocain... À vos chaussures ! Pas mal non plus, le parc naturel côtier du Cabo de Gata (à l'est d'Almería), avec ses sentiers littoraux qui serpentent de calanque en calanque. Pour les principaux parcs naturels de la région, nous indiquons les coordonnées des centres d'accueil (*centro de visitantes*), ainsi que quelques-uns des meilleurs itinéraires de randonnée. Les parcs naturels éditent tous des cartes comportant une vue d'ensemble avec les principaux sites, villages. En revanche, bien peu possèdent des cartes détaillées de leurs sentiers. Si vous désirez randonner en Espagne du Sud, le mieux est de vous procurer les cartes IGN correspondant à la région concernée. Les topo-guides (*topoguías*) édités par la Fédération andalouse de randonnée sont également très bien faits ainsi que les *mapas excursionistas* publiées par Alpina. Enfin, vous trouverez en librairie diverses collections en espagnol sur les meilleures marches, région par région.

Federación Andaluza de Montañismo. Fédération andalouse des sports de montagne. Le site Internet offre une présentation détaillée de tous les sentiers de la région. *Camino de Ronda, 101 Edificio Atalaya Grenade (1er étage, bureau 7G) Tél./fax 958 29 13 40 Annexe à Cordoue : Carbonell y Morand, 9 (Casa del Deporte) Tél./fax 957 48 12 79 www.fedamon.com*

cyclotourisme et VTT

Un important réseau de chemins vicinaux, pistes et sentiers offre des conditions idéales pour faire du vélo en pleine nature. Aussi bien pour le cyclotourisme le plus tranquille que pour des randonnées sportives en VTT (*BTT*, *Bici Todo Terreno*). En bord de mer ou dans les montagnes, il est facile de mettre en place de belles promenades. Si elles sont rarement balisées, une bonne carte permet de s'y retrouver facilement. Parmi les plus belles excursions, on peut citer les *vías verdes*, anciennes voies ferroviaires reconverties en chemins de terre battue. Près de Cordoue, dans le parc naturel des sierras Subbéticas, la Vía verde de la Sierra traverse un paysage de montagne peuplé de vautours. Il est possible de louer des vélos dans la plupart des sites touristiques, en particulier dans les campings.

www.viasverdes.com Toutes les coordonnées des itinéraires ci-dessus.

escalade et alpinisme

Les voies d'escalade (*rutas de escalada*) ne manquent pas. Les plus réputées se trouvent sur les falaises calcaires vertigineuses d'El Chorro (entre Ronda et Málaga). Un site de renommée mondiale. Les gorges abruptes de la sierra de Cazorla (au nord-est de Jaén), de la sierra de Grazalema (au nord-est de Cadix), de la sierra Zuheros et de la sierra de las Nieves (près de Ronda) offrent également de bons sites. La sierra Nevada, avec ses sommets culminant à plus de 3 400 m, se prête bien à l'escalade en été, et à l'alpinisme (*montañismo*) en hiver.

sports d'hiver

Une seule des 29 stations de ski de la péninsule se trouve dans sa partie méridionale : la station de la sierra Nevada, au sud-est de Grenade. On y skie (alpin, surf, fond) de décembre à mai. Le domaine skiable s'étend sur 87 km, et jouit de conditions de neige tout à fait correctes.

ATUDEM. Asociación Turistica de Estaciones de Esquí y de Montaña. *Padre Damián, 43 1a oficina 11 28036 Madrid Tél. 913 59 15 57 www.esquiespana.org*
www.esquinieve.net et www.rfedi.es Autres sites sur les sports d'hiver.

golf

Eh oui, l'herbe est bien verte sur les greens de la Costa del Sol, qui regroupe en ce domaine l'infrastructure la plus dense d'Europe : les terrains se comptent par dizaines. La plupart d'entre eux sont accessibles sans carte de membre. L'entrée coûte de 40 à 70€. Mais pour pénétrer dans le saint des saints, le golf de Valderrama à Sotogrande (province de Cadix), il vous en coûtera env. 300€. Votre récompense : vous marcherez sur les pas des plus grands golfeurs du monde, qui s'y sont affrontés en 1997 à l'occasion de la Ryder Cup (USA contre le reste du monde).
www.golfspain.com Coordonnées de tous les parcours de golf espagnols.

Téléphone et fax

Dans l'ensemble, les appels coûtent beaucoup moins cher à partir des cabines, surtout à l'international. Pas difficile de trouver une cabine téléphonique en Espagne du Sud : elles sont légion, surtout aux abords des lieux touristiques. Reconnaissables à leur couleur verte ou bleue, elles fonctionnent à carte (*tarjeta telefónica*) et à pièces (de 0,10 à 2€). Préférez celles à carte. Vous pouvez aussi appeler d'une agence Telefónica (la compagnie de téléphone nationale) ou d'un centre d'appel international (*locutorio*). Les lignes privées mises à part, ce sont les solutions les moins chères pour passer un coup de fil. Les téléphones publics des cafés sont plus onéreux. Quant aux postes des chambres d'hôtels, renseignez-vous sur les prix pratiqués avant d'appeler : comme partout, ils sont fixés par les gérants de l'établissement. Le tarif des communications baisse après 20h pour les appels nationaux, 22h pour les appels internationaux. Les cartes téléphoniques sont vendues dans les tabacs (*estancos*) et les boutiques de Telefónica, au prix de 6 ou 12€. En dehors des cartes téléphoniques classiques, vous trouverez de nombreuses cartes offrant des tarifs spéciaux pour appeler l'Espagne ou l'étranger. De manière générale, elles fonctionnent avec un code personnel à taper directement, sans insérer la carte dans l'appareil. Parmi les plus avantageuses, citons la Happy Card, que l'on trouve un peu partout. Autre solution, pour les résidents français, la carte France Télécom, qui permet de téléphoner d'un poste ou d'une cabine espagnole. Les appels sont facturés sur votre ligne principale, et certains forfaits offrent des prix assez attractifs pour ce type de communications.

Portables L'introduction du téléphone portable (*teléfono móvil*) a fait un malheur en Espagne. Vous vous en rendrez d'ailleurs vite compte à la terrasse des cafés : avec le volume vocal moyen des Espagnols, on se croirait souvent au milieu d'une dispute. Il faut dire que l'appareil semble fait pour la vie nocturne locale, où l'on change sans cesse de bar et où les heures de rendez-vous sont toujours aléatoires. L'Espagne utilise le système GSM 900/1800, compatible avec le reste de l'Europe. Attention, les GSM 1900, propres à l'Amérique du Nord, fonctionnent mal ou pas du tout ici. Plus généralement, certaines zones sont encore mal couvertes, en particulier dans les régions montagneuses d'Andalousie. Si vous désirez utiliser votre portable, assurez-vous avant de partir que l'option internationale est comprise dans votre abonnement. Attention cependant, les appels locaux *via* l'international reviennent très cher (par exemple d'Espagne à France puis à Espagne). Vous pouvez aussi acheter un portable sur place ou une carte SIM rechargeable si votre portable est débloqué. Attention, les vols de portables sont aussi fréquents qu'ailleurs.

APPELS NATIONAUX Tous les numéros espagnols comportent neuf chiffres, à composer intégralement, quel que soit l'endroit d'où l'on appelle en Espagne. Tous les numéros fixes commencent par 9. Les deux ou trois premiers chiffres de chaque numéro forment l'indicatif de la province (Séville : 954, Málaga : 952, Cadix : 956, etc.). Les numéros commençant par 900 sont gratuits. Les numéros commençant par 6 correspondent à des numéros de portables.

Renseignements nationaux. *Tél. 11 888*

Pages jaunes. *www.paginas-amarillas.es*

Pages blanches. *http://blancas.paginasamarillas.es*

APPELS INTERNATIONAUX Pour appeler l'Espagne de l'étranger : composez l'indicatif international 00 puis le 34 (code de l'Espagne), suivi du numéro à neuf chiffres de votre correspondant en Espagne. Pour appeler l'étranger de l'Espagne : tapez le 00. Composez le 00 puis le code du pays concerné (France : 33, Belgique : 32, Canada : 1, Suisse : 41), suivi du numéro de votre correspondant (sans le 0 pour les appels en France). En cas de difficulté de connexion, appelez le 1008. Vous serez mis en relation avec un opérateur parlant l'anglais ou le français. Pour appeler à l'étranger en PCV d'Espagne : composez le 900 99 00 + code du pays que vous désirez appeler. Vous serez alors connecté à un opérateur dans le pays choisi. Les codes des pays sont généralement affichés dans les cabines. *Renseignements internationaux Tél. 11 825*

FAX Les bureaux de poste principaux proposent un service de fax. Il est très onéreux : pour l'Europe, environ 8€ la 1re page, puis environ 2€ les suivantes. Pour des tarifs plus intéressants, essayez les magasins de photocopies et autres boutiques portant la mention *"Fax Público"*.

Correos. *Tél. 902 197 197 www.correos.es*

Transports intérieurs

distances

(en km)	Séville	Almería	Cadix	Cordoue	Grenade	Huelva	Jaén
Almería	419						
Cadix	129	462					
Cordoue	145	328	263				
Grenade	262	162	297	164			
Huelva	95	508	218	238	350		
Jaén	247	220	365	108	95	341	
Málaga	218	205	256	161	129	305	203

voiture et moto

Code de la route La conduite se fait à droite, et le port de la ceinture (y compris à l'arrière) est obligatoire de même qu'un siège adapté pour les enfants. La police est très stricte sur le respect des limitations de vitesse : 120km/h sur autoroute, 100 sur les nationales et 50 en ville. Le taux d'alcoolémie au volant est limité à 0,05%, et 0,03% pendant les deux premières années de permis. Selon une nouvelle législation, les véhicules doivent disposer de deux triangles de signalisation réfléchissants destinés à signaler les véhicules immobilisés sur la chaussée (on les place, le cas échéant, à une distance minimale de 50m à l'avant et à l'arrière du véhicule). Le conducteur doit également porter un gilet muni de bandes réfléchissantes. La police espagnole n'hésite pas à verbaliser les contrevenants à ces règles. Les infractions au code de la route entraînent obligatoirement le paiement immédiat de l'amende (réduite de 20%) pour les non-résidents. Si vous êtes victime ou témoin d'un accident de la route, le numéro d'assistance est le 112.

Conditions de conduite Le réseau routier espagnol est excellent, même si certaines routes de montagne du Sud laissent à désirer. Quant aux routes de campagne, désignées par les lettres correspondant à la province, elles offrent parfois des conditions dignes d'un rallye tout-terrain. Soyez prudents par temps de pluie : le drainage des chaussées, y compris sur les grandes routes, se révèle parfois déficient, entraînant des risques d'aquaplaning. Où que vous rouliez, la prudence s'impose : certains conducteurs ont des conduites vraiment "viriles", même si l'instauration du permis à points en 2006 a entraîné une légère diminution des accidents. La nuit, surtout en fin de semaine, redoublez de prudence. L'Espagne se situe dans le haut du triste palmarès européen des accidents de la route. Les villes principales sont desservies par des autoroutes, divisées en deux catégories : les *autovías*, quatre-voies gratuites, et les *autopistas*, payantes (souvent à des prix élevés, supérieurs à ceux pratiqués en France). En 2006, la nomenclature routière a changé : les autoroutes (A) deviennent AP et les nationales (N) deviennent A. Dans l'attente de la mise à jour de l'ensemble des panneaux, une double signalisation est mise en place. En Andalousie, seuls les trajets Fuengirola-Estepona (AP7, à l'ouest de Málaga) et Séville-Cadix (AP4) sont payants. Les tarifs sont prohibitifs si votre budget est serré. Il est toujours possible d'échapper aux sections payantes en empruntant les routes nationales qui suivent le même tracé. Mais le trafic y est la plupart du temps chargé et les dépassements hasardeux.

En ville La conduite dans les grandes villes du Sud espagnol tient souvent du cauchemar. Le trafic intense, l'absence de stationnement, les rues à sens unique viendront à bout des tempéraments les plus patients, surtout à Séville, Cordoue, Cadix et Grenade. La voiture n'est vraiment intéressante que si vous comptez visiter les régions rurales et les parcs naturels. Si vous choisissez de partir en voiture, voici quelques conseils pour limiter les soucis. Les bandes bleues indiquent les zones où le paiement d'un parcmètre en journée est obligatoire. Les bandes jaunes désignent une interdiction de stationner. La mise en fourrière pour mauvais stationnement est systématique (bien plus qu'en France par exemple) et vous coûtera 125€ environ. Seule exception : la soirée en fin de semaine, où l'on se gare dans tous les sens aux abords des quartiers animés. Enfin, évitez dans la mesure du possible, et dans tous les cas à Séville, de laisser le moindre bagage ou effet personnel à bord du véhicule, même dans les parkings souterrains. Le risque de vol par effraction est bien réel. En cas de vol, les déclarations sont à effectuer auprès de la police ou de la Guardia Civil.

Location de véhicules Pour louer un véhicule en Espagne, il faut être âgé de plus de 21 ans, voire 23, et être titulaire du permis de conduire depuis un an, parfois deux, la carte de crédit étant le plus souvent de rigueur. De plus, le paiement au moyen d'une carte induit en général un service d'assurance. Vous trouverez les incontournables compagnies de location internationales (Avis, Hertz, etc.) dans les aéroports, certaines gares et dans les centres touristiques. Renseignez-vous avant le départ : il est souvent moins onéreux de réserver de l'étranger. Dans tous les cas, avant de signer le contrat de location, prenez bien garde à la clause concernant le kilométrage, et aux assurances comprises dans le prix de base. Demandez toujours si les prix indiqués incluent l'IVA de 16% (*IVA incluido*) et une assurance (*seguro*) avec ou sans franchise (*franquicia*), et si elle couvre le vol (*robo*). Avis aux amoureux des deux-roues : il y a peu de solutions pour louer une moto dans le Sud de l'Espagne à des prix raisonnables.

cars

De nombreuses compagnies de cars desservent les principales villes andalouses. C'est un moyen de transport très pratique, avec des départs réguliers et des horaires bien respectés. Sur les grandes lignes, la plupart des véhicules sont équipés de toilettes, d'un système de climatisation et d'un projecteur de vidéos. Les cars régionaux, en revanche, offrent un équipement assez spartiate. Si les prix sont comparables à ceux du train, en particulier pour les petites et moyennes distances, ils sont souvent plus économiques pour les longs parcours : de Séville à Madrid, on peut s'en sortir à environ 20€. Mais c'est surtout pour les trajets à destination des villes secondaires et des régions isolées que le car est le plus intéressant. Aucun village n'échappe en effet aux mailles du réseau formé par les nombreuses compagnies locales. Attention cependant à bien vérifier les horaires avant de vous aventurer au fin fond des montagnes de la sierra Morena ou d'ailleurs, surtout le week-end, où les départs se font plus rares. De plus, certaines destinations ne sont accessibles qu'au départ d'une seule ville : si vous voulez aller à Zahara de la Sierra (province de Cadix), il vous faudra par exemple passer par Ronda, et pour visiter la Alpujarra, il faut impérativement partir de Grenade. Les lignes régionales comportent en général des cars directs (*directo*) et des omnibus : à prix égal, un voyage peut ainsi durer de 1h à 3h. Les réductions offertes varient selon les compagnies. Renseignez-vous dans les offices de tourisme et les gares routières (*estación de autobuses*) des grandes villes, souvent situées à proximité des gares Renfe, non loin du centre-ville. À la campagne, c'est souvent au bar local qu'il vous faudra vous rendre.

train

LE RÉSEAU L'Espagne est dotée d'un vaste réseau ferroviaire, parmi les plus économiques d'Europe. Il est administré par la RENFE (Red Nacional de los Ferrocarriles de España). Certaines lignes régionales secondaires sont gérées par de petites compagnies. Les trains espagnols sont confortables, ponctuels et assez rapides, bref très agréables. Les gares Renfe sont rarement éloignées du centre-ville et sont toujours reliées par les bus urbains. Les départs sont assez fréquents entre les principales villes sur les lignes régionales (*regionales*), et encore davantage sur les lignes de proximité (*cercanías*), qui relient les villes d'une même province. Ces dernières sont très pratiques pour se déplacer dans la province de Cadix. Les tarifs ferroviaires espagnols sont avantageux. À titre indicatif, le trajet Séville-Grenade en 2de classe revient à env. 22€, Séville-Barcelone de 57 à 90€, selon le type de train, et Cadix-Jerez moins de 5€. Depuis l'Exposition universelle de 1992, l'Andalousie est desservie par un train à grande vitesse. L'AVE (Alta Velocidad Española) relie

Séville à Cordoue (à partir de 24€), avant d'atteindre Madrid (de 58 à 74€). Un trajet de 2h30, à près de 250km/h de moyenne. Le service est très soigné, on se croirait presque dans un avion. Les trains rapides Talgo 200 relient Madrid à Málaga et à Huelva *via* Cadix. Attention : il est fréquent que le type des trains et les tarifs varient sur une même ligne en fonction des horaires. Ainsi, entre Séville et Cordoue, il faut compter à partir de 24€ sur les trains AVE (45min), et deux fois moins sur les trains Andalucía Express (1h15). Vous pouvez acheter vos billets sur place auprès des agences Renfe. Aux guichets des gares, vous obtiendrez horaires et informations précises. Vous pouvez aussi téléphoner au centre d'appel.

Centre d'appel. *Tél. 902 24 02 02 (pour les trajets en Espagne) ou 902 24 34 02 (pour les trajets internationaux) www.renfe.es*

Iberrail France. *Pour réserver ses billets de France. 57, rue de la Chaussée-d'Antin 75009 Paris Tél. 01 40 82 63 60*

TARIFS SPÉCIAUX Des réductions sont possibles pour les enfants de 4 à 12 ans et les seniors (de – 25% à – 40%), et les 12-25 ans possédant le carnet jeune (Carnet Joven, – 25%). Attention, les tarifs varient selon les périodes : les voyages en période rouge (*roja*) sont plus chers que ceux effectués en période bleue (*azul*). Cartes Inter Rail et billets Bige sont valables pour tous les trains régionaux (*regionales*) d'Espagne du Sud, ainsi que pour les trains interrégionaux. Certains trains, comme le Séville-Cordoue-Madrid, sont sujets à de modestes suppléments. Mais sachez que si vous achetez un aller-retour, sur n'importe quelle ligne, vous aurez droit à une remise de 10 à 20% en fonction des lignes. Si vous prévoyez de prendre plusieurs fois le train sur la même ligne, une carte d'abonnement vous permettra de réaliser des économies. Par exemple, le Bono 10, valable pour 10 voyages sur les trains régionaux et les lignes *cercanías*. La carte touristique (Tarjeta Turística), destinée aux voyageurs étrangers, donne accès à toutes les lignes pour une durée de 8, 15 ou 22 jours. L'Euro-railpress propose des prestations semblables, sur des périodes allant jusqu'à trois mois.

avion

Depuis la fin du monopole d'Iberia et la création de compagnies régionales en 1999, les tarifs aériens ont baissé. L'avion est cependant nettement plus onéreux que les autres moyens de transport intérieurs. Iberia relie toujours Madrid aux grandes villes du Sud, de même qu'Air Europa, qui propose des prix plus attractifs. Néanmoins, il reste difficile de trouver des vols reliant entre elles les différentes villes d'Espagne du Sud. Le seul moyen d'aller d'une ville à l'autre reste de passer par Madrid. Principales compagnies espagnoles représentées :

Iberia. *Tél. 902 400 500 www.iberia.com*
Air Europa. *Tél. 902 401 501 www.air-europa.com*
Spanair. *Tél. 902 13 14 15 www.spanair.com*

Transports urbains

bus

Les grandes villes d'Andalousie possèdent toutes un réseau de bus urbains. Mais il est en général destiné aux liaisons entre le centre-ville et les quartiers périphériques, et se révèle peu pratique pour visiter la ville. À Séville ou à Cadix, par exemple, les bus ne parcourent pas les quartiers touristiques. Vous serez donc peu amené à utiliser les transports urbains, à de rares exceptions près : pour vous rendre à la plage de Cadix du centre-ville, au parc de la Feria situé en périphérie de Séville, pour monter sans efforts au sommet de l'Alhambra ou de l'Albaicín à Grenade. Autre utilité des transports urbains : ils relient le centre-ville aux gares routière et ferroviaire, et permettent souvent d'atteindre des quartiers de sorties un peu excentrés. Bref, la marche reste le meilleur moyen de découvrir les villes andalouses, dont le centre historique est généralement peu étendu.

taxi

Toutes les grandes villes d'Espagne ont des services de taxi. Les tarifs sont assez bon marché, 0,75€/km en moyenne le jour (20 à 30% de plus la nuit et les jours fériés). Comme partout, les courses au départ de l'aéroport peuvent se révéler ruineuses, surtout si vous ne parlez pas espagnol et que le chauffeur vous emmène à votre insu pour un grand tour panoramique des faubourgs. Demandez donc au préalable une estimation du prix, et vérifiez que le compteur est bien mis en route au moment du départ. Parfois, le chauffeur éteint son compteur, et vous propose une sorte de forfait pour aller de l'aéroport de Málaga au centre-ville par exemple. À l'aéroport de Séville, pour éviter les abus et les discussions sans fin, un tarif officiel est inscrit dans la voiture. Dans le centre des grandes villes, difficile à parcourir en bus urbain, le taxi peut s'avérer fort utile. On peut le trouver à une station de taxis ou bien en héler un, à condition qu'il porte la mention "libre" (lumière verte allumée). Attention, il vaut mieux éviter de prendre le taxi pour les petites distances, car toutes les courses comprennent un forfait minimum de 3 ou 4€. Le pourboire est facultatif mais apprécié.

Travailler sur place

Première constatation : l'Andalousie est une région qui accueille de nombreux immigrés. Ce n'est donc pas l'endroit rêvé pour trouver un emploi car la concurrence est forte, surtout pour les postes les moins qualifiés. Cependant, avec un minimum de débrouillardise, il y a moyen de gagner un peu d'argent en faisant de petits boulots. Si vous parlez un espagnol correct, votre maîtrise d'une langue étrangère (anglais, allemand et, à moindre degré, le français) fera de vous un candidat intéressant, surtout pendant la saison touristique. Les citoyens de l'Union européenne sont autorisés à travailler sans avoir à demander de visa. Seule restriction : s'ils prévoient de rester plus de trois mois, ils devront demander un permis de résidence (cf. Visa et passeport).

où chercher ?

Les agences de travail temporaire (*agencias de trabajo temporal*) vous guideront vers des missions correspondant à vos compétences, mais souvent orientées vers des travaux manuels ou administratifs. Les chambres de commerce peuvent aussi vous communiquer les adresses des entreprises qui recrutent. À Paris, la chambre officielle de commerce d'Espagne est un contact utile. Une fois en Espagne, la presse locale est un bon moyen de chercher un emploi. Le journal *El País* mais aussi *ABC*, *El Mundo*, *la Vanguardia* diffusent des offres d'emploi tous les dimanches. Elles concernent plus spécialement les emplois qualifiés. Pour les annonces de travail sur la Costa del Sol, ne manquez pas le *Sur in English*, publié à Málaga. Enfin, les rencontres sur place, notamment entre voyageurs dans les auberges de jeunesse, permettent de multiplier les sources d'information pour ne pas passer à côté des bons plans.

Chambre officielle de commerce d'Espagne en France. *22, rue Saint-Augustin 75002 Paris Tél. 01 42 61 33 10 Fax 01 42 61 16 22 www.cocef.com*

emplois temporaires et jobs d'été

Enseigner le français Si vous parlez un minimum l'espagnol et possédez des qualifications dans l'enseignement du français, vous pourrez peut-être trouver un emploi temporaire dans une école de langues (*academias*) ou une université. Mais la demande est faible (l'enseignement du français a reculé au profit de celui de l'anglais) et les postes à pourvoir peu nombreux. Contactez les organismes d'enseignement avant votre départ ou, sur place, rendez-leur une petite visite. Dans les librairies françaises, lisez les petites annonces et n'hésitez pas à en laisser une pour offrir vos services.

Métiers du tourisme De mai à septembre, de nombreux emplois sont à pourvoir dans les villes et sites touristiques, surtout sur la Costa del Sol. La meilleure manière de procéder est de se rendre sur place avant le début de la saison (fin avril-début mai), et de commencer la fastidieuse tournée des bars et restaurants. Sur la Costa del Sol, destination favorite des Européens du Nord, parler anglais ou allemand est un gros atout. L'hôtellerie est un des secteurs les plus demandeurs. Il est possible d'être nourri, logé et blanchi par l'hôtel recruteur. Les fast-foods recrutent également beaucoup, et sont rarement scrupuleux sur le profil du candidat. Si vous avez une certaine expérience de la restauration, pourquoi ne pas tenter de décrocher un job de *camarero* (serveur) ? Mais, dans la restauration comme dans l'hôtellerie, les salaires sont souvent très bas, et il faudra compter sur la générosité des pourboires.

Récoltes saisonnières Les coopératives agricoles d'Espagne du Sud ont besoin d'une main d'œuvre considérable pour la récolte des fruits et légumes : pastèques dans la région d'Almería (mai-juin), fraises à Huelva (mai-juin). Environ 35 ou 40€ par jour, pour un travail très éprouvant, surtout quand il se fait sous des serres surchauffées. Mais même à ce tarif, il devient très difficile de se faire embaucher : les coopératives agricoles s'appuient sur une main d'œuvre déjà abondante, venue du Maroc et dernièrement d'Europe centrale.

Urgences et hôpitaux

Le Service des urgences (SEU) : 112 fonctionne dans tout le pays pour les urgences médicales, la police et les pompiers, et il centralise tous les autres appels. Pour les coordonnées des principaux hôpitaux et cliniques, se reporter également au chapitre concernant chaque ville. Les services d'urgences (*urgencias*) espagnols fonctionnent bien, et assurent une prise en charge efficace des patients. Pensez toujours à emporter avec vous une photocopie de votre assurance maladie, et la nouvelle Carte européenne de santé pour les ressortissants européens. En cas de tracas de moindre gravité, un système de pharmacies de garde (*farmacias de guardia*) est à votre disposition. Les coordonnées de la pharmacie de garde du quartier figurent en vitrine de celles qui sont fermées, ainsi que dans les pages pratiques de la presse locale.

Urgences. Pour l'Andalousie, et toute l'Espagne. *Tél. 112*

Us et coutumes

Les Espagnols, notamment les jeunes, aiment s'habiller pour sortir faire la fête, et ne rechignent pas sur les marques. Le chic décontracté ouvre toutes les portes ou presque, avec une réserve pour les chaussures de sport. Bon à savoir si vous voulez être sûr d'entrer en boîte de nuit. Avis aux femmes : le machisme légendaire du mâle espagnol n'est pas qu'une légende. Regards appuyés et commentaires déplacés peuvent surprendre. Le bronzage seins nus est très répandu sur les plages des grandes stations balnéaires. Ailleurs, procéder avec discernement. Enfin, en Andalousie, on est un peu économe en salutations, remerciements et autres politesses. Une particularité à ne surtout pas interpréter comme du mépris ou de l'arrogance.

Valise

À savoir Les laveries automatiques sont pratiquement introuvables en Andalousie, même dans les villes. Si vous déposez votre linge dans un pressing, on pourra vous le laver et le repasser, mais il faudra payer assez cher et attendre dans la plupart des cas de deux à quatre jours pour le récupérer. Une donnée à prendre en compte dans la préparation de votre valise.

Vêtements Si vous partez en plein été, des vêtements légers et amples permettront de mieux vivre la chaleur étouffante du Sud. Des manches longues, de bonnes lunettes de soleil et un chapeau à large bord protègent efficacement du soleil, surtout si vous marchez dans les rues aux heures chaudes de l'après-midi. D'octobre à avril, emportez quelques habits de demi-saison et des vêtements de pluie. Il pleut régulièrement à l'intérieur des terres, en particulier dans la sierra Morena, et il peut même pleuvoir pendant une semaine sur la Costa del Sol. Pensez à emporter une paire de chaussures adaptées à la marche, même si vous n'êtes pas adeptes de la randonnée car certaines visites, comme l'Alhambra ou l'Albaicín de Grenade, la grotte d'Aracena ou les petits villages de montagne, décourageront les amoureux des tongs en plastique et autres escarpins. À l'inverse, sachez que les chaussures de sport vous interdiront l'entrée de certaines boîtes de nuit.

Sac de couchage Pas vraiment nécessaire, car tous les hôtels et auberges de jeunesse fournissent les draps. Si vous faites du camping ou dormez sous les étoiles andalouses, mieux vaut prendre un duvet fin, qui prendra moins de place, pèsera moins lourd et sera plus confortable en été. Pour garantir un minimum d'hygiène dans les hôtels bas de gamme, un drap de type "sac à viande" sera des plus utiles.

Affaires de toilette On trouve sur place tous les articles nécessaires à la toilette. Vous pouvez cependant emporter un petit savon et une serviette. Ils ne sont pas toujours fournis, surtout dans les établissements bon marché.

GÉOPRATIQUE

Pharmacie Il est prudent d'emporter avec soi quelques produits de base : un antidiarrhéique, accompagné d'un antiseptique intestinal. Un antihistaminique pour les rhumes, allergies et piqûres d'insectes. Du paracétamol ou de l'Aspirine en cas de douleur et de fièvre. Un antiseptique ou désinfectant à appliquer sur les égratignures, coupures ou brûlures. Des pansements, une bande et des compresses stériles. Une paire de ciseaux et une pince à épiler. Un répulsif à moustiques. Une crème solaire d'indice élevé ou un écran total. Pour la grande randonnée, des comprimés pour stériliser l'eau. Consultez un médecin avant de partir pour les médicaments délivrés sur ordonnance. Pour tous les produits de parapharmacie (et notamment les préservatifs), sachez qu'on peut les acheter dans les pharmacies mais également dans les grands magasins de type Corte Inglés ou Carrefour.

Mais aussi Un réveil, une ceinture portefeuille (ou une banane), une gourde isotherme, un nécessaire de couture, des cadenas (bien utiles pour protéger vos sacs ou fermer les consignes à disposition dans certaines auberges de jeunesse), une lampe de poche, une photocopie de vos papiers officiels et billets d'avion ou de train, à conserver séparément, un petit dictionnaire franco-espagnol…

Avion : mesures de sécurité pour le bagage de cabine Rappelons que, lorsqu'ils passent aux points de contrôle de sécurité des aéroports européens et canadiens, les voyageurs peuvent avoir en leur possession des produits liquides (gels, substances pâteuses, lotions, contenu des récipients à pression, dentifrice, gel capillaire, boissons, potages, sirops, parfums, mousse à raser, aérosols…) à condition que les contenants ne dépassent pas, chacun, 100ml ou 100g et qu'ils soient regroupés dans un sac en plastique transparent à fermeture par pression et glissière, bien scellé, d'une capacité maximale de 1l (environ 20cmx20cm). Les articles ne doivent pas remplir le sac à pleine capacité ni en étirer les parois. Un seul sac est permis par personne. Les aliments pour bébé et le lait, quand les passagers voyagent avec un enfant de deux ans ou moins, de même que les médicaments vendus sur ordonnance et les médicaments essentiels en vente libre ne sont pas soumis à ces restrictions. Nous vous conseillons donc de placer dans vos bagages de soute, avant l'enregistrement, tous les produits liquides dont vous n'aurez pas besoin en cabine.

Visa et passeport

Pour tout séjour inférieur à trois mois, y compris à Gibraltar, aucun visa n'est nécessaire pour les citoyens des pays membres de l'Union européenne, les Suisses, les Canadiens et pour les détenteurs d'un passeport américain (É.-U.). La présentation d'une carte d'identité nationale, ou d'un passeport périmé depuis moins de cinq ans, est suffisante (un passeport en cours de validité pour les Canadiens). Pour entrer au Maroc, un passeport en cours de validité est exigé pour tous. Au-delà de trois mois, il faut faire une demande de carte de résident (*tarjeta temporal de residencia*), avant la fin du premier mois de séjour.

Remise au goût du jour par l'Expo universelle de 1992, la capitale andalouse fait depuis figure de star du tourisme européen. Son secret ? Un subtil mélange de passé et de présent, de vieilles pierres et de vie nocturne, de nostalgie et de mode. Une perle à découvrir en toutes saisons, même si le printemps, avec ses fêtes inimitables, recueille tous les suffrages et si l'été, moite et étouffant, n'est pas du goût de tous. Tapas, corrida, flamenco, joie de vivre et hospitalité : en prenant le temps, chacun y trouvera ce qu'il est venu chercher voire bien plus.
À ne pas manquer La cathédrale et le palais royal de Séville, le site archéologique d'Itálica et la nécropole romaine de Carmona
Et si vous avez le temps…
Imprégnez-vous de l'ambiance de Séville pendant la Feria de Abril, passez une soirée flamenco dans un des bars de la ville et dégustez les pâtisseries confectionnées dans les couvents

Province de Séville

GEO**MEMO**

Ville principale	Séville (704 000 hab.), capitale de la province
Informations touristiques	OT de Séville Tél. 954 78 75 78/80 mairie Tél. 902 26 10 10 (010 sur place)
Sites archéologiques	site archéologique d'Itálica, nécropole romaine de Carmona

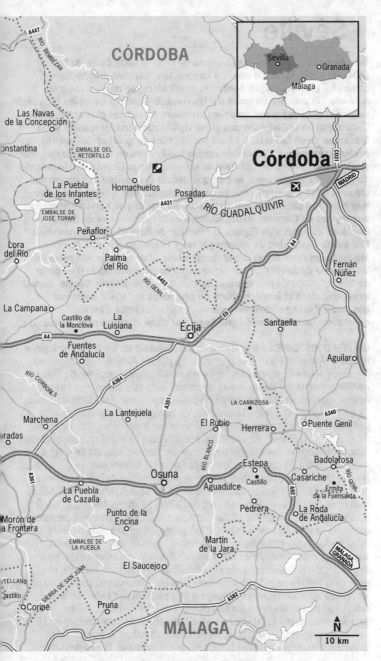

GÉOREGION

PROVINCE DE SÉVILLE

★ Séville

On a beau être prévenu des charmes de cette grande dame du Sud (704 000 hab.), la magie opère à chaque fois. Capitale architecturale, culturelle, gastronomique, festive et hospitalière, on ne peut résister à Séville. Un coucher de soleil sur les rives du Guadalquivir et les façades rouges et ocre des vieux quartiers viendront à bout des plus sceptiques. L'animation de la Calle Sierpes et les vieilles rues commerçantes de la Macarena ou de la Feria, les façades décaties du quartier des arènes, le parfum suranné qui s'élève des ruelles médiévales de Santa Cruz, les murs ciselés et les jardins de l'Alcázar, la silhouette de la Giralda, le gigantisme de la cathédrale gothique, le baroque délicat des églises, la religion des tapas et de la convivialité qui se célèbre chaque soir, Séville a plus d'un tour dans son sac. Comment s'étonner alors qu'elle ait servi de berceau aux mythes de Carmen, petite ouvrière de la manufacture de tabac, de Don Juan ou encore de Figaro, le "Barbier de Séville" de Beaumarchais ? Elle donna également de grands poètes à l'Espagne, comme Antonio Machado qui écrivait, au début du XXᵉ siècle : "*Mi infancia son recuerdos de un patio de Sevilla*", "Mon enfance, ce sont les souvenirs d'un patio de Séville". Belle de jour comme de nuit, été comme hiver, Séville devient irrésistible dans la lumière douce du printemps et l'odeur enivrante des fleurs d'oranger. Semaine sainte et feria, les fêtes d'avril constituent un événement d'une beauté et d'une intensité sans pareilles.

UN PEU D'HISTOIRE La fondation d'*Hispalis* (Séville pour les Romains) a donné lieu dans l'Antiquité à un mythe persistant. La déesse Astarté, fuyant les élans amoureux d'Hercule, se serait réfugiée sur le site actuel du quartier de Triana. Hercule, remontant le fleuve, serait arrivé sur l'autre rive. Il ne trouva pas son Astarté, mais en profita pour fonder *Hispalis*. De son côté, Astarté fonda Triana. Ce qui est sûr, c'est que les Tartessiens, les Ibères et les Carthaginois se succédèrent sur le site avant l'arrivée décisive des Romains en 206. La colonie d'*Itálica*, près d'*Hispalis*, est aussitôt créée. Elle aura un grand rayonnement dans l'Empire, lui donnant deux empereurs : Trajan et Hadrien. *Hispalis* devient un important centre de commerce, que Jules César fait fortifier au Iᵉʳ siècle av. J.-C. *Hispalis* connaît alors une grande phase de prospérité. En 287, le martyre de sainte Juste et sainte Rufine (futures patronnes de Séville) témoigne des débuts houleux de la christianisation. Les Vandales pillent Séville en 426. Au VIᵉ siècle, sous le règne des Wisigoths, *Hispalis*, devenue *Spali*, est brièvement capitale, avant que ce rôle n'échoie à Tolède. L'évêque de Séville San Isidoro (560-636) est la grande figure culturelle de son temps. À l'époque dorée d'*Al-Andalus*, sous le règne des Omeyyades (VIIIᵉ-XIᵉ siècle), Séville prend le nom d'*Isbiliya* et profite de la richesse culturelle et commerciale de l'époque, même si elle reste dans l'ombre de la toute-puissante Cordoue. À la chute du califat (1031), les Arabes abbadides fondent à *Isbiliya* le plus puissant des taifas. Le roi Al-Mu'tamid rassemble dans son somptueux palais les meilleurs poètes de son temps, dont il fait d'ailleurs partie. Les Abbadides sont chassés en 1091 par les Almoravides. Au XIIᵉ siècle, les Almohades prennent le pouvoir en Andalousie, et font d'*Isbiliya* la capitale de leur royaume. Ils construisent une immense mosquée, dont le minaret servira de base à la Giralda, et édifient la Torre del Oro et une partie de l'Alcázar qu'ils relient par de puissants remparts. En 1248, le roi de Castille Ferdinand le Saint conquiert Séville, qui deviendra capitale des terres reconquises, c'est-à-dire tout l'Ouest de l'Andalousie. En 1503, Séville obtient le monopole des transports transatlantiques et des échanges commerciaux avec les colonies : c'est le début de l'âge d'or de Séville et sa population ne cesse de croître. Au XVIᵉ siècle, elle est de fait la capitale religieuse, artistique et économique du plus vaste empire de l'Histoire, celui de Charles Quint. Mais au XVIIᵉ siècle, elle doit partager son monopole avec Cadix, et amorce un déclin qui s'amplifiera lors de la libéralisation du commerce avec les colonies en 1778, puis l'indépendance de celles-ci au cours du XIXᵉ siècle. En 1649, une épidémie de peste décime la moitié de la population : Séville, qui comptait 150 000 hab. en 1600, n'en a plus que 60 000 au début du siècle suivant. Pendant la guerre d'Indépendance, Séville devient de 1809 à 1810 la capitale de l'Espagne non occupée, avant d'être prise par les troupes napoléoniennes. À la fin du XIXᵉ siècle, les émeutes paysannes se multiplient, en opposition aux immenses propriétaires terriens de la région. De 1909 à 1929, Séville se développe rapidement, et se prépare pour sa grande Exposition ibéro-américaine de 1929, qui sera un échec dans un contexte de crise mondiale. Séville tombe aux mains des insurgés nationalistes dès les premières semaines de la guerre civile, en 1936. Sous le franquisme, elle connaîtra une longue phase de récession, avant d'initier dans les années 1970 une rapide croissance urbaine et économique, qui culminera avec l'organisation de l'Exposition universelle de 1992. Depuis 1982, Séville est la capitale de la communauté autonome d'Andalousie.

LA SEMAINE SAINTE Même si elle attire chaque année des milliers de touristes, la Semaine sainte de Séville n'a rien d'un événement touristique. C'est, avec la Feria de Abril, le moment de l'année que les Sévillans attendent avec le plus d'impatience. Elle a lieu du dimanche des Rameaux au dimanche de Pâques : du 16 au 23 mars 2008 et du 5 au 12 avril en 2009. L'espace d'une semaine, Séville devient la ville la plus belle et la plus mystérieuse qui soit. L'occasion de découvrir des recoins méconnus et de déambuler dans les vieux quartiers à des heures insolites. Une soixantaine de processions partent des innombrables églises de la ville pour un parcours qui peut durer quinze heures, en plein jour ou au beau milieu de la nuit. Les processions illustrent chacune un moment distinct de l'ultime semaine du Christ, et correspondent à autant de confréries (*cofradías* ou *hermandades*). Ces organisations très hiérarchisées, riches parfois de plusieurs milliers de membres, jouent un rôle essentiel dans la vie des quartiers. Au XVᵉ siècle déjà, certaines organisent de petites processions dans leur paroisse. Mais c'est en 1604 que le cardinal Don Fernando Niño de Guevara impose que le parcours passe par la cathédrale. La *carrera oficial* (parcours officiel) de la Semaine sainte sévillane est née. Il s'agit d'un tronçon commun, emprunté par toutes les confréries. Elle part de la Plaza de la Campana, remonte la Calle Sierpes jusqu'à la Plaza de San Francisco, puis traverse la cathédrale. Chaque procession comporte en général deux chars ou *pasos*. Le premier est celui du Christ, le second celui de la Vierge. Les figures saintes sont des œuvres d'art d'une grande beauté, dans la tradition du baroque sévillan, comme celle de Jesús del Gran Poder, sculptée par Juan de Mesa en 1620. La Vierge est l'objet de toutes les attentions : son long voile brodé d'or et de soie (*manto*) fait la fierté des confréries qui, au matin des processions, tapissent également d'œillets ou de roses le *paso* de la sainte vierge. Baroques également, les chars en bois ouvragé et doré, avec des candélabres et des piliers en argent ciselé, et des dizaines de cierges. Héros anonymes, les *costaleros*, cachés sous les tentures du *paso*, ont la dure tâche de porter un ensemble qui dépasse souvent la tonne. Ils obéissent aux ordres du *capataz*, qui mène la danse en s'aidant de la voix et du *llamador*, une pièce métallique qu'il fait claquer sur le char afin de donner l'ordre aux porteurs de s'arrêter, de se préparer, de soulever ou de repartir. Les arrêts sont fréquents, tant pour ménager les *costaleros* que pour permettre à la foule de mieux admirer ces figures saintes qu'elle vénère. La levée du *paso* est impressionnante, bond soudain ou montée progressive qu'on imagine pénible. Les Sévillans applaudissent alors à tout rompre. De même qu'ils acclament, au passage de lieux stratégiques ou des églises, les pas de danse imprimés aux *pasos*. Mais avant d'apercevoir les chars, vous verrez passer l'interminable cortège des membres de la confrérie, le visage caché derrière un masque en toile (*antifaz*) soutenu par un cône effilé de carton au-dessus de la tête (*capirote*). Le frère majeur (*hermano mayor*) dirige ses troupes, les pénitents portent des cierges (*nazarenos*) ou de lourdes croix (*penitentes*). Tous revêtent la tunique aux couleurs de leur confrérie, seul repère dans l'entrelacs des processions. La musique est un élément clé : la plupart des processions s'accompagnent de fanfares qui jouent des marches religieuses (*marchas*). Dans les ruelles, devant les églises, des complaintes flamencas (*saetas*) dédiées à la Vierge ou au Christ jaillissent *a cappella* de la foule ou d'un balcon. La lumière tremblotante de milliers de cierges dans la pénombre, les parfums de la fleur d'oranger et de l'encens, les mélodies joyeuses ou mélancoliques, l'éclat des *pasos* et la joie incommensurable des Sévillans, autant d'émotions et de sensations inoubliables. La Semaine sainte est à Séville d'une grande solennité, parfait contrepoint à la fête à outrance de la Feria de Abril, deux semaines plus tard.

LA FERIA DE ABRIL La Feria de Abril débute quinze jours (parfois une semaine, si la Semaine sainte est tardive) après la fin de la Semaine sainte ; elle aura ainsi lieu du 7 au 13 avril 2008 et du 28 avril au 3 mai 2009. Elle est aussi festive et excessive que cette dernière est solennelle et mesurée. À l'origine, il s'agissait d'une grande foire agricole et commerciale, créée en 1847. Mais au fil du temps, la fête l'a emporté sur les affaires, et la feria de Séville est aujourd'hui le théâtre de festivités débridées. Elle se déroule dans le quartier périphérique de Los Remedios, sur le vaste parc du Real de la Feria, mais il est prévu qu'elle déménage au Charco de la Pava, sur les rives du Guadalquivir en 2010. Le parc du Real de la Feria revêt six jours durant les allures d'une ville accueillant jusqu'à plus de deux millions de visiteurs. Il comporte des rues aux noms de toreros célèbres, le long desquelles sont dressées plus de mille *casetas*. Ces tentes colorées, de taille variable, abritent l'essentiel de la fête. Elles sont financées par des entreprises ou des groupes de *socios*, qui en font pendant quelques jours leur résidence principale. Posséder une *caseta* est un honneur qui se monnaie au prix fort, et pour lequel les listes d'attente se font chaque année plus longues. La majorité des *casetas* étant privées, vous ne pourrez y pénétrer que si vous connaissez quelqu'un qui vous y emmène. Jouxtant le Real, la Calle del Infierno, grande fête foraine, rassemble des dizaines de manèges et d'attractions. La feria s'ouvre officiellement le lundi soir à minuit, avec l'illumination du monumental portail d'entrée du Real et des trois cent mille ampoules qui éclairent les rues. Dès lors commencent en fait deux ferias : celle de jour et celle de nuit.

Dans la journée, à partir de midi, a lieu un gigantesque Paseo de Caballo, rassemblement de centaines d'attelages et de milliers de cavaliers et d'amazones en costume traditionnel. Un spectacle hors du commun, rehaussé par la magnificence des robes de gitanes, boucles d'oreilles et autres *mantones* (châles en soie brodée) que portent les Sévillanes pendant toute la feria.

Les familles se rassemblent pour discuter, manger et boire quelques verres de *fino*, de manzanilla ou de *rebujito* (manzanilla et limonade). Dans chaque *caseta*, un bar tourne à plein régime jour et nuit. On y invite ses amis et ses relations de travail (l'aspect commercial et "relations publiques" reste très présent) avant de leur faire à son tour l'honneur d'une visite. De ce point de vue, le téléphone portable est devenu un élément essentiel de la fête.

Vers 18h, les *aficionados* se rendent à la Maestranza (arènes de Séville) pour assister aux meilleures corridas de l'année. Les corridas de la Feria de Abril sont parmi les plus courues au monde. Un *must* pour tout *aficionado* qui se respecte. L'ambiance de la Maestranza est extraordinaire : femmes en robes de gitanes (*trajes de flamenco*), hommes en habits du dimanche. Le public de Séville est réputé pour sa connaissance des règles taurines et son respect des toreros : le silence des arènes atteint parfois des dimensions hautement dramatiques. Le Paseo de Caballo s'achève vers 20h. Commence alors la feria nocturne, dans les mouvements élégants des robes, la lumière douce des lampions et les effluves d'alcool. Les *casetas* se remplissent, et les couples se forment pour danser les *sevillanas*, indissociables de la feria. Attention : il est tout aussi mal vu de ne pas s'abandonner à la fête (c'est être *pesao*, "lourd") que de boire le verre de trop, qui vous transforme illico en *borracho de feria* (ivrogne). C'est ce mélange de fête à outrance et de convivialité tranquille qui fait tout le charme de la Feria de Abril. L'ambiance est à son comble vers 2h du matin. En début de semaine, les lumières publiques s'éteignent à 3h, puis à 6h en fin de semaine. Ce qui n'empêche pas certaines *casetas* de rester animées jusqu'à des heures tardives de la matinée. Avant de quitter le Real au petit matin il est de coutume d'acheter les *buñuelos*, ces gros beignets que vendent les gitanes. Incroyable : la plupart des Sévillans travaillent au moins toute la matinée pendant la semaine de la feria. Mais la vie déserte les rues du centre-ville, où de nombreux magasins et restaurants sont fermés. Tout s'achève le dimanche soir par un feu d'artifice, après la très attendue corrida des redoutables taureaux de Miura.

Séville, mode d'emploi

accès en avion

Aéroport national de San Pablo. *À 10km au nord-est du centre-ville, sur l'auto-route direction Madrid (autopista de San Pablo) Informations Tél. 954 44 90 00 ou 902 40 47 04*
Iberia. *Tél. 902 40 05 00 www.iberia.com*
Air France. *Réservation Tél. 902 20 70 90 www.airfrance.es*

Los Amarillos. Liaisons en bus entre le centre-ville et l'aéroport. Durée du trajet : env. 40min, départ toutes les 30min en semaine et toutes les heures dim. et j. fér. Vers Séville : de 5h45 à 0h45, dim. et j. fér. 6h45-23h45. Vers l'aéroport : 5h15-0h15, dim. et j. fér. 6h15-23h15. *Tél. 902 21 03 17 env. 2,50€ Se renseigner sur le point de départ à Séville qui varie en raison des travaux du métro*

Taxis. Un forfait est proposé pour effectuer la liaison entre le centre-ville et l'aéroport. Il varie, selon les jours et l'heure entre 20 et 22€ (bagages compris).

accès en car

Gare routière de Plaza de Armas (plan 2, C4). Pour les liaisons avec la province de Huelva, le centre du pays et le Portugal. Au sud-ouest du centre-ville, à côté de l'Avenida del Cristo de Expiración. *Tél. 954 90 80 40 et 954 90 77 37*

Gare routière de Prado de San Sebastián (plan 3, B1). Gare principale. Pour toutes les autres destinations. À 15min à pied au nord-est de la cathédrale. *Av. Carlos V Tél. 954 41 71 11 et 954 41 88 11*

Alsina Graells. Cordoue-Séville : environ 10 cars/j. (trajet 1h30). Grenade-Séville : 7 à 10 cars/j. (trajet 3h). Málaga-Séville (trajet 2h30) : 10 à 12 cars/j. Nerja-Séville : 3 cars/j. tlj. Almería-Séville : 3 départs/j. *Gare principale Tél. 954 41 88 11 www. alsinagraells.es*

Comes. Cadix-Séville : 10 à 12 cars/j. Séville-Jerez : 5 cars/j. Séville-El Puerto : de 3 à 5 cars/j. Séville-La Linea, *via* Tarifa et Algésiras entre autres : 4 cars/j. (trajet 4-5h). *Gare principale Tél. 954 41 68 58 ou 902 19 92 08 www.tgcomes.es*

Linesur. Algésiras-Séville : 7 à 12 cars/j. Jerez-Séville : 6 à 10 cars/j. dans les deux sens. *Gare principale Tél. 954 98 82 22 et 954 90 23 68 www.linesur.com*

Los Amarillos. Arcos-Séville : 2 cars/j. Sanlúcar-Séville : 9 à 12 cars/j. Ronda-Séville : 3 à 5 cars/j. Marbella-Séville : 2 cars/j., un car supplémentaire ven. et dim. *Gare principale Tél. 902 21 03 17 et 954 98 91 84 www.losamarillos.es*

Damas. Huelva-Séville : 25 cars/j. dans les deux sens en semaine, 16 à 23 cars/j. le week-end. Matalascañas-Séville : 10 cars/j. l'été, 3 à 5 cars/j. l'hiver. *Gare Plaza de Armas Tél. 954 90 80 40 et 959 25 69 00 www.damas-sa.es*

Casal. Aracena-Séville : 2 cars/j. dans les 2 sens. *Gare Plaza de Armas Tél. 954 90 69 77 ou 954 99 92 90 www.autocarescasal.com*

Socibus. Madrid-Séville : env. 10 cars/j., un peu moins le week-end. *Gare Plaza de Armas Tél. 954 90 11 60 et 902 22 92 92 www.socibus.es*

Alsa. Úbeda-Séville : 4 cars/j. de Séville. Alicante-Séville : 1 à 2 cars/j. Valence-Séville : 3 cars/j. (au départ de Valence, 2 circulent la nuit). Barcelone-Séville : env. 2-3 cars/j. et 15h de trajet. *Gare Plaza de Armas Tél. 902 42 22 42 www.alsa.es*

accès en voiture

Depuis l'Expo' 92, Séville est desservie par d'excellentes autoroutes en provenance de Madrid (A4/E5) *via* Cordoue, de Huelva (A49), de Murcie *via* Grenade (A92) et de Cadix (A4). Attention, si la circulation est correcte à Séville en dehors des grands événements, il n'en va pas de même pour le stationnement. Le plus simple est de poser vos affaires à l'hôtel, avant de vous garer dans un parking public (10-30€/jour). Le parking de la Plaza Nueva (env. 17€/jour) est proche du centre-ville et des principaux monuments. Dans le quartier du musée des Beaux-Arts, le parking de la Calle Arjona (env. 9,50€/jour) est moins cher que celui de la Plaza de Armas (env.

20€/jour). Évitez de vous garer dans les rues, et ne laissez jamais rien dans la voiture : les bris de vitres et vols sont fréquents.

Séville et ses environs

(en km)	Séville	Santiponce	Carmona	Huelva	El Rocío
Santiponce	7				
Carmona	38	42			
Huelva	92	98	133		
El Rocío	80	83	118	68	
Jerez de la F.	85	100	125	184	169

accès en train

La gare ferroviaire Santa Justa est située Avenida de Kansas City à 1,5km à l'est du centre-ville. Il n'y a pas de liaison pratique en bus entre la gare et le centre-ville. Mieux vaut prendre un taxi : 7€ environ pour la Plaza Nueva. Consignes surveillées au sous-sol, ouvertes la journée, 15 jours maximum.

Gare ferroviaire Santa Justa (plan 1, A1). Liaisons régulières avec Madrid et les principales villes andalouses. La ligne Madrid-Séville *via* Cordoue est parcourue par le train à grande vitesse espagnol, l'AVE (20 à 25 départs/j. dans les deux sens, 2h15 de trajet). Attention, entre Séville et Cordoue, le trajet coûte env. de 24 à 28€ sur les trains AVE (45min de trajet), et moins de 10€ sur les trains Andalucía Express (1h15 de trajet). Pour ces derniers, 4 à 6 départs de Cordoue entre 7h15 et 20h15 et 5 à 6 départs de Séville entre 7h50 et 19h55. La ligne Cadix-Séville comporte un arrêt à Jerez, environ 15 départs/j. dans les deux sens. La ligne Málaga-Séville compte 5 à 6 liaisons dans les deux sens par jour. Quatre départs quotidiens dans les deux sens sur Séville-Grenade (3h de trajet). Quatre départs/j. dans les deux sens sur Almería-Séville. Quatre trains quotidiens dans les deux sens sur Huelva-Séville. Enfin, trois trains Barcelone-Séville par jour. *Renfe Informations et réservations Tél. 902 24 02 02*

orientation

La ville est traversée du nord au sud par le Guadalquivir. La Cartuja, le quartier de Triana et le parc de la Feria sont situés à l'ouest du fleuve, le centre-ville et les principaux sites touristiques à l'est. Au sud du centre-ville se trouvent la cathédrale, l'Alcázar et le quartier de Santa Cruz. Plus au nord débute le quartier commercial du centre, entre la Plaza Nueva et la Plaza del Duque de la Victoria, puis ceux de Feria et de la Macarena. Au nord-ouest, le musée des Beaux-arts, la Plaza de Armas et San Lorenzo. Au nord-est, l'église Santa Catalina, la Casa de Pilatos puis la gare ferroviaire de Santa Justa. Au sud-est de la cathédrale, le Prado de San Sebastián (gare routière principale) et au sud le parc de María Luisa. La ville étend sa zone piétonnière au centre historique, favorisant ainsi la circulation des transports en commun, des vélos, et le développement d'agréables promenades, comme sur l'Avenida de la Constitución.

Santa Cruz Situé à l'emplacement de l'ancienne Judería sévillane, le quartier de Santa Cruz est bordé par la cathédrale et le palais royal, les deux plus importants monuments de la ville.

El Arenal Quartier longtemps prospère de l'ancien port, il abrite l'un des symboles de la ville, la Torre de Oro, et s'éveille lors de la saison tauromachique dans les arènes.
Les quartiers du centre C'est le centre-ville proprement dit. Il rassemble les places les plus animées et un quartier commerçant où il fait bon flâner.
La Macarena et la Feria Les vieilles rues de ces deux quartiers populaires sont riches d'églises de style gothique-mudéjar, de sanctuaires baroques mais aussi de boutiques, d'antiquaires et de bars.
Triana Ancien quartier des gitans, des marins et des potiers, il souffle toujours ici l'esprit du flamenco.
Parque de María Luisa Le romantique parc de María Luisa et les places de España et de America occupent le site de l'exposition ibéro-américaine de 1929.
Isla de la Cartuja À l'emplacement de l'Exposition universelle de 1992, se déploient une technopole et des universités qui cohabitent avec le monastère de la Cartuja devenu centre d'art contemporain.

informations touristiques

On trouve de nombreux magazines touristiques gratuits et traduits en anglais, notamment dans les pensions et hôtels : *Welcome & Olé* et *The Tourist*. Pour tout ce qui touche à la programmation culturelle et musicale, la meilleure publication est le mensuel gratuit *El Giraldillo*. On peut le consulter sur Internet, pratique pour planifier ses sorties quelques jours à l'avance. *www.elgiraldillo.es*
Le site bilingue *Sevilla on Line* fourmille d'infos sur les activités culturelles, les écoles, les sorties et l'hôtellerie (réservations en ligne). *www.sevillaonline.com*
Dans le hall de la gare de Santa Justa, le kiosque d'informations pourra vous renseigner sur les hôtels et les pensions de la ville, et les appeler pour vous. *INFHOR Tél. 954 54 19 52*
Enfin, la mairie dispose d'un service de renseignements téléphoniques très efficace. *Tél. 010 de Séville et 902 26 10 10 du reste de l'Espagne*
Office de tourisme (plan 3, A2). Près de la cathédrale. Bien documenté, il vous fournira plans, listes des hôtels et des monuments, informations sur les différents aspects de la ville et notamment les événements culturels, affichés sur place. *Avenida de la Constitución Tél. 954 78 75 78/80 www.turismosevilla.org Ouvert lun.-ven. 9h-19h30 (20h en été), sam. 10h-14h et 15h-19h, dim. et j. fér. 10h-14h*

transports urbains

MÉTRO Une ligne de métro reliant Aljarafe (proche banlieue) au centre-ville est en construction, pour une ouverture prévue fin 2008. Cependant, les travaux ne semblent pas avancer très rapidement, affaire à suivre… *www.metrodesevilla.net*

TRAMWAY Une ligne reliant la Plaza Nueva et Prado de San Sebastián (gare routière), *via* l'Archivo de Indias et la Calle San Fernando, devrait être en fonctionnement début 2008. *Tél. 902 459 954*

BUS Ils sont peu pratiques pour se déplacer dans le centre. Les bus circulaires C1 et C2 parcourent, dans les deux sens, une boucle qui relie la gare Santa Justa, le Prado de San Sebastián (10min au sud de la cathédrale), Triana, la Cartuja et la Macarena. La ligne 43 relie le quartier de Triana à la Plaza Magdalena. Fréquence :

Séville (plan 1)

GEOREGION

PROVINCE DE SÉVILLE

DORMIR
1 Camping Villsom ———— B1

de 10 à 15min, de 6h (7h j. fér.) à 0h (peu de bus après 21h30 et en août). Billet à l'unité : env. 1,10€. Bonobus 10 (10 voyages) : env. 5,40€.
Compagnie Tussam. *Informations Tél. 902 45 99 54 et 954 55 72 00 www. tussam.es Plan des lignes à disposition à l'office de tourisme*

TAXI Le plus rapide est de se rendre à une station de taxis. On en trouve à la sortie des gares routière et ferroviaire, sur la Plaza Nueva, près de l'église de la Magdalena, près de l'entrée du Puente de Triana (côté centre-ville), en bas de l'Avenida de la Constitución (près de la poste), en bas de la Calle Chapina (au nord de Triana) et sur la Plaza de Cuba (au sud de Triana). Trouver un taxi libre dans le centre-ville en pleine feria relève du miracle.
Radio Taxi. *Tél. 954 58 00 00*
Télé Taxi. *Tél. 954 62 22 22*
Radio-Taxis Giralda. *Tél. 954 67 55 55*

représentations diplomatiques

Consulat de France. *Plaza de Santa Cruz, 1 Tél. 954 29 32 00*
Consulat de Belgique. *Adolfo Rodriguez Jurado, 16 4° dcha Tél. 954 22 00 87*

banques et poste

Rares dans les quartiers peu touristiques (Triana, Macarena, Feria, Santa Catalina), les banques et distributeurs sont nombreux dans le centre-ville, en particulier dans les rues piétonnes et commerciales. Opposition carte de crédit : Amex *Tél. 902 37 56 37 www.americanexpress.com,* Visa *Tél. 900 99 11 24 www.visa.com,* Mastercard *Tél. 900 97 12 31 www.mastercard.com,* Diners *Tél. 912 11 43 00 ou 901 10 10 11 www.dinersclub.com*
Centre American Express/Traveller's (plan 3, A2). *Plaza Nueva, 8 (dans les succursales de la banque Central Hispano)*
Bureau de poste principal (plan 3, A2). Entre la cathédrale et le fleuve. Poste restante (*lista de correos*) au rdc, à gauche dans l'entrée. Pour les services courants, prendre un ticket numéroté en entrant dans le hall. *Av. de la Constitución, 32 Tél. 954 22 47 60 et 902 19 71 97 www.correos.es Ouvert lun.-ven. 8h30-22h, sam. 9h30-22h, dim. 12h-22h Horaires plus restreint pour récupérer lettres et colis*

Internet

Internet Center (plan 3, A1). Près de l'office de tourisme. 0,05€/min. *Calle Almirantazgo, 2 1er étage Porte 3 Ouvert lun.-ven. 9h-22h, sam.-dim. et j. fér. 10h-22h Tél. 954 50 02 75*
Office municipal de tourisme. Quelques ordinateurs à disposition. Connexion Internet gratuite pendant 1h. Il peut vous aiguiller sur d'autres lieux. *Plaza de San Francisco, 19 Edificio Laredo 4e Tél. 954 59 29 15 et 954 59 52 88 Ouvert lun.-ven. 10h-14h et 17h-20h*

adresses et numéros utiles

Urgences. *Tél. 112*
Hôpital Virgen del Rocío (hors plan). *Avenida Manuel Siurot (au sud du Parque María Luisa) Tél. 955 01 20 00*
Pharmacies 24h/24. *Calle Amador de Los Rios, 31 Tél. 954 42 11 53. Calle Mesina, 8 Tél. 954 12 74 48. Av. Ciudad de Chiva, 26 Tél. 954 51 07 20*
Renseignements téléphoniques. *Tél. 11 888*

presse, librairie

Vous trouverez de la presse française dans quelques kiosques du centre-ville, notamment sur la Plaza de San Francisco en face de l'hôtel de ville, ou sous le grand platane en face de l'office de tourisme. Les deux journaux locaux les plus lus sont le *Diario de Sevilla* (*www.diariodesevilla.com*) et l'édition locale du journal *ABC* (*www.sevilla.abc.es*). Vous y trouverez des informations pratiques (pharmacies de garde, numéros utiles) et culturelles (concerts, spectacles, sorties).

Vertice (plan 3, B2). La librairie qui offre le plus vaste choix de livres en français, une bonne sélection de guides en espagnol et des cartes de la région. *En face de l'université, Calle San Fernando, 33 Tél. 954 21 16 54*

cours d'espagnol

Facultad de Filología. L'université de Séville organise un cours très complet destiné aux étrangers au mois de septembre. *Avenida Reina Mercedes (41012) Tél. 954 55 14 93 www.us.es*
Mester (plan 3, A3). École de langues réputée, tout près de la Plaza de Toros. *Pastor y Landero, 35 Tél. 954 50 09 89 www.mester.com*
CLIC (plan 2, C2). Près de la Pl. Nueva. *Calle Albareda, 19 Tél. 954 50 21 31 www.clic.es*

laverie

Lavandería (plan 2, C2). *Calle Castelar, 2 Tél. 954 21 05 35*

fêtes et manifestations

La Semaine sainte (du dimanche des Rameaux au dimanche de Pâques, fin mars ou courant avril) et la feria (deuxième quinzaine d'avril), fêtes d'envergure mondiale, éclipsent les autres célébrations pourtant intéressantes de Séville.

5 janvier	**Cabalgata de los Reyes** (procession des Rois mages) : une trentaine de chars parcourent les rues de la ville en début de soirée, lançant des poignées de bonbons aux enfants.
Février	**Carnaval**
Avril	**Semaine sainte** **Feria** **Saison tauromachique** de la Real Maestranza.
Mai-juin	**Cruces de Mayo** (Croix de mai) : grandes fêtes de quartier. **Pèlerinage d'El Rocío** : ne pas manquer le départ à cheval et en attelages colorés des confréries sévillanes. **Corpus Christi** (Fête-Dieu) : l'occasion de faire défiler un immense ostensoir d'argent ciselé (cf. Découvrir la cathédrale) dans les rues du centre et sur la Plaza de San Francisco couverte de plantes aromatiques. Plusieurs chars participent à la procession. Mais le moment le plus attendu est la danse de *Los Seises* (les six) : dix jeunes garçons (autrefois, ils étaient six) habillés en pages se livrent à cette danse traditionnelle, qui remonte à 1264.
Juillet-août	**Concerts** de musique classique espagnole, jazz, ou flamenco, et spectacles de **danse** en plein air organisés au cœur du patrimoine culturel de la ville. Séances de **cinéma** en plein air à 22h30. Contacter l'office de tourisme pour la programmation et les sites.
24, 25 et 26 juillet	**Velá de Santa Ana** : fête de la sainte patronne du quartier de Triana qui donne lieu à des festivités sur les rives du Guadalquivir.
15 août	**La Virgen de los Reyes**, patronne de Séville.

GEORGION PROVINCE DE SÉVILLE

Septembre	**Biennale de flamenco** : pendant 1 mois, elle accueille les plus grands artistes du chant, de la guitare et de la danse. Quelque 70 spectacles, plus de 100 000 spectateurs. Prochaine édition : sept. 2008.
8 décembre	**Fête de l'Immaculée-Conception** : on retrouve *Los Seises* à cette occasion.

Séville pendant la Semaine sainte

MODE D'EMPLOI Plusieurs processions ont lieu chaque jour (une seule le dernier jour). Elles partent en général dans l'après-midi ou en début de soirée. Procurez-vous les programmes en vente chez les marchands de journaux : ils indiquent, jour par jour, les processions, leurs caractéristiques (date de fondation, couleurs, scène représentée, etc.), leurs horaires, et le détail minuté de leur itinéraire. L'idéal, si vous n'avez pas peur de marcher et de rester debout sur place pendant des heures, est d'établir un itinéraire qui permette de voir plusieurs processions à un moment donné de leur parcours. N'hésitez pas à demander conseil aux Sévillans, qui sauront vous recommander les meilleurs sites pour chacune : ruelles pittoresques où les *pasos* (chars) avancent au ralenti, passages délicats où les *costaleros* (porteurs) font preuve de leur maîtrise, esplanades d'où l'on a une vue d'ensemble sur un vaste cortège illuminé, sortie et rentrée des processions dans leurs quartiers respectifs. C'est un moyen extraordinaire de voir Séville d'un autre œil et d'en découvrir les moindres recoins. Attention : la foule immense qui se presse aux abords des *pasos* provoque parfois des congestions (*bullas*) impressionnantes. En gardant calme et courtoisie, on finit toujours par trouver un chemin de sortie. Armez-vous de patience, car certains cortèges, comme celui de la Macarena, mettent 2h à passer ! Si vous n'aimez pas la foule, évitez les ponts et les ruelles les plus courues au profit des grands axes, où la pression est moins forte. On peut alors s'éloigner facilement, et reprendre des forces en grignotant des tapas dans un bar (la plupart restent ouverts toute la nuit). Autre solution, moins riche en découvertes mais plus reposante : prendre place dans les gradins situés en bordure de la *carrera oficial,* où passent toutes les processions. Les sièges de la Plaza de la Campana, de la Calle Sierpes ou encore de la Plaza Virgen de los Reyes (sortie de la cathédrale) sont vendus le jour même, mais arrivez bien avant le passage de la première procession. Les *palcos* (tribunes) de la Plaza de San Francisco sont réservés à quelques privilégiés qui ont souvent mis des années à les obtenir. Pour le reste, les prix sont variables.

LES PROCESSIONS C'est la Madrugá (le petit matin) qui voit défiler les processions les plus prestigieuses de 1h du matin au lendemain midi. Le sommet de la Semaine sainte, et un spectacle d'une prodigieuse intensité. Les processions solennelles d'El Silencio, d'El Calvario et surtout du Gran Poder passent en silence dans une atmosphère de grande dévotion. Les deux Vierges les plus populaires, la Macarena et la Esperanza de Triana, s'avancent dans une ambiance électrique, saluées par les "*¡ guapa !*" ("que tu es belle !") de la foule et de poignantes *saetas*. La confrérie des Gitans (*los Gitanos*) attise également les passions. Une nuit sans fin, où l'on se faufile de rue en rue, épuisé mais heureux, au milieu d'une foule immense. Au petit matin, on mange quelques *churros* (beignets), avant d'aller admirer le retour de la Macarena dans son quartier, sous une pluie de pétales de roses. Le jeudi matin précédant la Madrugá, il est de tradition de faire le tour des églises où les *pasos* qui vont sortir durant la nuit attendent leur heure. Devant la basilique de la Macarena et celle du Gran Poder, la file d'attente est longue. Mais les Sévillans, mis sur leur trente et un, semblent heureux. Bon nombre de femmes portent la *mantilla*, voile en dentelle noire symbole de deuil. Vivre la Madrugá au mieux est une science difficile : faut-il faire l'impasse sur les belles processions du jeudi et du vendredi après-midi ? Dormir quelques heures ? Rester debout pendant 24h ? Chacun décidera en fonction de ses envies et de sa forme. Mais ne manquez pas les processions d'El Cachorro et de la O, le Christ et la Vierge très populaires de Triana, qui défilent tous deux l'après-midi du vendredi. Leur traversée du pont de Triana est un moment fort de la semaine. Le samedi soir, le retour de la Soledad dans son église est des plus émouvants, avec les *saetas* qui s'élèvent dans le silence et la pénombre de la Plaza San Lorenzo. La semaine s'achève le dimanche avec une unique procession, celle de la Résurrection quittant l'église de Santa Marina à 5h du matin. Les Sévillans commencent alors à se préparer pour la feria.

CONSEILS PRATIQUES Les trois premiers jours de la Semaine sainte, la foule n'est pas encore à son comble et il est encore possible de trouver une chambre. Mais c'est presque mission impossible du jeudi au dimanche, lorsque les Espagnols viennent en masse de Madrid et des campagnes andalouses. À savoir : les musées et magasins de la ville ont des horaires très réduits lors de la Semaine sainte et ferment dans leur majorité du vendredi au dimanche. Attention : s'il pleut, les principales confréries annulent leur procession, afin de ne pas endommager leur précieux patrimoine. Une question est alors sur toutes les lèvres : *"¿ha salido ?"* ("la procession est sortie ?").

Séville pendant la feria

Vivre pleinement la feria sans connaître personne est une entreprise quelque peu hasardeuse. La majorité des *casetas* sont exclusivement réservées aux *socios* et aux amis. L'idéal est de connaître un Sévillan qui puisse vous inviter : on est alors traité comme un roi pendant une semaine. Sinon, on peut toujours essayer de repérer une *caseta* moyennement remplie et demander la permission d'entrer pour aller acheter un verre au bar. Une fois entré dans le système, tout devient plus facile, mais cette solution est plutôt aléatoire. Quelques *casetas* tenues par des partis politiques et des administrations locales sont publiques. On peut alors y boire quelques *finos* en apprenant à danser la *sevillana*. Mais mieux vaut s'éclipser de bonne heure, car l'ambiance y est souvent éthylique et franchement bagarreuse. Reste le Paseo de Caballos et la foule bigarrée de la journée, dont on peut profiter parfaitement en venant pour une journée en début de semaine. Une bonne solution consiste alors à dormir dans une autre ville et à venir en bus.

CONSEILS PRATIQUES Trouver une chambre au dernier moment du mardi au jeudi est difficile mais possible. Ce sont les jours les plus tranquilles de la feria. Bon nombre de Sévillans partent d'ailleurs à la campagne ou à la plage en fin de semaine, lorsque débarquent les Madrilènes et autres, et que le Real se remplit de plus de deux millions de visiteurs. Inutile alors d'espérer trouver une chambre sans avoir réservé des mois à l'avance. Le Real de la Feria est situé assez loin du centre-ville. Il est desservi jour et nuit par les bus C1 (aller) et C2 (retour) qui passent par le Prado de San Sebastián (10min à pied au sud de la cathédrale) et par la ligne 41

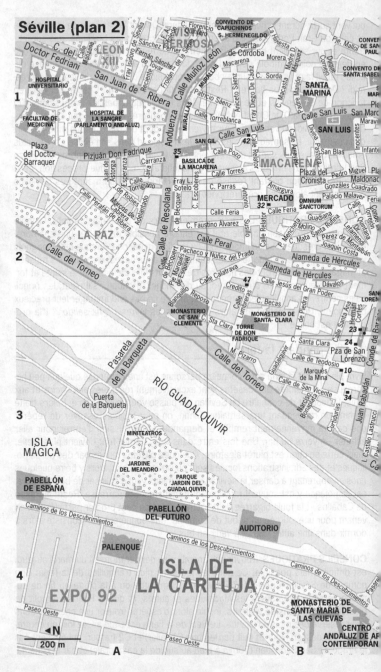

Séville (plan 2)

GEORÉGION

PROVINCE DE SÉVILLE

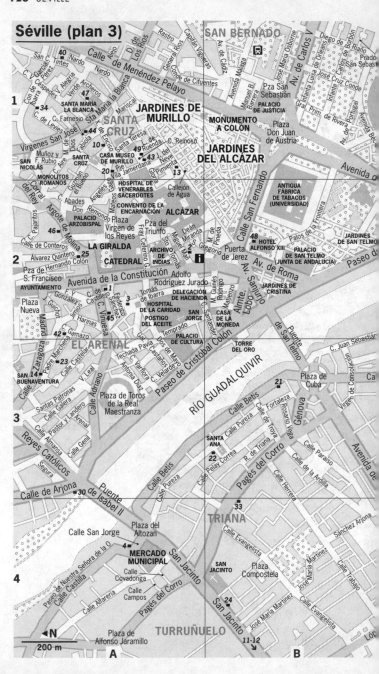

Séville (plan 3)

SAN BERNADO

Calle de Menéndez Pelayo

JARDINES DE MURILLO

SANTA MARÍA LA BLANCA

SANTA CRUZ

MONUMENTO A COLÓN

PALACIO DE JUSTICIA

Pza San Sebastián

Plaza Don Juan de Austria

JARDINES DEL ALCÁZAR

CASA MUSEO DE MURILLO

MONOLITOS ROMANOS

HOSPITAL DE VENERABLES SACERDOTES

ANTIGUA FÁBRICA DE TABACOS (UNIVERSIDAD)

CONVENTO DE LA ENCARNACIÓN

ALCÁZAR

PALACIO ARZOBISPAL

LA GIRALDA

Plaza Virgen de los Reyes

Pza del Triunfo

ARCHIVO DE INDIAS

CATEDRAL

Puerta de Jerez

JARDINES DE SAN TELMO

HOTEL ALFONSO XIII

PALACIO DE SAN TELMO (JUNTA DE ANDALUCIA)

Paseo d

Avenida de la Constitución

Adolfo Rodríguez Jurado

Pza de Hernando Colón

S. Francisco

AYUNTAMIENTO

Plaza Nueva

DELEGACIÓN DE HACIENDA

HOSPITAL DE LA CARIDAD

SAN JORGE

POSTIGO DEL ACEITE

PALACIO DE CULTURA

CASA DE LA MONEDA

Jardines de Cristina

SAN BUENAVENTURA

EL ARENAL

Plaza de Toros de la Real Maestranza

Paseo de Cristóbal Colón

TORRE DEL ORO

RÍO GUADALQUIVIR

Plaza de Cuba

Reyes Católicos

Calle de Arjona

Puente de Isabel II

Calle San Jorge

Plaza del Altozano

MERCADO MUNICIPAL

SANTA ANA

TRIANA

SAN JACINTO

Plaza Compostela

Calle Covadonga

Calle Campos

TURRUÑUELO

Plaza de Alfonso Jaramillo

◄ N
200 m

11-12

GEOREGION

PROVINCE DE SÉVILLE

qui part de Puerta de Jerez. Difficile de dénicher un taxi libre dans le centre-ville. En revanche, pour revenir de la feria au milieu de la nuit, les stations de taxis bien organisées écourtent l'attente. Enfin, si vous venez en voiture, de vastes parkings sont installés près du Real. Pour toutes les informations sur l'accès à la feria, sur l'orientation dans le parc et les coordonnées des *casetas* publiques (*públicas*), achetez le *Diario de Sevilla* qui comporte un cahier spécial en pages centrales.

Découvrir le quartier de Santa Cruz

☆ **À ne pas manquer** La cathédrale, la Giralda et le Real Alcázar **Et si vous avez le temps...** Admirez la vue du sommet de la Giralda, dégustez les pâtisseries confectionnées dans les couvents du quartier

Ce quartier occupe le site de l'ancien quartier juif (Judería), au nord-est de l'Alcázar. Les juifs, contraints de fuir Séville à cause de l'intolérance des Almohades au XIIᵉ siècle, se virent allouer ces terrains par Ferdinand III après la Reconquête. Le quartier ne prospéra que brièvement, puisque l'intolérance chrétienne se fit sentir dès la fin du XIVᵉ siècle, et aboutit à l'expulsion définitive des juifs d'Espagne en 1492. Ce quartier, pittoresque à souhait avec ses ruelles étroites bordées de belles demeures, est le plus visité de Séville. À l'ombre de la cathédrale et de sa tour, la célèbre Giralda, sont rassemblés les principaux sites touristiques de la ville. La belle Plaza del Triunfo est bordée des édifices les plus connus : la cathédrale, l'Alcázar et la Casa Lonja. Non loin de là, de la Plaza Virgen de los Reyes, on a une belle vue sur la Giralda et la somptueuse façade baroque du Palacio Arzobispal, œuvre de l'architecte Juan Talavera (1665-1728). On parvient cependant toujours à trouver un peu de tranquillité dès que l'on emprunte ses chemins détournés. Pavés, fenêtres et petits balcons protégés derrière leurs armatures en fer forgé, patios secrets aperçus furtivement, il règne dans le Barrio Santa Cruz une atmosphère nostalgique. Gardez toujours un œil sur votre sac et évitez de vous y promener seul(e) la nuit, car les vols se sont multipliés ces dernières années.

☆ La cathédrale

La cathédrale occupe, comme de coutume en Andalousie, le site de l'ancienne grande mosquée de la ville (plan 3, A2), construite à la fin du XIIᵉ siècle par les Almohades. Une vraie merveille, au dire des voyageurs musulmans de l'époque, édifiée pour rivaliser avec la mosquée de Cordoue, symbole du pouvoir omeyyade. La Giralda, emblème de Séville, était alors la plus haute tour du monde musulman. Le Patio de los Naranjos date également de cette époque. La mosquée fut d'abord consacrée au rite chrétien par Ferdinand III en 1248, sous le nom de Santa María la Mayor, sans grand changement architectural. Mais au début du XVᵉ siècle, les autorités religieuses décident de construire une "église si grande que ceux qui la verront nous prendront pour des fous". De fait, il s'agit de la plus grande cathédrale gothique du monde, longue de 126 m et large de 83 m. Elle n'est surpassée en taille que par Saint-Pierre de Rome et Saint-Pierre de Londres. On la surnomme la "Magna Hispalensis". L'identité de l'architecte qui en traça les plans reste inconnue. Les maîtres d'œuvre décident, dans ce pays où la brique est reine, d'utiliser la pierre de taille, qui sera importée d'El Puerto de Santa María et du Portugal. La cathédrale illustre toutes les variations du gothique et même de la Renaissance naissante, car les travaux durèrent de 1405 à 1504. Les artisans venus de toute l'Espagne, mais aussi de France, des Flandres et d'Allemagne ont composé un ensemble vertigineux, dont les portails, les flèches et les tourelles s'ornent de ciselures raffinées, représentatives du gothique flamboyant. La façade de la cathédrale côté Avenida de la Constitución est en cours de restauration. Très endommagée par la pollution, elle connaît des travaux de très grande envergure (plus de 800m², différentes périodes et différents styles) qui devraient s'achever en 2010. Une partie de la façade a d'ores et déjà été restaurée et la visite n'est pas affectée. *Entrée par la Plaza Virgen de los Reyes pour le culte et par la Puerta de San Cristobal, face à l'Archivo des Indias, pour les visites Tél. 954 21 49 71 www.catedraldesevilla.es Ouvert lun.-sam. 11h-17h (9h30-16h en juil.-août), dim. et j. fér. 14h30-18h Entrée : 8€/2,50€*

L'intérieur

L'intérieur, composé de cinq nefs, regorge de trésors artistiques. En y entrant pour la première fois, on est frappé par le gigantisme vertigineux de l'ensemble. Les voûtes de la nef centrale, soutenues par soixante piliers d'une grande finesse, culminent à plus de 50m du sol. Une galerie mène à l'intérieur de la cathédrale. En faisant le tour dans le sens des aiguilles d'une montre, vous découvrirez d'abord le monumental tombeau de Christophe Colomb. Ses restes, d'abord inhumés dans la cathédrale de La Havane, furent rapportés en Espagne lorsque Cuba déclara son indépendance (1898). Des chercheurs prétendent que les restes de Colomb se trouveraient en fait à Valladolid ou à Saint-Domingue. Chacun des porteurs du cercueil représente un des royaumes de la Couronne espagnole : Castille, León, Aragon et Navarre. Leurs pieds situés à l'avant sont étrangement polis : une légende dit que si l'on touche celui de droite, on se mariera, et si c'est celui de gauche, on reviendra à Séville. En levant les yeux, on peut admirer de superbes vitraux représentant des scènes de l'Ancien Testament. La plupart datent du XVIe siècle. On longe de belles chapelles gothiques, dont la Capilla de la Antigua (juste à côté du tombeau), dédiée à la Vierge de la Antigua, l'une des saintes patronnes de la découverte de l'Amérique. Au bout de la nef centrale se dresse l'impressionnante Puerta de la Asunción, une porte gothique de 1449. De là, le point de vue sur les voûtes de la nef centrale et le chœur est à couper le souffle. La première chapelle sur la gauche, la Capilla de San Antonio, abrite entre autres la *Vision de saint Antoine* (1654), l'un des chefs-d'œuvre de Murillo et une *Immaculée Conception* (1620) de Juan de Roelas. Au centre de la cathédrale, le chœur (*coro*) se distingue par ses belles stalles en bois sculpté des XVe et XVIe siècles, que surplombent les orgues baroques du XVIIIe siècle en bois sombre. À ne pas manquer, dans la **Capilla de la Cieguecita** (chapelle de la Petite Aveugle, à droite du chœur), la sculpture homonyme réalisée par le grand Martínez Montañés en 1628-1631. Face au chœur, l'un des moments forts de la visite : le sanctuaire de la cathédrale ou **Capilla Mayor**. Entouré de trois grilles plateresques en fer doré du XVIe siècle, il abrite le plus grand retable de la chrétienté, qui culmine à plus de 20m. Réalisé dans un style flamboyant d'influence flamande, il comprend 44 hauts et bas-reliefs et plus de 200 statues de saints, dont certaines des sculpteurs Pedro Millán et Alejo Fernández. Sa construction nécessita presque un siècle, de 1482 à 1564. Véritables splendeurs également, les fines voûtes du transept, entre le chœur et le sanctuaire. Au fond de la nef, derrière le sanctuaire, on accède à l'autre joyau de la cathédrale : la

Capilla Real (chapelle Royale). Édifiée sous le règne de Charles Quint (première moitié du XVIe siècle), elle illustre à merveille le style plateresque avec sa haute coupole à caissons, décorée de bustes sculptés et de la statue gothique de la Virgen de los Reyes (XIIIe siècle), qui aurait été offerte au roi Ferdinand III le Saint par le roi de France Saint Louis. Le roi l'aurait fait réaliser après avoir eu une vision de la Vierge, lui annonçant qu'il allait conquérir Séville. Devant l'autel, une urne d'argent et de cristal qui contient la dépouille de Ferdinand III. Sur les côtés, les tombeaux de sa femme Béatrice de Souabe, et de son fils le roi Alphonse X le Sage. À gauche de la Capilla Real, la Capilla de San Pedro possède une belle série de tableaux de Zurbarán. Non loin de là, sur la gauche, se trouve l'accès à la Giralda. À droite de la Capilla Real, une galerie mène à l'antichambre de la sacristie, qui accueille une partie du **Trésor de la cathédrale**. Essentiellement des pièces d'orfèvrerie d'une qualité rare, dont certaines ornées de dragons inquiétants. Au fond de la pièce, un couloir mène à la salle capitulaire, avec sa voûte richement décorée, ses banquettes rouges, son *Immaculée Conception* de Murillo, et sa petite cour privée sur l'arrière, au bout de laquelle on pénètre dans l'harmonieuse sacristie (*Sacristía Mayor*). Ce bel exemple de l'architecture plateresque, avec sa coupole en pierre blanche minutieusement sculptée, contient un extraordinaire ostensoir en argent (1580-1587) de plus de 400kg, réalisé par Juan de Arfe : c'est l'une des plus belles pièces d'orfèvrerie de la Renaissance espagnole. Autre pièce maîtresse, les Tablas Alfonsíes, petit autel portatif du roi Alphonse X réalisé au XIIIe siècle dans le style gothique-mudéjar. Enfin, près de l'entrée, la sacristie des calices recèle l'autre partie du Trésor de la cathédrale. Objets d'orfèvrerie, peintures religieuses, dont l'une représentant Santa Justa et Santa Rufina, patronnes de Séville, ainsi que des œuvres de Pacheco, Zurbarán (*Virgen del Rosario*) et Valdés Leal. Mais on retiendra surtout la sublime statue de Martínez Montañés, le *Christ de la Clémence* (*Cristo de la Clemencia*, 1603). L'un des chefs-d'œuvre absolus du baroque espagnol par le "dieu du bois". *Capilla Real ouverte pendant le culte uniquement et entrée indépendante (Puerta de Campanillas) de celle de la cathédrale*

☆ **La Giralda** Sa silhouette à la fois puissante et élancée a fait le tour du monde. C'est en quelque sorte la tour Eiffel sévillane. Érigée en 1184, elle symbolise alors le pouvoir des Almohades. Son architecte, Ahm ibn Baso, a dressé des plans proches de ceux de la Kutubiyya de Marrakech, mais en plus grand et en plus raffiné. Pour construire la base, les artisans utilisèrent des pierres et des marbres du site romain d'Itálica : on en aperçoit encore à l'angle de la Calle Placentines. La façade est d'une élégance rare. On y retrouve la *sebka*, motif caractéristique de l'architecture almohade : des briques disposées en petits arcs entrecroisés qui forment losanges ou chevrons, et donnent lieu à des jeux d'ombre et de lumière. Les balustrades des fenêtres ont été rajoutées par Hernán Ruiz en 1558. À l'époque musulmane, quatre sphères de bronze, visibles, dit-on, à 40km à la ronde, resplendissaient au sommet de la tour. Elles furent désarçonnées par un tremblement de terre en 1355. Au XVIe siècle, en pleine Contre-Réforme, les autorités religieuses décident de remanier le sommet de la tour. Un campanile de style maniériste, dessiné par Hernán Ruiz, est ajouté (1558-1568) et surmonté d'une petite tour qui soutient une girouette (*giralda*) dorée haute de 4m. Rebaptisée Giraldillo par les Sévillans, elle représente le triomphe de la foi. Plus prosaïquement, elle sert à certains d'indicateur météorologique : "*Si la Giralda apunta por Triana, agua segura*" ("si la girouette pointe vers Triana, pluie à coup sûr"). Atteignant désormais 97m, la Giralda fut longtemps la plus haute tour du monde. La rampe intérieure, qui démarre à gauche de la nef centrale de la cathédrale, permettait autrefois au muezzin et au sultan de monter à cheval jusqu'au sommet. Vous devrez vous contenter de vos jambes. À titre d'information, il y a 35 paliers. Mais l'effort en vaut la chandelle, car de là-haut on embrasse du regard une grande partie de la ville. La tête sous les 25 cloches que compte le campanile, quand il sera midi, vous serez les premiers à le savoir… En redescendant, prenez le temps de regarder les niches taillées dans la colonne centrale, qui contiennent des éléments de l'ancienne mosquée et des documents sur la construction de la Giralda. Vue du dessus par les étroites fenêtres, la cathédrale, avec ses gargouilles, dômes, flèches et contreforts couronnés de pinacles ouvragés, fait penser à une ville futuriste. *Entrée conjointe avec la cathédrale*

Patio des Orangers Avec la Giralda, le Patio de los Naranjos est le seul vestige de la mosquée almohade. On y pénètre par la Puerta de la Concepción, à gauche du chœur de la cathédrale. Sous les arcades, au-dessus de vous, est suspendu un crocodile en bois. Une réplique de celui, bien vivant, que le sultan d'Égypte offrit au roi Alphonse X en 1260 dans l'espoir, dit-on, d'épouser sa fille. Il a donné son nom à la Puerta del Lagarto (porte du Lézard), à droite de la cour. Donnant sur la rue, de l'autre côté du patio, la Puerta del Perdón (porte du Pardon) était autrefois l'entrée de la grande mosquée almohade. Remarquez le superbe travail de filigrane réalisé sur les battants et les heurtoirs de la porte au XIIe siècle. *Entrée conjointe avec la cathédrale*

☆ Le Real Alcázar

Le palais royal (plan 3, A2) de Séville est l'un des plus beaux édifices d'Espagne. C'est le chef-d'œuvre de l'art mudéjar. Une première forteresse fut édifiée sur le site par le calife de Cordoue Abd al-Rahman III, en 913. Après la chute du califat (XIe siècle), les Abbadides règnent sur la ville et aménagent un somptueux palais, avant que les Almohades ne le remanient eux-mêmes un siècle plus tard. Après la conquête de Séville en 1248, le roi Ferdinand III y installe sa cour. Son fils Alphonse X fait construire l'aile gothique de l'Alcázar au XIIIe siècle. Mais le nom de l'Alcázar est avant tout lié à celui du roi Pierre Ier (1334-1369), surnommé "El Cruel" par ses ennemis, "El Justiciero" par les autres. Roi de Castille en proie à d'incessantes querelles avec la noblesse, il jouit d'une réputation sulfureuse : meurtres odieux, liaisons scandaleuses, tout y passe. En 1364-1366, il remodèle le palais et fait construire un somptueux édifice mudéjar. Il fait appel à des artisans musulmans issus de toute l'Espagne reconquise, et même du royaume nasride de Grenade, dont il admirait l'architecture. Le résultat est vraiment époustouflant. Au XVIe siècle, l'empereur Charles Quint imprimera sa marque sur les lieux en ordonnant de nombreux aménagements Renaissance. À savoir : le Cuarto Real Alto, les appartements des rois d'Espagne, dont l'Alcázar est la résidence officielle à Séville, peut se visiter avec un audioguide (4€). *Entrée par la Plaza del Triunfo Tél. 954 50 23 23 www.patronato-alcazarsevilla.es Ouvert avr.-sept. : mar.-sam. 9h30-19h, dim. et j. fér. 9h30-17h ; oct.-mars : mar.-sam. 9h30-17h, dim. et j. fér. 9h30-13h30 Entrée : 7€ Gratuit pour les enfants, retraités, étudiants (avec carte internationale) et handicapés Audioguide en français : 3€*

Entrée On pénètre dans l'Alcázar par le Patio del León (cour du Lion), au pied des remparts construits sous le règne d'Abd al-Rahman III, en 913. Ils forment la partie la plus ancienne du palais. La porte de l'Alcázar (Puerta del León) appartenait au palais construit à l'époque des taifas (xiᵉ siècle) par le roi poète abbadide Al-Mu'tamid. Au fond de la cour, sur la gauche, un petit escalier monte vers la Sala de la Justicia (salle de la Justice). Construite à l'époque d'Alphonse XI (1340), elle possède une décoration chargée mais extrêmement harmonieuse. C'est là que le roi Pierre fit exécuter son frère bâtard Don Fabrique en 1358. La légende veut que cette sanglante bataille ait laissé une tache qu'on devine encore sur le sol. On se laisse facilement hypnotiser par le bruit de la petite fontaine, dont l'eau communique avec le Patio del Yeso (cour du Plâtre, ou des Stucs), l'unique salle subsistant du palais almohade. Sur la droite, les arcades ciselées, en partie ajourées et couvertes de stucs, té-moignent de la splendeur de l'art almohade. Au bout du Patio del León, en passant sous l'arche taillée dans la muraille, on accède au Patio de la Montería (de la Chasse à courre). En face de vous, la splendide façade du palais de Pedro est un manifeste d'art mudéjar. Elle porte la signature des artisans qui y ont contribué : le soubas-sement de pierre et la grande corniche du portail sont caractéristiques du mudéjar de Tolède, les motifs en losange répétés à l'infini (*sebka*) des Almohades, et la frise de céramique au-dessus des fenêtres des Nasrides. Seule une frise portant des ins-criptions en caractères gothiques vient rappeler qu'il s'agit d'une œuvre chrétienne. À droite de la cour, le Cuarto del Almirante (salle de l'Amiral). De 1503 à 1717 s'y trouvait le siège de la Casa de Contratación, chargée du commerce avec les colo-nies des Amériques. Ne pas manquer le très beau retable de la *Vierge des Navigateurs*, réalisé en 1536 par Alejo Fernández.

Palacio del Rey don Pedro ou Palacio mudéjar Le clou de la visite.

Le vestibule, avec ses plafonds sculptés et ses stucs muraux, donne le ton. Sur la droite, une galerie débouche sur le Patio de las Muñecas (cour des Poupées). D'une grande fraîcheur, même en été, il se distingue par son foisonnement de stucs, no-tamment autour des arches finement dessinées. Au fond du patio se trouve le Cuarto del Príncipe (salle du Prince), au plafond à caissons richement décoré de style Renaissance (1543). C'est dans cette chambre à coucher que les Rois Catholiques virent naître leur unique fils, Juan, mort à dix-huit ans. Elle donne sur la plus belle pièce du palais, et sans doute l'un des chefs-d'œuvre de l'art hispano-musulman : le Salón de los Ambajadores (salon des Ambassadeurs). C'était la salle des réceptions officielles, que le roi Pierre fit symboliquement construire sur l'emplacement de la salle du trône du palais abbadide, célèbre pour sa beauté. Les arcades, rapportées de la Medina Azahara de Cordoue, ont d'ailleurs été conservées. Le roi abbadide Al-Mu'tamid y rassemblait les meilleurs poètes hispano-musulmans. Alphonse X, quant à lui, y mena ses travaux de traduction et d'érudition au milieu des plus grands sages juifs et musulmans de son époque. Les stucs ciselés, sommet d'art mudéjar, sont sû-rement l'œuvre d'artisans nasrides. Mais la partie la plus spectaculaire du salon est sa coupole en bois ouvragé, incorporée à l'ensemble en 1427. Sa voûte étoilée se dégageant d'un décor de *muqarnas*, semblables à des stalactites dorées, est inou-bliable. Vous n'êtes pas au bout de vos surprises… À gauche du salon, on entre dans le Patio de las Doncellas (cour des Demoiselles). Avec ses arches polylobées, sur-montées de stucs aux motifs végétaux et géométriques, ses colonnes doublées, sa corniche et son ornementation d'influence nasride, il rappelle l'Alhambra de Grenade. Sous les arcades, on peut admirer des plafonds en marqueterie et des niches ri-chement décorées. À l'étage, la galerie a été remaniée au xviᵉ siècle dans le plus pur style platéresque : arcs en plein cintre, balustrades, stucs minutieusement sculptés.

Le patio donne sur le Dormitorio de los Reyes Moros (chambre des Rois maures), décoré de remarquables azulejos et couvert de plafonds à caissons colorés.

Palacio gótico De l'autre côté du Patio de las Doncellas, sur la gauche. Cette partie de l'Alcázar, complètement différente de la précédente, fut érigée par le roi Alphonse X le Sage, qui devait y finir sa vie en 1284. On a peine à croire qu'elle est antérieure au palais du roi Pierre. Il faut dire que le tout fut grandement remanié dans un style Renaissance très dépouillé sous Charles Quint. Après avoir traversé une petite chapelle, on entre dans le palais par la Sala de las Fiestas (salle des Fêtes), où l'empereur se maria avec Isabelle du Portugal. C'est l'unique salle qui a gardé son apparence d'origine, avec de belles voûtes en croisée d'ogive. Elle contient quelques tapisseries anciennes. Mais le plus intéressant de la collection se trouve dans la pièce suivante, la Sala Grande. Les somptueuses tapisseries flamandes qui sont accrochées aux murs illustrent avec grandiloquence la conquête de Tunis par la marine de Charles Quint en 1535. Les originales furent réalisées en 1546-1554, mais ce sont des copies de 1740, en soie et en laine, qui sont exposées. Devant le palais s'étend un vaste patio gothique aux tons ocre, le Patio del Crucero (cour de la Croisée), également nommé Patio de María de Padilla, du nom de la maîtresse de Pierre Ier qui vécut dans le palais au XIVe siècle.

Jardins Le long du palais se succèdent des jardins intimistes, tous différents. Au pied de la partie gothique, le Jardín del Estanque de Mercurio (étang de Mercure) s'organise autour d'un petit plan d'eau. Sur la gauche, le Jardín de los Grotescos, dont la galerie maniériste de 1612 a été aménagée dans les murailles almohades. Sur la droite, des escaliers descendent vers le Jardín de la Danza (de la Danse), où des colonnes se dressent à l'ombre des palmiers et des magnolias. Un passage voûté se glisse sous le palais, et mène à l'étonnant bassin souterrain des Baños de Doña María de Padilla. Les jardins suivants, ceux de Troya et de la Galère, offrent de belles vues sur le décor mudéjar du palais de Pedro. En contre-haut de ces jardins s'ouvre celui, plus vaste, de las Damas, qui abrite la fontaine favorite des colombes du parc. Au fond, sur la droite, le Cenador de Carlos V (tonnelle de Charles Quint, 1543) avec un édifice mudéjar et Renaissance à l'élégante coupole, et en face une fontaine dominée par la statue d'un lion, emblème de l'empereur. Sur la gauche, le vaste labyrinthe végétal du Jardín Nuevo évoque des jeux galants. On traverse la muraille par la Puerta del Privilegio vers le Jardín de los Poetas. Commencent alors les jardins modernes (fin du XIXe siècle), simples et plus tranquilles, où les fontaines bruissent à l'ombre des grands arbres, au milieu des massifs de fleurs. On ressort du palais par son ancienne entrée, un impressionnant vestibule baroque ou *apeadero* (l'endroit où les cavaliers mettaient pied à terre). Dehors, l'harmonieux Patio de las Banderas (cour des Drapeaux) était autrefois la cour d'armes du palais musulman. Votre voyage dans le temps s'achève.

Au fil des ruelles

Le long des remparts de l'Alcázar se faufile une jolie rue qui a gardé ses airs d'antan, la Calle Judería. Au bout de la rue, on accède au Callejón del Agua, toujours au pied des murailles. Cette ruelle aboutit à une minuscule place ombragée, la Plaza Alfaro. À droite, les Jardínes de Murillo, agréable espace vert. En face, la Plaza de Santa Cruz (plan 3, A1), charmante le matin quand elle n'est pas encore envahie.

Les restes du peintre Murillo, qui fut enterré dans une église démolie en 1810, gisent sous vos pieds. En prenant à gauche la Calle Santa Teresa, puis à droite la Calle Ximénez de Enciso, on débouche sur la petite place de l'église Santa María la Blanca (plan 3, A1). La façade sobre dissimule une nef d'un grand raffinement, véritable triomphe du baroque sévillan (XVIIe siècle), avec les stucs exubérants de sa coupole, enchevêtrement d'angelots, volutes et motifs végétaux. On y trouve l'un des chefs-d'œuvre de Murillo, *la Cène*. En face de l'église, une venelle part vers la paisible Plaza de las Cruces, rendue célèbre par le Don Juan de Tirso de Molina qui s'y battit en duel. Plus près de la cathédrale, Calle Mateos Gago, se trouve l'église de Santa Cruz (plan 3, A1), bel exemple du baroque sévillan du XVIIIe siècle. En prenant la Calle Guzmán el Bueno, en face de l'église, on aperçoit à travers les portes cochères entrebâillées de somptueux patios mudéjars. On débouche alors dans la Calle Abades, qui rassemble plusieurs demeures aristocratiques, dont la splendide Casa de los Pinelos (XVIIIe siècle). Plus loin, la Calle Aire est une venelle médiévale surplombée par de traditionnels balcons fermés. À l'angle de la Calle Mármoles se dressent trois immenses colonnes en pierre, vestiges d'un temple romain érigé sous le règne de l'empereur Hadrien. **Église Santa María la Blanca** *Calle Santa María la Blanca, 5 Tél. 954 41 52 60 Visite : tlj. 10h-11h et 18h30-20h*

Hospital de los Venerables Sacerdotes (plan 3, A1-A2) Ensemble baroque du XVIIe siècle, dessiné par Leonardo de Figueroa, l'architecte majeur du siècle d'or sévillan : il a également réalisé les églises du Salvador et de la Magdalena. Un centre d'études sur Velázquez est installé dans les locaux et présente régulièrement des œuvres de l'artiste, tel ce tableau de *Sainte Rufina*. Le patio intérieur se distingue par ses arcades surélevées et sa fontaine centrale entourée de gradins couverts d'azulejos. Une solution esthétique au problème de la pression d'eau causée par la hauteur du patio. Au fond de ce dernier, l'église de l'hôpital, clou de la visite. Construite juste après la canonisation du roi Ferdinand, elle a naturellement pris son nom. D'entrée, on se retrouve face à un san Fernando et un san Pedro sculptés par Pedro Roldán et peints par Luca Valdés, le fils de Valdés Leal. Au fond, dans la sacristie, ne manquez pas la fresque du plafond, dernière œuvre de Juan de Valdés Leal, aux étonnants effets de perspective. *Plaza de los Venerables, 8 Tél. 954 56 26 96 www.abengoa.com Ouvert tlj. 10h-14h et 16h-20h Entrée env. 5€, TR env. 2,50€ avec audioguide en espagnol et anglais*

Archivo general de Indias/Casa Lonja (plan 3, A2) Cet édifice fut construit entre 1583 et 1646 dans un style Renaissance sobre et un peu austère : le style herrerien, du nom de son architecte, Herrera (1530-1597). Il accueillit d'abord la bourse des marchands sévillans, puis l'école de peinture de Murillo. En 1785, on y installe les Archives des Indes, rassemblant tous les documents traitant des colonies d'Amérique. Il contient encore plus de 40 000 documents accumulés du XVe au XIXe siècle. Après quatre années de grands travaux, c'est un édifice largement rénové et agrandi qui a rouvert ses portes en juin 2005. *Avenida de la Constitución Tél. 954 50 05 28 Ouvert lun.-sam. 9h-15h45, dim. 10h-14h Entrée gratuite*

Où faire une pause déjeuner ?

Casa Plácido (plan 3, A1 n°10). À l'entrée du Barrio Santa Cruz, non loin de la cathédrale. Moins animé et touristique que le bar d'en face, mais on ne s'en plaindra pas. Une salle exiguë avec quatre tables, sous de hauts plafonds. *Montaditos* (petits sandwichs) variés à petits prix (à partir de 2€), ragoûts du jour (*guisos*) et une bonne sélection de jambons. *Calle Ximénez de Enciso, 11 Tél. 954 56 39 71*

Où trouver une affiche ?

Félix (plan 3, A2-B2). Près de l'office de tourisme. Affiches de la feria, de corridas et de la Semaine sainte, avec de belles antiquités. *Avenida de la Constitución, 26 (à côté de la poste) Tél. 954 21 80 26 www.poster-felix.com*

Où acheter des pâtisseries ?

Séville est connue pour les délicieuses pâtisseries de ses couvents : les *yemas* (douceurs à base de jaunes d'œufs enrobées dans une coque de sucre), *tocinos de cielo* (un flan très sucré), *alfajores* (douceurs au miel et aux noix) et autres *tortas de aceite* (sablés frits à l'huile d'olive). On peut les acheter dans les couvents. La marche à suivre ? Sonner au *torno* (un présentoir tournant qui permet aux sœurs de rester invisibles), puis répondre au "*Ave María Purísima*" de la sœur par un "*Sin pecado concebida*". Ensuite, on vous fera passer les différents produits afin que vous puissiez choisir. Le couvent Santa Paula (plan 2, B1-C1) est célèbre pour sa confiture produite avec les oranges du patio (*mermelada de naranja*) ; celui de Santa Inès (plan 2, C1) pour ses *cortadillos de cidra* et celui de San Leandro (plan 2, C1) pour ses *yemas*. Enfin, vers le 8 décembre, un grand marché de pâtisseries conventuelles est organisé près du Palacio Arzobispal, en face de la Giralda. **Couvent Santa Paula** *Calle Santa Paula, au nord-est de la Plaza de los Terceros* **Couvent Santa Inès** *Calle Doña María Coronel, 3, près de Santa Catalina* **Couvent San Leandro** *Plaza de San Idelfonso, 1, à l'est de la Plaza del Salvador*

El Torno (plan 3, A2 n°1). Cette petite boutique commercialise les produits des différents couvents. *Face à la cathédrale Plaza del Cabildo et Avenida de la Constitución Tél. 954 21 91 90 Ouvert lun.-ven. 10h-13h30 et 17h-19h30, sam.-dim. et j. fér. 10h-14h Fermé août*

Où savourer des *churros* ?

Pour déguster des *churros* (beignets), rendez-vous dans la Calle Cano y Cueto près de la Puerta de la Carne (plan 3, A1). L'une des plus anciennes *churrerías* de Séville, puisqu'elle date de 1860, est installée devant une grande porte de bois, surmontée d'un écriteau de fer forgé indiquant Calenteria. Au chocolat ou à la pomme de terre, selon l'humeur du moment, vous pourrez aller déguster ses *churros* avec un café sur l'une des terrasses des restaurants voisins. *Ouvert 8h-12h*

Où faire une pause sucrée ?

Rayuela Café (plan 3, A2 n°2). Terrasse installée dans une allée piétonne bordée d'orangers, délicieuse l'été car à l'ombre et donc fraîche jusqu'à 15h ! Intérieur lumineux et épuré aux couleurs pastel avec bar élégant en zinc et bois. Formule café/toast autour de 2€, tarte ou viennoiserie de 1,70 à 3€ env. *Calle Miguel de Mañara, 9 Tél. 954 22 57 62 Ouvert lun.-ven. 7h-21h, sam. 13h-21h Fermé dim.*

Découvrir le quartier d'El Arenal

☆ **À ne pas manquer** La chapelle de l'hôpital de la Santa Caridad et la Plaza de Toros de la Real Maestranza **Et si vous avez le temps...** Assistez à une corrida pendant la célèbre Feria de Abril, rapportez quelques céramiques trouvées à la boutique Ceramica Santa Ana, dégustez des *churros* à l'angle des Calles Arfe et Dos de Mayo

À partir de 1503, Séville est la plaque tournante du commerce avec les Indes. Le quartier d'El Arenal, celui du port, jouit alors d'une grande prospérité, qui se lit encore dans les façades usées des anciennes demeures aristocratiques aux imposants portails. Ce quartier aux rues entrelacées, riche en recoins secrets et en petites places paisibles, est aujourd'hui centré sur les arènes de Séville. Loin de l'agitation que l'on rencontre près de la cathédrale et des arènes, le nord du quartier, le long de la Calle Castelar et autour de la Plaza de Molviedro, est idéal pour profiter de la riche architecture des maisons bigarrées.

Torre del Oro (plan 3, B2-B3) C'est l'un des édifices emblématiques de Séville, avec sa silhouette à la fois massive et élégante qui domine les rives du Guadalquivir. L'une des ultimes œuvres almohades, érigée en 1222, dernier bastion d'un rempart qui courait jusqu'à l'Alcázar. Sa base, percée de fenêtres étroites et de meurtrières, hérissée de créneaux acérés, est dominée par une petite tour de guet. Une longue chaîne traversant le fleuve pour empêcher les bateaux de passer y était autrefois arrimée. La coupole du sommet est un ajout de 1760. Depuis 2006, la terrasse est ouverte au public et offre de très belles vues. La pierre change de couleur au fil de la journée. Le nom de "tour de l'Or" viendrait de la teinte éblouissante que prenaient au soleil les azulejos dorés qui recouvraient autrefois la façade. Selon une autre version, l'or serait celui des cheveux d'une dame que le roi Pierre le Cruel avait enfermée dans la tour. Il est vrai qu'au Moyen Âge la tour fit office de prison, puis à la Renaissance de coffre-fort où l'on gardait l'or en provenance du Pérou. Elle abrite aujourd'hui un Musée maritime. *Paseo de Colón Tél. 954 22 24 19 Ouvert mar.-ven. 10h-14h, sam.-dim. 11h-14h Fermé août Entrée : 2€ (incluant un audioguide de 30min disponible en français) Gratuit le mar.*

Los Cruceros Torre del Oro (plan 3, B2-B3). Excellente option pour découvrir les rives du Guadalquivir au coucher du soleil et prendre le frais en été ! L'idéal, prendre le bateau une demi-heure avant la tombée de la nuit ; ainsi, vous verrez les bords du fleuve se parer de somptueuses lumières. Si vous arrivez en avance, installez-vous en haut à la première rangée. *Embarquement au pied de la Torre del Oro Tél. 954 56 16 92 www.crucerostorredeloro.com Départ ttes les 30min de 11h à 20h et à 21h (jusqu'à 23h en juil.-août), durée 1h Adulte 15€ Gratuit pour les moins de 14 ans*

☆ **Hospital de la Santa Caridad** (plan 3, A2) Au sud des arènes, près de la Casa de la Moneda. Au départ, une chapelle funèbre construite par un ordre religieux, la confrérie de la Charité, chargée d'enterrer les condamnés à mort et les noyés du fleuve, fort nombreux au XVIIᵉ siècle. D'abord modeste, le site s'épanouit avec l'adhésion à la confrérie du riche héritier Don Miguel de Mañara (1626-1679).

Un personnage de légende, dont on a longtemps fait le modèle de Don Juan, créé par le dramaturge Tirso de Molina dans *El Burlador de Sevilla* (*le Trompeur de Séville*). On le présente comme un homme à la vie dissolue qui, ayant vu en songe sa propre mort par une nuit d'ivresse, décide d'entrer dans les ordres. En fait, il semblerait que cette histoire soit très exagérée, puisqu'il aurait pris cette décision après avoir perdu sa femme… Toujours est-il que la **chapelle** qu'il fait construire au fond de la cour est l'un des hauts lieux du baroque européen. L'ensemble n'impressionne pas à première vue, mais le détail des œuvres d'art fera frémir les amateurs de baroque sévillan. De part et d'autre de l'entrée, on aperçoit d'abord deux Vanités lugubres de Valdés Leal. On se rend compte qu'il est bien le peintre le plus "baroque" de Séville, avec ses tons sombres et le morbide de ses compositions soulignant l'insignifiance de la vie terrestre. *Finis Gloria Mundi* (*Fin de la gloire du monde*) et *In Inctu Oculi* (*En un clin d'œil*), réalisées en 1671-1672, comptent parmi ses toiles majeures. Il a également peint les fresques de la coupole, et la toile monumentale installée au-dessus du chœur, près de l'entrée, l'*Exaltation de la Croix* (1684). Mais ce n'est pas tout : Murillo est également bien représenté, avec plusieurs tableaux disposés sur les côtés de la nef, la plupart évoquant des miracles célèbres. *L'Annonce faite à Marie*, dans une magnifique niche baroque, est l'une de ses plus belles œuvres. Enfin, le sculpteur Pedro Roldán a réalisé l'émouvant *Christ de la Charité* (1674) qui se trouve à droite de l'entrée ainsi que la *Charité*, installée au-dessus de la chaire. Et surtout, toute la statuaire du retable du maître-autel (1670-1674) : personnages allégoriques (Charité, Foi, Espoir) et une *Mise au tombeau* d'une finesse exceptionnelle, sans doute son chef-d'œuvre. Le maître-autel a été restauré en 2006. La tombe de Miguel de Mañara se trouve au seuil de l'église. Elle porte l'inscription "le pire homme qu'il y eut jamais". Il devait quand même avoir des choses à se reprocher… *Calle Temprado, 3 Tél. 954 22 32 32 Ouvert lun.-sam. 9h-13h30 et 15h30-19h30, dim. et j. fér. 9h-13h Entrée : 5€ Audioguide disponible en français*

☆ **Plaza de Toros de la Real Maestranza** (plan 3, A3) Il s'agissait d'abord de petites arènes en bois appartenant à la Real Maestranza de Caballería, école équestre où les nobles s'entraînaient à l'art de la guerre et se livraient à quelques corridas à cheval. Cet élégant édifice aux murs blancs et ocre, bâti entre 1761 et 1881, est un véritable temple de la tauromachie. Il compte parmi les arènes les plus anciennes et les plus vastes d'Espagne (13 000 places environ). Les corridas de la Feria de Abril sont incontournables pour tout *aficionado* qui se respecte. Devant l'entrée trônent deux statues de personnages légendaires des lieux : Carmen, qui dans l'opéra de Bizet y rend son dernier souffle, et le torero Curro Romero, grand artiste sévillan qui a pris sa retraite en 2000. La visite guidée commence par la place elle-même avant de s'attarder au musée des Arènes : on remarquera la tête d'Islera, la génitrice d'Islero, le taureau qui encorna fatalement le grand Manolete. Après un bref parcours dans les coulisses, on entre dans les arènes proprement dites, où se sont jouées quelques-unes des plus belles scènes de la tauromachie contemporaine. En face, la porte du toril, d'où jaillit la bête. Sur la gauche, la Puerta del Príncipe (porte du Prince), sous le balcon royal, où s'installent le président de la corrida et ses invités. C'est par cette porte que sortent les toreros qui triomphent. Les autres sortent littéralement par la "petite porte". Étonnante, la prière du torero, que l'on peut lire dans la chapelle des arènes. Elle demande que "le taureau n'ait pas de mauvaises intentions". On accède aussi au bloc opératoire, mis à contribution bien plus souvent qu'on ne pense. Les grands toreros comptent tous plusieurs cicatrices, traces de coups de corne souvent terribles. Ils sont désormais rarement mortels, grâce à la présence d'un chirurgien sur place. La visite s'achève par les écuries, où se préparent les picadors. *Tél. 954 22 45 77, visite Tél. 954 56 07 59, billets et rens. www.realmaestranza.com Ouvert tlj. 9h30-19h (20h mai-oct.) Jours de corrida : 9h30-15h* **Visite guidée** *Départ ttes les 20min (français – sur rdv pour les groupes – espagnol et anglais) Tarif 5€ TR 4€ Gratuit moins de 12 ans*

Assister à une corrida

La saison tauromachique de la Real Maestranza s'ouvre le dimanche de Pâques et continue jusqu'à la Feria de Abril, laquelle rassemble les meilleures corridas de l'année. Il y en a une chaque soir à 18h30 pendant deux semaines (y compris celle qui précède la feria) et une *corrida de rejoneadores* (toreros à cheval) le dimanche précédant la feria à 12h. Cette saison dans la saison s'achève au dernier soir de la feria par la traditionnelle *miurada*, qui met aux prises les meilleurs toreros avec les terribles taureaux de Miura. Des corridas importantes ont également lieu à l'occasion du Corpus Christi (Fête-Dieu, fin mai-début juin), de la fête de la Virgen de los Reyes (15 août) et, le dernier week-end de septembre, lors de la Feria de San Miguel. La corrida de Virgen del Pilar, le 12 octobre, clôt officiellement la saison. Des *novilladas*, corridas faisant intervenir de jeunes toreros non confirmés (*novilleros*), ont lieu tous les dimanches de mai, juin et septembre, et parfois en juillet-août. *Plaza de Toros de la Real Maestranza (plan 3, A3) www.plazadetorosdelamaestranza.com Tél. 954 22 45 77*

Acheter un billet. Rendez-vous sur place vers 8h le matin : la file d'attente sera déjà longue. Ne vous faites pas d'illusion, les places à l'ombre (*sombra*) sont réservées par les abonnés. Mais les zones au soleil (*sol*) les plus proches de l'ombre sont très correctes : demandez de préférence la zone du Tendido 8. À l'ombre ou au soleil, les meilleures places sont celles situées juste au-dessus des barrières (*barrera*), les plus chères. Viennent ensuite les places de *tendido* (intermédiaires) puis les *gradas* (tout en haut des arènes, bon marché). Le prix des places s'échelonne d'env. 15€ à plus de 100€. Pour les corridas les plus attendues, il sera sans doute impossible de trouver une place, car la vente des billets débute deux semaines avant la feria. Pour les autres, vous devriez trouver une place dans la catégorie *gradas*. Des revendeurs à la sauvette proposent souvent leurs services le long de la file d'attente : allez d'abord voir aux guichets s'il reste des places, car les prix à la revente sont beaucoup plus élevés. Si vous êtes côté *sol*, pensez à emporter un chapeau et une bouteille d'eau. *Rens. empresa Pagés Tél. 954 56 07 59 www.taquillatoros.com*

Faire une promenade en calèche

Une façon plaisante de découvrir les principaux monuments historiques de la ville. Départs en face de la Giralda, à côté de la Torre del Oro, sur la Plaza de España, Avenida de la Constitución et Puerta de Jerez. *Tarif : env. 8€ par 15min (les prix augmentent à Pâques, env. 10€, et pour la feria, env. 20€)*

Où chiner, acheter de l'artisanat ?

Ceramica Santa Ana (plan 3, A4). À l'angle des rues San Jorge et Antillano Campos. La plus ancienne boutique de céramique du quartier (fondée en 1870), à la jolie façade d'azulejos jaunes et bleus. Intérieur spacieux, où cohabitent vaisselle et icônes religieuses en tout genre. *Calle San Jorge, 31 Tél./fax 954 33 39 90 En août, ouvert uniquement le matin*

La Casa de los Artistas (plan 3, A4). Un lieu à part, au fond d'une impasse piétonne donnant sur un patio blanc fleuri. À l'origine, cette usine de fabrication de matériaux de construction appartenait à un certain José Flores qui, ruiné après avoir fait don de toute sa fortune à l'église voisine, décida de la transformer en ateliers qu'il loua à des artisans et artistes du quartier. Il ne reste aujourd'hui que quelques ateliers. Celui de Paco Miranda, niché en haut d'un petit escalier à droite de l'entrée, foisonne de sculptures, céramiques et gravures d'inspiration andalouse, à des prix relativement accessibles (à partir de 30€). Celui de Andrés Domínguez recèle des guitares, véritables œuvres d'art incrustées de marqueterie ou de gravures *Triana Calle Covadonga, 9 Tél. 645 94 96 83 Ouvert 10h-20h en principe, en août, il est préférable de téléphoner avant de se déplacer car l'atelier peut être fermé*

Où savourer des *churros* ?

Au coin des Calles Arfe et Dos de Mayo (plan 3, A2), se trouve un petit stand de *churros*, un classique du quartier Arenal qui semble figé dans le temps. C'est là que le roi lui-même achète ses *churros* tout chauds et croustillants, servis dans un cône de papier gras. *Ouvert tlj. 8h-12h*

Où faire une pause sucrée ?

La Esquinita del Arfe (plan 3, A2 n°3). Un bar typique sévillan, avec ses portraits de toreros et ses icônes religieuses. Idéal pour les petits déjeuners et les repas de midi au calme et en plein air, car plusieurs tables sont installées dehors (préférez celles donnant sur une maison couleur sable). Prix très doux (café à env. 1,10€, jus d'orange à 1,50€). Un panneau discret signale "*Autoservicio*", ce qui signifie que l'on commande au comptoir. À midi, un menu à 10€. *Calle Arfe, 26 Tél. 954 22 19 13 Ouvert tlj. 8h-17h*

Découvrir les quartiers du centre

☆ **À ne pas manquer** L'église del Salvador, la Casa de Palitos et le Museo de Bellas Artes **Et si vous avez le temps…** Découvrez les processions de la Semaine sainte dans la Calle Sierpes, choisissez des disques de flamenco chez Compás Sur Flamenco, habillez-vous tendance sévillane chez Victorio & Luccino

Les rues piétonnières du centre-ville (plan 2, C2) sont le cœur de la vie commerciale, où les magasins de mode font bon ménage avec les boutiques artisanales et les bijoutiers.

Autour de la Calle Sierpes La Calle Sierpes, une des rues légendaires de Séville, rassemblait autrefois les clubs de la haute bourgeoisie locale. Cervantès la cite d'ailleurs dans son œuvre. Il faut dire que, poursuivi pour dettes, il passa quelque temps dans la prison royale qui s'y trouvait. Aujourd'hui, on y fait du lèche-vitrines ou l'on s'arrête dans l'un de ses nombreux cafés. La Calle Sierpes débouche sur le carrefour animé de la Plaza de la Campana (plan 2, C2). Juste à l'ouest, les grands magasins de l'immense Plaza del Duque de la Victoria (plan 2, C2) attirent les flâneurs.

Plaza de San Francisco (plan 3, A2) La plus belle place de la ville, centre de la vie publique depuis le XVIe siècle. Les grandes cérémonies civiles et religieuses et les exécutions s'y déroulaient autrefois. Elle est dominée par l'hôtel de ville (*ayuntamiento*). Commencé au XVIe siècle, il possède une façade conçue dans le plus pur style plateresque avec son ornementation ciselée comme de la dentelle, ses médaillons de personnages mythologiques et historiques et la présence des armes royales. Réalisée par Diego de Riaño, elle témoigne de l'extraordinaire richesse de Séville à l'époque. Le reste de l'édifice, remanié au XIXe siècle, est de facture néoclassique. N'oubliez pas de voir à l'intérieur, la salle capitulaire au plafond sculpté, et le grand escalier gothique et Renaissance. De l'autre côté de l'édifice s'étend la moderne Plaza Nueva, à l'urbanisme haussmannien, privilégiant les formes géométriques et l'agencement rectiligne des édifices et des rues. *Ayuntamiento Tél. 954 59 01 01 Visite guidée sur rdv mar.-jeu. 17h30 et 18h Fermé j. fér. et mi-juin-mi-sept. Visite gratuite*

Plaza del Salvador et ses alentours (plan 2, C2) La Plaza del Salvador affiche une élégance certaine et connaît une très grande animation, surtout à la nuit tombée pour le plaisir des noctambules. Côté est, l'**église del Salvador**. Ancienne mosquée principale (IXe siècle), elle est reconvertie en église dès la Reconquête, puis profondément remaniée au cours des siècles suivants. L'église est reconstruite au début du XVIIIe siècle à la suite de dramatiques inondations. C'est à ce moment que l'intérieur acquiert son décor baroque churrigueresque, privilégiant les formes géométriques et les volutes les plus imaginatives. Le retable du maître-autel est l'une des œuvres les plus remarquables du baroque sévillan. Il abrite une émouvante statue gothique du XIIIe siècle, la Virgen de las Aguas. À voir également, la statue du Christ de la Passion du sculpteur local Martínez Montañés (1568-1649), dans la chapelle du Saint-Sacrement. Sur la Plaza del Salvador, une statue en bronze est dédiée à cet artiste magnifique, surnommé le "dieu du bois". Les rues qui rayonnent à partir de la place, en direction du quartier de Santa Cruz et de la Casa de Pilatos, appellent à la flânerie avec leurs boutiques artisanales et leurs petits cafés. C'est l'Alcaicería, le plus vieux quartier commerçant de Séville, dont le tracé remonte à l'établissement d'un souk à l'époque d'*Al-Andalus*. La Calle Alcaicería monte vers la Plaza de la Alfalfa, ancien quartier de la soie où abondent bars à tapas et lieux de sortie. Au nord, les travaux de la Plaza de la Encarnación, laisseront place à un nouveau marché couvert et les vestiges archéologiques, apparus à la suite des fouilles, devraient rester visibles grâce à un sol transparent. À l'ouest, la Calle Sagasta descend vers les rues piétonnes du centre. *Église del Salvador Tél. 954 21 16 97 Après sept années de travaux, l'église devrait rouvrir ses portes au premier semestre 2008*

Palacio de la Condesa de Lebrija (plan 2, C2) Demeure noble du XVe siècle, remaniée un siècle plus tard dans un harmonieux style Renaissance-mudéjar. Non, vous ne rêvez pas : les splendides mosaïques romaines recouvrant le sol du patio et de certaines pièces sont bien d'époque. Pour être plus précis, elles sont en provenance directe du site archéologique d'Itálica (cf. Découvrir les environs). Riche collection artisanale, avec des objets romains, wisigoths, musulmans et précolombiens. L'architecture mudéjare est bien représentée dans le patio et l'escalier principal. La visite complète n'intéressera que les amoureux de décoration d'intérieur et de mobilier ancien. *Calle Cuna, 8 www.palaciodelebrija.com Tél. 954 22 78 02 Ouvert lun.-ven. 10h30-13h30 et 16h30-19h30 (17h-20h juin-sept.), sam. 10h-14h Visite du rez-de-chaussée 4€ Visite guidée complète (en espagnol, en anglais et occasionnellement en français) 8€*

Rencontrer le barbier de Séville

☺ **Melado Peluqueros (plan 2, C2).** Une tradition de barbier de père en fils depuis 1927, qui continue à se perpétuer aujourd'hui encore puisque les trois fils de l'élégant et charismatique Manuel Melado, actuel maître des lieux, sont aussi coiffeurs-barbiers ! Confortables sièges traditionnels datant de 1968, murs couverts de portraits en noir et blanc de célébrités amies, de diplômes ou de prix de concours de coiffure. Opéra ou musique classique en fond sonore ; un endroit figé, hors du temps. Rien que pour le privilège de la rencontre avec ce barbier poète plein d'humour (à son actif dix livres de poésie édités !), Messieurs, le moment est venu de vous faire rafraîchir la nuque et raser de près. *Calle Amor de Dios, 45. Tél. 954 38 24 00 Ouvert lun-ven. 10h-14h et 17h30-20h30 (18h30-21h en été), sam. 10h-14h Sur rendez-vous Fermé 2 ou 3 semaines en août*

Où acheter un disque ?

☺ **Compás Sur Flamenco (plan 2, C2).** À deux pas de la Plaza del Salvador, un disquaire spécialisé dans le flamenco sous toutes ses formes. Sympathiques vendeurs de bon conseil qui pourront également vous renseigner sur l'actualité du flamenco à Séville. *Cuesta del Rosario, 7-E Tél. 954 21 56 62 www.compas-sur.com www.flamenco-news.com Ouvert lun.-sam. 10h30-14h30 et 17h-21h*

Où s'habiller à la mode sévillane ?

Le centre piétonnier, autour de la Calle Sierpes, est idéal pour découvrir les nouveautés des grandes marques espagnoles. Non loin de là, sur la Plaza del Duque de la Victoria, se trouve le grand magasin Corte Inglés. De nombreuses boutiques sont spécialisées dans la vente de vêtements et accessoires liés à la Semaine sainte et surtout à la feria : *trajes de flamenca* (robes gitanes), *mantones* (châles en soie brodée), éventails (vous les préférerez avec davantage de tissu, au risque de ne pas pouvoir l'ouvrir et le fermer d'un geste vif et gracieux comme le font les Sévillanes) ou encore la *peineta*, qui orne les chignons sophistiqués des Andalouses. La plupart de ces boutiques sont installées le long de la Calle Sierpes et des rues adjacentes, mais aussi dans la Calle Francos (plan 2, C2), près de la Plaza del Salvador, avec globalement des produits de meilleure qualité. *Ouvert lun.-ven. 10h-13h30 (ou 14h) et 17h-20h, sam. 10h-14h Horaires fluctuants, notamment en été*

Victorio & Lucchino (plan 2, C2). Les seuls créateurs haute couture sévillans. Une mode contemporaine s'inspirant du folklore andalou, qui mêle avec raffinement transparence, échancrures, couleurs intenses et lignes asymétriques. Du sac frangé aux robes à volants. Très chic, très mode. *Deux boutiques : Plaza Nueva, 10 Tél. 954 50 26 60 Ouvert lun.-sam. 10h-20h30 ; Calle Sierpes, 87 Tél. 954 22 79 51 Ouvert lun.-sam. 10h30-14h et 17h-20h30*

Zapatos Mayo (plan 2, C2). Depuis 1940, une adresse réputée où acheter des chaussures de flamenco professionnelles (comptez 95€) et semi-professionnelles (à partir de 40€). Vous y trouverez aussi des bottines, des castagnettes et des jupes à volants (à partir de 40€). *Plaza de la Alfalfa, 2 Tél. 954 22 55 55*

Porta Gayola (plan 2, C2). Pour les bijoux modernes et originaux (à partir de 6€) d'un jeune créateur sévillan, Eduardo, mais aussi pour des modèles en argent et pierres naturelles à des prix plus que raisonnables ! *Alcaicería, 26 (proche de la Plaza de la Alfalfa) Tél. 954 21 49 39*

Où faire une pause sucrée ?

La Campana (plan 2, C2 n°1). Fondée en 1885 dans une jolie maison traditionnelle, cette pâtisserie est l'une des plus anciennes de Séville. Deux options : s'installer en terrasse ou aller s'accouder au bar de la jolie salle du fond, avec vue imprenable sur les délices de la maison : meringues, *yemas sevillanas*, *polvorón* (gâteau aux amandes recouvert de sucre glace), *tocino de cielo* (sorte de petit flan), chocolat croquant ou glaces artisanales aux mille saveurs, de quoi émoustiller vos papilles ! *Calle Sierpes 1/3 Tél. 954 22 35 70 Ouvert été : 8h-23h ; hiver : 8h-22h*

À l'est du centre piétonnier

Église Santa Catalina (plan 2, C1) À l'est de la Plaza de la Campana, en direction de la Casa de Pilatos. Un édifice gothique-mudéjar du XIVᵉ siècle, dont les murs blancs sont égayés par des azulejos à l'effigie de figures saintes. Installée sur le site d'une ancienne mosquée, l'église en a gardé le minaret crénelé et la niche du mihrab. L'arc polylobé de l'entrée et les arcs en fer à cheval de l'intérieur illustrent l'influence mudéjare. Un remaniement fut réalisé en 1725-1736 par le grand architecte baroque Leonardo de Figueroa. Juste au nord de l'église, la petite Plaza de los Terceros inaugure un quartier populaire fort séduisant, qui accueille notamment le plus vieux bar de Séville, El Rinconcillo.

☆ ☺ **Casa de Pilatos (plan 2, C1)** La construction de cette demeure aristocratique, sans doute la plus belle de Séville, débute à la fin du XVᵉ siècle. Elle s'achève en 1521. Son second propriétaire, Don Fabrique Enríquez de Ribera, revenant de Terre sainte, organise un chemin de croix entre ce palais et l'église de la Cruz del Campo. Il se serait rendu compte que la distance entre ces deux édifices était la même que celle séparant le prétoire romain de Jérusalem du mont Golgotha. La croyance populaire va plus loin : le plan final de sa demeure s'inspirerait de ce prétoire, où officiait Ponce Pilate. Le nom de "Casa de Pilatos" est resté. À côté du portail d'entrée, on remarque la première niche du chemin de croix instauré par Don Fabrique. En entrant, on aperçoit sur la droite le patio principal. Ses arches mudéjares aux tons ocre protègent une collection de statuaire romaine et grecque, avec de belles sculptures d'Athéna (ve siècle av. J.-C.) ou de Minerve. Les niches du portique abritent des bustes Renaissance sculptés à Rome représentant l'empereur Charles Quint au milieu de patriciens romains. Au fond du patio, la chapelle, dont la colonne antique rappelle la flagellation du Christ dans la demeure de Pilate. Sur le côté, la grande salle du prétoire, au plafond à caissons mudéjar, donne sur le Petit Jardin, frais et paisible. Sur l'arrière, on accède au Grand Jardin principal, planté d'orangers, de bananiers, de bougainvilliers et de rosiers. Le jardinier est un artiste : une vraie symphonie de parfums et de couleurs vous attend au printemps. Le long du jardin, d'élégantes loggias à l'italienne accueillent les sculptures de la Renaissance. Les somptueuses salles situées à l'étage se découvrent dans le cadre d'une visite guidée. L'escalier en marbre gris, décoré de beaux azulejos colorés, débouche sur une salle aux murs ornés de fresques Renaissance (xvie siècle) à la gloire des poètes et empereurs de l'Antiquité. Les plafonds ouvragés et la table du salon des Fumeurs représentent un sommet de marqueterie mudéjare. Dans la salle à manger, ne manquez pas les très belles tapisseries du xviie siècle. Le Salón del Torreón se distingue par sa splendide coupole mudéjare. Dans la salle des Dames, deux portraits de Barbara Berganza, ancienne propriétaire du palais. L'un, très flatteur, fut envoyé au roi Ferdinand V qui lui avait demandé sa main sans l'avoir jamais vue. L'autre, plus réaliste, fut exécuté après leur mariage. Le pauvre Ferdinand a dû avoir une drôle de surprise ! Plus loin, la salle de Pacheco recèle quelques tableaux du peintre, ainsi que des copies de Velázquez et Murillo. *Plaza de Pilatos, 1 Tél. 954 22 52 98 Ouvert tlj. 9h-18h (juin-sept. 9h-19h) Visite complète : toutes les 30min de 9h à 13h30, puis de 15h à 17h30 (18h30 juin-sept.) Entrée rdc : 5€, édifice complet : 8€ Gratuit mar. pour ressortissants UE 13h-17h*

À l'ouest du centre piétonnier

☺ **Quartier de San Lorenzo** Cet incontournable de la Séville populaire et religieuse est étrangement absent des grands sentiers touristiques. Il s'articule autour de la Plaza San Lorenzo, l'une des plus agréables de la ville avec ses bancs en pierre et en fer forgé blottis à l'ombre des platanes, et l'ocre chaleureux de l'église San Lorenzo (xviie siècle, plan 2, B2-3). Là, dans un angle, se dresse la Basílica de Jesús del Gran Poder, un édifice néobaroque du xxe siècle sans grande originalité. Mais à l'intérieur, on tombe face à face avec une statue d'une troublante beauté, qui jouit d'un respect immense à Séville : le *Jesús del Gran Poder* ("au grand pouvoir"), œuvre de Juan de Mesa (1620), restaurée en 2006. Sa procession silencieuse dans la Madrugá de la Semaine sainte est riche en émotion. Plus au sud, la Plaza de la Gavidia (plan 2, C3) est un havre de paix à deux pas du centre-ville, avec ses bars à tapas, sa fontaine et ses bancs. Les ruelles du quartier sont bordées de vieilles maisons dont on aperçoit parfois le traditionnel *zaguán* (prononcer sa-ou-ane) : un vestibule d'entrée séparé de l'intérieur proprement dit par une seconde porte, en fer forgé le plus souvent. Ici plus qu'ailleurs, le foyer est le lieu de la famille, qui ne s'ouvre que très rarement à l'étranger, fût-il un ami. Dans le quartier se trouve la Calle Santa Clara, l'une des plus pittoresques de la ville, avec ses vieux couvents. Celui de San Clemente (plan 2, A2), édifié au xiiie siècle sur le site d'un ancien palais musulman, fut le premier de Séville. Peu après est fondé le Convento de Santa Clara (plan 2, B2), sur les ordres du roi Ferdinand III. Son église mudéjare, ornée d'azulejos et de stucs, abrite un beau retable de Martínez Montañés. Jouxtant le couvent, la

Torre de Don Fabrique (plan 2, B2-B3) est un édifice gothique primitif (XIIIᵉ siècle). dans la Calle San Vicente, tout près du musée des Beaux-Arts, la Iglesia de San Vicente (plan 2, C3) est un bon exemple du gothique-mudéjar (XIVᵉ siècle). ***Basílica de Jesús del Gran Poder*** *Tél. 954 91 56 72 Ouvert tlj. 8h-13h30 et 18h-21h (7h-22h le ven. d'oct. à mai) Entrée gratuite*

Plaza de Armas

L'ancienne gare de la ville (Estación de Córdoba, plan 2, C3-C4), installée dans un superbe édifice néomudéjar de 1901, mélange avec bonheur arches musulmanes en brique et grande verrière moderne à l'armature métallique. Désaffectée depuis la construction de la gare Santa Justa pour l'Expo' 92, elle accueille aujourd'hui un centre commercial.

☆ Museo de Bellas Artes (plan 2, C3)

Au nord-ouest du centre-ville, le musée des Beaux-Arts a été fondé en 1835, essentiellement grâce aux lois votées à l'époque qui ordonnaient la vente des biens du clergé. La plupart des œuvres provenaient des couvents et monastères de la région. S'y ajoutent des dons et achats des XIXᵉ et XXᵉ siècles. Le musée occupe les locaux de l'ancien couvent de la Merced Calzada, fondé juste après la reconquête de Séville en 1248 et remanié au début du XVIIᵉ siècle dans le plus pur style maniériste andalou. Sa partie la plus intéressante est consacrée à la peinture sévillane, et notamment son siècle d'or, le XVIIᵉ. Une collection exceptionnelle qui rivalise dans ce domaine avec celle du Prado de Madrid. La première salle est consacrée à la peinture et à la sculpture gothiques (XVᵉ siècle), avec quelques belles sculptures en albâtre de Pedro Millán. Dans la salle 2, des œuvres de la Renaissance. À ne pas manquer, le célébrissime portrait de Jorge Manuel par son père, le grand El Greco. Ou encore un très beau *Calvaire* de Lucas Cranach (1538), l'un des plus grands peintres de la Renaissance allemande. Exceptionnelle également, la statue en terre cuite polychrome de saint Jérôme pénitent, par l'Italien Pedro Torrigiano (1472-1528), élève de Michel-Ange. Elle servira au siècle suivant de modèle aux représentations de ce saint éminemment baroque. Consacrée aussi à la Renaissance, la salle 3, installée dans l'ancienne cave du couvent, souligne l'importance des retables dans l'art sévillan, avec une splendide représentation de saint Jean Évangéliste de Martínez-Montañés (1638). La salle 4 est dédiée au maniérisme sévillan du début du XVIIᵉ siècle. On y trouve de nombreuses sculptures de l'Enfant Jésus et une série de têtes de saint Jean-Baptiste : Séville devait fournir en images pieuses les colonies des Amériques. On traverse ensuite le superbe cloître du couvent pour accéder à son ancienne église (salle 5), qui abrite le clou de la collection : **les maîtres du baroque sévillan**. Au fond, une *Immaculée Conception* de Murillo, conçue pour le couvent. Plusieurs de ses chefs-d'œuvre sont exposés ici : les peintures du retable du couvent de Capuchinos et, dans une chapelle latérale, la très aimée *Virgen de la Servilleta*, à côté de quelques toiles plus naturalistes de Zurbarán. On retraverse le cloître, avant d'accéder à l'étage par un escalier monumental. La salle 6 contient des tableaux baroques, en particulier ceux du grand José de Ribera (1591-1652), natif de Játiva près de Valence. Dans le couloir suivant, une série de saintes issues de l'atelier de Zurbarán, sans doute réalisées à partir d'un même modèle. Encore une fois, il s'agissait de "fournir" aux Indes un grand nombre de représentations religieuses. Dans la salle 7, on retrouve Murillo, star incontestée des lieux, dont la statue trône d'ailleurs sur la place du Musée. La salle 8 est réservée aux œuvres de Juan de Valdés Leal, peintre éminemment baroque avec ses compositions tragiques et sombres. Sa *Tentation de saint Jérôme* met en scène les femmes voluptueuses dont rêve le saint après ses privations dans le désert. Dans la salle 9, on a un aperçu de la peinture européenne du XVIe siècle, surtout flamande et italienne. Ne manquez pas le *Paradis* de Brugel de Velours (fils de Brugel), où le Flamand fait preuve d'un grand sens du détail, notamment dans la représentation des animaux. La salle 10 expose des tableaux de Zurbarán réalisés pour l'église Santa María de las Cuevas, dans le monastère de la Cartuja. Dans la salle 11, on remarque un petit portrait signé Goya. Les salles 12 et 13 sont réservées au XIXe siècle, époque du romantisme et du *costumbrismo*, illustrant la vie quotidienne et les coutumes des régions espagnoles. Quelques tableaux du début du XXe siècle sont exposés dans la dernière salle, dont la *Mort du torero* (1913) de José Villegas Cordero et le portrait du poète romantique Gustavo Adolfo Bécquer par son frère Valeriano. *Tél. 954 78 64 82 Ouvert mar. 14h30-20h30, mer.-sam. 9h-20h30, dim. et j. fér. 9h-14h30 Entrée : 1,50€ Gratuit pour les ressortissants de l'UE (avec pièce d'identité)*

Église de la Magdalena (plan 2, C3) Dans la Calle San Pablo, entre la Calle Sierpes et le pont de Triana. Une église baroque du XVIIIe siècle, qui abrite des œuvres du sculpteur Pedro Roldán et du peintre Murillo. Ses campaniles colorés sont un régal pour les yeux au coucher du soleil. *Ouvert lors des offices*

Où faire une pause déjeuner ?

Antigua Abacería de San Lorenzo (plan 2, B3 n°10). Tout près de la Plaza San Lorenzo. Sur deux étages, une épicerie fine ou "ultramarinos", nom qui désignait autrefois les boutiques vendant les produits d'outre-Atlantique. On s'y régale de charcuterie et de fromages. Idéal pour les petites faims comme pour les repas complets, qui peuvent se prendre à toute heure sur place (réserver). Essayez les *gratinados*, grandes tranches gratinées au fromage ou à la charcuterie. Compter env. 20€. *Calle Teodosio, 53 Tél. 954 38 00 67 Ouvert lun.-sam. 9h30-23h, dim. se rens.*

Où savourer des *churros* ?

Centro San Eloy (plan 2, C3 n°2). Une cafétéria toujours animée dans une rue piétonne proche de la Calle Sierpes. Une bonne adresse pour le petit déjeuner, surtout si vous voulez goûter aux *churros* (servis avec un café). Mais ici, c'est surtout en fin d'après-midi qu'on se les arrache. Au diable la diététique ! *Calle San Eloy, 20 Ouvert lun.-sam. à partir de 8h*

Découvrir les quartiers de la Macarena et de la Feria

☆ **À ne pas manquer** La Vierge de la Basílica de la Macarena, l'église San Luis de los Franceses et le marché aux puces d'"El Jueves" Calle Feria **Et si vous avez le temps...** Achetez votre poisson au Mercado municipal de la Calle Feria le mardi matin, jour d'arrivage, refaites le monde devant un verre en soirée dans l'ancienne Cervecería Gonzalo Molina

Le quartier de la Macarena

Son nom lui vient de l'époque califale (xe siècle), où existait déjà le faubourg de *maqaranna*. Le quartier est tout entier tendu vers la Basílica de la Macarena (plan 2, A1), au nord. L'émotion ici se vit à l'intérieur, car l'extérieur de ce bâtiment de style néobaroque andalou (1949) est sans intérêt. Mais au fond de la nef, dans l'écrin de son fastueux autel, la **Virgen de la Esperanza**, mieux connue sous le nom de Macarena, verse éternellement ses cinq larmes de diamant. C'est une statue baroque en bois (fin du xviie siècle). L'auteur est anonyme, mais on l'attribue généralement à la Roldana, fille du grand sculpteur Pedro Roldán. La Macarena est l'une des figures saintes les plus populaires des Sévillans. Assister à sa procession lors de la Semaine sainte est une expérience inoubliable. La confrérie de Nuestra Señora de la Esperanza fut fondée en 1595. Au fond de la basilique, le musée expose chars baroques, manteau doré de la Vierge, objets de procession des pénitents de la confrérie… En face de la basilique se dressent les vestiges des murailles musulmanes (xiie siècle) de la ville, dominés par l'Arco de la Macarena, restauré au xixe siècle. Traversant le quartier en direction de l'église Santa Catalina, la Calle San Luis est l'ancienne voie royale (Calle Real) aménagée après la Reconquête et bordée de belles églises. Difficile de résister à l'envie de découvrir les petites ruelles latérales, qui regorgent d'ateliers de luthiers et autres artisans. Au 31, la **Iglesia San Luis de los Franceses** (plan 2, B1) est l'une des plus somptueuses églises baroques d'Andalousie (fin xviie-début xviiie). Une œuvre de Leonardo de Figueroa (Iglesia del Salvador, Hospital de los Venerables), dont le clocher harmonieux et les dômes colorés se dressent vers le ciel. L'intérieur exubérant culmine sous la coupole, recouverte d'une grande fresque de Valdés Leal. Au 33, la Iglesia de Santa Marina (plan 2, B1), superbe exemple d'église gothique-mudéjare (xive siècle). Un intérieur somptueux, avec des arches en brique d'inspiration musulmane, des chapelles garnies de stucs ouvragés et un plafond à caissons en marqueterie. La rue débouche sur la Plaza San Marcos (plan 2, B1), surplombée par l'imposante tour mudéjare et le portail gothique de l'église San Marcos. *Basílica de la Macarena* Tél. 954 90 18 00 Ouvert tlj. 9h-14h et 17h-21h (ouverture à 9h30 dim. et j. fér.) Gratuit **Musée** Ouvert tlj. 9h30-13h et 17h-20h Fermé 10j. avant et après la Semaine sainte Entrée 3,50€ **Iglesia San Luis de los Franceses** Tél. 954 55 02 07 Ouvert mar.-jeu. 9h-14h, ven.-sam. 9h-14h et 17h-20h Fermé août Des travaux sont prévus fin 2008 ou début 2009

Cimetière de San Fernando

Au nord du centre, à 2km environ du quartier de la Macarena. Un cimetière de légende, planté de cyprès où roucoulent les colombes. Depuis son inauguration en 1853, il accueille les sépultures de Sévillans célèbres. Jusqu'à la mort de Franco, un mur séparait les défunts catholiques des autres. On découvre les tombes de Diego Martínez Barrio, président éphémère de la Deuxième République, des danseurs de flamenco Farruquito et Antonio Ruiz Soler (1921-1996), des toreros Paquirri (mort dans l'arène en 1984), mais surtout Belmonte et Joselito : les deux plus grands toreros du xxe siècle, rivaux et amis jusque dans la tombe. Le mausolée dédié à Joselito est composé d'une sculpture monumentale réalisée par le Valencien Mariano Benlliure, féru de tauromachie. À côté de Joselito gît son frère El Gallo, torero lui aussi. *Bus 10 au départ de la Plaza de la Encarnación Ouvert 8h-17h*

Où se faire faire une guitare sur mesure ?

Luthier (plan 2, B1). Ce petit atelier sans enseigne qui sent bon le bois et le vernis, caché dans une ruelle donnant dans la Calle San Luis, est l'antre d'un grand monsieur, Alberto Pantoja Martin. Depuis plus de quarante ans, ce luthier, autodidacte et passionné, réalise avec minutie et patience des guitares, classiques ou flamencas, et des luths. De l'expérience et du sur mesure qui ont un prix (comptez de 2 700 à 3 000€ pour une guitare artisanale garantie "à vie", représentent un mois de travail). Il fabrique maintenant également quelques guitares plus économiques. La visite vaut le détour, juste pour le plaisir de rencontrer l'un des derniers maîtres à perpétuer cette tradition. *Fray Diego de Cádiz, 20 Tél. 954 37 28 77*

Le quartier de la Feria

Ce quartier tire son nom de l'une des rues emblématiques du vieux Séville : la Calle Feria (plan 2, B2). On y accède de la Plaza de la Encarnación, à l'est du centre piétonnier, par la séduisante Calle Regina, qui étale ses petites boutiques, ses antiquaires et ses bars à l'ancienne entre de vieux murs défraîchis. Elle donne sur la Plaza San Juan de la Palma (plan 2, C2), dominée par le beau portail gothique de son église (XIVe siècle). Chaque jeudi matin, aux alentours de la Plaza Maldonados, la Calle Feria accueille le **marché aux puces d'"El Jueves"**. Une tradition qui trouve ses racines au XIIIe siècle, quand on attribua le droit de foire aux marchands de ce quartier artisanal. Un incontournable, plus pour l'ambiance que pour les produits. Un peu plus loin, le marché municipal de la Calle Feria déploie ses armatures métalliques sous la remarquable silhouette de l'église Omnium Sanctorium (XIIIe-XIVe siècle, plan 2, B2), magnifique illustration du gothique-mudéjar. Un marché très animé le matin, du lundi au samedi. Juste au coin de la rue débute la Calle Relator, qui mène à l'est vers la Macarena et à l'ouest vers l'Alameda de Hércules. En chemin, faites étape dans l'un de ses nombreux bars fréquentés par les Sévillans.

Alameda de Hércules (plan 2, B2) Cette ancienne zone, inondée par les eaux résiduelles des quartiers d'alentour, fut assainie par le comte de Barajas à la fin du XVIe siècle. Elle devient la grande promenade de la Séville impériale, et reste au centre de la vie sociale jusqu'à la moitié du XVIIIe siècle. À son extrémité sud trônent les statues des deux pères légendaires de Séville, César et Hercule. En 1845, elle prend son nom d'Alameda de Hércules. Ancien quartier de prostitution mal famé aujourd'hui réhabilité, il est devenu le rendez-vous de la jeunesse bohème et artiste. Le dimanche matin se tient une brocante sur la Plaza de l'Alameda. Elle peut être suspendue pendant les travaux de construction du métro.

Où dénicher un *cajón* ?

Casa Tejera (plan 2, B2). Un commerce familial depuis 35 ans, une valeur sûre où vous trouverez toutes sortes d'instruments dont des guitares (à partir de 75€) et des *cajón* (à partir de 65€), sorte de caisse rectangulaire, qui rythme de nos jours bien des compositions flamencas. Pour la petite histoire, le *cajón* est originaire du Pérou et fut introduit dans la musique flamenca à la fin des années 1970 par Paco de Lucía avec le percussionniste brésilien Rubén Dantas. Atelier de réparation. *Calle Feria, 75 Tél. 954 38 41 56 et Amador de los Ríos, 35 Tél. 954 42 67 71*

Où faire son marché ?

Mercado municipal de la Calle Feria (plan 2, B2) Pour une bonne tranche de vie de quartier, ne ratez pas ce marché où se mêlent *muchachas* à cabas et jeunes Sévillans. Le mardi matin, jour d'arrivage, on assiste à un véritable show dans le coin des poissonniers : vente à la criée, *palmas*, interpellations tonitruantes, chacun à sa manière tente de capter l'attention. Vous en redemandez ? Arrêtez-vous boire un verre au minuscule bar du marché, la Cantina, entre 13h et 17h, ambiance populaire assurée. Adossé à l'église de style mudéjar Omnium Sanctorum. *Calle Feria Ouvert lun.-ven. 8h30-14h30 (en été 8h-14h) et 17h30-20h30, sam. 8h30-15h*

Découvrir le quartier de Triana

☆ **À ne pas manquer** Le Mercado municipal **Et si vous avez le temps...** Promenez-vous le long des quais sur le Paseo de Nuestra Señora de la O, grignotez des tapas à La Primera del Puente, passez une soirée flamenco chez El Tejar

Pas de monuments célèbres et une architecture à première vue anodine. Mais ce quartier, qui a donné à Séville bon nombre de toreros, musiciens de flamenco et autres artisans, baigne dans une atmosphère ensorcelante. D'ailleurs, on croise parfois de vieux *trianeros* qui prétendent que cela fait des années qu'ils n'ont pas traversé le pont pour "aller à Séville". Triana est une déformation de *Taryana*, le nom du quartier sous l'ère califale. En 1171, les Almohades érigent le Puente de Barcas, qui relie pour la première fois Triana à Séville, et permet son développement économique. Du XVᵉ au XVIIᵉ siècle, avec le commerce des Indes, Triana devient un port majeur. Les colonies exigent une forte production de poteries. Les artisans venus des quatre coins de l'Europe apportent leurs différentes techniques. Triana formera ainsi peu à peu son propre style, qui servira de modèle aux potiers des colonies. Aujourd'hui encore, on peut acheter poteries et azulejos aux couleurs jaune, orange et bleu.

Au fil des ruelles

En 1852, le Puente de Barcas est remplacé par le pont Isabelle II, plus connu sous le nom de Puente de Triana (plan 3, A3-A4), à l'élégante armature métallique. Il donne sur la Plaza del Altozan, construite à la même époque sur le site d'une ancienne forteresse. C'est le centre névralgique de Triana, d'où partent ses rues emblématiques : Calle Betis, Calle Pureza, Calle Castilla et Calle San Jacinto. En contrebas du pont, le visiteur est accueilli par deux statues en bronze représentant le grand matador Juan Belmonte et une danseuse gitane. La Calle Betis, très animée en soirée, est bordée de belles façades colorées du XVIIIᵉ siècle. Le soir, elle offre une jolie vue sur le fleuve et les principaux monuments de la ville. La Calle Pureza (plan 3, A3-B3) était autrefois l'un des fiefs de la communauté gitane et du flamenco. On se réunissait le soir au son des palmas dans les cours intérieures, ou *corrales*, des immeubles du quartier. Au 53, la capilla de los Marineros a l'insigne honneur d'abriter la **Esperanza de Triana**, une statue de la Vierge qui partage avec la fameuse Macarena une place particulière dans le cœur des Sévillans. Durant la Madrugá de la Semaine sainte, sa traversée du pont de Triana au milieu d'une foule immense est un spectacle inoubliable. Juste à côté, la Iglesia Santa Ana (plan 3, B3), l'une des plus anciennes de la ville, fut fondée au XIIIᵉ siècle par Alphonse X, puis profondément remaniée au Moyen Âge et à l'époque baroque. Au nord de la Plaza del Altozan, on traversera le petit marché municipal de Triana (plan 3, A4) pour accéder à la Calle Castilla. Un peu plus loin, sur la droite, un coupe-gorge descend vers le fleuve : le Callejón de la Inquisición. C'est au bout de cette venelle, au bord du fleuve, que se dressait autrefois le château de Triana, siège du terrible tribunal de l'Inquisition jusqu'au XVIIIᵉ siècle. Là débute le Paseo de Nuestra Señora de la O, agréable promenade sur les quais. Au bout de la Calle Castilla se trouvent l'église de la O (la Vierge de la O est une autre vedette de la Semaine sainte) et la **Capilla del Patrocinio** (plan 3, hors plan), qui contient la statue du *Cristo de la Expiración*. Mieux connue sous le nom de "**El Cachorro**", elle déclenche les passions des habitants du quartier lorsqu'elle défile dans l'après-midi du Vendredi saint. Parallèle à la Calle Castilla, la Calle Alfarería est traditionnellement celle des artisans céramistes, qui y vendent encore aujourd'hui leurs ouvrages. Face à la Plaza del Altozano, la Calle San Jacinto descend vers l'intérieur de Triana. En la suivant jusqu'à la Plaza San Martín de Porres, on découvre un quartier sans prétention, avec de vieux bars à tapas où l'on mange de délicieuses spécialités à des prix vraiment minimes. *Capilla del Patrocinio Tél. 954 33 33 41 www.el-cachorro.org Ouvert lun.-sam. 10h30-13h30 et 18h-21h30, dim. 10h-13h30*

Où faire une pause déjeuner ?

Bar Salomón (plan 3, hors plan [près B4] n°11). Au bout de la Calle San Jacinto. "*El rey de los pinchitos*", "le roi des brochettes", voilà comment on appelle dans le quartier le patron de ce petit bar. Vérification faite, c'est vrai ! *Calle López de Gomara, 11 Tél. 954 33 35 21 Ouvert mar.-dim. 13h-16h et 20h-0h Fermé août*

Où chiner, acheter de l'artisanat ?

Le quartier de Triana est le lieu idéal pour trouver de belles céramiques : plusieurs magasins artisanaux sont rassemblés 300m à l'ouest du pont de Triana, dans la Calle Alfarería et la Calle Antillano Campos (plan 3, A4-B5). Le dimanche matin, on peut aussi se rendre au minuscule marché de monnaies anciennes et de timbres sous les arcades de la délicieuse Plaza del Cabildo. L'artisanat du cuir et de la sellerie est, quant à lui, très présent à Séville : plusieurs selleries (*guarnicionerías*) occupent le quartier des Arènes ainsi que celui de la Feria.

Padilla Crespo (plan 3, A3). Des *monteras* (chapeaux d'astrakan noir que portent les toreros à leur entrée dans l'arène) aux *cañeros* sévillans (chapeaux andalous traditionnels), la maison Crespo confectionne ses couvre-chefs selon une tradition artisanale depuis 1942. De 65€ pour un modèle en laine à env. 165€ pour du sur mesure en crinière cousu main. *Calle Adriano, 18. Tél. 954 21 29 88*

Où faire son marché ?

☆ **Mercado municipal de Triana (plan 3, A4)** Ce marché, l'un des plus beaux de Séville, est installé en lieu et place du château San Jorge (dont on peut voir aujourd'hui quelques vestiges) qui abritait le tribunal de l'Inquisition. Grand hall climatisé (un plus l'été) où il fait bon se promener entre les étals colorés de fruits et légumes et autres produits frais. Toutes les échoppes affichent le nom de leur spécialité sur d'élégantes céramiques. Les vendredi et samedi vers 13h, l'ambiance bat son plein mais attention, beaucoup moins d'"ambiance" en juillet-août. *À côté de la Plaza del Altozán Ouvert lun.-ven. 8h30-14h30 (en été 8h-14h) et 17h30-20h30, sam. 8h30-15h*

La Salmantina (plan 3, B4). Un magasin coquet et populaire décoré de jolis azulejos. Sûrement l'une des meilleures adresses pour dénicher de savoureux jambons à bon prix (env. 35€/kg pour le fin du fin *"iberico de reserva bellota"*, *pata negra*, jambon de porc noir nourri de glands). Ce commerce familial fonctionne depuis plus de trente ans et possède ses propres élevages, la qualité est assurée. Vous y trouverez aussi fromages, huiles d'olive et conserves en tout genre. *Calle San Jacinto, 61-63 Tél. 954 33 82 98 Ouvert lun.-ven. 9h-14h30 et 17h30-21h, sam. 9h-15h*

Où faire une pause sucrée ?

Casa Cuesta (plan 3, A4 n°4). Au coin de Castilla et San Jorge, derrière le marché de Triana. Une élégante institution du quartier, datant de 1880. Pour un goûter (épais chocolat chaud) en terrasse ou un verre accoudé à son imposant comptoir en bois, le nez dans les grandes affiches anciennes de la Semaine sainte. Copieuses tapas (de 2,50 à 3€). *Castilla, 1 Tél. 954 33 33 35 Ouvert sep.-juin : tlj. 12h-1h ; juil.-août : tlj. 20h-0h*

Découvrir le Parque de María Luisa

☆ **À ne pas manquer** Le Musée archéologique **Et si vous avez le temps…** Passez un après-midi à l'ombre dans le Parque de María Luisa, offrez-vous une nuit à l'hotel Alfonso XIII dans l'un des plus prestigieux palaces d'Espagne

En 1893, l'infante María Luisa offre à la ville la moitié des jardins du palais de San Telmo. Le parc ainsi aménagé, de loin le plus vaste espace vert de la ville, devient la promenade préférée des Sévillans. En 1909, les autorités décident d'organiser une grande exposition ibéro-américaine, afin de dynamiser le commerce et les échanges d'une ville en déclin. L'occasion pour l'architecte Aníbal González (1876-1929) de redessiner le parc et d'y intégrer de grands ensembles architecturaux (Plaza de España et Plaza de América) ainsi que des pavillons représentant les différents pays invités : Portugal, Argentine, Uruguay, Chili, États-Unis, Pérou… Au total, 117 pavillons sont ainsi bâtis de 1909 à 1929, date de l'ouverture d'une exposition qui sera finalement un échec. Dans le même temps, le célèbre paysagiste français Forestier (1861-1930) aménage le parc, en y installant des fontaines, des pièces d'eau et de très agréables *glorietas*, tonnelles intimistes dédiées à de grands personnages locaux. À ne pas manquer, près de la Plaza de España : celle de Gustavo Adolfo Bécquer (1836-1870), écrivain romantique natif de Séville. On y voit sa statue, l'œil torturé, ainsi que celles de trois femmes en proie aux affres de la passion. Au centre du parc, l'îlot des Canards (Isleta de los Patos) se tient dans un petit lac ombragé. Orangers, platanes, magnolias, ficus géants, essences exotiques et des dizaines d'espèces d'oiseaux : on oublie vite l'agitation du centre-ville… En été, l'ouverture du parc jusqu'à minuit (22h en hiver) permet de faire une agréable promenade au vert et au frais.

☺ **Plaza de España (plan 3, C1)** Un projet confié en 1913 à Aníbal González. D'abord prévue pour de grandes célébrations et des rencontres de sports nautiques sur un vaste plan d'eau, avant que la fontaine ne soit installée au centre. Des ponts élancés enjambent le canal ainsi formé. Ils donnent accès aux élégants édifices en brique, ornés de colonnes en marbre et d'azulejos de Triana représentant les différentes provinces espagnoles. Aux deux extrémités, des tours hautes de 80m rappellent la Giralda, elles se voulaient le symbole du pouvoir retrouvé de la capitale andalouse.

Plaza de América (plan 3, C1) À l'extrémité sud du parc. C'est l'autre grande œuvre d'Aníbal González, conçue pour être place d'honneur de l'Exposition de 1929. Les majestueux édifices qui la délimitent sont des interprétations modernes de trois grands styles sévillans : mudéjar (musée des Arts et Traditions populaires), gothique (Pavillon royal) et platéresque (Musée archéologique).

☆ ☺ **Museo arqueológico (plan 3, C1)** La visite commence au sous-sol par la section consacrée à la préhistoire. On y découvre les dents d'un requin géant (20m) qui hantait les parages il y a quelques millions d'années. Fascinantes idoles et autres stèles funéraires de la fin de l'âge du cuivre. La section consacrée aux Tartessiens commence avec la reproduction du fabuleux trésor d'El Carambolo (VIIe siècle av. J.-C). Devant ces parures en or, on comprend mieux la réputation fastueuse dont jouissait la civilisation tartessienne dans le monde antique. À partir du Ve siècle av. J.-C. s'installe dans la vallée du Guadalquivir une civilisation d'origine ibère : les Turdétains. On découvre ici leurs émouvants ex-voto. Le rez-de-chaussée abrite la plus importante collection de sculptures ibères d'Andalousie (fin IIIe siècle av. J.-C.). Les salles suivantes sont consacrées aux Romains : margelle de puits ornée des signes du zodiaque, splendides statues et mosaïques retrouvées à Itálica, masque de théâtre, objets religieux. Les statues et colonnes d'Itálica (en particulier dans les salles 13, 14 et 19) vous donneront sûrement envie de visiter ce site, proche de Séville. On découvre aussi des représentations de Trajan et Hadrien, les deux empereurs romains originaires d'Itálica. Les deux dernières salles, moins riches, sont consacrées aux époques wisigothe et musulmane. *Pavillon platéresque Plaza de América (bus 33 et 34 des jardins de Cristina) Tél. 954 78 64 74 Ouvert mar. 14h30-20h30, mer.-sam. 9h-20h30, dim. et j. fér. 9h-14h30 Salle 20 fermée temporairement pour travaux, se rens. Entrée : env. 3€ Gratuit pour les ressortissants de l'UE (pièce d'identité)*

Museo de Artes y Costumbres Populares (plan 3, C1) Musée des Arts et Traditions populaires, dans le superbe pavillon mudéjar de la Plaza de España. Au premier étage, une importante collection de costumes traditionnels : ceux de la vie courante mais aussi des grandes fêtes de Séville (Feria de Abril, Romería d'El Rocío). D'autres sections sont consacrées à l'architecture intérieure des vieilles maisons andalouses, aux outils agricoles, à l'artisanat régional. En 2008, ces salles sont fermées pour travaux. Par ailleurs, bel ensemble de céramiques : poteries et azulejos de Manises (près de Valence), de Tolède et de Triana, faïences de la Cartuja… *Tél. 954 71 23 91 Ouvert mar. 14h30-20h30, mer.-sam. 9h-20h30, dim. et j. fér. 9h-14h30 Fermé lun. Entrée : 1,50€ Gratuit pour les ressortissants de l'UE*

Au nord du Parque de María Luisa

Fábrica de Tabacos (plan 3, B2) Séville fut l'une des premières villes à importer le tabac, rapporté des colonies d'Amérique. Une industrie prospère allait en naître, confectionnant du tabac à priser d'abord puis, mode oblige, de luxueux cigares. Ce sont ces derniers que produisait jusqu'à l'orée du xxᵉ siècle l'immense manufacture de tabac sévillane, construite dans un style baroque assez sage au xviiiᵉ siècle. C'était alors le deuxième plus vaste édifice d'Espagne, après l'Escurial de Madrid. L'architecte, Vicente Acero, dessina également les plans de la cathédrale de Cadix. Dans la fable de Mérimée, la célèbre Carmen est une cigarière sévillane. Peut-être la croiserez-vous à l'intérieur de ce qui est désormais une partie de l'université de Séville. Au-dessus du portail principal, on aperçoit Colomb et Cortés en compagnie de deux Amérindiens, la pipe au bec. *La Fábrica se visite lorsque l'université est ouverte*

Palacio de San Telmo (plan 3, B2) Près de la Puerta de Jerez et du fleuve, c'est actuellement le siège des institutions régionales, la Junta de Andalucía. Construit en 1682, le palais se distingue par son immense portail baroque.

Prendre des cours de flamenco

Fundación Cristina Heeren. Une des écoles les plus réputées de Séville pour ses cours de danse, guitare et chant. Cours intensifs en juillet (de 20 à 25h/semaine) et parfois, durant la Biennale de septembre, stages avec de grands noms du flamenco. *Avenida de Jerez, 2 (au sud du Parque de María Luisa) Tél. 954 21 70 58 www.flamencoheeren.com*

Découvrir la Isla de la Cartuja

☆ **À ne pas manquer** Le Monasterio de la Cartuja **Et si vous avez le temps...** Descendez les chutes d'Iguazú dans le grand parc de la Isla Mágica

L'île de la Cartuja, enserrée entre les deux bras del río Guadalquivir, a accueilli en 1992 le site de l'Exposition universelle de Séville. Elle est depuis reliée au centre-ville par deux ponts modernes audacieux : celui de la Barqueta et surtout le Puente del Alamillo, dont le bras unique levé vers le ciel est signé de l'architecte valencien Santiago Calatrava, auteur remarqué de la Cité des sciences et des arts de Valence. Délaissés pendant quelques années, les pavillons de l'Expo' 92 sont peu à peu transformés en palais des congrès, en sièges sociaux d'entreprises locales, ou même en départements dépendant de l'université de Séville. Située à l'écart des quartiers touristiques, l'île de la Cartuja est desservie par les bus circulaires C1 (aller) et C2 (retour), au départ du Prado de San Sebastián (au sud de la cathédrale).

☆ **Monasterio de la Cartuja/Centro Andaluz de arte contemporáneo (plan 2, B4)** Situé au sud de la Isla de la Cartuja. Les origines de la chartreuse (*cartuja*) de Santa María de la Cuevas remontent à la fin du xivᵉ siècle. Christophe Colomb y établit sa résidence et y prépara son deuxième voyage à l'aide de la très riche bibliothèque des frères chartreux. Le monastère fut pillé par les troupes napoléoniennes, puis les moines expulsés en 1835, après la promulgation des lois d'expropriation des biens du clergé. En 1841, l'Anglais Pickman achète le site et y installe une usine de faïence. On aperçoit encore les cheminées des fours qui donnent au lieu un air insolite. Depuis 1998, le Centre andalou d'art contemporain a investi le site et accueille de bonnes expositions d'artistes espagnols et étrangers, dans un cadre splendide. À ne pas manquer pour les amateurs. *Avenida Américo Vespucio, 2 Tél. 955 03 70 70 Ouvert mar.-ven. 10h-21h (20h oct.-mars), sam. 11h-21h (20h oct.-mars), dim. 10h-15h, j. fér. se rens. Entrée : 3€/1,80€ Gratuit mar. et pour les ressortissants de l'UE (pièce d'identité)*

Isla Mágica (plan 2, A3) En face du Puente de la Barqueta. Le grand parc thématique de Séville occupe 40ha, autour d'un lac artificiel. Les différentes animations sont liées au thème de la découverte de l'Amérique : spectacles de pirates, descente en canoë des chutes d'Iguazú, etc. Également un cinéma, "Dimension 4", pour des projections en 3D avec mouvement des sièges. *Tél. 902 16 17 16 Réservation : tél. 902 16 00 00 www.islamagica.es Fermé en semaine hors saison Entrée : 23,50-27€ la journée, 17-19€ l'après-midi Enfants et seniors : 17-19€ la journée, 12-14€ l'après-midi Moins de 5 ans : gratuit*

Découvrir les environs

☆ **À ne pas manquer** Les mosaïques et l'amphithéâtre du site Itálica **Et si vous avez le temps…** Apprenez à danser le flamenco à l'Estudio Flamenco Carmen de Torres, rendez-vous dans le centre de Santiponce et découvrez le théâtre romain au cœur de la ville

☆ **Itálica (Santiponce)** Voilà un site archéologique à ne pas manquer, dans la ville de Santiponce, à 7km au nord-ouest de Séville. Itálica fut la première cité fondée par les Romains en Andalousie, en 206 av. J.-C. Créée pour accueillir les vétérans de la bataille d'Ilipa (Alcalá del Río) contre les Carthaginois, elle connaîtra un grand essor au cours des siècles suivants. Important foyer politique, économique et culturel, la cité eut l'honneur de donner à l'Empire ses deux seuls empereurs d'origine hispanique : Trajan (53-117 ap. J.-C.) et Hadrien (76-138 ap. J.-C.). Itálica était divisée en deux quartiers : la *vetus urbs* (vieille ville), située sous l'actuel centre-ville de Santiponce, et la *nova urbs* (ville nouvelle, fondée par Hadrien). C'est cette dernière que l'on visite aujourd'hui, même si l'on peut également découvrir le théâtre romain situé dans le centre de Santiponce. Les fouilles archéologiques, initiées en 1781, continuent encore de nos jours et des mosaïques, mises au jour récemment, sont partiellement visibles depuis 2006. Ce site, parfaitement mis en valeur, se prête à merveille à une escapade d'une demi-journée, au milieu des cyprès et des oliviers. En suivant les larges pavés des anciennes voies qui traversaient la ville, on découvre les éléments caractéristiques de l'architecture romaine. Itálica était protégée par de solides remparts. Elle comportait un vaste édifice public, le Collegium de la Exedra, abritant notamment des thermes. On découvre également les vestiges de somptueuses villas, tirant leur nom des **mosaïques** qui ornent leurs patios (villa de Neptune, du Planétarium, des Oiseaux). Devant la villa Rodio, un plan permet de se représenter l'organisation traditionnelle des demeures romaines. Mais le clou de la visite est l'immense **amphithéâtre**, étonnamment bien conservé. Ses 25 000 places assises en faisaient l'un des plus vastes de l'Empire. Il faut imaginer le troisième niveau de gradins qui dominait autrefois l'ensemble. Entrée grandiose sous de hautes arches, tribunes escarpées surplombant l'arène ovale : le cirque romain tel qu'on se l'imagine. On se croirait en plein milieu de *Ben Hur* ou de *Gladiator*. La grande fosse encastrée au milieu servait à accueillir les fauves, temps fort du spectacle... Dans une salle, la copie d'une plaque de bronze proclame de nouvelles règles draconiennes imposées aux spectacles de gladiateurs : elles furent rédigées par l'empereur Marc Aurèle, peu amateur des jeux du cirque. *7km au nord-ouest de Séville (N630 direction Mérida – ne pas passer par Camas où tout le monde se perd) Tél. 955 99 65 83 Ouvert mar.-sam. 9h-17h30 (8h30-20h30 en été), dim. 10h-16h (9h-15h en été) Entrée : 1,50€ Gratuit pour les ressortissants de l'UE (avec pièce d'identité) Service régulier entre Séville et Itálica par les cars Casal (tél. 954 99 92 90), départ de la gare Plaza de Armas, quai 34*

Prendre des cours de flamenco

Estudio Flamenco Carmen de Torres. Studio de danse de la célèbre danseuse sévillane du même nom. *Calle Lepanto, 7* **Castillejo de la Cuesta** *(à env. 5min de Séville au départ de la Plaza de Armas) Tél. 954 16 47 44 et 619 63 85 81 www. flamenco-carmendetorres.com*

Manger à Séville

Séville, c'est sûr, est championne du monde dans la catégorie tapas. À tel point qu'on rechigne à s'asseoir à la table d'un restaurant, tant cela paraît ici contre nature. Il faut dire que les tapas atteignent souvent des sommets à faire pâlir d'envie plus d'un chef. Jambons fondant sous la langue, fruits de mer et poisson grillés, frits ou en sauce, ragoûts du jour au fumet alléchant. Le meilleur de la gastronomie et des produits frais de toutes les provinces d'Andalousie se donne rendez-vous sur les comptoirs à l'heure du *tapeo*. Sans oublier, en saison, le faible des Sévillans : de grands (*cabrillas*) ou de petits (*caracoles*) escargots cuits au court-bouillon. Santa Cruz, Plaza del Salvador, Plaza de la Alfalfa, Barrios San Lorenzo, Santa Catalina, ruelles alambiquées d'El Arenal : la route des tapas fait escale aux quatre coins de la ville. Mais difficile de ne pas avoir, comme les Sévillans, une petite préférence pour le quartier de Triana. N'oubliez pas de consulter les rubriques Où faire une pause déjeuner ? des différents quartiers de la ville, où vous retrouverez des adresses de restauration à très petits et petits prix.

très petits prix

Casa Ruperto (plan 3, hors plan [près B4] n°12). À 15min à l'ouest du pont de Triana. C'est un peu excentré, mais vous ne le regretterez pas après avoir goûté à la spécialité de ce minuscule bar sans prétention : la caille grillée (*codorniz*). Un vrai délice et, pour les amateurs de couleur locale, une clientèle absolument pas triée sur le volet. Tapas autour de 1,50€. *Triana Avenida de Santa Cecilia, 2 Tél. 954 08 66 94 Ouvert 12h-16h et 20h-0h Fermé jeu. et août*

prix moyens

El Gallinero (de Sandra) (plan 2, C2 n°11). Ce restaurant est spécialisé dans la morue, préparée sous toutes ses formes. Cuisine méditerranéenne pour sortir de la classique route des tapas. Une bonne option pour un dîner tranquille. Environ 25-30€ par pers. avec le vin. Dans une rue au calme donnant dans la Calle Amor de Dios. **Centre** *Pasaje Esperanza Elena Caro, 2 Tél. 954 90 99 31 Ouvert mar.-sam. midi et soir et dim. midi*

prix élevés

Corral del Agua (plan 3, A1 n°13). Sur une pittoresque ruelle qui court au pied des remparts de l'Alcázar. Le plus doux patio de Santa Cruz, autour d'un vieux puits, séparé de la rue par des murs couverts de lierre. Assez chic, avec un goût prononcé pour le rose pimpant. Prix élevés mais sans excès au regard du cadre. Un menu du jour à 25€. Côté carte, goûtez par exemple la dorade au jerez (*dorada al Tío Pepe*, env. 20€). Comptez environ 35€/pers. **Santa Cruz** *Callejón del Agua, 6 Tél. 954 22 48 41 Fermé dim.-lun. midi en juil.-août*

Taberna del Alabardero (plan 3, A3 n°14). Une taverne installée entre les arènes et l'église de la Magdalena. La très chic salle du restaurant occupe le premier étage d'une demeure du XIXᵉ siècle restaurée avec soin. Serveurs attentifs, nappes blanches, argenterie resplendissante. La carte change très fréquemment mais reste fidèle à ses classiques : crêpes farcies d'araignée de mer, terrine de foie ou bœuf à la moutarde. Comptez 50-60€ par personne avec des plats aussi alléchants que le bar au pistou de safran ou la viande de taureau au porto et aux gnocchis de potiron. La cafétéria du rez-de-chaussée propose en semaine, de 13h à 16h30, un excellent menu du jour complet à env. 15€. Les plats sont joliment préparés par les étudiants de l'école hôtelière locale. Une vraie affaire. **Arenal** *Calle Zaragoza, 20 Tél. 954 50 27 21 www.tabernadelalabardero.com Ouvert tlj. 8h-0h Fermé août*

El Burladero (plan 2, C3 n°12). À deux pas de l'église de la Magdalena. Le restaurant très couru de l'hôtel Meliá Colón, où logent les toreros de la feria. La décoration rend hommage à la tauromachie. Il règne dans cette grande salle chic une ambiance intimiste propice au tête-à-tête. Côté carte, c'est très cher et très bon : queue de taureau (la fierté de la maison), filet de merlu à l'andalouse... Repas à environ 50€. Les toreros mangent-ils tout cela avant d'aller affronter la bête ? **Centre** *Hotel Colón Calle Canalejas, 1 Tél. 954 50 55 99 Fermé août En travaux jusqu'à la fin du printemps 2008*

Manger des tapas

très petits prix

Casa Antonio (plan 2, C2 n°20). À l'est de la Plaza del Salvador, dans le quartier de l'Alfalfa, qui regorge de bars très fréquentés par la jeunesse sévillane. Celui-ci a l'avantage de posséder une terrasse, où il fait bon s'asseoir à la nuit tombante.

Tapas et demi-rations sont simples et très copieuses. Au début de l'été, on s'arrache les escargots au court-bouillon (*cabrillas* et *caracoles*). Menu du jour à moins de 10€ tout compris. *Centre Plaza de la Alfalfa Tél. 954 21 31 72 Ouvert midi et soir Fermé mer.*

petits prix

La Goleta (plan 3, A1 n°20). Sur la rue qui monte de la cathédrale en longeant le Barrio Santa Cruz. Un petit comptoir au fond d'une salle minuscule. On dirait une baraque de foire, et pourtant elle est là depuis 1932. D'ailleurs, les clients se bousculent pour commander de délicieuses tapas et un manzanilla bien frais ou un *vino de naranja* (muscat avec des écorces d'orange, une recette qui date de 1840) avant d'aller les déguster dans la rue. Tapas à partir de 2€. Une bonne étape sur la longue route du *tapeo*. *Santa Cruz Calle Mateos Gago, 20 Tél. 954 21 89 66*

Bar Europa (plan 2, C2 n°21). Tout près de la Plaza del Salvador. Un élégant local de 1925, rénové au début des années 2000. Mélange de bar à tapas sévillan (azulejos, long comptoir) et de petit café parisien. Ouvert dès 8h, il se prête bien au petit déjeuner, mais offre également une vaste sélection de tapas, un peu chères (env. 2,50-4,80€) mais très bien faites. À essayer : le *salmorejo* (gaspacho épais de Cordoue) ou la tapa au fromage des Balanchares gratiné avec des pommes. L'été, la terrasse est nettement moins agréable. *Centre C/ Siete Revueltas, 35 (Plaza del Pan) Tél. 954 22 13 54 Ouvert 8h-0h*

Las Piletas (plan 2, C3 n°22). Dans le quartier de la Plaza de Armas. Il règne dans cette grande salle une ambiance rappelant les brasseries parisiennes, si l'on excepte la décoration mêlant tauromachie et figures saintes. Le long comptoir est parfait pour grignoter des tapas, mais on trouve toujours une table libre en salle. Le veau (*ternera*) en sauce est excellent, les rations sont généreuses et bien préparées. Pratique si vous dormez dans le quartier, notamment pour le petit déjeuner ou les dîners tardifs : la cuisine est ouverte jusqu'à minuit. En salle, menu du jour à env. 14€. *Centre Calle Marqués de Paradas, 28 Tél. 954 22 04 04 Ouvert tlj. 7h-1h*

Casa Ricardo (plan 2, B2, n°23). Allergiques à l'ambiance confrérie, s'abstenir. Cette ancienne épicerie "*ultramarinos*" fin XIXᵉ est envahie d'icônes religieuses, de portraits de la famille royale et de photos de processions de la Semana Santa. Peu de places assises. On y vient surtout pour le décor plus que typique mais aussi pour les excellentes tapas (autour de 2,50€), parfois surprenantes mais savoureuses pour les amateurs de sucré-salé : camembert gratiné et sauce myrtille ou croquettes de jambon, un classique, qui était très apprécié, dit-on, par la mère du roi Juan Carlos ! À noter la traditionnelle ardoise, où l'on inscrit le nombre de jours qui restent avant la Semaine sainte. *Centre Près de la place San Lorenzo, Calle Hernán Cortés, 2 Tél. 954 38 97 51*

☺ **La Primera del Puente (plan 3, B3 n°21).** Comme son nom l'indique ("la première après le pont"), tout près de la Plaza de Cuba et du pont de San Telmo. Certes la terrasse au bord du Guadalquivir offre de belles vues sur le centre-ville illuminé au crépuscule. Mais c'est de l'autre côté de la rue, dans la grande salle du bar, toujours bondée, que l'action se passe. Grand choix de tapas et de demi-rations (gargantuesques, elles suffisent amplement pour une personne). Fruits de mer, poisson frit ou grillé, charcuterie, plats de viande... coup de cœur pour les produits de la mer, toujours excellents, comme les *chipirones* (petits encornets frits). Les additions, marquées à la craie sur le zinc, augmentent au fil de la soirée. Mais elles ne montent jamais très haut... Media ración env. 9€, ración env. 11€. *Triana Calle Betis, 66 Tél. 954 27 69 18 Fermé mer.*

☺ **Bar Santa Ana (plan 3, B3 n°22).** Dès les premiers beaux jours, sa terrasse investit le trottoir, au pied de l'église Santa Ana. Les murs de ce bar populaire sont couverts d'images de la Semaine sainte. L'Esperanza de Triana est bien sûr au premier plan. Derrière le comptoir, des calendriers annoncent le décompte des jours restant jusqu'à la Semaine sainte et la Romería d'El Rocío. Grand choix de tapas savoureuses (env. 2€), assortiment de poissons frits (*ración pescaíto frito*, 8,50€ la demi-ration) et grosses crevettes de Sanlucar (6€ la demi-ration). Le vin de la maison, un bon petit ribera del Duero, aide à entrer dans l'atmosphère animée des lieux (1,50€ le verre). Le matin, diverses formules de petit déjeuner. Vous pourrez ainsi y passer toute la journée... *Triana Calle Pureza, 82 Tél. 954 27 21 02 Ouvert tlj. de 7h30 (8h le week-end) à tard le soir Fermé dim. soir*

prix moyens

Bodega Paco Góngora (plan 3, A3 n°23). Un restaurant et un bar, les deux servant des spécialités de poissons, fruits de mer et des vins venant de leur propre cave, située dans un petit village à 15km de Séville. C'est le coin bar que nous préférons avec ses impressionnantes têtes de taureau empaillées, les élégantes photos noir et blanc de toreros et l'agréable fontaine ornée de céramiques. Les tapas de poissons frais (sardine, colin, saumonette, calamar...) sont exquises. Un excellent rapport qualité-prix (tapas de 2 à 5€, verre de vin à env. 2€). Comptez environ 25€ pour le dîner. En digestif, laissez-vous tenter par le vin d'orange (*vino de naranja*), frais et sucré à souhait. *Centre Tout près de la Plaza Nueva, Calle Padre Marchena, 1 Tél. 954 21 41 39*

Eslava (plan 2, B3 n°24). Une valeur sûre. Bar tout en longueur aux murs bleus, très couru par les Sévillans. Logique, ce bar-restaurant sert l'une des meilleures tapas de la ville : raffinée et bon marché (env. 2€). Pudding d'épinards, faux-filet au chèvre fondant, délice de légumes, *salmorejo* crémeux... la liste est longue et appétissante ! Franc succès de la sangria maison. Si vous souhaitez déjeuner attablé, glissez-vous au fond de la salle, où sont servis d'excellents menus à un très bon rapport qualité-prix. Enfin, si vous optez pour un dîner à la carte dans la salle de restaurant adjacente, plus intime, sachez que les prix sont nettement plus élevés (réservation conseillée car peu de tables, comptez env. 35€/pers. avec vin et dessert). *Centre Sur la Plaza San Lorenzo, Calle Eslava, 3-5 Tél. 954 90 65 68 Ouvert mar.-sam. midi et soir et dim. midi Fermé parfois en août*

Taberna Miami (plan 3, B4 n°24). Dans la rue qui part tout droit en face du Puente de Triana. Grand classique *trianero*, fondé en 1930. Une salle tout en longueur, aux murs couverts d'azulejos, de photos du pèlerinage d'El Rocío ou encore de têtes de sangliers. Accoudé à l'interminable comptoir, on observe les serveurs affairés et joviaux, en grignotant d'excellents fruits de mer ou poissons grillés et des tapas de viande ou de charcuterie. Compter environ 20€/pers. *Triana* Calle San Jacinto, 21 Tél. 954 34 08 43 Ouvert 11h-16h30 et 19h30-0h Fermé mar.

prix élevés

Casa Robles (plan 3, A2 n°25). À 50m de la cathédrale, en face du Patio de los Naranjos. Fondée en 1954, une des institutions de la ville, même si la clientèle se limite aux notables locaux et aux touristes de passage. La salle du bar est idéale pour savourer de bonnes tapas. Au fond, un restaurant élégant (azulejos, œuvres d'art), chic et cher : env. 50€ par personne (réservez). *Santa Cruz* Calle Álvarez Quintero, 58 Tél. 954 56 32 72 et 954 21 31 50 Ouvert 13h-0h30 Fermé 24 déc. soir

Sortir à Séville

Où boire un verre en soirée ?

La Calle Betis de Triana est très fréquentée par les Sévillans. Elle offre l'avantage de rassembler bars à tapas, bars de nuit, et même une discothèque. La Plaza del Salvador attire beaucoup de monde en début de soirée. Non loin de là, le quartier de la Alfalfa est prisé des jeunes, surtout en fin de semaine. Ceux-ci se rassemblent notamment dans les petits bars et pubs de la Calle Pérez Galdós. À voir également, dans ce quartier du Centre, les bars de nuit de la Cuesta del Rosario et de la Plaza de la Alfalfa, de grands classiques. La Alameda de Hércules et ses environs forment le quartier préféré de la clientèle bohème et "alternative" : La Sirena pour sa terrasse en été et surtout La Imperdible qui fait le plein en fin de semaine. À noter que selon la saison, les lieux de prédilection varient. De juin à septembre, à la recherche d'un peu de fraîcheur, les rives du Guadalquivir s'animent, en particulier au niveau de l'Avenida Torneo, où se succèdent d'agréables bars à ciel ouvert (*terrazas de verano*). De part et d'autre du Puente de la Barqueta, sur la Isla de la Cartuja, Tribal et Aqua comptent parmi les bars les plus chics. Il faudra donc faire un effort vestimentaire pour passer le test des "physionomistes". Les jeunes Sévillans, eux, se rassemblent généralement à la Cartuja et se livrent au culte du *botellón* (ils partagent des bouteilles en petits groupes dans la rue) dans un brouhaha infernal. Un spectacle étonnant au cœur de l'été, mais qui tend à disparaître car la police intensifie les contrôles. Depuis peu, cette pratique est considérée comme un délit. *La Sirena* Alameda de Hércules, 34 *La Imperdible* Plaza de San Antonio de Padua, 9

El Capote (plan 3, A3 n°30). Sur les rives du Guadalquivir, au niveau du pont de Triana, côté marché Barranco. Lumières tamisées, tables installées sous un palmier géant et musique *lounge*. Soirées du mar. au jeu. à partir de 22h (flamenco, latino, pop…). Ambiance tranquille. *Arenal* Calle Arjona Ouvert avr.-oct. : de midi à l'aube

☺ **La Antigua Bodeguita (plan 2, C2 n°30).** Non, vous n'avez pas trop bu. Il y a bien deux bars identiques installés côte à côte : azulejos, jambons pendus au plafond et bouteilles de manzanilla. Mais on n'y entre que pour commander des tapas (excellent *jamón*) à env. 2,50€, car l'action se passe dehors, sous les orangers de la belle Plaza del Salvador. Grosse ambiance vers 23h en fin de semaine, sans parler de la Semaine sainte... *Centre Plaza del Salvador, 6 Tél. 954 56 18 33 Fermé dim.*

☺ **El Rinconcillo (plan 2, C1 n°31).** Juste à côté de l'église Santa Catalina, au nord-est du centre-ville. La façade rénovée en 2006 cache le plus ancien bar de Séville, fondé en 1670. Tout n'est pas d'époque, bien sûr, mais les vieilles dalles usées, les mosaïques, les azulejos dorés et le vieux bois des étagères donnent à cet incontournable une classe folle. En buvant un petit *fino* de jerez, on peut se laisser tenter par les alléchantes tapas (env. 2,€). *À l'est du centre Calle Gerona, 40 Tél. 954 22 31 83 Ouvert tlj. 13h-1h30 Fermé 2 à 3 sem. en juil.-août*

Cervecería Gonzalo Molina (plan 2, B2 n°32). En entrant dans ce minuscule bar, à deux pas du marché de la Calle Feria, on comprend tout de suite qu'il ne date pas d'hier. Vieilles boiseries, articles de presse et photos jaunies. Depuis plus d'un siècle, les habitants du quartier viennent plusieurs fois par jour y refaire le monde. De temps à autre, on se serre un peu pour laisser l'espace à des musiciens ou des comédiens. De bonnes tapas, notamment la caille grillée (*codorniz*), spécialité des lieux, et un grand choix de bières. *Feria Calle Escoberos, 39 (à l'angle de Parra) Ouvert tlj. 12h-0h30*

El Libano (plan 3, C2 n°31). Au cœur du parc del Libano, pour boire un verre sous les orangers éclairés de lampions colorés. *Parque de María Luisa Paseo de las Delicias Tél. 954 23 34 77 Ouvert 19h-5h, surtout en été*

Bar Chile (plan 3, C2 n°32). Derrière les jardins du Palacio San Telmo, près du Parque de María Luisa. Les étudiants affluent dans cette grande salle après 1h du matin. En été, on ouvre la terrasse du jardin. Bonne ambiance et pas de sélection ni de droit d'entrée. *Parque María Luisa Paseo de las Delicias*

Casa Anselma (plan 3, B4 n°33). À Triana, près de la Calle Betis. Un classique ! C'est tout petit, et il y a souvent beaucoup de monde. La patronne, bien connue des Sévillans, assure l'ambiance et le spectacle, n'hésitant pas à donner de la voix. Les habitués dansent souvent au son des *sevillanas*, et parfois même sur les accords d'une guitare flamenca sortie on ne sait d'où. Une adresse connue de tous, devenue malheureusement un peu trop touristique ces dernières années. Passez quand même voir si vous êtes dans le quartier. *Triana Calle Pagés del Corro, 49 (angle Calle Luca de Tena)*

Où écouter du flamenco ?

Séville est l'un des berceaux du flamenco. Les quartiers de Triana et de la Alameda ont donné naissance à de prestigieux musiciens et chanteurs, comme Silverio Franconeti, Niño Ricardo, la Niña de los Peines ou encore Manolo Caracol. Aujourd'hui encore, Séville est, avec Madrid, la ville la plus dynamique dans le domaine du flamenco. Les spectacles touristiques abondent, même s'il faut faire preuve de discernement. Concerts et spectacles de flamenco sont fréquents dans les *peñas flamencas* (associations culturelles de flamenco) – malheureusement pas toujours ouvertes au public –, les bars et les théâtres de la ville, notamment le Teatro Central sur la Isla de la Cartuja. Consultez les pages culturelles des journaux locaux et le mensuel gratuit *Giraldillo (www.elgiraldillo.es)*. En outre, Séville accueille tous les deux ans, les années paires, le meilleur festival de flamenco qui soit : la Biennale de flamenco (cf. Mode d'emploi, fêtes et manifestations). *Teatro Central Calle Jose Gálvez Isla de la Cartuja Tél. 955 03 72 00*

Casa de la Memoria de *Al-Andalus* (plan 3, A1). Cet espace culturel se distingue par la qualité de sa programmation et l'ambiance intimiste de son patio. Spectacles de flamenco différents tlj. à 21h. En général un chanteur, un guitariste et une danseuse (ou un danseur), qui sont de jeunes artistes régionaux. *Santa Cruz Calle Ximénez de Enciso, 28 Information, programmation et réservation Tél. 954 56 06 70 www.casadelamemoria.es Entrée : env. 13€ (11€ pour les étudiants)*

Dans les *tablaos* Destinés aux touristes, les *tablaos* (cabarets de flamenco) de la ville sont assez inégaux. Mais El Arenal (plan 3, A3) et Los Gallos (plan 3, A1) sortent du lot. Assez anciens, ils ont su garder une certaine exigence dans la composition des spectacles, et leurs salles à l'ancienne ne manquent pas de charme. Ce n'est pas du *flamenco puro*, mais les danseuses et les musiciens sont toujours de bon niveau. Ils organisent deux spectacles, chers, chaque soir (durée 1h30 environ). *El Arenal Calle Rodó, 7 Arenal Tél. 954 21 64 92 www.tablaoelarenal.com Spectacles à 20h30 et 22h30 : avec boisson env. 36€, avec tapas env. 55€, avec dîner env. 70€ Los Gallos Plaza de Santa Cruz, 11 Santa Cruz Tél. 954 21 69 81 www.tablaoslosgallos.com Spectacle avec consommation 30€*

Dans les bars De nombreux bars organisent des soirées flamencas gratuites ou à petit prix, comme La Carbonería (plan 3, A1) (cf. Où écouter de la musique *live* ?) et le vendredi soir, El Tejar (plan 3, B4). *El Tejar Calle San Jacinto, 68 Triana*

El Chiringuito (plan 2, C2). À signaler ce minuscule bar derrière la Plaza de la Alfalfa. Pour passer boire un verre l'été à l'une de ses tables basses installées dans une étroite rue piétonne, sous des balcons débordant de plantes vertes. Ici, pas de concert programmé, mais plutôt un rendez-vous *flamenco puro* d'habitués. Le fils du patron tient toujours à disposition une guitare, et en fonction de l'humeur, la magie opère… *Centre Calle Huelva, 36 Ouvert lun.-sam. de 21h à 2 ou 3h Fermé dim.*

Dans les *peñas* flamencas Parmi les *peñas* qui organisent assez fréquemment des soirées de flamenco et des concerts, citons :

Peña Pies Plomo (plan 2, C3). Près du musée des Beaux-Arts. *Centre Calle Dársena, 22 Tél. 629 10 24 10 (Mme Abelar) Ouvert ven. soir Fermé juil.-août*

Peña cultural flamenca Torres Macarena (plan 2, A2). Près de la basilique de la Macarena. *Macarena Calle Torrigiano, 29 Tél. 954 37 23 84 Dim. matin*

Où écouter de la musique *live* ?

La Carbonería (plan 3, A1 n°34). Vers la Casa de Pilatos. Bar légendaire, installé dans un ancien local à charbon. Une première petite salle avec scène de théâtre. La salle du fond, immense et meublée de longues tables conviviales, fait souvent le plein. Touristes et Sévillans s'y mélangent, écoutant l'un des deux ou trois concerts de la soirée (flamenco, rock, folk...). Tlj. à 23h, *cuadro flamenco* (danse et musique). Le jeudi, en plus, *cante* et guitare. Le grand jardin à l'arrière est bien agréable, surtout par les chaudes nuits d'été. Possibilité de grignoter de petits sandwichs et des tapas (env. 2,50€). *Santa Cruz Calle Levíes, 18 Tél. 954 21 44 60 Ouvert tlj. 20h-2h30*

El Perro Andaluz (plan 2, C1 n°33). Propose, du mardi au samedi à partir de 22h, du théâtre et des concerts de flamenco, jazz ou world musique, suivis de DJ. Ambiance décontractée et *live* de qualité. *Centre Calle Bustos Tavera, 11 Tél. 647 69 04 23 www.elperroandaluz.es*

Sala La Imperdible (plan 2, B3 n°34). À l'ouest de la Plaza San Lorenzo. Composée d'un espace culturel et d'un bar (El Almacén), c'est la salle par excellence de la scène alternative sévillane : théâtre, expositions, concerts de jazz ou de flamenco. *Centre Plaza de San Antonio de Padua, 9 Tél. 954 90 54 58 www. imperdible.org Ouvert jeu.-dim. le soir*

Où faire la fête ?

Les discothèques géantes de Séville commencent à se remplir vers 4h du matin, elles s'adressent de plus en plus à une clientèle triée sur le volet. C'est le cas à l'entrée des classiques Boss (Triana) et Antique (Isla de la Cartuja). Pour un public jeune, le *must* estival des discothèques et terrasses est sans aucun doute l'Isla Cartuja, animation garantie (citons également le Babylonia, toujours dans le même quartier, à la décoration mozarabe). Enfin, parmi les clubs les plus connus, ceux situés dans le quartier de Los Remedios, juste au sud du Real de la Feria, avec de grandes terrasses en plein air qui ouvrent l'été : Penélope ou encore Goa. Le reste de l'année, la vie nocturne se concentre davantage dans le centre. Près de la Plaza del Salvador, Catedral rassemble au son de la techno une clientèle internationale ; les amateurs de musique électronique moins commerciale préféreront le Café Lisboa qui met des DJ aux platines. Pour écouter funk, hip-hop ou reggae, la meilleure adresse à Séville est l'Elefunk, près de la Plaza de Toros (Arenal), qui propose des concerts ou de bons sets DJ. Enfin, pour les fans de rock et hip-hop en *live*, l'incontournable Fun Club (Alameda) bondé à 4h du matin !... et La Sala Malandar (au sud de San Lorenzo) pour les amateurs de house. *Boss Calle Betis, 67* **Antique** *Juste au sud du parc d'Isla Mágica, près du Puente de la Barqueta* **Catedral** *Cuesta del Rosario, 12* **Café Lisboa** *Calle Alhóndiga, 43 (près de l'église Santa Catalina) Ouvert jeu.-sam. Entrée gratuite* **Elefunk** *Calle Adriano, 10, (près de la Plaza de Toros) Ouvert jusqu'à 3h Fermé août* **Fun Club** *Alameda de Hércules, 86 Ouvert jeu.-sam. à partir de 23h30* **La Sala Malandar** *Av. Torneo, 43 Ouvert jeu.-dim. 0h-8h*

Bar Plata (plan 2, A1 n°35). Pour les petits creux de fin de soirée. Outre un vaste choix de cafés, tartes et tapas, l'avantage de cet établissement fondé en 1909 est qu'il fonctionne 24h/24 le week-end. Bien connu des noctambules et parfait pour les (petits) déjeuners en décalage horaire. Le tout dans un cadre élégant : plafonds à caissons en bois, bar recouvert de céramiques, grande fresque murale. Si une envie de *churros* vous prend, vous pourrez toujours traverser la rue et en acheter au kiosque d'en face, ouvert dès 6h du matin. *Feria Calle Resolana, 2 Tél. 954 37 10 30 Ouvert lun.-jeu. 5h-2h, ven. 17h à dim. 2h non-stop*

GEORÉGION

PROVINCE DE SÉVILLE

Dormir à Séville

L'hébergement est plus cher que dans le reste de l'Andalousie. Et même beaucoup, beaucoup plus cher lors des fêtes d'avril, à l'occasion desquelles les prix de haute saison, déjà élevés, sont remplacés par des prix de "saison extra" (*temporada extra*). Résultat : des prix souvent doublés. Pensez toujours à consulter le tableau des prix officiels, qui doit être affiché à la réception. Nous indiquons pour chaque adresse le prix basse saison et le prix de "*temporada extra*". Souvent, les hôteliers vous feront payer moins que le prix officiel en basse saison, même en juillet-août dans certains cas. Ainsi, une pension peut proposer ses doubles à 45€ en basse saison, 100€ pendant les fêtes d'avril (feria, Semaine sainte), et 60€ en période intermédiaire (*temporada media* : avril, après la feria, à juin). Si vous voyagez en haute saison, il est vraiment conseillé de réserver longtemps à l'avance pour la période mars-septembre, et au moins six mois avant pour la Semaine sainte et la feria. Trouver une chambre à l'improviste lors de ces dernières implique beaucoup de chance, une grande persévérance et peu d'exigences sur la qualité et le prix. Sur Internet, le service de réservation et d'information du site *www.sol.com* peut s'avérer utile. La grande majorité des pensions est regroupée sur deux quartiers. Celui de Santa Cruz, près de la cathédrale, où les prix sont souvent excessifs pour un confort parfois limité. Celui de la Plaza de Armas, près du musée des Beaux-Arts, est dans l'ensemble plus satisfaisant, et plus sûr le soir. Nous indiquons par ailleurs quelques adresses situées dans les quartiers populaires de Séville, idéales pour profiter pleinement du charme de la ville.

camping

Séville n'est pas la destination rêvée pour les campeurs invétérés : loin du centre, difficiles d'accès sans voiture et en général situés aux abords des autoroutes, les campings des environs n'ont rien de bien excitant.

Camping Villsom (plan 1, B1 n°1). Le plus recommandable, situé à Dos Hermanas, 10km au sud de Séville, sur la Carretera Sevilla-Cádiz (A4), km554. Comptez autour de 20€/jour pour 2 personnes, tente et voiture. *Tél./fax 954 72 08 28*

très petits prix

Hostal Catedral (plan 3, A1 n°40). En plein cœur du barrio de la Judería, à deux pas du centre historique, cette pension familiale mignonnette est un bon plan rapport qualité-prix. Les chambres sont simples, les salles de bains sont communes mais spacieuses et propres. Une terrasse sur le toit offre une vue imprenable sur le quartier. Double sans sdb à partir de 32€ (62€ en haute saison), quadruple à partir de 60€ (116€ en haute saison). La seule chambre avec sdb est individuelle (à partir de 27€). Préférez celles donnant sur rue, plus lumineuses. En 2006, quelques chambres ont été climatisées et trois salles de bains communes pour une dizaine de chambres ont été ajoutées. L'accueil y est chaleureux et les tarifs plutôt corrects pour le quartier. *Santa Cruz Calle Tintes, 22 (41003) Tél. 954 98 72 13 www.sevillarooms.es*

Hostal Gravina (plan 2, C3 n°40). Une pension bas de gamme, dont les chambres, sans chauffage mais avec ventilateur, sont assez petites, et les salles de bains, communes (une salle de bains pour 4 chambres). Mais l'ensemble est propre et l'accueil plutôt agréable. Doubles sans sdb à partir de 32€ (62€ en haute saison). *Centre Calle Gravina, 46 (41001) Tél. 954 21 64 14*

Hostal Paco's (plan 2, C3 n°41). Dans le quartier de la Plaza de Armas. Une pension très bien tenue, rénovée en 2003. Des chambres rudimentaires, mais impeccables. Doubles avec sdb de 30 à 35€ HT (80€ pendant la Semaine sainte), triple de 42 à 49€ HT (112€). Les propriétaires ont ouvert un autre hôtel à 200m, Hostal Roma, avec des chambres mieux équipées. *À l'ouest du centre Calle Pedro del Toro, 7 (41001) Tél. 954 21 71 83 www.hostales-sp.com* **Hostal Roma** *Gravina, 34 Tél. 954 50 13 00*

Hostal Macarena (plan 2, B1 n°42). Une bonne surprise, au cœur des quartiers populaires du vieux Séville, près de la Macarena, de la Calle Feria et du Barrio San Lorenzo. Cette pension familiale offre des chambres climatisées, dont certaines donnent sur la jolie Plaza de Pumarejo. Mais attention, elles sont bruyantes en fin de semaine jusqu'à 1h. Doubles sans sdb de 30 à 48€. Avec sdb de 36 à 72€. Les triples avec salle de bains sont intéressantes : à partir de 51€. *Macarena Calle San Luis, 91 (41003) Tél. 954 37 01 41*

Albergue Juvenil Sevilla (plan 3, C1 n°41). Une grande auberge de jeunesse moderne et confortable. Un peu excentrée, au sud-ouest du parc María Luisa. Mais le bus 34, qui dessert la cathédrale toutes les 20min, s'arrête dans la rue située juste derrière. Il passe de 7h à 0h. Ne vous garez pas devant l'auberge : les bris de vitre sont monnaie courante. En haute saison, réservation impérative. Repas à 7€. Moins de 25 ans : 14-16€/pers. ; plus de 25 ans : 18-20€. *Au sud du Parque de María Luisa Calle Isaac Peral, 2 Tél. 955 05 65 01 et 902 51 00 00 Fax 955 05 65 08 www.inturjoven.com*

petits prix

Casa Sol y Luna (plan 2, C2 n°43). Entre la Plaza de la Encarnación et la Plaza de Alfalfa, une pension bon marché, installée dans une maison d'architecte du début du XXe siècle. La literie n'est pas récente et les chambres intérieures manquent de lumière mais la décoration est soignée, les salles de bains communes spacieuses et impeccables, et l'accueil souriant. Chambre double sans sdb à environ 42€, avec sdb environ 48€ (attention, les prix augmentent de 40% environ lors de la Semaine sainte). Service de laverie. *Centre Calle Pérez Galdos, 1 porte 1A Tél. 954 21 06 82 www.casasolyluna1.com*

prix moyens

Hotel Maestranza (plan 3, A2 n°42). Dans un quartier agréable, en lisière d'El Arenal, au sud de la Plaza Nueva. Bon accueil. Les chambres sont grandes et impeccables. Celles qui donnent sur l'intérieur sont assez calmes. Doubles à partir de 57€, 87€ en haute saison, 115€ pendant les fêtes d'avril. *Arenal Calle Gamazo, 12 Tél. 954 56 10 70 Fax 954 21 44 04 www.hotelmaestranza.es*

Hotel Sevilla (plan 2, C2 n°44). À deux pas des rues commerçantes du centre, sur une agréable petite place dominée par l'église San Andrés. Le hall d'entrée offre des promesses de faste que les chambres ne tiennent pas tout à fait, même si elles sont correctes et bien équipées. Certaines donnent sur le luxuriant patio, d'autres ont un balcon qui ouvre sur la place, notamment la 31 et la 32 avec terrasse, parfaites pour les amoureux. Doubles de 60 à 120€ selon la saison. *Centre Calle Daoíz, 5 (41003) Tél. 954 38 41 61 Fax 954 90 21 60*

prix élevés

Hostería del Laurel (plan 3, A1 n°43). En plein cœur du Barrio Santa Cruz, à côté de l'Hospital de los Venerables. La petite place, très pittoresque, est animée en soirée, mais cette pension de qualité possède des chambres intérieures (sauf la n°1, à éviter) et insonorisées. Une ambiance romantique à souhait. Doubles avec sdb de 78 à 104€ HT, petit déj. inclus. Majoration de 25€ à Pâques et pendant la feria. *Santa Cruz Plaza de los Venerables, 5 (41004) Tél. 954 22 02 95 Fax 954 21 04 50 www.hosteriadellaurel.com*

Hotel Amadeus (plan 3, A1 n°44). Calme et volupté. Installé dans une demeure du XVIIIe siècle, cet hôtel laisse planer un esprit mélomane. L'entrée, lumineuse, s'ouvre sur un piano à queue et une harpe. L'air est imprégné de sérénades, de notes de guitare, qui se mêlent au murmure de la fontaine. Certaines chambres sont insonorisées et possèdent un piano. Très bien situé, dans une rue piétonne entre le Barrio Santa Cruz et la Judería, ce havre de paix est également doté d'une terrasse aménagée, offrant une vue imprenable sur la Giralda. Double à partir de 88€ HT (150€ HT lors de la Semaine sainte). Parking env. 14€. Depuis 2006, l'hôtel dispose d'une annexe, l'hôtel La Musica à deux pas, aux six chambres plus vastes avec coin cuisine (de 103 à 150€ HT selon la saison). *Santa Cruz Calle Farnesio, 6 (41004) Tél. 954 50 14 43 Fax. 954 50 00 19 www.hotelamadeussevilla.com*

Hotel Simón (plan 3, A2 n°45). Dans le quartier d'El Arenal, à 150m de la cathédrale. L'un des hôtels les plus courus de la ville. Il faut dire que l'édifice est irrésistible, avec son joli patio aux arches ouvragées et sa décoration d'antiquités et d'œuvres d'art. Les chambres sont bien sûr charmantes. Mais celles du rez-de-chaussée qui donnent sur la rue sont à éviter : l'agitation nocturne, surtout en fin de semaine, vous ferait vite oublier l'élégance désuète des lieux. Réservation indispensable toute l'année. Doubles de 80 à 110€ HT. *Arenal Calle García de Vinuesa, 19 Tél. 954 22 66 60 Fax 954 56 22 41 www.hotelsimonsevilla.com*

Hotel Don Pedro (plan 2, C1 n°45). Près de la Plaza de los Terceros et de l'église Santa Catalina. Un très bel hôtel dans une demeure aristocratique du XVIIIe siècle, qui a été restaurée à la perfection. Les chambres sont confortables, lumineuses et agréablement décorées. Certaines, un peu plus chères, disposent d'une grande terrasse privée. Les meilleures chambres (n°s 201, 202, 203, 205 et 206) possèdent une terrasse et donnent sur les toits du quartier et l'harmonieuse coupole de Santa Catalina. Chambres doubles de 78 à 83€ environ (130€ pendant la Feria et la Semaine sainte). *Centre Calle Gerona, 24 (41003) Tél. 954 29 33 33 Fax 954 21 11 66*

prix très élevés
_____

Hotel Convento La Gloria (plan 3, A2 n°46). Ouvert depuis 2003 en tant qu'hôtel, cet ancien couvent du XIVe siècle, caché derrière le palais Arzobispal, est un petit bijou au cœur de Santa Cruz. Plafonds en marqueterie, deux paisibles patios, azulejos, lampes en fer forgé, foisonnement d'antiquités, un cadre somptueux qui vous transporte quelques siècles en arrière. Doubles d'env. 120 à 140€ HT. *Santa Cruz Calle Argote de Molina, 26/28 Tél. 954 29 36 70/71 Fax. 954 29 36 71*

Las Casas de la Judería (plan 3, A1 n°47). En plein Barrio Santa Cruz, un ensemble de maisons médiévales magnifiquement mises en valeur autour de patios enchanteurs. Charme et confort inégalables. Piscine sur la terrasse. Chambres doubles standard d'env. 145 à 185€ HT (comptez 100€ de plus pendant la saison extra). Garage privé sur place : 17€/j. *Santa Cruz Callejón de Dos Hermanas, 7 (41004) Tél. 954 41 51 50 Fax 954 42 21 70 www.casasypalacios.com*

Hotel Casa Imperial (plan 2, C1 n°46). Un hôtel particulier du XVIe siècle, à deux pas de la Casa de Pilatos, à laquelle il était autrefois relié par un passage souterrain. Patios tranquilles et majestueux, azulejos anciens, plafonds en marqueterie et tissus luxueux. Une atmosphère intimiste à souhait. Le prix des suites varie de 200 à 315€ HT (de 350 à 420€ HT en saison extra), avec un petit déjeuner-buffet. *Santa Cruz Calle Imperial, 29 (41003) Tél. 954 50 03 00 Fax 954 50 03 30 www.casaimperial.com*

Où dormir dans un hôtel très luxueux ?

Hotel Alfonso XIII (plan 3, B2 n°48). L'un des plus prestigieux palaces espagnols, dessiné par José Espiau Muñoz et inauguré en avril 1928 par le roi Alphonse XIII lui-même. Forte influence hispano-musulmane dans l'architecture générale et la décoration. Façade en brique ocre, fenêtres en fer forgé, arcs en fer à cheval, tours aux formes de minarets, lustres ciselés, sols et colonnes en marbre, tapis des ateliers royaux, azulejos colorés d'une grande beauté. Patio central à ciel ouvert. À l'origine, il y avait 260 chambres, dont 120 pour les domestiques. Rénové en 1992, l'hôtel n'en compte plus que 147, dont 19 suites. Elles sont décorées en trois styles : classique, baroque ou arabo-andalou. Comptez en moyenne 520€ pour une chambre double et sachez qu'à certaines dates, la chambre peut coûter 375€ et atteindre 580€ en saison extra. Le *must* reste la suite royale, mais là c'est beaucoup plus cher : autour de 1 800€. Les râleurs vous diront que le service n'est pas vraiment à la hauteur… Si vous n'avez pas les moyens d'y dormir mais que vous voulez un aperçu de l'intérieur, allez prendre un verre au bar de l'hôtel, derrière le hall d'entrée (11h-0h45). *Parque María Luisa Calle San Fernando, 2 Tél. 954 91 70 00 Fax 954 91 70 99*

Où dormir dans un appartement ?

La location d'un appartement est de loin la meilleure solution si vous comptez rester plusieurs jours à Séville, et que vous vous y prenez à l'avance pour réserver.

Apartementos Murillo (plan 3, A1 n°49). Quatorze appartements fonctionnels et lumineux. Petit faible pour le n°31, qui a une terrasse ! Une bonne option pour les familles, l'appartement avec lit double et canapé-lit coûte 87€ en été, 109€ le reste de l'année et 181€ lors de la Semaine sainte et de la feria. *Santa Cruz Près de la Plaza de los Venerables, Calle Reinoso, 6 Tél. 954 21 09 59 www.hotelmurillo.com/apartamentos*

Patios de la Cartuja (plan 2, B2 n°47). Spacieux appartements tout équipés, avec connexion Internet, donnant sur un lumineux patio agrémenté de géraniums et yuccas. Très calme, à deux minutes seulement de la très vivante place de l'Alameda de Hércules. Appartement pour deux personnes à partir de 117€ HT (203€ HT en saison extra). Parking privé (13,40€ par jour). *Alameda Calle Lumbreras, 8-10 Tél. 954 90 02 00 Fax 954 90 20 56*

★ Carmona

41410

Lorsqu'on aperçoit de l'autoroute Séville-Cordoue cette jolie petite ville (27 000 hab.) plantée au sommet d'une colline, il est difficile de résister à la tentation. Dans le quartier médiéval, les murs blancs des maisons, la pierre ocre des demeures aristocratiques et les nombreux clochers dessinent un ensemble séduisant. Une très bonne surprise à deux pas de Séville.

UN PEU D'HISTOIRE Site stratégique dominant les plaines de la Campiña, Carmona fut dans le passé au carrefour de toutes les cultures. La ville joua longtemps un rôle essentiel dans le contrôle des routes militaires et commerciales empruntant la vallée du Guadalquivir. On a retrouvé dans la région des vestiges de peuplement préhistorique, mais également des objets attestant la présence des Tartessiens, des Turdétains et des Phéniciens dans l'Antiquité. Les Carthaginois fortifient le site, avant d'en être chassés par les Romains à la fin du IIIe siècle av. J.-C. Carmona connaît alors un grand essor. La Via Augusta, principale voie romaine de la péninsule, traverse le site de l'actuelle vieille ville, de la Puerta de Sevilla à celle de Córdoba, et rejoint la nécropole. Après le bref règne des Wisigoths, les musulmans s'emparent de la ville en 713. Elle prend alors le nom de *Qarmuna* et devient vite le chef-lieu d'une province administrative englobant *Isbiliya* (Séville). À la chute du califat de Cordoue (1031), elle est capitale d'un taifa, mais tombe aussitôt aux mains des rois abbadides de Séville. Ferdinand III la reconquiert en 1247. Au XIVe siècle, Pierre le Cruel réside à Carmona, où il fait édifier un palais mudéjar. Profitant des richesses rapportées des Amériques à Séville, la ville jouit d'une grande prospérité à la Renaissance et au XVIIe siècle.

Carmona, mode d'emploi

accès

EN VOITURE À 38km au nord-est de Séville par l'A4. On peut circuler dans la vieille ville, mais le stationnement y est problématique. La meilleure solution : le parking public, gratuit, à l'est du quartier historique, juste devant l'hôtel Alcázar de la Reina ou celui face à l'Alcázar de la Puerta de Sévilla.

EN CAR
Casal. Au départ de Séville (Prado de San Sebastián), liaisons régulières (lun.-ven. toutes les heures) *Tél. 954 41 06 58 et 954 99 92 90*
Alsina Graells. De Cordoue, deux départs/j. *Tél. 954 41 88 11*
Les cars s'arrêtent au Paseo del Estatuto, dans la partie moderne de la ville. Ceux pour Cordoue s'arrêtent à la Puerta de Sevilla.

orientation

L'ouest de la ville abrite les quartiers modernes, autour de la Calle San Pedro. Cette dernière mène à la Puerta de Sevilla, porte fortifiée de la vieille ville, laquelle occupe tout l'est de Carmona. De là, la Calle Prim monte vers le centre du vieux quartier : la Plaza San Fernando. Les principaux monuments sont situés aux alentours de cette dernière place. La nécropole romaine se trouve tout à l'ouest, à la sortie de la ville moderne.

informations touristiques

Office de tourisme. À l'entrée de la vieille ville, sous la porte fortifiée. L'office de tourisme n'organisant désormais plus de tour guidé de la ville, il faut contacter l'agence **Azimut Turismo Alternativa** pour bénéficier d'une visite guidée. *Office de tourisme Alcázar de la Puerta de Sevilla Tél. 954 19 09 55 www.turismo. carmona.org Ouvert lun.-sam. 10h-18h, dim. et j. fér. 10h-15h Azimut Turismo Alternativa Martín López, 10 Tél. 954 19 17 21*

adresses utiles

Police locale. *Calle Carmen Llorca Tél. 954 14 00 08*
Bureau de poste. Dans la vieille ville. *Calle Prim, 29 Ouvert lun.-ven. 8h30-14h30, sam. 9h30-13h*
Microling. Cybercafé. 1,20€ l'heure de connexion. *Calle San Francisco, 2 Tél. 954 14 34 74*

Découvrir Carmona

☆ **À ne pas manquer** La Iglesia de Santa María, la nécropole romaine **Et si vous avez le temps...** Profitez de la vue sur la vieille ville de la terrasse de la Torre del Oro de l'Alcázar, goûtez les *pestiños* préparés par les nonnes de Santa Clara, prenez l'anisette de "Los Hermanos" au Bar Goya, Plaza de San Fernando

On pénètre dans la vieille ville par l'imposante Puerta de Sevilla, dont l'architecture reflète les cultures qui s'y sont succédé. Au IIIe siècle av. J.-C., les Carthaginois construisent sur le site un imposant bastion, l'un des plus puissants de la région. Il sera intégré aux fortifications romaines, musulmanes puis chrétiennes de la vieille ville. En remontant la Calle Prim, en face de l'Alcázar, on arrive au cœur du quartier ancien : la Plaza de San Fernando, bordée de nobles bâtisses. À l'angle de la Calle del Salvador se dresse la mairie. Ne manquez pas la mosaïque romaine qui orne son patio. Il fait bon flâner dans les ruelles médiévales des alentours, qui rassemblent l'essentiel des monuments. Au nord de la place, entre l'église San Blas et les murailles, s'étend le quartier populaire de San Blas, dont les rues entrelacées ont gardé le tracé de l'ancienne médina. Plus à l'est, on aboutit à l'autre grande porte de la vieille ville, la Puerta de Córdoba, porte romaine flanquée de deux tours octogonales. Depuis 2006, on peut en visiter l'intérieur et la salle du haut réserve un beau panorama. Sous l'arche musulmane parfaitement rénovée se tient une représentation de la Virgen de Gracia, sainte patronne de la ville. En se promenant, on découvre, au hasard des rues, des hôtels particuliers des XVIIe et XVIIIe siècles aux façades baroques. Les Iglesias de Santiago et San Felipe, toutes deux du XIVe siècle, sont de beaux exemples d'architecture mudéjare, avec leurs clochers en brique ornés d'azulejos. La Iglesia del Salvador, près de la Plaza de San Fernando, est de style baroque et comporte un impressionnant retable churrigueresque, ciselé à souhait. ***Puerta de Córdoba*** *Tél. 954 14 08 11 Visite mar., sam.-dim. et j. fér. à 13h, arriver au Museo de la Ciudad 15min avant Entrée 2€*

Alcázar de la Puerta de Sevilla

En parcourant les salles de l'Alcázar, on découvre les traces de ces différentes époques, harmonieusement mélangées. Au sommet, la terrasse de la Torre del Oro offre une belle vue sur les ruelles enchevêtrées, les toits de tuiles et les nombreux clochers de la vieille ville. *Tél. 954 19 09 55 Ouvert hiver : lun.-sam. 10h-18h, dim. 10h-15h ; été : lun.-ven. 10h-18h, sam.-dim. et j. fér. 10h-15h Entrée 2€ Gratuit lun.*

Plaza de San Fernando

Autour de la place, des demeures aristocratiques de styles mudéjar et Renaissance possèdent des façades bigarrées. Certaines ont gardé leurs petits balcons, d'où la noblesse admirait les corridas à cheval qui s'y déroulaient autrefois. En fin d'après-midi, les bancs en fer forgé disposés en cercle autour de la place sont la loge idéale pour observer les gens du quartier venus discuter un moment et les enfants se chamaillant à la sortie de l'école.

Alcázar del Rey Don Pedro I

Dominant l'est de la ville, l'Alcázar del Rey Don Pedro I fut érigé au XIVe siècle par le roi de Castille Pierre Ier le Cruel, sur le site de la forteresse almohade. Comme à l'Alcázar de Séville, Pierre Ier fit appel au talent des artisans mudéjars. Le palais abrite aujourd'hui le Parador de Carmona.

☆ ☺ Iglesia de Santa María

L'une des plus belles églises gothiques d'Andalousie (XVe siècle). L'extérieur massif en brique claire cache un intérieur d'une grande sérénité. En fin de matinée, le soleil filtrant à travers vitraux et rosaces dessine des arabesques multicolores. Les hautes voûtes ouvragées abritent de somptueuses chapelles où subsistent des triptyques gothiques et un retable plateresque du XVIe siècle. À gauche de la nef centrale richement décorée, la chapelle de la Virgen de Gracia, patronne de Carmona. À l'extérieur, le patio planté d'orangers est une survivance de la *qarmuna* musulmane : c'était le patio de la mosquée. Dans un coin, une colonne porte un calendrier wisigoth du VIe siècle. Dans le musée, une riche collection d'orfèvrerie (XVIe-XIXe siècle), un tableau de Zurbarán (*El Apostolado*), l'épée du fondateur des jésuites Ignace de Loyola ou encore la charte accordée à la ville au XIIIe siècle par Ferdinand III le Saint. *Plaza Santa María Tél. 954 19 14 82 Ouvert été : lun. 11h-14h, mar.-dim. 11h-14h et 17h30-19h ; hiver : lun. 11h-14h, mar.-dim. 11h-19h Possibilité de visite le dim. aux heures de messe 9h-12h et 18h-20h Entrée 3€ Gratuit mar.*

Museo de la Ciudad Installé dans l'hôtel particulier des marquis de las Torres (XVIIe siècle), ce musée permet de mieux comprendre l'histoire et la culture des lieux. Le rez-de-chaussée est consacré à la préhistoire et à l'Antiquité, et plus particulièrement aux Tartessiens et aux Romains. À l'étage, une bonne présentation des objets quotidiens de l'ère musulmane. Au fond, dans un couloir, un écran interactif permet d'écouter 23 grands styles de flamenco traditionnel : on y resterait des heures ! *Calle San Idelfonso, 1 Tél. 954 14 01 28 Ouvert été : mar.-dim. 10h-14h et 17h30-19h30 ; hiver : lun. 11h-14h, mar.-dim. 11h-19h Adultes 2€ Tarif réduit 1€ Gratuit mar.*

Iglesia San Pedro En face de la Puerta de Sevilla, dans la ville moderne. Une église construite du XVe au XVIIIe siècle, sur le site d'un ermitage médiéval. Son clocher, la Giraldilla, est une réplique de la Giralda sévillane, en plus petit. On peut y monter (escalier à droite en entrant). À voir aussi, la chapelle baroque du Sagrario qui contient quelques chefs-d'œuvre d'orfèvrerie du XVIIIe siècle. *Ouvert lun. et jeu. 11h-14h et 16h30-18h30, mer. et ven.-dim. 11h-14h Fermé mar. Entrée 1,20€*

☆ ☺ **Nécropole romaine** À l'ouest de la ville moderne. Un site archéologique majeur, parfaitement mis en valeur. Érigée au IIe siècle ap. J.-C., cette nécropole comporte des tombeaux fastueux. Parmi les plus remarquables, citons celui de Servilia. Il reproduit le plan d'une villa romaine, et des fêtes rituelles honorant les morts s'y déroulaient. Au fond, on accède à la pénombre de la chambre funéraire, avec des vestiges de peintures romaines. Le tombeau de l'Éléphant est ainsi nommé à cause de la statuette qu'on y a retrouvée, au milieu d'objets rituels dédiés à Cybèle et surtout à Attis, dieu qui meurt et ressuscite chaque année. Ne pas manquer les tombes des pauvres, creusées à même la roche, et le tombeau de Postumio. Ce dernier, centurion romain, y reposait dans un sarcophage, au milieu des urnes funéraires contenant les cendres de ses proches. Dans la Rome antique, on incinérait les défunts, à l'exception des patriciens et autres personnages de haut rang. De l'autre côté de la rue, on aperçoit les vestiges d'un amphithéâtre romain. *Av. de Jorge Bónsor, 9 Tél. 954 14 08 11 Ouvert mi-juil.-mi-sept. : mar.-ven. 8h30-14h, sam. 10h-14h30 ; mi-sept.-mi-juin : mar.-ven. 9h-18h, sam.-dim. 9h30-14h30 Fermé certains j. fér. Entrée gratuite Possibilité de visite guidée (payante et sur rdv) avec la compagnie Azimut Tél. 954 19 17 21*

Monter à cheval

Epona. Cette prestigieuse école d'équitation propose des stages d'une semaine. Comptez 1 350€ tout compris (logement, repas et activités). *Sur l'A4 direction Séville, sortie los Nietos km519 Tél. 954 14 89 99 et 954 14 82 93 www.eponaspain.com*

Où déjeuner dans une école taurine ?

Venta Tentadero. Les *ventas* sont des restaurants populaires en bord de route connus pour leur bonne chère. Ici, rien de très raffiné, mais une expérience à vivre. Car cette *venta* est aussi une petite école taurine, où vous assisterez à une minicorrida de vachettes avant d'aller copieusement déjeuner des spécialités du terroir (méchoui, fromage, ragoût…). Pour une ambiance assurée, préférez les samedis midi. Quelques chevaux à disposition ; possibilité de balades à négocier au préalable avec le propriétaire. Déjeuner à partir de 13€ tout compris, env. 250€ la corrida (téléphonez avant pour essayer de vous joindre à un groupe afin de partager le prix). *Sur l'ancienne N4, km506, à 500m de Carmona Tél. 954 14 05 81 Ouvert 10h-23h Fermé mer. et août*

Où acheter des pâtisseries ?

La tarte anglaise, spécialité de la ville, est vendue dans toutes les pâtisseries. Par ailleurs, les nonnes du couvent Santa Clara vendent directement aux visiteurs leurs pâtisseries conventuelles, de délicieux beignets au miel, les *pestiños*. Attention, l'activité des nonnes s'arrête souvent en août, faute de clients et pour éviter les problèmes de conservation des produits. *Rens. à l'office de tourisme*

Où faire une pause sucrée ?

Cafe San Pedro. Dans l'immeuble de l'hôtel San Pedro, juste devant la vieille ville. Une cafétéria moderne et toujours animée, idéale pour le petit déjeuner et le goûter. Bonnes *tostadas*, glaces et pâtisseries. *Fermé dim. après-midi en juil.-août*

Où boire un verre ?

El Utopia. Pour boire un dernier verre, suivez l'étroite rue qui descend à droite de la pension San Pedro dans la ville moderne ; vous y trouverez quelques bars dont l'Utopia, aménagé avec une terrasse installée dans une rue tranquille. Env. 1€ la bière. *Calle Fuente Viñas, 16 Tél. 954 14 29 99 Ouvert jusqu'à tard dans la nuit*

Découvrir les environs

Osuna Le centre de cette ville de 18000 hab. regorge de demeures Renaissance et baroques aux portails ouvragés, notamment le long des Calles de la Huerda et San Pedro. À la Renaissance, les puissants ducs d'Osuna ont fait construire au sommet de la colline un château, un panthéon et surtout la Colegiata de Santa María (XVIᵉ siècle). Cette dernière abrite la précieuse collection d'art rassemblée au fil des siècles par les ducs, et en particulier le *Cristo de la Expiración* de José de Ribera, peintre du XVIIᵉ siècle né à Játiva, près de Valence. À voir aussi le Musée archéologique, installé dans une tour almohade du XIIᵉ siècle, la Torre del Agua. Belle collection de pièces ibères et romaines. À 90km de Séville, le long de l'A92 dir. Grenade **Colegiata de Santa María** *Tél. 954 81 04 44 Visite guidée oct.-mai : mar.-dim. matin 10h-13h30 et 15h30-18h30 ; juin-sept. : mar.-dim. 10h-13h30 et 16h-19h Entrée 2,50€* **Musée archéologique** *Tél. 954 81 12 07 Ouvert été : mar.-dim. 10h-13h30 et 16h-19h (sauf dim. a.-m. en juil.-août) ; hiver : mar.-dim. 10h-13h30 et 15h30-18h30 Entrée env. 2€* **Office de tourisme** *Tél. 954 81 57 32 www.ayto-osuna.es*

Manger à Carmona

Produits de la campagne, viandes savoureuses : on mange bien à Carmona, qui compte deux grands restaurants gastronomiques. Réputées également, les pâtisseries conventuelles de la ville (cf. Où acheter des pâtisseries ?). Une autre spécialité incontournable à Carmona est la tarte anglaise, *torta inglesa*, (tarte feuilletée aux cheveux d'ange). Elle doit son nom à l'archéologue anglais Jorge Bonsor, découvreur de la nécropole romaine avec Juan Fernández López de la fin du XIXe s., qui en était un grand amateur ! La pâtisserie artisanale de la ville "La Cana" qui lui vendait cette spécialité et l'a baptisée ainsi n'existe plus depuis plus de cinquante ans, mais le nom est resté. Autre spécialité, servie cette fois dans les bars : l'anisette artisanale de "Los Hermanos" (sec, demi-sec, doux).

très petits prix

Bar Mingalario. Au pied de l'église du Salvador. La thématique de la Semaine sainte est omniprésente sur les murs, recouverts de saints au visage douloureux. Malgré tout, l'ambiance est souvent joyeuse en début de soirée. Bons petits plats (*medias-raciones* de 6 à 8€) et tapas variées (env. 1,60€). *Calle del Salvador, 1 Tél. 954 14 22 13 Ouvert 7h-16h et 19h-1h Fermé 15 jours en sept.*

Bar Goya. À l'angle de la Plaza de San Fernando. Ce bar, réputé pour sa belle façade mudéjare, possède des murs et plafonds anciens (XVIe siècle) révélés en 2006. On déguste ici tapas (environ 1,80€) et *montaditos*, en salle ou le long du joli comptoir aux motifs mudéjars. Ambiance familiale. Également un menu à environ 11€ chaque midi (sauf le dim.). *Calle Prim, 2 Tél. 954 14 30 60 Fermé mer. et 2 ou 3 sem. en août*

petits prix

Mesón Restaurante Sierra Mayor. Ce très joli bar occupe les anciennes écuries du Palacio Marqués de las Torres, avec le Musée municipal. Le mur principal a conservé les stalles de l'époque, portant encore le nom des chevaux qui y étaient attachés. Délicieuses spécialités de jambon et de charcuterie, en tapas ou en *revuelto* (avec des œufs brouillés et des légumes). Sur le mur, derrière le comptoir, ne manquez pas les photos de porcs ibériques vraiment énormes. À essayer également, les ragoûts du jour (*guisos*) et les copieux plats de viande. Menu à env. 13€ à midi du lun. au sam. Tapas entre 2 et 3€, demi-ration 5-13€. *Calle San Idelfonso, 1 Tél. 954 14 44 04 Ouvert tlj. 11h-0h*

Molino de la Romera. Au XVIIe siècle, on comptait environ 150 moulins fabricant l'huile d'olive à Carmona ; celui de la Romera en faisait partie. Transformé en restaurant depuis près de vingt ans, on y vient pour bien manger. Les produits sont du terroir, frais et de saison : petites asperges croquantes (*triguero*), perdrix, chevreuil ou autres gibiers de la région. La carte des vins propose une bonne sélection de crus andalous, de l'Alfajafe à Huelva. Petit faible pour son patio sous vigne et sa terrasse à l'époustouflant panorama sur la Campiña. En alternance restaurant (comptez 20€/personne sans le vin) et "*mesón*" (taverne plus rustique), où les familles sévillannes se bousculent le dimanche midi en hiver pour ses copieux et savoureux ragoûts (*guisos*) aux épinards ou au pesto (env. 8€ la ration). Une bonne table à un bon prix. *Calle Pedro I Tél. 954 14 20 00 et 954 14 10 25 Restaurant ouvert mar.-ven. 13h-16h et 20h-23h30 Mesón ouvert sam.-dim.*

prix élevés

Restaurante Casa de Carmona. Au rez-de-chaussée de l'hôtel du même nom. Une salle romantique, où les tables en bois sombre sont disposées au milieu de colonnes anciennes. Lumière tamisée et argenterie briquée. Ce restaurant gastronomique sert une cuisine andalouse traditionnelle, avec des ingrédients et des modes de préparation de grande qualité. Essayez son riz à la perdrix (env. 19€), un délice ! Trois menus à partir de 32€. La cave est excellente. *Plaza de Lasso, 1 Tél. 954 14 41 51 Ouvert tlj. 14h-16h et 20h-23h30*

Restaurant du Parador. Une vaste salle, sous d'immenses voûtes mudéjares, avec de belles fenêtres médiévales ouvrant sur la campagne. Une armada de serveurs s'activent entre les tables. Côté carte, on se régale de plats qui changent au gré des saisons et du marché. C'est un peu cher, mais finement préparé. Quelques formules assez avantageuses : entrée, plat et dessert pour env. 32€. Réservation conseillée pour le déjeuner. Juste à côté, sous la coupole du joli Salón Cupulín ou sur la terrasse, on peut prendre l'apéritif ou le digestif au bar de l'hôtel (tlj. 11h-0h). *Alcázar del Rey Don Pedro Tél. 954 14 10 10*

Dormir à Carmona

petits prix

Hostal Comercio. Dans la vieille ville, juste à côté de la Puerta de Sevilla. Une partie de cette belle demeure daterait du XIVe siècle, même si l'aspect général tend plutôt vers le XVIIIe siècle. Elle est organisée autour d'un patio aux remarquables arches mudéjares. Les chambres sont très simples, climatisées et assez séduisantes. Un peu cher quand même : 48€ la double avec sdb (70€ en avril). *Calle Torre del Oro, 56 Tél./fax 954 14 00 18*

prix moyens

Hotel San Pedro. Dans la ville moderne, à 200m de la Puerta de Sevilla. De grandes chambres tout équipées : salles de bains flambant neuves, climatisation et télévision. La n°3 donne sur l'église San Pedro et la Puerta de Sevilla. Le bruit de la rue est bien atténué par le double vitrage des fenêtres. Doubles à partir d'env. 58€ HT (77€ HT pendant la Semaine sainte et la Feria de Abril). *Calle San Pedro, 1 Tél. 954 14 16 06 et 954 19 00 87*

prix très élevés

☺ **Casa de Carmona.** Au bout de la vieille ville, non loin de Santa María. L'un des plus beaux hôtels d'Andalousie, installé dans un palais royal du XVIe siècle magnifiquement restauré. À mille lieues du 5-étoiles standardisé : ici, tout a du caractère. Patios colorés, jardinet arabe au bord de la splendide petite piscine, salons de lecture luxueux. Sans oublier les chambres, toutes différentes, avec des salles de bains sublimes et un mobilier ancien digne d'un cabinet ministériel. Ajoutez à cela un service adorable et l'un des meilleurs restaurants de la région, vous obtenez une adresse formidable... et les prix qui vont avec. Doubles de 110 à 220€, petit déjeuner-buffet compris. Chambres doubles de luxe de 150 à 250€. *Plaza de Lasso, 1 Tél. 954 19 10 00 Fax 954 19 01 89 www.casadecarmona.com*

Parador de Carmona. L'un des plus beaux Paradores, dans un site superbe : le château médiéval de Pierre Ier le Cruel, qui domine les vastes étendues fertiles de la Campiña. Mobilier et décor luxueux pour un hôtel moderne qui a su garder l'esprit mudéjar du palais, notamment dans le splendide patio. Chambres décorées de triptyques anciens, de tapis d'Orient et de meubles en bois noble. Demandez les doubles avec terrasse ouvrant sur la campagne, et évitez absolument les chambres qui donnent sur le parking bruyant de l'hôtel : se faire réveiller par une mobylette, à ce prix-là, est un peu rageant ! Doubles standard à partir de 149€ HT. Avec terrasse à partir de 171€ HT. *Alcázar del Rey Don Pedro Tél. 954 14 10 10 Fax 954 14 17 12 www.parador.es*

GEOREGION

Bien que Huelva ne soit pas la plus piquante des capitales andalouses, elle peut s'enorgueillir de sa spectaculaire Costa de la Luz, d'où Christophe Colomb appareilla pour les Indes. Les longues plages de sable clair du sud-est débouchent sur l'immense parc naturel de Doñana, sanctuaire pour des milliers d'oiseaux migrateurs. À la Pentecôte, ce sont les pèlerins qui envahissent le petit village d'El Rocío, lors de la traditionnelle Romería. Au nord de la province, la confidentielle sierra de Aracena fait le bonheur des randonneurs. **À ne pas manquer** Le Monasterio de la Rábida à Palos de la Frontera, le Parque natural de Doñana, la Gruta de las Maravillas à Aracena **Et si vous avez le temps…** Découvrez les répliques des caravelles de Christophe Colomb à Palos de la Frontera, assistez au pélerinage de la Romería del Rocío, randonnez dans la sierra de Aracena

Province de Huelva

GEO**MEMO**

Ville principale	Huelva (146 000 hab.), capitale de la province
Informations touristiques	OT de Huelva Tél. 959 25 74 03
Espaces naturels protégés	parc national de Doñana (54 000 ha), parc naturel de la sierra de Aracena y Picos de Aroche (186 827 ha), Marismas del Odiel (7 200 ha)
Sites historiques	lugares colombinos ("lieux colombiens"), mines de Ríotinto
Plages	Punta Umbría, Mazagón, Matalascañas
Spécialité	jambon de Jabugo

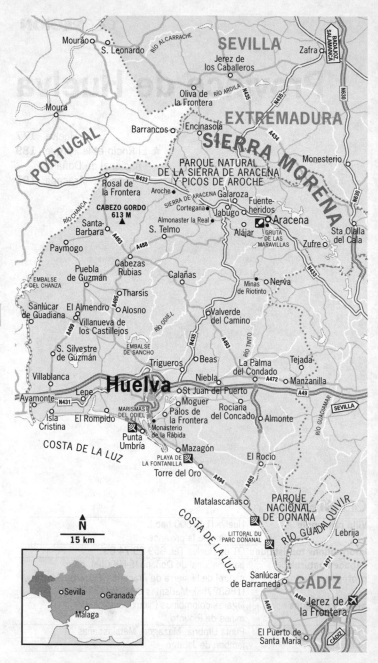

Huelva

21200

Cette ville moyenne (146 000 hab.), dont l'industrie chimique et l'activité portuaire prospèrent, ne saurait rivaliser avec ses voisines andalouses en termes d'attrait touristique. Huelva possède pourtant un riche passé, qui remonte aux Phéniciens. À cette époque, la ville s'appelait Onuba, origine de l'adjectif *onubense*, qui s'applique toujours aux habitants de Huelva. Par la suite, elle tombera sous la domination des Romains, des musulmans, sera reprise au XIIIᵉ siècle par Alphonse X et verra passer Christophe Colomb deux siècles plus tard. Malgré un passé aussi riche, on peine aujourd'hui à y entrevoir l'ombre d'un centre historique... La faute, en partie, au fameux tremblement de terre de Lisbonne (1755), qui ravagea aussi cette région de l'Andalousie. On peut passer une journée à flâner dans les rues animées du centre, et profiter des nombreux bars à tapas de l'Avenida Pablo Rada. C'est aussi une bonne destination pour faire la fête en fin de semaine. Mais l'intérêt de Huelva tient surtout à sa situation privilégiée, proche à la fois des magnifiques plages de la Costa de la Luz, du parc de Doñana, des montagnes de la sierra Morena et des lieux marqués par la figure de Christophe Colomb.

PETITE HISTOIRE D'UN GRAND VOYAGE "Nous partîmes le vendredi 3 août 1492, à 8 heures, de la barre de Saltes..." Ainsi débute le journal de bord du premier voyage vers l'Amérique, rédigé par Christophe Colomb. La barre de Saltes, petite île aujourd'hui disparue, était autrefois située en face de Palos. Cristóbal Cólon, héros du peuple espagnol, est pourtant né à Gênes. On sait qu'il devient marin vers l'âge de treize ans, et parcourt toutes les mers connues, jusqu'au Groënland et au golfe de Guinée. Il s'installe ensuite à Lisbonne, où il épouse Felipa en 1479. Son expérience de la navigation, les récits de marins et ses nombreuses lectures ont fait germer en lui la certitude que le monde n'est finalement pas si grand que cela, et qu'on peut rallier l'Asie par l'ouest. En 1483, il propose au roi Jean II de financer une expédition en tous points déraisonnable au regard des théories dominantes de l'époque. Les mathématiciens royaux rejettent le projet, qu'ils jugent irréalisable. Dépité et désormais veuf, Colomb quitte le Portugal avec son fils Diego, pour se réfugier au monastère franciscain de La Rábida, près de Huelva. En 1486, grâce à l'appui du prieur du monastère, Juan Pérez, il rencontre pour la première fois les Rois Catholiques et leur soumet son plan. Ce dernier est rejeté sans appel un an plus tard. Plusieurs demandes successives resteront sans réponse, en partie à cause des conditions exorbitantes du navigateur : il exige le titre suprême d'Amiral, le statut de vice-roi des terres découvertes, ainsi qu'une grande partie des richesses qui en proviendraient. Enfin, en avril 1492, juste après la prise de Grenade, qui marque la fin de la Reconquête, les Rois Catholiques cèdent, sans qu'on sache précisément pourquoi. En signant les capitulations de Santa Fe, ils autorisent Colomb à tenter l'aventure, et lui fournissent les appuis matériel et diplomatique nécessaires. À Palos de la Frontera, Colomb trouvera donc deux de ses caravelles et leurs capitaines, les frères Martín et Vincente Pinzón. Moguer, situé en amont du fleuve, lui fournira la troisième caravelle, et une grande partie des équipages (au total, seulement 90 marins). L'expédition, bien modeste pour un voyage de cette trempe, appareille vers l'ouest le 3 août 1492. Le reste est plus connu. Un peu plus de deux mois plus tard, après une escale aux Canaries puis 31 longs jours de mer, la terre est repérée pour la première fois le 12 octobre 1492. Colomb a réussi son pari : accoster de l'autre côté de l'Atlantique. Mais ce qu'il prend à tort pour l'Asie préfigure en fait la découverte d'un nouveau continent : l'Amérique. Pendant de longues semaines, Colomb et ses hommes sillonnent les parages, découvrant les îles de San Salvador, Cuba et Hispaniola (l'actuel Haïti). La Santa María s'échoue sur des récifs. Le bois servira à construire un fort (Fuerte Navidad), où Colomb laisse 33 hommes armés, avant de repartir vers l'Espagne en janvier 1493. Le 15 mars, il est de retour à Palos. Faisant miroiter les richesses qui se cachent dans ces îles inconnues, Colomb obtient le financement d'une gigantesque expédition. À la fin de 1493, il repart de Cadix à la tête de 17 navires et près de 1 500 hommes. Il trouve le fort Navidad détruit et ses occupants massacrés, puis continue à explorer les actuelles Antilles. Deux autres voyages, plus modestes, suivront : en 1498 puis, après un bref passage par les geôles royales (suite à la révolte des colons d'Hispaniola, dont il est l'administrateur), en 1503. Lorsqu'il meurt à Valladolid, en 1506, Colomb ignore toujours qu'il a découvert le Nouveau Monde.

Huelva, mode d'emploi

accès de Séville

EN TRAIN Séville-Huelva : 3 trains par jour.

EN CAR
Gare routière (plan A2). *Estación de Damas SA Doctor rubio www.damas-sa.es* **Damas.** 15 à 20 liaisons/jour dans les deux sens. *Tél. 959 25 69 00*

EN VOITURE À 95 km à l'ouest de Séville.

Huelva et ses environs

(en km)	Huelva	Palos de la F.	Mazagón	El Rocío	Aracena
Palos de la F.	14				
Mazagón	25	18			
El Rocío	68	55	37		
Aracena	106	104	124	119	
Almonaster la R.	106	104	124	119	30

orientation

En quittant l'autoroute de Séville, on accède à l'avenue principale, qui mène au centre-ville : l'Avenida de Andalucía. On descend tout droit jusqu'à l'Avenida Pablo Rada. Là, le grand croisement de la Plaza Quintero Báez est la principale articulation du centre-ville. Au nord-ouest de ce carrefour se trouve la Plaza de la Merced. Au sud-ouest, la station de bus et le quartier d'El Carmen, animé le matin autour de son marché couvert. Au sud et au sud-est, le quartier des rues piétonnes et commerçantes, la gare ferroviaire et l'Alameda Sundheim (Museo Provincial et hôtels). Le centre est donc assez éclaté. Et comme il est truffé de rues à sens unique ou piétonnes, il devient vite problématique d'y circuler en voiture. Le stationnement, lui, est quasiment impossible. Deux parkings s'avèreront donc utiles : au Nuevo Mercado del Carmen au à la gare routière. À pied, on passe d'un quartier à l'autre en quelques minutes.

informations touristiques

Office de tourisme (plan A2). Informations sur la ville et le reste de la province, notamment le parc de Doñana et la Costa de la Luz. *Pl. Alcalde Coto Mora, 2 Tél. 959 25 74 03 Ouvert lun.-ven. 9h-19h30 (20h l'été), sam.-dim. et j. fér. 10h-14h*

banques et poste

Les distributeurs abondent dans le centre-ville, en particulier autour du croisement entre les Calles Concepción et Plus Ultra, et le long des rues piétonnières.
Bureau de poste (plan A2). Au sud du centre-ville, non loin de la gare ferroviaire. *Avenida Tomás Domínguez Ortiz, 1 Tél. 959 54 05 65 Ouvert lun.-ven. 9h-20h30, sam. 9h30-14h Fermé dim.*

accès Internet

De nombreux centres Internet sont apparus récemment à Huelva, surtout aux alentours de la Plaza de la Merced.
Netgame (plan A1). *Fernando el Católico, 22 Tél. 959 28 11 88 Ouvert lun.-sam. 11h-14h et 17h-21h*

taxis

Télé Taxi. *Tél. 959 25 00 22*
Servitaxi. *Tél. 959 25 16 00 et 959 25 15 00*

urgences et hôpitaux

Urgences. *Tél. 112*
Hôpital Juan Ramón Jiménez. *Ronda Exterior Norte (à 4km au nord du centre-ville) Tél. 959 01 60 00*

fêtes et manifestations

Fiestas Colombinas. Chaque année, la commémoration du premier voyage de Christophe Colomb (vers le 3 août 1492) donne lieu aux très attendues Fiestas Colombinas. Pendant quelques jours, la ville connaît une grande animation : concerts, spectacles, rencontres sportives et corridas. *Fin juillet-début août*

Découvrir Huelva

☆ **À ne pas manquer** Le monastère de la Rábida à Palos de la Frontera **Et si vous avez le temps...** Flânez au milieu des étals de poisson au Nuevo Mercado de Abastos, dégustez des tapas et buvez un verre en début de soirée dans un des bars de l'Avenida Pablo Rada à Huelva, allez à la plage de Punta Umbría à vélo, découvrez les répliques des caravelles de Christophe Colomb à Palos de la Frontera

Museo Provincial de Huelva (plan B2) Présenté comme le fleuron du tourisme local, le musée est surtout intéressant pour sa section archéologique, consacrée à la mystérieuse civilisation tartessienne (VIIIe-Ve siècle av. J.-C.). Un nom hérité des Grecs, lesquels nommèrent *Tartesso* l'actuel port de Huelva. L'empire tartessien développe un important commerce et une véritable industrie métallurgique sur les rives du Tinto et de l'Odiel. Certains affirment qu'il créa la première écriture de la péninsule, laquelle donnera ensuite naissance à l'écriture ibère. Les explications sont malheureusement assez sommaires. On remarquera, en revanche, de superbes objets en bronze et en or, et la reconstitution d'un char datant de cette époque. La section Beaux-Arts présente une collection de tableaux du XIVe s. jusqu'à nos jours. Des expositions temporaires sont également proposées. *Av. Alameda Sundheim, 13 Tél. 959 65 04 24 www.puntaeandalucia.es/cultura/museohuelva Ouvert mar. 14h30-20h30, mer.-sam. 9h-20h30, dim. 9h-14h30 (14h15 en été) Entrée gratuite pour les ressortissants de l'UE*

Centro de Interpretación Puerta del Atlantico (plan B2) Ce musée, à l'équipement moderne, se veut la vitrine de la ville et de la région. Il présente, suivant deux grands axes, les patrimoines historique et culturel de Huelva. En premier lieu sont évoquées la mer et son importance sur le développement local : découverte de l'Amérique, colonisations orientales, richesses commerciales, produits gastronomiques… En second lieu, le musée revient sur la présence des Anglais et l'exploitation des mines. *Calle Presidente Adolfo Suárez, s/n Tél. 959 54 18 17 Ouvert mar.-ven. 10h-14h et 17h-19h, sam.-dim. 10h-14h Entrée gratuite*

Barrio Reina Victoria Un minuscule quartier édifié en 1917 par la compagnie minière britannique de Ríotinto, pour y loger des employés. Au sommet d'une petite butte, l'ensemble dégage un étonnant parfum d'Angleterre. Ses rues miraculeusement alignées, bordées de pavillons victoriens assortis de leur petit jardin, ont tout de même été adaptées au goût espagnol grâce aux couleurs chaudes des boiseries. *À 5min à pied à l'est du Museo Provincial*

Cathédrale de la Merced (plan A1) Cet imposant édifice (début XVIIe siècle) est caractéristique du style colonial qui se développe à l'époque dans la région. La façade bariolée, flanquée de hauts campaniles, possède un certain charme. L'intérieur, en revanche, est un peu décevant, à moins d'être amateur de mobilier rococo : dans le genre, on fait difficilement mieux que les stalles chargées du chœur. *Pl. de la Merced Tél. 959 24 30 36 Ouvert lors des offices*

Église de San Pedro (plan B1) Perchée sur un promontoire, et construite à la fin du XVe siècle sur une ancienne mosquée, c'est l'église la plus pittoresque de la ville. Façade resplendissante et clocher élancé attireront les photographes. *Plaza de San Pedro Ouvert lors des offices*

Nuevo Mercado de Abastos (plan A2) Huelva est l'un des tout premiers ports de pêche espagnols, le premier en ce qui concerne les fruits de mer. Une visite au Nuevo Mercado s'impose donc. Les étals, qui déclinent entre autres les richesses ma-

Huelva

MANGER

1 Bar Alba _____ A2
2 Bar Jamón Donal's ___ B1
3 La Casa A'Poliña ____ A2
4 San Sebastián _____ B2

DORMIR

10 Albergue Juvenil ____ B1
Huelva
11 Hotel Costa de la Luz . A2

12 Hotel Los Condes ____ B2
13 Hotel Virgen _____ B1
de la Cinta
14 Hotel NH Luz Huelva – B2

rines sous toutes leurs formes, investissent un tout nouveau bâtiment à l'architecture résolument contemporaine. *Avenida de Italia*

Centre piétonnier Au centre-ville, les Calles Concepción Palacios, Carasa et Berdigón forment un espace piétonnier rectiligne, cœur commerçant de la ville et lieu de promenade des habitants. La Plaza Alcade Coto Mora, située au sud de la Calle Palacios, mérite le coup d'œil, notamment pour l'élégant édifice du Gran Teatro.

Monument à Colomb Une immense sculpture, œuvre de l'artiste américaine Gertrud Whitney (1929). Posté sur la Punta del Sebo, face à la mer, le navigateur a le regard perdu vers le large. Les moins romantiques penseront qu'il tourne surtout le dos à l'horrible complexe industriel qui se trouve en arrière-plan. Attention : les jeunes qui pratiquent le *botellón* (chacun apporte sa bouteille) s'y retrouvent encore parfois. *À la sortie est de la ville, en direction de La Rábida*

Où faire une pause déjeuner ?

Bar Alba (plan A2 n°1). Si vous cherchez gastronomie raffinée, déco stylée et clientèle triée sur le volet, passez votre chemin. Ici, l'ambiance est populaire, les mamies de retour du marché croisent les piliers de comptoir et les employés des environs venus casser la croûte. Mais s'il s'agit de manger du poisson et des fruits de mer frits vraiment pas chers, on fait difficilement mieux. Question fraîcheur, pas d'inquiétude : le Nuevo Mercado de Abastos est tout proche, débouché naturel du port de pêche de Huelva, se trouve juste de l'autre côté de la rue. *Calle Barcelona Ouvert lun.-sam. 8h-15h*

Où sortir le soir ?

Les nuits sont en général très animées en fin de semaine. Vous n'aurez aucun mal à suivre le mouvement. Le parcours du fêtard *onubense* est assez simple et se déroule entièrement dans le centre-ville. Il est d'ailleurs conseillé, pour des raisons de sécurité, de ne pas trop s'en éloigner à la nuit tombée. En début de soirée, tout le monde se retrouve dans les bars de l'Avenida Pablo Rada : idéal pour manger quelques tapas en buvant les premiers verres. Lorsque la nuit est déjà bien avancée, il est temps de rejoindre les bars de la Plaza de la Merced et des alentours. Sur la place elle-même, les jeunes s'adonnent au *botellón* (chacun apporte sa bouteille). Quand les bars ferment, l'aube n'est plus très loin. En été, une grande partie des noctambules émigrent vers la côte, notamment à Punta Umbría (à 20km de Huelva).

Découvrir les environs

Sur les traces de Christophe Colomb

Palos de la Frontera Bien qu'il ne possède aucun charme particulier, le petit bourg de Palos est le point de départ idéal pour se lancer sur les traces de Christophe Colomb. De ce port autrefois prospère s'élancèrent en effet les trois caravelles et leurs équipages, un beau matin d'août 1492. À l'entrée du village, l'église de San Jorge (fin XIVe siècle) accueillit Colomb et ses hommes pour une ultime bénédiction avant le départ. Sur place également, les plus curieux visiteront la maison-musée de Martín Alonso Pinzón, l'armateur et marin qui accompagna Colomb dans son périple. Ce centre de recherche expose les objets et documents concernant la famille Pinzón et la ville de Palos de la Frontera. Mais il faut sortir de l'agglomération pour découvrir les sites les plus marquants de cette histoire. *À 14km de Huelva 28 bus (12 le week-end) desservent chaque jour **Palos**, sur les lignes Huelva-Mazagón et Huelva-Moguer Autobus Damas Tél. 959 25 69 00 www.damas-sa.es **Maison-musée** Calle Rabida, 24 Tél. 959 10 00 41 Ouvert lun.-ven. 10h-13h30 Entrée gratuite*

☆ **Monasterio de La Rábida** À 3km au sud de Palos de la Frontera, se dresse le Monasterio de La Rábida. C'est dans ce vieux monastère franciscain, de style mudéjar (début XVe siècle), que Christophe Colomb prépara en grande partie son voyage vers les Indes, qui devait passer à la postérité en devenant la découverte de l'Amérique. Au-delà de l'inévitable parfum de mythe qui se dégage de l'ensemble, le monastère se distingue par la beauté de son architecture. La sublime église (xvᵉ siècle), notamment, peut être considérée comme l'un des plus beaux sanctuaires du sud de l'Espagne. Quel dommage que l'afflux touristique croissant donne à la visite un air quelque peu industriel ! Au pied de la colline, le Muelle de las Carabelas comprend la reconstitution des trois caravelles de Colomb, la *Pinta*, la *Santa María* et la *Niña*, ainsi qu'une très intéressante exposition, replongeant le visiteur dans le contexte intellectuel et social de la fin du xvᵉ siècle. Dans le cloître, Claustro de las Flores, la Galería de los Protagonistas présente, à l'aide de 13 grands tableaux, les personnages phares de la découverte de l'Amérique. Les caravelles sont amarrées sur un petit plan d'eau, devant le bâtiment où se trouve l'accueil. À quai, on remarque aussi la réplique d'une des trois caravelles de Colomb qui accostèrent sur les rives du Nouveau Monde. De l'autre côté de l'étang, des cases indigènes évoquent le spectacle qui attendait les aventuriers. On trouve aussi la reconstitution d'un village colonial et de l'île Guanahaní, avec un petit bar bien accueillant où faire une pause. ***Monastère de La Rábida*** *Tél. 959 35 04 11 www.monasteriodelarabida.com Visite mar.-sam. 10h-13h et 16h-19h (18h15 nov.-avr. et 16h45-20h en août), dim. et j. fér. 10h45-13h Entrée 3€, famille 7€ Audioguide en français* ***Muelle de las Carabelas*** *Tél. 959 53 05 97 Ouvert sept.-mai : mar.-dim. 10h-19h ; juin-août : mar.-ven. 10h-14h et 17h-21h, sam.-dim. et j. fér. 11h-20h Entrée env. 3,50€*

Moguer À 7km au nord de Palos, Moguer est le dernier des *lugares colombinos* (lieux colombiens). Ce gros bourg fournit en effet une grande partie des hommes d'équipage de Colomb, ainsi que la dernière caravelle, la *Niña* (les deux autres ayant été financées par Palos). Christophe Colomb passa la première nuit de son retour d'Amérique à prier dans l'église du couvent de Santa Clara, suite à un vœu qu'il avait fait au plus fort d'une terrible tempête, essuyée au large des Açores. On peut visiter le site, dont l'architecture gothique-mudéjare ne manque pas de charme. Moguer est également la ville natale de Juan Ramón Jiménez, prix Nobel de littérature en 1956, exilé à Porto Rico à l'époque de Franco. Il fut enterré à Moguer en 1958. ***Casa-Museo Juan Ramón Jiménez*** *C/ Juan Ramón Jiménez Tél. 959 37 21 48 Devrait rouvrir en 2008* ***Monasterio de Santa Clara*** *Pl. de Santa Clara Tél. 959 37 01 07 Visites guidées mar.-sam. 11h-13h30 et 17h30-19h Fermé j. fér. ; mai-oct. : ven.-sam. Entrée env. 3€*

Profiter de la plage

Punta Umbría La station balnéaire la plus proche de Huelva (20km au sud-ouest). Au cœur de l'été, sa longue plage de sable clair est prise d'assaut et l'accès à la mer requiert alors une grande patience. Toutefois, la plage a toujours obtenu, ces dernières années, le drapeau bleu européen, synonyme de propreté du littoral. De plus, elle ne souffre pas, dans l'ensemble, des excès immobiliers espagnols, car la zone de dunes et de pinèdes qui la borde est protégée depuis quelques années sous le nom de Paraje natural de Los Enebrales. Les accès à la plage se succèdent le long des derniers kilomètres de la route Huelva-Punta Umbría. Du centre-ville, un sentier au milieu des dunes permet aux piétons et cyclistes (16km) de s'y rendre tranquillement.

Mazagón Proche de Huelva et des *lugares colombinos* d'un côté, du parc de Doñana de l'autre, Mazagón est entouré des plus belles plages de la Costa de la Luz. Sans approcher des densités de population de la Costa del Sol, elles sont tout de même très fréquentées l'été, surtout par des Espagnols. Si vous êtes allergique à la foule, évitez le mois d'août. Mais en juin ou septembre, vous trouverez sans peine un petit coin désert pour profiter de la beauté des lieux. À Mazagón, la portion la plus agréable de la Playa de las Dunas se trouve à l'est du centre, en direction du camping municipal. Les bus Damas desservent le centre-ville et l'Avenida de los Conquistadores qui longe la plage. Près du Parador, vous découvrirez l'une des plus belles plages de la région : la Playa del Parador. On peut se garer sur le parking public, près de l'entrée de l'hôtel, et descendre vers la mer par un sentier. En continuant vers l'est, vous croiserez de nombreux chemins partant, sur la droite, à travers les pinèdes. La plupart d'entre eux mènent à des plages tout aussi belles et souvent bien moins fréquentées. À vélo, au départ de Mazagón, une *Via Verde* longe la route vers l'est : parfait pour flâner ou gagner l'une des plages de la région. Pour les plus sportifs, sur la marina, en bas de l'avenue menant à la plage, le Club Náutico Puerto Mazagón organise d'avril à octobre des régates, mais également des cours de dériveur, catamaran ou voilier habitable, encadrés par un moniteur diplômé. *À 25km au sud-est de Huelva, par la N442* **Club Náutico Puerto Mazagón** *Tél. 959 53 62 59*

Cuesta de Maneli Cette passerelle en bois permet d'enjamber le Médano del Asperilla, vaste zone de dunes côtières, hautes de 30 à 100m. Une promenade très agréable (compter 1h aller-retour), débouchant sur une plage de toute beauté, et déserte la plus grande partie de l'année. *12km à l'est de Mazagón par la N442, direction Matalascañas Ouvert tlj. Parking Pâques-oct. env. 2€/jour*

Observer les oiseaux migrateurs

Marismas del Odiel Le río Odiel débouche, aux portes de Huelva, sur une vaste zone marécageuse de 7 200ha : les Marismas del Odiel, espace naturel protégé depuis 1984. Menacé par la proximité de l'agglomération, et surtout du pôle chimique situé juste de l'autre côté du fleuve, le parc n'en présente pas moins un réel intérêt pour sa flore et surtout sa faune aquatiques. D'octobre à mai, des milliers d'oiseaux migrateurs envahissent les lagunes de la région : flamants roses, hérons cendrés, grues, martins-pêcheurs. Au centre d'accueil des visiteurs, un intéressant musée et un document audiovisuel. Derrière le bâtiment, une petite digue mène à un restaurant (*fermé lun.*). Là, vous obtiendrez des renseignements sur les visites guidées du parc (en véhicule tout-terrain, en bateau ou à pied). Si vous n'avez pas de moyen de locomotion, demandez à ce qu'on passe vous prendre à Huelva. Mais vous pouvez également continuer seul vers le sud du parc. Il présente l'avantage de permettre d'observer pas mal d'oiseaux de la route. Passé un pont impressionnant, la route emprunte l'étroite digue Juan Carlos Ier, entourée par la mer. En cas de grande marée, des panneaux de signalisation mettent en garde les visiteurs. *Au bout du pont traversant l'Odiel, prenez à droite (dir. "Ayamonte, Portugal") puis à gauche (dir. "digue Juan Carlos I") Le centre d'accueil des visiteurs est sur la gauche Tél. 959 50 90 11 (959 52 43 34 courant 2008) Ouvert mar.-dim. 10h-14h et 18h-20h (16h-18h oct.-mars) Visite guidée : calatillo@onubaland.com ou par téléphone*

Manger à Huelva

On mange plutôt bien à Huelva, et pour pas cher. À l'honneur, port de pêche oblige, les produits de la mer, et avant tout des fruits de mer d'une grande fraîcheur (mention spéciale pour la seiche et les moules). Mais la province de Huelva est également réputée pour les jambons de l'arrière-pays, qui pendent au-dessus de tous les bons comptoirs. N'oubliez pas de consulter la rubrique Où faire une pause déjeuner ?, où vous retrouverez une adresse de restauration à petits prix.

très petits prix

Bar Jamón Donal's (plan B1 n°2). Idéalement placé sur l'Avenida Pablo Rada, cœur battant du début de soirée *onubense* (c'est-à-dire de Huelva). Ouvert depuis 10 ans, ce bar à tapas est vite devenu un classique. Le concept est simple : une terrasse agréable sur le trottoir, avec des tonneaux découpés en guise de tables, de bonnes salades à 3€, des spécialités de pommes de terre, et une liste impressionnante de *montaditos* (de 1,30 à 1,60€) et autres tapas. Résultat : c'est toujours bondé, surtout le soir en fin de semaine. Ambiance garantie. *Avenida Pablo Rada, 17*

petits prix

La Casa A'Poliña (plan A2 n°3). Ce petit resto est le repère des marins du coin et de leurs amis. Il a jeté l'ancre dans une rue qui ne paie pas vraiment de mine, mais une fois la porte franchie, vous découvrez une déco dépaysante où se superposent barre à roue, baromètre et autres objets de marine. Les produits de la mer sont à l'honneur, cuisinés simplement et servis copieusement. Comptez 20€/pers. *Calle Tendaleras, 9 Tél. 959 24 98 36 Ouvert le midi lun.-sam. 8h-19h30 et ven. soir*

prix élevés

San Sebastián (plan B2 n°4). L'adresse haut de gamme de la ville n'usurpe pas sa réputation. En cuisine, le chef nous vante ses produits (naturels) et son savoir- faire (exceptionnel) avec lyrisme et à grand renfort de moulinets ! En dépit du cérémonial, on se sent bien à cette table. Le cadre est très classique (lustres imposants, épais rideaux, tables parfaitement dressées). Bien qu'excellente, la carte est attendue, avec en vedette le foie de canard au porto et aux pommes (env. 16€). Du sûr et sans surprise. *Calle Ricardo Velázquez, 39 Tél. 959 25 08 24 Fermé été : dim.*

Manger dans les environs

D'excellents poissons (notamment la *corvina*, corbeau de mer) mais aussi de savoureuses viandes grillées vous seront servis dans les restaurants des alentours. En été, des *chiringuitos* s'installent sur les plages des stations balnéaires : quelques tables et chaises, du poisson et des fruits de mer *a la plancha*, la recette est simple mais bonne.

petits prix

☺ **El Choco.** Une bonne adresse, sur la sympathique rue piétonnière du centre de Mazagón. La spécialité du lieu est, il fallait s'y attendre, le *choco* : de la seiche coupée en petits morceaux et frite (env. 11€ la ration). Un délice ! Les amateurs de poisson se régaleront d'une *corvina a la plancha* (env. 20€ pour 300g). Les langoustines (*cigalas*, 12€ les 100g) ne sont pas mal non plus. La terrasse s'anime à midi et en fin de semaine. Service efficace et ambiance sympathique. *Calle Fuentepiña, 47 **Mazagón** Tél. 959 53 62 53 Ouvert tlj. midi et soir Fermé lun. ; oct.*

prix moyens

Restaurante El Remo. Un restaurant de qualité, assez chic mais à des prix tout à fait corrects. La grande salle parée de nappes blanches donne sur la mer. Côté cuisine, tout est alléchant : riz aux langoustes et fruits de mer (env. 17€), dorade grillée (5€/100g), soupe de fruits de mer (env. 8€). Avis aux petits budgets et aux amateurs de bonne ambiance : les beaux jours venus, le restaurant ouvre un excellent *chiringuito* sur la plage. *Avenida Conquistadores, 123 (Playa Picacho)* **Mazagón** *Tél. 959 53 61 38 www.restauranteelremo.com Ouvert 13h-17h et 20h30-23h30 (21h-0h l'été) Fermé mar.*

El Bodegón. Deux grandes salles blanches, auxquelles les voûtes anciennes et le mobilier en bois rustique donnent un air de vieille auberge. On s'attendrait presque à voir débarquer Colomb et les frères Pinzón, chapeau sur la tête et cartes sous le bras. Et, ce qui ne gâte rien, on y mange bien. De délicieux poissons et viandes grillés dans la cheminée. Attention, prix indiqués pour 100g ! À la carte, également, de bonnes salades à petit prix : à partir de 6€ pour 2 pers. *Calle Rábida, 46 **Palos de la Frontera** Tél. 959 53 11 05 Ouvert mer.-dim.*

Dormir à Huelva

L'hébergement n'est vraiment pas le point fort de Huelva… et c'est un euphémisme. Une situation particulièrement choquante en ce qui concerne les adresses bon marché. Les rares pensions de la ville, toutes regroupées dans le quartier d'El Carmen, ont en commun un sens de l'hospitalité et de la propreté quasi nul. Malgré cela, elles affichent la plupart du temps complet et pratiquent des prix assez élevés. La raison en est simple : l'afflux de main-d'œuvre vers le pôle industriel de Huelva et les propriétés agricoles de l'arrière-pays. Évitez donc de perdre votre temps et allez directement à l'auberge de jeunesse, un peu plus éloignée mais très accueillante.

très petits prix

Albergue Juvenil Huelva (plan B1 n°10). À 2min du rond-point marquant le début de l'Avenida de Andalucía. Les chambres, de la double à la quintuple, sont propres, grandes, avec une salle de bains impeccable. À l'arrière, le grand patio est idéal pour lire ou se reposer. Sur place, de bonnes informations sur les activités possibles dans la région. Service de lavomatique. Le centre-ville est à 10 ou 15min à pied (plus rapide que le bus). De la gare routière, la ligne de bus n°6 vous dépose au coin de la rue. Enfin, on peut se garer sans souci. Prix des chambres env. 14,50€/personne pour les moins de 26 ans (env. 16,50€ en juil.-août) ; 19€/personne pour les plus âgées (21€ en juil.-août). *Calle Marchena Colombo, 14 Tél. 959 65 00 10 Fax 959 65 00 14 www.inturjoven.com*

prix moyens

Hotel Costa de la Luz (plan A2 n°11). À deux pas de la gare routière. Oubliez l'accueil parfois bourru, et laissez-vous charmer par les chambres lumineuses et tout confort (a/c et TV). Préférez celles qui donnent sur l'arrière. Chambres doubles de 50 à 60€. *Calle José María Amo, 8 (21003) Tél. 959 25 64 22 et 959 25 32 14 www.hostelcostaluhuelva.com*

Hotel Los Condes (plan B2 n°12). À l'est du centre-ville, juste en face du Museo Provincial. Plus confortable que le précédent, une bonne adresse dans cette gamme de prix. Rien d'exceptionnel, mais un accueil très professionnel et des chambres agréables. Choisissez plutôt celles donnant sur l'intérieur, ou situées aux étages supérieurs, car l'avenue est assez bruyante le matin. Chambres doubles à partir de 62€ avec petit déjeuner (65,20€ en août et pendant les fêtes locales). Tarif à 52,50€ les week-ends de septembre à mai. *Avenida Alameda Sundheim, 14 (21003) Tél. 959 28 24 00 Fax 959 28 50 41 www.hotelfamiliaconde.com*

Hotel Virgen de la Cinta (plan B1 n°13). Le dépliant annonce que l'on s'y sent "comme à la maison". Si la formule est un peu excessive, l'hôtel reste malgré tout l'un des plus accueillants de la ville avec sa décoration claire et moderne. Les chambres aux notes marines et la toute petite cuisine-salle à manger avec buffet de campagne participent à l'esprit "chez soi". Dans le centre-ville. 66€ la double. *Av. Manuel Siurot, 7 (21004) Tél. 959 54 12 60 Fax 959 54 13 90 www.hotelvirgendelacinta.com*

prix élevés

Hotel NH Luz Huelva (plan B2 n°14). En face du Museo Provincial. Un hôtel 4 étoiles de grande classe. Demandez absolument une chambre donnant sur l'arrière, pour profiter d'une grande terrasse privée sans souffrir du bruit de la circulation. Meublé avec goût et luxe. Doubles de 95 à 161€ selon la période. Parking privé : 12,50€/jour. *Av. Alameda Sundheim, 26 (21003) Tél. 959 25 00 11 Fax 959 25 81 10 www.nh-hotel.com*

Dormir dans les environs

Plusieurs formules d'hébergement dans les villages des alentours, mais surtout des campings, la plupart au bord des magnifiques plages de la Costa de la Luz.

Dormir à Punta Umbría

très petits prix

Albergue Juvenil Punta Umbría. Elle donne sur la plage. Un luxe qui fait vite oublier l'aspect un peu vieillot et pas toujours très propre des locaux. De nombreuses activités, notamment des sports nautiques, peuvent être réservées à la réception. L'été, inutile de se présenter sans avoir réservé... Oct.-mai : 14,50€/pers. (env. 11€ moins de 26 ans) ; haute saison : 20,50€/pers. (16€ moins de 26 ans). *Av. del Océano, 13 Tél. 959 52 41 29 Fax 959 52 41 34 www.inturjoven.com*

Dormir à Mazagón

campings

Camping Playa de Mazagón. Le camping municipal, desservi par les bus Damas. L'arrêt se trouve juste en face de l'entrée. Le site s'étend sur une pinède au sol sablonneux, idéalement situé en surplomb d'une superbe plage. Ouvert toute l'année, il prend véritablement vie en été : animations, restaurant, *chiringuito*, supermarché et discothèque sont alors à la disposition des campeurs. Pour 2 personnes, une voiture et une tente : 24€ HT. *À l'est de Mazagón, au bout de l'Av. de los Conquistadores Cuesta de la Barca Tél. 959 37 62 08 www.campingplayamazagon.com*

Camping Playa Doñana. Un vaste 3-étoiles, confortable et bien équipé pour un prix correct (2 pers. + voiture + tente : 15,60-30,40€ selon la saison). Le site est séduisant et la plage toute proche irrésistible. Idéalement placé pour visiter Doñana dans la journée. *À 9km de Mazagón, en dir. de Matalascañas Tél. 959 53 62 81 www. campingdedonana.com*

Albergue-Campamento Juvenil Mazagón. À l'est de Mazagón, au bout de l'Avenida de los Conquistadores. Un véritable parc, à deux pas de la mer, où l'on campe à l'ombre des pins sous sa propre tente, ou dans l'une de celles déjà installées pour vous (avec matelas à l'intérieur). Les bâtiments de l'auberge abritent également des chambres doubles à quintuples. Terrains de sport, salle commune et ambiance festive en été. Desservi par les bus Damas. Pensez à réserver. Plus de 26 ans : 20,50€, moins de 26 ans : 16,50€ petit déjeuner compris. Camping : env. 7€. *Cuesta de la Barca Tél. 959 52 45 29 Ouvert Pâques-mi-sept.*

petits prix

Hostal Hilaria. La première pension créée à Mazagón, et la seule dans le centre, près des restaurants. Elle fut ouverte par Hilaria González, grande dame de la localité, à en juger par le nombre de poèmes affichés dans le corridor qui lui sont dédiés. Chambres vastes, lumineuses et climatisées avec salle de bains et, pour la plupart d'entre elles, une terrasse. Bon accueil. Chambre double à partir d'environ 40€ (55-65€ l'été). *Calle Hilaria, 20 Tél. 959 37 62 06*

prix très élevés

☺ **Parador de Mazagón.** L'un des plus dignes représentants de la fameuse chaîne des Paradores, ce qui n'est pas peu dire. Celui-ci n'occupe pas un monument historique, mais se distingue par sa situation hors du commun : au bord d'une plage sublime, non loin du parc de Doñana. Services nombreux (restaurant, Jacuzzi, gymnase, tennis…) et sourire inclus dans le prix, finalement très raisonnable : 138-159€ HT la double selon la saison. Les chambres, bien sûr, sont irréprochables. La plupart comportent une petite terrasse ouvrant sur la mer. Un escalier privé descend vers l'une des plus belles plages d'Andalousie, où l'on installe pour vous des parasols. Vous pouvez aussi flâner dans les jardins verdoyants du Parador et vous rafraîchir dans la piscine (couverte en hiver). Tentant, non ? *Playa de Mazagón, à 5km de Mazagón dir. de Matalascañas Tél. 959 53 63 00 mazagon@parador.es*

Dormir à Palos de la Frontera

camping

Camping La Bota. Un camping accueillant, à l'écart de la ville mais au bord de la jolie plage de la Bota. Les emplacements, alignés au pied des dunes, profitent de l'ombre des grands pins. De 18 à 24€ HT pour 2 pers. Tarifs réduits oct.-mai. *Rte Huelva-Punta Umbría, km11 Tél. 959 31 45 37 www.campingplayalabota.es*

très petits prix

Pensión Rábida. La seule solution pour les budgets limités. Une adresse basique mais acceptable. La cafétéria au rez-de-chaussée assure des repas bon marché, mais également pas mal de bruit. À partir d'environ 30€ la double sans salle de bains. Attention, l'établissement est en travaux depuis juillet 2007 pour une durée indéterminée. *Calle Rábida, 9 Tél. 959 35 01 63*

prix moyens

Hotel La Pinta. Une bonne adresse, à condition d'éviter les chambres donnant sur la rue. L'accueil est très professionnel, et les prix raisonnables : doubles à partir de 52€ HT (65€ l'été). Fonctionnel plus que charmant : les équipements frôlent le luxe, surtout pour un hôtel 2 étoiles. Les chambres à lit unique (*cama de matrimonio*), plus grandes, sont vraiment accueillantes. Parking public gratuit. *Calle Rábida, 79 Tél. 959 35 05 11 www.hotellapinta.com*

El Rocío

21750

Porte d'entrée, avec Matalascañas, de l'une des plus belles réserves naturelles d'Europe, le parc de Doñana, ce hameau d'environ 1 300 hab. a des allures de Far West. Le seul endroit de la région où vous avez des chances de vous ensabler dans la rue principale ! Maisons en bois blanches, longues avenues couvertes de sable où il est courant de croiser un groupe de cavaliers. Vous remarquerez d'ailleurs, devant les bistrots de la ville, les barres métalliques servant à attacher les chevaux des clients. Derrière le village, la lagune est l'un des meilleurs endroits pour observer l'exceptionnelle faune ailée du parc : foulques, cigognes, ibis... Mais ce ne sont pas les seuls attraits d'El Rocío. Car la bourgade est également la destination d'un pèlerinage annuel unique en Europe.

L'IMPRESSIONNANTE ROMERÍA D'EL ROCÍO C'est le pèlerinage le plus célèbre en Espagne, et l'un des plus massifs et passionnés au monde. Chaque année, à la Pentecôte, plus d'un million de personnes envahissent les rues d'El Rocío. Les pèlerins viennent célébrer Nuestra Señora del Rocío, qui sort pour l'occasion de son sanctuaire et passe sur un char dans les rues du village, au milieu d'une foule en délire. Ce pèlerinage hors du commun a plusieurs siècles d'existence. La légende qui lui a donné naissance remonte au XIIIe siècle. Un chasseur d'Almonte s'était aventuré dans les épaisses broussailles de La Rocina (région de l'actuel El Rocío) à la recherche de gibier. Alerté par les cris de ses chiens, assemblés autour d'une souche, il écarta les ronces qui la recouvraient, et trouva une image de la Vierge. Ému par la beauté de cette figure taillée dans le bois, il décida de l'emporter à Almonte. Épuisé par la marche, il s'arrêta dans une clairière pour y passer la nuit. Au matin, la Vierge avait disparu. Revenant sur ses pas, il la retrouva au même endroit que la veille. Émerveillés par le prodige, les habitants et le prêtre d'Almonte revinrent avec lui pour tenter d'emporter la figure sainte dans leur église. En vain. Une chapelle sera bientôt érigée sur le site de la découverte. Au XVe siècle, la chapelle est remplacée par un sanctuaire plus imposant, préfigurant l'actuelle église d'El Rocío. Dès l'origine, des pèlerins se rendent sur place pour approcher la statue. Mais le pèlerinage (*romería*) proprement dit débute en 1652, lorsque Nuestra Señora de las Rocinas est désignée comme sainte patronne de la ville d'Almonte. Dès lors, les habitants viennent chaque année lui rendre hommage.

L'IMPORTANCE DU VOYAGE Au fil des ans, des pèlerins originaires d'autres villages, assemblés en autant d'*hermandades* (confréries), se sont joints à eux. Aujourd'hui, on compte près d'une centaine d'*hermandades*, issues des quatre coins d'Espagne. Chacune possède sa maison dans El Rocío. Les membres s'y retrouvent au moment du pèlerinage. Mais il ne suffit pas d'être présent : le voyage, ou *camino del Rocío*, a lui-même une grande importance. Dans les jours précédant la Pentecôte, de véritables caravanes d'attelages et de chevaux partent de tous les coins d'Andalousie. Les pèlerins, vêtus des traditionnels habits *rocieros* (robes à volants colorées pour les femmes, pantalons rayés et veste courte pour les hommes), se dirigent vers El Rocío en empruntant les anciens chemins vicinaux. L'un des itinéraires les plus célèbres est celui qui traverse le Guadalquivir au niveau de Sanlúcar, puis tout le sud du parc de Doñana. Chaque confrérie emporte avec elle guitares, bouteilles et nourriture, mais également un petit autel abritant une représentation de la Paloma Blanca (Colombe Blanche, autre nom donné à la Vierge du Rocío). La confrérie la plus lointaine, composée d'Espagnols vivant à Bruxelles, prend tout de même l'avion jusqu'à Séville.

LES CÉLÉBRATIONS Le samedi de la Pentecôte, les confréries défilent les unes après les autres dans le sanctuaire, pour rendre hommage à la Vierge. Le dimanche, la foule se rassemble sur les places sablonneuses du bourg. Après deux nuits pour le moins agitées, le pèlerinage trouve son apogée dans la journée du lundi. La plus ancienne des confréries, celle d'Almonte, est chargée d'une tâche périlleuse : sortir la Señora del Rocío de son sanctuaire, montée sur un char, pour rendre visite aux autres confréries. Le char, emporté par les mouvements de la foule, tangue, remue, mais jamais ne tombe. Les Almonteños, farouches gardiens de "leur" statue, repoussent violemment ceux qui tentent de la toucher sans y avoir été invités, et il n'est pas rare d'y laisser sa chemise. La majorité des pèlerins, plus prudents, se contente de crier sur le passage du cortège : "*¡ guapa !*" ("qu'elle est belle !") ou "*¡ viva la Paloma Blanca !*" ("vive la Colombe Blanche !"). En fin de journée, la Vierge rentre dans son sanctuaire, et les visiteurs commencent à quitter les lieux. Une fois accompli ce pèlerinage extraordinaire, vous pourrez arborer sur votre pare-brise l'autocollant "*Soy Rociero*" ("Je fais le pèlerinage d'El Rocío" !), comme tous vos compagnons.

El Rocío, mode d'emploi

accès

EN VOITURE À 68km à l'est de Huelva par l'A494, jusqu'à Matalascañas, puis par l'A483 (16km). À 80km au sud-ouest de Séville par l'A49 puis l'A483.

EN CAR
Damas. De Séville, de 3 à 5 cars/j. (1h30). De Huelva, 6 cars/j. pour Almonte, puis correspondance pour El Rocío (6 à 9 cars/j.). Attention, s'ils sont déjà pleins, les cars ne marqueront pas l'arrêt. *Tél. 959 25 69 00 www.damas-sa.es*

informations touristiques

Office de tourisme d'Almonte. Almonte, le bourg principal, centralise les informations touristiques d'El Rocío. Bon accueil. Peu d'informations sur le parc de Doñana. *Alonso Pérez, 1 Tél. 959 45 06 16 www.donana.es Ouvert lun.-sam. 10h-14h et 16h30-18h (17h-19h l'été)*
Point information tourisme. À El Rocío, à côté du Santuario. *Calle Ermita Ouvert lun.-sam. 10h-14h et 16h-19h (18h30-20h l'été)*

Découvrir El Rocío

☆ **À ne pas manquer** Le Parque nacional de Doñana **Et si vous avez le temps...** Assistez à la Romería del Rocío à la Pentecôte, passez l'après-midi à la plage le long du réseau de dunes du Parque de Doñana, observez les oiseaux migrateurs à partir du sentier proposé par le Centro de Visitantes La Rocina

El Rocío est bien plus vaste qu'il n'y paraît : c'est normal, quand on sait que lors de la Romería la population passe de 1 300 à plus d'un million d'habitants ! Une promenade à pied dans le sable des rues a quelque chose d'insolite. Les maisons des *hermandades* qui les bordent portent le nom et le symbole de leur confrérie. La plupart restent désertes en dehors du pèlerinage. Les trois immenses places (Plaza Doñana, Plaza del Acebrón et Plaza Mayor) laissent imaginer l'ampleur de la foule qui s'amasse alors pour voir passer la Vierge. Tout aussi pittoresque, le Paseo Marismeño, dont la construction a été décriée par les écologistes, longe la lagune. En hiver et au printemps, les couchers de soleil sur l'eau recouverte d'oiseaux sont irrésistibles.

Santuario de Nuestra Señora del Rocío Cette jolie église blanche aux clochetons colorés est le centre de tous les regards. Car elle abrite la Virgen del Rocío, statuette en bois à l'expression émouvante. Observez le manteau, somptueusement brodé : on l'appelle le "manteau des apôtres" (*manto de los Apóstoles*), et les écussons des différentes confréries rocieras sont cousus à même sa bordure. La légende veut que cette église ait été bâtie sur le site de la découverte miraculeuse de la statue. Mais l'édifice actuel ne fut construit qu'en 1960, pour remplacer l'ancien sanctuaire, détruit par le tremblement de terre de 1755, le même qui ravagea Lisbonne. *Tél. 959 44 24 25 www.hermandadmatrizrocio.org Ouvert été : tlj. 8h-22h ; hiver : tlj. 8h30-coucher du soleil Entrée gratuite*

Où acheter des articles en cuir ?

On trouvera bottines en cuir (les fameuses bottes de Valverde, de belles bottines en cuir ouvragé qu'utilisent traditionnellement les cavaliers de la région), ceintures, harnachements divers, tenues traditionnelles (*rocieras*), ponchos et couvertures tressés à la main. Près de l'église, quelques magasins touristiques regroupent l'ensemble de ces articles. Pour le cuir, qualité et prix sont plus intéressants dans les magasins destinés aux cavaliers : les *guarnicionerías*. Les prix s'alignent les uns sur les autres dans les boutiques du village, qui appartiennent d'ailleurs souvent aux mêmes propriétaires. Le choix est plus large dans celles des places alentour (Plaza Doñana).

Découvrir les environs

Matalascañas Érigée en quelques années à partir de rien, cette station balnéaire est devenue la destination favorite des Sévillans et des touristes étrangers en été. Sa plage figure parmi les plus belles d'Europe : sable clair à perte de vue, vagues bleutées de l'Atlantique, nuées d'oiseaux marins, un vrai paradis... même si l'espèce la plus répandue en été est le touriste espagnol. Mais à part la plage, à l'horizon c'est du béton, du béton, et encore du béton. Restaurants, bars, boîtes de nuit se comptent par dizaines ! Et là, il y a un hic car Matalascañas se trouve juste en bordure du parc national de Doñana. Les écologistes s'arrachent les cheveux : comment a-t-on pu laisser construire ça ici ? Les marécages du parc souffrent de l'affluence des touristes, grands consommateurs d'eau (piscine, terrain de golf...) et c'est la faune sauvage qui en pâtit. Pour profiter pleinement de la plage, l'idéal est de se garer tout au bout de la ville, et de continuer à pied vers l'est. Cette longue portion (plus de 30km !) est située à l'intérieur du parc de Doñana, mais elle est ouverte aux marcheurs. Plus vous irez loin, plus vous serez tranquille. Au passage, observez les dizaines d'espèces d'oiseaux et discutez avec les familles de pêcheurs qui habitent depuis toujours en bordure de la plage. *De Huelva, 2 bus/jour en semaine. De Séville, 5 bus/jour lun.-sam., un peu moins le dim. L'arrêt est situé près de la plage, sur l'Avenida de las Adelfas (avenue qui part vers la plage de l'intersection entre la route de Mazagón et celle d'El Rocío).* **Damas Sevilla** *Tél. 954 90 80 40/82 80* **Damas Huelva** *Tél. 959 25 69 00 L'***office de tourisme*** est situé sur l'avenue de las Adelfas www.aytoalmonte.es Tél. 959 43 00 86 Ouvert tlj. 10h-14h*

★ Parque nacional de Doñana

L'un des plus beaux parcs naturels d'Europe, de plus de 54 000ha. À certaines époques de l'année, on se croirait presque en Afrique australe. Le Coto Doñana, comme l'appellent les habitants de la région, ce sont avant tout des marécages immenses, véritable paradis pour les ornithologues. En Europe, seuls les marais de Camargue ou du Danube sont d'une dimension comparable. Outre les nombreux oiseaux qui vivent là toute l'année, des millions de migrateurs y font escale ou viennent s'y reproduire, principalement en hiver et au printemps. Au total, plus de 250 espèces d'oiseaux, sédentaires ou migratrices, sont représentées, dont certaines d'une grande rareté, tels la cigogne noire, le foulque cornu ou le merveilleux ibis. Les symboles du parc sont le lynx ibérique et l'aigle impérial, deux espèces en voie de disparition qui trouvent encore là les conditions privilégiées nécessaires à leur survie.

Accès à Doñana et informations El Rocío et Matalascañas, à l'ouest du parc, sont les deux bases privilégiées pour visiter la région. Si vous n'avez pas de voiture, l'idéal pour observer les oiseaux est de dormir à El Rocío : les observatoires du Centro de Visitantes La Rocina sont accessibles à pied. À 7km au nord ouest, le centre Palacio de Acebrón occupe un palais construit au début des années 1960 comme résidence privée et pavillon de chasse. Pour vous rendre au Centre d'El Acebuche, point de départ de la visite officielle du parc, prenez le bus Almonte-Matalascañas et demandez au conducteur, sinon il ne marque pas forcément l'arrêt (Damas, 4 à 8 cars/j.). Si vous dormez à Matalascañas, les bus de la visite passent par la station balnéaire avant de s'engager dans le parc : demandez à ce qu'on vous prenne en passant (se rens. lors de la réservation). ***Centro de visitantes La Rocina*** à environ 1km d'El Rocío, route A483 km27,6 Tél. 959 44 23 40 Ouvert tlj. 9h-19h, 20h l'été ***Centro de Visitantes Palacio de Acebrón*** Ouvert tlj. 9h-19h (jusqu'à 20h l'été) ***Centro de Visitantes El Acebuche*** à environ 11km d'El Rocío, sur la route A483, km37,8 Tél. 959 43 96 27 www.parquenacionaldedonana.com ou www.mma.es Visite officielle : 2/j., sauf lun. (dim. en été) Réservation indispensable toute l'année, plusieurs semaines à l'avance en haute saison auprès de la Cooperativa Marismas del Rocío Tél. 959 43 04 32 Entrée env. 25€ (sauf le lun. en hiver et le dim. en été)

Doñana

Visiter Doñana Hormis la plage littorale, où le visiteur peut se promener à son aise, l'ensemble du parc national est fermé au public. Pour contempler l'intérieur trois solutions s'offre à vous : emprunter un des deux itinéraires terrestres, qui partent soit du Centro de visitantes El Acebuche, soit du centre de la Rocina, à côté du hameau de Rocío, avec la visite officielle, organisée par La Cooperativa Marismas del Rocío. Au départ d'El Acebuche, la visite se déroule en bus tout-terrain, par groupe d'une vingtaine de personnes (24€/pers.). Elle traverse la partie méridionale du parc, et se propose de vous faire découvrir les quatre principaux écosystèmes. S'il n'est pas rare de croiser cerfs, sangliers et renards, les oiseaux marins ne sont pas au programme, car l'itinéraire ne pénètre pas dans les marécages. Dès lors, les 4h que dure la visite paraîtront bien longues à certains, d'autant qu'elle comprend près de 35km de plage. Commentaires en espagnol ou en anglais. Des excursions en 4x4 sont aussi organisées par le Centre hippique de Doñana Ecuestre (4h, env. 25€/ pers.). La troisième solution est une visite en bateau qui part également de Sanlúcar de Barrameda, sur l'autre rive du Guadalquivir (cf. Province de Cadix, Sanlúcar de Barrameda) et marque deux arrêts, permettant ainsi aux passagers de se promener un peu. Très touristique et finalement peu éclairant. Heureusement, on accède librement à de nombreux sites en bordure du parc. Les sentiers de randonnée (de 1 à 6km) sont encore le moyen le plus agréable pour profiter de la beauté des lieux et offrent un bon aperçu de la flore du parc. Ils se situent en général à proximité des centres d'information pour les visiteurs. Attention : à l'exception des mois d'hiver, les marécages pullulent de moustiques ! Pensez absolument à vous protéger. ***Centre hippique de Doñana Ecuestre*** *À l'entrée du village d'El Rocío, en face de l'hôtel Puente del Rey, Av. Canaliega Tél. 959 44 24 74 www.donanaecuestre.com ouvert tlj. 7h30-14h et 16h30-21h Visite guidée dans le parc en 4x4 (env. 25€)*

De la chasse à l'écologie

Dès la reconquête de la région par Alphonse X le Sage, au XIIIᵉ siècle, la faune et les paysages extraordinaires des marécages du Guadalquivir commencent à attirer les nobles et les rois, qui organisent de grandes parties de chasse. Ces terres sauvages sont connues sous le nom de Las Rocinas. En 1535, elles passent aux mains du duc de Medina Sidonia, septième du nom. Il fait construire une demeure où sa femme, Doña Ana, se retire dans la solitude. On commence à parler du Coto de Doña Ana (les terres de Doña Ana). Un nom que les Andalous, dans leur souci d'économie verbale, auront tôt fait de transformer en Coto Doñana. En 1624, le roi Philippe IV en personne vient chasser dans les parages. L'occasion d'organiser de grands banquets et des feux d'artifice en pleine nature. Dès lors, les visites de personnages de marque se succèdent. Goya passe quelques saisons dans la demeure des ducs. Au XIXᵉ siècle, l'impératrice Eugénie, épouse de Napoléon III, y prend des vacances. Aujourd'hui encore, l'État espagnol possède une riche propriété au sud du parc, destinée à recevoir les personnalités officielles nationales ou internationales. Mais le paradis naturel et animalier de Doñana, menacé par les transformations humaines sur le cours des ruisseaux et le profil de la côte, est devenu de plus en plus fragile. Dans les années 1960, agriculture intensive, urbanisation abusive et industrialisation laissent présager le pire. En 1964, la WWF (Fonds mondial pour la nature) acquiert 7 000ha de marécages pour fonder la Réserve biologique de Doñana. Au gré des années, et pour répondre aux projets successifs qui menacent le parc (construction d'une autoroute Sanlúcar-Matalascañas, extension de Matalascañas vers l'est, installation d'usines, de mines, etc.), la zone protégée s'étend et s'accompagne de lois de protection de plus en plus strictes. Le parc national de Doñana a atteint sa physionomie actuelle à la fin des années 1980. Les marécages de Doñana dépendent étroitement de la quantité et de la qualité des eaux qui les alimentent. On a donc entouré le parc national d'une vaste zone protégée de plus de 54 000ha : le Parque natural de Doñana. Malgré tout, Doñana reste un **paradis fragile**, et chaque année l'état des écosystèmes devient plus préoccupant, le nombre d'oiseaux diminue et des espèces disparaissent. La faute à une urbanisation mal contrôlée, comme à Matalascañas, qui érode la côte et augmente la consommation d'eau. Mais également à l'agriculture, qui dévie les cours d'eau, et à l'industrie qui puise dans les nappes phréatiques et pollue les rivières. En 1998, on a ainsi craint le pire, quand un barrage s'est rompu dans la mine d'Aznalcóllar, à 50km au nord de Doñana, déversant 7 millions de m³ d'eau et de boue, contenant de fortes quantités d'acides et de métaux lourds, dans le río Guadiamar, qui alimente les marécages. L'État et la Région ont instauré un plan d'assainissement et de protection du fleuve dont les effets commencent à se faire sentir.

Paysages et faune Si le parc de Doñana est avant tout connu pour ses vastes étendues marécageuses, il comporte cependant une grande variété d'écosystèmes, chacun participant à l'équilibre de l'ensemble.

Une plage sauvage Au sud, entre Matalascañas et l'embouchure du Guadalquivir, s'étend une plage sauvage longue de 30km. On y trouve de nombreuses espèces de crustacés et des milliers d'oiseaux marins. Des couples de faucons pèlerins ont nidifié dans les deux tours du XVIe siècle, qui montaient autrefois le gué sur ce débouché maritime vital pour l'Espagne. Les vents du sud-ouest emportent le sable, qui forme un immense réseau de dunes, large de 8km. C'est l'un des paysages les plus spectaculaires du parc. On y a d'ailleurs tourné des scènes de Lawrence d'Arabie. Certaines dunes sont fixes, comme celle du Cerro Grande, qui culmine à près de 40m. Mais la plupart sont des dunes mobiles. Elles avancent en moyenne de 3m par an, recouvrant la végétation sur leur passage. Pas d'inquiétude : elles ne risquent pas d'envahir le parc. Car à l'approche des marécages, la végétation, plus dense, les arrête. Les inondations saisonnières emportent le sable vers le fleuve, et de là vers la mer. Le cycle peut alors recommencer.

En bordure des marécages, on trouve une végétation méditerranéenne d'un genre particulier, qui pousse sur des étendues de sable stabilisées, les *cotos*. Les buissons et arbustes caractéristiques de la garrigue côtoient des pinèdes et des bosquets d'eucalyptus, plantés entre la fin du XIXe et le début du XXe siècle. Çà et là, on aperçoit encore un chêne-liège centenaire, vestige de la végétation originelle des lieux. Cet écosystème est riche en faune, et il n'est pas rare d'y croiser cerfs, sangliers, renards, perdrix, ou encore toutes sortes d'oiseaux marins chassant dans les lagunes.

Les marécages représentent l'écosystème emblématique du parc de Doñana. Ils occupent une superficie de 26 000ha. C'est un décor contrasté, qui change au fil des saisons. Dès l'automne, la pluie, les nombreux ruisseaux et les inondations du Guadalquivir emplissent d'eau les marécages, qui se vident peu à peu au cours du printemps, jusqu'à s'assécher complètement dans la chaleur estivale. En hiver, cette zone accueille une faune importante : batraciens, reptiles, et surtout la foule des oiseaux migrateurs : canards (80% des canards d'Europe du Nord, soit plus de 250 000 individus, passent là une partie de l'année) et oies sauvages (50 000 à 80 000 chaque année) viennent en nombre. Dès la fin février, mais surtout de mars à juin, les espèces les plus spectaculaires commencent à arriver d'Afrique : aigrettes, grues, hérons cendrés, cigognes noires et blanches, spatules, avocettes et bien sûr des centaines de flamants. En été, les marécages asséchés attirent les échassiers venus se repaître des perches agonisant dans les rares points d'eau, puis les grands mammifères qui broutent les restes de verdure.

Observer les oiseaux Les abords du parc sont paradoxalement les meilleurs endroits pour observer de près les oiseaux et le printemps (surtout de mars à mai-juin), la meilleure période : la plupart des migrateurs sont présents et certaines espèces commencent à se reproduire. De manière générale, c'est à l'aube ou au crépuscule que l'on profite le mieux de ce spectacle coloré. Juste au sud du village, le Centro de Visitantes La Rocina propose un très agréable sentier équipé d'observatoires (3,5km). Au printemps, on peut y admirer à loisir une foule d'oiseaux migrateurs. Toujours au départ d'El Rocío, la vaste zone boisée du Coto del Rey, à l'est du village, est accessible à pied. Vous y croiserez de nombreux rapaces, de petits oiseaux forestiers et, qui sait, peut-être le rarissime lynx ibérique. Enfin, pour les passionnés, un détour s'impose au Centro de Visitantes José Antonio Valverde, au sud de Villamanrique de la Condesa. Un petit périple de 60km au départ d'El Rocío, qui emprunte des routes défoncées et parfois inondées en hiver. Avant de vous lancer, passez prendre plan d'accès et recommandations d'usage au centre d'accueil de La Rocina ou d'El Acebuche. L'effort en vaut la peine, car vous traverserez forêts et étendues sauvages, avant d'accéder à l'observatoire, qui surplombe un lac où abondent les oiseaux. La compagnie basée à El Rocío, Doñana Ecuestre, organise des visites en 4x4 du nord du parc, qui inclut cet observatoire (cf. Visiter Doñana).

Manger, dormir à El Rocío

El Rocío, destination relativement peu touristique en dehors de la période de la Romería, est essentiellement visitée à la journée par des groupes organisés. Il y a donc peu de solutions d'hébergement. Pendant le pèlerinage, les hôtels et pensions sont réservés d'une année sur l'autre ; inutile donc d'espérer trouver une chambre sur place. Vous pouvez vous rapprocher d'une confrérie pour profiter de l'ambiance et avoir un toit où dormir (les pèlerins dorment dans la ou les maisons que possèdent leurs confréries respectives). Sinon, la seule solution est le camping. Vous dormirez de toute façon très peu durant ces trois jours de festivités…

très petits prix

Bar María. Au centre de la Plaza Doñana, l'une des trois places géantes d'El Rocío. Un bar-restaurant sans prétention mais où l'on sert de bonnes tapas à partir de 2€. Le poisson mariné au citron (*adobo*) est délicieux. Vous pourrez faire un repas correct pour environ 10€. Le Bar María présente un autre avantage, il est ouvert tous les jours à l'heure du petit déjeuner (à partir de 7h30). De bonnes tartines grillées (*tostadas*), à déguster avec un filet d'huile d'olive, comme il se doit. *Plaza Doñana Tél. 959 44 22 29*

prix moyens

☺ **Restaurante El Toruño.** Juste en face de l'hôtel du même nom, et comme lui tenu par les autorités de Doñana. Une bonne table à des prix raisonnables. Décoration rustique tendant vers le chic et grande baie vitrée ouvrant sur la lagune. Réservez à l'avance si vous voulez une table avec vue. La cuisine s'appuie essentiellement sur des produits régionaux frais et de qualité. Délicieux poissons et crustacés. Accompagnez-les d'un bon vin blanc fruité du Contado, l'appellation régionale. Les plats de viande ne déparent pas, Doñana étant également une importante région bovine. Plusieurs formules et menus, midi et soir, entre 18 et 38€. *Plaza Acebuchal, 22 Tél. 959 44 24 22 www.toruno.es Ouvert tlj. midi et soir Fermé pendant la Romería*

Pensión Bar Isidro. Au bord de la Plaza del Acedrón. Une pension accueillante, à l'étage d'un bar-restaurant bon marché. Chambres simples, équipées de salles de bains impeccables. Certaines donnent sur l'immense place couverte de sable. Doubles avec sdb à env. 52€. *Av. de los Ansares, 59 Tél. 959 44 22 42*

prix élevés

Aires de Doñana. Toute la bonne cuisine est là, à base de plats régionaux comme le *ternera mostrenca a la sabor de la casa* (côte de veau au vin blanc et aux herbes) ou le *cabrito lechar al estilo del chef* (épaule de chevreau cuisinée aux champignons). Une vieille cheminée trône au fond de la salle à manger. Et pour le plaisir des yeux, le restaurant bénéficie d'une vue imprenable sur la lagune, particulièrement romantique au soleil couchant. Une bonne adresse donc, même si l'addition est un peu lourde à digérer (environ 39€). Réservez. *Av. de la Canaliega, 1 Tél. 959 44 22 89*

Hotel Toruño. Un hôtel charmant au bout de la rue principale, au bord de la lagune. La belle décoration intérieure met d'ailleurs en vedette les oiseaux marins. Certaines chambres offrent une vue sur la lagune, inoubliable. Doubles à partir de 79€ HT, petit déj. compris. Pour la Romería, le prix grimpe jusqu'à… 350€ ! Même à ce tarif, l'hôtel est plein deux ans à l'avance. *Pl. Acebuchal Tél. 959 44 23 23 www.toruno.es*

Où dormir dans les dunes ?

Camping Rocío Playa. À l'image du gigantisme de Matalascañas, son camping peut accueillir quelque 4 000 pers. ! Il surplombe la plage, en haut d'une immense dune. La vue époustouflante qu'il dégage sur la mer vous fera oublier l'ambiance de masse. Attention, fixez solidement votre tente : le vent du large souffle souvent fort. Comptez env. 22 à 24€ pour 2 pers. *Rte Huelva-Matalascañas, km51 Tél. 959 43 02 40*

Aracena

21200

Perdue dans les collines de la sierra Morena, la bourgade est cependant proche de Séville et Huelva. On s'y arrête pour profiter du quartier médiéval, de l'ancien château qui offre une vue inoubliable sur la sierra Morena et des merveilles géologiques de la gruta de las Maravillas. Sans oublier, bien sûr, les innombrables sentiers de randonnées qui sillonnent le parc naturel de la sierra de Aracena y Picos de Aroche. Aracena est la porte d'une région riche en histoire, en gastronomie et en espaces naturels préservés. Sur les petites routes des alentours, on croise des cavaliers cheminant tranquillement d'un village à l'autre, des taureaux de combat aux longues cornes acérées et des troupeaux de porcs noirs paissant sous les chênes-lièges. Des parages situés à l'écart des grandes routes touristiques et qui gagnent à être découverts. Ceux que les joies de la campagne finiraient par lasser pourront visiter la ville minière de Minas de Ríotinto. Changement de décor et d'ambiance garanti !

Aracena, mode d'emploi

accès

EN VOITURE À 89km au nord-ouest de Séville par la N433 et 106km de Huelva par l'E-1/A49 (jusqu'à San Juan del Puerto), la N435 (jusqu'à El Campillo) puis l'A461.

EN CAR
Casal. Séville-Aracena (2 cars/j. à 9h et 16h dans les 2 sens). *Tél. 954 90 69 77
www.autocarescasal.com*
Damas. De Huelva, 2 départs/j. lun.-ven. : 13h30 et 15h. Le week-end, un seul
car : 15h sam. et 9h30 dim. *Tél. 959 25 69 00 www.damas-sa.es*

informations touristiques

Office de tourisme. *Calle Pozo de la Nieve, en face de la Gruta de las Maravillas.
Tél. 959 12 82 06 www.aracena.es Ouvert tlj. 10h-14h et 16h-18h*

Découvrir Aracena

☆ **À ne pas manquer** La Gruta de las Maravillas à Aracena, la mine de Peña de
Hierro et la mosquée d'Almonaster la Real **Et si vous avez le temps...** Profitez
de la vue dominante qu'offrent les ruines du château d'Aracena, randonnez dans la
sierra de Aracena, composez un pique-nique avec le jambon du restaurant Mesón
Cinco Jotas à Jabugo

La partie moderne d'Aracena n'offre qu'un intérêt relativement limité. Au centre de
la ville, la Plaza Marqués de Aracena, entourée d'édifices élégants, est cependant
agréable pour prendre un verre. Et le quartier médiéval, qui occupe le flanc du Cerro
del Castillo, mérite le coup d'œil. Ses vieilles ruelles en pente, aux pavés irréguliers,
sont bordées de petites maisons anciennes aux murs blanchis et recèlent quelques
bijoux. À mi-chemin de l'ascension, on débouche sur la Plaza Alta. Là se dresse la
silhouette massive de l'église de la Asunción, imposant temple de grès fortifié. De
style gothique tardif (XVIe siècle), il intègre déjà de nombreux éléments de la
Renaissance, notamment dans le dessin géométrique de ses voûtes. Juste en face,
le Cabildo Viejo (ancienne mairie), bel édifice du XVIe siècle, construit dans un style
gothique mais avec des influences mudéjares, abrite le centre des visiteurs du parc
naturel de la sierra de Aracena. En montant, on passe sous un campanile en brique
(XVIe siècle) qui marque l'entrée d'une ancienne enceinte fortifiée. Au sommet du
Cerro del Castillo, les ruines romantiques du château d'Aracena dominent la région :
d'un côté, les monts de la sierra Morena, de l'autre, le tracé irrégulier des rues du
bourg. Un fort musulman occupait le site, avant d'être conquis par les Portugais au
XIIIe siècle, puis par l'armée de Ferdinand III de Castille. C'est au début du XIVe siècle
que le château est érigé et que commencent les travaux de la belle église de Nuestra
Señora del Mayor Dolor, que l'on admire au pied des ruines. La tour fortifiée a repris la structure d'un ancien minaret. Un train touristique suit différents parcours
dans la ville et la sierra. *Église Visite libre de l'intérieur tlj. 10h-19h **Train touristique** Plaza de las Maravillas Tél. 959 12 70 45 www.donana-aracena-aventura.com
Départs mar.-dim. 11h30-18h30 toutes les heures Tarif : 4€*

☆ **Gruta de las Maravillas** La beauté des lieux permet d'oublier l'ambiance
ultra-touristique de la visite, avec photo surprise (en vente à la sortie) et commentaires lénifiants (en espagnol). Découverte à la fin du XIXe siècle, la "grotte des
Merveilles" est ouverte au public depuis 1914. L'eau a creusé, au cœur des parois
calcaires du Cerro del Castillo, quelque 2130m de galeries souterraines, dont on

visite un peu plus de la moitié. Le parcours fait découvrir, au fil des 12 salles, de spectaculaires formations karstiques. L'éclairage permet de profiter de ce spectacle, au son d'une musique dont on se passerait volontiers… Parmi les temps forts, l'immense "grand salon", avec ses plafonds de plus de 50m, et la "cathédrale" avec ses colonnes en forme d'orgues. L'eau limpide des superbes lacs souterrains ajoute à la magie des lieux. *Visites en groupes. Si vous arrivez à l'improviste, il faudra attendre la formation d'un groupe pour commencer la visite. Les horaires et la fréquence des visites varient en fonction de la saison et de l'affluence. Tél./fax 959 12 83 55 Réserver par téléphone pour les visites lun.-ven. ou au bureau situé juste en face. Prévoyez de bonnes chaussures et une petite laine : la température de la grotte est de 17°C. Visite : 50min Ouvert tlj. 10h-13h30 et 15h-18h Adulte env. 8€*

Museo del jamón de Aracena - Centre de interpretación del cerdo À 150m de la "grotte des merveilles", ce musée propose, en une visite de 40min, de tout savoir sur la fabrication du célèbre jamón Iberico, de l'élevage des bêtes jusqu'à la commercialisation du jambon, et de mesurer la réputation dont il bénéficie au niveau international. *Tél. 952 12 79 95 Ouvert tlj. 11h-18h Explications en français et en anglais*

Découvrir les environs

☺ **Minas de Ríotinto** Ici, le paysage a des allures de fin du monde. Avec ses immenses mines de cuivre à ciel ouvert, l'absence totale de végétation et les eaux acides qui colorent les lacs, Minas de Ríotinto, ville dédiée depuis la préhistoire à l'exploitation minière, est le cadre idéal pour un film de science-fiction, et un véritable cauchemar pour écologistes. La visite du Musée minier, avec sa reconstitution d'une mine romaine sur plus de 150m, vaut pourtant le voyage à elle seule. En descendant dans les entrailles de la Terre, on découvre l'ingéniosité technique et l'extrême cruauté des Romains. Noria et vis sans fin pour évacuer les eaux acides s'infiltrant dans les galeries, systèmes d'aération et de remontée du minerai, les solutions imaginées sont impressionnantes. Mais les conditions de travail des mineurs, longuement évoquées, donnent le frisson… Corta Altalaya, la plus grande exploitation à ciel ouvert d'Europe, est aujourd'hui fermée au public. Pour une visite grandeur nature, très intéressante aussi, rendez-vous à **Peña de Hierro**, d'un diamètre dépassant 330m et d'une profondeur de 85m. La visite est organisée par un guide du Musée minier, qui accompagne les visiteurs avec son véhicule. On pourra aussi s'en tenir à la promenade à bord du train touristique qui parcourt l'ancienne voie commerciale établie par les Anglais pour transporter hommes et minerai (2h, 24km AR). Certains jours (le premier dim. de chaque mois, sauf l'été à cause des risques d'incendie), c'est une vieille locomotive à vapeur qui entraînera tout ce monde, au grand bonheur des nostalgiques. Enfin, il serait dommage de quitter la ville sans un tour dans le Barrio de Bella Vista, un petit quartier construit en 1879 : dépaysement garanti en quelques minutes. Destiné à accueillir le personnel administratif des mines anglaises, il est en effet peuplé de maisons victoriennes avec leur jardinet et d'une ancienne église anglicane. L'une de ces maisons, dans son décor d'origine, fait partie, depuis 2006, de la visite du musée. Ses habitants menaient une vie typiquement britannique, et ce sont d'ailleurs eux qui introduisirent en Espagne un sport qui allait devenir une véritable religion nationale : le football. Le Ríotinto FC, fondé en 1890, fut en effet le premier club espagnol. **Musée minier** Ouvert tlj. 10h30-15h et 16h-20h (19h en hiver) Rens. et réservation Parque Minero de Ríotinto Tél. 959 59 00 25 Entrée 4€ Visite guidée en français possible sur rdv **Peña de Hierro** Visite tlj. 12h, 13h30, 17h30 (19h en été) Rés. indispensable (tél. 959 59 00 25), car vous devez incorporer un groupe suffisamment important, ce qui est difficile hors saison Durée 1h Adulte 8€, TR 7€ **Train touristique** sur réservation uniquement juin-juil. et sept. : tlj. 13h30 ; août : tlj. 13h30 et 17h30 ; hiver : w.-e. et j. fér. 16h Rens. et réservation Parque Minero de Ríotinto Tél. 959 59 00 25 www.parquemineroderiotinto.com Billets et rens. : accueil du Musée minier Adulte 10€ TR 9€

La sierra de Aracena

Parc naturel de la sierra de Aracena y Picos de Aroche Couvrant

près de 184 000ha, c'est l'un des meilleurs sites pour profiter des étendues sauvages de la sierra Morena. Un paysage montagneux, dont les sommets oscillent entre 600 et 1 000m d'altitude. Le relief vallonné, le climat modéré la majeure partie de l'année, la multitude de chemins balisés reliant entre eux les villages des alentours, autant d'atouts qui en font également un excellent terrain pour les marcheurs. Plus que de randonnée sportive, il s'agit ici de longues balades champêtres, sur des chemins vicinaux, à la découverte d'un milieu naturel séduisant, dominé par les chênes verts et les chênes-lièges, mais aussi des hommes qui y vivent et de leurs activités essentiellement agricoles. Le PRA®-48, reliant Aracena à Linares de la Sierra (10km AR), le PRA®-40, Valdezufre à Corteconcepción (juste à l'est d'Aracena, 6km AR) et le GR®42.1, Jabugo à Galaroza (à l'ouest, 4km AR), comptent parmi les itinéraires les plus agréables. Le réseau de sentiers permet de combiner plusieurs itinéraires dans une journée, en boucle ou avec retour en bus local. Le nord du parc offre des possibilités de randonnées plus isolées et plus longues, notamment le long des GR®41 ou 48. Le centre des visiteurs du parc, à Aracena, vous fournira une carte des différents sentiers, ainsi que les informations que vous désirez. **Centro de Visitantes** Cabildo Viejo Accueil agréable et exposition sur le peuplement humain, la faune et la flore de la région. Plaza Alta Tél. 959 12 88 25 www.sierradearacena.net Ouvert mar-dim. 10h-14h et 16h-18h (18h-20h en juil.-août)

Alájar Le tout petit village d'Alájar niché dans le Parque natural de la sierra de

Aracena est une retraite bienvenue pour les amoureux de la nature et les amateurs de bonne chère. Le village, et particulièrement la place centrale, baigne dans une atmosphère paisible qui donne envie de s'asseoir pour observer habitants et paysans, de passage sur leur mule de bât. Mais le sommet du piton rocheux qui domine Alájar, la Peña de Arias Montano, est un site du plus grand intérêt. Arias Montano (1527-1598), l'un des plus importants humanistes de la Renaissance espagnole, y mène pendant de longues années une vie d'ermite, consacrée à des recherches en philologie, théologie, médecine. Il est un temps appelé à la cour du roi Philippe II, puis vit aux Pays-Bas, foyer de l'humanisme. Plus tard, il fonde à Aracena une école latine dispensant un enseignement gratuit. On accède au site par une route escarpée qui quitte l'A470, juste avant l'entrée d'Alájar. Les plus courageux y monteront à pied. Sur place, la petite église de l'Ermita de Nuestra Señora de los Ángeles (XVIe siècle) abrite une représentation de la Vierge, objet d'une grande vénération qui attire début septembre un important pèlerinage. Face à l'église se dresse un étonnant vestige roman (VIe-VIIIe siècle) aux influences byzantines, l'Arco de los Novios (arche des Amoureux). Attention : le traverser en compagnie d'une dame signifie qu'elle sera votre future épouse… *11km au sud-ouest d'Aracena par l'A470*

☺ **Almonaster la Real** Incontournable si vous passez dans la région. À 15km à l'ouest d'Alájar par l'A470, le village, avec ses ruelles blanches et son atmosphère décontractée, constitue une halte très agréable. Faire étape, par exemple, au très accueillant hôtel-restaurant Casa García. L'église de San Martín possède un portail du XVIᵉ siècle appartenant au style portugais dit manuélin. Mais il faut surtout aller voir l'un des plus étonnants monuments de l'islam andalou, une extraordinaire **mosquée** de l'époque califale. Le premier édifice construit sur les lieux, vraisemblablement d'origine romaine, laisse place au VIIᵉ siècle à une église wisigothe. C'est au Xᵉ siècle, sous le califat de Cordoue, que la mosquée est érigée. Seul son portail actuel a été ajouté au XVᵉ siècle dans un style mudéjar qui se fond bien dans l'ensemble. L'architecture de la tour témoigne de sa fonction première de minaret. Mais la vraie émotion vous attend à l'intérieur. Un espace assez bas, alignement d'arches en brique appuyées sur de belles colonnes de grès ou de pierre blanche. On remarque quelques chapiteaux anciens, sans doute récupérés de l'ancienne église wisigothe. Çà et là, des inscriptions taillées dans la pierre portent la mémoire des différentes époques. L'endroit, fortement protégé, n'est éclairé qu'au moyen d'une étroite meurtrière. Face à l'entrée, un minuscule patio abrite la fontaine à ablutions. Au fond de la mosquée, dans un renfoncement du mur, le mihrab serait le plus ancien de la péninsule Ibérique. Loin des fastes de la mosquée cordouane, celle-ci dégage une inoubliable impression d'harmonie et de calme. Chaque année, en octobre, elle accueille le rite musulman. La place centrale est alors reconvertie en souk artisanal. *Ouvert tlj. (si la porte est fermée, demandez la clé aux bureaux municipaux, sur la place principale) Mairie d'Almonaster Tél. 959 14 30 03*

Fuenteheridos Charmant petit village fleuri à l'atmosphère paisible. Il doit son nom à la belle fontaine (Fuente de Doce Caños) sur la place centrale. *Par la N433 À 10km d'Aracena, bifurcation sur la gaude vers HV-5414 et route sur 1km*

Jabugo Au cœur de la sierra de Aracena, ce bourg n'attirerait pas particulièrement l'attention s'il n'était le fief d'un joyau de la gastronomie espagnole : le *jamón* de Jabugo. La réputation des charcuteries locales, et en particulier du jambon, a en effet depuis longtemps dépassé les frontières de la province. Le *pata negra* de Jabugo occupe, avec celui de Trevélez (dans les Alpujarras), le firmament des jambons ibériques. De véritables délices, issus de l'élevage du porc noir (*pata negra*), qui vit en liberté dans les prairies parsemées de chênes. Cette tradition de qualité a conduit à la création, en 1995, d'une appellation d'origine contrôlée (DO) : le "*Jamón de Huelva*". Le fin du fin, estampillé "5J" (*cinco jotas*), est obtenu après la sélection des meilleurs spécimens, nourris exclusivement de glands. Les jambons sont alors soumis à un processus de salage puis de séchage de plus de 18 mois. *21km à l'ouest d'Aracena par la N433 puis la N435 et la route HV-1172 Les lignes de bus Aracena-Aroche et Aracena-Cortegana s'arrêtent à Jabugo*

Où déguster le jambon de Jabugo ?

Restaurante Mesón Cinco Jotas. Voilà l'endroit où l'on vous servira le meilleur *jamón* de Jabugo. Mais attention, le jambon estampillé "5J" est un luxe : comptez environ 11€ pour une demi-ration, accompagnée traditionnellement de deux œufs au plat. Demandez à jeter un coup d'œil à la découpe du jambon : c'est là que tout se joue, la tranche doit être aussi fine que possible. Assis au comptoir, vous pourrez admirer, à travers une grande baie vitrée, les jambons pendus par dizaines dans le séchoir. On peut également acheter sur place un jambon entier ou à la coupe. Les prix sont moins élevés dans les magasins jalonnant la rue principale, mais la qualité est plus aléatoire. Si vous le demandez au préalable, vous pourrez visiter leur cave. *Sur la rue principale* **Jabugo** *Tél. 959 12 10 71 Ouvert lun.-jeu. 10h-22h30 (21h l'hiver), ven.-dim. 10h-0h (22h30 l'hiver)*

Manger à Aracena

La région de la sierra de Aracena s'enorgueillit de posséder avec Jabugo un des meilleurs centres de production de jambon ibérique. Les spécialités de charcuterie, issue de l'élevage des porcs noirs vivant dans la nature et se nourrissant exclusivement de glands, sont réputées dans tout le pays. Autre richesse des vastes étendues forestières de la région, les champignons ou *setas*. Ils se déclinent sous toutes les formes : au gril, en croquettes, en chaussons.

petits prix

Cafe-Bar Manzano. Bar à tapas de qualité, version montagnarde : champignons et jambon irrésistibles. Le plateau de *tapas combinadas* revient à env. 9,50€. Autre spécialité, le ragoût de queue de taureau (*rabo de toro*) : env. 3,50€ la tapa, env. 12€ la ration. Il y a toujours un peu de monde le soir et, à l'heure du déjeuner, la terrasse ensoleillée donnant sur la grand-place est bondée. Sachez qu'en juillet-août, les prix en terrasse grimpent de 15% ! *Plaza Marqués de Aracena, 22 Tél. 959 12 81 23 Fermé mar. ; sept.*

prix moyens

Restaurante José Vicente. Avant de sortir d'Aracena, direction Séville. Une des meilleures adresses de la région, pas guindée pour autant. Incontournable *jamón* (24€ la ration) et carte à env. 25€, composé de spécialités locales. Réserver en fin de semaine. *Av. Andalucía, 53 Tél. 959 12 84 55*

Dormir à Aracena et dans les environs

camping

Camping Aracena. À 2km d'Aracena, sur la route de Séville. Tout le confort d'un camping de 1ʳᵉ catégorie, à des prix raisonnables : env. 20€ pour 2 personnes avec une voiture et une tente. Situé à l'écart de la route au pied d'une colline, il jouit d'un cadre assez agréable, surtout en été. *Route Séville-Lisbonne (N433), km83 Tél. 959 50 10 05 Ouvert toute l'année*

très petits prix

Casa Manolo. L'unique pension de la ville, près de la place centrale, a été rénovée en 2006. Les chambres sont correctes et le prix très raisonnable : 24€ la double, toute l'année. Appelez un peu à l'avance parce que c'est vite plein à certaines périodes. *Calle Barbero, 6* **Aracena** *Tél. 959 12 80 14*

petits prix

☺ **La Finca El Cordonero.** Un endroit rêvé pour de douces nuits. Cette propriété rurale au milieu de la végétation saura venir à bout du plus stressé d'entre vous. Deux grandes maisons indépendants, totalement équipées. Chaise à bascule devant la grande cheminée, pour bouquiner le soir après une belle randonnée. Les terres appartiennent à un agriculteur spécialisé dans la culture écologique. 120€ la maison (6 personnes). *Urbana Fernández González, Maestra Adame, 16* **Fuenteheridos** *Tél. 959 12 50 19 www.fincaelcordonero.com*

prix moyens

Hotel Sierra de Aracena. Dans la grande rue qui part à l'ouest de la Plaza Marqués de Aracena. Accueil attentionné, confort irréprochable, une adresse où l'on se sent bien. N'hésitez pas à demander des renseignements pratiques à la réception, on vous les donnera avec le sourire. La cheminée du salon est bien agréable en hiver. Chambres doubles de 52 à 58€ HT. *Gran Vía, 21* **Aracena** *Tél. 959 12 61 75 Fax 959 12 62 18 www.hsierraaracena.es*

☺ **La Posada.** Un petit hôtel rural, sur la rue principale du village. Il faisait, il y a bien longtemps, office d'auberge (*posada*) pour les cavaliers. Parfaitement rénovée, La Posada a gardé un parfum campagnard avec ses poutres apparentes et son petit coin salon devant la cheminée. Les chambres, tout équipées, sont meublées avec goût. Une bonne adresse pour passer une nuit loin de l'agitation des villes andalouses. Possibilité de visites guidées, randonnées à pied ou à cheval en groupe. Réservation indispensable, surtout en fin de semaine. Double à 63€, petit déjeuner compris. *Calle Médico Emilio González, 2* **Alájar** *(21340) Tél. 959 12 57 12 www. laposadadealajar.com*

prix élevés

☺ **Finca Valbono.** Champêtre, c'est le mot. À peine sorti d'Aracena, on débouche sur cet ancien corps de ferme tapi au creux d'un vallon et réaménagé en complexe hôtelier discret, avec piscine et terrain de sport. Les chambres, à la décoration rustique et individualisée, sont superbes. Elles donnent sur les ramures des chênes verts. Le tout pour 88€ HT. Mais l'idéal, ce sont les *alquerias*, petits pavillons indépendants avec poutres apparentes et cheminée, le calme impérial. Pour 2 personnes, compter 90€ HT et 146€ HT pour 4 pers. Les amoureux de nature seront comblés : sentiers pédestres, location de chevaux. Un tarif dégressif est proposé si vous restez plusieurs nuits. *Route de Carbonera (au nord-est d'Aracena), km1 Tél. 959 12 77 11 et 959 12 76 18 Fax 959 12 76 79 www.fincavalbono.com*

Cadix, ville suspendue au-dessus de l'Océan et ouverte aux quatre vents, ravira les promeneurs romantiques autant que les fêtards. De l'autre côté de la baie, s'étend le domaine du jerez, vin fameux que vous ne manquerez pas de déguster dans un des restaurants d'El Puerto de Santa María, réputés pour leurs excellents fruits de mer. Jerez est la patrie du cheval andalou et du flamenco. Tarifa, dont la côte est battue par la houle atlantique, est un spot exceptionnel de funboard. Accrochés aux flancs verdoyants de la sierra de Grazalema, les *pueblos blancos* offrent de véritables havres de paix. De la province de Cadix, vous pourrez accéder au territoire britannique de Gibraltar.

À ne pas manquer Cadix, Jerez de la Frontera et Arcos de la Frontera

Et si vous avez le temps... Goûtez un verre de jerez, assistez aux courses de chevaux sur la plage de Sanlúcar de Barrameda, randonnez dans la sierra de Grazalema et admirez les funboarders à Tarifa

Province de Cadix

GEO**MEMO**

Ville principale	Cadix (env. 131 000 hab.), capitale de la province
Informations touristiques	OT régional Tél. 956 20 31 91
Espace naturel protégé	parc naturel de la sierra de Grazalema (51 695ha)
Villages blancs	medina Sidonia, Arcos, Zahara, Grazalema, Vejer, Castellar
Spot de surf	Tarifa
Spécialités	jerez, manzanilla, sel de Sanlúcar

PARQUE NACIONAL DE DOÑANA

RÍO GUADALQUIVIR

Lebrija

SEVILLA

A4

Trebujena

A471

Espera

Bonanza

Sanlúcar de Barrameda

Chipiona

A480

AP4

Arcos de la Frontera

A382

Rota

PUNTA CANDOR

A491

Jerez de la Frontera

Circuito de Jerez

RÍO GUADALETE

EMBALSE GUADALCA

El Puerto de Santa María

Monasterio de la Cartuja de Santa María

PLAYA DE FUENTERRABIA

Valdelagrana

A393

Cádiz

BAHÍA DE CÁDIZ

AP4

A381

ISLAS CANARIAS

PLAYA DE LA VICTORIA

CA33

Puerto Real

Paterna de Rivera

COSTA DE LA LUZ

San Fernando

Medina Sidonia

MÁLAGA

Chiclana de la Frontera

A390

Ermita de los Santos

Sancti Petri

A48

Naveros

COSTA DE LA LUZ

RÍO BARBATE

EMBALS DEL CELE

Conil de la Frontera

Vejer de la Frontera

Los Caños de Meca

PARQUE NATURAL DE LA BREÑA Y MARISMAS DE BARBATE

Barbate

CABO DE TRAFALGAR

A48

Zahara de los Atunes

Ruinas Romanas de Baelo Claudia

Bolonia

PLAYA DE BOLONIA

PUI PAL

ESTRECH DE GIBRALT.

Sevilla

Granada

Málaga

PROVINCE DE CADIX

GEOREGION

★ **Cadix** *11000*

En Andalousie, on la surnomme Habanita, la "petite Havane". C'est vrai qu'avec ses rues fatiguées, ses demeures à l'opulence et aux couleurs un peu passées et ses esplanades ouvertes sur la mer, Cadix (Cádiz) n'est pas sans rappeler la capitale cubaine. Difficile dès lors de résister au plaisir de flâner au hasard de cette ville si différente de ses voisines andalouses, puisqu'elle n'a aucune racine hispano-musulmane et quasiment aucun édifice qui soit antérieur au XVIIᵉ siècle.
Si vous avez déjà visité Cordoue ou Grenade, le tracé rectiligne des rues et la physionomie des façades vous surprendront. Cadix peut paraître un peu poussiéreuse, voire décatie et même un peu sale. Mais on ne peut nier son charme certain et son atmosphère nostalgique, dont il faut prendre le temps de s'imprégner.

CADIX, À UN BOUT DU MONDE CONNU La ville est née au XIIᵉ siècle av. J.-C., ce qui en fait la plus vieille ville connue de la péninsule, et sans doute d'Europe occidentale. Installée sur un îlot rocheux, elle est alors la première colonie fondée au-delà des colonnes d'Hercule, c'est-à-dire, pour l'époque, au bout du monde connu. Ses fondateurs, des marchands phéniciens, l'appellent *Gadir*. L'adjectif *gaditano* a survécu jusqu'à aujourd'hui pour désigner ce qui se rapporte à Cadix. *Gadir* exercera un rôle crucial dans les échanges commerciaux antiques.
Les Carthaginois l'occupent pendant plusieurs siècles, puis la ville connaît un grand essor sous l'Empire romain. S'ensuit un lent déclin sous l'ère musulmane, marquée par quelques pillages, jusqu'à la reconquête d'une ville quasiment dépeuplée par Alphonse X en 1262. Avec la découverte des Amériques débute une période de grande prospérité. Une richesse qui attire les convoitises : Cadix sera pillée par le corsaire anglais Francis Drake en 1587, puis mise à sac et incendiée par une flotte anglo-hollandaise en 1596.
Un désastre dont la ville mettra quelques décennies à se relever. Ce qui explique que l'essentiel des monuments datent des XVIIᵉ et XVIIIᵉ siècles, en particulier la dernière des grandes cathédrales d'Andalousie. Car, à partir de 1640, Cadix supplante Séville comme plaque tournante du commerce avec le Nouveau Monde. Le XVIIIᵉ siècle est un véritable âge d'or. L'activité portuaire de Cadix représente 75% de l'import-export entre l'Espagne et les Amériques.
La population passe de 35 000 en 1710 à 70 000 en 1780, et la plupart des riches demeures sont érigées au cours de ce siècle. On fait également dresser au sommet des palais quelque 160 tours de guet. Un moyen de surveiller l'arrivée des bateaux, mais aussi d'affirmer la puissance de la ville. En 1812, en plein siège des troupes napoléoniennes, est créé à Cadix le parlement des Cortes (cf. GEOPanorama, Histoire, Napoléon et la guerre d'Indépendance). Cadix sera l'une des rares villes espagnoles à résister victorieusement aux Français. Avec l'indépendance des colonies (1824), Cadix perd sa principale source de richesse. L'industrialisation de la péninsule n'a pas réussi à lui redonner son lustre d'antan et la ville souffre toujours de graves problèmes économiques et sociaux.

Cadix, mode d'emploi

accès en voiture

À 123km au sud de Séville et 40km au sud de Jerez par l'AP4 (pratique, rapide, mais payante) ou l'A4. 127km à l'ouest d'Algésiras par l'A7. Se garer dans les ruelles du centre historique tient de la mission impossible et la circulation y est délicate. Mieux vaut essayer l'un des parkings privés de la ville, le plus sûr et le plus pratique étant celui du Paseo de Canalejas.

Cadix et ses environs

(en km)	Cadix	Sanlúcar	Jerez de la F.	Arcos de la F.	Grazalema
Sanlúcar	56				
Jerez de la F.	34	25			
Arcos de la F.	64	56	32		
Grazalema	113	106	82	49	
Tarifa	103	137	117	116	166

accès en car

Gare routière (plan D1). *Au nord du centre historique, Plaza de la Hispanidad* **Comes.** Relie Séville (1h45, env. 10,50€), Jerez et El Puerto de Santa María (départs presque chaque heure, 2 ou 3€), Tarifa, Algésiras (5 à 10 départs/j. 1h30-2h, 8€), Arcos de la Frontera, Ronda et Málaga (3 à 6 départs/j. 1h15, env. 5,50€, env. 12€ et env. 20€). Départs moins fréquents pour Cordoue et Grenade. *Tél. 902 19 92 08 www.tgcomes.es*
Los Amarillos. Plusieurs départs par jour pour El Puerto de Santa María, Sanlúcar de Barrameda ou Arcos de la Frontera. *Face au bâtiment Fénix Tél. 956 29 08 00 www.losamarillos.es*
Alsina Graells. Départ pour Grenade (env. 4 départs/j. ; 5h). *Tél. 958 18 54 80 www.alsinagraells.net*

accès en train

Les lignes *cercanías* relient Cadix à El Puerto de Santa María et Jerez (15 à 20 départs/j. dans les 2 sens). 10 à 15 trains régionaux/j. entre Cadix et Séville (1h45). De Grenade, 3 trains/j. (4h20 avec changement à Dos Hermanas). *La gare Renfe (plan D3) est située entre la Plaza de Sevilla et le port de commerce* **Renfe** *Tél. 902 24 02 02 www.renfe.es*

accès en bateau

Liaison en bateau avec El Puerto de Santa María (cf. El Puerto de Santa María, mode d'emploi).

orientation

Cadix occupe une péninsule tout en longueur. La ville moderne et la plage couvrent la partie sud-est de la péninsule, tandis que le centre historique se trouve à son extrémité nord-ouest. L'accès à la ville se fait par le sud-est. On emprunte une large avenue, qui prend successivement le nom de J.-L. de Carranza, Cayetano del Toro et Ana de Viya. Un peu plus loin vers l'ouest, cette avenue devient l'Avenida de Andalucía et franchit les murailles de la Plaza de la Constitución, qui marque l'entrée dans le centre historique de Cadix.

informations touristiques

Office de tourisme municipal (plan C3). Accueil sympathique et personnel efficace. *Paseo de las Canalejas Tél. 956 24 10 01 Ouvert été : tlj. 9h30-19h ; hiver : tlj. 9h-17h*

Kiosque d'information. *Avenida de Ramon de Carranza Ouvert tlj. 9h30-15h30 et 17h-19h*

Office de tourisme régional. Pour des renseignements concernant la région de Cadix et le reste de l'Andalousie. *Av. Ramón de Carranza, s/n Tél. 956 20 31 91 Ouvert lun.-ven. 9h-19h30 (20h l'été), sam.-dim. 10h-14h*

transports

Le centre historique, assez peu étendu, ne peut se parcourir qu'à pied. Pour rejoindre le quartier de la Playa de la Victoria et le Paseo Marítimo, prendre le bus n°1 à l'angle de la Plaza de Sevilla ou le n°7 sur le Campo del Sur derrière la cathédrale. Le bus n°2 fait le tour du centre par l'ouest, entre la Plaza de España et la Playa de la Caleta, puis continue jusqu'à la cathédrale.

Unitaxi. *Tél. 956 21 21 21, 22 ou 23*
Radio Taxi. *Tél. 956 26 26 26*

banques et poste

Les **banques** et **distributeurs** du centre historique sont concentrés le long de l'Avenida de Carranza (Paseo de Canalejas) et des rues Nueva et San Francisco, aux abords de la Plaza San Juan de Dios.

Bureau de poste principal (plan C2). *Plaza de la Flores (ou Plaza Topete) Tél. 902 19 71 97 www.correos.es*

Internet

Novap (plan C1). *Cuesta de las Calesas, 45 Tél. 956 26 44 68 Ouvert toute l'année tlj. 10h-22h*

urgences

Urgences. *Tél. 112*
Police. *Avenida de Andalucía, 28 Tél. 956 29 75 00*

fêtes et manifestations

Janvier-février	**Grand concours de chansons satiriques** mettant aux prises des groupes déguisés, dont les Andalous sont très friands.

| Février-mars | **Carnaval de Cadix** : sans aucun doute l'un des plus extravagants d'Europe. Il dure une dizaine de jours (jusqu'au dimanche de Carême). |
| Mars-avril | **Semaine sainte** |

Découvrir Cadix

☆ **À ne pas manquer** La cathédrale, le quartier del Pópulo et le musée de Cadix
Et si vous avez le temps... Découvrez le quartier de la Viña pendant le carnaval, faites une promenade romantique le long de l'Alameda Apodaca sous les ficus centenaires, observez le travail des artisans à la Galería Artesanal El Pópulo et détendez-vous sur la plage de la Victoria

Quel plaisir de flâner sans but dans les rues un peu usées mais si charmantes du centre historique... Le tracé parfois anarchique de ces rues au relief irrégulier est interrompu à intervalles réguliers par de belles places ombragées.

Sud et est du centre historique

Aux portes du centre historique s'ouvre la place de l'hôtel de ville qui jouit d'une grande animation : la Plaza San Juan de Dios (plan C3). À l'ouest de la place, des rues étroites, comme la Calle Flamenco ou la Calle Manzanares, se faufilent au milieu de vieux édifices poussiéreux. Ici et là, on traverse de petites places ombragées où il fait bon s'arrêter, notamment la Plaza de Candelaria (plan C2). Ce quartier, profondément remanié aux XVIIe et XVIIIe siècles, a gardé de nombreuses traces architecturales de l'âge baroque, avec des portails ouvragés superbes, en particulier ceux de la Casa de las Cadenas et des Archives municipales (Calle Cristóbal Colón, plan C2). Au sud de la Plaza San Juan de Dios s'étend le Barrio del Pópulo, le plus vieux quartier de la ville. En face du Musée de la cathédrale, sur la Plaza de Fray Félix, se dresse l'église Santa Cruz (plan C3), fondée au début du XIIIe siècle par le roi Alphonse X. En 1262, ce dernier obtient pour l'église le rang de cathédrale, à l'occasion de l'incorporation de Cadix à la couronne de Castille. En grande partie détruite par le grand incendie de 1596, elle est rouverte en 1603. Son clocher carré surmonté d'une coupole colorée ne laisse pas indifférent, de même que le très bel intérieur aux épais piliers contrastant avec des voûtes d'une grande finesse. Juste à l'ouest du Barrio del Pópulo, on ne peut manquer d'apercevoir la masse gigantesque de la cathédrale (plan C3). En remontant vers l'ouest la Calle Compañía, on débouche sur la pittoresque Plaza Topete, que tout le monde appelle Plaza de las Flores (plan C2), car elle accueille un marché aux fleurs.

☆ **La cathédrale et son musée (plan C3)** De la plage de la Victoria, la vision du haut dôme doré de la cathédrale dominant les façades bigarrées du front de mer ne manque pas de cachet. De près, ce sont surtout les dimensions et le caractère massif de l'édifice qui impressionnent. C'est à la fin du XVIIe siècle qu'est décidée la construction d'une grande cathédrale, à l'époque où le commerce avec les Amériques a donné à Cadix une nouvelle puissance. Les travaux débutent en 1722, sur des plans ambitieux de Vicente Acero. Ils s'éterniseront jusqu'en 1836. Au passage, les dimensions du dôme central seront revues à la baisse faute d'argent et

PROVINCE DE CADIX

GEOREGION

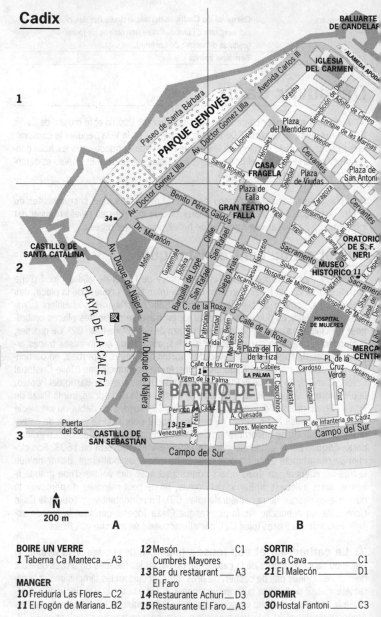

Cadix

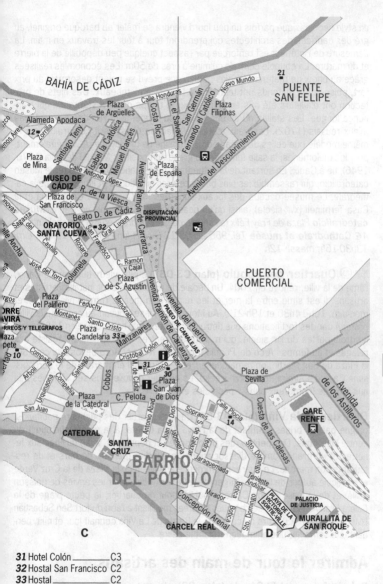

BAHÍA DE CÁDIZ

PUENTE SAN FELIPE

21

Calle Honduras
Nuevo Mundo
Plaza de Argüelles
Costa Rica
R. del Salvador
San Germán
Fernando el Católico
Plaza Filipinas

Alameda Apodaca
Zorrilla
12
Isabel la Católica
Calle Antonio López
Manuel Rancés
Avenida Ramón de Carranza

Plaza de Mina
Santiago Teny
MUSEO DE CÁDIZ
20

Plaza de España

R. de la Viesca

Plaza de San Francisco
Beato D. de Cádiz
ORATORIO SANTA CUEVA
32
San Francisco
Gral. Luque
DISPUTACIÓN PROVINCIAL

Castillo
Rosario

Avenida del Descubrimiento

PUERTO COMERCIAL

José del Toro
Columela
Plaza de S. Agustín
C. Ramón y Cajal
Avenida Ramón de Carranza

ORRE VIRA
Plaza del Palillero
Feduchy
Montañés
Santo Cristo
Mendizábal
PASEO DE CANALEJAS

RREOS Y TELEGRAFOS
10
Compañía
Obispo
Manzanares
Plaza de Candelaria
33
Avenida Ramón de Carranza
Calle Nueva
Avenida del Puerto

Cristóbal Colón
31
Flamenco
30
Plaza San Juan de Dios

Arboli
Santiago
Compañía
Plaza de la Catedral
M. de Cádiz
C. Pelota
S. Antonio Abad

San Juan
CATEDRAL
SANTA CRUZ
BARRIO DEL PÓPULO

Plaza de Sevilla

Sopranis
Calle Plocia
14
S. San Miguel

Cuesta de las Caleas

GARE RENFE

Avenida de los Astilleros

S. de Salazar
Vela
Sto. Domingo
Jaraquemada
Botica
Mirador
Concepción Arenal
Botica
Sto. Domingo
Teniente Andújar

PLAYA DE LA VICTORIA
SORTIE-VILLE

CÁRCEL REAL

PALACIO DE JUSTICIA

MURALLITA DE SAN ROQUE

C

D

31 Hotel Colón _____ C3
32 Hostal San Francisco C2
33 Hostal _____ C2
Centro Sol
34 Parador Hotel _____ A2
Atlántico

un style néoclassique parfois un peu lourd viendra se mêler au baroque originel, au gré des caprices des architectes qui prendront tour à tour les travaux en main. La démesure de l'intérieur est renforcée par l'aspect quelque peu dépouillé de la pierre et du marbre. La coupole centrale culmine à près de 50m. Les économies réalisées grâce au choix de matériaux moins nobles que prévu se paient désormais au prix fort, puisque les plafonds ont tendance à tomber en lambeaux. Des filets de protection ont d'ailleurs été mis en place, pour le temps d'une restauration qui s'annonce longue. Les stalles du chœur, en acajou ciselé, sont l'un des éléments les mieux réussis (1702). Les deux tours de la façade ouest sont construites sur le même modèle que celles de la cathédrale cubaine de La Havane. À voir également, pour les mélomanes, la salle funéraire du grand compositeur Manuel de Falla (1876-1946), né à Cadix. En sortant de la cathédrale, ne manquez pas de visiter le Museo catedralicio, qui rassemble les plus belles œuvres artistiques et liturgiques de la cathédrale. Le musée occupe des locaux superbes : la Casa de la Contaduría et la Casa Termineli (XVIe siècle), ainsi qu'un beau cloître mudéjar du XVe siècle. **Museo catedralicio** Plaza de Fray Félix (à l'arrière de la cathédrale, sur la gauche) Entrée : 4€ **Cathédrale et musée** Tél. 956 25 98 12 Ouvert lun.-sam. 10h-18h30, dim. 13h30-16h, messe 12h

☆ ☺ **Quartier del Pópulo (plan C3-D3)** Le plus vieux quartier de Cadix, l'âme de la ville, rénové en 2004. Un dédale de rues où se sont installés artistes et artisans. Il est situé entre la mer et les ruines d'un théâtre romain (visites lun. et mer.-dim. 10h-14h30 et 19h-21h). Au Moyen Âge, il se trouvait au cœur de la ville, protégé par des fortifications que détruisit la flotte anglo-hollandaise en 1596. Mais les trois portes du XIIIe siècle, qui marquaient l'entrée du quartier, ont résisté aux pillages et au temps : Arco del Pópulo, Arco de la Rosa et Arco de los Blancos. Sur la Plaza de San Martín, on remarque le très beau portail en marbre de la baroquissime Casa del Almirante (fin XVIIe siècle). Le quartier dévoile tous ses charmes à la nuit tombée (nombreux pubs, spectacles et concerts).

Quartier de la Viña (plan A3-B3) L'ancien quartier des pêcheurs gaditanos, baigné par les brises soufflant de la Playa de la Caleta, à la pointe sud-ouest du centre historique. Des petites rues pittoresques et populaires, avec du linge aux fenêtres et un grand nombre d'associations de quartier (peñas), de bars et de restaurants bon marché. Le quartier commence au niveau de la Plaza de la Cruz Verde et s'articule autour de la Calle Virgen de la Palma (idéale pour les envies de poisson grillé) et de la Calle de los Carros. Tout au bout du quartier, la petite plage de la Caleta (plan A2-A3), avec ses barques colorées mouillant à l'abri du fort San Sebastián (XVIIIe siècle, plan A3). Lors du carnaval, le Barrio de La Viña connaît jour et nuit, pendant une semaine, une animation frôlant le délire.

Admirer le tour de main des artisans

Galería Artesanal El Pópulo (plan C3). Un petit passage discret, où une dizaine d'artisans ont installé leur atelier. Ils travaillent le cuir, le bois, la céramique, le textile et vendent leur production, notamment de magnifiques éventails (abanicos). Dans la convivialité, on peut en outre discuter, observer le coup de main et parfois même s'initier à la fabrication. Calle San Antonio Abad, 12

Où boire un verre ?

☺ **Taberna Ca Manteca (plan A3 n°1).** Fondé en 1953 par un ancien torero dont le nom de scène était "El Manteca". Le long comptoir en bois, qui se prolonge sur deux salles, a depuis toujours été le lieu de rendez-vous des toreros, chanteurs de flamenco et autres amateurs de combats de coqs. Dans ce lieu, décoré de photos et d'affiches anciennes, règne une atmosphère de plus en plus fraternelle au fil de la soirée. Si l'accueil peut sembler parfois un peu brusque, c'est qu'il y a toujours beaucoup de monde et peu de serveurs. Alléché par les murs de bouteilles trônant derrière le bar, on commande un *fino* (vin sec de Jerez) ou un manzanilla. Avec le second verre, on résiste difficilement aux délicieuses tapas de fromage ou de charcuterie, servies sur papier gras. Goûter le *morcon de bellota* (variété de chorizo) et l'incontournable *chicharrones* (lamelles de porc arrosées de citron) à 3,90€ la demi-ration ou la *butifarra* (proche de l'andouillette) à 2,30€ la demi-ration. *Quartier de la Viña, Calle Corralón, 66 Tél. 956 21 36 03 Ouvert 12h-16h30 et 20h30-1h Fermé dim. soir et lun.*

Nord et ouest du centre historique

Au nord du centre-ville, le quartier délimité par la Plaza de San Francisco, la Plaza de Mina et la Plaza de España est l'un des plus populaires de la ville. C'est également le meilleur quartier pour sortir le soir. Tout près de la Plaza de San Francisco, sur la Calle Rosario, se trouve un petit joyau de chapelle néoclassique : l'Oratorio de la Santa Cueva (1780, plan C2). Si la partie inférieure (Capilla Baja) est assez sobre, la partie haute de la chapelle (Capilla Alta) jouit au contraire d'une décoration luxuriante, au milieu de laquelle on remarquera trois beaux tableaux de Goya (1795). Au nord-ouest de la Plaza de Mina commence une très plaisante esplanade en bord de mer, dont les ficus plusieurs fois centenaires frémissent dans la brise marine : l'Alameda Apodaca (plan B1-C1), particulièrement romantique à la tombée de la nuit. En suivant le littoral en direction du sud-ouest, on poursuit par la traversée d'un beau jardin botanique, le Parque Genoves (plan A1-B1). Au sud de la Plaza de Mina, la Plaza de San Antonio (plan B1), vaste et aérée, est très appréciée en fin d'après-midi, de même que les rues commerçantes du quartier, comme la Calle Ancha et la Calle Cánovas del Castillo. En descendant la Calle San José, vers le sud, on arrive à la Plaza de San Felipe Neri, qui abrite l'un des édifices les plus importants de la ville : l'oratoire de San Felipe Neri (plan B2). C'est en effet dans cette belle église baroque, construite de 1688 à 1719, que se réunirent en 1812 les membres du gouvernement provisoire des Cortes, qui y rédigèrent la première Constitution espagnole, fondée sur les principes libéraux et démocratiques. Si l'histoire de la Constitution libérale des Cortes vous intéresse, visitez le Museo de las Cortes de Cádiz, juste à côté (plan B2), où ont été ouvertes en 2007 deux salles consacrées à la cartographie des XVIIe et XVIIIe siècles et une salle où sont exposés les portraits de personnages illustres de Cadiz des XVIIIe et XIXe siècles. *Oratorio de la Santa Cueva Ouvert mar.-ven. 10h-13h et 16h30-19h30, sam.-dim. 10h-13h Oratoire de San Felipe Neri Calle San José, 38 Tél. 956 21 16 12 Ouvert lun.-sam. 10h-13h30 Travaux prévus en 2008 Museo de las Cortes de Cádiz Calle Santa Inés, 9 Tél. 956 22 17 88 Ouvert mar.-ven. 9h-13h et 16h-19h, sam.-dim. 9h-13h Fermé j. fér. Visite pour les groupes sur rdv*

☆ ☺ **Museo de Cádiz (plan C1)** Le très intéressant musée de Cadix connaît des travaux d'agrandissement au long cours depuis 2002. Son importante collection d'art s'étend du gothique au contemporain. Le rez-de-chaussée est consacré à une large section archéologique, sans doute la plus passionnante du musée. On y apprend que la ville de Cadix possédait deux temples fascinants, mythiques dans tout le monde antique : celui de Melqart-Hercule (sur l'actuelle île de Sancti Petri, au sud de Cadix) et celui d'Astarté, la Vénus des Phéniciens (à la pointe extrême de la péninsule, aujourd'hui immergée). Les deux pièces maîtresses sont deux extraordinaires sarcophages en marbre (400 av. J.-C.). Leurs formes rappellent l'Égypte des pharaons, même s'ils furent sans doute l'œuvre de Phéniciens ou de Grecs. L'espace dédié à l'archéologie romaine est également très bien conçu. On y trouve une statue colossale de Trajan et des bustes de l'empereur Hadrien. Le patio du rez-de-chaussée accueille régulièrement des expositions temporaires. Au premier étage commence la collection de beaux-arts, et plus particulièrement la période des XVIᵉ-XXᵉ siècles. Les quelques salles rassemblant des tableaux baroques sont les plus remarquables. À voir, une série d'œuvres sur bois de Zurbarán, peintes entre 1638 et 1639 pour la Cartuja de Jerez. Le maître du "réalisme baroque" y fait montre de toute sa maîtrise des couleurs et de la lumière. Ou encore le beau *San Francisco* de Murillo (1618-1682). Le 2ᵉ étage accueille le fonds d'art moderne et contemporain, ainsi qu'une petite section d'ethnologie. *Pl. de Mina Tél. 956 20 33 68 Ouvert mar. 14h30-20h30, mer.-sam. 9h-20h30, dim. 9h30-14h30 Fermé j. fér. Entrée : env. 2€*

Torre Tavira (plan C2) Entre la Calle Ancha et le Mercado Central. Le point culminant de la ville, à 45m au-dessus du niveau de la mer. Comme les nombreuses autres tours civiles de Cadix, elle fut construite au XVIIIᵉ siècle, époque de grande prospérité maritime. De par sa situation, elle devient en 1778 la tour de vigie officielle de la ville. Il s'agissait de prévenir de l'arrivée des navires, afin de préparer leur déchargement. Aujourd'hui, la situation de la tour en fait une attraction touristique grâce à l'installation d'une *cámara obscura*, un dispositif optique composé d'un périscope, d'un miroir et de lentilles grossissantes qui permet d'observer le moindre aspect de la ville. *Calle Marqués del Real Tesoro, 10 Tél. 956 21 29 10 www.torretavira.com Ouvert oct.-mai : tlj. 10h-18h ; juin-sept. : tlj. 10h-20h Fermé 25 déc. et 1ᵉʳ jan. Séance toutes les 30min env. Visites guidées en français, anglais et allemand Entrée : 4€*

Aller à la plage

Playa de la Victoria À 1,5km à l'est du centre-ville. L'une des plus belles plages urbaines d'Espagne et l'une des plus propres : elle bénéficie depuis 1987 du drapeau bleu européen. L'esplanade du Paseo Marítimo attire beaucoup de monde le week-end et l'été. Vue superbe sur la cathédrale. *Accès : bus 1 (Plaza de España) ou 7 (Campo del Sur/cathédrale)*

Pratiquer les sports nautiques

Plusieurs clubs nautiques pour profiter de la mer. Cours de voile légère (dériveur, hobbie cat), planche à voile, surf et kite. Location de matériel ou d'un bateau à moteur avec skipper pour aller pêcher ou pour une simple sortie en mer (à la journée). *Club*

Marítimo Gaditano La Caleta Calle Duque de Nájera Tél. 956 21 36 80 **Centro Náutico Elcano** *Prolongación Ronda de Vigilancia (11011) Tél. 956 29 00 12*

Manger à Cadix

La route du *tapeo* (cf. GEOPanorama, Gastronomie, les tapas) semble être sans fin à Cadix. Le centre historique recèle de vrais bijoux de bars à tapas et de petits restaurants, à des prix beaucoup moins élevés qu'à Séville par exemple. Ce qui n'empêche pas le poisson et les fruits de mer d'être d'une grande fraîcheur et l'ambiance presque toujours au rendez-vous. Goûtez aussi au poisson frit, la spécialité locale qui fait le bonheur de bon nombre de *Gaditanos*. À manger directement dans un cornet de papier ; on en redemande ! En été, ou le week-end dès les premiers beaux jours, les nombreux restaurants du Paseo Marítimo font le plein.

petits prix

Freiduría Las Flores (plan C2 n°10). Ambiance et décoration façon cantine pour déguster d'excellents poissons et fruits de mer grillés, vraiment pas chers pour une telle qualité. Au bar, grand choix de tapas à 1,20€. À table, demi-rations et rations uniquement. Goûtez aux *chocos* (seiche grillée), ou encore aux *chipirones* (petits encornets). À deux, un assortiment (*surtido*) de friture est amplement suffisant. Prix au poids, variable en fonction du marché mais toujours économique. Encore moins cher : achetez ce que vous voulez au comptoir et allez le déguster sur les bancs de la place. *Plaza Topete, 4 Tél. 956 22 61 12 Ouvert tlj. 9h-0h30*

☺ **El Fogón de Mariana (plan B2 n°11).** Un bar à tapas sans strass ni paillettes, où règne une bonne ambiance autour du comptoir en L. Plats du jour classiques (*chuletita de cordero*, côte d'agneau) ou plus fins (*revuelto de espárragos con jamón*, asperges avec œufs et jambon). Tapas à 1,50€ env. Les amateurs de charcuterie ou de viande se rueront sur les demi-plateaux variés (à partir de 3,60€) ou, pour les gros appétits, sur la *tabla familiar* à 9€. *C/ Sacramento, 39 (à l'angle de la C/ Cepeda) Tél. 956 88 37 16 www.elfogondemariana.com Fermé mer.*

prix moyens

Mesón Cumbres Mayores (plan C1 n°12). À 2min de la Plaza de Mina. Grand classique du début de soirée, reconnaissable au sigle *Cerveza Cruz Blanca* en devanture. Une adresse plus que centenaire. Décor de vieille taverne, avec de l'ail et des jambons suspendus aux linteaux de la charpente. Spécialités de viandes et de charcuteries sous toutes les formes, des tapas aux plats du jour plus copieux, mais aussi des poissons. Les viandes de porc ibérique à la braise et le *jamón* sont mémorables. Si vous pouvez vous frayer un passage jusqu'à la salle de restaurant, vous y trouverez une carte plus élaborée, avec les prix qui vont avec. Très corrects cependant au regard de la qualité. Dîner 20-28€. *Calle Zorrilla, 4 Tél. 956 21 32 70 www.mesoncumbresmayores.com Ouvert tlj. midi et soir*

Bar du restaurant El Faro (plan A3 n°13). Attenant au restaurant le plus réputé de la ville, ce bar étroit propose de succulentes tapas de poissons et de fruits de mer à des prix beaucoup plus bas. Au comptoir, produits du jour, d'une fraîcheur alléchante. Le week-end, il faut jouer des coudes pour arriver jusque-là. *Calle San Felix, 15 Tél. 956 21 10 68 www.elfarodecadiz.com Ouvert tlj. 10h-16h et 21h-0h*

prix élevés

☺ **Restaurante Achuri (plan D3 n°14).** Une excellente adresse, juste à l'est de la Plaza San Juan de Dios. Prix modérés pour la qualité. Un vrai deux en un : sur votre gauche, pour déguster quelques tapas sur le pouce, un grand comptoir en zinc où palabrent les habitués ; à droite, un bon restaurant au service élégant. Cuisine andalouse avec des influences basques. Ces dernières se manifestent clairement dans la spécialité de l'endroit : les *anchoas*, anchois salés, marinés à l'huile d'olive (10€). Dîner env. 32€. Se remplit vite au déjeuner, arriver un peu avant 14h. *Calle Plocia, 15 Ouvert à midi tlj., midi et soir jeu.-sam. Tél. 956 25 36 13*

Restaurante El Faro (plan A3 n°15). Au sud du quartier de la Viña. De l'avis général, le meilleur restaurant de poisson de Cadix. Salle chic mais sans ostentation, service aux petits soins. Vraiment pas ruineux pour une table de ce niveau, avec un vaste choix de plats à la carte. Leur classique : *tortillas de camarones* (crevettes), délicieuse entrée. Dîner 42-46€ boisson comprise. Réservation recommandée. *Calle San Félix, 15 Tél. 956 21 10 68 et 956 22 58 58 Ouvert tlj. 13h-16h et 21h-0h*

Sortir à Cadix

Cadix est connue pour ses nombreuses animations en soirée et l'ambiance festive de ses places l'été. La plage de la Victoria accueille des tournois de beach-volley et d'autres manifestations jusque tard dans la nuit. Ne ratez pas les concerts (flamenco, rock...) organisés dans le Baluarte de la Candelaria (plan B1), au début de l'Alameda. Dans le centre historique, les lieux de sortie se concentrent sur la Plaza de Mina et les rues environnantes, en direction de la Plaza de España et de la Plaza de San Francisco. Bars à tapas, bars de nuit et discothèques se remplissent successivement au fil de la soirée. Parmi les bars les plus classiques, citons le Persígueme (Calle Tinte, à l'angle de Sagasta, plan C2). Non loin de là, la rue Manuel Rancés (plan C1-C2) rassemble plusieurs bars-boîtes. Ambiance enfiévrée garantie sur la piste de danse jusqu'à 6h du matin. Ne pas arriver avant 1h30. Dans le quartier de la Playa de la Victoria, la rue General Muñoz Arenillas (hors plan) compte plusieurs pubs et bars de nuit qui font salle comble en fin de soirée le week-end, et presque tous les soirs en été. Une saison où l'ambiance bat aussi son plein sur les terrasses des restaurants et des bars du Paseo Marítimo ainsi que dans le quartier del Pópulo. Enfin, le Teatro Falla est apprécié pour la qualité de ses représentations de théâtre et de danse (Plaza Falla, plan B2). Pour le programme des sorties et concerts, consultez les pages "Agenda" du quotidien *Diario de Cádiz* ou www.guiadecadiz.com

Où écouter du flamenco ?

Plus intéressants, mais moins fréquents que les "soirées flamenco", des concerts sont organisés de temps à autre dans les théâtres de la ville, notamment La Lechera et le Teatro Falla. *Rens. à l'office de tourisme*

La Cava (plan C1 n°20). Ce café-concert propose des soirées flamencas avec musiciens et danseuses, dans un cadre agréable de vieille taverne. Destinées aux touristes, elles sont d'assez bonne qualité. Elles ont lieu tlj. de juin à septembre à 22h et mardi, jeudi et samedi, le reste de l'année à 21h30. Spectacle + verre : 22€ ; spectacle + dîner : 43€. *Calle Antonio López 16, entre la Plaza de Mina et la Plaza de España Renseignements et réservation : tél. 956 21 18 66 et 669 13 42 82 www.flamencolacava.com*

Où danser la salsa ?

El Malecón (plan D1 n°21). La boîte de référence pour danser sur des rythmes endiablés. *Punta de San Felipe, Paseo Pascual Pery Tél. 956 22 45 19 Ouvert de minuit jusqu'à l'aube*

Dormir à Cadix

L'hébergement n'est vraiment pas le point fort de Cadix : des prix plutôt élevés pour des prestations plus fonctionnelles que charmantes. La plupart des pensions bon marché sont rassemblées sur un petit périmètre, autour de la Plaza San Juan de Dios, mais pour trouver une chambre en été, mieux vaut réserver, si c'est possible, une semaine à l'avance. Sinon, il ne vous reste qu'à faire le tour des établissements de bon matin.

très petits prix

Hostal Fantoni (plan C3 n°30). À l'ouest de la Plaza San Juan de Dios. Si vous arrivez en fin d'après-midi, il ne restera sans doute rien de libre. C'est vrai que les chambres sont impeccables, le patio fleuri et la terrasse sur le toit agréable en soirée. Les travaux d'amélioration et d'agrandissement commencés en 2007 continuent en 2008, mais l'établissement reste tout de même ouvert. Chambres doubles sans sdb de 30 à 45€ (de 45 à 70€ avec sdb). Hôtel climatisé et solarium en terrasse. *Calle Flamenco, 5 (11005) Tél./fax 956 28 27 04*

Hostal Colón (plan C3 n°31). Les chambres de cette petite pension de famille sont exiguës mais très coquettes, et disposent de la climatisation et de salles de bains flambant neuves. Doubles d'environ 32 à 37€ en été (env. 42-52€ avec sdb). Les propriétaires aiment les gens propres sur eux... Et pour ceux qui ne trouvent pas grâce à leurs yeux, c'est plus cher ! *Calle Marqués de Cádiz, 6 (11005) Tél. 956 28 53 51*

petits prix

Hostal San Francisco (plan C2 n°32). Accueil sympathique. Les chambres sont assez petites et décorées sans grande imagination, mais elles sont très propres et climatisées. À savoir : il faut payer à l'avance. Chambres doubles sans sdb : de 37 à 50€. Chambres avec sdb : de 48 à 50€. *Calle San Francisco, 12 (11004) Tél./fax 956 22 18 42*

prix moyens

Hostal Centro Sol (plan C2 n°33). Près de la Plaza de Candelaria, une pension très bien tenue. Salle de bar minuscule dans un patio intérieur. Chambres de tailles variables, mais toutes irréprochables (et avec climatisation) pour le prix : 53,50€ la double avec salle de bains (75€ en été). Accueil un peu sec, comme il est de coutume à Cadix. En revanche, on peut réserver. *Calle Manzanares, 7 (11005) Tél./fax 956 28 31 03 www.hostalcentrosolcadiz.com*

prix très élevés

Parador Hotel Atlántico (plan A2 n°34). Ce vaste immeuble en béton, tout à l'ouest du centre-ville, gâche un peu l'horizon. Mais à l'intérieur, l'ensemble a une certaine classe, surtout les quelques chambres et le vaste jardin avec piscine qui ouvrent sur le grand large. Prestations et confort 4 étoiles, à des prix très avantageux : de 118 à 128€ HT la double. Restaurant de qualité au rez-de-chaussée. Réservation indispensable. Des travaux de rénovation des parties les plus anciennes du Parador sont prévus, sans pour autant affecter le bon fonctionnement de l'établissement. *Av. Duque de Nájera, 9 (11002) Tél. 956 22 69 05 Fax 956 21 45 82 www.parador.es*

El Puerto de Santa María *11500*

Situé de l'autre côté de la baie, El Puerto de Santa María est moins connu que Cadix. Cette ville attachante de 83 000 hab. a pourtant plus d'un tour dans son sac. Troisième sommet du "triangle de jerez" (cf. Jerez), elle possède des caves aussi connues qu'Osborne ou Terry. Sur les rives du río Guadalete, sa célèbre "Ribera del Marisco" réunit des restaurants de fruits de mer et de poissons excellents, qui attirent les foules en fin de semaine. Ajoutez à cela une tradition flamenca et taurine de tout premier ordre, et avouez qu'il serait dommage de ne pas faire un détour. L'aller-retour en bateau au départ de Cadix peut se faire dans la journée. C'est la meilleure manière de découvrir un port d'où Christophe Colomb appareilla lors de ses deux derniers voyages, qui devint ensuite l'un des principaux comptoirs d'échanges avec les colonies d'Amérique, et accueillit du XVIe au XVIIIe siècle une partie de la flotte royale espagnole.

El Puerto de Santa María, mode d'emploi

accès

EN VOITURE À 22km au nord-est de Cadix (N443). Suivre la direction *centro*, la route longe la Ribera del Marisco jusqu'au parking de l'embarcadère.

EN TRAIN 15 à 20 départs/j. de Cadix (30min) et Jerez (10min). *Gare ferroviaire au nord-est de la ville, à proximité de la N-4*

EN BATEAU Au départ de Cadix. Le vieil Adriano III, surnommé El Vaporcito (le petit vapeur) est une institution. Il met 40min à effectuer le trajet. Départ de Cadix et retour : tlj. toutes les deux heures environ. Des sorties nocturnes sont organisées en juillet et en août (Aller 3€, AR 4€). *www.vapordeelpuerto.com Tél. 629 46 80 14* **Départ** *de la Estación Marítima de Cadix, près de la Plaza de España* **Arrivée** *au Muelle del Vapor d'El Puerto de Santa María, le long de la Ribera del Marisco Ne circule pas lun. en basse saison*

informations touristiques

Office de tourisme. Sur une rue partant de l'extrémité ouest de la Ribera del Marisco. *Calle Luna, 22 Tél. 956 54 24 13 www.turismoelpuerto.com Ouvert tlj. 10h-14h et 17h30-19h30 (18h-20h en été)*

hôpitaux

Hôpital. *Calle Valdés (derrière les arènes) Tél. 956 01 70 00*

fêtes et manifestations

Feria de Primavera. Semblable dans sa forme à celle de Séville, la feria rassemble des *casetas* colorées dans un parc (*recinto ferial*), en périphérie de la ville, qui s'anime au son des danses flamencas, dans un océan de couleurs. De grandes corridas sont également organisées dans les arènes de la ville. *Fin avril ou début mai*

Découvrir El Puerto

☆ **À ne pas manquer** La Plaza de Toros **Et si vous avez le temps...** Faites une escapade à Cadix à bord du vieil Adriano III, assistez à une corrida pendant la Feria de Primavera, dégustez un verre de *fino* chez Osborne, écoutez du flamenco à la Peña El Chumi ou à la Peña El Nitri

Les beaux hôtels particuliers du centre historique, construits pour l'essentiel aux XVIIIe et XIXe siècles, témoignent du riche passé commercial d'El Puerto. À l'ouest de la Ribera del Marisco, sur la Plaza Alphonse X, le Castillo de San Marcos est une ancienne mosquée reconvertie par Alphonse X en église fortifiée au XIIIe siècle, puis agrandie au XVe siècle. Non loin de là, sur la Plaza del Polvorista, l'hôtel de ville occupe le Palacio de Imblusqueta, exemple caractéristique des demeures des marchands fortunés du XVIIIe siècle. ***Castillo de San Marcos*** *Tél. 627 56 93 35 Visite guidée (env. 1h, avec dégustation de vins) Ouvert juin-sept. : mar.-sam. 10h-14h (dernière visite 13h30) ; oct.-mai : mar. 11h30-13h30 (gratuit, sans dégustation, réservation impérative), jeu. et sam. 11h30-13h30 Entrée 5€ Enfants 2€*

Iglesia Mayor L'église, qui domine la Plaza de España, a été fondée après la reconquête de la ville au XIIIe siècle par Alphonse X, mais l'édifice actuel a été érigé au XVe siècle, dans un style gothique tardif. Il abrite de nombreux éléments baroques. *Tout en haut du centre historique Tél. 956 85 17 16 Ouvert lun.-ven. 8h30-12h45 et 18h-21h, sam. 8h30-12h30 et 18h-21h, dim. 8h30-14h et 18h30-21h*

☆ ☺ **Plaza de Toros** Les amateurs de tauromachie ne manqueront pas de visiter les fameuses arènes de la ville. Inaugurées en 1880, elles peuvent accueillir 14 000 spectateurs et sont considérées par les amateurs comme l'un des hauts lieux de la tauromachie mondiale. Un célèbre matador du début du xxᵉ siècle, Joselito, a dit un jour : "Celui qui n'a pas vu les taureaux d'El Puerto ne sait pas ce qu'est une corrida." Les corridas sont organisées lors de la Feria de Primavera et en été (les plus courues). *Visite gratuite 11h-13h30 et 17h30-19h Fermé lun.*

Fundación Alberti El Puerto de Santa María s'enorgueillit d'avoir donné naissance à Rafael Alberti (1902-1999), grand poète, peintre et homme politique, figure phare du courant intellectuel et artistique de la "Génération de 27". La visite de la fondation, installée dans sa maison d'enfance, permet de se familiariser avec son œuvre. *Calle Santo Domingo, 25 (au nord du Castillo) Tél. 956 85 07 11 www. rafaelalberti.es Ouvert mar.-dim. 11h-14h30 Audioguide en espagnol, anglais et français Adulte 3€, TR 1,50€*

Visiter une cave de jerez

El Puerto de Santa María est, avec Jerez et Sanlúcar, l'une des trois villes du "triangle de jerez". Les caves de la ville sont réputées pour leur *fino* et surtout leur brandy ("cognac"). Vous pourrez y découvrir le traditionnel système de vieillissement du vin, dit de la *solera*.

Osborne. La maison la plus connue. C'est elle qui a fait installer les célébrissimes taureaux noirs qui bordent les routes andalouses, objets publicitaires devenus patrimoine historique par un décret de la Junta de Andalucía de 1994. Vous pourrez visiter sa Bodega de Mora ou sa Bodega El Tiro. **Bodega de Mora (finos)** *Calle Los Moros, 7 (au sud des arènes, dans le centre) Tél. 956 86 91 00 Visite tlj. sur rdv à 10h30 en anglais, 12h en espagnol et 12h30 en allemand. Pour les visites en français, réserver à l'avance* **Bodega El Tiro (brandy)** *Route A4 km651 Tél. 956 85 42 28 www.osborne.es Visite uniquement en espagnol tlj. sur rdv à 10h30, 12h et 13h30 Pour les visites en français, réserver à l'avance Fermé sam.-dim. Tarif 7€*

Terry. Autre grande maison. *Calle Toneleros (à l'est du centre en direction de Jerez, en face du Parque del Vino) Tél. 956 85 77 00 Visite des caves, du haras et de la collection d'attelages anciens sept.-juin : lun.-ven. 10h et 12h, sam. 12h ; juil.-août : lun., mar. et jeu. 10h, 11h, 12h et 13h, tarif env. 7€. Visite de la cave et exhibition d'attelages juil.-août : mer. et ven. 11h, tarif env. 12€. Visite de la cave, dégustation, spectacle flamenco et équestre juil.-août : jeu. 21h, tarif env. 35€*

Aller à la plage

La plage principale est celle de la station balnéaire de Valdelagrana, au sud-est du centre-ville, de l'autre côté du fleuve. C'est là que se concentre en été l'essentiel de l'animation, de jour comme de nuit. Plus confidentielles, les petites plages situées à quelques kilomètres au sud-ouest du centre : plages de la Puntilla, de la Calita, de Santa Catalina et de Fuenterrabía. Des services de bus urbains desservent ces plages au départ du centre-ville (lignes 1, 2 et 3). Pour ceux qui ne veulent pas que bronzer, cinq centres d'activités nautiques sont installés en bordure des plages (dériveur, planche à voile, kitesurf, canoë-kayak, plongée). Possibilité également de randonner, notamment à travers las Marismas del Odiel (cf. Huelva, Découvrir les environs). *Parcours détaillés à l'office de tourisme*

Où écouter du flamenco ?

El Puerto est l'un des foyers historiques du flamenco. Le chanteur El Nitri, né ici en 1828 (on ignore la date de sa mort), fut l'une des figures les plus légendaires et mystérieuses de cet art. La ville compte toujours une importante communauté gitane et ses musiciens jouissent d'une très bonne réputation. Si les concerts touristiques de flamenco se multiplient en été dans la station balnéaire de Valdelagrana, la seule façon authentique de découvrir le flamenco local est de se tenir informé de la programmation des *peñas flamencas*. La Peña "El Chumi" et la Peña "El Nitri" sont d'anciennes institutions du flamenco, connues dans toute l'Andalousie. Elles occupent de belles *bodegas* (caves) du XVIIIᵉ siècle. Les soirées flamencas sont en général organisées tous les jours. L'école du Centro de Estudios flamencos Paco Cepero propose des concerts où interviennent de jeunes artistes. *"El Chumi" Calle Luja, 15 Tél. 956 54 00 03 "El Nitri" Calle Diego Niño, 1 Tél. 956 54 32 37 Centro de Estudios flamencos Paco Cepero Camino Viejo de Rota, Calle José el Negro, 3 Tél. 610 08 92 14 (école du Centro de Estudios flamencos Paco Cepero Calle José el Negro, 3 Tél. 610 08 92 14) Fermé lun.*

Où boire un verre et danser ?

La Pontona. C'est sur l'eau que ce bar-disco vous donne rendez-vous. Empruntez la passerelle et vous voici sur un vieux bateau pas comme les autres. À l'intérieur, une grande piste de danse tout en bois et trois bars de style irlandais. Sur le pont, ambiance salsa et merengue pour danser sous les étoiles. Les responsables de La Pontona ont ouvert un nouveau club dans un des plus anciens cinémas d'El Puerto de Santa María : le club **Mucho Teatro**. Si deux étages sont réservés à des soirées privées, le rez-de-chaussée, lui, résonne le samedi des décibels d'"une discothèque, ouverte à tous, qui donne aussi des concerts. *La Pontona Au Parque Calderón Ouvert à partir de 16h Tél. 956 85 13 35 Fax 956 87 79 06 www.lapontona.com Club Mucho Teatro Calle Misericordia, 12 Tél. 956 85 13 35 www.muchoteatro.com*

Manger à El Puerto

petits prix

Bar La Antigua. Un bar des plus tranquilles, comme perdu dans l'effervescence du quartier portuaire, avec son cadre boisé et ses quelques habitués au comptoir. Vous pourrez ici déjeuner en paix et à peu de frais. Très bonne cave pour accompagner la courte carte de tapas en journée. *Calle Misericordia, 8*

prix moyens

☺ **Romerijo.** C'est la grande vedette de la célèbre "Ribera del Marisco", et l'on viendrait à El Puerto de Santa María rien que pour y manger. C'est d'ailleurs ce que font les familles de Cadix, en fin de semaine, surtout le dimanche midi. La terrasse est alors littéralement prise d'assaut. Il faut dire que la qualité des fruits de mer et des poissons, et les tarifs pratiqués, sont enthousiasmants. Il y a deux gammes de prix : l'un avec service (on s'assoit et on commande), l'autre sans (on fait son choix au *cocedero*, comptoir situé à droite du restaurant principal, puis on emmène le tout en terrasse). Plusieurs assortiments sont proposés (*surtidos*, de 10 à 23€), mais le summum reste la *mariscada magna* pour 4 personnes (env. 68€) : crabe, langoustines, crevettes, gambas, coquillages de toutes sortes… *Ribera del Marisco, 1 Tél. 956 54 12 54 www.romerijo.com Ouvert tlj. midi et soir (jusqu'à 0h)*

prix élevés

Restaurante Casa Flores. Dans la continuation de la Ribera del Marisco, vers l'est. Une bonne table, spécialisée, bien sûr, dans les poissons et fruits de mer. Une suite de petites salles assez chic, dont la décoration recrée l'intérieur d'un navire. On s'y croirait, surtout dans la salle dite du *vaporcito*. À la carte, compter entre 35 et 45€ par personne. Plus économiques sont les *raciones* servies au bar. Réservation conseillée, surtout en fin de semaine. *Ribera del Río, 9 Tél. 956 54 35 12 www.casaflores.es*

Dormir à El Puerto

Toutes les adresses mentionnées ci-dessous sont situées à moins de 5min à pied de la Ribera del Marisco.

très petits prix

Pension Santa María. Ici l'accueil est des plus chaleureux et les prix ne grimpent pas en été. Deux bonnes raisons pour choisir cet établissement, aux chambres propres et dont le joli carrelage possède un certain cachet. Possibilité de faire laver votre linge et frigo à disposition. Comptez environ 35€ HT toute l'année pour une double avec sdb (30€ sans sdb). *Calle Pedro Muñoz Seca, 38 Tél. 956 85 36 31*

prix élevés

Hotel Los Cántaros. Un 3-étoiles aux chambres tout confort, qui doit son nom à la découverte de cruches (*cántaros*) du XVIIe siècle au sous-sol. Toutes les prestations d'un grand hôtel sont ici réunies : du minibar à la télévision satellite. Cafétéria au rez-de-chaussée. Possibilité de parking (10€). De 70 à 115€ HT la double suivant la saison, petit déjeuner compris. Accès Wi-Fi. *Calle Curva, 6 Tél. 956 54 02 40 Fax 956 54 11 21 www.hotelloscantaros.com*

Casa n°6. Transformation réussie pour cette ancienne demeure du XIXe siècle, devenue un petit hôtel, de huit chambres, cosy à souhait. Un couple d'Anglais amoureux de la région en est à l'origine. Les chambres ont conservé leur charme d'antan (grands volumes, poutres apparentes et belles céramiques). On regrette cependant l'absence d'air conditionné. Comptez 80€ la chambre double en été, 70€ entre novembre et février. Prix intéressants si vous réservez à plusieurs (140€ pour 4 personnes l'été et 130€ de novembre à février). Petit déjeuner compris, parking gratuit. *San Bartolomé, 14 Tél. 956 87 70 84 www.casano6.com*

prix très élevés

Hotel Monasterio San Miguel. Il n'a que 4 étoiles et on se demande pourquoi : c'est l'un des hôtels les plus beaux et luxueux d'Espagne. Installé dans un monastère baroque de 1727, il accueille depuis une dizaine d'années les hôtes les plus célèbres : artistes, hommes politiques et, en 1992, le roi Juan Carlos et son épouse. Une ambiance enchanteresse, une décoration soignée et un service haut de gamme. Des chambres au mobilier en bois noble, aux tissus luxueux et à l'équipement dernier cri. La double "de base" se négocie à partir de 175€ hors saison, 200€ en été (252€ pendant le Campeonato de motociclismo). Quant au top, la suite royale, elle coûte bien plus cher. L'hôtel abrite une piscine, perdue au milieu du jardin, et un restaurant réputé. *Calle Virgen de los Milagros, 27 Tél. 956 54 04 40 Fax 956 54 26 04 www.hotelesjale.com*

Sanlúcar de Barrameda 11540

Veillant depuis des siècles sur l'embouchure du Guadalquivir, Sanlúcar de Barrameda (63 000 hab.) a toujours été tourné vers le grand large atlantique : c'est de là que s'élancèrent la deuxième expédition de Colomb en 1493 et celle de Magellan en 1519, qui restera comme le premier tour du monde de l'Histoire. Par ailleurs, la proximité de l'Océan fait de la ville une escale gastronomique bien agréable. Poissons et fruits de mer d'une grande fraîcheur se marient agréablement avec l'excellent sel des salines de Sanlúcar. En été, cette ville assez tranquille est envahie par la foule des touristes espagnols et européens, attirés par les plages. Mais Sanlúcar est également une ville terrienne, attachée au terroir viticole qui produit l'excellent manzanilla, principale source de richesse. Une visite de cave s'impose.

SANLÚCAR, "LIEU SAINT" Des sites phéniciens, grecs et romains ont été retrouvés sur la côte, attestant de l'ancienneté du peuplement. Le bourg occupé ensuite par les musulmans est repris en 1264 par Alphonse X. Il prend alors le nom de Sant Lucar (lieu saint) et passe sous la domination de Guzmán le Bon, héros de la lutte contre les musulmans, qui s'était distingué à Tarifa. Pendant des siècles, Sanlúcar sera le fief de la dynastie des Guzmán, devenus ducs de Medina Sidonia.

LE MANZANILLA Si Sanlúcar a l'honneur d'appartenir, avec Cadix et El Puerto de Santa María, au "triangle de jerez", il y apporte cependant sa part d'originalité. Les nombreuses caves de la ville produisent les vins traditionnels de Jerez (*fino, amontillado, oloroso*), mais elles sont surtout réputées pour le manzanilla, vin unique en son genre. Proche du *fino* (même cépage, le *palomino*, et même procédé de maturation, dit de la *solera*), il s'en distingue par sa couleur pâle et son goût plus doux. Des caractéristiques que l'on a en vain essayé d'obtenir ailleurs,

GEOREGION

PROVINCE DE CADIX

jusqu'à parvenir à cette conclusion : le manzanilla ne peut être produit qu'à Sanlúcar. La raison en est simple : située en bord de mer, face aux marécages sauvages et aux forêts de Doñana, la ville est bercée par les brises marines, qui apportent fraîcheur et humidité, mais également un air riche en oxygène. Autant de conditions qui permettent à la *flor*, ce voile de levure qui intervient dans la maturation des vins de Jerez, de survivre toute l'année. À Jerez et à El Puerto de Santa María, la *flor* meurt dès les premières chaleurs et laisse le vin s'oxyder au contact de l'air (d'où sa teinte plus foncée). Ici, la *flor* se maintient et protège le vin en toute saison.

LES COURSES DE CHEVAUX SUR LA PLAGE Les célèbres Carreras de Caballos de Sanlúcar sont les plus anciennes courses de la péninsule (163e édition en 2008). Leur origine tiendrait aux défis que se lançaient entre eux les cavaliers qui transportaient autrefois le long de la plage les poissons et fruits de mer récoltés sur la côte. La tradition est restée et s'est transformée en une très importante saison de courses (mais de courte durée), qui attire chaque année, en août, des milliers de spectateurs et de parieurs. Les courses sont divisées en deux séries de trois jours. Elles rassemblent en grande majorité des pur-sang anglais, mais quelques courses de pur-sang arabes sont également organisées. Même si les quatre courses quotidiennes commencent en général en fin d'après-midi, leur horaire est fixé en fonction des marées. Elles se déroulent en effet à marée basse sur le sable mouillé, entre la plage du Bajo de Guía à Sanlúcar et la Punta del Espíritu Santo, à Las Piletas, en amont du Guadalquivir, face au parc de Doñana. Leur longueur varie de 1 à 2km.

Sanlúcar de Barrameda, mode d'emploi

accès

EN VOITURE À 26km à l'ouest de Jerez par l'A480, 100km au sud-ouest de Séville par l'A4 (jusqu'à Las Cabezas) puis l'A471. La circulation n'a rien de difficile à Sanlúcar, sauf si vous venez au plus fort des mois d'été. Gare aux nuées de vélomoteurs pétaradants et peu soucieux du code de la route...

EN CAR
Gare routière. *Av. de la Estación*
Linesur. Relie Jerez toutes les heures du lun. au ven., toutes les 2h sam.-dim. (env. 2€). *Tél. 956 34 10 63*
Los Amarillos. Liaisons avec Cadix : la ligne dessert au passage El Puerto de Santa María. 11 cars/j. dans les 2 sens en semaine, 5 cars le week-end. Pour Séville, 9 à 13 cars/j. dans les 2 sens, 5 cars le week-end. *Tél. 956 38 50 60 www. losamarillos.es*

orientation

Sanlúcar de Barrameda est divisé en deux quartiers principaux : le Barrio Alto, qui est perché sur une colline, et le Barrio Bajo, qui descend en direction de la plage. Le Barrio Alto est organisé autour de la Plaza de la Paz, d'où part une rue sinueuse et escarpée qui plonge vers le Barrio Bajo : la Cuesta de Belén. Celle-ci débouche sur la Plaza de San Roque, jouxtant la Plaza del Cabildo, en plein cœur du bas quartier. De là, la vaste esplanade Calzada del Ejército descend vers la plage. Le Bajo de Guía, avec ses excellents restaurants de fruits de mer, est situé à l'est de la ville, le long de l'estuaire, au bout de l'Avenida Bajo de Guía.

informations touristiques

Office de tourisme. Installé sur la longue esplanade descendant vers la plage. *Calzada del Ejército Tél. 956 36 61 10 www.aytasanlucar.org Ouvert tlj. 10h-14h et 16h-18h (18h-20h mai-sept.)*

hôpitaux

Hôpital. *Carretera de Chipiona Tél. 956 04 80 00*

fêtes et manifestations

Fin mai-début juin	**Feria de la Manzanilla** : cette fête a lieu dans un parc situé en bordure du fleuve : dans les *casetas*, le frou-frou des robes se mêle au son des *sevillanas* et au bruit des verres de manzanilla qui s'entrechoquent.
Juillet	**Festival de jazz**
Juillet-octobre	**Noches de Bajo de Guía** (festival de *cante* flamenco).
Début août	**Festival de musique classique**
Début et mi-août	Célèbres **courses de chevaux**
1re quinz. d'août	**Célébrations des saints Patrona de la Virgen de la Caridad**
Fin août	**Fiestas de exaltación al río Guadalquivir**
2e quinz. d'octobre	**Fiestas de San Lucas et Feria de la tapa**

Découvrir Sanlúcar

☆ **À ne pas manquer** Le portail de l'église Nuestra Señora de la O et les chais du manzanilla **Et si vous avez le temps...** Assistez aux célèbres courses de chevaux sur la plage en août, dégustez le manzanilla chez Barbadillo, randonnez à cheval un soir de pleine lune avec la compagnie Alargavista

Le haut quartier rassemble plusieurs monuments historiques dignes d'intérêt. À l'ouest, en face des grandes caves Barbadillo, se dressent le donjon et les tours menaçantes du Castillo de Santiago, protégeant la ville depuis 1477. En face de la très jolie Plaza de la Paz, on remarque la stature imposante de l'**église Nuestra Señora de la O**, un édifice gothique-mudéjar du xive siècle. L'impressionnant portail en pierre taillée illustre à merveille ce style, avec ses motifs géométriques. À l'intérieur, les plafonds à caissons en bois, d'influence musulmane, sont remarquables, de même que l'importante collection de peintures du xvie siècle léguée par les ducs de Medina Sidonia. Le haut clocher de l'église date de 1604. Attenant à l'église, le palais des ducs de Medina Sidonia fut construit au xve siècle dans le plus pur style Renaissance. La grille d'entrée (xvie siècle) est un véritable chef-d'œuvre de ferronnerie. Les luxueuses salles du palais se visitent uniquement le dimanche. En contrebas, le long de la même rue, jetez un coup d'œil au Palacio de Orleans y Borbón, étonnant édifice néomudéjar du XIXe siècle, entouré d'un parc luxuriant. Il abrite désormais l'hôtel de ville. La pittoresque Calle Cuesta de Belén, qui part au pied du palais, descend abruptement vers le bas quartier. On accède au Barrio Bajo par la Plaza San Roque, qui jouxte el Mercado de Abastos, le marché couvert municipal, très animé le matin. Vous pourrez vous y mettre en appétit en admirant les étals de poissons et de fruits de mer. De l'autre côté de la Calle Primo de Rivera se trouve la Plaza del Cabildo, centre vital de Sanlúcar, où l'on peut profiter à loisir de grandes terrasses ensoleillées. Pour descendre vers la plage, empruntez l'esplanade ombragée Calzada del Ejército. En remontant la plage vers l'amont de l'estuaire sur 600m, vous atteindrez le Bajo de Guía, lieu idéal pour déguster des fruits de mer, en regardant le soleil se coucher sur le parc de Doñana. *Palais des ducs de Medina Sidonia Tél. 956 36 01 61 Visite dim. à 11h et 12h Tarif : env. 4€*

☆ Percer le secret du manzanilla

Les caves (*bodegas*) de Sanlúcar sont particulièrement belles et il serait dommage de partir sans avoir approché le procédé secret donnant naissance au manzanilla.

Barbadillo. Grande maison qui produit le manzanilla le plus célèbre (Solear) et fait visiter l'une de ses nombreuses caves, à côté du Castillo de Santiago, sur les hauteurs de Sanlúcar. La visite, très complète, permet de découvrir l'impressionnante cave, dite de la "cathédrale", et de mieux comprendre le processus si particulier de maturation du manzanilla. *Luis de Equilaz, 11 (11540) Tél. 956 38 55 21 www.barbadillo.com Visite mar.-sam. 12h et 13h, en anglais à 11h Tarif 3€*

Barbadillo, Manzanilla Museo. La visite retrace pour vous les différentes étapes de la fabrication du manzanilla, du processus de maturation au marketing du produit. *Juste à côté du Castillo de Santiago, Calle Sevilla, 1 Tél. 956 38 55 21 Ouvert mar.-sam. 11h-15h Entrée libre www.barbadillo.com*

Vinícola Hidalgo. L'une des maisons les plus célèbres. Fondée en 1792, elle produit le fameux manzanilla La Gitana. Les caves se trouvent près de l'office de tourisme. *Calle Banda de la Playa, 42 Tél. 956 38 53 04 www.lagitana.es Visites sur rdv mer., ven. et sam. à 12h Tarif : 5€*

Se balader au fil de l'eau

Barco Real Fernando. Si les brochures touristiques présentent la ville comme la "porte de Doñana", ce titre est quelque peu trompeur (cf. Province de Huelva, El Rocío). Certes, on aperçoit facilement les plages et les coteaux verdoyants du parc naturel le long de l'estuaire mais difficilement les oiseaux et la variété des écosystèmes qui en font l'intérêt. La promenade en bateau reste cependant très plaisante et deux escales de 1h et 30min sont tout de même proposées pour effectuer un parcours guidé. *Départ de l'embarcadère de Bajo de Guía Nov.-fév. : 10h ; mars-mai et oct. : 10h et 16h ; juin-sept. : 10h et 17h Renseignements : centre de visiteurs Fábrica de Hielo Tél. 956 36 38 13 www.visitasdonana.com Ouvert 9h-20h (19h l'hiver) Env. 18€*

Aller à la plage

La plage municipale, le long du Paseo Marítimo, n'est pas très attirante. Mieux vaut marcher quelques centaines de mètres vers l'aval de l'estuaire, à l'ouest. Si vous êtes en voiture, allez jusqu'à la station balnéaire de Chipiona, à 9km vers l'ouest : la Playa de la Regla, à l'entrée de la ville, large et agréable, obtient chaque année depuis 1989 le drapeau bleu européen. Bondée en été.

Monter à cheval une nuit de pleine lune

Randonnées équestres Alargavista. La compagnie Alargavista organise des randonnées en voiture à cheval, qui longent les marécages du Guadalquivir. Séduisantes, les promenades organisées les nuits de pleine lune (minimum 25 pers.), ou encore celles qui permettent d'entrer dans les fermes taurines (*ganaderías*) des environs, et de voir les *toros bravos* dans leur élément. *Calle Ancha, 20 Tél. 617 97 88 13 et 629 17 91 28 www.alargavista.com*

Manger à Sanlúcar

Les gros bouquets de grosses crevettes de Sanlúcar (*langostinos*) sont particulièrement réputés, ainsi que les poissons *a la sal*, c'est-à-dire cuits dans le sel excellent de Sanlúcar. Le meilleur endroit pour savourer ces délices est sans doute l'esplanade du Bajo de Guía, l'ancien quartier des pêcheurs, au bord de l'estuaire du Guadalquivir. Plusieurs restaurants de poisson, d'un excellent rapport qualité-prix, s'alignent ici, parmi lesquels La Virgen del Carmen (thon aux oignons à 10€) ou La Casa Juan (*cazuela de mariscos*, épaisse soupe de fruits de mer à env. 14€ ou *coquina al ajillo*, petit bivalve délicieux, à 12€ la ration). En terrasse, la belle vue est malheureusement parfois gâchée par le va-et-vient incessant des scooters à quelques mètres de votre assiette. *La Virgen del Carmen Ada Bajo de Guía Tél. 956 38 22 72 La Casa Juan Ada Bajo de Guía Tél. 956 36 26 95*

petits prix

Casa Balbino. Une bonne adresse pour déguster de savoureuses tapas ou *raciones* de poissons ou de fruits de mer frits. Les *puntillitas* (petits encornets, env. 9€ la ration) sont un vrai délice. La salle célèbre l'art tauromachique, mais on apprécie surtout la grande terrasse sur la belle Plaza del Cabildo, au cœur de Sanlúcar. *Plaza del Cabildo, 11 Tél. 956 36 05 13 Ouvert tlj. 12h-17h et 19h-0h. Fermé pendant la feria et début jan.-début fév.*

prix moyens

Casa Bigote. Au bord du petit port de pêche du Bajo de Guía, en amont du fleuve. La vaste salle du restaurant ne donne malheureusement pas sur l'esplanade. Mais on oublie vite le paysage en savourant les délicieux poissons de saison préparés simplement mais avec art. La *corvina en salsa de cigalas* (bar sauce langoustine, env. 16€) est particulièrement savoureuse. Une bonne table à des prix très raisonnables. Encore moins chères, les *raciones* servies dans la taverne du même nom, juste à côté.

Bajo de Guía Tél. 956 36 26 96 Fax 956 36 87 21 www.restaurantecasabigote.com
Ouvert lun.-sam. 13h30-16h et 20h-23h30 Fermé nov.

Dormir à Sanlúcar

très petits prix

Hostal La Blanca Paloma. Une pension de famille plutôt accueillante sur la place du marché, dans le bas quartier. Un escalier étroit grimpe vers quelques chambres spartiates, mais propres et correctes pour le prix, assez modique : 30€ la double sans sdb. *Plaza San Roque, 15 Tél. 956 36 36 44*

petits prix

Hostal la Bohemia. Dans le centre, à l'est de la Plaza San Roque. Cette pension de bonne qualité est d'une propreté irréprochable. Chambres équipées de l'a/c et de salles de bains impeccables. Doubles à partir de 43€ HT en été (41€ HT hors saison), accueil souriant compris. Une bonne adresse. *Calle Don Claudio, 5 Tél. 956 36 95 99*

prix élevés

☺ **Posada de Palacio.** Sur les hauteurs de la ville, juste en face de la mairie. Un hôtel au charme irrésistible, aménagé dans l'un des nombreux palais du Barrio Alto de Sanlúcar. Le patio andalou, le bar installé sur un ancien réservoir d'eau (*aljibe*), les salons communs et les petites terrasses, tout respire la sérénité des vieilles pierres. Chaque chambre ayant son propre style (marocain, d'influence coloniale…), demandez à les visiter avant de vous décider. À partir de 82€ HT la chambre double (107€ HT en été). Vous pouvez essayer de faire baisser les prix de quelques euros… *Calle Caballeros, 11 Tél./fax 956 36 50 60 www.posadadepalacio.com*

★ Jerez de la Frontera 11405

Jerez est sans doute l'une des villes andalouses les plus connues. Elle doit notamment sa renommée à son vin, le célèbre "sherry" des Anglais. Mais la ville abrite également une exceptionnelle école de dressage. Sans oublier le patrimoine religieux et civil, qui est le plus important de la province, avec de nombreuses églises gothiques et mudéjares érigées dès la reconquête de la ville au XIIIᵉ siècle, et dans les siècles suivants. La richesse commerciale et agricole que connut Jerez au XVIIIᵉ siècle se manifeste également dans les demeures aristocratiques baroques du centre-ville. C'est aussi l'un des fiefs historiques de la musique flamenca, encore bien vivante aujourd'hui. On peut donc s'y arrêter un ou deux jours pour visiter une cave, flâner dans les rues du centre qui rassemblent un impressionnant patrimoine architectural. On n'oubliera pas non plus de boire un petit

verre de jerez ou d'écouter du flamenco. La ville, plutôt bourgeoise et tranquille en temps normal, bouillonne à l'occasion des fêtes de mai et de septembre, où l'animation bat son plein.

JEREZ, VILLE FRONTIÈRE La *Xera* des Phéniciens est devenue *Ceret* pour les Romains, puis *Scheris* pour les musulmans. La ville se développe fortement à la fin du XIIe siècle, sous la domination almohade. C'est de cette époque que datent le château et les murailles dont il reste quelques vestiges le long des rues Ancha, Muro et surtout Porvera. Après une première reconquête en 1248, Jerez est perdue puis définitivement reprise par Alphonse X en 1264. Au cours de cette période agitée, la ville a pris le nom "de la Frontera", pour marquer son rôle stratégique dans l'avancée des troupes de Castille, en marche vers le sud de la province. Depuis le XVIIIe siècle, Jerez tire l'essentiel de ses richesses d'une industrie viticole prospère.

LE TRIANGLE DE JEREZ La renommée des vins de Jerez remonte à plusieurs siècles. Ils commencent à s'exporter avec succès vers l'Angleterre dès le XVIIIe siècle. Le sherry est longtemps resté l'alcool préféré des Anglais, et de nombreuses caves appartiennent toujours à des familles d'origine anglaise et irlandaise. Le jerez ou sherry forme une appellation d'origine contrôlée, qui rassemble la région comprise entre Jerez, Sanlúcar et El Puerto de Santa María, le fameux "triangle de jerez". Les vins de Jerez sont issus du cépage *palomino*, introduit au XIIIe siècle et parfaitement adapté aux conditions climatiques et aux sols de la région. Le jerez se distingue par un système de vinification unique en son genre, connu sous le nom de *solera*. Le vin vieillit dans plusieurs rangées de tonneaux (*botas*) superposées : celle qui est posée sur le sol s'appelle la *solera*, et les rangées supérieures sont désignées par le nom de *criaderas*. La *solera* contient le vin le plus vieux, dont une partie (un dixième en général) est retirée chaque année pour être commercialisée. On la remplace alors par une quantité égale de vin plus jeune, contenu dans la rangée supérieure, et ainsi de suite. Dans l'ultime rangée, on remplace le vin qui a été transvasé par du vin nouveau, qui commence alors son long parcours de tonneau en tonneau. Le but ? Garantir un niveau constant de qualité et de saveur au fil des années, grâce au mélange de vins d'âge différent. À savoir également : un sixième de chaque tonneau reste toujours vide. Car le vin de Jerez a cette particularité de se développer au contact de l'air. Une condition nécessaire à la formation de la *flor*, un voile de levure à la surface du vin qui lui donne son goût si particulier. Lorsque la *flor* meurt, le contact de l'air entraîne l'oxydation du vin, qui prend alors une couleur de plus en plus foncée. Pour offrir les meilleures conditions possibles à ce processus de maturation, les caves de Jerez sont en général très hautes, aérées et peu éclairées. Certaines, comme les caves González-Byass (Tío Pepe) ou de Domecq (La Ina), possèdent ainsi des merveilles architecturales, véritables cathédrales du vin. Le degré d'oxydation et le niveau d'alcool atteints définissent les trois principales variétés de jerez. Le *fino* est un vin sec, très clair et à peine doré. Il a un arrière-goût d'amande. Avec 15° à 17° d'alcool, c'est le jerez le plus léger. Consommé très frais, il s'accorde merveilleusement avec les tapas. L'*amontillado* est un peu plus foncé et titre de 18° à 20° d'alcool. On le reconnaît à son goût de noix, caractéristique. L'*oloroso*, sombre et plus corsé, est un vin opulent, pouvant atteindre 22°.

GEO RÉGION

PROVINCE DE CADIX

Il développe tous ses arômes lorsqu'on le boit à température ambiante. Par un processus de distillation, on obtient en outre le célèbre brandy, le "cognac" de Jerez.

HEURS ET MALHEURS DU CHEVAL ANDALOU Déjà, les récits des Grecs évoquent le talent des cavaliers ibères et l'incroyable équilibre de leurs montures. Des louanges reprises quelques siècles plus tard par les stratèges musulmans. Le cheval andalou, descendant de ces chevaux légendaires, provoque tout au long du Moyen Âge et de la Renaissance l'admiration de tous les écuyers des cours européennes. On en retrouve dans les manèges d'Henri IV, et en Italie. Depuis le XVe siècle, la race andalouse est connue sous le nom de *cartujano*. Car les moines de la Cartuja, au sud de Jerez, se consacrent dès cette époque à l'élevage et participent à l'amélioration de la race. À la guerre comme dans les exercices de dressage classique, la fougue, l'équilibre et la force de ce cheval d'une grande beauté font des merveilles. En outre, au pays des taureaux de combat, l'andalou est parfaitement adapté au travail de sélection des jeunes taureaux, et à la corrida à cheval, le *rejoneo*. Mais au cours du XIXe siècle, l'andalou passe peu à peu de mode au profit des chevaux de sport anglais ou français. La race, menacée de disparition, ne dut sa survie qu'aux rassemblements équestres des grandes ferias andalouses, où son élégance lui assurait un franc succès. Chaque année, les défilés équestres restent d'ailleurs l'un des grands moments des fêtes de mai et de septembre à Jerez. En 1972, Don Álvaro Domecq, héritier d'une grande famille de propriétaires terriens et producteurs de vin, crée à Jerez l'École andalouse d'art équestre. Le but de ce cavalier hors pair, qui fut longtemps le meilleur *rejoneador* (torero à cheval) d'Espagne, était de réhabiliter le prestige du cheval andalou et de l'équitation classique espagnole. La Real Escuela Andaluza del Arte Ecuestre est désormais connue dans le monde entier et attire chaque année des dizaines de milliers de visiteurs.

Jerez de la Frontera, mode d'emploi

accès en voiture

À 85km au sud de Séville et 34km au nord de Cadix par l'autoroute A4 (payante). La nationale NIV (entre Dos Hermanas au sud de Séville et Jerez) est gratuite, mais la circulation peut s'y avérer difficile. Comme partout en Andalousie, la conduite dans Jerez relève souvent du cauchemar : rues emberlificotées, souvent à sens unique, stationnement problématique. Mieux vaut laisser votre véhicule dans l'un des parkings publics de la ville (près du château, du marché municipal ou de l'École d'art équestre par exemple), et continuer à pied. Les parkings souterrains peuvent également être utiles : calle Larga, Plaza Madre de Dios et près de la gare routière.

accès en car

Gare routière (hors plan). Assez excentrée, au sud-est du centre-ville. *Plaza de la Estación Tél. 956 33 91 61*
Los Amarillos. Liaison Arcos-Jerez. *Tél. 902 19 92 08 et 956 32 93 47 www. losamarillos.es*

Comes. Cadix-Jerez : cars très fréquents. Ronda-Jerez : 3 cars/jour. Málaga-Jerez : 1 car/jour, env. 5h de trajet. Séville-Jerez : cars très fréquents. *Tél. 956 32 14 64 ou 902 19 92 08 www.tgcomes.es*

Linesur. Liaisons avec Sanlúcar : 15 départs quotidiens dans les deux sens en semaine, 7 départs par jour le week-end. À Jerez, départ de la gare routière ; à Sanlúcar, arrêt devant le bar La Jaula. De nombreux cars relient aussi Jerez à Séville. *Tél. 956 34 10 63*

accès en train

Les lignes *cercanías* relient Cadix à El Puerto de Santa María et Jerez (15 à 20 départs/jour dans les 2 sens). 8 à 10 trains/jour entre Jerez et Séville sur la ligne de Cadix (1h30). De Grenade, 4 trains/jour sur la ligne de Cadix (5h30, changement à Dos Hermanas).

Gare Renfe (hors plan). Magnifique édifice moderniste (début xxᵉ siècle) situé en périphérie sud-est du centre-ville, non loin de la gare routière. *Plaza de la Estación Tél. 902 24 02 02*

orientation

Le centre-ville est situé au sud de l'agglomération, entre l'Alameda Christina, la Calle Porvera et la Plaza del Arenal. L'Alcázar se trouve au sud de la Plaza del Arenal. L'École andalouse d'art équestre est un peu excentrée au nord de la ville.

informations touristiques

Office de tourisme (plan B2). Bien organisé et documenté. *Calle Larga, à côté des Claustros et du couvent de Santo-Domingo Tél. 956 33 88 74 ou tél./fax 956 34 17 11 Ouvert été : lun.-ven. 10h-15h et 17h-19h, sam.-dim. 10h-14h30 ; le reste de l'année : lun.-ven. 9h30-15h et 16h30-18h30, sam.-dim. 9h30-14h30*

www.webjerez.com (excellent site Internet de la ville), **www.ondajerez.com** (une mine d'informations pratiques, en particulier sur les sorties et les spectacles), **www.circuitodejerez.com** (pour des informations sur le Grand Prix Moto) et **www. turismojerez.com**.

adresses utiles

Banques et **distributeurs** le long de la Calle Larga, au nord de la Plaza del Arenal.
Télé Taxi. *Tél. 956 34 48 60*
Bureau de poste (plan B3). À 5min au nord-est de la Plaza del Arenal. *Calle Cerrón, 2 Tél. 956 32 67 29 Ouvert lun.-ven. 8h30-20h30, sam. 9h30-14h*

fêtes et manifestations

En février-mars	**Grand festival de Jerez**, dédié au flamenco (chant et danse).
Mars	Grand Prix d'Espagne moto (championnat du monde).
Avril	**Semaine sainte** : ce n'est pas la plus connue, mais elle se célèbre avec une grande solennité. Quelque 31 confréries défilent dans les rues du centre-ville.

Jerez de la Frontera

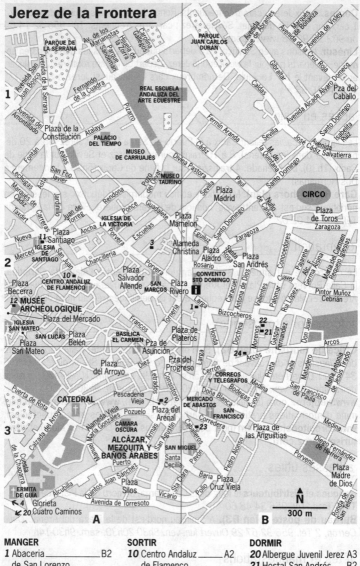

MANGER

1	Abaceria _____ B2
	de San Lorenzo
2	Bar Juanito _____ A3
3	Restaurante Gaitán ___ A2
4	Venta Antonio _____ A3

SORTIR

10	Centro Andaluz _____ A2
	de Flamenco
11	La Taberna flamenca _ A2
12	Tablao El Lagá _____ A2
	del Tio Parilla

DORMIR

20	Albergue Juvenil Jerez A3
21	Hostal San Andrés ___ B2
22	Hostal Sanvi _____ B2
23	Nuevo Hotel _____ B3
24	Hotel Nova Centro ___ B3

1re quinzaine de mai	**Feria del Caballo** : l'événement le plus attendu de l'année. Pendant une semaine, flamenco, défilés de cavaliers et corridas sont au rendez-vous. Le soir, on se presse dans le Parque González Hontoria, au nord-est de la ville, dans les 230 *casetas* dressées pour l'occasion, pour boire, manger et danser au son des *sevillanas*. Contrairement à Séville, entrée libre dans toutes les *casetas*.
Septembre	**Fiestas de Otoño** (Fêtes d'automne) : elles célèbrent les saints patrons de la ville, la fin des vendanges, les chevaux et le flamenco. D'immenses parades équestres ont lieu sur la Plaza del Arenal.
Noël	C'est la période des traditionnelles *zambombas* : des fêtes de voisinage dans la plus pure tradition gitane et jerezana, où l'on se rassemble dans les patios et *peñas* pour des repas où le flamenco est roi.

Découvrir Jerez de la Frontera

☆ **À ne pas manquer** La Real Escuela Andaluza del Arte Ecuestre à Jerez et la Cartuja de Santa María au sud **Et si vous avez le temps…** Faites une pause rafraîchissante dans les jardins de l'Alcázar, emmenez les enfants au zoo, visitez la cave de Pedro Domecq, apprenez à danser le flamenco au Centro de baile Jerez

Au sud et à l'est du centre-ville

Aux portes du centre-ville, la Plaza del Arenal a toujours été l'un des centres vitaux de Jerez. Elle se peuple de cavaliers et d'attelages lors des fêtes des vendanges de septembre. À l'est se trouve le quartier San Miguel, l'un des plus populaires de la ville, connu pour l'ancienneté et la qualité de sa tradition flamenca, avec la belle église de San Miguel (fin xve siècle), dont la tour majestueuse, décorée d'azulejos colorés, domine les toits du quartier. À l'intérieur, un retable Renaissance d'une grande finesse, œuvre du célèbre sculpteur sévillan Martínez Montañés. Non loin de là, au nord du quartier San Miguel, commence le quartier du marché municipal (Mercado de Abastos), très animé le matin. On peut également flâner dans les rues commerçantes des environs. À l'ouest de la Plaza del Arenal, sous les arcades, on accède au passage pittoresque de la Pescadería Vieja, un ancien marché aux poissons adossé à une muraille arabe. En continuant tout droit, vous déboucherez sur la jolie Plaza de la Asunción. Elle rassemble deux édifices dignes d'intérêt. L'église de San Dionisio, édifiée au début du xve siècle dans le plus pur style mudéjar, est dédiée à saint Denis, patron de la ville. Juste à côté se dresse l'édifice Renaissance de l'ancien hôtel de ville ou Cabildo (1575). Son portail à l'ornementation chargée illustre bien le style plateresque. Non loin de là, vous découvrirez la place la plus agréable de la ville : la Plaza de Plateros. Son nom, place des Orfèvres, rappelle que le quartier était, au Moyen Âge, celui des corporations artisanales, qui ont également inspiré le nom des rues avoisinantes : Sedería (artisans de la soie), Tornería (tourneurs), etc. Sur la place, on remarquera la Torre Atalaya, également appelée "tour de l'Horloge", qui faisait autrefois office de tour de guet. Plus à l'ouest débute le quartier San Mateo, l'ancienne médina de Jerez. Il est centré sur la Plaza del Mercado, qui accueillait jusqu'au xiiie siècle le souk de la vieille ville, puis plus tard des jeux taurins et des exécutions publiques. L'église de San Mateo, consacrée au xiiie siècle en présence d'Alphonse X, est l'une des plus vieilles églises de Jerez, même si elle a été remaniée au XVe siècle. Juste à côté se trouve le Musée archéologique. Au sud de la place, la rue Cabezas descend vers l'église de San Lucas. Installé sur les fondations d'une ancienne mosquée, l'édifice originel du XIIIe siècle a été profondément remanié trois siècles plus tard. L'intérieur, baroque à souhait, recèle un autel attribué au grand sculpteur Pedro Roldán (1624-1670) et le maître-autel est organisé autour d'une touchante statue gothique de la Vierge, offerte par Alphonse X.

Barrio de Santiago (plan A2)

Au nord-est de la Plaza del Mercado s'étend le quartier gitan par excellence, le Barrio de Santiago, haut lieu du flamenco depuis le XVIIIe siècle. Un enchevêtrement de ruelles pavées qui ont gardé un air médiéval, d'autant que la plupart ne sont pas éclairées le soir. Attention : de l'avis général, il vaut mieux éviter de s'attarder dans le quartier à la nuit tombée. L'église de Santiago veille sur la place du même nom. Elle se distingue par son harmonieuse façade gothique. L'intérieur, qui comporte de nombreux éléments baroques, abrite la statue du *Cristo del Prendimiento* (le Christ au moment de son arrestation). Affectueusement surnommé "el Prendi", ce dernier défile dans les rues de la ville le Jeudi saint, au son des poignantes *saetas* entonnées par les *cantaores* du quartier. *Église de San Miguel Tél. 956 34 33 47 Ouvert lors des offices Visite sur rdv*

Cathédrale (plan A3)

À l'ouest de la Plaza del Arenal. Plus connu sous le nom de Colegiata del Salvador, cet édifice baroque fut édifié de 1695 à 1778, à partir d'une église construite dès la reconquête de la ville. Le clocher actuel, d'influence mudéjare, fut sans doute le minaret de l'ancienne mosquée qui occupait le site. Dans la cathédrale est donnée, chaque année en septembre, la bénédiction du raisin à l'occasion des vendanges. Sa silhouette imposante et son immense dôme tiennent en respect le centre-ville. L'intérieur, largement remanié à l'époque baroque, est assez chargé. Il abrite *la Virgen de Niña* (qui n'est pas visible pour raison de sécurité), une toile de Zurbarán. *Plaza de la Encarnación Tél. 956 34 84 82 Visite lun.-ven. 11h-13h*

Alcázar (plan A3)

Ses hauts remparts crénelés semblent défier le visiteur, à l'entrée sud de la ville. Érigé au XIIe siècle, ce château fait partie des rares exemples d'architecture almohade qui ont survécu jusqu'à nous. L'Alcázar présidait alors les quelque 4km de murailles qui protégeaient la ville. À la fois forteresse massive et résidence raffinée des seigneurs musulmans, il conservera ces fonctions, avec quelques remaniements, après la reconquête de la ville par les chrétiens en 1264. L'accès se fait par l'Alameda Vieja, une vaste promenade érigée au XVIIIe siècle. On pénètre dans le château en franchissant l'impressionnante Puerta de la Ciudad (XIIe siècle), autrefois unique porte d'entrée dans la cité fortifiée. À l'intérieur, une très belle mosquée (*mezquita*, XIe-XIIe siècle), l'un des 18 édifices religieux que comptait la Jerez musulmane. Sobre et lumineuse, elle a conservé ses arches harmonieuses et sa grande coupole en brique. Du patio d'entrée, on aperçoit le minaret. On retrouve aussi le traditionnel patio avec sa fontaine destinée aux ablutions rituelles, et l'oratoire orienté vers le mihrab. Dès la reconquête de 1264, le roi Alphonse X consacra au rite chrétien la mosquée, qui prit le nom de chapelle de Sainte-Marie. Une porte latérale donne sur une cour, le Patio de Armas, dominée par la façade colorée du Palacio de Villavicencio. Ce dernier occupe le site de l'ancienne résidence musulmane. Le palais actuel fut construit au XVIIe siècle pour la famille de Villavicencio, en charge du château. Une *cámara obscura*, procédé optique permettant d'observer les moindres détails de la ville, a été construite en 1998 dans la tour du palais. En ressortant, on traverse les agréables jardins, dont le tracé remonte à l'époque musulmane. Tout au fond, un escalier descend vers les bains arabes, créés au XIIᵉ siècle, et fort appréciés dit-on des seigneurs chrétiens. Parfaitement conservés, ils méritent vraiment la visite, avec leurs arches islamiques en brique et leurs lucarnes dessinées en étoile. *Tél. 956 35 01 29 Ouvert lun.-sam. 10h-17h30 (19h30 mai-15 sept.), dim. 10h-14h30 Fermé 25 déc., 1ᵉʳ et 6 jan. Entrée 3€ Cámara Obscura Séance toutes les 30min à partir de 10h30 (11h par temps sombre) Fermé les jours de pluie Prix : 5,40€ (entrée de l'Alcázar incluse)*

Museo Arqueológico (plan A2) Une collection intéressante qui reflète toute la richesse du passé de la région, bien au-delà de l'époque médiévale. Le rez-de-chaussée et l'escalier principal abritent un bel ensemble de statuaire romaine. À l'étage, la salle 3 rassemble des idoles sculptées de l'âge du bronze (3000 av. J.-C.), notamment des figures de chouettes inquiétantes. Dans la salle 4, quelques objets liés à la mystérieuse culture tartessienne (1000 av. J.-C.), ainsi qu'un superbe casque grec (700 av. J.-C.), pièce maîtresse du musée. À voir également, de belles sculptures romaines (IIᵉ-Iᵉʳ siècle av. J.-C.), en particulier un émouvant buste de vieillard. La salle 7 est consacrée à la numismatique, avec des pièces romaines, musulmanes et chrétiennes du Moyen Âge. Au 2ᵉ étage, les salles 8 et 9 contiennent une collection d'artisanat musulman. Au total, une très belle collection, bien présentée. Pour mieux en profiter, empruntez le catalogue à la réception (anglais et espagnol). *Plaza del Mercado Tél. 956 35 01 33 Fermé pour travaux*

Visiter une cave de jerez

Une quinzaine de caves proposent des visites qui permettent de découvrir les secrets de la maturation du jerez. Elles sont en général proches du centre-ville. L'office de tourisme dispose d'une brochure contenant les coordonnées et horaires de visite de tous les sites. Des données que l'on retrouve d'ailleurs sur le site *www.webjerez. com*. Les deux caves les plus visitées sont les poids lourds de la production viticole : González-Byass, avec son célèbre *fino* Tío Pepe, et Pedro Domecq (*fino* La Ina). La visite de González-Byass, la plus fréquentée, est chère et décevra sans doute quelque peu les amateurs de vin. Elle permet cependant de pénétrer dans les plus belles caves de Jerez et s'achève bien sûr par une petite dégustation. Certaines caves se visitent sur réservation, se renseigner à l'office de tourisme.

González-Byass (plan A3). *Calle Manuel María González, 12 (juste au sud de l'Alcázar) Tél. 956 35 70 16 www.bodegastiopepe.com Ouvert tlj. Visite en français : 14h ; en anglais : 11h30, 12h30, 13h30, 14h, 15h30, 16h30, 17h30 (et 18h30 en été) ; en espagnol : ttes les heures de 11h à 14h et de 17h à 18h (19h en été). Entrée 10€ (avec dégustation de vin) ; 15€ avec tapas Visites spéciales en été Août : spectacle équestre, se rens. sur les horaires env. 31€ Visite avec flamenco mi-juil.-août : mar., jeu. et ven. 20h (env. 24€)*

Pedro Domecq. *Calle San Idelfonso, 3 www.bodegasfundadorpedrodomecq.com Tél. 956 15 15 52 Visites en anglais et en espagnol lun.-ven. 10h, 11h, 12h et 13h (et 14h mar., jeu. et sam.), sam. 12h Entrée : 7€ (de 12 à 14€ tapas comprises)*

Au nord du centre-ville

☆ ☺ **Real Escuela Andaluza del Arte Ecuestre (plan A1)** À 15min à pied au nord du centre-ville. Créée en 1972 par Álvaro Domecq pour restaurer le prestige du cheval andalou et de l'équitation espagnole classique, l'École andalouse d'art équestre est désormais connue dans le monde entier. Elle abrite également, depuis 2005, le Museo del Enganche (musée de l'Attelage) et le Museo del Arte Ecuestre. L'école est tout entière dédiée à la beauté et au talent naturel du cheval *cartujano* (race andalouse). Quelque 145 chevaux sont choyés et entraînés aux exercices rigoureux du dressage de haute école (*doma clásica*), du travail des taureaux (*doma vaquera*) ou de l'attelage. Les cavaliers, moins d'une vingtaine, sont triés sur le volet. Il suffit de suivre les entraînements dans le grand manège (*El Picadero*) pour apprécier leur talent, ainsi que les extraordinaires dispositions de l'andalou pour le dressage : allures enlevées (notamment à l'allure dite du "passage"), port d'encolure parfait, équilibre et sensibilité aux "aides" (mouvements des jambes et des mains) du cavalier. Mais le *must*, c'est le ballet équestre proposé le mardi et le jeudi à midi (et le vendredi en août) : *Cómo Bailan los Caballos Andaluces* (Comment dansent les chevaux andalous). Un spectacle en musique et en costumes traditionnels du XVIIIe siècle, qui passe en revue les figures du dressage espagnol classique monté ou encore aux longues rênes (cavalier à pied derrière le cheval) : piaffé, passage, changements de pied au temps, pirouettes au galop, courbettes et croupades, il y en a pour tous les goûts. Attention : pour assister au ballet équestre, il faut impérativement réserver, et de préférence longtemps à l'avance (possibilité de réserver par Internet). Le prix d'entrée peut paraître élevé mais il vaut largement la peine : le spectacle est magnifique. *Recreo de las Cadenas, Avenida Duque de Abrantes Tél. 956 31 96 35 www.realescuela.org Réservation Tél. 956 31 80 08 Fax 956 31 80 15 Spectacles : mar. et jeu. 12h (et ven. en août) Places de 17 à 23€ TR de 10,50 à 14€ Entraînements lun., mer. et ven. accès de 11h à 12h30 pendant env. 2h Entrée env. 9€ TR 6€, visite des musées comprise*

Apprendre le flamenco

Centro de baile Jerez. La ville accueille six écoles de danse flamenca, et une autre spécialisée dans l'apprentissage de la guitare. Certaines écoles organisent des cours d'été, qui durent de six jours à deux semaines *Calle Velázquez, 24 San Ginés Tél./fax 956 14 04 06 ou 670 66 10 44 www.academiadebailejerez.com Pour plus de renseignements, contactez l'office de tourisme ou consultez le site www.webjerez.com, rubrique "Ciudad del Flamenco"*

Aux portes de la ville

Zoo de Jerez (hors plan) En périphérie de la ville, au nord-ouest du quartier de Santiago. Il occupe le site des jardins de Tempul, tracés en 1869. Le zoo est le plus important d'Espagne, puisqu'il rassemble 1 300 animaux, appartenant à près de 200 espèces différentes. Au programme, de grands classiques comme les girafes, les lions, les éléphants et les hippopotames, mais aussi une rareté : un tigre blanc. *Calle Taxdirt Tél. 956 15 34 61 www.zoobotanicojerez.com Ouvert oct.-mai : 10h-18h ; juin-sept. : 10h-20h Entrée 7,50€ Enfants 5€*

Découvrir les environs

☆ ☺ **Cartuja de Santa María** Parmi l'un des plus beaux édifices religieux d'Andalousie, érigé durant la seconde moitié du xve siècle. À ne pas rater, le portail classique réalisé par Andrés de Ribera, la chapelle de Santa María, le petit cloître gothique et le majestueux patio de los Arrayanes. *À 6km au sud-est de Jerez, sur la route de* **Medina Sidonia** *(A381), km5 Tél. 956 15 64 65 Ne se visite pas*

Medina Sidonia Cet adorable village blanc domine un paysage bien différent de ses voisins de la sierra de Grazalema. La campagne vallonnée qui s'étend à perte de vue abrite de prestigieuses *ganaderias*, ces élevages qui fournissent aux corridas espagnoles des taureaux féroces. Dans le vieux quartier, l'église Santa María la Coronada ne manque pas d'attrait. En 1473, lorsque la cathédrale de Cadix est pillée et détruite, le siège épiscopal est transféré à Medina Sidonia (où l'évêque s'est réfugié, fuyant les attaques des marines anglaise et portugaise). On y construit alors une église (1495-1541, clocher achevé en 1623), qui se distingue surtout par son incroyable richesse artistique intérieure (le retable du maître-autel, du xvie siècle, est l'un des chefs-d'œuvre de la sculpture andalouse). Si tant de splendeur vous a ouvert l'appétit, faites une pause sucrée avec la spécialité locale : *el alfajor*, une pâtisserie à base de sucre, de miel et d'amandes dont la recette se transmet de génération en génération. Dans les environs, l'Ermita de los Santos Mártires Justo y Pastor, ermitage wisigoth, se fond avec modestie dans le paysage. *À 32km au sud-est de Jerez par l'A381* **Ermita de los Santos Mártires Justo y Pastor** *À 2km, sur la route qui relie la route de Cadix à celle de Vejer, l'A390 Ne se visite pas*

Visiter un élevage de chevaux

Yeguada de la Cartuja. Sur les terres de la Finca Fuente del Suero, à 500m de la Cartuja, en direction de Medina Sidonia. Les visites incluent une projection audiovisuelle, la visite du site et un spectacle d'attelage et de dressage. *Route Medina-El Portal, km6,5 Tél. 956 16 28 09 www.yeguadacartuja.com Visites sam. 11h-13h Adultes : env. 14€ TR 9€*

Manger à Jerez de la Frontera

Il fallait s'y attendre, la gastronomie locale fait beaucoup appel au vin (*fino* et brandy) de Jerez, que ce soit pour les sauces ou les desserts, préparés "*al jerez*" ou "*a la jerezana*". Pour le petit déjeuner, face à l'entrée du marché municipal, sur la Calle Doña Blanca, deux marchands de café et de *churros* (beignets) se font concurrence. Au coin de la rue, la *cafetería* La Vega propose des *tostadas* (tartines grillées) et autres formules plus copieuses.

petits prix

Abaceria de San Lorenzo (plan B2 n°1). Un bar à tapas au nord du centre-ville, près de l'Alameda Christina. Étape obligée du *tapeo* (cf. GEOPanorama, Gastronomie) à Jerez, sur une petite place où les restaurants sortent des tables le

GEOREGION

PROVINCE DE CADIX

soir et où l'on dîne à la lumière des bougies. Laissez-vous tenter par les pâtés de canard aux fines herbes (6€), l'assortiment de fromages avec sa marmelade de myrtille (env. 10€/2 pers.) ou de charcuteries ibériques (14€). *Pl. Rafael Rivero Tél. 956 33 27 49 Ouvert 13h-17h et 21h-0h*

prix moyens

Bar Juanito (plan A3 n°2). Dans une ruelle pittoresque partant sous les arcades de la Plaza del Arenal. Un joli bar à l'ancienne, fondé en 1943. Le bar est décoré de beaux azulejos et de peintures représentant des scènes de corrida. Au fond, une salle aérée dans un grand patio couvert, très plaisant le soir. Tapas et *raciones* de spécialités régionales, toutes plus alléchantes les unes que les autres, dont les fameux artichauts (*alcachofa*), déclinés en plusieurs recettes. Comptez env. 20€ à la carte. Bonne carte des vins. *Calle Pescadería Vieja, 8 et 10 Tél. 956 33 48 38*

Restaurante Gaitán (plan A2 n°3). Décor un tantinet précieux, avec des nappes rose bonbon et un curieux patchwork de photos personnelles, natures mortes et objets en cuivre aux murs... Les serveurs eux aussi semblent être d'une autre époque. Et pourtant, la carte fait preuve d'une étonnante originalité. Avis aux chercheurs de saveurs, le mouton au miel et brandy est délicieux (16€). Bon choix de salades également, à partir de 10,50€. Et pour finir, le verre de Pedro Ximenez servi chaud vous assurera une parfaite digestion. *Calle Gaitán, 3/5 Tél. 956 34 58 59 Ouvert tlj. 13h-16h30 et 19h30-0h (20h30-0h en été)*

☺ **Venta Antonio (plan A3 n°4).** Au bord de la petite route menant à Sanlúcar de Barrameda. Cette *venta*-là, connue comme le loup blanc dans la région, n'a plus grand-chose de la petite auberge. Les bâtiments modernes, au fond d'un parking souvent plein, dont l'entrée donne l'illusion d'un bateau, dissimulent une salle assez chic, où s'affairent des garçons en tenue. La spécialité de ce grand classique, ce sont les fruits de mer, vraiment excellents, et surtout les grosses crevettes (*langostino de Sanlúcar*). Les prix, affichés derrière le bar, varient avec le marché, mais un plateau de fruits de mer vous reviendra quand même assez cher et le cours des crevettes fluctue entre 50 et 80€/kg. À la carte, des plats plus accessibles, comme le cocktail de coquillages ou la salade de fruits de mer (8€). Les plats de poisson mettent l'eau à la bouche, en particulier le pagre (*urta a la rapeña*, env. 12,50€) ou l'espadon grillé (14€). Très bonne carte des vins. Si vous passez par là, il serait dommage de ne pas vous arrêter. *Route de Sanlúcar à 5km de Jerez Tél. 956 14 05 35 www.restauranteventantonio.com Ouvert tlj. midi et soir jusqu'à 22h30, sauf dim. soir (et lun. en hiver)*

Sortir à Jerez de la Frontera

Où boire un verre ?

Les petits bars à tapas de la Plaza Rafael Rivero, au sud de l'Alameda Christina, sont parfaits pour commencer la soirée. Si vous êtes en voiture, vous pouvez également essayer les bars de la Plaza del Caballo, près du parc de la Feria, tout au nord de la ville. Plus tard dans la soirée, la jeunesse de Jerez a coutume de se masser dans les quelques pubs du complexe "Plaza de Canterbury", à l'angle des rues Nuño de Cañas et Circo, à deux pas des arènes. Plus au nord, entre les arènes et la Plaza del Caballo, le quartier de sorties des Torres de Córdoba commence à s'animer vers 1h du matin en fin de semaine. Parmi les nombreux bars et discothèques de ce quartier, on peut citer Época ou encore Boulevard.

Où écouter du flamenco ?

Jerez de la Frontera est l'un des berceaux historiques du flamenco, style qui s'est développé le long de la vallée du Guadalquivir. Les quartiers de Santiago et San Miguel ont donné au flamenco de grandes dynasties de chanteurs, danseurs et musiciens. À commencer par l'immense Antonio Chacón (1869-1929), que nombre de spécialistes considèrent comme le plus grand chanteur de tous les temps. Plus près de nous, les voix des grands Chocolate (né en 1931) et Terremoto (1936-1981) ont fait en leur temps l'objet d'une véritable vénération, tandis que le chanteur José Mercé (né en 1955) rassemble les suffrages des jeunes et des moins jeunes. Le genre de flamenco le plus pratiqué à Jerez est la *bulería* et les formes ancestrales du *cante jondo* (*chant profond*) sont privilégiées par rapport aux tendances plus actuelles du flamenco (cf. GEOPanorama, Flamenco), dans une sorte de bataille des anciens contre les modernes. Fin février-début mars a lieu le festival de Jerez au Teatro Villamarta, avec de nombreux spectacles de grande qualité (programmation : www.festivaldejerez.es). En septembre, la Fiesta de la Bulería célèbre la forme musicale flamenca la plus traditionnelle de Jerez, avec de nombreux concerts. Les nombreuses *peñas flamencas* (associations), d'un grand dynamisme, organisent très régulièrement (surtout fin février-début mars et en septembre) des séries de cours, mais également des soirées de flamenco, meilleure manière de découvrir cet art dans toute sa spontanéité. *Pour en savoir plus, vous pouvez consulter les sites suivants : www.turismojerez.com, rubrique "Jerez thématique" ou www.webjerez.com, rubrique "Ciudad del Flamenco"*

Centro Andaluz de Flamenco (plan A2 n°10). Installé dans un superbe palais du quartier de Santiago, ce centre de documentation met à la disposition des chercheurs et des amateurs de flamenco des archives écrites et audiovisuelles d'une grande qualité. Le site Internet fournit une liste détaillée et mise à jour des concerts et spectacles de flamenco dans toute l'Espagne. *Plaza de San Juan, 1 Tél. 856 81 41 32 http://caf.cica.es*

La Taberna flamenca (plan A2 n°11). L'endroit le plus couru de la ville quand il s'agit d'écouter du flamenco. Excellente programmation, pour tous les goûts : *bulería* forcément mais aussi *alegría, fandango*… (cf. GEOPanorama, Flamenco). La taverne fait également restaurant. Comptez environ 39€ pour le dîner et le spectacle. *Calle Angostillo de Santiago, 3 Tél. 956 32 36 93 www.latabernaflamenca.com Ouvert mar.-sam. 12h-16h et 20h-0h Spectacles mai-oct. : mar.-jeu. et sam. 14h30 ; nov.-avr. : mar., mer. et sam. 22h, jeu. 14h et 22h*

Tablao El Lagá del Tio Parilla (plan A2 n°12). Plus confidentielle, cette *peña* plaira aux puristes. On y joue un flamenco d'antan, loin des arrangements contemporains où le danseur incorpore à sa danse des mouvements doux et féminins… Rien de tout ça ici ! Du spectacle dans la plus pure tradition. Petit menu de cuisine andalouse. De 24 à 39€ dîner + spectacle, 18€ spectacle + un verre. *Plaza del Mercado, 5 Tél. 956 33 83 34 et 608 54 94 21 Spectacles lun.-sam. 22h30*

Dormir à Jerez de la Frontera

Attention, si vous comptez venir pour la feria de Jerez ou le Grand Prix moto, il faut réserver très longtemps à l'avance et savoir que les prix ont tendance à s'envoler.

très petits prix

Albergue Juvenil Jerez (plan A3 n°20). Une grande auberge de jeunesse très moderne (d'importants travaux d'amélioration ont eu lieu en 2007), dont les 128 places sont réparties en chambres doubles et triples, toutes avec sdb. Également des appartements pouvant accueillir 4 pers. En été, on profite de la grande piscine à l'arrière et des terrains de sport. Assez excentrée et peu pratique sans voiture, même si elle est desservie par les bus urbains : le n°8 qui fait le tour de la ville en passant par la gare s'arrête à une centaine de mètres de l'auberge, et le n°1 qui dessert la Plaza del Arenal, en plein centre. En haute saison, la réservation est indispensable : un virement bancaire vous sera demandé. Chambres doubles : de 14 à 16€ pour les moins de 26 ans et 18€ pour les autres, petit déj. compris. Appartements : 45 à 55€. Repas à env. 7€. *Av. Blas Infante, 30 (1,5km au sud-ouest du centre-ville sur une longue avenue partant de la Glorieta Cuatro Caminos, juste avant d'arriver à l'Alcázar) Tél. 856 81 40 01 www.inturjoven.es jerez.itj@juntadeandalucia.es*

Hostal San Andrés (plan B2 n°21). Cet hôtel est situé dans le centre-ville, au nord-est du marché municipal. Un patio tellement luxuriant qu'on s'attendrait presque à en voir surgir un tigre ou une girafe. Les chambres, climatisées, sont vraiment agréables et l'accueil aussi. Seule réserve : les chambres équipées de salle de bains sont un peu chères. Doubles sans sdb à partir de 30€, avec sdb 40€. *Calle Morenos, 12 Tél. 956 34 09 83 Fax 956 34 31 96 www.hotelsanandres.es*

petits prix

Hostal Sanvi (plan B2 n°22). Dans le centre-ville, au nord-est du marché municipal. Les chambres sont fonctionnelles et confortables. Elles possèdent des salles de bains flambant neuves et la climatisation, le tout à des prix modérés hors feria. Adresse idéale si vous cherchez plus le confort que le charme. Doubles avec sdb de 36 à 40€ pendant la Semaine sainte et 70€ pendant la feria et le Grand Prix. *Calle Morenos, 10 Tél. 956 34 56 24*

☺ **Nuevo Hotel (plan B3 n°23).** Juste derrière l'église San Miguel. Une très belle demeure du début du XIXe siècle, dont le patio et les couloirs sont décorés de miroirs et de ferronneries. On est bien accueilli et les chambres (avec a/c) sont très agréables pour le prix. Seul bémol, le bruit dans cette habitation ancienne qui résonne facilement. Réservation conseillée toute l'année. Doubles avec sdb de 38 à 45€ en saison et 80€ lors de la feria et du Grand Prix. *Calle Caballeros, 23 (11403) Tél. 956 33 16 00 Fax 956 33 16 04 www.nuevohotel.com*

prix moyens

Hotel Nova Centro (plan B3 n°24). Un hôtel refait à neuf en 2001. La décoration des chambres n'a rien d'original, mais elles sont confortables et spacieuses. Évitez celle qui donne sur la rue, bruyante. Chambres doubles de 50 à 75€. Petit déjeuner à 4€. Parking privé : 9€/jour. *Calle Arcos, 13 (11402) Tél. 956 33 21 38 Fax 956 34 10 97 www.hotelnovacentro.com*

★ Arcos de la Frontera   11630

Le premier et le plus connu des Pueblos Blancos, ces "villages blancs" qui parsèment les crêtes de la sierra de Cadix et de la serranía de Ronda. En réalité, avec ses quelque 30 000 hab., Arcos mérite plutôt l'appellation de petite ville. Mais le centre historique, perché au sommet de falaises vertigineuses dominant le río Guadalete, a su garder tout l'enchantement de ses ruelles étroites aux murs blanchis. "Si le paradis existait et avait blanchi ses rues, il ressemblerait à Arcos", a écrit le poète Antonio Hernández. Il est vrai que l'atmosphère douillette de la ville est fort propice au romantisme. Alors, si vous passez dans la région, un conseil : faites le détour.

APRÈS LE DÉLUGE... ARCOS DE LA FRONTERA Selon la légende, la ville aurait été fondée par Brigo, petit-fils de Noé, après le Déluge. Sa situation stratégique, dans la vallée du Guadalete, et son caractère imprenable ont attiré les convoitises de toutes les civilisations qui se sont succédé en Andalousie : Tartessiens, Phéniciens, Romains et musulmans. Son nom vient d'ailleurs du nom romain *Arx-Arcis*, château haut perché. La ville, devenue *Medina-Arkos*, se développe sous l'ère musulmane et deviendra même la capitale d'un taifa berbère au XIe siècle, après la chute du califat de Cordoue. Situé à la frontière des mondes musulman et chrétien, Arcos prend, au XIIIe siècle, son nom de "la Frontera". Alphonse X reprend définitivement la ville en 1264. Jusqu'au XVe siècle, elle jouera un rôle important dans les opérations qui mèneront à la prise du royaume nasride de Grenade.

PUEBLOS BLANCOS, DE CHAUX ET DE LÉGENDES Réunis sous le nom de "villages blancs", les villages qui peuplent les montagnes de la province de Cadix n'ont pas pour unique point commun l'apparence charmante de leurs ruelles étroites aux murs chaulés. Ou plutôt, cette apparence caractéristique leur vient d'une histoire commune, qui a vu l'influence musulmane se prolonger bien plus longtemps qu'ailleurs. D'Arcos, Medina Sidonia et Vejer à l'ouest jusqu'à Castellar, Gaucin et Casares au sud, en passant par Zahara, Grazalema, Olvera, Setenil ou Ronda au nord s'étend un vaste territoire accidenté dont les monts escarpés offrent aux villages des sites inexpugnables. Même si les Romains et les Wisigoths avaient déjà construit sur ces terres des forteresses, ce sont les musulmans qui y développent, à partir du VIIIe siècle, un véritable réseau de bastions, que les chrétiens mettront plus de deux siècles à conquérir. Entre les premières incursions de Ferdinand III en Andalousie (XIIIe siècle) et la chute du royaume nasride de

Grenade en 1492, les villages blancs joueront le rôle de postes avancés le long de la frontière séparant le royaume de Castille de celui de Grenade, c'est-à-dire le monde chrétien du monde musulman. D'où la fréquence de l'expression "de la Frontera", qui vient s'accoler ici aux noms des villages. Après la Reconquête, le XVIe siècle verra fleurir une riche architecture Renaissance. Plus tard, le désastre de la guerre d'Indépendance contre les armées napoléoniennes apportera, avec la pauvreté, les légendes des Bandoleros, ces bandits de grands chemins qui détroussaient l'imprudent, égaré dans les vallées isolées. Bref, la région des villages blancs baigne depuis toujours dans une atmosphère de légende dont les romantiques du XIXe siècle ne pouvaient que se délecter.

Arcos de la Frontera, mode d'emploi

accès

EN VOITURE À 86km à l'ouest de Ronda et 31km à l'est de Jerez par l'A382. Une voie rapide Jerez-Arcos est en construction. Le centre historique est impraticable en voiture. Mieux vaut vous garer en bas de la ville, sur le parking de la Plaza de España ou au Jardín Andalusí, et poursuivre à pied.

EN CAR
Gare routière. *Calle Corregidores En bas de la ville, à 15min à pied du centre historique Se rens. sur les horaires à l'office de tourisme*
Los Amarillos. Jerez-Arcos (près de 20 départs/jour en semaine, 8 départs le week-end), Cadix-Arcos (3 à 5 départs/jour dans les 2 sens), Séville-Arcos (départs de Séville tous les jours à 8h et à 16h30, Prado de San Sebastián). *Tél. 956 32 93 47 www.losamarillos.es*
Comes. Jerez-Arcos (6 cars/jour, 3 le week-end), Cadix-Arcos (5 cars/jour), Ronda-Arcos (4 cars/jour). La ligne Jerez-Málaga via Ronda, Marbella et Torremolinos comporte un arrêt à Arcos. *Tél. 956 80 70 59 et 902 19 92 08 www.tgcomes.es*

informations touristiques

Office de tourisme. Organisation de visites guidées thématiques permettant de découvrir les monuments, mais aussi les patios de la vieille ville. Visites à 11h et 18h, durée de 1 à 2h, env. 5€/pers., minimum 10 pers. *Plaza del Cabildo (dans la vieille ville) Tél. 956 70 22 64 www.arcosdelafrontera.es Ouvert lun.-ven. 10h-14h30 et 16h-19h, sam. 10h30-13h30 et 17h-19h, dim. et j. fér. 10h30-13h30*

adresses utiles

Banques et **distributeurs** de part et d'autre de la Calle Corredera.
Bureau de poste. Dans la partie "intermédiaire" de la ville. *Calle Boliches Tél. 956 70 15 60 Ouvert lun.-ven. 8h30-14h30, sam. 9h30-13h*

fêtes et manifestations

Semaine sainte. Avec ses ruelles pittoresques et son atmosphère décontractée, Arcos est un bon endroit pour découvrir la Semaine sainte telle qu'on la vit en province, loin des fastes de Séville. Une procession a lieu chaque jour. La plupart partent entre 18h et 21h, sauf celle du Vendredi saint qui débute à 2h du matin et celle du dimanche des Rameaux à 12h. Toutes passent par la rue de la Corredera et déambulent dans les ruelles de la vieille ville. L'idéal est de se procurer le programme contenant l'horaire et l'itinéraire détaillé de chaque procession. L'un des points forts de la Semaine sainte d'Arcos est la musique. La fanfare municipale accompagne presque toutes les processions au son de marches funèbres. Arcos est une terre de flamenco, et la qualité des *saetas* locales est unanimement reconnue. En suivant les cortèges le long de la Calle Corredera, vous aurez l'occasion d'entendre ces émouvantes complaintes flamencas chantées *a cappella* sur les balcons ou au milieu de la foule. Autre particularité, plutôt amusante : plusieurs défilés comportent une cohorte de légionnaires romains, les célèbres *armaos* d'Arcos, qui se livrent à des chorégraphies burlesques. Le jeudi a lieu la procession dite d'El Silencio, organisée par la confrérie de Los Servitas, l'une des plus anciennes de la ville puisqu'elle fut fondée en 1749. Attention : à la fin de la Semaine sainte, le dimanche, se déroule dans le centre-ville un lâcher de *toros bravos* (l'un à 12h, l'autre à 15h). Descendre la Calle Corredera poursuivi par un taureau furieux est un sport très populaire parmi les jeunes de la région, mais extrêmement dangereux : il y a déjà eu des morts. *Fin mars-début avr.*

Spectacles de flamenco en plein air. Ils sont organisés dans le cadre enchanteur de la Plaza del Cananeo, face au Palacio del Marqués de Torresoto. *En juillet-août, mer. et jeu. soir, à 22h30 Rens. à l'office de tourisme : changements possibles*

Découvrir Arcos de la Frontera

☆ **À ne pas manquer** Le centre historique **Et si vous avez le temps...** Suivez les processions de la Semaine sainte, rejoignez la Plaza del Cabildo et admirez la vue sur les gorges du Balcón de Arcos

Au pied de la ville, la Plaza de España est une petite esplanade ombragée, populaire en fin d'après-midi. La longue **Calle Corredera**, très fréquentée et bordée de magasins, monte en direction de la vieille ville, au sommet du piton rocheux sur lequel est installé Arcos. On prend grand plaisir à se perdre dans les ruelles enchevêtrées du vieux quartier, dont le tracé et la physionomie générale portent encore fortement les traces de l'époque musulmane. Au détour d'une rue on aperçoit, par la porte entrouverte d'une petite maison, l'intérieur d'un patio traditionnel, lieu de vie par excellence de la famille andalouse. Les rues Maldonado et Escribanos ont beaucoup de charme. Partout, on est impressionné par l'allure majestueuse des nombreux hôtels particuliers ou *casas-palacios* de l'aristocratie locale, construits du xve au xviiie siècle. Le plus ancien d'entre eux est le Palacio del Conde del Águila (xve siècle), dont l'harmonieuse façade gothique-mudéjare domine la Cuesta de Belén, à l'entrée de la vieille ville. Parmi les plus beaux, citons le Palacio del Marqués de Torresoto, édifice baroque du xviiie siècle (Plaza Cananeo), ou encore le Palacio del Mayorazgo (xviie siècle), de style Renaissance. Le cœur administratif de la vieille ville est la belle **Plaza del Cabildo**, bordée de monuments historiques. D'un côté, la façade éclatante de la Casa del Corregidor, un palais Renaissance du xvie siècle, qui abrite désormais le Parador de la ville. En face, derrière l'hôtel de ville (où se trouve l'office de tourisme), on aperçoit la haute stature du Castillo, construit par la dynastie des

Ben Jazrum quand Arcos était capitale de leur taifa (xie siècle). Il s'agit d'une propriété privée, fermée au public. Au bout de la place, le belvédère du Balcón de Arcos offre un vaste panorama sur les gorges et la campagne. À l'autre extrémité se trouve l'église Santa María de la Asunción (début xvie siècle), comme toujours installée sur le site de l'ancienne mosquée de la ville. Son élégante façade comporte une ornementation très représentative du style plateresque. Mais l'édifice religieux le plus intéressant de la vieille ville est certainement l'église San Pedro, dans la rue du même nom. Au-delà, commence une partie moins touristique de la vieille ville, mais qui vaut la peine d'être parcourue si vous avez le temps. Au pied de la vieille église de San Agustín (1539), le Mirador de San Agustín mérite le détour. En remontant la Calle Torres, on accède à la Puerta Matrera, vestige des murailles, construite à l'époque musulmane (xie siècle). *Église Santa María de la Asunción Fermée pour travaux, réouverture prévue juil. 2008*

Église San Pedro Elle fut construite au xive siècle sur les ruines d'une ancienne forteresse musulmane. La façade baroque date, elle, du xviiie siècle. À l'intérieur, on découvre de belles voûtes gothiques et une ornementation où se mêlent Renaissance et baroque. La chapelle latérale (Capilla del Sagrario) vaut le coup d'œil pour les figures saintes qu'elle abrite. Les stalles du chœur en bois précieux, et surtout le maître-autel, qui recèle l'un des plus anciens retables d'Andalousie (1542), sont également remarquables. Les reliques présentées dans les petits autels latéraux sont assez effrayantes. *Tél. 956 70 11 07 Ouvert lun.-ven. 9h30-14h et 15h30-19h, sam. 9h30-14h, dim. 10h30-14h Entrée 1€*

Manger à Arcos de la Frontera

La Calle Debajo del Corral, reliant la Calle Corredera à la Plaza de España, en bas de la ville, compte plusieurs bars qui proposent tapas et menus à petits prix. Le bar **El Faro** (Debajo del Corral, 14) est l'un des plus appréciés, sa terrasse est bondée le week-end.

très petits prix

Bar-Restaurante El Patio. À côté de la pension du même nom. Une taverne dédiée à la corrida, dans laquelle on s'enfonce jusqu'à ne plus voir la lumière du jour... L'endroit a tout d'un repère de copains : un grand bar pour la convivialité et quelques tables pour plus d'intimité. Ambiance animée. Menu à env. 9€ sans la boisson. Le propriétaire dispose aussi de chambres à bon prix (cf. dormir). *Dans le haut de Callejón de las Monjas, à côté de l'église Santa María. Deán Espinosa, 4 Tél. 956 70 23 02 www.mesonelpatio.com Ouvert tlj sauf mer. 12h-18h et 20h-0h*

☺ **Taberna José de la Viuda.** L'histoire commence il y a une cinquantaine d'années lorsque José de la Viuda, initiateur du carnaval d'Arcos et poète à ses heures, ouvre cette taverne conviviale. Aujourd'hui c'est le fils, Alfonso, qui a repris le flambeau. Tavernier au grand cœur, on le trouve à la fois en cuisine, au service et à l'accordéon. L'endroit tient du capharnaüm : sur une même étagère, cohabitent fromages et recueils de poèmes. Une collection de lampes à pétrole est suspendue au plafond et les murs sont recouverts de photos du carnaval et de flamenco. Mais la vraie surprise est sur la carte, avec un choix de plus de 50 tapas au fromage (2€). Le *queso fresco*, très doux, est délicieux. Comptez environ 10€/pers. *Plaza Pérez del Alamo, 13 Tél. 956 70 12 09 Devrait ouvrir un autre établissement en avril 2008, Plaza de las Aguas, 4*

prix élevés

☺ **Restaurante El Convento.** Une grande table, récompensée par de multiples prix, douillettement installée dans le patio de l'ancien palais de Valdespino (xviie siècle). L'écrin idéal pour savourer des trésors de cuisine régionale. En entrée, on se régale d'une salade de cœurs d'artichauts, de crevettes et de jambon ibérique, ou d'un *ajo a la comendadora*, une variante du gaspacho héritée de l'époque musulmane (mie de pain, tomates, poivrons, ail et huile d'olive). Ensuite, on peut déguster la *perdiz en salsa de almendras* (perdrix aux amandes) ou l'excellent *bacalao con tomate* (morue à la tomate) du chef. Au dessert, le *tocino de cielo* (flan aux œufs et au sucre) est vraiment exquis. Service attentionné et atmosphère intimiste. Gibier en saison. Compter environ 35€/personne. *Calle Marqués de Torresoto, 7 Tél. 956 70 32 22 Ouvert 13h-16h et 19h30-22h30 (19h-22h l'hiver)*

Dormir à Arcos de la Frontera

camping

Camping Lago de Arcos. Seulement si vous êtes en voiture. Au bord du lac de barrage d'Arcos, à 10min au nord-est de la ville. Non loin du club nautique local, très animé en été. Pour 2 pers., une voiture et une tente : 15€ environ. *Calle Santiscal Tél. 956 70 83 33*

très petits prix

Hostal San Marcos. En plein cœur de la vieille ville. La réception se trouve au bar du rez-de-chaussée. Accueil sympathique. À l'étage, les chambres fleurent bon l'Andalousie rurale, avec leur décoration à l'ancienne où les images pieuses abondent. À noter : deux chambres sont installées dans le bâtiment voisin, avec une entrée séparée. Pour le même prix, vous partagerez une salle de bains, mais profiterez de beaucoup d'espace et de charme, grâce notamment à une terrasse dominant les toits du quartier. Une bonne adresse. Chambre double avec sdb 30-40€. *Calle Marqués de Torresoto, 6 Tél. 956 70 07 21*

petits prix

Mesón El Patio. Idéalement située au cœur de la vieille ville, cette petite pension compte une dizaine de chambres propres et lumineuses à la déco bien sage. Antonio, le vieux propriétaire, réserve en effet son style "décoiffant" à la réception, rebaptisée "*barbería*" : une petite pièce où trône un vénérable fauteuil, dans lequel vous pourrez, Messieurs, vous asseoir pour qu'il vous fasse la barbe, ou vous laisser infliger une coiffure originale mesdames. C'est gratuit et cela vous laissera un souvenir de voyage ! Le personnage est également grand amateur de flamenco et saura vous conseiller sur les spectacles du moment. Doubles avec terrasse à partir de 45€ (prix plus élevés en période de fêtes). Bon à savoir, le bar voisin (tenu par le même propriétaire) peut être assez bruyant jusque tard en soirée (cf. manger). Réductions pour les jeunes au budget serré et à l'allure sympathique ! *Dans le haut de Callejón de las Monjas, à côté de l'église Santa María. Deán Espinosa, 4 Tél./fax 956 70 23 02 www.mesonelpatio.com*

prix moyens

La Fonda. À mi-chemin entre la gare routière et la vieille ville. Le mot *fonda* désigne traditionnellement l'auberge de chemin. Celle-ci se rapproche davantage d'un hôtel. Dans une immense demeure classée du XIXᵉ siècle, les chambres sont spacieuses, bien meublées et possèdent des salles de bains flambant neuves. Seul souci : le bruit de la rue et celui du restaurant du rez-de-chaussée, surtout en fin de semaine. Chambres doubles : 50€ (58€ en été et 75€ pendant la Semaine sainte et le grand prix moto de Jerez de la Frontera). *Calle Corredera, 83 Tél. 956 70 00 57 Fax 956 70 36 61 www.hotelafonda.com*

Hotel El Convento. L'établissement est situé près de la Plaza del Cabildo. Une adresse de caractère, qui occupe une partie de l'ancien couvent de l'ordre des Mercedarias (XVIIᵉ s.). Ces belles pierres cachent un intérieur élégant sans ostentation. Les chambres avec terrasse, ouvrant sur les falaises et la campagne, méritent vraiment le détour. Un service attentionné et des prix très raisonnables hors saison. Chambres doubles standard de 55 à 70€, chambres doubles avec terrasse de 65 à 85€. *Calle Maldonado, 2 Tél. 956 70 23 33 Fax 956 70 41 28 www. hotelelconvento.es*

☺ **La Casa Grande.** Dans une ruelle étroite du centre historique, non loin de la Plaza del Cabildo. Cet hôtel discret, blotti dans une *casa-palacio* (hôtel particulier) de 1729, possède un cachet époustouflant : colonnes en pierre, poutres massives, carrelage d'époque, mobilier ancien. On retrouve dans les chambres le même goût des belles choses. La terrasse ombragée ouvre sur les falaises tombant à pic sur le río Guadalete et la campagne environnante. Certaines chambres jouissent de la même vue, en particulier la luxueuse suite. Très beau salon-bibliothèque au fond du patio. La propriétaire fait preuve d'un grand sens de l'hospitalité. Vous reviendrez. Double de 65 à 75€ HT (85€ HT pendant la Semaine sainte). Petit déjeuner : 8€. *Calle Maldonado, 10 Tél. 956 70 39 30 Fax 956 71 70 95 www.lacasagrande.net*

prix très élevés

Parador Casa del Corregidor. Voilà l'un des plus beaux Paradores d'Andalousie. Les hauts murs blancs de la Casa del Corregidor, ancien palais Renaissance, surplombent la Plaza del Cabildo. À l'intérieur de l'hôtel, on découvre une architecture séduisante. Le patio aux couleurs chaudes, fleuri au printemps, est un modèle d'équilibre. Luxe au goût sûr : mobilier en bois noble, foisonnement d'œuvres d'art. Demandez une chambre avec balcon sur la campagne. Réservation conseillée. Comptez pour une chambre double de 130 à 144€ HT toute l'année et de 156 à 173€ HT avec terrasse. Petit déjeuner à 14€ HT. *Plaza del Cabildo Tél. 956 70 05 00 Fax 956 70 11 16 www.parador.es*

Grazalema

11610

L'une des bourgades les plus importantes de cette région montagneuse (env. 2 200 hab.), installée à 825m d'altitude, au cœur du parc naturel de la sierra de Grazalema. Déjà connu au temps des Romains, le village devient, dès le VIIIᵉ siècle, un bastion musulman tenu par des Berbères qui lui donnent le nom de *Ben-Zalema*. C'est à cette époque que se développe un artisanat de couvertures tissées en laine qui a survécu jusqu'à nos jours. Au XIXᵉ siècle, l'atelier municipal comptait encore près de 5 000 ouvriers... Avec ses vieilles ruelles blanches accrochées à une colline, au pied des pentes boisées des sierras d'El Pinar et d'El Endrinal, Grazalema n'a pas perdu sa fière allure. La silhouette élancée du Peñón Grande, qui surplombe le bourg, est vraiment impressionnante, et ne laissera pas de marbre les visiteurs.
Sur la grand-place, on profite de l'air pur des montagnes dans une ambiance décontractée, qui invitera les moins pressés à s'attarder plusieurs jours et à visiter les sites environnants : les maisons troglodytiques de Setenil ou la route impressionnante de Zahara.

Grazalema, mode d'emploi

accès

EN VOITURE Grazalema est situé à 50km à l'est d'Arcos de la Frontera par l'A372, *via* El Bosque. De Ronda, on suit l'A376 (en direction Séville) sur 20km, avant de de tourner à gauche à une intersection (en direction Grazalema) et de continuer jusqu'à Grazalema sur l'A372 (13km). Grazalema se trouve à 80km de Jerez et 123km de Séville.

EN CAR Los Amarillos assure la ligne Ronda-Ubrique *via* Grazalema. Départ de Ronda : tlj. 12h30 et 18h15. Les cars d'Automobiles Portillo relient Jerez, Arcos et Cadix, correspondances à Ubrique. De et vers la Costa del Sol, changer à Ronda. ***Los Amarillos*** *Tél. 952 18 70 61* ***Automoviles Portillo*** *Tél. 902 143 144* *www.ctsa-portillo.com*

informations touristiques et adresses utiles

Office de tourisme. *Plaza de España, 11 Tél. 956 13 20 73 Ouvert tlj. 10h-14h et 16h-21h (16h-20h en hiver)*
Sur la Plaza de España, deux **banques** équipées de distributeurs automatiques.

fêtes et manifestations

Fiestas del Carmen. La fête culmine avec le "lunes del Toro de Cuerda" (lundi du taureau à la corde !). Le principe est simple : prenez trois taureaux de combat bien encornés, attachez-leur autour des cornes une corde tenue par les hommes les plus forts du village, et lâchez le tout dans les rues au milieu d'une foule en délire... Pour avoir l'honneur de tenir la corde, il faut faire partie de la confrérie locale... et savoir ce que l'on fait. Quand le taureau tire sur la corde, il faut le retenir afin qu'il n'encorne pas les toreros en herbe qui se pressent devant lui. Mais quand il fait demitour et charge ceux qui sont censés le retenir, une bonne paire de jambes est nécessaire. *Mi-juillet*

Fiestas Mayores. Des vachettes sont lâchées en liberté dans les ruelles. Si vous voulez participer, mettez des chaussures de sport ! *Autour du 20 août*

Découvrir Grazalema

☆ **À ne pas manquer** La sierra de Grazalema **Et si vous avez le temps...** Traversez les montagnes jusqu'au magnifique site de Zahara de la Sierra, grimpez au sommet du mont Pinar par le Sendero del Torreón, attardez-vous à Setenil pour ses maisons troglodytiques, découvrez Olvera et son huile d'olive

Le centre de la vie locale est la belle Plaza de España, dans la partie basse de Grazalema. Les quelques terrasses qui en ont pris possession sont dominées par les trois augustes campaniles de l'église de la Aurora (XVIIᵉ siècle). Tout près de là, sur la Plaza Pequeña, se dresse l'église Nuestra Señora de la Encarnación (XVIIᵉ siècle). En remontant vers l'est l'Avenida Juan de la Rosa, on accède à un belvédère. Au pied de celui-ci se trouve la piscine municipale, ouverte seulement l'été. De l'autre côté de la Plaza de España, vers l'ouest, s'étend un quartier aux ruelles escarpées, pavées de pierres irrégulières. C'est le plus ancien de Grazalema, et il porte encore la marque du passé musulman. Après la Reconquête, les petites maisons blanchies à la chaux se sont ornées de portails en pierre sculptée, portant les armes des chevaliers et des seigneurs locaux. Sur les balcons décorés de ferronneries savantes, des milliers de géraniums prennent le soleil. En fin d'après-midi, on prend le frais sur le pas des portes, on discute ferme dans les petites échoppes vendant les délicieux jambons et charcuteries produits dans les environs. Tout en haut, l'église San José (XVIIIᵉ siècle) veille sur les habitants.

Visiter une fabrique de couvertures

Les tapis et couvertures qui ont fait la renommée de Grazalema sont en vente dans plusieurs petites échoppes et à l'office de tourisme.

Artesanía textil de Grazalema. Si vous êtes en Andalousie depuis plusieurs jours, vous avez sûrement déjà aperçu ces couvertures en laine multicolores. Elles sont tissées ici. L'atelier est ouvert au public (mais on ne voit pas les gens travailler). *Carretera de Ronda (tout près de la station-service) Tél. 956 13 20 08 www.mantasdegrazalema.com Fermé ven. a.-m. ; juil. l'a.-m. et août*

☆ Découvrir la sierra de Grazalema

Villaluenga del Rosario Le plus haut village de la sierra de Grazalema, qui étale ses rues paisibles à 870m d'altitude. Moins touristique que ses voisins, il est cependant réputé pour les gouffres (Sima de Villaluenga, Sima del Cabo de Ronda) et autres cavités souterraines (Cueva del Hundidero, Cueva del Gato) qui l'entourent et font le bonheur des spéléologues. *16km au sud de Grazalema par l'A374 (direction Ubrique)*

Zahara de la Sierra Le village de Zahara, juché à 511m sur les pentes de la sierra del Jaral, émerge de l'un des plus beaux décors d'Andalousie. D'un côté, les premiers contreforts de la verdoyante sierra de Grazalema. De l'autre, les eaux turquoise d'un grand lac de barrage. Pour atteindre le village, choisissez la route qui traverse les montagnes (et non celle, plus à l'est, qui les contourne). Tracée tout droit, sur 17km, au milieu des pics, elle permet de profiter de paysages magnifiques, notamment au passage d'un col à près de 1 400m : le Puerto de Las Palomas. Dans le village, les ruelles blanches et fleuries invitent à la flânerie. Les deux principaux monuments à voir sont la Torre del Reloj (tour de l'Horloge, XVIᵉ siècle) et l'église baroque de Santa María de la Mesa (XVIIᵉ siècle), avec son imposant portail en marbre rose. À 10min de là, au terme d'une ascension assez raide, on accède au Castillo, une forteresse berbère établie au XIIᵉ siècle puis renforcée au cours des siècles suivants, pour résister aux assauts des chrétiens. En passant, au-dessus de l'hôtel Arco de la Villa, on devine les traces de l'ancienne médina, avant de s'engager sur un sentier qui grimpe au milieu des cactus et des fleurs sauvages. Il reste encore à atteindre le sommet de la Torre del Homenaje, une tour aux murs épais dans lesquels d'étroits escaliers sont taillés. Là-haut, à plus de 600m, on profite d'une vue exceptionnelle sur les montagnes, le village et le lac, tandis que planent les vautours. À 2km en contrebas du village, le lac de Zahara est un site de pêche réputé. En été, pourquoi résister à l'envie de vous baigner dans ses eaux limpides ? Une base de loisirs est ouverte à l'est du lac et loue des canoës. *Área recreativa À 56km à l'est d'Arcos de la Frontera par l'A382 Ouvert 15 juin-15 sept. Tél. 956 12 30 04 (mairie)* **Office de tourisme** *Tél. 956 12 31 14 www.zaharadelasierra.es*

Randonner dans la sierra de Grazalema

Créé en 1984, le parc naturel s'étend sur près de 52 000ha. Avec ses paysages montagneux et ses vastes forêts qui profitent des précipitations les plus abondantes d'Espagne (2 200mm/an), ce domaine est un vrai paradis pour les passionnés de nature et de randonnée. Une carte est indispensable, certains sentiers n'étant pas balisés. Celle du parc, éditée par la Junta de Andalucía, vous permettra de vous promener sans risque de vous perdre. Elle est en vente dans les villages de Grazalema et d'El Bosque, ainsi qu'à l'office de tourisme de Ronda (env. 10€). *Centre des visiteurs d'El Bosque Principal point d'information du secteur. Le village est situé à une vingtaine de kilomètres à l'ouest de Grazalema. Calle Federico García Lorca, 1 Tél./fax 956 72 70 29 Ouvert tlj. 10h-14h et 16h-18h (18h-20h en été)* **El Manantial 1885, El Viego Molino** *Pour vous loger sur place, une charmante maison rurale aménagée dans un ancien moulin (15-25€/pers. la nuitée) Camino la Fabrica, 25 Tél. 667 06 24 21*

Chemins de randonnée Quelques-uns des plus beaux sentiers de la région, qui en compte une trentaine, débutent aux environs de Grazalema. C'est notamment le cas du Sendero del Pinsapar, qui serpente au milieu de bosquets de *pinsapo*, le pin fossile que l'on ne trouve qu'ici et au nord du Maroc. Il débute à 2km du village, sur la route de Zahara, et rejoint à l'ouest le village de Benamahoma. Depuis le col du Puerto del Boyar, sur la route Grazalema-El Bosque, on peut également rejoindre Benaocaz par le Sendero del Salto del Cabrero. La promenade est tranquille et vraiment magnifique. À partir de Zahara, la randonnée la plus populaire, et sans doute la plus spectaculaire, est celle qui parcourt la Garganta Verde, une gorge de 100m de profondeur, jusqu'à une grotte monumentale abritant un ermitage médiéval, l'Ermita de la Garganta. Le sentier part de la route de Grazalema, 3km au sud du village. Pourquoi ne pas vous attaquer aux 1 654m du mont Pinar ? Si l'ascension vous tente, le plus simple est d'emprunter le sentier du Torreón dont le départ se situe à une cinquantaine de mètres à l'est du km40 sur la route Grazalema-Benamahoma, à 800m d'altitude. Ça grimpe fort, mais la vue du sommet justifie cet effort. Pour protéger l'environnement, l'accès à certains sentiers est restreint et il faut impérativement réserver plus de 15 jours à l'avance auprès du centre des visiteurs d'El Bosque.

Randonnée	Difficulté	Durée	Accès	Commentaires
Sendero del Pinsapar	Facile 13km	5h	Avec autorisation	L'autorisation s'obtient auprès du centre de visiteurs d'El Bosque (Tél. 956 72 70 29)
Sendero del Salto del Cabrero	Facile 8km	4h-4h30	Sans autorisation	Bus retour Benaocaz-Grazalema lun.-sam. à 15h30
Sendero de la Garganta Verde	Haute 2,5km	4h	Avec autorisation	Autorisation : cf. ci-dessus. Fermé juil.-sept.
Sendero del Torreón (1 654m)	Haute 5h	5h	Avec autorisation	Autorisation : cf. ci-dessus. Fermé juil.-sept.

Faire de l'escalade et du canyoning

Les gorges abruptes de la sierra offrent leurs paysages et leurs parois aux amateurs d'escalade et de canyoning. Pour profiter de la compétence des guides locaux, vous pouvez également vous joindre à des groupes organisés.

Compagnie Horizon. Basée à Grazalema, elle propose des activités de canyoning et d'escalade, de la spéléologie et des parcours multi-aventures. *Corrales Terceros, 29 Tél. 956 13 23 63 www.horizonaventura.com Ouvert oct.-juin : 9h-14h et 17h-20h ; juil.-oct. : 9h-14h Fermé dim.-lun.*

Al-Qutun. Leurs guides peuvent vous accompagner pour une balade en canoë, une descente en canyoning, un vol en parapente, un après-midi d'escalade… *Tél. 956 13 78 82 et 639 13 01 36 (les week-ends) www.al-qutun.com Ouvert lun.-ven. 9h-14h et 16h-19h (17h-20h en été)*

Découvrir les environs

Setenil Ce petit village blanc est l'une des localités les plus étonnantes d'Andalousie. Le río Guadalporcún, qui traverse la partie basse du village, a en effet creusé dans la roche une gorge le long de laquelle les habitants ont bâti depuis des générations des maisons troglodytiques. Une manière d'économiser des matériaux, mais aussi de profiter d'une température quasi constante été comme hiver. La partie haute du village, moins spectaculaire, mérite également une visite, pour ses ruelles tranquilles et ses petits bars en terrasse. Les monuments les plus intéressants sont l'imposant donjon d'origine musulmane qui domine la plaine environnante et l'église gothique-mudéjare de la Encarnación (fin xve siècle, ouverte lors des offices). Une destination parfaite pour une excursion à partir de Ronda, tout proche, ou de l'un des villages blancs, au sud-ouest. *À 17km au nord de Ronda* **Office de tourisme** *Tél. 956 13 42 61 www.setenil.com Ouvert tlj. 10h30-14h et 16h-19h (10h-14h en été)*

Olvera Un grand bourg campagnard qui règne sur une campagne vallonnée plantée d'oliviers. L'huile d'olive d'Olvera est d'ailleurs l'une des plus réputées d'Andalousie. Le cadre mérite bien un petit détour, d'autant que le quartier historique, tout au sommet de la colline où est installé Olvera, n'est pas mal non plus. On aperçoit de loin les silhouettes élancées du château musulman (fin xiie siècle) et de l'église néoclassique de la Encarnación, bâtie en 1843 par les ducs d'Osuna. Perchés l'un en face de l'autre sur deux rochers, tous deux semblent ne jamais vouloir se réconcilier. *À 15km au nord-ouest de Setenil par la CA4222* **Château** *Plaza de la Iglesia Ouvert mar.-dim. 10h30-14h et 16h30-18h (19h en été) Fermé lun. Entrée 2€ Rens. à l'***office de tourisme** *Tél. 956 12 08 16 www.olvera.es*

Manger à Grazalema et dans les environs

Les spécialités de Grazalema, grâce à la montagne et à la chasse, sont la viande (notamment l'agneau, excellent), les charcuteries ibériques et le gibier (demandez la perdrix, délicieuse). Sans oublier la soupe de Grazalema, un bouillon de légumes réduit auquel on ajoute de la crème. Sur la Plaza de España, le restaurant Cádiz El Chico est un bon endroit pour savourer ces délices. En remontant l'Avenida Juan de la Rosa, vers la piscine municipale, on accède au Restaurante Endrinal, qui propose également une cuisine rustique et familiale, à base de bonnes viandes : la famille García, gérante du restaurant, tient la boucherie, en face. Près de la Plaza de España, dans les rues donnant sur la petite Plaza de Andalucía, les moins timides s'aventureront dans de petits bars qui servent tapas et rations à petits prix. À essayer, autant pour l'ambiance que pour les tapas : le bar Tertulia, où les anciens du village jouent aux cartes et aux dominos après la sieste. Sur la Calle Doctor Mateos Gago, qui monte vers l'église San José, le restaurant El Pinsapar propose des menus complets à partir de 11€. Spécialités de viandes grillées et menu végétarien. Enfin, El Torreón est un restaurant plus raffiné avec à la carte, entre autres, la fameuse perdrix maison en saison (env. 13€). **Cádiz El Chico** *Tél. 956 13 20 27 Fermé dim. après-midi-lun.* **Restaurante Endrinal** *Tél. 637 78 18 71 Fermé lun.* **El Pinsapar** *Tél. 956 13 22 02 Fermé mer.* **El Torreón** *Calle Agrias, 44 Près du parking Tél. 956 13 23 13*

très petits prix

Bar Nuevo. Vous ne pourrez manquer sa grande terrasse à l'ombre des orangers, sur la place du village. Un endroit idéal pour prendre un verre en grignotant quelques tapas andalouses. Menu complet à 9€. *Calle San Juan, 10* **Zahara de la Sierra** *Tél. 956 12 31 89 Ouvert mar.-dim. 9h-0h*

petits prix

Bar Sofía. Dans la salle de ce bar, vous pouvez choisir parmi quelques tapas (à partir de 1,70€) et profiter de la terrasse. *Place du village **Zahara de la Sierra** Tél. 956 12 32 83 Ouvert mar.-dim. 10h-16h et 20h-0h*

Bar La Tasca. La salle du bar est taillée dans la roche et la terrasse bénéficie de l'ombre d'un grand surplomb. Au menu, quelques tapas et rations de spécialités régionales. *Calle Cuevas del Sol, 71 **Setenil** Fermé lun.*

Dormir à Grazalema et dans les environs

camping

Camping Tajo Rodillo. Un site superbe, au-dessus du village, sur la route d'El Bosque. Idéal pour vous mettre au vert ou partir randonner dans les montagnes environnantes. À pied, le village est à 10-15min. Attention, ça grimpe sec au retour ! Compter env. 22€ pour 2 personnes et une tente (la voiture doit rester sur le parking extérieur, gratuit). Location également de petites cabanes (95€ pour 4 pers.). *Route d'El Bosque (A372) **Grazalema** Tél. 956 13 24 18 www.campingtajorodillo.com Ouvert avr.-sept. : tlj. ; le reste de l'année : certains week-ends Fermé 23 déc.-3 janv.*

très petits prix

Albergue Rural Al-Qutun. Dans le bas d'Algodonales. Une petite auberge tenue par un patron dynamique, qui organise de nombreuses activités de plein air : randonnée, spéléologie, canyoning (cf. Faire de l'escalade et du canyoning)… Les dortoirs, équipés de lits superposés, peuvent accueillir de 4 à 6 personnes, pour env. 15€ HT/pers. Le petit déjeuner se prend sur la terrasse ensoleillée ouvrant sur la campagne. Réservation conseillée, surtout le week-end et l'été. *Calle Zahara de la Sierra, 13 **Algodonales** (à 5km au nord de Zahara) Tél. 956 13 78 82 www.al-qutun.com*

Hostal Casa de las Piedras. Une vieille maison seigneuriale blanche, aménagée avec soin dans le centre de Grazalema. L'hospitalité des patrons réchauffe le cœur et les chambres sont rustiques et propres. Seules celles sans salle de bains valent vraiment la peine, car les autres sont assez chères. Quelques-unes sont climatisées. Le restaurant familial du rdc propose des plats du jour copieux (12€). Formule en pension complète à partir de 25€/pers. (enfants, 17€). Doubles sans sdb à partir de 20€, avec sdb à partir de 48€. *Calle Las Piedras, 32 **Grazalema** Tél./fax 956 13 20 14 www.casadelaspiedras.org*

prix moyens

Hotel Peñón Grande. À deux pas de la Plaza de España, en face de l'église Nuestra Señora de la Encarnación. La haute façade blanche de cet hôtel récent se fond assez bien dans le décor. L'intérieur n'est pas décoré avec un goût exquis, mais les chambres sont plutôt agréables. Au programme : couleurs claires, lits confortables, TV satellite, climatisation/chauffage et salles de bains modernes. Doubles avec sdb à partir de 55€ toute l'année. *Plaza Pequeña, 7* **Grazalema** *Tél. 956 13 24 34 ou Tél./fax 956 13 24 35 www.hotelgrazalema.es*

Hotel Arco de la Villa. Sur les hauteurs de Zahara de la Sierra, au pied de la montée finale vers le château. Un hôtel construit en 1998, qui dépare un peu dans le décor. Mais les chambres, installées dans les étages inférieurs, sont très agréables et bien équipées. Elles donnent toutes sur le lac : un vrai bonheur ! Restaurant au rez-de-chaussée et parking privé sur le toit, gratuit. Doubles à partir de 64€ environ. *Camino Nazarí* **Zahara de la Sierra** *Tél. 956 12 32 30 www.tugasa.com*

prix élevés

Hotel Puerta de la Villa. Au pied de l'église Nuestra Señora de la Encarnación. Le seul hôtel de sa catégorie dans la sierra de Grazalema. Sans être vraiment originale, la décoration de ce 4-étoiles ouvert en 2000 est accueillante, avec ses tons chauds, ses tissus de qualité et son mobilier où se mêlent bois, fer forgé et verre. Chambres calmes et dotées de grandes salles de bains. Restaurant gastronomique et petite piscine extérieure. Doubles de 93 à 120€ selon la saison. *Plaza Pequeña, 8* **Grazalema** *Tél. 956 13 23 76 Fax 956 13 20 87 www.grazalemahotel.com*

Vejer de la Frontera
11150

On peut difficilement faire plus charmant que le vieux quartier de ce village blanc, vigie suspendue au sommet d'un bloc rocheux dominant la Méditerranée, à 10km de la côte. Outre les vestiges de l'ancienne muraille arabe, les toits plats des maisons blanches, le tracé tortueux des rues et les patios cachés derrière de lourdes portes sont les témoins d'un temps révolu. Il y a quelques décennies à peine, avant la guerre civile, le voyageur croisait encore au détour des ruelles les *cobijadas*, ces femmes vêtues d'habits noirs couvrant leur visage d'un long voile noir (*cobijado*), survivance de coutumes musulmanes. Du château et de quelques terrasses du centre-ville, on embrasse du regard la campagne, la mer et les premiers massifs du Nord marocain.

Vejer de la Frontera, mode d'emploi

accès

EN CAR Vejer-Cadix : 9 cars/j. en semaine, 5 cars/j. le week-end. Liaisons à partir d'Algésiras vers Barca de Vejer *via* Tarifa (10 bus/j.), Málaga-La Barca (2 bus) et Séville-La Barca (4 bus). Attention : la grande majorité des cars ne pénètre pas dans la ville, mais s'arrête à La Barca de Vejer, sur l'A393, près de 3km en contrebas. Vous en serez quittes pour une marche assez laborieuse de 35 à 45min. Seule exception : la quasi-totalité des cars en provenance de Cadix vers Barbate et le car quittant Séville à 13h et Jerez à 14h15 tlj. (retour de Vejer à 6h45) desservent le

centre-ville, sur le parking du parc de Los Remedios, à 5min du quartier historique.
Comes *Plazuela, 2B Tél. 956 80 70 59 et 902 19 92 08 www.tgcomes.es*

EN VOITURE À 41km au sud-est de Cadix et 50km au nord-ouest de Tarifa par l'A48.
En venant de Cadix, la première sortie "Vejer" (km34) vous emmènera aux portes du
quartier historique, la seconde (km36), directement à la Plaza de España.

orientation

Le centre historique, délimité par ses antiques murailles, occupe la partie haute de
la ville. Au nord, un peu en contrebas, on accède à un minuscule quartier populaire,
centré sur la Plaza de España. Juste au sud du quartier historique, au pied de l'Arco
de la Segur, s'étend la Plazuela. De là, la Calle Remedios descend vers l'ouest en
direction du Parque de Los Remedios (arrêt de bus) puis de l'A48, et de la Calle
Juan Relinque vers le sud, traversant un quartier peu visité mais assez pittoresque.
Le sud de Vejer rassemble les quartiers modernes et résidentiels.

informations touristiques

Office de tourisme. *Avenida de Los Remedios, 2 Tél. 956 45 17 36 www.
turismovejer.com Ouvert oct.-Pâques : lun.-ven. 10h-14h et 17h-19h, sam. 11h-14h ;
reste de l'année : lun.-sam. 10h-14h et 18h-21h, dim. 11h-14h*

adresses utiles

Poste. *Avenida Rey Juan Carlos, s/n Tél. 956 45 02 38*
Cybercafé. *Casa de la Juventud, à la Plazuela Tél. 956 44 72 24*
Central Taxi. *Av. Los Remedios Tél. 956 45 17 44*

Découvrir Vejer de la Frontera

☆ **À ne pas manquer** La vieille ville de Vejer **Et si vous avez le temps…**
Passez un moment tranquille sur la plage de Los Caños de Meca, faites un repas
de poisson au village de pêcheurs de Barbate

☆ Depuis la Plazuela, on pénètre dans la vieille ville en passant sous l'Arco de la
Segur. Cette porte fortifiée marquait autrefois l'entrée de la cité de Vejer et fait partie des murailles imposantes érigées par les chrétiens au XVᵉ siècle. Situé à la limite
du royaume nasride de Grenade, Vejer occupe alors une situation stratégique.
Sur la gauche, les créneaux acérés de la muraille semblent défier la plaine. À droite,
le monument le plus remarquable de Vejer : l'église del Divino Salvador. Tout proche, un bâtiment du XVIIIᵉ siècle, actuelle Casa de la Cultura, abrite le Centro de
Interpretación, sur l'histoire et les traditions de Vejer. En prenant vers l'est la Calle
Ramón y Cajal, on accède au Convento de las Concepcio-nistas, édifice de la
Renaissance (XVIᵉ siècle). Au pied du couvent, la belle Calle Arco de las Monjas descend vers une rue qui traverse l'ancien quartier juif de Vejer, parfaitement conservé :
la Calle de la Judería. La rue débouche sur la porte qui permettait, au Moyen Âge,
d'accéder à la Judería : l'Arco de Puerta Cerrada (l'arc de la porte fermée). Elle fut

longtemps condamnée, pour protéger la ville des fréquentes incursions de bandes de pirates berbères avides de butin. En face de l'arc, une rue escarpée monte en direction des ruines du Castillo, une forteresse arabe du XIe siècle. Passé l'arc en fer à cheval de l'entrée, on pénètre dans la vaste cour intérieure. Du haut des remparts, la vue sur la côte est à couper le souffle. Il vous reste à présent à flâner dans les mystérieux recoins de la vieille ville. Face à la Puerta de Sancho IV, ne manquez pas le bel édifice de la Casa del Mayorazgo (XIIIe siècle), avec sa façade reconstruite dans un style baroque au XVIIIe siècle. En sortant de la vieille ville par la porte de l'Arco de la Villa, vous découvrirez en contrebas la charmante Plaza de España.

Église del Divino Salvador Construite sur le site de l'ancienne mosquée, dont elle a conservé le minaret, l'église présente un mélange de styles dû à la longueur de sa construction (fin XIIIe siècle-début XVe). Du côté du chœur prédominent les influences gothiques, mudéjares (notamment dans les céramiques qui ornent le fronton) et même romanes au niveau de l'abside, tandis que l'autre extrémité, plus récente, est d'un style gothique tardif. À l'intérieur, un retable baroque et une importante collection de peintures flamandes de la Renaissance.

Où boire un verre ?

La Bodeguita. Sans conteste l'endroit le plus sympa pour prendre un verre en soirée. Au son d'une musique entraînante, sa petite salle conviviale se remplit en fin de semaine d'une foule jeune et cosmopolite. *Calle Marqués de Tamarón, 9 (au pied de l'Arco de la Segur) Tél. 956 45 15 82*

Où écouter du flamenco ?

Peña flamenca de Vejer. Au cœur de la vieille ville. Soirées de flamenco, concours de chant les samedis de juin et de juillet, finale en août. *Calle Rosario, 29 Tél. 956 45 12 90*

Découvrir les environs

Au sud-ouest de Vejer s'étend la région la plus orientale de la Costa de la Luz, qui borde l'Atlantique de Huelva à Tarifa. Peu fréquentées en dehors des mois d'été, les plages de sable clair qui s'étendent à perte de vue sont pourtant assez attirantes, malgré la forte brise océanique.

Los Caños de Meca Plus intéressante que la plage la plus proche de Vejer, El Palmar, Los Caños de la Meca s'étend sur 12 km un peu plus à l'est. La limite occidentale de la commune est matérialisée par le célèbre cap de Trafalgar. C'est au large de ce dernier qu'a lieu, en octobre 1805, l'une des plus importantes batailles navales de l'Histoire. Les Espagnols, alliés depuis peu à la France napoléonienne, se joignent à la flotte de l'amiral Villeneuve pour affronter la puissante marine anglaise. Cette dernière remporte une victoire écrasante, mais perd dans la bataille son amiral, Nelson, qui devient un héros national. Les conséquences de la défaite sont terribles pour les vaincus : la flotte espagnole est réduite à néant, ce qui compromet à jamais le commerce avec les colonies d'Amérique et accélère leur indépendance.

Napoléon perd alors tout espoir de dominer sa grande rivale, la perfide Albion. La très jolie plage qui s'étale en demi-cercle à l'ouest du cap invite à la baignade. Elle est également très prisée des véliplanchistes. En été, les restaurants en plein air et les bungalows à louer face à la mer sont assez animés. En continuant vers l'est, on dépasse encore un camping, quelques pensions et hôtels, avant d'arriver dans le centre proprement dit de Los Caños : une rue unique, l'Avenida de Trafalgar, bordée d'édifices à un étage, au sommet d'une grande falaise. Quelques restaurants, un petit supermarché et des pensions. Il règne dans ce village une ambiance assez New Age, entre les surfeurs venus profiter des bons "spots" et les quelques hippies cosmopolites installés là depuis les années 1970. Los Caños de Meca est difficile d'accès en été, mieux vaut y venir en bus de Cadix : compagnie Comes, départs lun.-ven. 13h et 18h. Hors saison, le village redevient facile d'accès.

Parc naturel côtier de La Breña y Marismas de Barbate Autre atout de la région, ce parc offre de belles balades dans les collines couvertes d'une pinède préservée.

Villages de pêcheurs À l'est de Los Caños de Meca, accessibles par une jolie route de campagne, se trouvent les gros bourgs de pêcheurs de **Barbate** et **Zahara de los Atunes**, dont les interminables plages de sable attirent en été touristes andalous et autres. Comme la plupart des ports de la région, ils ont longtemps prospéré grâce au thon, pêché selon la technique ancestrale de la *almadraba*, un nom arabe traduit en français par "madrague". Déjà pratiquée par les Phéniciens puis par les Romains, cette méthode de pêche très efficace tire parti des migrations effectuées au début de l'été et en automne par les bancs de thons. Ces derniers, canalisés par un immense réseau de filets, sont amenés vers une nasse autour de laquelle les bateaux s'assemblent pour procéder à une récolte sanglante. On peut sans peine passer une journée de farniente sur la plage de Zahara de los Atunes, ou profiter des restaurants de poissons qui abondent sur l'esplanade de la plage de Barbate, sans oublier de flâner dans les ruelles du vieux quartier, à deux pas. *Office de tourisme de Barbate Tél. 956 43 39 62 www.barbate.es Ouvert été : tlj. 8h-14h30 et 18-20h30 ; hiver : lun.-ven. 8h-14h30*

Manger, dormir à Vejer de la Frontera

Rien à se mettre sous la dent dans l'enceinte du quartier historique. On trouve en revanche plusieurs restaurants assez touristiques aux alentours de la Plazuela. La plupart proposent des menus du jour à prix réduits.

très petits prix

☺ **Pensión Señora Rosa.** À deux pas de la vieille ville, dans une petite rue pittoresque dominant le marché municipal. Des chambres fonctionnelles et tout à fait correctes pour le prix, même s'il ne faut pas s'attendre à une décoration design ni à du mobilier ancien. Au sommet de la maison, le linge sèche sur une grande terrasse d'où la vue est époustouflante. Une bonne adresse. Chambres doubles avec sdb à 30€ selon la saison. Pour le même prix, on peut utiliser la cuisine. *Calle San Filmo, 14 Tél. 956 44 75 92*

petits prix

La Posada. La porte d'entrée est située en contrebas du restaurant du même nom. Sonnez. La réception se trouve au 2e étage. Les chambres, assez jolies, possèdent toutes une salle de bains, ce qui est vraiment bien pour le prix : à partir de 40€ la double en hiver, 50€ en été. *Calle Los Remedios, 21 Tél. 956 45 02 58*

prix moyens

☺ **Casablanca.** En plein cœur de la vieille ville, près de l'Arco de la Villa. En entrant dans cette belle demeure traditionnelle, on comprend pourquoi elle a gagné récemment le concours du plus beau patio de la ville : vieilles pierres, fleurs et une atmosphère d'un autre temps. Tout autour du patio, de grands appartements tout confort avec cuisine, séjour et chambre à un prix imbattable : de 45 à 75€ pour deux toute l'année. La terrasse installée sur le toit jouit sans doute de la plus belle vue de la ville, qui embrasse le nord du Maroc et les toits ocre de Vejer. Estela, la propriétaire, fait preuve d'une grande hospitalité, et a décoré sa petite merveille avec un goût certain. Elle doit installer en 2008 une piscine et un Spa à l'intérieur d'une grotte naturelle. Pour les mois d'été, réserver au plus tard fin mars. *Calle Canalejas, 8 Tél./fax 956 44 75 69 www.andaluciacasablanca.com*

Convento San Francisco. Un hôtel de caractère, installé dans un ancien couvent franciscain du XVIIe siècle. Tout le charme des vieilles pierres et de l'architecture religieuse associé au confort moderne. Certaines chambres possèdent des plafonds voûtés de toute beauté et d'autres des poutres apparentes d'une largeur impressionnante. Mobilier en bois noble et salles de bains modernes. Au rez-de-chaussée, une grande salle de bar, idéale pour prendre un verre ou le petit déjeuner. À l'étage, un restaurant gastronomique vivement recommandé si vous avez les moyens. Il occupe l'ancien réfectoire des moines, d'où son nom : El Refectorio. Doubles à partir de 66€ HT. *La Plazuela Tél. 956 45 10 01 ou 02 Fax 956 45 10 04 www.tugasa.com*

☺ **El Cobijo.** Sur les hauteurs de la ville, un petit hôtel dont le patron a décidé de prendre la vie du bon côté. Polyglotte, il vous expliquera que l'expression "*dar cobijo a algien*" signifie "héberger quelqu'un". Son "Cobijo" est tout indiqué… L'endroit ne ressemble en rien à un hôtel. Autour d'un patio recouvert de vigne, certaines chambres sont de vrais petits appartements. Décoration d'inspiration mauresque et grande table d'hôte pour le petit déjeuner. De 60 à 90€ HT la chambre double selon la saison petit déjeuner inclus (réservation indispensable), de 75 à 109€ HT la suite. Compter de 73 à 89€ le studio, petit déjeuner compris. *Calle San Filmo, 7 Tél. 647 65 86 90 et tél./fax 956 45 50 23 Fax 956 45 17 20 www.elcobijo.com*

prix élevés

Restaurante Trafalgar. Sans doute le restaurant le plus plaisant de Vejer, tant pour son cadre que pour sa cuisine. Sa petite terrasse donne sur la fontaine de la Plaza de España, en contrebas du quartier historique. Les salades de saison et les viandes préparées en ragoûts (*guisos*) mettent l'eau à la bouche, ainsi que les spécialités de riz au poisson (10-15€). La côte toute proche fournit son lot de fruits de mer frais. Ainsi, en saison, délicieuses petites clovisses au vin (*almejas a la salsa de* *manzanilla)*. Les palais aventureux savoureront quelques anémones de mer (*orti-guitas*). Arrivez tôt, car l'établissement est souvent plein. Comptez 35-40€. *Plaza de España, 31 Tél. 956 44 76 38 Ouvert tlj. 13h-16h et 20h-23h30 (0h en été)*

Tarifa

11380

Tarifa est la ville la plus méridionale d'Europe de l'Ouest. Sa vieille citadelle musulmane veille depuis plus d'un millénaire sur les eaux agitées du détroit de Gibraltar, en son point le plus étroit. À peine plus de 13km la séparent du Maroc, dont on aperçoit les côtes et même quelques maisons tapies au pied des montagnes trapues du Rif. Même si elle est devenue assez touristique, cette ville de 17000 hab. a su garder une atmosphère décontractée et une réelle identité. La vieille ville, ceinte de murailles médiévales, a des allures de médina nord-africaine. Ébouriffée par les fortes brises de l'Atlantique, Tarifa est l'un des hauts lieux mondiaux de la planche à voile et attire tous les windsurfers même si, mode oblige, les kitesurfers se font de plus en plus nombreux. Difficile de trouver ailleurs un tel équilibre entre fun, histoire et tradition.

OÙ GUZMÁN DEVINT "LE BON" Tour à tour occupé par les Romains et les Wisigoths, le site connaît un véritable essor sous l'ère musulmane. En 710, un an avant la grande invasion dirigée par Tariq et ses troupes, un premier contingent débarque sur les lieux pour se livrer à des pillages, sous les ordres d'un certain Tarîf, qui donne son nom à la ville. Bien que de taille modeste, Tarifa devient vite un port de première importance, où débarquent les troupes berbères et arabes chargées d'assurer l'extension d'*Al-Andalus* toujours plus au nord. En 1292, l'armée chrétienne de Sancho IV prend Tarifa. Mais en 1295, les musulmans assiègent à leur tour la ville, défendue par Alonso Pérez de Guzmán, comte de Niebla. Ils capturent le fils de ce dernier et menacent de le tuer si la ville ne se rend pas. La légende veut que Guzmán ait alors lancé sa propre dague depuis les remparts du château et assisté, impuissant, au sacrifice. La ville ne tombera pas ; Guzmán y gagnera le statut de héros de la reconquête chrétienne et son surnom de Guzmán le Bon. En 1340, un nouveau siège a lieu. Mais l'arrivée des soldats d'Alphonse XI de Castille et d'Alphonse IV du Portugal sauve une nouvelle fois la ville. Battus à quelques kilomètres de là lors de la célèbre Batalla del Salado, les musulmans ne reviendront plus. Avec la prise d'Algésiras en 1344, les chrétiens assurent définitivement la stabilité de la région. Aux XVIe et XVIIe siècles, Tarifa voit sa population fondre quand nombre de familles décident d'émigrer au Pérou, attirées par les promesses de richesse. Au début du XVIIIe siècle, le traité d'Utrecht officialise l'occupation de Gibraltar par les Anglais. Les Espagnols décident alors de renforcer les murailles de Tarifa et d'y installer une garnison importante. La ville devient l'une des bases d'opération pour reconquérir le célèbre roc. Ainsi fortifiée, la ville résistera en 1812 aux assauts des armées napoléoniennes. Les installations militaires postées sur l'île située au sud de Tarifa servent désormais à surveiller cette portion étroite du détroit, que des centaines d'immigrés clandestins en provenance de Maroc tentent chaque année de traverser au péril de leur vie.

LA MECQUE EUROPÉENNE DES PLANCHISTES En apercevant les immenses champs d'éoliennes qui peuplent le sommet des montagnes côtières, vous l'aurez deviné : le vent souffle ici tout au long de l'année, et fort. Si Tarifa est devenu la Mecque européenne de la planche, c'est avant tout en raison de la force et de la constance de ses vents : il est rare d'avoir deux jours consécutifs sans vent. Les deux vents dominants sont le vent d'ouest (Poniente) et le vent d'est (Levante), qui s'engouffrent tous les deux dans le goulet d'étranglement formé par les montagnes du détroit de Gibraltar. Associée aux différences de température et de pression atmosphérique entre l'Atlantique et la Méditerranée, cette situation géographique exceptionnelle engendre des vents qui dépassent régulièrement les 100 km/h. En été, le Levante souffle souvent des jours entiers sans faiblir. Venant de terre, il ne forme pas de vagues à la surface de l'eau et donne donc des conditions idéales pour la planche de vitesse. Les championnats du monde de cette discipline sont régulièrement organisés sur le site. En hiver, le Poniente souffle de l'Atlantique, apportant avec lui un air froid et des vagues souvent importantes. En cette saison, les surfeurs sont les plus nombreux sur l'eau. Moins grosses, les vagues du printemps et de l'automne sont les plus recherchées par les amateurs de funboard (saut). Sauf à passer pour ringard, on ne peut ignorer la pratique qui envahit de plus en plus les eaux de la Playa de los Lances : celle du kitesurf. Au cas où vous ne le sauriez pas encore, le kitesurf se compose d'une sorte de gros cerf-volant-parachute (le kite) et d'une petite planche accrochée aux pieds du kitesurfer (le surf). Le jeu consiste à se faire tirer par le parachute tout en surfant à la surface de l'eau. Les plus adroits réalisent des figures impressionnantes, avec des sauts à plus de 15 m au-dessus des vagues.

Tarifa, mode d'emploi

accès

EN VOITURE À 91 km au sud-ouest de Cadix et 160 km au sud-ouest de Málaga par l'A-7 direction Algésiras puis par la N340.

EN CAR Liaisons régulières avec la plupart des villes de la région. Cadix-Tarifa : 5 départs tlj. 6h45-18h30. Jerez-Tarifa : 1 départ/j. Algésiras-Tarifa : de 7 à 12 départs quotidiens dans les 2 sens. La Línea (et Gibraltar)-Tarifa : 4 cars tlj. dans les 2 sens. Séville-Tarifa : 4 départs tlj. 9h-20h. Málaga-Tarifa : 2 cars/j. L'arrêt de car de Tarifa est situé devant les bureaux de la Comes. *Comes* Calle Batalla del Salado (100m au nord de la Puerta de Jerez) Tél. 902 19 92 08 www.tgcomes.es Ouvert lun.-ven. 7h30-11h et 14h30-18h30 ; dim. et j. fér. 15h-18h30 Fermé sam. (acheter le ticket auprès du conducteur)

ferries vers le Maroc (Tanger et Ceuta)

Le décalage horaire avec le Maroc facilite les excursions à la journée : en hiver, reculez vos montres d'1h pendant la traversée, de 2h en été. Rappel : il faut un passeport en cours de validité pour entrer au Maroc.
Ferrys Rápidos del Sur (plan A2-B2). Tarifa-Tanger en 35min de trajet. Départs tlj. 9h-23h. Tarifs AR : adulte env. 56€, enfant env. 34€, voiture env. 153€, moto env. 56€. Forfait à la journée : env. 56€ par adulte (voyage + visite guidée de

Tanger + déjeuner), env. 43€ par enfant. Vous pouvez acheter vos billets à la gare maritime ou dans n'importe quelle agence de voyages, les prix seront identiques. *Bureau à l'entrée de la gare maritime, sur la droite Tél. 956 68 18 30 Fax 956 62 71 80 www.frs.es*

TANGER La gare maritime est située dans la ville même (le départ pour l'Europe imprègne l'atmosphère). En face se trouve la médina, la ville ancienne avec ses souks. Le meilleur moment pour vous y enfoncer est la fin d'après-midi, quand les habitants viennent faire leurs courses, les vendeurs occupés vous accostent alors moins souvent. Au nord-ouest, la place du Grand Socco est le centre névralgique de la ville. Vous trouverez facilement à vous restaurer et vous loger. Nombreuses possibilités d'excursions pour grimper voir le détroit de plus haut.

CEUTA Située au nord-est de Tanger, la ville est en territoire espagnol : pas besoin de passeport pour y entrer. Horaires espagnols. De la gare maritime, deux grands axes conduisent vers le port de pêche à l'ouest puis débouchent au pied du Mont Hacho. *www.ceuta.es*

orientation

En arrivant de l'ouest par la N340, on accède à Tarifa par la Calle Batalla del Salado, qui traverse la partie moderne de la ville. Cette longue rue débouche sur un carrefour en face de la Puerta de Jerez, porte d'entrée médiévale de la vieille ville. En prenant à droite l'Avenida de Andalucía puis à gauche l'Avenida de la Constitución, on longe l'esplanade du Paseo de la Alameda (où se trouve l'office de tourisme), qui longe le côté ouest de la vieille ville. En bas de l'esplanade, c'est la gare maritime. À droite, la Calle Alcalde Juan Núñez mène à la Playa Chica et au début de la Playa de los Lances. À gauche, au pied du Castillo de Guzmán, débute la rue principale de la vieille ville : la Calle Sancho IV El Bueno. Principale plage de Tarifa, la Playa de los Lances s'étend sur 12km à l'ouest de la ville, le long de la N340 (direction Cadix). C'est là que se trouvent campings et écoles de voile, ainsi que de nombreux restaurants et hôtels. Un service de bus urbains dessert les lieux. Arrêt au début de la Calle Batalla del Salado.

informations touristiques

Office de tourisme (plan A1). Tout au bout du Paseo de la Alameda. *Tél. 956 68 09 93 Ouvert lun.-ven. 10h30-14h et 18h-20h (16h-18h l'hiver), sam.-dim. 9h30-15h www.aytotarifa.com, www.turismocg.com et www.tarifaweb.com*

adresses utiles

Plusieurs banques dotées de distributeurs à l'angle de l'Avenida de Andalucía et de la Calle Batalla del Salado, près de la Puerta de Jerez (plan B1). Dans la vieille ville, un distributeur est à la Banesto, en bas de la Calle Nuestra Señora de la Luz (plan B1) mais il y en a aussi tout près de la Calle Batalla del Salado, vers l'Arco de Jerez. On trouvera deux centres Internet (assez chers) au bout de la Calle Sancho IV El Bravo, près de l'église San Mateo (plan B1). Certains proposent la connexion gratuite au Wi-Fi si vous apportez votre ordinateur : Cybertarifa (Calle Maria Antonia Toledo)…

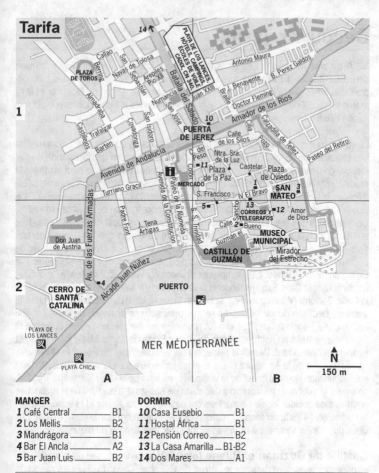

Tarifa

MANGER
1 Café Central _____ B1
2 Los Mellis _____ B2
3 Mandrágora _____ B1
4 Bar El Ancla _____ A2
5 Bar Juan Luis _____ B2

DORMIR
10 Casa Eusebio _____ B1
11 Hostal África _____ B1
12 Pensión Correo _____ B2
13 La Casa Amarilla _ B1-B2
14 Dos Mares _____ A1

Cruz Roja (plan A2). *Calle Alcalde Juan Núñez (entre la vieille ville et la Playa Chica)*
Guardia Civil (plan A2). *Avenida Fuerzas Armadas (près de la Playa Chica)*
Taxis (plan A1). *Av. de Andalucía (près de la Puerta de Jerez) Tél. 956 68 42 41*
Bureau de poste (plan B2). *Calle Coronel Moscardó, 9 Tél. 956 68 42 37 Ouvert lun.-ven. 8h30-14h30, sam. 9h30-13h*

fêtes et manifestations

Pèlerinage de Santa Bárbara. Pour l'arrivée des pèlerins à Bolonia. *Juin : 1ᵉʳ sam.*
Fiestas de la Virgen de la Luz. Le temps d'assister à des défilés équestres et de participer à des repas traditionnels en journée, il est déjà l'heure de faire la fête jusque tard dans la nuit. *Une semaine à partir du 1ᵉʳ dim. de septembre*

Découvrir Tarifa

☆ **À ne pas manquer** Les spots de planche à voile de Tarifa et la ville romaine de Baelo Claudia **Et si vous avez le temps...** Admirez les figures des funboarders confirmés sur la Playa Chica en hiver, découvrez le détroit de Gibraltar et le rif marocain du col de Alto el Cabrito, observez les baleines et les dauphins avec la fondation FIRMM

La ville mérite qu'on s'y attarde, plus pour son ambiance que pour ses monuments. Les murailles qui l'entourent illustrent les différentes époques de l'histoire de la ville. Au sud, on découvre les vestiges des murailles édifiées au Xe siècle pour protéger la médina installée au pied du château. Plusieurs portes fortifiées en protégeaient l'entrée. Seule la Puerta de la Almedina subsiste aujourd'hui. Après la reconquête chrétienne, l'agrandissement de la médina nécessita la construction de nouvelles murailles. Ce sont celles que l'on observe notamment au nord et à l'ouest de la vieille ville. Tout au nord, l'architecture mudéjare de la Puerta de Jerez marque l'influence des artisans musulmans restés dans la région après la Reconquête. La meilleure manière de découvrir la vieille ville est évidemment à pied, en remontant la rue principale : la Calle Sancho IV El Bravo. Les nombreuses ruelles qui la coupent invitent à l'aventure, en particulier la Calle San Fernando et la Calle Nuestra Señora de la Luz. Au bout de la **Calle Sancho IV** se dresse l'église de San Mateo (plan B1), construite dans un style gothique tardif (fin du XVIe siècle). La façade principale se distingue du reste par son architecture néoclassique, car elle fut remaniée au XVIIe siècle. Le sud-ouest de la vieille ville, installé en hauteur autour de la jolie Plaza de Santa María (plan B2), est également intéressant. Depuis la place, qui rassemble l'hôtel de ville et le Musée municipal, la Calle de la Amargura mène à un joli belvédère d'où la vue sur le détroit est époustouflante. Au nord-ouest de la vieille ville, en haut de la Calle Santísima Trinidad, se trouve le petit marché municipal (Mercado de Abastos), assez animé le matin. Les amateurs de couleur locale ne manqueront pas de passer au bar el Mercado (ouvert lun.-sam. 8h-14h30), au fond du marché (accès également par la Calle Colón). Les vieux du quartier viennent y prendre leur premier café-brandy du matin.

Castillo de Guzmán el Bueno (plan B2) Il domine le sud de la vieille ville, et offre des vues superbes sur le détroit de Gibraltar. C'est d'ailleurs en raison de cette situation stratégique qu'il fut édifié là vers 960, sur les ordres du calife de Cordoue Abd al-Rahman III. À l'époque de la Reconquête, la forteresse résista à plusieurs sièges successifs. Le plus célèbre fut celui de 1295, où Guzmán el Bueno préféra voir mourir son fils du haut de sa tour (elle se trouve à droite de l'entrée) que de livrer la ville aux soldats musulmans. Bien plus tard, en 1812, le fort désormais armé de canons devait montrer une nouvelle fois sa puissance face aux armées napoléoniennes. Aujourd'hui bien pacifique, il offre une agréable promenade avec vue sur le Maroc. *Fermé pour travaux actuellement*

Pratiquer la planche à voile et le kitesurf

☆ **Spots** La Playa Chica (plan A2), réservée aux baigneurs, est interdite à la navigation tout l'été. Mais elle est réputée pour ses vagues hivernales qu'affrontent les véliplanchistes expérimentés. Quelques kilomètres plus à l'ouest, le centre de la

GEOREGION

PROVINCE DE CADIX

Playa de los Lances en hiver offre les mêmes conditions de navigation. En revanche, en été, le spot est parfait pour la vitesse avec un vent fort mais pas de vagues. Dès que souffle le Poniente, les kitesurfers envahissent les lieux, et l'on aperçoit de la route une multitude d'ailes colorées. Au printemps 2006, les championnats du monde de kitesurf se sont déroulés au pied de l'hôtel Dos Mares. Tout au bout de la Playa de los Lances, au pied des dunes de la Punta Paloma, se trouve l'un des meilleurs spots : Las Dunas. Grâce aux brises thermiques, le vent se renforce en général entre 14 et 18h : bonne nouvelle pour les champions, mauvaise pour les débutants.

Cours et location À voir les autres se laisser emporter dans les airs et amerrir au creux de la vague, vous vous laisseriez bien tenter par ce nouveau sport... Tarifa recense une vingtaine d'écoles de kitesurf, qui proposent des prestations sensiblement identiques. Sachez qu'une initiation s'étale sur 2 jours : 1er jour, entraînement au maniement de la voile sur la plage. 2e jour : découverte sur l'eau. Tout le monde peut se lancer, même les plus petits. Dans la plupart des écoles, les moniteurs parlent anglais. Comptez en moyenne 150€ pour 4h/j. (combinaison fournie). Pour les cours et la location de planche à voile, plusieurs centres basés sur la Playa de los Lances proposent leurs services. Deux d'entre eux se trouvent au sein d'hôtels : Hôtel Hurricane (N340, km77) et Hôtel Dos Mares (N340, km79). Rue Batalla de Salado, on trouve tout pour le surf et la planche à voile (équipement et stages).

Où faire une pause déjeuner ?

Café Central (plan B1 n°1). Voilà plus de 100 ans que sa grande terrasse trône sur la rue principale de la vieille ville. Mais la décoration et la musique se sont adaptées au goût du jour, avec des couleurs et des formes très fun. Le Café Central est le lieu de rendez-vous par excellence des habitants et des véliplanchistes de passage. Au menu, tapas et *montaditos* du jour, salades copieuses et grand choix de plats à la carte. Pas vraiment gastronomique mais toujours animé. *Calle Sancho IV El Bravo Tél. 956 62 70 25*

Tangana (hors plan). L'endroit est connu pour louer des bungalows. Mais c'est le petit bar à salades (copieuses) le long de la plage qui a retenu notre attention. On y sert un vaste choix de crudités et de fruits frais, avec une foule d'assortiments possibles. Très bonne ambiance. *N340, km76 Fermé en hiver*

Où sortir le soir ?

La vie nocturne à Tarifa est assez trépidante en fin de semaine. En été, elle atteint des sommets et aucun soir n'est épargné par les *beats* entraînants. D'aucuns affirment même que la ville prend des airs de petite Ibiza à cette époque. Dans les oreilles : house, chill-out et autres rythmes techno. La ville a même sa propre compilation éponyme. Pour commencer la soirée, les bars de la vieille ville sont tout indiqués. Le Café Central (Calle Sancho IV El Bravo, plan B2) est le principal lieu de rendez-vous à l'heure de l'apéritif, c'est-à-dire vers 21h. Dans la rue Nuestra Señora de la Luz toute proche, le bar La Tribu (Calle de la Luz, plan B1) ravira les amateurs d'ambiance funboard. Sur la Calle Santisima Trinidad, dans l'ouest de la vieille ville, La Ruina et Soul Café (plan A1-B2) sont les bars de nuit branchés, où se mélangent gens du coin, planchistes et touristes sur les musiques les plus tendances (acid jazz…). Lorsque la nuit estivale sera déjà bien avancée, il sera temps de rejoindre les discothèques qui se sont installées dans la zone industrielle de Tarifa (ouvertes en été). Certains soirs, surtout en été, des concerts sont donnés sous la tente du Serenguetti (Playa de los Lances, au niveau du stade de football). Pour vous tenir au courant des sorties et concerts, consultez les journaux *El Faro Información*, *El Duende* et *Europa Sur*.

Découvrir les environs

Alto el Cabrito Ce col situé 8 km à l'est de Tarifa sur la N340 (direction Algésiras) est l'un des points de vue les plus impressionnants sur le détroit de Gibraltar et le Rif marocain. En janvier-février et de juillet à septembre, il n'est pas rare d'observer le vol des oiseaux migrateurs passant le détroit entre l'Europe et l'Afrique, notamment les majestueuses cigognes blanches.

☆ ☺ **Ville romaine de Baelo Claudia** Le petit village côtier de Bolonia jouit d'une situation privilégiée, avec sa grande plage ouverte sur l'Atlantique, à l'abri des montagnes. Même si cette plage est vraiment superbe et que l'on trouve sur place plusieurs restaurants de poissons, on vient avant tout à Bolonia pour son site archéologique exceptionnel, situé en bord de mer : la ville romaine de Baelo Claudia.
Histoire La cité de Baelo Claudia est née à la fin du IIe siècle av. J.-C. Encerclée par la sierra de la Plata et la sierra San Bartolomé, elle est tout entière tournée vers la mer, dont elle tire l'essentiel de sa prospérité. Ce port commercial ou *emporio* est la plaque tournante des échanges avec Tingis (Tanger). Au Ier siècle ap. J.-C., la pêche et le commerce du thon en font l'une des cités phares de la Bétique, qui compte plus de 2 000 hab. Sous le règne de l'empereur Claudio (41-54 ap. J.-C.), elle acquiert le statut de **municipalité romaine** à part entière (*municipio*). Ses produits s'exportent avec succès vers la métropole romaine. Outre le poisson salé, Baelo Claudia est réputée pour une préparation très recherchée dans tout l'Empire, et dont elle obtient le monopole : le *garum*. Cette sauce à base d'entrailles, de têtes et autres parties ingrates du thon était considérée comme une vraie friandise à Rome. Le déclin subit de Baelo Claudia vers la fin du IIe siècle est lié à la crise économique et politique qui affecte l'Empire à cette époque, mais également aux séquelles d'un violent tremblement de terre dont le site porte encore les traces. Tombée en désuétude, la ville est définitivement abandonnée au VIIe siècle.
Visite En la parcourant, on retrouve l'architecture classique des cités romaines, appliquée ici dans toute sa rigueur. La ville est ceinte de murailles. Juste avant l'entrée, à l'extérieur de l'enceinte, se trouve une nécropole. Deux grandes rues pavées se coupent à angle droit au centre de la ville : le *cardo maximus* orienté nord-sud, et le *decumanus maximus* (par lequel on entre), d'est en ouest. À l'intersection se dresse le forum, autrefois fermé par des arcades couvertes de toits en tuiles. Autour sont rassemblés les principaux édifices publics et religieux. Sur la gauche, une statue monumentale de l'empereur Trajan et quelques colonnes sont les seuls vestiges de la basilique, destinée à l'administration judiciaire. De manière symbolique, les affaires de justice étaient traitées sous l'effigie de l'empereur. Derrière la basilique se trouvaient le marché municipal et la *curia* (sénat local), dont il ne reste presque rien. En contournant le forum par la droite, on passe devant le capitole, espace religieux composé de trois temples dédiés à la *triada capitolina* : Jupiter, Junon et Minerve.

Sur la droite, la présence d'un temple voué à la déesse d'origine égyptienne, Isis, montre la richesse du syncrétisme religieux de l'époque. Plus loin, on peut admirer les ruines de l'ancien théâtre. Le sentier redescend alors vers les thermes romains. Plus bas, après avoir franchi la porte orientale de la cité, on longe les ruines des anciennes boutiques artisanales. La disposition chaotique des pavés témoigne de la violence du séisme qui secoua le site au IIe siècle. Avant de quitter le site, on descend le sentier qui se dirige à droite vers la mer. On découvre alors l'un des clous de la visite : les vestiges de l'**ancienne usine de salaison**. Des trous dans un épais bloc de pierre marquent l'emplacement des cuves où le thon frais, pêché selon la méthode antique de l'*almadraba* (madrague), était salé et stocké avant expédition. C'est également là qu'était produit le succulent *garum*. Un Centro de Interpretación, concernant l'environnement (parc naturel du détroit de Gibraltar) et le patrimoine romain, devrait ouvrir, mais la date n'est pas fixée (peut-être en 2008). *À 23km à l'ouest de Tarifa par la N340 puis la CA9004. Tél. 956 68 85 30 Ouvert mar.-sam. 10h-18h30 (19h30 juin-sept.), dim. 10h-13h30*

Observer les cétacés

Le détroit de Gibraltar est le lieu de passage d'un grand nombre de cétacés : dauphins, rorquals, baleines, cachalots et orques (seulement en juin) se succèdent ainsi au large de Tarifa selon les époques de l'année.

FIRMM. Cette fondation suisse allemande s'engage depuis 1998 pour la protection des baleines et des dauphins dans leur milieu naturel, à travers des travaux de recherche scientifique et des programmes d'éducation environnementale. Dans ce cadre, elle organise d'avril à octobre des sorties en mer ouvertes à tous, durant lesquelles vous approcherez les mammifères marins de très près (bateaux de petite taille) et apprendrez à mieux les (re)connaître et comprendre leur comportement. *Calle Pedro Cortés, 4 Tél. 956 62 70 08 www.firmm.org Sortie 30€ Enfants 10-20€*

Turmares (plan B1). Cette société organise des sorties d'observation dans un bateau spécialement équipé d'une coque translucide. Prix 29€, enfants 20€. *Alcalde Juan Núñez, 3 Tél. 956 68 07 41 et 696 44 83 49 ou 47 www.turmares.com*

Whale Watch España (plan A2). Prestations comparables. *Av. de la Constitución, 6 Tél. 956 62 70 13 et 639 47 65 44 www.whalewatchtarifa.net*

Aventura Marina (plan A1). Excursions d'avril à octobre (sauf mauvais temps) de 2h à 2h30. Adultes 30€, enfants 20 et 10€. *Av. Andalucía, 1 Tél. 956 05 46 26 www.aventuramarina.org*

Pratiquer la planche à voile et le kitesurf

☆ **Spots** La magnifique plage de Bolonia offre souvent un vent moins fort qu'à Tarifa, mais des vagues plus grosses, et davantage de tranquillité. Les amateurs de vagues pourront également essayer le spot de Los Caños de Meca, au pied du cap de Trafalgar, à 50km à l'ouest de Tarifa. Bien sûr, l'excellence des conditions de navigation dans la région de Tarifa est le secret le moins bien gardé du monde et l'ensemble des sites est généralement surpeuplé en fin de semaine et au mois

GEORÉGION PROVINCE DE CADIX

d'août. Si vous n'emmenez qu'une voile, 4,5m² semble la taille la mieux adaptée aux différentes conditions de vent. *Entre Bolonia et Los Lances Vent très changeant*

Pratiquer la plongée sous-marine

Situées dans le Parque Natural del Estrecho (parc naturel du détroit de Gibraltar), les eaux de Tarifa recèlent une faune et une flore particulièrement riches, d'intéressantes épaves et des vestiges archéologiques accessibles.

Cies-Sub (plan A1). Propose des sorties pour découvrir les épaves, faire des photos sous-marines, plonger dans les eaux profondes... *Puerto de Tarifa, local 22 Tél. 609 71 81 15 www.divetarifa.com*

Manger à Tarifa

Les bars à tapas et les restaurants abondent dans les ruelles de la vieille ville, notamment dans sa partie occidentale : la Calle San Francisco et ses environs rassemblent un grand nombre d'établissements. La cuisine est à l'image de la ville : cosmopolite. N'oubliez pas de consulter la rubrique Où faire une pause déjeuner ?, où vous retrouverez des adresses de restauration à petits prix.

petits prix

Los Mellis (plan B2 n°2). Sur une petite place au sud de la vieille ville. Un bar à tapas comme on les aime, avec une salle à l'ambiance chaleureuse et une petite terrasse agréable en été. Grande liste de *montaditos* et de tapas savoureuses, comme les *patatas bravas* ou les *churrasquitos* (viande pimentée grillée). Bonne sélection de vins. Le patron, fan de flamenco, a affiché au mur tous les disques de Camarón de la Isla. *Calle Guzmán El Bueno, 16*

Mandrágora (plan B1 n°3). La cuisine de monsieur sent bon le Maroc et madame au service a le rire contagieux. Dans ce petit restaurant, l'ambiance est bon enfant. Faites donc honneur au délicieux tajine d'agneau aux fruits secs (10€ en moyenne). *Derrière l'église San Mateo, Calle Independencia, 3 Tél. 956 68 12 91 Fermé dim.*

Chiringuito de l'hôtel Hurricane. Au milieu de la Playa de los Lances, 6km à l'ouest de Tarifa. Si l'hôtel Hurricane et son restaurant gastronomique (ouvert en soirée) font partie des *must* de la côte, son petit *chiringuito* est sans prétention. On y accède par un sentier longeant l'hôtel sur la gauche, près de la piscine. Là, on découvre une terrasse ouvrant sur le large, et une grosse cabane en bois avec quelques tables conviviales. Allez au bar commander une délicieuse portion de thon grillé (10€ env.), ou une salade. *Hurricane Hotel (Route Cádiz-Málaga N340, km78) Tél. 956 68 49 19 www.hotelhurricane.com Ouvert en saison 12h-17h*

prix moyens

Bar El Ancla (plan A2 n°4). Près de la Playa Chica. Ne vous laissez pas rebuter par l'aspect parfois un peu bourru de la clientèle. Le personnel est accueillant, la cuisine simple mais savoureuse. Tapas et plats de poisson, de fruits de mer et de viande. Le week-end, on vient en famille déguster les savoureuses *croquetas de sepia* (croquettes de seiche), spécialité de la maison. Comptez env. 20€. *Av. Fuerzas Armadas, 15 Tél. 956 68 09 13 Fermé mer.*

Bar Juan Luis (plan B2 n°5). Dans une rue qui part vers l'ouest de la Calle Sancho IV El Bravo, dans la vieille ville. Un classique, ouvert en 1964. On remarque à peine ce petit bar perdu au milieu des restaurants et des échoppes touristiques. L'intérieur est minuscule, attention à ne pas vous cogner la tête sur les jambons qui pendent du plafond. Spécialité de jambon, donc, mais aussi d'autres délicieuses charcuteries ibériques. *Calle San Francisco, 16 Tél. 956 68 12 65 Ouvert lun.-sam. 21h-23h Réservation conseillée*

prix élevés

☺ **El Tesoro.** En voilà un qui porte bien son nom… Caché dans la pinède, Le Trésor est perché en altitude et offre une vue absolument incroyable sur le détroit de Gibraltar. Au menu, une cuisine traditionnelle et raffinée, dans une ambiance détendue. Un cadre vraiment enchanteur les soirs de pleine lune. Pensez à réserver pour profiter de la terrasse panoramique. Compter 30-35€ le dîner, boisson non comprise. *Pour partir à la recherche du trésor… Betijuelo, 6 Tél. 956 23 63 68 (N340 dir. Cadix, à gauche après Camping La Paloma, km73,4. 1re à gauche, laissez de côté "bateria militar" et 1re à droite. À l'intersection, suivre "Betijuelo" à droite puis "El Tesoro") Ouvert tlj. 13h30-16h et 20h30-23h (seulement sam.-dim. en hiver)*

Dormir à Tarifa

Les prix ont tendance à monter sérieusement au cours de la saison touristique, qui s'étend de mi-juin à fin septembre, et inclut également la Semaine sainte. En juillet et surtout en août, la réservation est indispensable. Un certain nombre de campings et d'hôtels sont installés le long de la Calle Batalla del Salado qui remonte vers la plage mais les prix sont assez élevés et vous aurez du mal à trouver une place en août si vous n'avez pas réservé.

camping

Camping Tarifa. À 5km à l'ouest de Tarifa, au bord de la Playa de los Lances. Vous serez donc aux premières loges pour aller windsurfer ou kitesurfer de bon matin, d'autant qu'il y a deux écoles de voile à moins de 5min à pied sur la plage : Mistral à droite, Pata Negra à gauche. Bien équipé et très confortable. En juillet-août, les prix s'envolent et passent d'env. 22€/2 pers., une tente et une voiture à 27-32€ selon l'emplacement. Aussi faut-il réserver, ce qui nécessite un virement postal de 60€. Animaux refusés. *N340 km78,8 Tél./fax 956 68 47 78 www.camping-tarifa.com*

très petits prix

Casa Eusebio (plan B1 n°10). Au nord de la vieille ville, sur le carrefour situé en face de la Puerta de Jerez. La pension la moins chère de la ville, dans un édifice vieillot, avec des salles de bains communes pas toujours reluisantes. Mais le patio fleuri et les chambres finalement acceptables pour le prix font passer la pilule. Double sans sdb à partir de 25€ (30-40€ en été). *À l'angle de la Calle Batalla del Salado et de la Calle Amador de los Rios Pas de téléphone*

Hostal África (plan B1 n°11). Dans la partie nord de la vieille ville, près du marché. Une pension assez basique, mais bien tenue par un couple de voyageurs. Les chambres sont propres, et bon marché pour Tarifa : à partir de 30€ la double avec sdb (60€ en haute saison). Terrasse panoramique sur le toit, pour prendre l'apéro en regardant le soleil se coucher sur le Rif marocain… Rangement possible pour votre planche à voile. Service de laverie. *Calle María Antonia Toledo, 12 Tél. 956 68 02 20 et 606 91 42 94 hostal_africa@hotmail.com*

☺ **Pensión Correo (plan B2 n°12).** Au cœur de la vieille ville, en face de la poste, comme son nom l'indique. Une pension adorable tenue par un Italien fort sympathique et sa femme, espagnole. Intérieur accueillant avec ses murs blancs décorés de céramiques colorées. Les chambres sont très agréables, avec leurs couleurs douces et leurs tissus assortis. Si elle est libre et que vous êtes prêt à payer plus cher (40-75€), demandez la double avec terrasse, tout en haut. Doubles à partir de 30€ sans sdb et de 40€ avec. En été, les prix grimpent vite : 52 et 80€. Chauffage depuis 2006. *Calle Coronel Moscardó, 8 Tél. 956 68 02 06*

petits prix

☺ **La Casa Amarilla (plan B1-B2 n°13).** Dans la rue principale de la vieille ville. L'entrée se fait par le côté droit du bâtiment et la réception se trouve au 1er étage. Cette demeure aristocratique du xixe siècle a beaucoup de cachet, d'autant qu'elle a été merveilleusement rénovée. Ici, on loue des chambres, mais aussi de grands appartements tout équipés. Attention toutefois au bruit de la rue. Prix vraiment attractifs : doubles d'env. 40 à 70€, selon la saison. Appartements 2 pers. à partir de 52€ (95€ en haute saison), 3 pers. à partir de 70€ (110€). *Calle Sancho IV El Bravo, 9 Tél. 956 68 19 93 Fax 956 68 40 29 www.lacasaamarilla.net*

prix élevés

Dos Mares (plan A1 n°14). À 5min en voiture à l'ouest de Tarifa, sur la côte. À souligner, l'effort louable de fondre dans le paysage l'architecture du complexe. Ce dernier, outre un hôtel classique aux chambres tout confort (d'environ 100 à 157€ HT la chambre double), propose des bungalows luxueux en bord de mer et d'autres plus basiques mais très corrects (d'environ 107 à 175€ HT le bungalow standard). Dans les jardins, on croise des clients, planche ou kitesurf à la main. Car le principal avantage de cet hôtel reste sa situation, parfaite pour les sports nautiques. On peut louer du matériel et prendre des cours juste en contrebas, sur la plage. Si l'eau n'est pas votre élément, vous pouvez faire une promenade à cheval, essayer les terrains de tennis et de beach-volley, ou encore la piscine et la salle de musculation. Location de vélos à proximité et organisation d'échappées vers Tanger. *N340 (en direction de Cadix) km79,5 Tél. 956 68 40 35 Fax 956 68 10 78 www.dosmareshotel.com*

Algésiras

11200

On aimerait trouver du charme à cette vieille dame andalouse, qui offre une vue sur le rocher de Gibraltar, mais c'est bien difficile. Ville industrielle et portuaire d'environ 113 000 hab., souffrant de graves problèmes économiques et sociaux, Algésiras porte sur les murs usés de son front de mer et de son centre-ville une décadence bien visible, même si la création de nouveaux commerces et d'entreprises en général semble traduire une embellie. Au dire des Andalous, elle possède pourtant une âme bohème et flamenca, même si elle reste cachée aux yeux de l'étranger. L'immense guitariste Paco de Lucía est d'ailleurs né ici, et sa statue est érigée face à la gare maritime. La ville frappe aussi par sa proximité avec le Maroc (écriteaux en arabe, hommes en djellaba…). Les voyageurs ne font en général que passer, en route vers l'Afrique, car la gare maritime est le point de départ principal pour Tanger. Cela fait d'ailleurs d'Algésiras la plaque tournante de trafics pas très licites entre les deux pays, donnant au quartier du port des allures peu fréquentables à la nuit tombée.

L'ÎLE VERTE Un premier noyau urbain se constitue sur le site au temps des Phéniciens, puis est occupé par les Romains. Mais ce sont les musulmans qui développent la ville, et lui donnent le nom de *Al-Yazirat al-Yadra*, "l'île verte". Ce port stratégique est le principal lieu de débarquement des troupes venues d'Afrique du Nord. Reprise en 1344 par les armées chrétiennes, elle est ensuite assiégée et en grande partie rasée par le roi nasride de Grenade Mohamed V. Au XVIIIᵉ siècle, Algésiras accueille les populations espagnoles chassées de Gibraltar par les Anglais, et joue un rôle important dans les opérations visant à reconquérir le célèbre roc. En 1906, les grandes nations européennes se réunissent lors de la conférence d'Algésiras, afin de délimiter leurs zones d'influence respectives au Maroc. L'industrialisation du port se développe sous le règne de Franco. Algésiras est ensuite frappée par une profonde crise économique et sociale, dont elle ne s'est jamais vraiment remise.

Algésiras, mode d'emploi

accès en voiture

À 112km au sud-ouest de Cadix et 100km au sud-ouest de Málaga par la N340. De la N340, on accède au front de mer en suivant les indications "Puerto". Le parking municipal surveillé qui se trouve devant la gare maritime est le plus pratique, mais il est assez cher (env. 15,50€/j.) et bondé en été.

accès en car

Estación des autobuses. En haut de la Calle San Bernardo, à 10min à pied à l'ouest de la gare maritime, en remontant les Calles Juan de la Cierva puis San Bernardo.
Comes. Cadix-Algésiras : 10 cars/j. dans les 2 sens. Tarifa-Algésiras : lun.-sam. 10 départs/j. 6h30-20h30, dim. et j. fér. 7 départs/j. 10h-20h. La Línea-Algésiras :

GEORGION **PROVINCE DE CADIX**

très nombreux cars dans les 2 sens (lun.-sam. 7h45-22h, dim. 8h45-22h15). Séville-Algésiras : 4 départs tlj. 9h15-20h. *Tél. 902 19 92 08 www.tgcomes.es*
Portillo. Málaga-Algésiras : départs toutes les heures. Grenade-Algésiras : 8 cars/j. dont 4 directs. *Av. Virgen del Carmen, 15 (en face de la statue de Paco de Lucía) Tél. 902 14 31 44 www.ctsa-portillo.com*
Linesur. Séville-Algésiras, 6 cars/j. (6h-21h) dont 2 directs. *Tél. 956 66 76 49 www.linesur.com*

accès en train

Ronda-Algésiras (direct, 1h45) : 6 trains/j. lun.-ven. **Grenade-Algésiras** (direct, 4h30) : 3 trains/j. **Séville-Algésiras** (changement à Bobadilla, 6h) : 3 trains/j., par Cordoue, 5h10, 1 train/j.
Gare Renfe. À 10min à pied à l'ouest de la gare maritime, en remontant la Calle Juan de la Cierva, puis la Calle San Bernardo. Service de consignes automatiques : durée maximum 15 jours. *Tél. 902 24 02 02 www.renfe.es*

ferries vers le Maroc (Tanger)

Durée du trajet : environ 2h30. Vous pouvez acheter vos billets auprès du bureau de Transmediterránea, à l'entrée de la gare maritime, ou dans les nombreuses agences de voyages du front de mer, sur l'Avenida de la Marina. Les prix sont identiques partout. Attention, de juin à septembre, avec les départs en vacances des Marocains d'Europe, vous risquez d'attendre assez longtemps (jusqu'à 24h !) avant de pouvoir embarquer votre voiture. Les piétons ont moins de problèmes. La gare maritime comporte un service de consignes automatiques (Tél. 956 58 54 63). Pour plus de renseignements sur les escapades vers le Maroc, le décalage horaire, les formalités, reportez-vous à la ville de Tarifa.
Transmediterránea. Trois départs en hiver (8h, 9h55 et 17h). Fréquence plus importante en été. Tarifs aller-retour : adulte env. 75€, enfant env. 50€, voiture env. 200€ et moto env. 80€. *Tél. 902 45 46 45 Bureau d'Algésiras Tél. 956 58 34 00 www.transmediterranea.es*

orientation

La gare maritime est située à l'est de la ville, juste à côté du port de pêche. En face de l'entrée de la gare maritime, la Calle Juan de la Cierva monte vers l'ouest en direction des gares ferroviaire et routière. Sur le front de mer, l'Avenida de la Marina puis l'Avenida Virgen del Carmen longent le port en direction du nord. En traversant l'Avenida de la Marina en partant de la gare maritime, on accède au quartier des pensions et hôtels du port. Plus au nord, après la Plaza Señora de la Palma, commence le centre-ville proprement dit, organisé autour de la Plaza Alta.

infos touristiques, représentations diplomatiques

Office de tourisme. Près de la gare maritime, dans la rue montant vers la gare ferroviaire. *Calle Juan de la Cierva Tél. 956 57 26 36 www.ayto-algeciras.es Ouvert lun.-ven. 9h-19h30, sam.-dim. et j. fér. 10h-14h*
Consulat de France. *San Fernando Calle Real, 251 Tél. 956 88 97 35*

fêtes et manifestations

Feria d'Algésiras. Pendant une semaine, on fait la fête, on va voir les plus belles corridas de l'année dans les arènes de la ville et on assiste à des défilés. *Fin juin*

Découvrir Algésiras et ses environs

☆ **À ne pas manquer** Castellar de la Frontera **Et si vous avez le temps...** Embarquez pour une escapade marocaine, profitez de la fraîcheur du Parque María Cristina et buvez un verre en fin d'après-midi sur la Plaza Alta

Algésiras À la limite nord du quartier du port, sur la Plaza Nuestra Señora de la Palma, se trouve le marché municipal (Mercado de Abastos), très animé le matin. Cet édifice massif, avec son immense armature de béton et d'acier, mérite le coup d'œil, même s'il vaut mieux éviter d'y exhiber son camescope et ses liasses de billets… Vous y trouverez certaines douceurs venues du Maroc : cornes de gazelles, dattes… Au nord du marché commence le centre-ville, la partie la plus ancienne et la plus vivante d'Algésiras. On peut flâner dans les jolies rues piétonnes Castelar (vers l'ouest) et Prim. Cette dernière monte vers le cœur de ce quartier agréable : la **Plaza Alta**, tracée au début du XIXe siècle, et lieu de rendez-vous par excellence des habitants en fin d'après-midi. En outre, elle rassemble les monuments les plus intéressants de la ville : l'église Nuestra Señora de la Palma, bel édifice baroque, et une jolie fontaine néomudéjare de 1930, ornée de céramique colorée. Les cafés installés en terrasse sur la place se prêtent volontiers à une petite halte. Au nord de la place débute la Calle Alfonso XI, bordée par les bars à tapas les plus fréquentés. La rue débouche sur le **Parque María Cristina**, un petit jardin botanique aux allées tranquilles, à l'ombre des platanes géants et des palmiers.

Avoir un avant-goût du Maroc

☆ **Castellar de la Frontera** Ce minuscule village blanc occupe la cime d'une montagne dominant la partie la plus méridionale du magnifique parc naturel de Los Alcornocales, et un grand lac de barrage. Protégées derrière des murailles édifiées au XIIIe siècle par les nasrides de Grenade, ses ruelles paisibles embaument au printemps les senteurs du chèvrefeuille, des roses trémières et des orangers. On se croirait vraiment dans une médina marocaine. Du haut des remparts, la vue sur Gibraltar et le Rif rappelle d'ailleurs que l'Afrique du Nord n'est vraiment pas très loin. Les amoureux de randonnée profiteront des beaux sentiers du parc et pourront, par exemple, rallier Jimena de la Frontera par le GR®7. La partie moderne et résidentielle de Castellar, Nuevo Castellar, se trouve à 25km au nord-est d'Algésiras par la N340 (jusqu'à San Roque) puis par l'A369 (en direction de Jimena et Ronda). Quant au village fortifié de Castellar, il se trouve à 7km au nord-ouest par une petite route de montagne. Dans le village moderne, suivre les indications "Fortaleza medieval" et "Castillo de Castellar". Pour se loger : plusieurs gîtes ruraux ou un hôtel chic de grand charme, La Almoraima (chambre double à partir de 99€). *La Almoraima Au pied de la route qui mène au village médiéval, à la sortie de Nuevo Castellar Tél. 956 69 30 02 Fax 956 69 32 14 www.la-almoraima.com*

GEOREGION

PROVINCE DE CADIX

Manger, dormir à Algésiras

Manger Les restaurants et bars à tapas les plus attirants se trouvent dans le centre-ville. Essayez par exemple les rues piétonnes Castelar ou Prim, et surtout la grande Plaza Alta et la Calle Alphonse XI, qui la relie au Parque María Cristina.

Dormir Algésiras compte près d'une douzaine de pensions bon marché ! Destinées essentiellement aux voyageurs en transit, elles sont rassemblées dans le quartier de la gare maritime, derrière l'Avenida de la Marina. Dans l'ensemble plutôt bon marché, mieux vaut demander à voir les chambres, car à petit prix égal, la qualité et la propreté vont du sinistre au très correct… Avec l'atmosphère un peu inquiétante du quartier le soir et le bruit ambiant dès l'aube, ne prévoyez pas de passer là plus d'une nuit, vraiment en dépannage. L'office de tourisme fournit la liste des hébergements et peut également vous aider à choisir parmi cette offre.

très petits prix

Restaurante Casa María. Situé dans le centre-ville. La formule fait recette : un menu du jour à 8,50€ (10€ le week-end), un accueil souriant et des horaires d'ouverture en continu bien pratiques. Vaste carte. *Calle Emilio Castelar, 53 Tél. 956 65 47 02*

petits prix

Pensión Algeciras. Une pension proprette tout près du marché. 35-40€ la double. *Plaza del General Mark Masti, 4 Tél. 956 09 85 80*

prix moyens

Hotel Marina Victoria. Juste en face de la gare maritime, et donc parfait pour passer la nuit en attendant votre ferry. D'autant qu'en comparaison avec les autres hôtels du quartier, celui-ci se distingue par son excellent rapport confort-prix. Chambres fonctionnelles, équipées de salles de bains impeccables, bon accueil. Préférez cependant les chambres intérieures ou situées aux étages supérieurs, car l'avenue est la plus bruyante de la ville. Doubles à partir de 55€ (60€ en août), triples à partir de 75€. *Avenida de la Marina, 7 Tél. 956 65 01 11 Fax 956 63 28 65 www.hotelmarinavictoria.es*

Gibraltar

La silhouette majestueuse de ce bloc long de 5km et culminant à 426m hante depuis l'Antiquité les rêves des marins. Ce rocher mythique est pour les Grecs l'un des piliers d'Hercule, qui marquent la fin du monde connu. Son nom lui vient des musulmans qui, en 711, franchirent le détroit pour envahir la péninsule Ibérique. Mais depuis près de trois siècles, Gibraltar rime avec Angleterre, au grand dam des Espagnols. De fait, à peine a-t-on passé la frontière qu'on s'y croirait : bus rouges à deux étages, rues aux allures victoriennes, pubs et *fish and chips*, tout

y est, jusqu'à cette langue anglaise aux accents insolites, lorsqu'elle est teintée d'espagnol. Ceux ou celles qui associent à ces lieux des images romantiques et des promesses de dépaysement seront sans doute déçus en découvrant une ville un peu terne, de 30 000 hab., qui attire sept millions de visiteurs chaque année. Mais il faut avouer que la vision d'un faubourg londonien sous un soleil de plomb mérite bien un petit détour. Pour une journée, et peut-être une soirée (au pub, bien sûr), sans plus.

UN DES PILIERS D'HERCULE Les premières traces de la présence humaine à Gibraltar remontent à la préhistoire. Mais les premiers à mentionner l'existence du fameux rocher sont les Phéniciens, vers 950 av. J.-C., qui donnent au site le nom de *Calpe*, mais ne le colonisent pas. Ils le considèrent en effet comme sacré. Quelques siècles plus tard, Platon identifie Gibraltar à l'un des piliers d'Hercule, l'autre étant le Jebel Musa, sur les rives marocaines. En 711, le chef musulman Tariq, en route pour l'invasion de la péninsule Ibérique, débarque au sud du rocher, qui lui doit son nom : Jebel Tariq, "le mont de Tariq". Quelques fortifications sont érigées pour protéger le site, mais ce n'est qu'en 1160 que seront construits une petite médina et un fort, sur le flanc occidental de Gibraltar. Conquise par les chrétiens en 1309, la ville est reprise par les musulmans en 1344. C'est de cette époque que date la forteresse dont la tour massive domine encore la face ouest du rocher. En 1462, les armées chrétiennes menées par le duc de Medina Sidonia investissent définitivement les lieux. En 1501, Gibraltar passe aux mains de la reine de Castille, Isabelle. La ville ne restera espagnole que pendant deux siècles.

LE ROC ANGLAIS En 1704, lors de la guerre de Succession espagnole, l'armée anglo-hollandaise s'empare de Gibraltar, forçant à l'exil l'immense majorité de ses 4 000 hab. Une importante vague d'immigration depuis Malte, Gênes et le Portugal commence alors. Cette mixité des immigrants sera la base de l'identité si particulière des Gibraltarians. À titre d'exemple, la population de Gibraltar atteint en 1753 près de 2 000 hab., dont 600 Génois, 350 Anglais et une importante communauté juive, riche de 580 membres. En 1713, la souveraineté britannique sur le roc est officialisée par l'article 10 du traité d'Utrecht, avec une précision : "pour toujours". Mais l'Espagne refuse de se faire à cette idée et assiège le roc une première fois en 1727, sans succès. En 1779 a lieu le "grand siège", qui dure près de quatre ans et détruit une grande partie de la ville, de nouveau en vain. Au cours du XIXᵉ siècle, les fortifications sont renforcées, à tel point qu'apparaît dans la langue anglaise l'expression *as safe as the Rock of Gibraltar*, "aussi sûr que le rocher de Gibraltar". Longtemps considéré comme une simple base militaire, Gibraltar acquiert en 1830 le statut de colonie britannique.

DE L'AUTONOMIE À L'INDÉPENDANCE En 1921, la ville obtient un début d'autonomie politique, avec la création du City Council. Lors des deux guerres mondiales, Gibraltar s'affirme comme une base navale essentielle, en particulier dans la lutte contre les sous-marins allemands et la surveillance du détroit. Pendant la Seconde Guerre mondiale, une grande partie de la population doit être évacuée. C'est également à cette époque que l'aéroport est construit, ainsi que des kilomètres de tunnels dotés d'infrastructures qui en font une véritable ville sous la ville. Après la guerre, la population exige une plus grande autonomie,

GEO RÉGION

PROVINCE DE CADIX

et en 1950 un conseil législatif est créé. En 1963, le comité des Nations unies consacré à la décolonisation est amené à examiner le cas de Gibraltar. L'Espagne en profite pour exprimer de nouveau son désir de récupérer le roc. En 1967, lors d'un référendum sur la question, 12000 personnes votent pour rester dans l'orbite du Royaume-Uni, contre 44 pour l'Espagne. Les relations avec Gibraltar se détériorent, et la frontière est même fermée en 1969, y compris pour les piétons. La ville est alors en état de siège. Les lignes de téléphone sont coupées, et les seules voies de communication qui la relient au monde sont les lignes aériennes vers Londres et le Maroc. Dans le même temps, le Royaume-Uni permet enfin aux citoyens de Gibraltar d'obtenir une réelle autonomie en ce qui concerne la politique intérieure, avec la création de la Gibraltar House of Assembly. La frontière est rouverte en 1985, mais la question de Gibraltar n'est pas résolue pour autant. Jusqu'à aujourd'hui, l'Espagne multiplie ses efforts pour en obtenir la rétrocession. Elle propose une période de transition avec une souveraineté anglo-espagnole, avant d'intégrer Gibraltar à l'Espagne. Le Royaume-Uni s'oppose bien sûr à un tel transfert de souveraineté. Quant aux habitants de Gibraltar, ils refusent d'abandonner leur droit à l'autonomie sous le regard bienveillant des autorités britanniques, et certains groupes parlent même d'indépendance pure et simple. Depuis décembre 2006, une ligne aérienne relie Madrid et Gilbraltar : il s'agit là d'un accord considéré comme historique.

Gibraltar, mode d'emploi

accès en voiture

À 132km au sud-ouest de Cadix par l'A48/N340 et 80km au sud-ouest de Málaga par l'AP7. On y accède par la ville de La Línea de la Concepción, côté espagnol. Un conseil : ne passez pas la frontière en voiture. La file d'attente peut durer des heures en été, à l'aller comme au retour. De plus, la circulation et le stationnement dans Gibraltar sont cauchemardesques la plupart du temps. La meilleure solution ? À l'approche de la frontière, en venant de l'ouest le long du port de La Línea, sur l'Avenida de España, deux files se forment, séparées en haute saison par des barrières métalliques : à droite, la longue queue vers la frontière ; à gauche, la direction "centro urbano". Suivre la file de gauche, puis la rue de Gibraltar vers les parkings souterrains (1,70€/h, env. 15€/j., ne rien laisser dans la voiture). La frontière est à 5min à pied en redescendant l'avenida 20 Abril, piétonne. Vous la passerez sans file d'attente. Le centre-ville débute à 1,5km de là, de l'autre côté de la piste de l'aéroport. De l'arrêt de bus situé 50m après la frontière, les lignes 3 (6h25-21h, ttes les 15min), 9 (7h-21h, ttes les 10min) et 10 (ttes les 15-20min) rejoignent le centre. Attention : le dimanche, les bus passent ttes les 30min sur une plage horaire réduite. Descendre sur le rond-point au pied des portes de Grand Casemates Square. Le reste de la visite peut se faire à pied, et la visite de l'Upper Rock Reserve en téléphérique ou en tour organisé. Autre solution pour rallier le centre-ville : les taxis de la ville.

accès en car

Pas de car direct d'Espagne, mais de nombreuses lignes desservent La Línea. **Gare routière.** Consignes automatiques, pratiques si vous venez pour la journée. *Juste à l'ouest de l'Av. 20 Abril, à deux pas de la frontière, Plaza de Europa*

Portillo. Elle gère la plupart des liaisons avec l'est de La Línea. Málaga-La Línea : 4 départs/j. *Tél. 956 17 23 96 et 902 14 31 44*

Comes. Liaisons avec les villes situées à l'ouest de La Línea. Très nombreuses liaisons Algésiras-La Línea. Tarifa-La Línea : 6 à 7 cars/j. Cadix-La Línea : 4 cars/j. Jerez-La Línea : tlj. 21h15. La Línea-Jerez : 1 car/j. Séville-La Línea : 4 cars/j. *Tél. 956 17 00 93 et 902 19 92 08 www.tgcomes.es*

orientation

Seule la face ouest du roc, en pente douce, a été colonisée. De Grand Casemates Square, la principale place de Gibraltar, Main Street part vers le sud et traverse tout le centre-ville de Gibraltar. Au bout de Main Street, l'arche de Southport Gates marque la fin de l'enceinte fortifiée du centre-ville. Non loin de là se trouve la station du funiculaire (*Cable-Car*). Sur la gauche, Europa Road continue vers le sud et monte en direction de l'Upper Rock Nature Reserve. Un peu plus loin, des intersections sur la droite partent vers Europa Point, tout au sud de la péninsule, et Parson's Lodge. La face est du roc, accessible en voiture en venant d'Europa Point, comporte trois plages de sable disposées au pied de falaises vertigineuses.

informations spécifiques au territoire de Gibraltar

FORMALITÉS Carte d'identité pour les citoyens de l'Union européenne et passeport en cours de validité pour les autres, notamment les Canadiens et les Suisses.

ARGENT La monnaie officielle est la livre de Gibraltar (£), quasiment interchangeable avec la livre sterling. Le taux de change est d'env. 1,50€ pour 1 livre de Gibraltar. Vous pouvez pratiquement toujours payer en euro (mais à un taux de change nettement défavorable). Sinon pour retirer des livres sterling, quelques distributeurs automatiques sur Main Street. Les banques ouvrent en général du lundi au vendredi 9h-15h30 et les bureaux de change 9h-18h.

LANGUE La langue officielle est l'anglais, mais les habitants parlent pour la plupart un espagnol parfait. L'anglais parlé est parfois surprenant par son accent et son vocabulaire. Il peut se teinter d'un dialecte local, fruit du mélange de nationalités qui a donné naissance aux Gibraltarians. Cette langue s'appelle le yanito, et côté espagnol on désigne les Gibraltarians sous le nom de Yanitos.

JOURS FÉRIÉS Commonwealth Day (2e lun. de mars), Spring Bank Holiday (dernier lun. de mai), Queen's Birthday (mi-juin), Late Summer Bank Holiday (dernier lun. d'août), Gibraltar National Day (10 sept.) et Boxing Day (26 déc.).

TÉLÉPHONE D'Espagne : 9567 + numéro local (5 chiffres). De l'étranger : 00 + 350 (code de Gibraltar). De Gibraltar vers l'Espagne : 0034 + numéro espagnol (9 chiffres). De Gibraltar vers l'étranger : 00 + code pays.

PRESSE Le quotidien *Gibraltar Chronicle* n'offre pas une grande richesse d'informations, mais c'est une véritable institution, qui semble aussi vieille que l'occupation anglaise de Gibraltar. Son heure de gloire eut lieu en 1805, quand il fut le premier à rendre compte de la victoire anglaise à Trafalgar et de la mort de l'amiral Nelson.

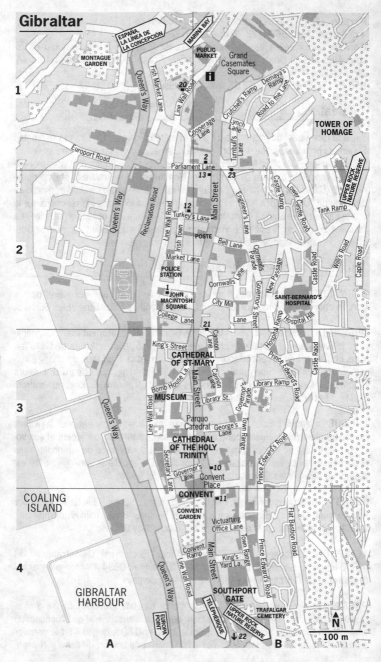

Gibraltar

ESPAÑA,
LA LINEA DE
LA CONCEPCIÓN

MARINA BAY

MONTAGUE
GARDEN

Queen's Way

Fish Market Lane

Line Wall Road

PUBLIC
MARKET

20

Grand
Casemates
Square

Demaya's
Lane

Road to the Lane

Crutchell's Ramp

**TOWER OF
HOMAGE**

Copperage
Lane

Lynch
Lane

Europort Road

Reclamation Road

Parliament Lane

2

Turnbull's Lane

Castle Ramp

Lower Castle Road

**UPPER ROCK
NATURE RESERVE**

Tank Ramp

13

23

Engineer's Lane

Turkey's Lane

12

Line Wall Road

Irish Town

POSTE

Bell Lane

Will's Road

Castle Road

Cornwall's Parade

New Passage

Caple Road

Market Lane

**POLICE
STATION**

Cornwall's Lane

Governor's Street

Hospital Ramp

**SAINT-BERNARD'S
HOSPITAL**

1

**JOHN
MACINTOSH
SQUARE**

City Mill
Lane

Hospital Hill

College Lane

21

Cannon
Lane

Castle Road

Queen's Way

King's Street

**CATHEDRAL
OF ST-MARY**

Cannon
Lane

Prince Edward's Road

Bomb House La.

Main Street

Library Ramp

Line Wall Road

MUSEUM

Library St.

Governor's Parade

3

Parquo
Catedral

George's
Lane

Town Range

Prince Edward's Road

**CATHEDRAL
OF THE HOLY
TRINITY**

Secretary Lane

Governor's
Lane

10

Convent
Place

CONVENT

11

**COALING
ISLAND**

Convent
Garden

Victualling
Office Lane

Town Range

Flat Bastion Road

Convent Ramp

King's
Yard La.

4

Main Street

Line Wall Road

Queen's Way

Prince Edward's Road

**GIBRALTAR
HARBOUR**

**SOUTHPORT
GATE**

TÉLÉPHÉRIQUE

**UPPER ROCK
NATURE RESERVE**

**TRAFALGAR
CEMETERY**

EUROPA
POINT

↓ **22**

N

100 m

A   **B**

BOIRE UN VERRE	**MANGER**	**DORMIR**
1 The Captain's Cabin — A2	*10* Truly Fish & Chips — B3	*20* Emile Youth Hostel — A1
2 The Star Bar — B1	*11* The Angry Friar — B4	*21* Cannon Hotel — B2-B3
	12 House of Sacarello — A2	*22* Queen's Hotel — B4
	13 Shamiyana Restaurant B2	*23* Continental Hotel — B1-B2

informations touristiques

Un petit **kiosque touristique** vous attend juste après la douane. On y trouve un plan de la ville et une liste des logements et activités. *Ouvert lun.-ven. 9h-16h30, sam. 9h-13h (Rens. touristiques de Gibraltar à Madrid Tél. 915 59 62 59)*
Office de tourisme (plan B1). Sur la grand-place à l'entrée du centre-ville. Bien mieux documenté et tenu avec un professionnalisme *so british*. Également de nombreux autres points d'information. *Grand Casemates Square Tél. 749 50 et 749 82 www.gibraltar.gov.gi Ouvert lun.-ven. 9h-17h30, sam. 10h-15h, dim. 10h-13h*

urgences et hôpital

Urgences (sanitaires ou police). *Tél. 199*
St Bernard's Hospital - urgences 24h/24 (plan A1). *Tél. 79 700*
Health Centre (plan B1). *Près du centre commercial, sur Grand Casemates Square Tél. 52 444 et 72 355*

Découvrir Gibraltar

☆ **À ne pas manquer** Upper Rock **Et si vous avez le temps...** Assistez à la relève de la garde tranquillement installé à la terrasse du Angry Friar, écoutez un concert dans St Michael's Cave, buvez une bière au Star Bar en soirée

Centre-ville Le grand siège de 1779 ayant détruit la quasi-totalité du centre-ville, il ne reste pas grand-chose des constructions musulmanes et espagnoles. Grand Casemates Square (plan B1) est la grand-place du centre-ville, protégée par des murailles impressionnantes construites par les Anglais. De là, Main Street part vers le sud, et rassemble l'essentiel des sites intéressants : le Parlement (House of Assembly), la cathédrale catholique St Mary the Crowned (plan B3), la cathédrale anglicane de la Sainte-Trinité (Cathedral of the Holy Trinity, 1830, plan A3). Un peu plus loin se trouve The Convent, la résidence des gouverneurs de Gibraltar, installée depuis 1704 dans un ancien couvent franciscain de 1531 (plan B3). La relève de la garde, assurée par le Royal Gibraltar Regiment, a lieu plusieurs fois par jour en semaine. De part et d'autre de Main Street partent des rues moins fréquentées et souvent dignes d'intérêt, comme Irish Town à l'ouest ou Library Street à l'est. Au bout de Main Street, la porte fortifiée de Southport Gate marque la fin du centre (plan B4).

Gibraltar Museum (plan A3) Cet intéressant musée permet de mieux comprendre l'histoire agitée et la culture de Gibraltar : préhistoire et différentes époques de la colonisation du site, des Phéniciens aux Anglais. On apprend ainsi que le premier crâne de l'homme de Neandertal fut découvert à Gibraltar en 1848. Huit ans avant la retentissante découverte faite dans la vallée de Neander en Allemagne, qui lui donnera son nom… On peut aussi admirer la pipe sculptée de l'amiral Nelson, visiter les vestiges restaurés des anciens bains musulmans et observer une maquette de Gibraltar en 1865. La visite commence par un documentaire historique de 15min. *18, Bomb House Lane (à l'ouest de Main Street, derrière Cathedral Square) Tél. 74 289 Ouvert lun.-ven. 10h-18h, sam. 10h-14h Adulte env. £2, enfant env. £1*

Europa Point Le point le plus méridional d'Europe. On peut y voir le phare de Gibraltar, bien connu des marins, et la petite église du Shrine of Our Lady of Europa. Non loin de là se dresse une grande mosquée, financée par le roi Fahd d'Arabie et construite en 1997 : la Mosque of the Custodian of the Two Holy Mosques. *La ligne de bus n°3 relie la frontière à Europa Point via le centre-ville*

☆ Upper Rock Nature Reserve

La partie supérieure du rocher, trop inhospitalière pour être colonisée, est devenue une réserve naturelle protégée. On y accède par Europa Road. Juste après l'entrée de la réserve se trouve le monument Pillars of Hercule, d'où la vue sur le détroit est à couper le souffle. La route monte ensuite vers la partie la plus haute du roc. Remarquez les anneaux en fer fixés à même la roche, au bord de la route. Au XVIIIe siècle, ils servirent à tirer à l'aide de cordes les canons de Gibraltar jusqu'aux fortifications. Plus haut, on accède à une grotte spectaculaire, **St Michael's Cave.** Connue dès l'Antiquité, cette grotte réputée sans fond (elle descend sur plus de 300m) a toujours alimenté les légendes. On l'identifiait aux portes de l'Hadès, les enfers grecs. Elle joua ensuite un rôle militaire sous l'ère musulmane, et un hôpital y fut installé pendant la Seconde Guerre mondiale. C'est également là que furent découverts en 1848 deux crânes d'hommes de Neandertal. À noter : certaines compagnies proposent des explorations des parties basses de la grotte (Lower St Michael's Cave), qui abrite notamment un très beau lac souterrain. La grotte se transforme à l'occasion en salle de concerts ou de spectacles. À partir de la grotte, la route redescend vers l'un des moments les plus attendus : la rencontre avec les singes de Gibraltar (*Ape's Den*). En continuant la route vers le nord, on arrive à une intersection qui monte à droite vers le site le plus intéressant de la réserve : les **Great Siege Tunnels.** Ce réseau impressionnant de tunnels fut creusé en 1782-1783, sous le siège espagnol commencé en 1779. Depuis les larges meurtrières taillées dans la face nord du roc, près de 200 000 boulets seront ainsi tirés sur les Espagnols. En redescendant vers le centre-ville, on passe devant la Tower of Homage, tour massive qui domine Grand Casemates Square. Il s'agit d'un vestige de la forteresse musulmane érigée en 1333. *Ouvert été : tlj. 9h30-19h ; hiver : tlj. 9h30-17h45 Entrée de la réserve, y compris pour les piétons : £8 (adulte), £4 (enfant) et £1,50 (voiture)*

Accéder à l'Upper Rock Reserve Mieux vaut éviter la marche (longue et éprouvante) et la voiture (circulation abominable et stationnement problématique) pour accéder en haut du rocher. La meilleure solution est d'emprunter le téléphérique (*Cable-Car*), qui part de Red Sand Road, au sud de Southport Gates. Il comporte deux stations : l'une au ravin des Singes (Apes' Den), l'autre au sommet du roc (départs très fréquents lun.-sam. 9h30-17h15 et le dim d'avril à octobre). Attention, la cabine ne fonctionne pas lorsque le vent fort souffle. Aller-retour jusqu'au sommet : £8/£4,50 (enfants) incluant le Top of the Rock et la visite aux singes. Si vous voulez visiter St Michael's Cave et les Great Siege Tunnels, aux deux extrémités du roc, il vaudra mieux prendre un aller simple jusqu'au sommet, descendre à pied au sud vers St Michael's Cave (20min le long de St Michael's Road), continuer au nord vers le ravin des singes (15min) puis les Great Siege Tunnels (20min env.), avant de redescendre vers le centre-ville. Au total, une bonne marche, mais surtout en descente. À éviter aux heures chaudes en été. Autre solution, les visites organisées par les taxis de la ville ou les minibus des compagnies touristiques. Mais en haute saison, le trafic intense rend ces visites un peu fastidieuses. *Calypso tours* Tél. 76 226 **Gibraltar taxi** Tél. 70 052 et 70 027 **Parodytur** Tél. 76 070, bureau dans la petite rue qui part de Main Street à droite de la Cathedral of the Holy Trinity Visite env. £16 comprenant tour du rocher, St Michaels Cave, Europa Point et les singes

Singes de Gibraltar Une centaine de magots, ou macaques sauvages, répartis en six groupes habitent sur le roc. Diverses hypothèses sont avancées quant à la manière dont ils sont arrivés. On dit notamment que les Anglais les introduisirent en 1704, dans le but de les chasser les jours d'ennui. La légende affirme que le jour où ils disparaîtront, Gibraltar ne sera plus anglais ! Peu craintifs, ces singes sans queue profitent pleinement de la présence massive des touristes, qui leur offrent toutes sortes de gâteries inadaptées à leur régime alimentaire, dont les sachets en plastique finissent en général sur les pentes du rocher… Attention aussi à vos lunettes !

Observer les dauphins

La baie d'Algésiras abrite toute l'année des colonies de dauphins. Trois espèces se côtoient : le marsouin, le dauphin rayé et le grand dauphin. Des excursions en bateau sont organisées tous les jours au départ de Marina Bay, le port de plaisance situé au nord-ouest de Grand Casemates Square, près de l'aéroport.

Dolphin World. L'excursion dure env. 1h30. Prix assez élevé (env. £21/adulte et £10,50/enfant 5-12 ans) comprenant un tour dans la baie de Gibraltar. Réservation conseillée, surtout en été, au 544 81 000 (portable). *Coach Park* Tél. 677 27 88 45 d'Espagne, 47 377 de Gibraltar Ouvert toute l'année lun.-sam. 9h-17h (15h en hiver)

Où faire une pause déjeuner ?

Truly Fish & Chips (plan B3 n°10). Au bout de Main Street. Un minuscule *fish and chips*. Excellente morue (*cod*) et prix raisonnables pour la qualité : la formule "Large Cod and Chips" est à env. £8. On peut la dévorer assis à l'une des tables de la salle, ou bien l'emporter dans du papier journal. *295-C, Main Street* Tél. 74 254 Ouvert lun.-sam. 11h-18h

The Angry Friar (plan B4 n°11). Au bout de Main Street, en face de The Convent, la résidence du gouverneur. Assis en terrasse, vous pourrez admirer les évolutions des gardes du Royal Gibraltar Regiment, avec leurs amusants souliers vernis (à chaque heure pile). La terrasse est d'ailleurs le seul élément d'influence méditerranéenne dans ce pub 100% *british*. Dans les deux salles de l'intérieur, on se croirait presque à Londres. Au menu, *fish and chips* et plats du jour à l'anglaise, comme la tourte à la viande et aux légumes (*homemade pie*). Repas pour environ £6. *287, Main Street* Tél. 71 570 Ouvert tlj. 9h30-0h (1h ven.-sam.)

Où trouver des produits détaxés ?

Gibraltar adhère avec le Royaume-Uni à l'Union européenne sous un régime fiscal particulier. Les détracteurs, notamment espagnols, du gouvernement local l'accusent de perpétuer cet état de fait, et de favoriser des trafics et autres blanchiments d'argent qui affectent ce paradis fiscal. Plus prosaïquement, vous pouvez acheter le long de Main Street des produits détaxés, notamment l'alcool et le tabac, dont les prix sont identiques d'une boutique à l'autre. Mais pour l'électronique et les cosmétiques, l'économie est moins certaine, les prix affichés étant parfois très élevés !

Où boire une pinte de Guinness ?

Il serait dommage de quitter Gibraltar sans avoir bu une pinte de Guinness. On trouve de nombreux pubs on ne peut plus anglais dans Main Street et dans les rues adjacentes, ainsi que dans la rue d'Irish Town, juste à l'ouest. La plupart des pubs ferment à minuit en semaine, 1h le week-end. Les disco-bars de Grand Casemates Square ferment à 2-3h du matin en fin de semaine.

The Captain's Cabin (plan A2 n°1). Dans une rue perpendiculaire à Main Street, le long de House of Assembly. Un pub qui charmera les connaisseurs. La télévision est toujours allumée mais l'essentiel de l'action se passe au comptoir. Là, remarquer les plaques de cuivre dédiées aux clients les plus mémorables du bar. La pinte de Guinness est à env. £2,50. *John Macintosh Square, 5 Tél. 72 633*

The Star Bar (plan B1 n°2). Dans une rue perpendiculaire à Main Street, à 100m de Grand Casemates Square. Tenu par des jumeaux originaires de Stafford, les "Hunter Twins", le Star Bar est le plus vieux pub de Gibraltar. Ici, pas de Guinness, mais de la Murphy's, de la Boddington's et de la Strongbow à la pression. On peut y prendre le petit déjeuner et le déjeuner (salades, *fish and chips*). Petite terrasse pour prendre le frais. *12, Parliament Lane Tél. 75 924 Ouvert tlj. 7h-0h*

Manger à Gibraltar

Les prix pratiqués sont plus proches de ceux de Londres que de Séville. Profitez donc de votre visite pour dévorer un plat du jour en buvant une Guinness dans un pub. Les *fish and chips* du centre-ville sont aussi incontournables (et souvent bondés). Outre Main Street, où se trouvent les adresses les plus fréquentées et les plus touristiques, l'une des rues qui offrent le plus grand choix d'adresses est Irish Town, à l'ouest de Main Street, près de Grand Casemates Square. Le front de mer de Marina Bay, au nord-ouest de Grand Casemates Square, rassemble aussi un vaste choix de restaurants de qualité, mais assez chers. N'oubliez pas de consulter la rubrique Où faire une pause déjeuner ?, où vous retrouverez des adresses de restauration à petits prix.

petits prix

House of Sacarello (plan A2 n°12). À deux pas de Grand Casemates Square. Un restaurant installé dans le joli décor d'un ancien entrepôt de café. Malgré le cadre et la qualité de la cuisine, les prix sont modérés : soupes maison à partir de £3 env., plats du jour aux alentours d'environ £7,50, notamment de bonnes lasagnes. À l'heure du petit déjeuner ou du goûter, vous pourrez déguster de délicieux *scones* avec votre café. *57, Irish Town Tél. 70 625 Ouvert lun.-ven. 9h-19h30 (15h sam.)*

Shamiyana Restaurant (plan B2 n°13). L'établissement qui réveillera vos papilles de bourlingueur fatigué. L'endroit peut parfois être bondé mais la cuisine vaut le détour : savoureuse, indienne, insolite. Laissez-vous tenter par le *Shamiyana Boondi Raita* (pois chiches revenus dans une sauce au yaourt, épices et coriandre, £2,50). Prix très raisonnables. À midi, également des plats "continentaux" et *fish and chips*. *22A, Main Street Tél. 76 665 Ouvert lun.-sam. 9h30-15h30*

Dormir à Gibraltar

Le logement est très cher, surtout comparé à l'Espagne. Les catégories de prix ci-dessous ne correspondent donc pas au barème appliqué pour les villes espagnoles.

petits prix

Emile Youth Hostel (plan A1 n°20). En contre-haut de la rue dominant Grand Casemates Square, à l'entrée du centre-ville. Dans d'anciens bâtiments de garnison, cette auberge de jeunesse indépendante compte des dortoirs de 4 à 8 lits et des chambres simples et doubles. Accueil parfois un peu brusque. Possibilité d'organiser des excursions à prix réduits. £34 la double, £15/pers. en dortoir, petit déj. inclus. *Montagu Bastion, Line Wall Road Tél./fax 51 106 www.emilehostel.com*

prix moyens

Cannon Hotel (plan B2-B3 n°21). On ne peut plus central, juste derrière la cathédrale St Mary. Ouvert en 1995 par le Premier ministre d'alors, Joe Bossano, dans la maison natale de sa femme. Certes le patio intérieur est assez plaisant, mais les chambres sont vraiment moyennes pour le prix : env. £38 la double sans sdb, env. £48 avec. Dans cette catégorie (pas terrible mais propre et confortable), vous ne trouverez pas moins cher. *9, Cannon Lane Tél. 51 711 www.cannonhotel.gi*

prix élevés

Queen's Hotel (plan B4 n°22). Tout au bout du centre-ville, à l'extérieur des remparts et de Southport Gates. Un hôtel moderne et fonctionnel, dont l'avantage principal est de posséder un parking gratuit pour les clients. Rénové en 2006, il propose des chambres sans âme mais confortables. Doubles avec sdb et petit déj. de £65 à £75 (vue sur la mer). *1, Boyd Street Tél. 74 000 Fax 40 030 www.queenshotel.gi*

Continental Hotel (plan B1-B2 n°23). Au début de Main Street, dans une rue sur la gauche à 150m de Grand Casemates Square. Sans doute la meilleure adresse de la ville à des prix encore accessibles. Les doubles débutent à £70 (petit déj. inclus), toutes équipées de sdb, de boiseries chaleureuses, de l'a/c et d'une télévision. Très belle cage d'escalier, pas mal d'espace et de confort, accueil agréable. Remise de 10% si vous payez en liquide. *1, Engineer's Lane Tél. 76 900 contino@gibnet.gi*

GÉORGION

PROVINCE DE CADIX

GEOREGION

La simple évocation de l'aristocrate Cordoue a fait rêver des générations de voyageurs. Sans doute parce qu'elle fut le foyer de la civilisation resplendissante d'*Al-Andalus*, que plusieurs siècles durant, sous le règne omeyyade, cette métropole rayonna sur toute l'Espagne et jusqu'aux confins du Proche-Orient. Loin des tumultes touristiques de cette ville légendaire, vous trouverez calme et air pur dans les belles montagnes des sierra Morena et sierra Subbética. Les amateurs de vins feront une petite pause à Montilla aux crus moins connus que ceux de Jerez mais de qualité.

À ne pas manquer La Mezquita, la Judería et l'Alcázar de los Reyes Cristianos à Cordoue

Et si vous avez le temps...
Rapportez des produits artisanaux en cuir de Cordoue, goûtez les vins de Montilla et randonnez dans le Parque natural de la sierra de Cardeña y Montoro

Province
de Cordoue

GEO**MEMO**

Ville principale	Cordoue (env. 326 000 hab.), capitale de la province
Informations touristiques	OT de Cordoue Tél. 902 20 17 74
Espaces naturels protégés	sierra Subbética, parc naturel de la sierra de Hornachuelos, réserve naturelle de la lagune de Zoñar
Spécialités	vins de Montilla, huile d'olive de Zuheros

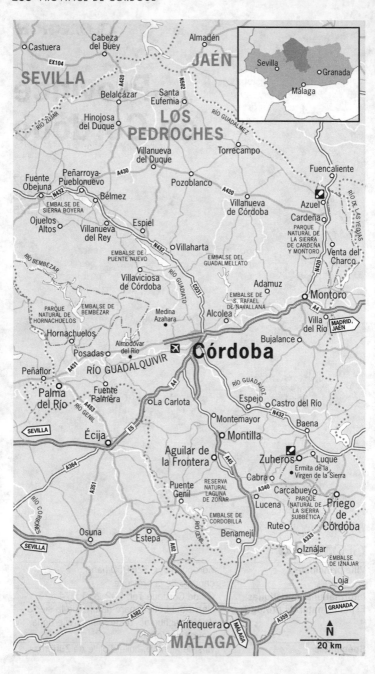

★ Cordoue

14000

Solidement plantée au cœur de la Vega du Guadalquivir, fertile plaine
agricole, Cordoue (Córdoba) est l'une des trois villes phares d'Andalousie.
Sous ses apparences de grande dame tranquille, cette ville de
326000 hab. environ porte encore sur ses vieux murs les traces d'un
passé agité et empreint d'une grandeur légendaire. Tour à tour capitale
de la Bétique romaine, du monde hispano-musulman, puis quartier
général des Rois Catholiques lors de la Reconquête, Cordoue a toujours
joué un rôle essentiel dans l'histoire mouvementée de la région. Mais
c'est sous l'ère musulmane, du VIIIe au XIIIe siècle, que Cordoue connut son
âge d'or politique, culturel et architectural, dont subsistent des joyaux
tels que la mosquée et le site archéologique de la Medina Azahara, ainsi
que le tracé tortueux des ruelles de la Judería. Un séjour à Cordoue fait
donc figure d'incontournable, surtout s'il est assez long pour s'imprégner
un peu de l'atmosphère de mystère qui se dégage des patios dont
regorge le centre historique, des impasses fleuries et silencieuses,
des monuments millénaires et des rives du Guadalquivir, source de
fertilité et de richesses. La ville ne connaît pas l'agitation et la fête à
outrance que l'on trouve à Séville ou à Grenade, mais elle fera à coup sûr
le bonheur des flâneurs curieux et des romantiques invétérés, surtout
au printemps. Aux alentours, le parc naturel de la sierra de Hornachuelos
entraîne les randonneurs dans la garrigue, d'où émanent des parfums
de myrte et des grognements de porcs noirs. Tandis que, plus au sud,
la petite ville de Montilla vous initiera aux secrets de ses vins sucrés.

LA CAPITALE DE LA BÉTIQUE Les premiers vestiges de peuplement
remontent à l'âge du bronze (2000-1000 av. J.-C.). Des traces d'activité minière
laissent penser qu'à partir du VIIIe siècle av. J.-C. se sont établis sur le site
Phéniciens et Grecs, puis la mystérieuse civilisation tartessienne, née du contact
entre ces marchands venus d'ailleurs et les populations autochtones.
Entre le départ de ces premiers habitants au VIe siècle et l'arrivée des Romains
au IIe siècle, la région assiste au développement de la culture ibère, qui exploite
les filons miniers des environs. Au IIe siècle avant notre ère, après avoir vaincu
les Carthaginois lors de la seconde guerre punique, les cohortes romaines
remontent le bassin du Guadalquivir. Le général Claudio Marcelo fonde une petite
cité qu'il nomme *Corduba*, reprenant un nom qu'utilisait déjà la population locale.
La ville se développe rapidement à l'époque républicaine (IIe-Ier s. av. J.-C.).
À l'apogée de l'ère impériale (Ier-IIe s. ap. J.-C.), elle devient capitale administrative
de la Bétique, l'une des quatre provinces de l'*Hispania* romaine. Commencent
alors quelques décennies de véritable splendeur. On construit de grands
monuments publics et religieux, notamment un temple dont on peut encore voir
les ruines dans le centre-ville, sur la Calle Claudio Marcelo. Il règne au sein
de l'aristocratie locale une atmosphère d'aisance propice au développement
des arts et des lettres, tels que les pratiquent notamment le grand philosophe
et rhéteur Sénèque (vers 4-65 ap. J.-C.), ou encore le poète Lucain
(vers 39-65 ap. J.-C.), enfants du pays. Des Romains, Cordoue a également
conservé la tradition des patios, autour desquels sont organisées la plupart

de ses demeures. La domination romaine connaîtra ensuite un lent déclin. Elle finit par s'effondrer en 409, mise à mal par les incursions répétées des Vandales et autres barbares venus du Nord. Vers 460, les Wisigoths supplantent ces premiers envahisseurs.

L'APOGÉE D'*AL-ANDALUS* ET LA NAISSANCE DU CALIFAT DE CORDOUE

Sous le règne des Wisigoths, Cordoue s'efface peu à peu au profit de sa voisine, Séville. Puis en 711 a lieu l'invasion des troupes musulmanes, menées par Tariq. Les chefs musulmans comprennent vite l'importance stratégique de cette ville située au milieu de la plaine du Guadalquivir, au carrefour des grandes routes commerciales et militaires du sud de l'Espagne, et qui de plus possède un pont enjambant le fleuve, œuvre des Romains. Ils s'emparent de Cordoue, qui devient en 717 le centre administratif et artistique de la province d'*Al-Andalus*. En 756 arrive à Cordoue le jeune Abd al-Rahman Ier, descendant de la dynastie des Omeyyades, massacrés par leurs opposants quelques années plus tôt à Damas. Ayant survécu au massacre, Abd al-Rahman a connu de longs mois d'errance avant d'arriver à Cordoue, où il compte de nombreux appuis au sein de l'aristocratie. Rapidement, il accède au pouvoir et proclame aussitôt l'émirat de Cordoue, assurant à la province d'*Al-Andalus* une indépendance politique vis-à-vis des autorités de Damas, qui garde cependant le pouvoir religieux. On lui doit la première phase de construction de la Mezquita, en 785. Les Omeyyades inaugurent l'âge d'or d'*Al-Andalus*, et plus particulièrement de Cordoue. Les chrétiens et les juifs, adeptes des religions du Livre, jouissent à ce titre d'une réelle tolérance de la part des autorités. Célèbre pour la qualité de son artisanat (céramiques, orfèvrerie, travail du cuir) et la beauté de sa mosquée, Cordoue voit par ailleurs naître ou accueille des penseurs et artistes de tout premier plan, dont les travaux influenceront tout le Moyen Âge : le philosophe musulman Averroès (1126-1198), le géographe Idrisi (il étudia à Cordoue au XIIe siècle), le grand musicien et poète Zyriab (Xe siècle), le penseur et théologien juif Maimonide (1135-1204), ou encore le mystique Ibn Arabi (XIIe-XIIIe siècle), figure majeure de l'islam. Les souverains de Cordoue jouissent d'un prestige grandissant dans tout le monde musulman. À tel point qu'en 929 l'émir Abd al-Rahman III instaure le califat de Cordoue, qui scelle définitivement l'indépendance religieuse et politique de la ville et d'*Al-Andalus*. En 936, fort de sa puissance, Abd al-Rahman III ordonne la construction d'une somptueuse résidence califale à l'extérieur de la ville, la *Madinat al-Zahra* (Medina Azahara). À son apogée, de 929 à 1031, Cordoue est la ville la plus peuplée d'Europe : elle compte plus de 100 000 hab., quelque 1 000 mosquées et 600 bains publics. Quand les villes européennes sombraient dans le noir au crépuscule, les rues de Cordoue étaient éclairées par des lampadaires, 700 ans avant Paris ! À partir de 961, le calife Al-Hakam II rassemble la plus grande bibliothèque du monde, qui comptait, dit-on, plus de 400 000 ouvrages. Mais la fin de l'âge d'or est proche. Les querelles intestines et les émeutes se multiplient à partir de 1010. Elles menacent le pouvoir califal, qui s'effondre en 1031, laissant la place à un éparpillement de petits royaumes, les taifas.

JUIFS DU CALIFAT : DE LA TOLÉRANCE À L'INQUISITION

La communauté juive de Cordoue, persécutée sous le règne des Wisigoths, accueille avec soulagement la prise de pouvoir des musulmans. Ceux-ci tolèrent en effet les cultes juif et chrétien, religions du Livre et à ce titre dignes de respect. Juifs et chrétiens non convertis à l'islam (mozarabes) gardent donc le droit d'exercer leur religion dans le privé, même si les processions publiques leur sont interdites. Il leur faut en outre verser aux autorités un tribut dont les musulmans et les *muladies* (chrétiens convertis) sont exemptés. Le quartier juif de la ville jouxte la grande mosquée récemment construite, et la communauté est réputée pour le travail de ses artisans, administrateurs, poètes et savants, sous l'œil bienveillant des émirs. La Judería, avec son excellente école talmudique, attire des penseurs juifs venus de toute l'Europe, qui aideront à faire de Cordoue le centre intellectuel le plus brillant du continent. On y traduit et étudie la philosophie d'Aristote, mais aussi des ouvrages venus de Perse ou de Chine. Le plus célèbre représentant de cette époque bénie sera le philosophe, médecin et théologien Maïmonide (1135-1204). Né dans la Judería dans la période très troublée qui suit la chute du califat, il sera chassé de Cordoue et deviendra en Égypte le médecin du sultan Saladin. Son livre le *Guide des égarés* reste l'un des plus grands ouvrages de philosophie et théologie juive. La reconquête de la ville par les troupes castillanes de Ferdinand III met fin à la tranquillité de la communauté juive. Isolée, brimée, persécutée, elle connaîtra un sort qui ira s'empirant au long du XVᵉ siècle sous les coups de l'Inquisition, jusqu'à l'expulsion des juifs d'Espagne (1492). Il faut noter que l'une des rares synagogues d'Espagne à avoir survécu jusqu'à nous, la seule en Andalousie, se trouve dans la Judería de Cordoue. Les juifs séfarades (le mot, hébreu, signifie "Espagne") garderont longtemps la nostalgie d'*Al-Andalus*.

LA CORDOUE CHRÉTIENNE Cordoue tombe aux mains des troupes castillanes de Ferdinand III en 1236. La grande mosquée est consacrée au rite chrétien et devient cathédrale Sainte-Marie. De nombreuses églises sont bientôt construites, ainsi que l'Alcázar des Rois Catholiques un siècle plus tard. À la fin du XVᵉ siècle, Cordoue joue un rôle stratégique dans les opérations menées par les Rois Catholiques Isabelle et Ferdinand, pour la reconquête du royaume nasride de Grenade. Au XVIᵉ siècle, la cathédrale se pare d'une riche ornementation Renaissance, tandis que les XVIIᵉ et XVIIIᵉ siècles laisseront derrière eux de nombreux édifices baroques. Le fils le plus célèbre de la Cordoue de cette époque est l'illustre écrivain Luis de Góngora (1561-1627). À la fin du XIXᵉ siècle, l'arrivée du chemin de fer entraîne le développement du nord de la ville, qui en devient peu à peu le centre névralgique. L'accroissement démographique du XXᵉ siècle amènera enfin la construction de quartiers résidentiels périphériques.

Cordoue, mode d'emploi

accès en voiture

À 145km au nord-est de Séville et à 164km au nord-ouest de Grenade par la N432. Accès au quartier historique bien signalé (suivre "Mezquita"). L'accès par le pont romain est fermé pour travaux jusqu'à nouvel ordre. Il est très difficile de circuler et surtout de se garer dans le quartier historique. Les bris de vitres étant fréquents, garez votre véhicule dans l'un des parkings surveillés de la ville, et ne laissez rien à l'intérieur. De nombreux hôtels possèdent leur parking (10 à 14€/jour). Beaucoup de sens uniques ; bien se faire indiquer par son hôtel l'itinéraire d'accès.

GEOREGION / PROVINCE DE CORDOUE

Cordoue et ses environs

(en km)	Cordoue	Hornachuelos	Montilla	Montoro	Zuheros
Hornachuelos	47				
Montilla	45	82			
Montoro	41	96	64		
Zuheros	78	128	44	71	
Jaén	108	172	104	75	70

accès en train

De 30 à 40 liaisons quotidiennes entre Séville et Cordoue en AVE (train à grande vitesse, ligne Madrid-Cordoue-Séville) ou en trains régionaux. À savoir : pour le même trajet, avec les trains régionaux Andalucía Express, les prix sont deux fois moins élevés (durée 1h15 contre 45min et départs moins fréquents – 4 à 6 trains/j.). De 6 à 10 trains/j. entre Cordoue et Málaga (2-3h). De Grenade, le voyage dure env. 4h, avec un changement à Bobadilla ou Linares (1 ou 2 trains/j.). Avec la ligne Andalucía Express, un trajet/j. entre Jaén et Cordoue. **Renfe** *Tél. 902 24 02 02 www.renfe.es*

accès en car

Gare routière. En face de la gare ferroviaire (plan A1). *Plaza de las Tres Culturas Tél. 957 40 40 40, ce numéro est très souvent occupé, ne désespérez pas !*
Alsina Graells Sur. Relie Cordoue à Séville (1h45) : 9 départs/j. Málaga-Cordoue (2h45) : 5 à 7 départs/j. Cordoue-Grenade (2h45) : 8 à 10 départs/j. *Tél. 957 27 81 00 www.alsinagraells.es*
Ureña. Liaison Cordoue-Jaén (1h30) : 5 à 9 départs/j. *Tél. 957 40 45 58*

orientation

La Mezquita La Grande Mosquée de Cordoue, en plein cœur de la ville, constitue l'un des plus importants chefs-d'œuvre de l'islam espagnol.
La Judería Au nord et à l'ouest de la Mezquita, l'ancien quartier des juifs de Cordoue, aux murs blancs, aux rues tortueuses et aux ravissants patios est un véritable enchantement.
De la Plaza del Potro à la Plaza de la Corredera Centre commercial de la Cordoue médiévale, ce quartier populaire, aux ruelles fleuries et aux musées de qualité, se situe à l'est de la Judería.
Les rives du Guadalquivir Au sud de la ville, les rives du Guadalquivir témoignent, par la diversité des monuments qu'elles accueillent, des multiples influences historiques que connut Cordoue : romaine, islamique et enfin chrétienne avec l'Alcázar.
Le centre Le centre-ville actuel, avec ses rues animées, ses esplanades populaires et ses jolies tavernes, occupe le nord de la ville, entre la Plaza de las Tendillas et le quartier de San Lorenzo. C'est là que les Cordouans vivent et travaillent.

informations touristiques

Quatre quotidiens cordouans : *Día, Cordoba, ABC Córdoba* et *20 minutos Córdoba*. vous trouverez dans leurs colonnes les pharmacies ouvertes 24h/24, les numéros utiles et les principaux événements culturels (concerts, spectacles...) de la ville. Pour des informations plus complètes sur la vie culturelle locale, consultez l'*Agenda cultural et Córdoba Eterna* ou *Welcome & Olé*, revues gratuites et disponibles à l'office de tourisme.

Office de tourisme. Attention, à l'exception de la Mezquita, les horaires d'ouverture des monuments de Cordoue ont une fâcheuse tendance à varier ; en passant par l'office de tourisme, profitez-en pour demander les feuilles "*horarios de monumentos de Cordoba*", régulièrement actualisées que vous retrouverez également sur le site Internet. Le bureau d'accueil est situé dans une chapelle du xviᵉ siècle, juste en face du côté ouest de la mosquée.

Office de tourisme de la Junta de Andalucía (plan B3-B4). *Calle de Torrijos, 10 Tél. 957 35 51 79 www.andalucia.org Ouvert été : lun.-ven. 10h-19h30, sam. 10h-19h30, dim. 10h-14h ; hiver : lun.-ven. 10h-19h30, sam. 10h-17h, dim. 10h-14h*

www.turismodecordoba.org Sur le site de l'office de tourisme, toutes les informations sur Cordoue, horaires, lieux de visites..., un magazine sur la ville en anglais et en espagnol, des propositions de visite à la carte ou l'on peut exprimer des souhaits en espagnol, en anglais et en français. L'office de tourisme se charge alors de trouver des réponses à vos demandes : achat de castagnettes, location de patinette électrique... un service très efficace.

Cordobacard. Cette carte donne un accès coupe-file aux monuments et musées, à une visite guidée dans la partie classée Patrimoine mondial, des réductions dans certains restaurants, boutiques, *tablaos* flamencos, locations de voitures, bus... *Rens. et vente sur www.cordobacard.com, par téléphone au 915 24 13 70, dans les points informations de l'office de tourisme*

Points de renseignements touristiques du Consorcio de Turismo. Informations complètes sur la ville et les environs. Audioguides pour visiter la ville, *This is Cordoba*, en plusieurs langues, d'une durée de 4h. Tarif 15€ et possibilité de l'écouter à deux. ***Plaza de las Tendillas*** *Tél. 902 20 17 74 Ouvert été : 10h-13h30 et 18h-21h30 ; hiver : 10h-14h et 16h30-19h30* **Gare AVE** *Ouvert 9h30-14h et 16h30-19h (16h30-19h30 en hiver). Face à l'***Alcazar*** Ouvert tlj. 9h30-19h*

Office de tourisme de la province (plan B2). *Plaza de las Tendillas, 5 3ᵉ étage Tél. 957 49 16 77 Ouvert lun.-ven. 8h-15h*

visites guidées

Trois associations proposent des visites guidées de la ville.
Guiacor. *Tél. 902 11 34 80 et 679 57 29 75 www.turismodecordoba.com*
Apit. *Tél. 957 48 69 97 www.apitcordoba.com*
Córdoba Visión. *Tél. 957 76 02 41*

transports urbains

BUS Les bus parcourent essentiellement les quartiers périphériques et pas du tout le centre-ville ni l'intérieur du quartier historique. Seule ligne vraiment utile : la 3, qui relie la gare ferroviaire au centre historique (arrêt devant le pont romain, au pied des murailles, près de la mosquée et de l'Alcázar). La meilleure option reste encore de se déplacer à pied.

TAXIS *Tél. 957 76 44 44*

banques, poste, accès Internet

Nombreux distributeurs dans le quartier historique. Les banques sont rassemblées au nord de la ville moderne, de part et d'autre de l'Avenida del Gran Capitán.
Poste (plan B2). *Calle José Cruz Conde, 15 Tél. 957 49 63 42 Ouvert lun.-ven. 8h30-20h30, sam. 9h30-14h*
Internet. Les hôtels comme les pensions sont souvent équipés de quelques ordinateurs pour une connexion à environ 2€/h (gratuite dans certains établissements).

urgences et hôpitaux

Urgences. *Tél. 112*
Hôpital Reina Sofía (hors plan). *Avenida de Menéndez Pidal (1,5km au sud-ouest du centre historique) Tél. 957 01 00 00*
Hôpital Cruz Roja (plan A3). *Paseo Victoria (à 10min à pied au nord-ouest de la mosquée) Tél. 957 42 06 66*
Pharmacie 24h/24 (plan C1). *Avenida America, 3*

presse française

On trouve des titres de presse française dans de nombreux magasins touristiques du centre historique, au kiosque à journaux de la place de las Tendillas, mais aussi dans la boutique Fidela, rue Jesús María, face au conservatoire de Musique.
Puente Azul (plan C1). Dans la ville moderne, juste à côté du palais de la Diputación, la librairie où vous pourrez trouver le plus de livres en langue française. *Calle Doce de Octubre, 15 Tél. 957 49 24 86 Ouvert 9h30-13h30 et 17h-20h30 Fermé août*

cours d'espagnol

Deux des écoles de langues les plus réputées :
Academia Hispanica Cordoba (plan B2-B3). À deux pas de la Plaza de las Tendillas. *C/ Rodriguez Sanchez, 15 Tél. 957 48 80 02 www.academiahispanica.com*
Uco Idiomas. Au sein de l'université de Cordoue. *Av. Menéndez Pidal, s/n 5ᵉ étage Tél. 957 21 85 56/81 33 www.uco.es/webuco/ceucosa/lenguas*

horaires

À Cordoue, peut-être plus qu'ailleurs, l'heure de la *siesta* semble scrupuleusement respectée. Boutiques et cafés sont pour la plupart fermés entre 15h et 17h.

fêtes et manifestations

Mars-avril	Semaine sainte
1ʳᵉ quinzaine de mai	***Concurso y festival de patios cordobeses*** : grâce à ce concours des patios fleuris, les plus beaux patios privés sont ouverts au public. Pour un avant-goût, un de ces patios est ouvert en permanence au public au n°50, Calle San Basilio.

1er week-end de mai	*Las Cruces*, la fête des croix.
Fin mai	Feria
Juillet	**Festival international de la guitare** : l'occasion de découvrir les meilleurs guitaristes de flamenco.
1er week-end de septembre	**Fête des vendanges**, à Montilla.
8 septembre	**Velada de Fuensanta** : la fête de la vierge de la Fuensanta, copatrone de Cordoue.

☆ Découvrir La Mezquita

☆ **À ne pas manquer** L'extension d'Al-Hakam II, le *mihrab* et les stalles du chœur de la cathédrale **Et si vous avez le temps...** Passez un après-midi au Hammam Medina Califal, préparez votre pique-nique avec de bons produits du terroir à la Bodegas Mezquita, Vinos y tapas

Symbole de la ville, la mosquée-cathédrale Sainte-Marie (plan B3-B4), chef-d'œuvre de l'architecture hispano-musulmane, a captivé des générations de voyageurs. De l'extérieur, cette cathédrale construite à l'intérieur d'une mosquée fortifiée a l'air un peu étrange. Car si on l'appelle toujours "la mosquée", elle a été reconvertie en cathédrale chrétienne dès la reconquête de Cordoue, il y a près de huit siècles. Il faut dire que les aspects les plus marquants de son architecture datent bien de son origine musulmane : arches majestueuses, stucs extravagants, mosaïques byzantines d'une beauté stupéfiante, tout cela a survécu au temps et aux transformations chrétiennes. Même si les chapelles et le chœur Renaissance greffé à l'intérieur rompent l'harmonie de l'ensemble, on parvient sans mal à imaginer la splendeur passée de ce qui fut un temps la plus vaste mosquée du monde musulman. Et dire qu'en 1523, malgré les protestations de la population qui ne voulait pas que l'on touche à "sa" mosquée, l'évêque Alonso Manrique, chargé des travaux, menaça de raser purement et simplement l'édifice ! La meilleure manière d'aborder l'édifice consiste sans doute à faire le tour de son enceinte fortifiée. Là, chaque détail se révèle fascinant : portes doublées de bronze martelé et ornées de heurtoirs sculptés, arcs entre-croisés posés sur de fines colonnes de marbre, stucs richement ciselés et mosaïques aux motifs géométriques. Un spectacle qui change au fil de la journée avec le jeu des ombres, et qui revêt la nuit des aspects féeriques, dans la lumière des projecteurs. *Tél. 957 47 05 12 Ouvert lun.-sam. 10h-18h30 (17h30 nov.-fév.), dim. et j. fér. 8h30-10h et 14h-18h30 (17h30 nov.-fév.) Les horaires varient lors des fêtes religieuses Pour une visite guidée, abordez les guides qui attendent près de l'entrée de la mosquée Certains parlent le français Entrée : env. 8€, réduit 4€ Guichet dans la cour des Orangers, à gauche du portail principal Entrée gratuite lun.-ven. 8h30-10h À savoir : l'entrée est libre à l'heure des offices religieux Idéal pour parcourir de nouveau (avec discrétion) les magnifiques travées de la mosquée après une première visite, même si l'accès est restreint*

La mosquée

Puerta del Perdón (porte du Pardon) Porte principale de la Mezquita, ce joli portail mudéjar du XVIe siècle se trouve au pied du clocher de la cathédrale. Cette tour des XVIe-XVIIe siècle occupe l'emplacement de l'ancien minaret de la mosquée.

GEOREGION

PROVINCE DE CORDOUE

Cordoue

ESTACIÓN DE VIAJEROS RENFE

MEDINA AZAHARA

Avenida de América

Avenida de América

Calle los Omeyas
Garelano
Villa de Rota
Hernán Ruiz
Angel Avilés
Angel Ganivet
Frav. D. Cádiz
JARDINES DE LA AGRICULTURA
Alhakén
F. de Córdoba
Fray Luis de Granada
La Bodega
Av. del Gran Capitán

Calle de San Nogeuz Serrano
Calle de Vásquez Aroca
Calle Lopez Huici
C. de Felipe II
Calle de Albaitz
Avenida de Medina Azahara
Calle Arfe
Calle Arfe
Avenida de los Mozárabes
Avenida de Cervantes

Av. Ronda de los Tejares

FACULTAD DE VETERINARIA
JARDINES DUQUE DE RIVAS
31
Plaza Escudo
C. de Robledo
CORREOS Y TELÉGRAFO

CIUDAD JARDÍN
G. Ximénez de Quesada
Avenida de la República Argentina
JARDINES DE LA VICTORIA
2 SAN HIPÓLITO
José Zorrilla
Av. del Gran Capitán
Gongora
E. Lucena
José Cruz de Conde

Plaza Costa del Sol
Antonio Maura
Miguel Benzo
Concepción
Calle Eduardo Dato
Pérez de Castro
S. NICOLÁS DE LA VILLA
GOBIERNO MILITAR
C. Morería
Conde de Gondomar

Abogado E. Barrios
Marruecos
Alcalde de la Cruz Ceballos
Paseo de la Victoria
Lope de Hoces
San Felipe
CASA DE LAS HOCES
Calle de Sevilla
Plaza de las Tendillas
Calle

Camino de los Sastres
Alcalde Velasco Navarro
Virgen del Perpetuo Socorro
LA TRINIDAD
Feria de
Horno
Trinidad
Calle R. Sánchez
Juan de Mena
José María
Digue Hortichuel

Av. del Aeropuerto
HOSTELA MELIA
11 Pl. **50**
Trinidad
BARRIO DE LA JUDERÍA
J. Valera Sta-Victoria
SANTA VICTORIA
Pla Compa

Puerta de Almodóvar
HOSPITAL
Calle Cairuan
CASA DEL INDIANO
16
Almanzor
Judíos
C. Barroso
Bl. Bellamonte
Alfa S. Ana

Plaza de la Construción
Avenida Conde Vallellano
Avenida Doctor Fleming
30
SINAGOGA
CAPILLA SAN BARTOLOMÉ
C.B. Pastor
1
Plaza Jerónimo Paez
MUSEO ARQUEOLÓGIC

Avenida Conde de Vallellano
Doctor Barraquer
Plaza de Tiberiades
Pl. de Maimonides
Pl. Juda Levi
41
Mercés
21
C. Luque
Deanes
Calleja de las Flores
V. Bosco
51
47
Encarnación
Calle Rey Heredia
Romero
A. del Castillo
ARCO DE PORTILL

Terrones
MUSEO TAURINO Y ZOCO
C. Manríquez
Medina Corella
Tomás Conde
15
23
45
Cardenal Herrero
Francés
49
48
14
Calle de Osio
44
CASA DE LA MARQUESA DEL CARPI

Puerta Sevilla
San Basilio
Calle Enmedio
Av. Doctor Fleming
32
Calle Torrijos
MEZQUITA CATEDRAL
Magistral Glz.
M. Ricker
46
10
Pza de los Abades
43

JARDINES DEL ALCÁZAR
ALCÁZAR
PALACIO EPISCOPAL
A. de los Ríos
Corregidor Luis de la Cerda
Triunfo
19
C. Cardenal Gonzáles
Miraflores

Calle Postrera
TRIUNFO DE SAN RAFAEL
PUERTA DEL PUENTE
Ronda de Isasa

Avenida del Alcázar
MOLINOS ARABES
Puente Romano
PROMENADE
GUADALQUIVIR
BARRIO DE MIRAFLORES

N
150 m
TORRE DE LA CALAHORRA

A   **B**

GEOREGION PROVINCE DE CORDOUE

Patio de los Naranjos (patio des Orangers) Calme et reposant le matin ou à l'heure du déjeuner. C'est dans ce vaste espace planté d'orangers que les fidèles se rassemblaient autour d'une fontaine pour leurs ablutions rituelles, avant de pénétrer dans la mosquée pour assister à la prière. À l'origine, la cour communiquait directement avec l'intérieur, sans aucun mur de séparation. On imagine alors les jeux de la lumière au milieu de l'extraordinaire forêt de colonnes de la mosquée.

Première mosquée Lorsqu'on entre dans ce lieu pour la première fois, on est frappé par le spectacle hors du commun de cette enfilade de colonnes en marbre soutenant des arches rouge et blanc. Un enchevêtrement de formes et de couleurs qui manifeste un grand sens de l'équilibre et de l'harmonie. La partie que l'on traverse en entrant correspond aux douze travées de la première mosquée, construite sous le règne d'Abd al-Rahman Ier. Si Cordoue compte sous le califat des centaines de mosquées, celle-ci se distingue comme mosquée principale (*mezquita aljama*). Ayant proclamé l'émirat indépendant de Cordoue, Abd al-Rahman Ier ordonne le début des travaux dès 785, sur le site de l'ancienne basilique wisigothe de San Vicente, rachetée aux chrétiens. On reconnaît facilement la partie originelle de la mosquée à la diversité de formes et de couleurs des colonnes. Ces dernières provenaient en effet de plusieurs édifices romains et wisigoths du royaume, mais aussi de l'ancienne Carthage et même d'Égypte. La plupart sont en marbre, d'autres en albâtre ou en granite. De même, les chapiteaux en marbre qui couronnent ces colonnes ont en majorité été récupérés sur d'anciens édifices romains. Mais l'aspect le plus frappant est la disposition originale des arches : deux rangées superposées, reliées entre elles par d'habiles pièces de maçonneries taillées dans la pierre. Le but de ce dispositif, outre l'enjeu purement esthétique, était de résoudre une difficile équation : comment soutenir un édifice aussi haut et massif sans recourir à de larges piliers ? L'intérieur d'une mosquée doit se caractériser par sa simplicité et sa légèreté. Et cela pour des motifs religieux (prier dans un espace lumineux et dégagé) mais aussi pratiques : l'imam doit pouvoir être vu et entendu de tous. L'alternance de pierres blanches et de briques rouges ajoute encore à l'élégance des arches.

Extension d'Abd al-Rahman II (833-848) En continuant vers le fond du bâtiment, à droite du chœur de la cathédrale, on accède à la partie correspondant à cette première extension. Pour répondre à l'accroissement considérable de la population, le souverain fait ajouter huit travées supplémentaires. Elles reprennent dans l'ensemble la disposition de la mosquée originelle. On remarquera que les chapiteaux, pour la première fois, furent réalisés par des artisans musulmans. De plus, les socles des colonnes ont été supprimés. Cette partie a été grandement amputée lors de la construction de la cathédrale. Au début des années 2000 ont été découverts des vestiges de la première construction religieuse, église wisigothe de San Vicente, dont on voit une partie au sous-sol, dans un fossé.

☆ **Extension d'Al-Hakam II (962-966)** On atteint avec cette deuxième extension l'espace le plus remarquable du point de vue de l'architecture et de l'ornementation. Influencée par la mosquée développée pour la Medina Azahara (cf. Découvrir les environs), son architecture provoque l'admiration. L'alternance de colonnes de marbre bleu de Cordoue et de marbre rose de Cabra est du plus bel effet. Les chapiteaux, très stylisés, adoptent des motifs dits "en copeaux", qui deviendront une référence stylistique. La principale nouveauté se trouve dans la partie centrale de cette extension. Un espace clairement distingué du reste par la complexité de sa conception. Des coupoles ciselées et colorées ont été construites pour apporter de la lumière. Un enchevêtrement d'arcs sculptés fait office d'abat-jour. Autre innovation esthétique et technique, les arcs polylobés qui s'entrecroisent dans les hauteurs. Une nouvelle fois, il s'agit d'une solution visant à répartir le poids des voûtes, pour alléger les structures inférieures et dégager l'espace de prière. Cet espace séparé du reste, même visuellement, correspond à la *maqsura*, l'endroit où le souverain et sa suite assistaient à la prière. Une séparation qui tient davantage à des impératifs de sécurité qu'à la volonté de marquer une hiérarchie. Les apparences sont parfois trompeuses : la chapelle royale (*Capilla real*), qui se trouve au centre, a été construite juste après la Reconquête, en 1258. Son ornementation mudéjare, avec stucs et coupole en bois sculpté fait pourtant illusion : s'il n'y avait ces figures saintes chrétiennes, on pourrait croire qu'il s'agit d'un élément original de la mosquée. On reconnaît là la touche du roi chrétien Alphonse X, commanditaire des travaux. Le souverain, surnommé "le Sage", nourrissait une grande passion pour l'art et la culture hispano-andalous. Il fit par exemple traduire le Coran et ouvrir à Murcie une université latine et musulmane. On dit qu'il rêvait de reposer dans la Mezquita après sa mort. Face à la *maqsura* se trouve la merveille des merveilles : le **mihrab**. Dans toutes les mosquées, cette niche accueille l'imam, qui y prononce la prière du vendredi. Orienté vers La Mecque, le *mihrab* évoque la présence du prophète Mahomet. Seul problème : à Cordoue, il n'est pas orienté au sud-est, en direction de La Mecque, mais au sud. Les spécialistes ne s'accordent pas sur la cause de cette originalité. Certains pensent que cela reprend le modèle de la mosquée de Damas (ville d'origine d'Abd al-Rahman Ier), d'autres affirment que le sud correspond au chemin que les fidèles devaient emprunter pour se rendre à La Mecque. Enfin, une dernière hypothèse attribue cette disposition au fait que les bâtisseurs auraient conservé un des murs de l'église wisigothe qui occupait le site. Quoi qu'il en soit, ce *mihrab*-là se distingue surtout par son raffinement extrême. Son portail comporte l'un des ensembles de mosaïques les plus importants du monde musulman, avec ceux des mosquées de Jérusalem et Damas. Réalisés par des artisans byzantins, à l'aide d'or et de pierres semi-précieuses, les motifs végétaux et géométriques (les figures humaines et animales étant proscrites par l'islam) se mêlent à des inscriptions louant Allah et le calife. Au sommet du portail, une inscription prêche la tolérance religieuse : "Croyant, quelle que soit ta foi, laisse germer et grandir en toi cette gerbe de splendeur et de feu."

Extension d'Al-Mansûr (à partir de 987) La partie gauche de la mosquée correspond sur toute sa longueur à l'ultime extension de la mosquée. Doublant presque la superficie de l'ensemble, elle ne répondait pas à une augmentation de la population des croyants mais bien au désir du souverain d'affirmer son pouvoir vacillant. Ce qui est sûr, c'est qu'elle détruit la symétrie de l'édifice, le *mihrab* se retrouvant excentré. De plus, la facture n'est plus du tout la même, puisque le travail des chapiteaux est relativement grossier et les arches désormais peintes pour reproduire l'alternance de pierre et de brique.

La cathédrale

Dès la Reconquête, la mosquée est reconvertie en lieu de culte chrétien. On construit la chapelle royale face au *mihrab* puis d'autres le long des murs latéraux. La plupart des chapelles actuelles ont été réalisées du XVIᵉ au XVIIIᵉ siècle. On peut y admirer des peintures Renaissance et des pièces illustrant le talent des orfèvres cordouans. Mais c'est en 1521 que commencent les travaux les plus ambitieux, avec la construction d'un sanctuaire chrétien complet, en forme de croix, au milieu de l'ancienne mosquée. L'architecte Hernán Ruiz s'applique à intégrer le plus harmonieusement possible cet édifice au milieu des arches musulmanes. La partie inférieure, jusqu'à la corniche, date de cette époque. L'élégante ornementation, aux évidentes influences mudéjares, ne manque pas de charme. La voûte du chœur, réalisée quelques décennies plus tard par Juan de Ochoa, choque davantage avec son décor en plâtre un peu surchargé. **Les stalles du chœur**, toutes de bois ciselé, sont en revanche un pur chef-d'œuvre du baroque espagnol (1748-1757). De même que les chaires latérales, en bois d'acajou et marbre, œuvres du Français Michel Verdignier (1770). De part et d'autre du *mihrab* sont exposés des éléments datant des premières époques de l'édifice. À droite, des pierres tombales, chapiteaux et piliers sculptés wisigoths de la basilique de San Vicente. À gauche, des éléments de l'époque musulmane, notamment des pièces du plafond original, des chapiteaux et des moulures des signatures d'artisans musulmans retrouvées sur les colonnes lors de leur restauration. Parmi les pièces les plus intéressantes figurent les ornementations originelles des portes de la mosquée.

Profiter d'un hammam

Hammam Medina Califal (plan B4). L'évocation de l'âge d'or d'*Al-Andalus* vous émerveille ? Le hammam Medina Califal reconstitue l'atmosphère et l'architecture d'un hammam traditionnel avec son bain d'eau chaude entouré d'arcades et le salon de thé propose bien d'autres douceurs. Le hammam se trouve près de la mosquée. La séance complète avec bain, massage et aromathérapie coûte 31,90€. Réservation conseillée. *Calle Corregidor Luis de la Cerda, 51 Tél. 957 48 47 46 www.hammamspain.com Ouvert tlj. 10h-0h Séance toutes les 2h*

Où faire une pause déjeuner ?

El Gallo de Oro (plan B3-B4 n°10). Cette échoppe se trouve sur l'adorable place de los Abades, près de la rue Rey Heredia. Une dame charmante y vend des poulets grillés, mais aussi de bons sandwichs au blanc de poulet (*magreta completo*, 1,40-1,80€). *Plaza de los Abades, 6 Tél. 957 47 52 04 Ouvert tlj. 9h-15h et 18h-21h (en été 19h30-23h) Fermé le mar.*

Où acheter des bijoux en argent ?

Espaliu (plan B3). Dans le centre historique, colliers, bagues et bracelets en argent, caoutchouc ou peau de serpent ! *Calle Céspedes, 12 Tél. 957 49 17 90 Ouvert été : lun.-sam. 10h30-14h30 et 18h-22h ; hiver : lun.-sam. 10h30-14h30 et 16h-20h, dim. 11h-15h*

Où dénicher de bons produits du terroir ?

Bodegas Mezquita, Vinos y tapas (plan B3). Le paradis du gourmet. Un grand comptoir de bar où vous pouvez goûter des vins et déguster de succulentes tapas combinant les produits de l'épicerie fine d'à côté ! Ingénieuse idée, d'autant que les produits, provenant essentiellement de la province de Cordoue, sont tous d'excellente qualité. La tentation de remplir son panier de petits fromages de brebis à l'huile d'olive, de miel aux amandes ou de jambons parfumés devient vite irrésistible… Tapas à partir de 2,20€. Sélection de plus de 60 vins espagnols, dont une douzaine de Cordoue. *Calle Céspedes, 12 Tél. 957 49 00 04 www.bodegasmezquita.com Ouvert tlj. 12h-0h*

☆ Découvrir la Judería

☆ **À ne pas manquer** Les ruelles du quartier et la synagogue **Et si vous avez le temps…** Rapportez des objets artisanaux du Zoco municipal, imprégnez-vous de l'ambiance populaire à la Bodega Guzmán le soir

Assez vaste, la Judería encercle littéralement la mosquée par l'ouest et le nord. C'est l'un des quartiers les plus pittoresques d'Andalousie. Ses ruelles torturées serpentant au milieu des vieilles pierres, des murs blanchis, des balcons en fer forgé décorés de fleurs et des petites places silencieuses ont conservé un air médiéval. Durant les deux premières semaines de mai, ses patios jalousement gardés derrière de lourdes portes en bois ou des grilles en fer forgé se montrent au grand jour lors du traditionnel concours des patios. On découvre alors la face cachée de la Judería, celle de ses intérieurs fleuris, lieux de vie familiale par excellence. La Calle Judería, la Calle Deanes, la Calle Romero et ses restaurants ou la très belle impasse fleurie de la Calleja de las Flores, plus à l'est, sont toujours bondées pendant la journée car très proches de la mosquée. Mais en s'éloignant un peu, surtout si l'on attend le soir, il reste possible de trouver la tranquillité propice à l'enchantement. À l'ouest du quartier, passé la Plaza de Maimónides (où se trouvent le Musée taurin et un petit souk artisanal), on remonte la jolie Calle Judíos, qui abrite la vieille synagogue. En haut de la rue, sur la gauche, se dresse l'ancienne porte fortifiée de la ville, construite par les musulmans puis remaniée par les chrétiens : la Puerta de Almodóvar. Juste à côté commence la Calle Averroès, aux allures de coupe-gorge moyenâgeux. Plus au nord, aux portes de la ville moderne, c'est le quartier de l'université de lettres, peuplé d'étudiants. On y trouve deux palais médiévaux du XVe siècle de toute beauté : l'ancienne Casa del Indiano, dont seule a survécu la façade mudéjare (Plaza Ángel de Torres), et la Casa de los Guzmanes, qui abrite les archives municipales (Calle Sánchez de la Feria). Juste au nord, dans la Calle Lope de Hoces, on découvre une minuscule église et, adossé au portail de celle-ci, le minaret d'une mosquée du Xe siècle. À l'est de la Judería, il est agréable de descendre la Calle Rey Heredia, bordée de vieilles demeures aristocratiques. Au passage, découvrez les colonnes romaines et arabes servant de protection à l'angle des maisons. En prenant la Calle Osio sur la droite, on débouche sur la charmante petite Plaza de los Abades. En bas de la Calle Rey Heredia, la Calle Cabezas, l'une des plus anciennes, part vers l'est et la fin de la Judería. Elle abrite un édifice du Xe siècle que longe une venelle large de 1m à peine.

☆ **Synagogue (plan A3)** Jusqu'à l'arrêté d'expulsion des juifs (1492), Cordoue comportait de nombreuses synagogues. Celle-ci est la seule à avoir survécu, du moins en partie. Elle est même l'une des rares synagogues médiévales encore existantes en Espagne. Dissimulée pendant des siècles sous le crépi d'une riche demeure, l'ornementation de la salle principale a été découverte par hasard à la fin du XIXᵉ siècle. Elle a aujourd'hui été restaurée. Il s'agit d'un ensemble harmonieux de stucs, décoré de motifs géométriques et végétaux d'origine mudéjare, portant des inscriptions calligraphiques en hébreu. Celles-ci contiennent la date de construction de la synagogue, 1314 et 1315, et le nom de son fondateur, Yishaq Moheb. Le plafond à caissons mérite aussi le coup d'œil. *Calle Judíos, 20 Tél. 957 20 29 28 Ouvert mar.-sam. 9h30-14h et 15h30-17h30, dim. et j. fér. 9h30-13h30 Entrée : 0,30€ Gratuit pour les citoyens de l'UE munis d'une pièce d'identité*

Museo municipal taurino (plan A3)

En pleine Judería. La collection du Musée taurin est essentiellement consacrée aux grands toreros auxquels la ville a donné naissance. Ils ont chacun leur salle sur deux étages autour du patio central d'un bâtiment historique du XVᵉ siècle, la Casa de los Bulas. Le musée ravira les *aficionados* et décevra ceux qui voudraient mieux connaître la tauromachie. Ici, on vient se recueillir devant les objets familiers et les habits de lumière des grands noms de cette tradition andalouse : El Cordobés, Machaquito, des figures de légende. Au rez-de-chaussée est célébré l'un des pionniers de la corrida moderne, Rafael Molina "Lagartijo" (fin XIXᵉ siècle). Les couloirs sont décorés d'affiches un peu jaunies. La salle la plus intéressante, à l'étage, est consacrée au célèbre Manolete qui, depuis sa mort dans les arènes de Linares en 1947, est resté dans le cœur de tous les Andalous. Des photos, des costumes, une reconstitution de son bureau privé permettent d'approcher un peu le mythe. Un article de journal paru le jour de sa mort raconte que sa dernière question fut : "On ne m'a pas donné d'oreille ?" Il fut vite rassuré : il avait si bien toréé cet Islero, qui dans un dernier sursaut l'encorna à mort, que le président de la corrida lui avait donné les deux oreilles et la queue. Elles sont d'ailleurs exposées dans une vitrine, à côté de la peau de ce taureau qui tua l'idole de tout un peuple. *Plaza de Maimónides Tél. 957 20 10 56 Fermé pour travaux (nouvelle organisation des salles) jusqu'à une date indéterminée*

Museo Arqueológico (plan B3)

À 10min à pied au nord-est de la mosquée. Ce bel édifice Renaissance regroupe, dans quelques salles et deux grands patios, une collection archéologique fort intéressante et bien mise en valeur. Les explications, agrémentées de cartes et de tableaux chronologiques, ne seront lumineuses que si vous lisez l'espagnol. Dommage car le musée permet d'embrasser plus de 5 000 ans d'histoire cordouane. Tout commence par les dolmens retrouvés dans la sierra Morena, qui remontent à quelque 3 000 ans avant notre ère. Dans la seconde salle sur la droite, la section consacrée aux rudes Ibères est formidable. Outre des pierres tombales sculptées et de superbes objets rituels en bronze, sont exposées de grandes figures d'animaux d'une expressivité étonnante. Posées devant les tombes, les temples ou les portes des villes, elles devaient, dit-on, effrayer les esprits et éloigner le mauvais sort. Dans le patio, de grandes mosaïques parfaitement conservées datent de l'époque où *Corduba* servait de capitale à la vaste province de la Bétique (IIIᵉ siècle av. J.-C.-IIᵉ siècle ap. J.-C.) À l'étage, on découvre quelques objets religieux de l'époque wisigothe, et surtout des pièces décoratives de l'âge d'or musulman d'*Al-Andalus*. En vedette, le superbe cerf en bronze ciselé. Il faisait autrefois partie d'une luxueuse fontaine de la Medina Azahara, à laquelle est consacrée toute une salle. Une bonne préparation à la découverte de ce site hors du commun (cf. Découvrir les environs). *Plaza Jerónimo Páez, 7 Tél. 957 35 55 17 Ouvert mar.*

Palacio Nazaries, Alhambra, Grenade.

Aficionados assistant à une corrida, arènes de Séville.

Village d'Olvera, Sierra de Grazalema.

Cave de jerez, Jerez de la Frontera.

Procession de la semaine sainte, Séville.

"Village blanc" de Mijas, Costa del Sol.

Elevage de moutons, Sierra de Aracena.

Hostería del Laurel, quartier de Santa Cruz, Séville.

Pêche au filet, Almería.

Puente Nuevo, Ronda.

Paysage agricole, région de Ronda.

Taureau d'Osborne, région de Séville.

Environs d'Olvera, Sierra de Grazalema.

Pélerinage d'El Rocio, région de Séville.

Zahara de la Sierra, province de Cadix.

Place d'Espagne, Séville.

14h30-20h30, mer.-sam. 9h-20h30, dim. 9h30-14h Entrée : 1,50€ Gratuit pour les citoyens de l'UE munis d'une pièce d'identité

Prendre des cours de flamenco

Conservatoire de musique de Cordoue Rafaël Orozco (plan B3). Pour des cours de guitare flamenca et classique. *Judería Calle Angel Saavedra, 1 Tél. 957 37 96 47 Fax 957 37 96 53 www.csmcordoba.com*

Où faire une pause déjeuner ?

Cafeteria La Trinidad (plan B2 n°11). Une petite cantine de quartier, en face de l'école des arts appliqués, à la frontière entre Judería et quartier moderne. À midi, bons et énormes sandwichs (de 1,50 à 3€). Ici, à l'heure de l'apéritif, la tradition des tapas gratuites avec chaque verre de vin ou de bière semble perdurer. *Plaza Trinidad, 3 Ouvert lun.-ven. 7h-21h, sam. 8h-12h Fermé dim. (attention, l'été, les horaires peuvent varier)*

Où trouver une guitare ?

Melody (plan B3). Un magasin de référence pour qui veut se procurer une guitare. Pour les débutants comme pour les professionnels. Installé au fond d'une ruelle qui part du conservatoire de musique. *Pasaje Ángel de Saavedra, 4 Tél. 957 17 01 84 info@melodymusica.com Ouvert lun.-ven. 9h30-13h30 et 17h30-20h30, sam. 9h30-13h30 Fermé août : sam.*

Où acheter des objets artisanaux ou de l'art ?

Depuis l'ère musulmane, la tradition artisanale cordouane jouit d'une excellente réputation. On peut encore acheter des articles artisanaux dans de nombreuses boutiques, notamment le long des rues de la Judería, même si la qualité n'est pas toujours au rendez-vous : l'art musulman du filigrane d'argent se résume désormais à des articles du plus grand kitsch : bateau, chapeau miniature, etc. Aménagé autour d'une splendide cour fleurie, le Zoco municipal rassemble divers magasins et ateliers d'artistes et d'artisans. Du cuir, des bijoux en argent, des objets de décoration en céramique ou papier mâché, etc. Tout cela est beau et très prisé des touristes, donc parfois un peu cher. Attention, en été, les ateliers sont souvent désertés l'après-midi. *Accès par la Calle Judíos (plan A3)*

Où acheter de la maroquinerie ?

Taller Meryan (plan B3). Installé dans une somptueuse demeure du XVIIe siècle ouverte sur deux patios, cet atelier-boutique mérite le coup d'œil. Une tradition artisanale familiale y est perpétuée depuis 1952, celle consacrée à une technique ancestrale, le cuir frappé repoussé. On trouvera ici des articles de qualité à foison, notamment des babouches, des poufs et des boîtes, de magnifiques malles… *Calleja de las Flores, 2 Tél. 957 47 59 02 www.meryancor.com Ouvert lun.-ven. 9h-20h, sam. 9h-14h*

Où dénicher de bons produits du terroir ?

Les spécialités gastronomiques cordouanes sont légion, de l'huile d'olive aux fromages de la sierra Morena, en passant par les délicieux nougats (*turrones*) d'Aguilar.

Turronarte (plan B3). Une boutique, en pleine Judería, pour se procurer les *turrones* d'Aguilar. *Calle Medina y Corella, 2 Tél. 957 47 72 79 Ouvert tlj. 9h30-21h*

Où boire un verre ?

☺ **Salón de Té (plan B3 n°1).** Un salon de thé à la marocaine en pleine Judería. Au mur, des citations d'Ibn Arabi ou d'Averroès prônent la tolérance universelle. Sur fond de musique arabo-andalouse ou de raï, on peine à choisir parmi les dizaines de thés offerts à la carte : "Madinat al-Zahra" (cannelle, cardamome, un zeste d'orange…), "Sueños de la Alhambra" (rêves de l'Alhambra)… essayez-les tous ! Pour deux, la théière moyenne (*mediana*) suffit, 4,50€. *Calle Buen Pastor, 13 Tél. 957 48 79 84 www.lacasaandalusi.com Ouvert tlj. 11h-23h30*

De la Plaza del Potro à la Plaza de la Corredera

☆ **À ne pas manquer** La Plaza del Potro et la Plaza de la Corredera **Et si vous avez le temps…** Faites votre marché le matin au Mercado Sánchez Peña, goûtez aux tapas de la Taberna Plateros

Autour de la Plaza del Potro

☆ **Plaza del Potro** L'une des places (plan C4) les plus pittoresques de la ville, dans un quartier populaire aux ruelles médiévales préservées. Elle doit son nom au poulain (*potro*) qui orne la jolie fontaine dessinée par Hernán Ruiz au XVIᵉ siècle. Cette place pavée, flanquée d'édifices médiévaux et Renaissance, s'enorgueillit d'un titre de gloire peu commun : elle est évoquée dans le *Don Quichotte* de Cervantès. Il faut dire que le quartier était le cœur de l'activité commerciale cordouane à la Renaissance et jouissait d'une grande animation. L'ancienne Posada del Potro, archétype de l'auberge espagnole à l'ancienne, possède toujours une atmosphère digne des récits de Cervantès. Tâchez de la visiter en journée, aux horaires d'ouverture de la galerie qui l'occupe désormais. Autres centres d'intérêt de la place, ses deux musées d'art.

Museo de Bellas Artes (plan C3-C4) Il occupe l'ancien Hospital de la Caridad, un hôpital ouvert au début du XVIᵉ siècle grâce au mécénat des Rois Catholiques. Ne manquez pas la fresque d'époque qui orne les murs de l'escalier principal. Rassemblant des artistes presque exclusivement cordouans, la collection du musée n'a rien d'extraordinaire mais présente quelques œuvres intéressantes. L'étage est consacré au gothique et au baroque cordouans. On remarquera quelques belles toiles de Baltasar de Águila (1540-1599) et une émouvante *Vierge aux anges* de Pablo de Céspedes (1538-1608). Au rez-de-chaussée, la section des XVIIIᵉ et

XIXᵉ siècles est assez inégale. Rafael Romero de Torres, frère de Julio (cf. Museo Julio Romero de Torres), a peint un Colomb sortant de la Mezquita, évoquant la visite du navigateur à Cordoue pour essayer de convaincre les Rois Catholiques. Au fond à gauche, l'espace réservé au XXᵉ siècle est plus riche. Des œuvres de jeunesse de Julio Romero de Torres (il est partout !), mais surtout des compositions signées Equipo 57, ce célèbre collectif cordouan des années 1950-1960. Les hispanisants s'amuseront des commentaires systématiquement enthousiastes placés sous les œuvres. L'autre aile du rez-de-chaussée accueille des peintures monumentales d'Antonio del Castillo (1616-1668), sans doute l'un des plus grands peintres du baroque espagnol. Enfin, à en croire les notices du musée… *Entrée sur la Plaza del Potro Tél. 957 35 55 50 Fax 957 35 55 48 Ouvert mar. 14h30-20h30, mer.-sam. 9h-20h30, dim. 9h-14h30 Fermé lun. Entrée : 1,50€ Gratuit pour les citoyens de l'UE munis d'une pièce d'identité*

Museo Julio Romero de Torres (plan C3-C4) Julio Romero de Torres (1880-1930) : vous ne connaissez certainement pas ce peintre mais il jouit à Cordoue d'une popularité incroyable. Pas un prospectus, pas une affiche qui n'utilise ses œuvres. C'est LA star de la peinture cordouane d'avant-guerre. Le musée occupe une maison, dans le patio du musée des Beaux-arts. C'est là que l'enfant chéri de Cordoue est né, a vécu et s'est éteint. Au rez-de-chaussée sont exposées certaines des illustrations publicitaires qui ont contribué à sa renommée. On retiendra notamment les affiches de l'Unión Española de Explosivos. Plus sérieusement, une de ses œuvres fut choisie pour figurer sur le billet de 100 pesetas de 1953. À l'étage, on retrouve ses toiles les plus célèbres. Il s'agit essentiellement de portraits, le plus souvent de jeunes femmes alanguies aux mines provocantes, dont les pâles visages se détachent sur un fond sombre à l'extrême. Sa *Chiquita Piconera* est l'une des plus célèbres. Dans *Naranjas y limones*, on voit bien des oranges mais où sont donc passés les citrons ? La dernière salle est sans doute la plus intéressante avec des œuvres plus tardives célébrant l'âme andalouse. *El Pecado* (le Péché) est le plus connu de ses nus. Dans *Cante Jondo*, l'artiste exprime une vision assez psychédélique du flamenco. *Même accès que le Museo de Bellas Artes Tél. 957 49 19 09 Ouvert mar.-sam. 10h-14h et 16h30-17h30 (17h30-19h avr.-juin et sept.-oct.) Entrée env. 4€*

Où faire une pause déjeuner ?

☺ **Taberna Plateros (plan C3 n°12).** Près de la Plaza del Potro. Comme son nom l'indique, cette adresse populaire a été ouverte par l'ancienne et influente société des orfèvres cordouans. On l'aperçoit à peine de l'extérieur mais il y a souvent foule, notamment au moment du déjeuner dominical, vers 15h. Un vaste espace autour d'un patio couvert, aux tables et chaises en bois rustique. Les voûtes en pierre résonnent des éclats de voix. Aux heures d'affluence, il faut prendre son tour au comptoir avant d'être placé. Les contrevenants risquent de ne pas voir l'ombre d'un serveur pendant une heure. Les tapas n'ont rien de très original mais elles sont d'excellente qualité. Essayez par exemple le chorizo maison ou les spécialités de morue… Comptez environ 7€ la *ración*. Menu en français. *Calle San Francisco, 6 Tél. 957 47 00 42 Ouvert sem. 8h-16h et 19h30-0h, week-end 9h-16h Fermé en août*

Autour de la Plaza de la Corredera

☆ **Plaza de la Corredera (plan C3)** Cette grande place joua un important rôle commercial dès le XVIe siècle. Mais son importance remonte bien plus loin dans le temps, puisqu'à l'occasion de travaux, on a retrouvé de belles mosaïques romaines. Ces dernières sont désormais exposées à l'Alcázar (cf. Les rives du Guadalquivir). La situation de la place et sa taille en firent également le lieu par excellence des grandes manifestations publiques. Parades militaires, cérémonies officielles, exécutions et, dès le XIXe siècle surtout, des corridas qui lui ont donné son nom. Son aspect actuel date de l'âge baroque (fin XVIIe siècle). Une époque où ont lieu à Cordoue de grands remaniements urbains, et notamment la reconstruction des places. Celle-ci est entourée d'arcades en pierre, surplombées par d'élégants immeubles à trois étages, colorés et harmonieux, qui ont gardé les petits balcons d'où le public pouvait assister aux événements organisés en contrebas. Le quartier qui s'étend à l'est de la place, jusqu'à la belle église ocre de San Pedro, mérite vraiment qu'on s'y attarde, avec ses ruelles animées, ses petits bars secrets et quelques ateliers artisanaux traditionnels.

Museo de Joyeria Regina (plan C3) Un petit musée très design présentant le processus de fabrication de la joaillerie cordouane mais aussi des expositions temporaires de peintures et sculptures contemporaines d'artistes cordouans. *Plaza D. Luis Venegas, 1 Tél. 957 49 68 89 Ouvert tlj. mai-15 sept. : 9h30-14h et 18h30-21h ; 16 sept.-avr. : 10h-15h et 17h-20h Entrée avec un guide interprète : 3€*

Où dénicher de bons produits du terroir ?

Mercado Sánchez Peña (plan C3). Allez flâner un matin du côté de ce marché qui réveillera les papilles les plus endormies : étals de fruits parfumés, présentoirs chargés de toutes sortes d'olives ou d'épices colorées, jambons fondants… les produits sont frais et l'atmosphère bon enfant assurée ! *Accès sous les arcades de la Plaza de la Corredera, à l'angle de la Plaza Cañas Ouvert tlj. sauf dim. de 6h30 à 14h environ*

Andalusí (plan C3). Dans cette coquette et rustique épicerie, les fumets de *jamón* vous font saliver dès l'entrée. Un des plus anciens magasins du quartier (ouvert en 1934), Andalusí propose sur ses étals tout ce que la région fait de mieux, du jambon sec de la Sierra aux filets de morue séchés. Produits de grande qualité garantis. *Calle Rodríguez Marín, 22 Tél. 957 48 89 61 Ouvert lun.-ven. 9h-14h et 17h30-20h45, sam. 9h-14h*

Découvrir les rives du Guadalquivir

☆ **À ne pas manquer** L'Alcázar de los Reyes Cristianos **Et si vous avez le temps…** Assistez à un concert de flamenco à l'Alcázar à l'occasion du festival international de la guitare en juillet, grimpez au sommet de la Torre de la Calahorra pour admirer la vue sur Cordoue

Au sud-ouest de la mosquée, on accède aux rives du fleuve en passant le pompeux monument rococo d'El Triunfo (plan B4) dédié à saint Raphaël, réalisé à la fin du

XVIIIᵉ siècle par le Français Michel Verdignier. Juste à côté se dresse l'arc de triomphe de la Puerta del Puente (porte du Pont, plan B4), porte érigée à la Renaissance sur l'emplacement des anciennes portes romaines et arabes. C'est là, face au pont, que s'est toujours trouvé l'accès principal à la ville. Au bord du Guadalquivir, on remarque l'imposante noria (plan B4), reconstitution de la roue construite sous Abd al-Rahman II pour alimenter en eau son palais. La reine Isabelle l'avait fait démonter au XVᵉ siècle ; installée dans l'Alcázar tout proche, elle ne supportait pas, dit-on, le grincement régulier de la roue. Avec ses seize arches campées sur de larges piliers, le Puente Viejo ou Puente Romano (Vieux Pont, plan B4) qui enjambe le fleuve dégage une impression de solidité inébranlable. À l'époque musulmane, le voyageur-géographe Idrisi écrit son admiration : "Il les surpasse tous en beauté et en solidité." Même s'il a subi de profonds remaniements au cours des siècles, on l'appelle encore le "pont Romain" car un pont existait déjà sur le site au temps de Jules César. C'est d'ailleurs l'une des raisons pour lesquelles les musulmans choisirent d'installer à Cordoue leur capitale. En le traversant, jetez un œil aux ruines des barrages et des moulins à eau qui datent de l'époque musulmane. C'est par l'Andalousie que cette civilisation a introduit en Europe la technique du moulin ; que serait Don Quichotte sans l'invasion musulmane ? De l'autre côté du pont, on accède à la tour de la Calahorra. Animée des cris des quelque 120 espèces d'oiseaux marins qui peuplent le lit du Guadalquivir, la promenade longeant la rive sud du fleuve offre de belles vues sur la mosquée et le quartier historique. Elle nous mène jusqu'au Parco de Miraflores, puis jusqu'au pont du même nom, de conception très moderne, qui relie le Barrio de Miraflores, sur la rive sud du Guadalquivir, au Paseo de la Rivera, sur la rive nord, à la hauteur de la Calle de San Fernando. *Le pont romain est fermé (pour travaux) à la circulation, y compris piétonne, jusqu'en 2008. L'accès à la tour de la Calahorra peut se faire en bus de service spécial (SE), gratuit, dont la fréquence est d'environ 20min L'arrêt est Puerta del puente*

☆ Alcázar de los Reyes Cristianos (plan A4)

On entre sous un porche massif dont la voûte simple est une merveille d'équilibre. Alphonse X le Sage accueille le visiteur avec sa grande moustache. C'est lui qui fit construire cette forteresse au cours du XIIIᵉ siècle. Sur la droite s'étendent les beaux jardins du château, avec des haies d'arbres et des bassins peuplés de gros poissons. Dans l'allée voisine du bassin latéral se dressent les statues de rois chrétiens ayant vécu dans le palais. Au fond, Christophe Colomb, de dos, s'incline devant les Rois Catholiques Ferdinand et Isabelle. Une sculpture qui évoque la première rencontre entre ces trois personnages, qui eut lieu ici en 1486. On accède au palais proprement dit par un beau patio mudéjar, avec ses orangers, ses rigoles colorées et, sur les murs, les vestiges de fresques portant les emblèmes royaux. Au fond de la cour, on pénètre dans les bains royaux, une succession de salles minuscules inspirée des hammams arabes. En revenant vers l'entrée, on accède sur la gauche à une galerie. Alphonse XII, descendant du précédent, se reconnaît à la moustache familiale. Un portrait de Sénèque fait face à un extraordinaire sarcophage romain, taillé d'un bloc dans le marbre. Sur le côté du sarcophage est sculptée une porte entrouverte, représentant l'entrée dans l'Hadès, le royaume des morts. La galerie débouche sur la grande salle de l'ancienne chapelle baroque du palais, où sont exposées de splendides et monumentales mosaïques romaines (IIᵉ-IIIᵉ siècle ap. J.-C.), à ne surtout pas manquer. La plupart d'entre elles ont été découvertes lors d'excavations sur l'actuelle Plaza de la Corredera. Les bains califates ont rouvert au public en mars 2007, après deux années de restauration, avec de nouvelles illuminations et des commentaires. *À l'ouest de la mosquée, face au Campo Santo de los Mártires Tél. 957 42 01 51 Ouvert mai-15 juin et 16 sept.-14 oct. : 10h-14h et 17h30-19h30 ; 16 juin-15 sept. : 8h30-14h30 (jardins ouverts en soirée, 20h-0h) ; 15 oct.-avr. : 10h-14h et 16h30-18h30 ; tte l'année : dim. et j. fér. 9h30-14h30 Fermé lun. Entrée : env. 4€ (gratuit moins de 14 ans et plus de 65 ans) Gratuit ven.*

Jardin Botanique Fondation publique créée en 1987 en collaboration avec l'université de Cordoue, ce jardin de 6ha, situé en bordure du Guadalquivir, a pour mission de conserver des espèces végétales pour les transmettre aux générations futures ainsi que de promouvoir le respect des milieux naturels. On y trouve un arboretum, un musée d'ethnobotanique qui présente les cultures traditionnelles travaillant les matières végétales, mais aussi un musée de paléobotanique, une banque de conservation des espèces notamment des espèces végétales présentes en Andalousie, un pavillon dit "d'Amérique" abritant plusieurs serres qui renferment des espèces florales américaines parfois rares, une roseraie et enfin une école agricole. Des visites guidées sont régulièrement organisées sur rdv pour les groupes. *Avenida de Linneo, 14004 À l'ouest de l'Alcázar www.jardinbotanicodecordoba.com Tél. 957 20 00 77 Fermé dim. a.-m.-lun. Entrée 2€, tarif réduit 1,30€ **Jardin** Ouvert printemps : 10h-21h ; été : 10h-15h et 19h-0h ; automne-hiver : 10h-18h **Musées** Ouvert printemps : 10h30-14h30 et 17h-20h ; été : 10h-14h30 et 20h-22h ; automne-hiver : 10h-14h30 et 16h-18h*

Torre de la Calahorra / Fundación Garaudy (plan B4) Au bout du pont romain, sur la rive sud du Guadalquivir. La Calahorra fut érigée au XVIᵉ siècle sur les fondations d'une ancienne fortification musulmane. Le but était bien entendu de protéger les abords du pont mais aussi du port fluvial, qui se trouvait sur l'autre rive. La tour abrite désormais le musée de la fondation Garaudy. Le philosophe français (né en 1913) converti à l'islam y expose sa vision de l'âge d'or d'*Al-Andalus*, époque par excellence de la tolérance religieuse et de l'accord entre science et théologie. Il faut quand même dire que sa condamnation en 1998 par les tribunaux français, pour propos négationnistes, assombrit quelque peu les leçons de tolérance et de paix prêchées ici. Le musée n'en reste pas moins très instructif sur *Al-Andalus*, ses penseurs et ses monuments. Dès l'entrée, on vous distribue des casques à infrarouges (disponibles en français, anglais, allemand). Vous écouterez d'abord Averroès et Ibn Arabi les musulmans, Maimonide le juif et Alphonse X le roi chrétien vous exposer leurs visions du monde, finalement très proches. D'autres salles évoquent les découvertes, scientifiques et techniques, et les musiques d'*Al-Andalus* ou représentent la ville telle qu'on y vivait sous le califat. Mais les deux salles les plus intéressantes sont celles qui contiennent les maquettes des deux monuments emblématiques de cette civilisation : la Mezquita de Cordoue, et l'Alhambra de Grenade. Idéal avant de visiter la mosquée. Les fans de Garaudy pourront suivre la projection multivision modestement intitulée "Comment l'homme devint humain", où le penseur développe une heure durant une vision personnelle de l'histoire universelle. Avant de partir, ne manquez pas la vue imprenable sur Cordoue de la terrasse de la tour. *Puente Romano Accès cf. Découvrir les rives du Guadalquivir Tél. 957 29 39 29 Ouvert tlj. 10h-14h et 16h30-20h30 (10h-18h oct.-avr.) **Multivision :** horaires variables (rens. auprès de l'office de tourisme) Entrée : 4,50€ Multivision : 1,20€ Durée de la visite : 55min Avec Multivision : 2h*

Où savourer des *churros* ?

Dans une petite échoppe aux alentours de l'Alcázar de Los Reyes Cristianos (plan A4) : épais chocolat chaud ou *cafe con leche* (café au lait) accompagné d'une ration de *churros* ou de *jeringos* (subtile différence avec les *churros*, difficile à percevoir pour les non-initiés), le tout pour moins de 1 €. De quoi vous donner des forces pour la journée entière ! *Ouvert de 8h30 à 14h tlj. sauf le lun.*

Découvrir le centre

☆ **À ne pas manquer** Le Palacio de Viana **Et si vous avez le temps...** Prenez des cours de flamenco au Gran Teatro, offrez-vous sombrero ou mantille chez Sombrerería Hros de J. Russi, faites une pause sucrée chez Hermanos Roldan

Le centre-ville actuel ne peut certes pas rivaliser avec l'intérêt architectural et le charme de la mosquée ou de la Judería, mais il mérite bien une balade. À l'est, s'étendent des quartiers populaires occupant le site de l'ancienne Ajerquia, le bas quartier autrefois réservé aux artisans. Au bout de la Plaza de Capuchinos, un escalier matérialise d'ailleurs le point de passage ancestral entre ces deux parties de la ville musulmane qu'étaient la médina (à l'ouest) et l'Ajerquia (à l'est). L'Ajerquia, qui résonnait autrefois du bruit des outils des artisans, a laissé la place à des rues calmes et pittoresques, où il fait bon déambuler à l'ombre des murs blanchis : au nord, le quartier de l'église Santa Marina, et au sud celui de l'église San Lorenzo. Au nord-ouest du centre-ville, l'Avenida del Gran Capitán est une vaste allée piétonne où les cafés font le plein en fin d'après-midi. Au nord-est, le parc ombragé de la Plaza Colón fait face au grand édifice du Palacio de la Diputación (conseil général), avec sa façade en trompe l'œil qui ne trompe personne. Il occupe l'ancien couvent de Nuestra Señora de la Merced (XVIIIᵉ siècle). Le portail d'entrée ainsi que les arcades des deux patios intérieurs sont d'un style baroque assez harmonieux. Au nord-est de la Plaza de Colón, la puissante Torre de la Malmuerta (XVᵉ siècle) a l'air bien seule, séparée des murailles sur lesquelles elle veillait autrefois. Son nom, "tour de la mal-morte", lui vient de la légende locale selon laquelle un seigneur qui avait fait tuer sa femme soupçonnée d'adultère avait été condamné par le roi à financer l'édification de la tour.

Plaza de las Tendillas (plan B2) Cœur de la ville moderne, cette place animée, dominée par de hauts immeubles administratifs qui ne manquent pas de style, est un endroit de passage pour tous les employés du quartier. Créée en 1927, elle comporte en son centre l'un des monuments les plus populaires de Cordoue : la statue équestre de Don Gonzalo Fernández de Cordoue, héros des armées du roi Ferdinand affectueusement surnommé le "grand capitaine" (el Gran Capitán). En 1503, à la tête d'une puissante flotte de guerre, il mit en déroute les armées de Charles VIII postées en Italie et offrit le territoire de Naples à la couronne espagnole. De part et d'autre de la Plaza débutent de grandes artères commerçantes où l'on trouvera toutes les plus célèbres enseignes espagnoles.

Plaza de Capuchinos (plan C2) Cette adorable place, coincée entre deux églises, est avant tout célèbre pour son *Christo de los Faroles (Christ aux lanternes,*

1794), statue représentant le Christ sur la croix, entouré de lanternes vacillantes. Très émouvante la nuit, lorsqu'elle est éclairée.

Iglesia de Santa Marina (plan C2) Bâtie juste après la reconquête de Cordoue au XIII siècle, cette église est le meilleur exemple d'architecture "fernandine", mêlant des éléments gothiques et mudéjars. À ne pas manquer, en face de l'église, l'étrange monument à la gloire du torero Manolete (1956). Le quartier est d'ailleurs réputé pour avoir donné le jour à de nombreux toreros et autres picadors.

Barrio de San Lorenzo Un peu plus à l'est, l'église San Lorenzo (hors plan) est entourée d'un quartier commerçant et animé où il fait bon flâner. Avec son porche imposant et sobre, sa tour unique aux cloches rouillées et sa large rosace en pierre, l'église impose le respect. À ses pieds dort une vieille fontaine arabe.

☆ **Palacio de Viana (plan C2)** Ce superbe palais a servi de résidence, depuis le XIV siècle, à de grandes familles de la noblesse cordouane. La dernière en date fut celle des marquis de Viana. Il est avant tout célèbre pour ses douze patios fleuris et odorants. Même s'ils abritent des mosaïques romaines, de jolies fontaines de marbre, des statues et des puits, ceux-ci ne révèlent toute leur richesse et leurs parfums qu'avec les floraisons du printemps et de l'été. L'intérieur du palais est digne d'un mini-Versailles : mobilier espagnol, français ou italien de la Renaissance, artisanat mudéjar, tapisseries d'Aubusson, tapis kilims de Perse et immenses lustres en cristal de Baccarat, tout y est. *Plaza Don Gome, 2 (au sud-est de la Plaza Colón) Tél. 957 49 67 41 Ouvert juin-sept. : lun.-sam. 9h-14h ; oct.-mai : lun.-ven. 10h-13h et 16h-18h, sam. 10h-13h Fermé dim. et j. fér. Visite complète : 6€ (patios 3€)*

Prendre des cours de flamenco

Gran Teatro (plan B2). À l'occasion du festival international de la guitare, en juillet, d'excellents stages, très prisés, de danse et de guitare flamencas sont organisés. De grands noms y participent. *Av. del Gran Capitán, 3 Tél. 957 48 02 37 et 957 48 06 44 www.teatrocordoba.com et www.guitarracordoba.com*

Escuela Concha Calero (plan C2). Une des plus anciennes et des plus réputées écoles de flamenco de Cordoue. *C/ Isabellosa, 10 Tél. 957 48 35 92 Oct.-mai*

Où faire une pause déjeuner ?

Café La Gloria (plan C2-C3 n°13). Juste au sud de la Plaza de las Tendillas. Un très joli bar, avec des éléments de décoration modernistes, un long comptoir verni et des affiches et articles de journaux presque exclusivement consacrés à la tauromachie. Son menu du jour à env. 8€ et ses *platos combinados* autour de 6,50€ en font une halte bien agréable pour les petits budgets, à toute heure du jour. *Calle Claudio Marcelo, 15 Tél. 957 47 77 80 Ouvert tlj. 8h-0h, restauration 12h30-0h*

Où acheter un disque de flamenco ?

Fuentes Guerra (plan C1-C2). Pour dénicher vinyles, CD et DVD en tout genre, le magasin de disques le plus réputé de Cordoue. Ouvert tous les jours de la semaine, toute l'année ! *Calle Caño, 11 Tél. 957 47 57 27 www.fuentesguerra.es Ouvert tlj. 10h-14h et 17h-21h, j. fér. 11h30-14h et 17h30-21h30*

Où se parer de bijoux en argent ?

Miró Arte En Plata (plan B2-C2). Dans une rue partant de la Plaza de las Tendillas. La spécialité de ces deux jeunes frères créateurs est la reproduction des pièces de monnaies anciennes en argent de la Medina Azahara, qu'ils assemblent avec goût et précision en bracelets, colliers ou boucles d'oreilles. Ils proposent également de beaux bijoux modernes en argent à des prix raisonnables. *Calle Claudio Marcelo, 11 Tél. 957 47 16 52 www.miroplata.com Ouvert lun.-sam. 9h30-14h et 17h30-21h (17h-21h en hiver)*

Où se couvrir d'un sombrero ou d'une mantille ?

Sombrerería Hros de José Russi (plan B3). Près de la mairie, face à la Cuesta Luján. Pour voir à quoi ressemble un atelier qui fabrique des couvre-chefs depuis plus de 100 ans, comprendre ce qui fait la différence entre un sombrero *cordobés* et un sevillan, ou tout simplement vous chapeauter avec élégance, vous trouverez ici du sur-mesure (entre 90 et 155€). *Calle Conde de Cardenas, 1 Tél. 957 47 79 53 Ouvert lun.-ven. 9h30-13h30 et 17h30-20h30, sam. 9h30-14h*

Où s'habiller flamenco ?

Luis Pérez (plan C2). Dans le quartier moderne, l'une des meilleures adresses d'articles flamencos de la ville. De la chaussure semi-professionnelle (à partir de 33€) à la jupe à volants traditionnelle (à partir de 18€), en passant par les inévitables castagnettes (à partir de 23€). Bon rapport qualité-prix ; idéal pour s'offrir la panoplie complète sans se ruiner. Il est aussi possible de commander des chaussures professionnelles sur-mesure cousues main. *Calle Lovera, 12 (près de la mairie) Tél. 957 47 93 39 www.luisperezflamenco.com*

Où déguster des cheveux d'ange ?

Hermanos Roldan (plan B2 n°2). Un peu excentré, dans la partie moderne de la ville, au bord du Paseo de la Victoria. Les amateurs de petit déjeuner ou de goûter gourmand feront le déplacement. Tous les produits (pains, madeleines, brioches, tartes, chocolat, glaces…) sont artisanaux et vraiment savoureux. Si vous n'avez pas encore goûté la *torta cordobésa* (fine tarte fourrée aux *cabello de ángel*, traduction littérale cheveux d'anges, sorte de compote sucrée de courge), c'est le moment ! *Calle Concepción, 18 Tél. 957 47 33 65 www.pasteleriasroldan.com Ouvert lun.-ven. 7h30-22h, sam. 8h-22h, dim. 9h-22h (tlj. 21h en hiver)*

Découvrir les environs

☆ **À ne pas manquer** La Medina Azahara **Et si vous avez le temps...** Observez les oiseaux migrateurs dans la lagune de Zoñar, achetez des pâtisseries et des confitures au couvent de San Calixto, dégustez les vins de Montilla à la Bodegas Alvear

☆ ☺ **Medina Azahara (Madinat al-Zahra)** Au début du Xᵉ siècle, l'émirat indépendant de Cordoue connaît une grande prospérité, renforcée par des circonstances politiques et militaires très favorables. Cette situation pousse l'émir Abd al-Rahman III à franchir définitivement le pas de l'autonomie politique et religieuse. Il proclame donc, en 929, le califat de Cordoue. Conformément aux traditions islamiques, le nouveau calife décide alors de construire une cité, dont la splendeur sans précédent devra refléter celle du pouvoir naissant. **Le site** est vite choisi : sur les premiers contreforts de la sierra Morena, 8km à l'ouest de Cordoue. Les travaux commencent en 940. Dès 945, le calife s'installe dans son nouveau palais. La ville qui l'entoure est baptisée Madinat al-Zahra, la "Ville brillante". La légende prétend que ce nom fut choisi en l'honneur d'une belle esclave nommée Azahara, favorite du calife. Le site aujourd'hui mis au jour par les archéologues ne correspond qu'à un dixième de cet ensemble urbain, essentiellement le quartier des palais et des administrations. Mais il faut garder à l'esprit qu'il s'agissait bien là d'une ville de 112ha, avec des quartiers résidentiels et des espaces réservés aux ateliers artisanaux. Elle devait compter à la fin du Xᵉ siècle près de 20 000 hab. Madinat al-Zahra ne brillera que d'une lumière éphémère : dès 976, le nouveau souverain Al-Mansûr fait construire une autre cité palatine, à l'est de Cordoue. La Medina Azahara perd vite de sa superbe et sera même détruite lors des émeutes de 1010 qui allaient mettre fin au califat. Elle tombera dans l'oubli jusqu'au début du XXᵉ siècle. Blotti au creux d'un vallon, le site domine la plaine du Guadalquivir. **La visite** À gauche de l'entrée, un plan d'ensemble permet de mieux comprendre la disposition originelle des lieux. Le relief irrégulier a rendu nécessaire une construction en terrasses successives. Du haut de la colline, la première terrasse surplombait l'ensemble. Bien sûr, elle abritait les édifices réservés au calife et à sa suite, symbolisant ainsi sa domination sur le peuple. Le niveau intermédiaire comprenait des jardins paradisiaques et la splendide salle de réception du calife. Enfin, tout en bas, s'étendait la ville proprement dite, dominée par la mosquée. Sur votre droite, occupant le point le plus haut du site, les vestiges de la maison royale (Dar al-Mulk), fermés au public. On pense qu'il s'agissait de la demeure du calife. À vos pieds se dressent des résidences destinées à la garnison du calife et à ses serviteurs. Sur votre gauche, en contrebas, la Dar al-Wuzara (maison des vizirs) donne un premier aperçu du caractère fastueux de l'architecture. De larges arches ouvrent sur l'intérieur de l'édifice, enfilade de salles et de patios où les membres du conseil califal (ou vizirs) veillaient à la bonne marche du califat. Une large rue pavée, couverte à l'origine, descend vers le cœur de la cité. Différentes portes le long du chemin pouvaient être fermées en cas d'attaque pour barrer la route. La rue donne sur une vaste esplanade, au pied de la porte monumentale du Grand Portique, formée autrefois de quatorze arches. C'est là que le calife venait accueillir ses visiteurs de prestige, organisant pour eux des joutes équestres. On l'aura compris, tout était fait pour souligner la puissance du souverain. En contrebas, on aperçoit la mosquée Aljama, facilement reconnaissable : son orientation vers La Mecque la distingue de tout le reste. Certains voient en cette mise à l'écart de la mosquée, hors de la forteresse (Alcázar), la preuve qu'Abd al-Rahman III voulait marquer son indépendance vis-à-vis des instances religieuses du Moyen-Orient. Un petit chemin descend, le long des remparts de l'Alcázar, vers le clou de la visite : le **salon d'Abd al-Rahman III**. Flanqué d'une luxueuse résidence pavée de marbre blanc, il dresse ses hautes arcades face à de grands jardins fleuris. Les murs du salon sont recouverts d'une incroyable ornementation en stucs, aux motifs végétaux et géométriques d'un grand raffinement. Des colonnes de marbre bleu et rose soutiennent de belles arches bicolores, qui évoquent bien sûr la mosquée de Cordoue. Construite vers 950, cette salle luxueuse servait aux réceptions officielles. L'ornementation, issue d'un subtil mélange d'influences wisigothe, perse et byzantine, marque pour les historiens la naissance d'un art califal original. On en retrouvera l'expression dans la plus belle partie de la mosquée de Cordoue. ***Medina*** *Tél. 957 35 55 06 www.juntadeandalucia.es/ cultura/museos/cama Ouvert mar.-sam. 10h-18h30 (jusqu'à 20h30 en été), dim. et j. fér. 10h-14h Entrée : 1,50€ Gratuit pour les citoyens de l'UE munis d'une pièce d'identité Prévoir de bonnes chaussures et, en été, des vêtements adaptés à la chaleur (site très exposé).* ***Accès*** *Route de Palma del Río, km5,5 À 8km à l'ouest de Cordoue par l'Avenida de Medina Azahara, puis la route A431 et enfin une petite route (suivre la signalisation) Parking payant : env. 1€* ***Bus*** *La mairie a aussi mis en place un service de bus Tél. 902 20 17 74 Départ de l'av. del Alcázar et au nord de l'av. de la Victoria mar.-ven. 11h et 16h30, sam. 10h, 11h et 16h30, dim. et j. fér. 10h et 11h 5€. Autre solution : le* ***tour organisé de la compagnie Córdoba Visión*** *(Av. Dr Marañón, 10 Tél. 957 76 02 41) Il dure env. 3h, et coûte 13€. Départ : mar.-dim. 10h30 Enfin, en* **taxi** *au départ de Cordoue, l'AR avec 1h sur place : env. 30€*

Castillo de Almodóvar del Río

La silhouette massive de ses huit tours couronnées de hauts créneaux acérés est vraiment saisissante. Le château gothique, qui surplombe le charmant bourg d'Almodóvar, a été érigé au XIVe siècle, peu après la Reconquête. Les tours furent dressées au-dessus des murailles d'une forteresse bien plus ancienne, bâtie par les musulmans (VIIIe-XIIe siècle). L'édifice d'aspect plus moderne qui se trouve dans l'enceinte du château a été ajouté au début du XXe siècle dans un style néogothique. En se promenant sur le chemin de ronde, on embrasse du regard les rives du Guadalquivir. Du donjon, *"la torre del homenaje"* (la plus haute tour du site, avec 33m), vues incroyables sur le petit village blanc d'Almodóvar del Río et sur la fertile Vega del Guadalquivir avec ses champs de maïs, de blé et de coton à perte de vue… Les jours clairs d'hiver, on apercevrait, dit-on, la sierra Nevada ! On comprend l'importance stratégique de ce bastion qui contrôle le bassin du fleuve. De nombreux combats y opposèrent chrétiens et musulmans jusqu'à ce qu'Aben Huts remette le château à Ferdinand III, en 1236. ***Almodóvar*** *22km à l'ouest de Cordoue, sur la route de Palma del Río (A431) www.castilloalmodovar.com Tél. 957 63 40 55 Ouvert lun.-ven. 11h-14h30 et 16h-19h (20h avr.-sept.), sam. dim. et j. fér. 11h-19h (20h avr.-sept.) Entrée env. 5€, enfant 0-4 ans gratuit, enfant 5-12 ans 4€* ***Restaurant médiéval*** *Ouvert les dim. et j. fér. (menu 24-30€, 19€ pour les enfants) Vêtu d'un grand tablier, chacun mange avec les mains pendant qu'évolue un bouffon*

Aguilar de la Frontera

À 6km au sud de Montilla, cette jolie petite ville déroule ses rues anciennes sur les flancs d'une colline. Comme souvent en Andalousie, elle doit son nom aux frontières qui séparaient lors de la Reconquête les royaumes chrétien et musulman ; Aguilar était en effet proche des limites territoriales du royaume nasride de Grenade. Les sites les plus intéressants se trouvent sur les hauteurs du village. La tour de l'Horloge (*Torre del Reloj*, 1774) mêle des matériaux traditionnels (brique et pierre) à une étonnante architecture baroque. Juste à côté, la belle Plaza de San José (début XIXe siècle), entourée d'harmonieux édifices à trois étages ornés de balcons, ressemble un peu à une arène. Dominant le vieux quartier de La Villa, l'église Nuestra Señora del Soterraño, dont la construction s'est étalée de 1530 au début du XVIIIe siècle, se caractérise par un mélange de genres assez réussi.

GEOREGION | PROVINCE DE CORDOUE

Son extérieur, caractéristique du style gothique-mudéjar du XVIe siècle, dissimule de belles chapelles Renaissance et baroques.

Se promener en pleine nature

Laguna de Zoñar À quelques kilomètres au sud d'**Aguilar**, une échappée pour ornithologues amateurs. En hiver, la réserve de la lagune de Zoñar accueille des dizaines d'espèces d'oiseaux migrateurs, dont de nombreuses variétés de foulques, et une espèce de canard en voie d'extinction : l'érismature à tête blanche. Le sentier part du centre d'accueil et descend vers un observatoire public, aménagé au bord de la lagune. Pour visiter, s'adresser au Centre d'accueil des visiteurs. *Tél. 957 33 52 52 Ouvert juil.-sept. : ven.-dim. 9h-14h et 18h20 ; oct.-juin : mar.-ven. 9h-14h, sam. 9h-14h et 16h-18h, dim. 9h-14h Entrée gratuite*

Parque natural de la sierra de Hornachuelos Ce parc magnifique, connu pour sa faune de rapaces et ses splendides forêts de chênes verts et chênes-lièges, peut se visiter en partie sur l'eau. Une très jolie balade en canoë ou en pirogue, de 2 à 3 heures, le long de la rivière Bembézar. Très beau, au milieu des oliviers et des eucalyptus, avec vue imprenable sur le Monasterio de Los Ángeles, en surplomb. Préférez le matin ou la fin d'après-midi en été : vous aurez peut-être la chance d'apercevoir des cerfs venus s'abreuver à la rivière ou d'impressionnants vautours moines tournoyer dans le ciel… Un petit coin de paradis sauvage. De retour sur la terre ferme, on peut ensuite découvrir les sentiers du parc naturel à partir d'**Hornachuelos**, un village tranquille qui surplombe le petit barrage du Bembézar. À la sortie du village, la CO142 part en direction du hameau de San Calixto, 17km à l'intérieur des limites du parc naturel. Après avoir dépassé le centre des visiteurs, cette petite route traverse des paysages champêtres et montagneux, de plus en plus sauvages. Au détour d'un virage, on découvre un troupeau de porcs noirs en train de paître dans les *dehesas*, ces prairies plantées de chênes, façonnées par l'homme au fil des siècles. Les troncs des centaines de chênes-lièges qui poussent sur les coteaux portent les traces de la dernière récolte. Au loin se profilent des sommets plus élevés de la sierra Morena. Perdu au milieu des collines boisées, le minuscule bourg de **San Calixto** est une divine surprise. Une grande impression de sérénité se dégage de ses maisonnettes blanchies à la chaux, de son puits ancestral et de ses treilles fleuries au printemps. Au pied de la belle église de Nuestra Señora de la Sierra (1542), qui est ouverte lors des offices à 8h30 et 19h, le couvent héberge toujours une communauté de carmélites. Ces dernières, cachées derrière le *torno* (un panneau tournant qui leur permet de faire passer leurs produits sans jamais se montrer), vendent des articles artisanaux, des pâtisseries et des confitures aux voyageurs de passage. De San Calixto, vous pouvez redescendre vers Hornachuelos ou continuer vers **Las Navas de la Concepción**. La route traverse un décor spectaculaire et il est fréquent d'y croiser cerfs et sangliers. La prudence s'impose donc. De Las Navas, la route qui redescend vers **Palma del Río** longe le lac artificiel de l'Embalse del Retortillo. Le centre des visiteurs Huerta del Rey est à 1,5km après la sortie d'Hornachuelos, vers l'intérieur du parc. Il sert de point de départ à 6 itinéraires de longueurs et de difficultés progressives. Le plus court est un sentier botanique de 1,2km. Les deux plus intéressants sont le sendero del Guadalora, balade de 3h dans la forêt longeant la rivière, et le sendero Bembézar, marche de 4h (11km) sans difficulté, avec de splendides vues sur le monastère de

Los Ángeles, laissé à l'abandon par l'Église et que tente de récupérer la municipalité, pour l'instant en vain. **Hornachuelos** À 50km à l'ouest de Cordoue par l'A431 (vers Palma del Río) puis la CO141. Le village compte trois pensions avec restaurant et des gîtes ruraux (casas rurales), rens. à l'office de tourisme, sur la route principale qui monte vers San Calixto (Carretera San Calixto), sur la droite. Tél. 957 64 07 86 www.hornachuelosrural.com Ouvert été : mar.-dim. 10h-14h ; hiver : lun.-ven. 8h-15h, sam.-dim. 10h-14h Rens. auprès du **centre des visiteurs Huerta del Rey** Tél. 957 64 11 40 Fermé pour travaux Réouverture envisagée en mars 2008. Côté gastronomie, précipitez-vous à l'Embarcadero (cf. Manger au bord d'un lac) **Promenade sur la rivière** Canoas Bembézar Tél. 957 64 00 90 et 680 90 99 24 Départ à partir de l'embarcadère, indiqué à l'arrivée à Hornachuelos Promenade en bateau (min. 10 pers.) d'env. 2h, 10€/pers. (hiver 1h, 5€/pers.) Balade en pirogue, min. 8 pers. (1h, env. 8€/pers.)

S'initier à l'escalade

Alua. Cet organisme propose de nombreuses activités de plein air encadrées par des moniteurs qualifiés, dont des initiations à l'escalade ou des formules à la journée escalade/rappel/randonnée à partir de 37€/pers. pour une journée multi-aventures classique. Minimum 6 pers. *Miguel Benzo, 16 (vers Ciudad Jardin, rue parallèle à República Argentina, près de l'hôtel Meliá Cordoba) Tél. 616 90 63 49 www.alua.es Ouvert lun.-ven. 10h-14h et 17h-20h30, sam. 10h-14h*

Où savourer les vins de Montilla ?

La réputation des vins de Montilla dépasse largement les frontières de l'Andalousie. Ils bénéficient de l'appellation d'origine contrôlée montilla-moriles, gage de qualité. La tradition viticole de Montilla est très ancienne ; l'introduction de la vigne dans la région daterait du VIIIᵉ siècle av. J.-C., à l'arrivée des Phéniciens. Des mosaïques romaines, retrouvées dans la région, évoquent les vendanges et les célébrations dédiées à Bacchus. On pense même que le philosophe romain Sénèque, né à Cordoue, possédait ici des vignes. Chaque année, le premier week-end de septembre, les fêtes des vendanges, très populaires, font d'ailleurs revivre les techniques d'antan pour presser les premiers raisins. Dans la région, le climat local est tellement chaud que les vendanges commencent dès la fin août, soit un mois avant les autres régions viticoles d'Espagne. Ce climat permet aux vins de Montilla d'atteindre naturellement un degré d'alcool élevé (15°-17°) sans ajout de sucre, avantage par rapport aux vins de Jerez. Les vins de Montilla sont d'ailleurs comparables à ceux de Jerez et sont comme eux classés en *fino*, *amontillado* et *oloroso*. Le fin du fin reste cependant un vin de dessert sombre et onctueux : le pedro ximénez. Cette spécialité tire son nom du raisin, de très bonne qualité, que l'on fait sécher au soleil avant de le traiter selon des procédés ancestraux. Vous pourrez goûter ces spécialités dans les caves, pour la plupart ouvertes au public (attention, certaines sont fermées le week-end, renseignez-vous à l'office de tourisme), mais ne vous précipitez pas dans vos achats. Curieusement, les boutiques du centre-ville et le centre commercial situé en face du Mercado Abastos proposent des prix plus avantageux que les caves. À 45km au sud de Cordoue par l'A4 en direction de Séville (carte Michelin NIV) puis la N331 en direction de Málaga **Office de tourisme** Capitán Alonso de Vargas, 3 Tél. 957 65 23 54 Fax 957 65 79 33 www.montilla.es Ouvert juil.-août :

lun.-ven. 10h-14h, sam.-dim. 11h-14h ; sept.-juin : lun.-ven. 10h-14h et 16h30-18h30, sam.-dim. 11h-14h Fermé juil.-août : a.-m.

Bodegas Alvear. La plus ancienne cave d'Andalousie (aménagée en 1724) propose une visite complète de ses chais en plus d'une dégustation. Sur rdv pour une simple dégustation. *Avenida María Auxiliadora, 1 (à l'entrée de la ville) Tél. 957 66 40 14 www.alvear.es Visites lun.-ven. 12h30, sam.-dim. sur rdv pour les groupes (7 pers. minimum) Fermé 1er-15 août Entrée env. 3€*

Bodega Marenas. Le propriétaire de cette vigne, un passionné de 31 ans, a su élaborer le premier vin rouge de qualité de Montilla. La cuvée 2004 est une splendeur. À env. 14€ la bouteille, pour une production de 4 500 bouteilles numérotées à la main en édition limitée. Visite sur rdv. *Carretera Córdoba-Málaga km44, Finca Cerro Encinas Tél. 649 68 89 48 www.bodegamarenas.com*

Union de Montilla. Cette coopérative présente la particularité de proposer depuis peu un vin rouge de Montilla, Los Omeyas. Vous pouvez le goûter dans le petit bar La Union (populaire à souhait et prix imbattables !) adjacent à la coopérative et y acheter ses produits. *Av. de Italia, 1 Tél. 957 65 18 55 Ouvert lun.-ven. 8h30-14h et 16h-18h30, en été seulement le matin Possibilité de visite du site de production sur rdv Bar ouvert tlj. 6h-2h*

Manger à Cordoue

Si les restaurants abondent aux alentours de la mosquée, la plupart ressemblent davantage à de grandes cantines pour touristes qu'aux petites tables conviviales chères aux Andalous. Mais en s'éloignant un peu, on trouve de bonnes adresses dans toutes les gammes de prix. En fin de semaine, les habitants dînent plus volontiers dans les quartiers ouest (cf. Sortir à Cordoue) que dans le centre historique. En semaine, le centre-ville, autour de la Plaza de las Tendillas, compte bon nombre de cafétérias bon marché, très populaires à l'heure du déjeuner. Côté gastronomie locale, vous ne manquerez pas de goûter à quelques classiques. La vedette absolue est l'inévitable *rabo de toro* (queue de taureau en ragoût), à déguster dans les établissements à l'ambiance taurine. L'*ajoblanco*, agréable en été, est une variété de gaspacho aux amandes. Dans le même genre, le traditionnel *salmorejo* est préparé à base de tomate et de mie de pain. Goûtez aux cœurs d'artichauts onctueux, aux spécialités de viande, de morue (*bacalao*) ou encore de fèves. Arrosez le tout de vins de Montilla, des vins secs et fortement alcoolisés (16°-20°), proches de ceux de Jerez et comme eux classés en *finos*, *amontillados* et *olorosos*. Et avec le dessert, la merveille des merveilles : le pedro ximénez. N'oubliez pas de consulter la rubrique Où faire une pause déjeuner ? des différents quartiers de la ville, où vous retrouverez des adresses de restauration à petits et très petits prix.

très petits prix

Bar Santos (plan B3 n°14). Juste à côté de l'entrée orientale de la mosquée. Qu'un bar de quartier survive dans ces parages ultra-touristiques tient du prodige. Mais le Bar Santos possède l'arme absolue : sa tortilla, qui jouit d'une réputation sans doute internationale. Le roi Juan Carlos lui-même s'est rendu sur place pour la savourer. Si l'omelette aux pommes de terre vous rebute au réveil, allez-y pour l'*almuerzo* (10h30) ou bien commandez quelque chose de plus digeste, comme les *tostadas* à l'huile d'olive. **Autour de la Mezquita** *Calle Magistral González Francés, 3 Ouvert 10h30-16h et 20h-0h Fermé jeu. et août*

Taberna La Bacalá (plan B3 n°15). À l'orée de la Judería. Une petite taverne bien agréable pour un déjeuner en terrasse. Assis à l'ombre des orangers, près d'un abreuvoir, on dévore les tapas du chef servies avec générosité (de 2,50 à 4,25€ env.). À intervalles réguliers, on entend résonner au-dessus des toits les cloches de la cathédrale. Le *flamenquín* maison (rouleau de jambon *serrano* pané) est bien préparé. On peut l'arroser d'un verre de Montilla. Une petite salle à l'intérieur, malheureusement sans âme. **Judería** *Calle Medina y Corella, 1 Tél. 957 47 26 43 Ouvert tlj. midi et soir*

Taberna Salinas (plan A3 n°16). Cette petite taverne se reconnaît à son enseigne en azulejos, près de la porte d'Almodóvar, à l'orée de la Judería. Sur les murs, des portraits de célébrités locales, toutes fédérées autour de Pepe Salinas qui a ouvert ce restaurant en 1966. On le voit en compagnie de Vincente Amigo, star du flamenco, né à Cordoue. Le patron passe d'ailleurs de la bonne musique. Vous ne bénéficierez pas de la même attention que les habitués, c'est certain. Mais avec un peu de patience, vous pourrez goûter aux excellents calamars ou aux boulettes de viande maison (*albóndigas*), servies avec une sauce très fine. En été, dînez dans la fraîcheur du *salinero*, un patio à l'arrière, installé près du site d'une réserve à sel. *Raciones* à partir de 5,75€. **Judería** *Puerta de Almodóvar Tél. 957 29 08 46 Fermé mer., dim. soir*

Casa La Paloma (plan C3 n°17). Un bar-restaurant décontracté, sur la Plaza de la Corredera. Un petit comptoir, construit au-dessus d'un puits éclairé le soir, et une poignée de tables en bois clair. En buvant un verre, on grignote quelques tapas comme les aubergines au miel (*berenjenas con miel de caña*, 4€) ou des salades au choix. Menu du jour, plus complet, à 8€. Ambiance jeune et bonne musique, surtout quand les habitués sortent leur guitare... **Plaza de la Corredera**, *4 Tél. 957 49 25 58 Ouvert tlj. 9h-0h*

petits prix

Regina (plan C3 n°18). Pour sortir un peu du centre touristique, une adresse parfaite en été pour dîner au frais sur sa petite place aux orangers ou dans son patio entre les plantes vertes. Un restaurant de quartier qui ne paye pas de mine mais l'accueil est chaleureux et les rations (env. 6,25€) et tapas (2,50€) sont bonnes et copieuses. Goûtez les *boquerones al vinagre* (morue au vinaigre), ou la *carne al jerez* (viande au xérès). **Centre** *Plaza de Regina Tél. 957 48 33 70 Ouvert lun.-ven. 8h30-16h et 18h-23h (1h ou 2h en été), sam.-dim. 10h30-16h30 et 19h-1h (ou 2h)*

Amaltea (plan B4 n°19). Voici l'endroit rêvé pour échapper aux classiques tapas. Savoureuses salades, plats aux combinaisons originales (un petit faible pour le mille-feuille de pommes de terre, avocat et morue), lasagnes de légumes, desserts gourmands, bonne sélection de vins espagnols et de thés. Le cadre est épuré et soigné, de la présentation des plats à l'ambiance sonore. On pense même aux enfants avec le *platos para niños* (pâtes sauce tomate ou riz poulet). Plats de 5 à 10€ (comptez 15-20€/pers. pour un repas complet). ***Rives du Guadalquivir*** *Ronda de Isasa, 10 Tél. 957 49 19 68 Ouvert 13h-16h et 20h30-0h (restauration jusqu'à 23h en semaine) Fermé dim. soir et lun.*

☺ **Casa Paco Acedo (plan C1 n°20).** Une petite maison jaune tapie à l'ombre de la Torre de la Malmuerta. À l'intérieur, une salle sans prétention où traînent quelques tonneaux, un patio couvert et un petit salon dédié aux héros de la tauromachie. Le grand Manolete trône dans la salle, près de quelques reliques de *toros* morts dans l'arène ; un vieux classique que ce bar-restaurant chéri des *aficionados*. Qu'on y vienne un jour d'affluence ou un midi hivernal où il n'y a personne, on se sent bien. On peut savourer de succulentes spécialités comme la perdrix aux haricots (*habichuelas con perdiz*, env. 5€ la demi-ration) ou la très réputée queue de taureau. Comptez env. 12-15€ à la carte. La liste des vins, courte mais sélective, mérite le coup d'œil. ***Au nord du centre*** *Au pied de la Torre de la Malmuerta Tél. 957 47 27 06 et 629 53 17 08 Ouvert midi et soir Fermé dim.*

prix moyens

El Churrasco (plan B3 n°21). Une des meilleures adresses de Cordoue, rapport qualité-prix. Le service est impeccable, les grillades de viande ou de poisson savoureuses et les tables côté patio fort agréables. Les gourmets carnivores ne manqueront pas l'une des spécialités de la maison, le *Churrasco*, onctueux filet de porc à la braise sauce légèrement piquante. Franc succès auprès des Cordouans le week-end ; pour plus de calme, préférez la semaine. Menu du jour à 27€, compter 31-41€ à la carte. ***Judería*** *Calle Romero, 16 Tél. 957 29 08 19 Ouvert tlj. 13h-16h et 20h30-0h Fermé en août*

Casa El Pisto/Taberna San Miguel " (plan C2 n°22). Un incontournable cordouan dans la partie moderne de la ville. Cela fait si longtemps que la Casa Pisto a pignon sur la jolie Plaza San Miguel qu'elle a fini par en prendre le nom : on l'appelle désormais la "Taberna San Miguel". L'intérieur ne manque pas de caractère avec son enfilade de salles décorées d'affiches de corridas et de flamenco. Les habitués se pressent midi et soir autour du pittoresque bar, dans l'entrée. Ils y dégustent des tapas délicieuses comme le *montadito de lomo* (env. 3€) relevé ici d'une pointe d'ail. La *morcilla* (boudin légèrement pimenté) n'est pas mal non plus. En salle, atmosphère plus touristique. Les demi-rations suffisent amplement à rassasier les petits appétits. Attention : mieux vaut s'assurer que le garçon comprend bien la commande et vérifier la note : il arrive que les tapas se transforment par inadvertance en rations... ***Centre*** *Plaza San Miguel, 1 Tél. 957 47 83 28 Ouvert midi et soir Fermé dim. et août*

prix élevés

☺ **El Caballo Rojo (plan B3 n°23).** Le cadre de cet établissement incontournable, situé juste en face de la mosquée (côté nord), n'a rien d'inoubliable. C'est un peu guindé mais idéal pour un excellent repas en tête à tête. Les deux propriétaires, Pepe et José Manuel, ont remis au goût du jour d'antiques et délicieuses spécialités mozarabes et nord-africaines. Attention, amateurs de menus minceur, passez votre chemin ! La carte en français permet de profiter pleinement des merveilles qui vous attendent. En entrée, la salade *sefardí* (séfarade) est délicieuse, de même que les cœurs d'artichauts fondants au vin liquoreux. Quant aux plats principaux, le *rabo de toro* (queue de taureau, du veau en fait) est réputé et l'agneau au miel, spécialité syrienne, vraiment succulent. Seule petite déception, les desserts. Mais voudrez-vous encore un dessert après tout ça ? Comptez 36€/pers., vin non compris. ***Autour de la Mezquita*** *Calle Cardenal Herrero, 28 Tél. 957 47 53 75 www.elcaballorojo.com Ouvert tlj. 13h-16h30 et 20h-0h*

☺ **Bodegas Campos (plan C4 n°24).** Tout près de la Plaza del Potro. La décoration de cette grande table ne manque pas d'allure. Des couleurs chaudes, un long bar verni, que surplombe la tête d'un taureau tué par le célèbre El Cordobés, des photos de beautés locales posant devant les tonneaux de la cave. On prend un petit verre de *fino*, excellent, avant de passer dans la salle du restaurant. Nappes blanches, service impeccable, dans une atmosphère pourtant détendue. La carte, saisonnière, met à l'honneur les produits du terroir, frais et sélectionnés avec soin. Les viandes, préparées simplement, garnies de légumes savoureux et de gros sel, fondent dans la bouche. Un vrai régal. José Algada, le sommelier, a concocté une liste des vins riche et variée que l'on peut déguster au verre. On peut sans inquiétude s'en remettre à lui. Il parle d'ailleurs couramment le français. Au dessert, le verre de *tres pasas*, petit verre de pedro ximénez de Montilla est offert par la maison (ainsi que le *fino* à l'apéritif) : fa-bu-leux. Comptez 42€ minimum par personne. Menu dégustation 49€. ***Autour de la Plaza del Potro*** *Calle Lineros, 32 Tél. 957 49 75 00 www.bodegascampos.com Ouvert tlj. midi et soir Fermé dim. soir*

Manger à Montilla

Parmi les spécialités locales, les *alcachofas à la montillana* (cœurs d'artichauts préparés à l'*amontillado*) et le *gazpacho blanco* (soupe froide aux amandes) : tout simplement délicieux.

prix moyens

Las Camachas. Un restaurant gastronomique incontournable, installé à Montilla depuis 1962 dans une splendide bâtisse en pierre. Excellente sélection de vins espagnols, avec son *fino* maison. Parmi les spécialités du chef, la perdrix aux petits oignons cuisinée dans son jus (*perdiz a la campiña*), la célèbre queue de taureau ou encore l'agneau au miel… *Ración* env. 6€, repas à la carte env. 20€. Un excellent rapport qualité-prix. *Av. Europa, 3 Tél. 957 65 00 04 Fax. 957 65 03 32 marales@ teleline.es Ouvert tlj. 9h-0h*

Don Quijote. Les deux étages colorés de ce bar-restaurant sont très fréquentés, surtout en fin de semaine. À la carte, de bonnes tapas, mais également des plats de viande et de poisson plus élaborés. Le menu du jour à 10€ est de très bon rapport qualité-prix. Comptez 20-25€ à la carte. *Calle Ballén, 4-6 (donne sur le début de la Calle Corredera) Tél. 957 65 12 71 www.restaurantdonquijote.com Ouvert tlj. 9h-0h*

Manger au bord d'un lac

☺ **Restaurante Ascador "El Embarcadero".** Grand cabanon aménagé au bord du barrage de Bembézar. Pour les amoureux de viande goûteuse ! Spécialités : grillades de porc ou de cerf et autres gibiers (mais aussi de *calamares* ou de poisson). Pour le dessert, laissez-vous tenter par la *"meloja"*, douceur à base de cidre et de miel. Après le repas, une *siesta* s'impose, vu les quantités servies… Ambiance décontractée ; pressés s'abstenir. Comptez env. 14€/pers. *Hornachuelos* (à 50km de Cordoue) Accès par l'avenida de Guadalquivir, en face du bar Alejandro par le chemin à droite de la fontaine Tél. 957 64 00 90 Ouvert été : tlj. de 10h30 à 16h et de 19h30 jusqu'au départ du dernier client ! ; le reste de l'année : mar.-dim. de 10h30 jusqu'au départ du dernier client !

Sortir à Cordoue

Où assister à une corrida ?

Plaza de Toros. À Cordoue, du fait de la chaleur estivale, vous ne pourrez assister à une corrida qu'au mois de mai et ponctuellement le reste de l'année. *Av. Gran Vía Parque Tél. 957 23 25 07 Visite sur rdv en dehors des corridas Pour en savoir plus sur l'agenda des corridas en Espagne, www.mundotoro.com (hélas seulement en espagnol !)*

Où boire un verre ?

Au gré de vos balades dans le centre historique ou dans les quartiers modernes, vous n'aurez aucun mal à trouver un petit café. En journée, les bars en terrasse de la Plaza de la Corredera sont bien agréables pour prendre un verre au soleil. En été, si vous voulez paraître couleur locale, commandez "*un valgas*", terme utilisé à Cordoue pour désigner le très rafraîchissant *tinto de verano*, la contraction venant de *valdepeñas* (célèbre vin espagnol) et *gaseosa* (limonade).

Bodega Guzmán (plan A3 n°30). En entrant, on se délecte d'un petit parfum de *fino*, servi au tonneau derrière le bar du fond. Des tonneaux qui dissimulent, disons-le tout de suite, du vin bien ordinaire… Mais on vient surtout pour l'ambiance populaire de ce bar, avec ses conversations animées et viriles. Ici se réunit depuis des décennies une *tertulia taurina* (association taurine) vraie de vraie. Une salle entière est d'ailleurs consacrée au héros actuel : le grand "Finito de Córdoba". Certains se souviennent encore de sa première corrida, il y a des années. Allez, un autre *fino* ! *Judería Calle Judíos, 7 Tél. 957 29 09 60 Ouvert été : 20h-0h ; hiver : 11h30-16h et 19h30-23h30 Fermé jeu. et août*

Le Musiqué (plan B2 n°31). Au cœur des splendides jardins Duque de Rivas, de loin la meilleure terrasse de la ville en été ! La tête sous les étoiles, installé dans de confortables transats en osier, sur un pouf ou sur un haut tabouret, voilà un bel endroit pour siroter un verre en écoutant un concert de jazz, de blues ou un set de DJ. Un lieu qui mélange les genres et les gens, puisque la clientèle avant minuit peut s'avérer très familiale et beaucoup plus âgée que celle qui suit. Bière env. 3€. *À l'ouest*

du centre *Paseo de la Victoria Tél. 678 68 14 14 Parking gratuit Ouvert 21h-3h en semaine (jusqu'à 4h ven.-sam.)*

Où voir un film en V.O. ?

Filmoteca de Andalucía (plan B3). Un très joli centre cinématographique avec patio, qui propose des cycles variés de films espagnols ou étrangers en V.O. sous-titrée (env. 1€ la séance). *Judería Calle Medina y Corella, 5 Tél. 957 35 56 55 et 957 47 20 18 Ouvert mar.-ven. 10h-21h (ouverture des guichets 30min avant les séances) Programme www.filmotecadeandalucia.com Pas de projection en juil.-août*

Où voir un spectacle de flamenco ?

Cordoue a donné naissance à de talentueux interprètes de flamenco, comme le guitariste Vincente Amigo. Plusieurs festivals sont régulièrement organisés, dont le festival international de la guitare, à l'occasion duquel de grands guitaristes de flamenco, mais aussi de jazz et de rock, se produisent le soir au Gran Teatro et dans les jardins et édifices du centre historique (Alcázar, jardins botaniques…). L'événement flamenco le plus réputé est le concours national de flamenco, qui a lieu tous les deux ou trois ans. *Gran Teatro (plan B2), Avenida del Gran Capitán, 3*

Noches Flamenca. Chaque année, en juillet-août, l'office de tourisme organise des spectacles de flamenco en plein air dans des patios, jardins, ou sur de petites places populaires de la ville. Souvent de bonne qualité, ces spectacles sont un excellent moyen de profiter des douces nuits d'été cordouanes. *À partir de 22h ou 22h30 Se renseigner auprès du point d'information touristique Diputacion pour la programmation et les lieux Tél. 902 20 17 74 ou sur www.turismodecordoba.org Gratuit*

Tablao Cardenal (plan B3 n°32). Cette grande salle, située dans un beau palais médiéval, est l'institution du flamenco cordouan. Bien qu'essentiellement destinés aux touristes (on parle français), les spectacles sont de qualité. De jeunes artistes, lauréats de prix nationaux, jouent et dansent avec brio. Entrée env. 22€/pers., boisson comprise. Réserver. *Autour de la Mezquita Calle Torrijos, 10 Tél. 957 48 33 20 et 957 48 31 12 Fax 957 48 39 25 www.tablaocardenal.com Spectacles du lundi au samedi à 22h30*

Où danser ?

Cordoue ne possède assurément pas la vie nocturne la plus débridée d'Andalousie. En partie parce que, contrairement à Séville et Grenade, Cordoue a une population étudiante limitée et essentiellement locale. En parcourant le soir les rues du quartier historique, vous serez bien en peine de trouver bars et discothèques animés. Mais il faut se rappeler que ce quartier est presque exclusivement réservé aux touristes. La vie, nocturne en particulier, est ailleurs. C'est sur l'Avenida de la Libertad, près de l'hôtel Córdoba Center et de la gare, que sortent la plupart des jeunes Cordouans. Il y règne une grande animation en fin de semaine. Les endroits comme Moma, En Boga, Rosso ou La Agencia ont été décorés avec soin (ouverts 23h-3h). Un peu plus à l'ouest, on trouve une atmosphère également animée, mais plutôt trentenaire et familiale, dans les alentours de la Plaza Matías Prats Cañete (repérer la tour commerciale "Zoco" qui la domine). Quand l'été arrive, les fêtards de ces deux quartiers entament leur migration vers la discothèque El Brillante (ouverte en été 23h-3h), au nord de la ville. Restaurants en terrasse et bars de nuit font le plein autour de l'Avenida del Brillante et surtout dans le quartier d'El Tablero. Les bars branchés, avec une programmation musicale de qualité, se situent plutôt dans le centre-ville. Situé à l'est de la Plaza de las Tendillas, El Soul 1 (Calle de Alfonso XIII, 3, plan B2) est une valeur sûre. Bondé le week-end, il est ouvert jusqu'à 3h du matin. Des concerts sont régulièrement organisés dans les bars voisins, comme au Jazz Café, dans la Calle Rodríguez Marín. Enfin, le meilleur endroit pour aller danser aux rythmes de musiques électro, funk ou hip-hop (selon DJ), La Mode (prononcez "Modé"), se situe Calle Arenal de l'autre côté du Guadalquivir, en face du stade de football. Une bonne option en été, car une partie de la discothèque est en plein air. Attention, personne avant 3h30, entrée généralement gratuite.

Dormir à Cordoue

Ville très touristique, Cordoue est dotée d'une infrastructure hôtelière assez vaste et très satisfaisante. Mieux vaut réserver longtemps à l'avance, surtout au printemps. Une saison où les prix ont tendance à s'envoler, sans atteindre cependant les sommets de Séville. Cordoue possède quelques pensions charmantes, à des prix raisonnables. L'immense majorité d'entre elles se situe en plein quartier historique. Elles occupent de vieilles demeures plus ou moins bien conservées et presque toujours organisées autour de patios pittoresques.

camping

Camping El Brillante (plan C1 n°40). Le camping municipal de Cordoue et le plus proche du centre-ville. Situé au bord de l'Avenida del Brillante, il s'abrite derrière de hauts murs blancs. Un camping très correct, avec de l'ombre, mais un sol un peu dur pour les campeurs douillets. Le prix de la parcelle, incluant une voiture, une tente et 2 personnes, une caravane ou un camping-car, est d'env. 20€. Bonne nouvelle pour les fêtards : en été, vous serez tout près du quartier où sortent les jeunes, dans El Brillante. Les bus n°10 et n°11 s'arrêtent devant le camping et desservent la Plaza Colón, au nord du centre-ville de Cordoue, ainsi que la gare ferroviaire Renfe. La belle piscine du camping est ouverte aux non-résidents hors saison, moyennant un droit d'entrée de 5€. *Av. del Brillante, 50 (à 2km au nord, en direction du Parador et de Villaviciosa) Tél. 957 40 38 36 www.campingelbrillante.com Ouvert toute l'année*

très petits prix

Albergue Juvenil Córdoba (plan B3 n°41). Auberge de jeunesse en plein quartier de la Judería, à 5min de la mosquée. Un édifice immense, véritable dédale de couloirs donnant sur de vastes patios ensoleillés. Basique mais propre et moderne. Pour le même prix, vous avez le choix entre dortoirs et chambres doubles, triples et quadruples, avec sdb. Pas intéressant pour les couples de plus de 26 ans : ils paieront autant que pour une double dans les pensions voisines. 14 à 16€ pour les moins de 26 ans, 18 à 20€ pour les autres (avec petit déj.). Réserver en haute saison. **Judería** Plaza Juda Levi Tél. 957 35 50 40 Fax 957 35 50 44 www.inturjoven.com Carte AJ obligatoire

Pensión Los Arcos (plan C2-C3 n°42). Proche de la Plaza del Potro. Accueil plaisant, ça sent le propre et les colonnes en pierre du patio fleuri ne manquent pas de charme. Chambres assez grandes, donnant sur le patio. 35€ la double avec sdb impeccable (30€ sans sdb). **Autour de la Plaza del Potro** Calle Romero Barros, 14 Tél. 957 48 56 43 Fax 957 48 60 11

petits prix

Pensión Agustina (plan B4 n°43). Une très jolie maisonnette près de la Plaza de los Abades, dans une rue calme. Dans le patio flottent des effluves de cuisine. Un charmant escalier monte vers quelques chambres petites et défraîchies mais correctes. Mariés ou pas, les couples auront droit à deux lits. Pas mal dans cette catégorie de prix. Seul problème : le prix semble davantage fluctuer en fonction de la tête du client que de la saison… À partir de 35-40€ la double selon la saison, sdb sur le palier. **Autour de la Mezquita** Calle Zapatería Vieja, 5 Tél. 957 47 08 72

Hostal La Milagrosa (plan B3 n°44). Dans la superbe Calle Rey Heredia, au nord-est de la mosquée. Cette petite pension familiale très propre, dont le patio déborde de plantes, céramiques et autres objets de cuivre est équipée de la climatisation et du chauffage. TV dans toutes les chambres. Celles-ci, situées au rez-de-chaussée, sont confortables (22,50€/pers. avec sdb, même tarif toute l'année). Une chambre triple aussi. Garage pour 9€/j., réservation conseillée. Bien si vous cherchez une atmosphère familiale. À noter : le philosophe et mathématicien du XIXe siècle Rey Heredia, qui a donné son nom à la rue, a fini sa vie dans cette maison. **Autour de la Mezquita** Calle Rey Heredia, 12 Tél. 957 47 33 17

Hotel Los Patios (plan B3 n°45). Face à la mosquée. Vous entrez par une allée pavée de galets et fleurie d'hortensias, qui débouche sur l'un des trois patios où se trouve le restaurant du même nom. Toutes les chambres donnent sur un patio. Double de 39€ (en août hors pont) à 75€. Un bon rapport qualité-prix (sauf le week-end à Pâques et en mai, où les prix grimpent exponentiellement – 125€). **Autour de la Mezquita** Calle Cardenal Herrero, 14 Tél. 957 47 83 40 Fax 957 48 69 66 www.lospatios.net Réservation conseillée

☺ **Hotel Mezquita (plan B3 n°46).** Sur une minuscule place, juste en face de la porte orientale de la mosquée ; on ne peut plus central. En plus, cet hôtel 2 étoiles a un charme fou. Occupant un ancien palais, il en a gardé les belles arches, les portes en bois massif, et quelques surprises. Ainsi, la chambre 10, installée dans l'ancienne chapelle des seigneurs, déborde de stucs : vous dormez sous l'œil attendri d'angelots baroques. La 4, plus spacieuse, ouvre sur les remparts de la mosquée. Accueil très prévenant, et prix attrayants en hiver : à peine plus de 41€ la double (attention, les prix montent vite le reste de l'année : 49€ en moyenne, puis 69€ HT en haute saison et 94€ HT lors de la feria !). Réservation conseillée. **Autour de la Mezquita** Plaza Santa Catalina, 1 Tél. 957 47 55 85 Fax 957 47 62 19 www.hostelmezquita.com

GEO RÉGION

PROVINCE DE CORDOUE

Hostal Séneca (plan B3 n°47). Dans une rue charmante, sur les hauteurs de la Judería. La patronne, discrète et accueillante, entretient avec soin l'un des plus beaux patios de pension de la ville. Entrée munie d'un interphone. Chambres agréables, à des prix raisonnables : env. 48-52€ la double avec sdb, 40-42€ sans, petit déjeuner inclus. Pensez à réserver toute l'année : il y a peu de chambres. *Judería Calle Conde y Luque, 7* Tél./fax 957 47 32 34 hostalseneca@hotmail.com

prix moyens

☺ **Hostal Osio (plan B3 n°48).** Dans une ruelle qui donne sur la rue de Rey Heredia. Vous trouverez plus pittoresque à Cordoue, mais il règne ici une ambiance conviviale, calme et agréable. Accueil serviable, on répond à toutes vos questions sur les activités et sorties de Cordoue. Les deux larges patios sont parfaits pour se reposer ou pour bouquiner. Les chambres, très accueillantes, comportent toutes une salle de bains. La n°12 est spacieuse, et dispose d'un fauteuil à bascule. La n°10 et la n°11, plus lumineuses, donnent sur la rue. Si vous cherchez avant tout le calme, demandez celles situées à l'étage au-dessus du second patio. Chambres doubles avec sdb de 50 à 60€ selon la saison. Réservation fortement conseillée. Connexion Internet gratuite. *Autour de la Mezquita Calle de Osio, 6* Tél. 957 48 51 65 www.hostalosio.com

Hotel Los Omeyas (plan B3 n°49). Un 2-étoiles à 1min de la mosquée. Sans charme particulier, il est spacieux et bien tenu. Le personnel est très accueillant, les chambres, fonctionnelles et très correctes pour le prix : de 60 à 75€ la double. Possibilité de parking (12€/j.). *Autour de la Mezquita Calle Encarnación, 17* Tél. 957 49 22 67/21 99 Fax 957 49 16 59 www.hotel-losomeyas.com

Hostal Luis de Góngora (plan B2 n°50). Juste à côté de la Plaza de la Trinidad. Un peu à l'écart de la mosquée, mais bien situé si vous voulez profiter des deux quartiers de la ville : l'historique et le moderne. Le grand poète Luis de Góngora est mort dans la demeure voisine. Mais les chambres, bien qu'assez petites, sont tranquilles et confortables et les nouveaux propriétaires les ont toutes équipées de la climatisation et de la télévison. Sanitaires et salles de bains ont également été refaits. De 50 à 70€ la double avec sdb. *Judería Calle Horno de la Trinidad, 7* Tél. 957 29 53 99 Fax 957 29 55 99

prix élevés

Hotel Lola (plan B3 n°51). Sur l'une des rues principales de la Judería. Une ancienne demeure aristocratique, luxueusement meublée : vitraux, dalles patinées, tableaux, bois précieux… De la terrasse aérienne, on aperçoit la tour de la cathédrale-mosquée, toute proche. La gérante de cet hôtel, Lola Carmona Morales, a un réel sens de l'hospitalité. Elle a conçu un environnement très cosy, au charme fou. Les chambres sont décorées avec beaucoup de goût. Chacune porte un nom différent. Azahara possède de belles tentures et de petits fauteuils confortables. Alba, avec sa salle de bains à azulejos, son grand miroir, ses poutres apparentes et sa petite lucarne, est l'une des plus séduisantes. Idéal pour un séjour en amoureux. Double de 89 à 128€ petit déjeuner inclus. *Judería Calle Romero, 3* Tél. 957 20 03 05 Fax 957 20 02 18 www.hotelconencantolola.com

Casa de los Azulejos (plan C3 n°52). À deux pas de la Plaza de la Corredera, cet hôtel aménagé dans une demeure du XVIIe siècle est un petit bijou. Cachet et sens du détail (coupole de l'escalier, magnifiques patios…). Chaque chambre a son caractère : la Pacifico possède une somptueuse cheminée d'origine et une salle de bains avec céramiques et plancher en bois ; la suite Buganvilla (de 120 à 170€ HT) est équipée d'une spacieuse salle de bains en marbre… Le petit déjeuner est inclus et servi sur la terrasse, parmi les plantes vertes. De 85 à 140€ HT selon la chambre et la saison. Berceaux disponibles sur demande, Wi-Fi dans les chambres et connexion gratuite dans la bibliothèque. Seulement huit chambres, réservation fortement conseillée ! Possibilité de se garer sur le parking de l'hôtel Alfaros, juste à côté (15€ par jour). Restaurant de cuisine mexicaine. *Autour de la Plaza de la Corredera Calle Fernando Colón, 5 Tél. 957 47 00 00 Fax 957 47 54 96 www.casadelosazulejos.com*

Dormir en pleine campagne

Finca Buytrón. Dans les charmants bâtiments d'une ferme du XVIe siècle, en pleine campagne. Huit chambres doubles. Si la ferme avec piscine est souvent louée en haute saison, on peut obtenir une chambre le reste de l'année. 60€ la double (prix particulier si on loue l'ensemble de la maison). *À 5km de Montilla, sur la N331 Madrid-Málaga Tél. 957 65 01 52 et 649 57 75 20 www.fincabuytron.com*

Montoro

14600

Perché sur un promontoire escarpé dominant un étroit méandre du Guadalquivir, le bourg de Montoro est l'un des plus séduisants de la province. Les ruelles blanches du centre, bien que très marquées par le poids des ans, méritent une excursion d'une demi-journée. De nombreuses boutiques vendent des produits artisanaux, de l'huile d'olive aux bottes en cuir en passant par les délicieux jambons régionaux.

Montoro, mode d'emploi

accès

EN VOITURE À 41km à l'est de Cordoue par l'autoroute gratuite A4. Mieux vaut se garer dès l'entrée du centre-ville.

EN CAR
Empresa Ramírez. Cordoue-Montoro : 10 cars/j. (5 le w.-e.). *Tél. 957 42 21 77*

orientation

Des travaux d'aménagement urbains et des modifications des accès routiers, comme la construction d'un pont, sont en cours. Attention aux problèmes de circulation que cela peut entraîner.

informations touristiques

Office de tourisme. *Plaza de España Tél. 957 16 00 89 Ouvert lun.-ven. 9h30-15h, sam. 10h-13h, dim. et j. fér. 10h-14h www.montoro.es*

Découvrir Montoro et ses environs

À voir La Plaza de España **Et si vous avez le temps…** Assistez à une corrida dans les arènes de Montoro, promenez-vous dans le parc naturel de la sierra de Cardeña y Montoro

Montoro La pierre rouge locale, la *molinaza*, à forte teneur en fer (d'où sa couleur), qui a servi à la construction des édifices de la **Plaza de España**, confère à cette dernière un charme singulier. Dominant la place, le haut clocher baroque de l'église San Bartolomé (XVe siècle) est un bel exemple de gothique-mudéjar. À droite de l'église, une petite rue monte vers l'Ermita de Santa María de la Mora (XIIIe siècle), l'une des plus anciennes églises de la province de Cordoue. Excentrées à l'autre extrémité du promontoire, les arènes de pierre rouge de Montoro accueillent régulièrement des corridas très réputées (env. 10 dans l'année, d'avril à octobre, entrée de 2 à 20€ et jusqu'à 50€ si la notoriété des toreros est grande). En traversant le pont en pierre du XVIe siècle qui enjambe le Guadalquivir, au pied de la colline, puis en grimpant en face dans le quartier de Retamal, on découvre une vue époustouflante sur Montoro.

Randonner en famille

Parque natural de la sierra de Cardeña y Montoro Il occupe les premiers contreforts de la sierra Morena. C'est l'un des meilleurs exemples de ce paysage si propre à l'Andalousie que l'on nomme *dehesa* : de vastes prairies verdoyantes parsemées de chênes-lièges et de chênes rouvres, dont les glands fournissent l'alimentation traditionnelle des porcs ibériques. La région de Cardeña est aussi l'un des habitats les mieux préservés du lynx espagnol. Ne vous faites pas trop d'illusions : vos chances d'en apercevoir un sont quasi nulles. En revanche, il n'est pas rare de croiser une harde de cerfs ou de sangliers, de voir planer un couple de vautours noirs, un groupe de grues cendrées ou un aigle impérial… Cardeña est sans doute la meilleure base pour ceux qui désirent explorer le parc. Les sentiers des alentours sont bien adaptés à des marches tranquilles, en famille par exemple. Un itinéraire rejoint Aldea del Cerezo (15km aller-retour). Ce hameau isolé, longtemps abandonné et qui a été restauré pour mettre en place les gîtes ruraux de la Venta del Cerezo, sert de point de départ à d'autres sentiers, notamment vers Venta del Charco ou encore Azuel (24km AR). Plusieurs itinéraires de randonnée et de VTT figurent sur la carte au 1/50 000 du Servicio Geográfico del Ejército, n°882, "Cardeña". ***Centre d'accueil des visiteurs*** *(Centro de Visitantes Venta Nueva) Juste avant l'entrée de Cardeña, en arrivant de Montoro Tél. 677 90 43 08 Ouvert juil.-sept. : ven.-dim. 10h-14h et 18h-20h ; avr.-juin : mar.-dim. 10h-14h et 16h-18h ; oct.-mars : mer.-ven. 10h-14h et 16h-18h Si vous arrivez en car (attention un seul car par jour de Cordoue à Cardeña via Montoro, départ fin d'après-midi, et de Cardeña à Cordoue, départ 6h du matin !), il faudra prendre un taxi ou marcher pour atteindre le Centro de Visitantes (1km)*

Dormir à Montoro et dans les environs

Vous ne trouverez comme hébergement dans le centre historique de Montoro qu'un gîte rural, la Casa Maika (Calle Salazar, tél. 957 16 02 73) et l'hôtel Mirador (tél. 957 16 51 05) qui a ouvert ses portes en 2007.

petits prix

Hostal Montoro. L'unique pension, de style motel, à la sortie de la ville, en direction de Cordoue. Mais sa situation, au bord de l'autoroute, en fait au mieux une solution de dépannage. Chambres doubles à environ 41€. *Autovía Madrid-Cádiz, km357 Tél. 957 16 07 92*

prix élevés

La Colorá. À 9km au nord-est de Montoro, en passant le pont des Donadas sur la route sinueuse d'Adamuz, un splendide hôtel rural installé dans les murs d'un *cortijo* et de son moulin à huile du XVIIIe siècle. Un petit coin de paradis, isolé dans les vallons moutonnés d'oliviers à perte de vue. Piscine en plein air. Une quinzaine de chambres doubles (100€ HT) et deux suites (250 et 300€ HT) dont les prix augmentent de 20% en saison (Noël, Pâques et juil.). Petit déjeuner compris. Téléphonez pour réserver ; même si la route sinueuse pour y accéder est absolument splendide, ce serait dommage de venir jusqu'ici pour rien ! *Carretera Adamuz Montoro, km9 Tél. 957 33 60 77 www.lacolora.com Fermé août*

Zuheros
14870

Accroché aux premiers contreforts de la sierra Subbética, Zuheros dresse les murailles de son château médiéval au pied de hautes falaises. Ce petit village montagnard aux ruelles blanches et escarpées est vraiment attachant. Sur les routes qui traversent les champs d'oliviers de la commune, on croise de vieux paysans burinés chevauchant leur âne. Avis aux randonneurs : Zuheros constitue la porte d'entrée idéale pour accéder au vaste Parque natural de la sierra Subbética, sillonné par une multitude de sentiers balisés. Bref, c'est l'endroit rêvé pour vous remettre des longues visites cordouanes et vous préparer aux interminables nuits de Grenade. Ou le contraire.

Zuheros, mode d'emploi

accès

EN VOITURE À 78km au sud-est de Cordoue par la N432 puis l'A304.

EN CAR
Carrera. De Cordoue : lun.-ven. 4 départs quotidiens, sam, dim et j. fér. 2 départs/jour. *Tél. 957 40 44 14*
Linesur. De Séville : 5 départs quotidiens. Le voyage est très long, car il s'agit d'un omnibus *Tél. 954 98 82 22 et 954 41 71 11 (mairie de Séville) www.linesur.com*

informations touristiques, adresses utiles

Pour s'informer sur les randonnées de la région, il est possible de s'adresser à l'office de tourisme, ou à l'accueil de l'hôtel Zuhayra, qui dispose de topos et de plans très précis des itinéraires (en français !).
Point d'informations touristiques. *À 1km de Zuheros, à côté de la Via Verde, sur la route en direction de Baena, km1,5 Tél. 957 09 00 33 Ouvert mar.-jeu. 9h-14h et 18h-20h (17h-20h mai-juin et sept.-oct. ; 16h-18h nov.-mars), ven., sam. et dim. 10h-14h*
Banque. Zuheros compte deux banques (ouvertes lun.-ven. 8h30-14h) et deux distributeurs, Plaza de la Paz et Calle Cerrillo.

Découvrir Zuheros

☆ **À ne pas manquer** Le village de Zuheros **Et si vous avez le temps...** Appréciez la fraîcheur dans la Cueva de los Murciélagos, traversez la sierra Subbética jusqu'à l'ermitage de la Virgen de la Sierra, goûtez l'huile d'olive de Zuheros à la S.C. Olivarera Nuestra

Castillo-Palacio de Zuheros Les murailles imposantes de ce château, encadrées par des falaises abruptes, dominent la Plaza de la Paz, en plein centre du village. On pense que les premières fortifications furent édifiées par les musulmans, qui appelaient le village *Zuhayra*. Mais les plus anciens éléments de l'actuel château remontent aux XIIIe et XIVe siècles, après la Reconquête. Plus récente, la partie abritant le palais des seigneurs de Zuheros (XVIIe siècle) a été fort bien restaurée. En face du château, sur la Plaza de la Paz, se dresse l'église de Zuheros, sur le site d'une ancienne mosquée. *Château et musée d'Archéologie Tél. 957 69 45 45 Ouvert tlj. 10h-14h et 17h-19h (16h-18h oct.-mars), sam.-dim. et j. fér. visites toutes les heures Entrée 1,90€ Possibilité de forfait avec l'entrée des grottes (achat aux grottes) 6,25€*

Cueva de los Murciélagos La "grotte des Chauves-Souris". Rassurez-vous, la grande majorité des chauves-souris qui peuplaient la grotte a depuis longtemps été emportée par une épidémie de rage. Un double intérêt historique et géologique pour cette vaste grotte. La fréquentation de l'endroit remonterait à plus de 30 000 ans ; le site a longtemps servi de nécropole. Près de l'entrée subsistent quelques vestiges de peintures rupestres. La visite vous emmène vers les entrailles de la grotte, sur un petit sentier au fort dénivelé (prévoir de bonnes chaussures). Les formations géologiques sont bien mises en valeur par l'éclairage. Sans être extraordinaire, la visite est cependant plaisante, surtout au plus fort des chaleurs estivales (température moyenne des salles : 9°C). Un écomusée, complétant la visite de la grotte en reconstituant l'écosystème des chauves-souris, a ouvert en 2007.

Deux belvédères sont disposés près de la grotte, au bord de la route. Très belle vue sur le village et la vallée : l'endroit idéal pour contempler le coucher de soleil sur la sierra. *À 4km de Zuheros, sur la petite route escarpée qui part du village. Entrée de la grotte environ 200m après le parking (gratuit). Tél. 957 69 45 45 www.cuevadelosmurcielagos.com Visite lun.-ven. sur réservation 12h30 et 17h30 (16h30 en hiver), sam., dim. et j. fér. (réservation vivement conseillée) 11h, 12h30, 14h, 17h et 18h30 (16h et 17h30 en hiver) Durée de la visite environ 1h Adulte 5,50€, enfant 4,20€*

Où acheter des produits du terroir ?

Los Balanchares. Cette fromagerie vend de délicieux fromages de chèvre mais aussi du jambon fondant au vinaigre balsamique. Possibilité de dégustation sur place. *Juste avant d'entrer dans Zuheros Carretera Zuheros-Baena Tél. 957 69 47 14 Ouvert lun.-ven. 9h-14h et 15h30-18h30, sam. 9h-14h*

S.C. Olivarera Nuestra Sra-del Perpetuo Socorro. Au même titre qu'un vin d'appellation contrôlée, la savoureuse huile d'olive produite par cette coopérative bénéficie de la dénomination d'origine Virgen extra de Baena. Si vous visitez Zuheros entre novembre et février, vous pourrez visiter l'usine et goûter l'huile fraîchement tirée des cuves ! *Un peu plus haut sur la route de Baena à Zuheros, Calle Extremadura Tél. 957 69 45 93 Ouvert tlj. 7h-20h (en été lun.-ven. 9h-14h)*

Découvrir les environs

Priego de Córdoba Cette ville de 23 000 hab. est située en bordure du parc naturel, au sud-est. Une étape moins plaisante que Zuheros mais qui mérite une excursion d'une journée si vous avez le temps. Car, passé les faubourgs industrieux, Priego recèle de véritables trésors de l'architecture baroque. La plupart des nombreuses églises de la ville ont été bâties au xviiie siècle, âge d'or du commerce de la soie, qui fit sa richesse. Même si les sites d'intérêt ne manquent pas, trois d'entre eux sortent vraiment du lot. Érigée au xvie siècle selon les règles du gothique, la belle Parroquia de la Asunción (église de l'Assomption) a été dotée au xviiie siècle d'une ornementation baroque. Véritable chef-d'œuvre de Francisco Pedrajas, les stucs exubérants de la chapelle d'El Sagrario sont l'un des fleurons du baroque andalou. De l'époque musulmane, Priego a conservé les ruelles enchevêtrées bordées de maisons blanchies à la chaux du Barrio de La Villa. Enfin, au bout de la Calle del Río, la Fuente del Rey (fontaine du Roi, fin xviiie siècle), mélange d'inspirations baroque et néoclassique, vaut le coup d'œil. *Rens. office de tourisme Carrera de las Monjas, 1 Tél. 957 70 06 25 www.turismodepriego.com Ouvert lun.-sam. 10h-14h et 16h30-19h, dim. et j. fér. 10h-14h*

Zagrilla Alta Sur la belle route qui mène de Zuheros à Priego de Cordoba (40min. *via* Luque - Fuente Alhama - El Esparragal - Genilla), faites une pause dans ce petit village pittoresque tout en pente, où les femmes utilisent encore le lavoir. Entre Zagrilla et Genilla, le magnifique hôtel-restaurant La Huerta de las Palomas est une halte idéale pour déjeuner ou passer la nuit (chambre double à partir de 82€ HT). *Ctra Zagrilla, km3,5 Tél. 957 72 03 05*

Échappée dans la sierra Subbética

Faune et flore abondantes, dénivelé assez limité et petits villages en bordure du parc font de la sierra Subbética un excellent terrain de randonnée. De nombreux sentiers traversent les beaux paysages de cette région de moyenne montagne au relief accidenté, de type karstique. Zuheros est le point de départ de plusieurs marches. Les plus agréables longent le canyon creusé par un torrent, le Bailón. Départ au pied du village, près d'un petit pont. Après une courte ascension, avec de superbes vues sur les rues blanches du village, on flâne le long du torrent, en regardant les grimpeurs qui s'attaquent aux parois du canyon. Plus loin, le sentier traverse des vallées boisées, de vastes *dehesas* (prairies) et des coteaux façonnés par les cultures en terrasses ancestrales. Avec un peu de chance, vous apercevrez des vautours noirs ou fauves. Plusieurs boucles, de longueurs et de difficultés progressives, permettent de profiter pleinement de ce cadre de toute beauté. Le top du top reste cependant de traverser tout le nord du parc, jusqu'à l'ermitage de la Virgen de la Sierra. Une marche sans grande difficulté mais longue (25km aller-retour, avec 600m de dénivelé), que seuls les randonneurs confirmés et bien équipés pourront réaliser dans la journée. Le camping sauvage est interdit dans le parc. Attention : en été, les fortes chaleurs et le manque d'ombre peuvent rendre la marche pénible.

Ermita de la Virgen de la Sierra La petite route en lacets qui monte vers l'ermitage vaut à elle seule le détour. Au bout de la route, tout près du sommet du mont El Picacho (1 217m), on accède au sanctuaire, objet d'une grande vénération depuis le Moyen Âge. Toute l'année, les pèlerins viennent rendre hommage à la Vierge de la Sierra. Son émouvante statue, parée de blanc et portant dans les bras son enfant, est placée au fond de l'église, derrière une vitre. L'intérieur de l'église, rénové au XVIIᵉ siècle dans un style résolument baroque, met à l'honneur le beau marbre rose de Cabra, que l'on retrouve dans la Mezquita de Cordoue. Le pèlerinage le plus important a lieu chaque année à la mi-juin : c'est la Romería de los Gitanos, qui réunit des milliers de pèlerins, en majorité issus de la communauté gitane, dans une atmosphère de liesse. Au-dessus du sanctuaire, au sommet d'El Picacho, se trouve une table d'orientation : par temps clair, la vue porte jusqu'aux sommets de la sierra Nevada au sud-est et embrasse la basse vallée du Guadalquivir au nord. C'est sans doute l'un des plus remarquables panoramas d'Andalousie. Sur le chemin du retour, au croisement des deux routes, la Venta de los Pelaos, très fréquentée le samedi, propose des plats régionaux à des prix raisonnables. Plus copieux que raffiné. *Accès au sanctuaire : prendre la route en lacet (7km) qui part sur la gauche de la route Priego-Cabra, 8km à l'est de Cabra* **Office de tourisme** *Calle Santa Rosalia, 2 Cabra Tél. 957 52 01 10 www.turismodecabra.es Ouvert lun.-ven. 10h-13h30 et 17h-19h30, sam., dim. et j. fér. 11h-14h*

Manger, dormir à Zuheros

Profitez de votre séjour à Zuheros pour déguster les produits de ce terroir montagnard : fromages de chèvre frais, huile d'olive et charcuteries.

GEORÉGION

PROVINCE DE CORDOUE

prix moyens

Mesón Los Palancos. Sur la place du château, le Mesón Los Palancos propose un choix assez large de tapas, notamment de savoureux champignons grillés (env. 8,50€ la *ración* de champignons au jambon et aux crevettes). En été, la terrasse est idéale pour prendre un verre. *Plaza del Castillo Tél. 957 69 45 86*

Restaurant de l'hôtel Zuhayra. La meilleure adresse. On y sert de la bonne cuisine régionale à des prix modérés. À tester, le *remojón*, une salade d'oranges fraîches, morue, huile d'olive et œuf dur. Le *plato zuhereño* (env. 9€) est un assortiment de boudin, chorizo et œufs. Revigorant après une journée de marche. Notre coup de cœur : l'assiette de fromages locaux, absolument délicieux. Rappel : en Espagne, on commande le fromage en entrée. Comptez env. 22€. *Tél. 957 69 46 93 Au 1ᵉʳ étage Ouvert tlj. 14h-16h et 20h30-22h30*

Appartements Señorio de Zuheros. Tout nouveau, tout propre. Dix-sept appartements pour 2 à 5 personnes, gérés par des jeunes de la région. Imparable pour les tuyaux escalade, les itinéraires de randonnée, de VTT… Le bar installé sur le toit offre une vue grandiose sur les rochers de calcaire, la tour du château et les oliviers à perte de vue : un vrai décor de cinéma. Comptez 52€ pour un petit studio 2 pers./j., prix dégressif pour un séjour de plus de trois jours. *Juste à côté de la Plaza de la Paz, Calle Horno, 3 Tél. 957 69 45 27 et 686 77 40 71 www.subbeticaviva.com*

Hotel Zuhayra. Près du château. Coup de chance : le seul hôtel du village est une bonne adresse. Chambres spacieuses et impeccables, grand sens de l'hospitalité, bon restaurant. Entrée gratuite pour la piscine en plein air du village. De 51 à 64€ HT la double selon la saison, petit déjeuner inclus. Réservation conseillée. *Calle Mirador, 10 Tél. 957 69 46 93 Fax 957 69 47 02 www.zercahoteles.com*

GEOREGION

PROVINCE DE CORDOUE

GEORÉGION

Qui ne connaît, au moins de réputation, la Costa del Sol ou l'ambiance très jet-set des boîtes de Marbella ? Or les stations balnéaires ne sont pas les seuls attraits de la province de Málaga. La ville, dominée par sa forteresse musulmane, a un grand sens de la fête, une Semaine sainte somptueuse, des bars à tapas attirants. Mais surtout, l'arrière-pays, avec Ronda, reste une destination des plus romantiques. C'est aussi le point de départ pour explorer les monts de la serranía de Ronda. Merveilles de la nature, les falaises d'El Chorro et les chaos rocheux d'El Torcal méritent le coup d'œil. Au nord, la séduisante Antequera ne compte plus ses clochers, manifestes d'art chrétien à l'ombre de la vieille sentinelle musulmane.

À ne pas manquer Marbella, Gaucín, Ronda et la sierra de Grazalema

Et si vous avez le temps... Visitez Málaga pendant la Semaine sainte, passez un après-midi à la plage et vivez une nuit festive à Marbella

Province de Málaga

GEO**MEMO**

Ville principale	Málaga (561 000 hab.), capitale de la province
Informations touristiques	OT de Málaga Tél. 952 12 20 20
Espaces naturels protégés	parc naturel Torcal de Antequera, parc naturel de las Nieves
Plages	Benalmádena, Torremolinos, Marbella, Casares
Spot de surf	Casares
Spécialités	vin de málaga, gaspacho, jambon (sierra de Grazalema)

PROVINCE DE MÁLAGA **GEOREGION**

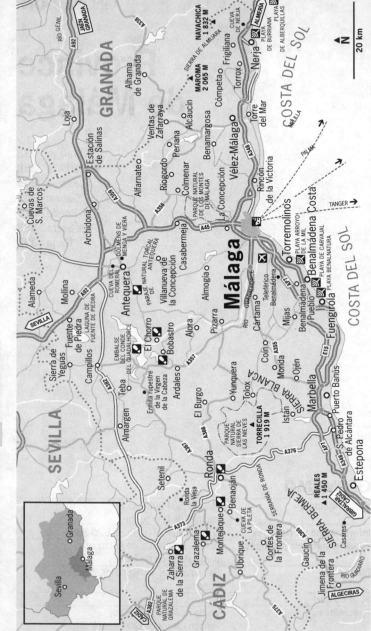

Málaga

29000

Même si la plupart des touristes estivaux ne connaissent que son aéroport, porte d'entrée de la Costa del Sol, Málaga mérite pourtant d'être découverte. La deuxième ville d'Andalousie (561 000 hab.) n'a rien à voir avec les stations balnéaires des environs, comme Benalmádena-Costa ou Torremolinos, sorties de nulle part et qui ne vivent qu'aux beaux jours. Son histoire, riche en rebondissements, a notamment laissé une superbe forteresse et des quartiers chargés de nostalgie. Son centre historique regorge de musées et de nombreux projets sont en cours, car Málaga a présenté sa candidature pour devenir en 2016 "Capitale européenne de la culture". C'est une ville dynamique, fière de ses grandes fêtes annuelles, de l'éclat de sa vie nocturne et du délicieux vin doux auquel elle a donné son nom.

UNE VILLE PORTUAIRE Le site privilégié de Málaga n'a pas échappé aux Phéniciens qui fondent au VIIIe siècle av. J.-C. une colonie nommée *Malaca*. Les Romains conquièrent la ville au IIIe siècle av. J.-C. et en font l'un des principaux ports des colonies. Après la conquête musulmane, Málaga dépend du règne de Cordoue, avant de passer aux mains des Nasrides de Grenade à la chute du califat. La ville, protégée par sa forteresse, résiste aux troupes catholiques jusqu'à sa reconquête en 1487. Au XVIe puis au XVIIIe siècle, le développement du port de Málaga assure à la ville une grande prospérité économique, en particulier grâce au commerce avec les Amériques. Au XIXe siècle, la révolution industrielle apporte un surcroît de richesse, avant une longue crise qui durera toute la première moitié du XXe siècle. Málaga a depuis retrouvé son élan, grâce à l'activité portuaire et, plus récemment, touristique sur la Costa del Sol. Elle devient aussi la "Silicon Valley" espagnole avec un pôle technologique croissant.

Málaga, mode d'emploi

accès en avion

Aéroport (plan 1, A2). À 9km à l'ouest de Málaga par la E15/N340. *Tél. 952 04 88 04*
Liaisons aéroport-centre-ville (Alameda Principal). Prendre le bus 19. Arrêt à droite de la sortie principale de l'aéroport. Horaires : de 7h à 0h au départ de l'aéroport et de 6h25 à 23h35 au départ du centre. Billet : env. 1€. Départs toutes les 30min. Trajet 30min. En train : les trains *cercanías* font la liaison avec le centre-ville. Départ toutes les 30min, trajet env. 15-20min. Billet : env. 1,30€. À savoir : l'aéroport est en travaux et l'accès en voiture ainsi que le stationnement peuvent s'avérer difficiles. Mieux vaut emprunter les transports en commun pour s'y rendre.
Bus Tél. 902 52 72 00 **Train** *Renfe Tél. 902 24 02 02 www.renfe.es*
Air France. *Aéroport de Málaga Tél. 952 04 81 92 (ou 94) Service de réservations Tél. 902 20 70 90 www.airfrance.com*
Iberia. *Aéroport de Málaga Tél. 902 40 05 00 et 952 13 62 92 www.iberia.es*
Swiss International Airlines. *Aéroport de Málaga Terminal Pablo R. Picasso Réservations Tél. 901 11 67 12 www.swiss.com*

GEORGION

PROVINCE DE MÁLAGA

Málaga (plan 1)

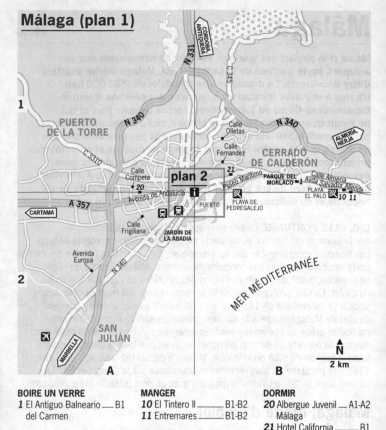

BOIRE UN VERRE
1 El Antiguo Balneario —— B1
  del Carmen

MANGER
10 El Tintero II ———— B1-B2
11 Entremares ———— B1-B2

DORMIR
20 Albergue Juvenil —— A1-A2
  Málaga
21 Hotel California ———— B1

accès en train

Gare Renfe (plan 2, A4). Près de la gare routière. Grenade : 3 trains/j. (un changement à Bobadilla) dans les 2 sens. Séville : 5 à 6 trains/j. dans les 2 sens. Cordoue : 6 à 10 trains/j. Ronda : 1 à 2 trains directs/j. Algésiras : 3 à 5 trains/j. (changement à Bobadilla). *Tél. 902 24 02 02 www.renfe.es*
Les trains *cercanías*, qui relient Málaga à la Costa del Sol, partent de la gare Centro-Alameda, derrière la poste centrale : liaison régulière (toutes les 30min) avec Benalmádena et Torremolinos.

accès en car

Les cars qui desservent la côte partent de la station de cars sur l'Av. Muelle de Heredia (plan 2, B3). Pour les autres destinations, se rendre à la gare routière.

Gare routière (plan 2, A4). *À côté de la gare ferroviaire. Tél. 952 35 00 61*
Alsina Graells. Relie Málaga à Séville (env. 10 cars/j. dans les 2 sens, trajet 2h45),
Grenade (env. 17 cars/j., 2h), Cordoue (5 cars/j., 3h), Almería (6 à 9 cars/j., 3h en
car direct) et Nerja (19 cars/j.). *Tél. 952 31 82 95 et 952 34 17 38*
Portillo. Les cars circulent sur toute la Costa del Sol, mais également entre Málaga
et Ronda (de 4 à 5 cars/j., trajet 2h environ, 2h45 en omnibus). *Tél. 902 14 31 44
www.ctsa-portillo.com*

accès en voiture

À 217km de Séville, 257km de Cadix et 129km de Grenade.

Málaga et ses environs

(en km)	Málaga	Benalmádena	Marbella	Gaucín	Ronda
Benalmádena	28				
Marbella	59	36			
Gaucín	126	104	70		
Ronda	117	93	60	37	
Grenade	129	152	183	251	184

orientation

Le centre-ville n'est pas très étendu et se parcourt facilement à pied. Encadré par
le fleuve (río Guadalmedina) à l'ouest et la colline de l'Alcazaba à l'est, il regroupe le
quartier du marché, la Plaza de la Constitución, la cathédrale et la Plaza de la Merced.
La grande artère de Málaga est l'Alameda Principal, séparant le quartier du marché
de celui du port. À l'est du centre-ville, on accède aux arènes et au Paseo Marítimo,
longeant la plage de la Malagueta.

informations touristiques

L'aéroport et la gare routière disposent également d'un kiosque d'informations et
divers autres points d'informations sont répartis dans la ville (château de Gibralfaro,
Paseo de Reding, Poste, Alcazaba…). *www.malagaturismo.com www.ayto-malaga.
com www.andalucia.es*
Plaza de la Marina (plan 2, B3). *Tél. 952 12 20 20 Ouvert lun.-ven. 9h-19h, sam.-
dim. 10h-19h*
Office de tourisme régional (plan 2, B2). Dans une ruelle donnant sur la Plaza
de la Constitución. *Pasaje de Chinitas, 4 (ruelle donnant sur la place) Tél. 951 30
89 11 Un autre point d'accueil : Aéroport Tél. 952 04 84 84*
Au bord du Paseo del Parque (plan 2, C2). *Av. de Cervantès, 1 Tél. 952 13
47 30 Ouvert lun.-ven. 9h-14h*

transports urbains

BUS Málaga est équipée d'un bon réseau de bus urbains, EMT. Parfait pour se
rendre à la plage (lignes C2, 14, 29, 11, 33, 34) ou au château du Gibralfaro (ligne
35). Billet à l'unité : environ 1€ (monnaie exigée). Pour un séjour prolongé, le système de la Tarjeta Bus, en vente un peu partout (mais pas dans les bus !), est plus

économique : 5,90€ les 10 trajets et 1,80€ de caution pour la carte. *EMT Tél. 902 52 72 00 www.emtsam.es*

MÉTRO Une ligne de métro est en construction à Málaga, reliant le centre à l'université de Teatinos. Ouverture prévue en 2010.

TAXIS *Tél. 952 32 00 00 ou 952 33 33 33*

location de voitures, de vélos

Les loueurs de voitures sont légion à l'aéroport de Málaga, débouché naturel de la très touristique Costa del Sol. Ils assaillent d'ailleurs souvent les nouveaux arrivants. Prenez le temps de comparer prix et prestations. La plupart des bureaux se trouvent à l'extérieur de l'aéroport, de l'autre côté du parking réservé aux bus.
Larios Car Hire (plan 2, A4). Location de bicyclettes et de scooters. Idéal pour se déplacer dans Málaga, sachant que les distances ne sont pas si longues. 10€/jour pour un vélo et 30€/jour pour un scooter 50cc (tarif dégressif après 3 jours). *Calle Malpica, 12 (à 300m de la gare routière et de la gare Renfe) Tél. 951 09 20 69 Fax 951 09 20 07 www.larioscarhire.com Ouvert lun.-ven. 9h-13h30 et 16h30-20h30, sam. 9h-14h*

représentations diplomatiques

Consulat de France (plan 2, B3). *C/ Duquesa de Parcent, 8 Tél. 952 22 65 90*
Consulat du Canada. *Pl. de la Malagueta, 2 Edifico HorizonteTél. 952 22 33 46*

adresses utiles

Les banques et les distributeurs sont concentrés dans le centre-ville, principalement le long des Calles Marqués de Larios et Puerta del Mar (plan 2, B2-B3).
Bureau de poste (plan 2, A3). Situé à l'ouest de l'Alameda Principal, de l'autre côté du fleuve (15min à pied). *Av. de Andalucía, 1 Tél. 952 36 43 80 Ouvert lun.-ven. 8h30-20h30, sam. 9h30-14h*
Rent@net (plan 2, C2). Cybercafé tout près de la Plaza de la Merced. *C/ Santiago, 8 (perpendiculaire à la Calle Granada)*
Internet Meeting Point (plan 2, C2). Cybercafé. *Plaza de la Merced, 20 (juste à côté du café Picasso)*

urgences et hôpitaux

Urgences. *Tél. 112*
Hôpital Carlos Haya. *Av. de Carlos Haya (2km à l'ouest du centre-ville) Tél. 951 29 00 00*

presse

Les quotidiens de Málaga sont la *Opinion*, *El Diario Sur* et *Málaga hoy*. Vous trouverez des journaux français dans les kiosques du centre, notamment Calle Marqués de Larios (en face de Banco de Andalucía) ou près de la place Uncibay.

cours d'espagnol

Universidad de Málaga, Cursos de español para extranjeros (plan 1, A2).
Cours intensifs (*cursos intensivos*, 530€ pour une session de 100h), cours d'été (*cursos de verano*, 345€ pour 1 mois, 640€ pour 2 mois), cours complet (env. 1 740€ pour 4h/jour d'oct. à mai). Activités culturelles organisées. L'université peut également vous aider à trouver un logement bon marché, grâce à un réseau de familles d'accueil, appartements et autres résidences étudiantes. Réservation indispensable. Âge minimum : 16 ans. *Av. de Andalucía, 24 (29007) À 10min à pied à l'ouest du centre-ville Tél. 952 27 82 11 Fax 952 27 97 12 cursoext@uma.es www.uma.es*
Écoles de langues. Vous pouvez aussi obtenir auprès des offices de tourisme la liste des nombreuses écoles de langues privées de Málaga, dont les plus réputées sont **Escuela Internacional** (à 2min à pied de la plage, formule de cours à partir d'une semaine, *www.escuelai.com*) et **Escuela Picasso** (*www.instituto-picasso.com*).

fêtes et manifestations

Février	**Carnaval** : concours de chansons satiriques, défilés nocturnes, concours de Drag Queens. Le dimanche de carême a lieu la Gran Boqueroná, une dégustation de vins de Málaga et de *chipirones* (petits calamars), puis un Boquerón en carton-pâte défile dans la ville avant d'être brûlé sur la plage. Feux d'artifice le soir.
Mars	**Festival de Cine** : festival du cinéma espagnol.
Mars-avril	**Semaine sainte** : c'est l'une des plus somptueuses du pays, juste après celle de Séville (cf. ci-dessous).
Mi-août	**Feria de Málaga** : considérée par beaucoup comme la meilleure d'Andalousie. Le jour, les rues s'animent de spectacles et de concerts et la nuit, on s'entasse dans les bus spéciaux ralliant le champ de foire de la ville au Cortijo de Torres, à 4km du centre.
28 décembre	**Fiesta Mayor de los Verdiales** : des groupes de *verdiales*, musiciens et danseurs aux chapeaux fleuris et colorés, jouent leur musique folklorique mêlant percussions, violons et guitares.

Semaine sainte

Plus de quarante confréries (*cofradías*) défilent dans les rues, portant leurs magnifiques chars (*tronos*) à travers la ville, dans un grand ballet de pénitents (*nazarenos*), reconnaissables à leurs cagoules colorées et pointues. Les chars représentent chacun une scène de la Passion du Christ, l'ordre de leur sortie tenant plus à la tradition des confréries qu'au strict respect de la Passion elle-même : ainsi, le même jour peuvent défiler un trône représentant le jugement de Jésus et une représentation de ce dernier sur la Croix... Des milliers de personnes se pressent aux coins des rues pour voir passer les magnifiques figures saintes, merveilles d'art baroque. Les porteurs (parfois plus de cent !) marchent au grand jour, l'épaule coincée sous de longues barres de bois rembourrées. Les processions commencent à défiler en début d'après-midi, et leur ronde se prolonge jusque tard dans la nuit. Toutes passent par la Plaza de la Constitución, où est installée la tribune officielle. La procession de Jesús Cautivo (Jésus captif), qui sort le lundi soir, est l'une des plus attendues. L'émotion atteint son paroxysme dans la nuit du jeudi au vendredi, la Madrugada ("petit matin"), où chacun se fait un devoir de rester éveillé jusqu'à l'heure des *churros*. Les ruelles du centre mettent en valeur la beauté des chars couverts de fleurs colorées et de pièces d'orfèvrerie ciselées, et quand une *saeta* (complainte flamenco) monte dans le silence d'une ruelle, éclairée par la seule lumière des cierges, on comprend l'amour des *Malagueños* pour "leur" Semaine sainte. Autre point fort de Málaga, la qualité reconnue des fanfares locales, qui accompagnent les processions, alternant marches joyeuses et airs plus solennels. Pour mieux profiter de cet événement, procurez-vous la revue officielle *Pasión del Sur*, publiée avec le *Diario Sur* le samedi précédant la Semaine sainte, ainsi que les programmes indiquant les horaires et le trajet des différentes processions. La Revue *La Saeta*, éditée par les différentes confréries, se vend en kiosque environ trois semaines avant Pâques. Comme à Séville, mieux vaut éviter les abords de la tribune officielle, et partir à la chasse aux processions sur l'Alameda Principal ou dans les vieilles ruelles du centre. Un musée consacré à cette fête a ouvert fin 2007. ***Museo de Semana Santa*** *C/ Muro de San Julián, 2 (plan 2, B2) Tél. 952 21 04 00 www.agrupaciondecofradias.com*

Découvrir Málaga

☆ **À ne pas manquer** L'Alcazaba, la cathédrale et le Museo Picasso **Et si vous avez le temps...** Choisissez la Semaine sainte pour visiter Málaga autrement, rapportez éventails et castagnettes de la Casa Pedro Mira, faites une excursion apaisante au jardin botanique au nord de Málaga, dînez à Torremolinos face à la mer

La forteresse

Perchée sur les flancs du Monte de Sancha, aux portes du centre historique, elle domine la ville et une bonne partie de la côte. Pour comprendre l'importance stratégique de la colline, il faut imaginer que, jusqu'au XIXe siècle, la mer arrivait à ses pieds. La présence d'un port naturel dominé par un tel point défensif attira l'attention des Phéniciens, qui fondèrent une cité (VIIIe-VIe siècle av. J.-C.). Dans l'Antiquité, le Monte de Sancha accueillit d'ailleurs le haut quartier de la ville, ceint de murailles. On a ainsi retrouvé les vestiges d'une villa romaine sur le site des actuels jardins de Puerta Oscura et un théâtre romain au pied du mont, près de la Plaza de la Merced. La forteresse à proprement parler est érigée au XIe siècle par les musulmans, qui dominent la ville depuis déjà trois siècles. C'est une époque de grand péril pour le pouvoir local, dans un contexte politique et militaire délicat, celui de la lutte des différents royaumes musulmans (taifas), entre eux et avec les chrétiens. Les autorités de Málaga construisent donc l'Alcazaba pour réaffirmer leur puissance. À la fin du XIIIe siècle, sous le règne des Nasrides de Grenade, d'autres éléments défensifs sont ajoutés, notamment le Gibralfaro, au sommet de la colline. L'ensemble résistera pendant près de deux siècles aux attaques des chrétiens, jusqu'à la reconquête de Málaga en 1487.

☆ ☺ **Alcazaba (plan 2, C2)** Son tracé correspond à celui du palais-forteresse construit par le roi Badis, entre 1057 et 1063. Les puristes regretteront les remaniements des grands travaux de restauration de 1930. Mais on parvient sans peine à imaginer l'allure de l'Alcazaba originelle, et la visite des lieux constitue une promenade enchanteresse. L'originalité de l'architecture, novatrice pour l'époque, tient à l'existence d'un triple réseau de murailles et de chemins d'accès parsemés de portes fortifiées : ces dernières, tours construites en L, facilitaient la défense, car les assaillants devaient se faufiler presque en file indienne pour les franchir. Le visiteur emprunte encore ces chemins tortueux, reliant entre eux des jardins odorants au printemps. En passant la Puerta de los Cuartos de Granada, on accède bientôt à l'enceinte supérieure de l'Alcazaba. C'est là que se dresse l'ancien palais édifié par Badis au XIe siècle, puis agrandi par les Nasrides aux XIIIe-XIVe siècles, mais également les vestiges d'un quartier résidentiel datant de la construction de l'Alcazaba. C'est la partie la plus majestueuse de l'ensemble, même si elle a été profondément transformée par les restaurations. Ne manquez pas la Torre de Maldonado et, à l'intérieur du palais, deux cours ombragées de toute beauté : le Patio de los Naranjos et celui de la Alberca. On peut également monter jusqu'au palais par un ascenseur creusé au cœur du rocher, puis redescendre par le sentier. Un intéressant musée des Techniques de poterie arabe, dans l'enceinte de l'Alcazaba, a vu le jour en 2004. *Accès à l'ascenseur par la Calle Guillén Sotelo, au pied des Jardines de Puerta Oscura Tél. 952 22 72 30 Ouvert mar.-dim. 8h30-19h (9h30-20h l'été) Fermé lun. Entrée env. 2€*

Castillo de Gibralfaro (plan 2, C1-C2) Il occupe le sommet de la colline et est relié à l'Alcazaba par un chemin, la Coracha, protégé par de hautes murailles mais fermé au public. Ces murailles, comme le château lui-même, furent érigées par les Nasrides de Grenade au XIVe siècle. Pour y accéder, les visiteurs doivent emprunter à pied la route qui longe la forteresse par la droite (30min de marche env.), ou prendre le bus rouge touristique qui passe fréquemment ou le bus n°35 qui part de l'Avenida de Cervantès, Parque de Malaga, moins fréquent. Ne vous laissez pas décourager : la vue depuis le chemin de ronde du château vaut vraiment la peine. *Tél. 952 22 72 30 Ouvert tlj. 9h-20h (18h l'hiver) Tarif env. 2€*

Découvrir Málaga autrement

Mirador Gibralfaro La vue est imprenable sur tout Málaga, de la plage del Peñon del Cuervo (à votre gauche en regardant la mer) à celles de Huelin juste avant Torremolinos, en passant par la Plaza de Toros, le port industriel et son phare, la Farola. Idéal au coucher du soleil ou en fin d'après-midi les jours de feria, pour une vue aérienne sur la corrida ! *Pour monter au mirador : bus n°35, départ de l'Av. de Cervantès (11h-19h, toutes les 45min), à pied par l'Alcazaba (env. 20min)*

Le centre-ville

De la Plaza de la Constitución à celle de la Merced Le cœur historique de Málaga est en même temps le quartier des sorties. À l'ouest, la Calle Marqués de Larios (plan 2, B2), flanquée de rues piétonnes et commerçantes, délimite le quartier. Elle illustre les projets urbains de la fin du XIXe siècle qui, sur l'exemple de ce qu'avait fait Haussmann à Paris, visaient à tracer de grandes artères pour rationaliser le plan des villes. Cette rue relie l'Alameda Principal à la Plaza de la Constitución (plan 2, B2). Une place agréable avec ses cafés en terrasse, très animés en journée. Elle a toujours été le cœur vivant de Málaga. Juste au bord de la place débute le Pasaje de Chinitas. À la fin du XIXe siècle, il abritait les cafés les plus prisés de la bonne société *malagueña*, dont le légendaire Café de Chinitas (Lorca y

Málaga (plan 2)

Plaza del Hospital Civil

HOSPITAL CIVIL

Dr. Ginachero

Puente de Armiñán

C. Cruz del Molinillo

Calle Postigos

Plaza Rosa

Calle Refin

Calle Alta

Calle Parras

Calle Ollerias

Calle Jinetes

1

Dr. Fleming

Calle Sevilla

Juan de Herrera

Malasaña

Juan de Mena

Juan de Austria

Calle Ventura

Rodriguez

Calle San Quintin

Calle San Quintin

Francisco Monje

Don Juan

Huerto de Monjas

Don Rodrigo

Purificación

Alvarez

Grama

Viento

Mariscal

C. Mariscal

Avenida de la Rosaleda

RÍO GUADALMEDINA

Cabello

Calle Gaona

Montaño

Hinestrosa

Madre de Dios

34

Calle Pen

Calle Tejón y Rodriguez

PUERTA NUEVA

Plaza San Francisco

C. Muro de San Julián

Calle Carretería

PALACIO D CONDE D LAS NAVA

Ramón Franquelo

26

Calle

Calle Granad

Calle Mendez Nuñez

Calle Juan de Padilla

Calle Trinidad

Plaza Bailén

Plaza Montés

Carboneros

Pizarro

Jara

S. Pablo

Tiro

Calle Trinidad

TRINIDAD

MUSEO DE SEMANA SANTA

Pza de los Mártires

Calle de los Mártires

SAGRADO CORAZÓN

Calle Santa Lucia

Plaza Uncibay

Calderia

LICEO DE MÁLAGA

27

Calle Gran

Yedra

Jara

Zamorano

Calle Marmoles

Puente de la Aurora

Calle Carretería

Calle Farjardo

Calle Horno

Plaza de la Constitución

20

CONVENTO DE L AGUSTINAS

2

Calle Marmoles

Estebanez Calderon

Cañaveral

Puente

Agustin Parejo

Calle Marmoles

Puente del Cerrojo

MUSEO DE ARTES Y COSTUMBRES POPULARES

Calle Cisneros

C. Cinco Bolas

10

C. Espacerias

SAN JUAN

Calle Santa María

i

23

Santa María

PALACIO EPISCOPAL

Pza del Obispo

CATEDRA

Don Cristian

Arenguela de la Mota

Plaza Ll. Trinidad

Puerta del Obispo

Calle Pasillo Sta. Isabel

C. San Juan

Calle Marqués de Larios

Calle Molina Lario

Avenida Hilera

Calvo

Avenida Hilera

15 PALACIO

Arriola

Calle Sagasta

Calle H. del Rey

C. Martínez

Calle San Juan de Dios

Calle San Juan

1

40

DISPUTACIÓN

3

AEROPUERTO, MARBELLA

Avenida de Andalucía

Puente de la Esperanza

Plaza Arriola

13

MERCADO CENTRAL

Atarazanas

Puerta del Mar

Plaza de la Marina

Avenida de la Aurora

Puente de Tetuan

Alameda Principal

Calle Trinidad Grund

Vendeja

Vendeja

44

41

42

Vendeja

Avenida M. Agustin Heredia

CORREOS Y TELEGRAFOS

Calle San Lorenzo

C. Duquesa de Parcent

Calle Córdoba

Heredia

Calle Pinzón

Heredia

25

Pantoja

Callejón del Perchel

Montalban del Carmen

Angosta del Carmen

Ancha del Carmen

Calle Peregrino

Medelin

Malpica

La Serna

EL PERCHEL

Calle Cuarteles

Calle Salitre

San Andres

Constancia

RÍO GUADALMEDINA

Pasillo del Matadero

Avenida Comandante Benitez

Alameda de Colón

Alameda

CAC MÁLAGA

4

RENFE

AEROPUERTO, MARBELLA

Jovellanos

Peña

La Serna

Calle Cuarteles

Calle Salitre

San Andres

Constancia

Héroes de Sosia

C. Fortuny

C. Jacinto Verdaguer

Canales

Puente del Carmen

Puente de Antonio Machado

A

B

MANGER DES *CHURROS*
1 Casa Aranda _____ B3

BOIRE UN VERRE
10 Tetería La Baraka ____ B2
11 Café con libros _____ C2
12 La Tetería Alcazaba ___ C2
13 Antigua _____ B3
Casa de Guardia
14 El Pimpi _____ C2
15 Trujal Vinos _____ B2

MANGER
20 Café Central _____ B2
21 Mesón Cortijo de Pepe C2
22 Cafetería El Jardín ___ C2
23 Orellana _____ B2
24 Clandestino _____ B2
25 Mesón Ibérico _____ B4
26 Mesón Mariano _____ B2
27 Mariano _____ B2

SORTIR
30 Multicines Albéniz ___ C2
31 Théâtre Cervantès ___ C1
32 Peña Juan Breva _____ C2
33 Onda Pasadena Jazz _ C1
34 Kelipé _____ B1

DORMIR
40 Hostal Derby _____ B3
41 Hotel Castilla _____ B3
y Guerrero
42 Hostal Alameda _____ B3
43 Hotel Carlos V _____ C2
44 Hotel Sur _____ B3
45 Parador _____ C2
de Málaga Gibralfaro

GÉOREGION

PROVINCE DE MÁLAGA

rencontrait chanteurs de flamenco et toreros), aujourd'hui remplacé par un maga-sin. Au nord et à l'est de la Plaza de la Constitución commence un enchevêtrement de ruelles tortueuses et de petits passages, qui ne facilitent pas l'orientation. Vers le nord, la rue piétonne de Los Mártires et la place du même nom font partie des recoins les plus pittoresques. L'église de Los Mártires (plan 2, B2) cache, derrière une sobre façade du XVe siècle, un brillant intérieur baroque du XVIIIe s. Sur la place, une sculpture représente le Christ aux lanternes, figure classique andalouse. À l'est, la Calle Granada (plan 2, B2-C2), bordée de restaurants et de bars, mène à la Plaza de la Merced (plan 2, C2), lieu de rendez-vous favori des jeunes : une vaste place bordée d'immeubles élégants, au pied de la colline de l'Alcazaba. Elle occupe le site de l'ancienne "zone franche", situé en dehors des limites de la ville musulmane. À l'angle de la place et de la Calle Pallete se trouve la maison natale de Picasso (*Casa Natal*), où le plus célèbre des peintres naquit le 25 octobre 1881. Le rez-de-chaus-sée abrite désormais une boutique de souvenirs et une salle réservée à de belles expositions temporaires d'œuvres du peintre. À l'étage, d'émouvantes photos de Picasso et de sa famille, des eaux-fortes, gravures et lithographies. *Casa Natal Plaza de la Merced 13 et 15 (plan 2, C1) Tél. 952 06 02 15 www.fundacionpicasso.es Ouvert tlj. 9h30-19h45 Fermé j. fér. Entrée env. 1€*

☺ **Museo de Artes y Costumbres Populares** (plan 2, B2) Au nord du quartier du marché, au bord du cours du río Guadalmedina, dans une belle demeure du XVIIe siècle. Plusieurs salles sont organisées autour du patio, sur deux étages. Elles sont classées par thèmes : la paysannerie, le travail du vin, la cuisine, etc., une véritable leçon d'ethnographie rurale. Aux harnachements de travail se substi-tuent de somptueuses parures pour les parades des grandes fêtes. Les mules de bât se parent de chapeaux de paille sur mesure et transportent l'huile d'olive ou l'eau dans des jarres en terre cuite. L'espace consacré à la viticulture est bien conçu. Il contient notamment une monumentale presse à raisin du XVIIIe siècle. Au fond, la traditionnelle marmite est suspendue dans l'âtre d'une cuisine à l'ancienne. La pêche est également à l'honneur, avec une très belle barque méditerranéenne du bourg d'El Palo. On peut admirer plus loin les produits de la ferronnerie, vieille tradition andalouse. À l'étage, on découvre des outils en bois qui laissent imaginer le dur la-beur des paysans, dans leurs habits de *huertanos*. De plus, le musée expose des figurines de terre cuite polychromes datant du XIXe siècle, hautes de 30 à 50cm et représentant des personnages andalous (danseuse, guitariste…). Très prisées au-jourd'hui, elles constituent un véritable petit trésor. L'amour de la fête n'est pas ou-blié : force affiches de ferias et autre Semaine sainte, et belles robes qui vont avec. Une statue représente le personnage typiquement *malagueño* du *cenachero*, mar-chand de poissons portant ses deux paniers en bandoulière. La visite s'achève sur une salle abritant d'émouvantes statues religieuses artisanales du XVIIIe siècle. La vi-site guidée (en espagnol seulement) est le meilleur moyen de visiter le musée. *Pasillo Santa Isabel, 10 (près de la Calle Cisneros) Tél. 952 21 71 37 Ouvert lun.-ven. 10h-13h30 et 16h-19h (17h-20h l'été), sam. 10h-13h30 Fermé j. fér. Visite guidée sur rdv Entrée : 2€ (1€ étudiants et seniors) Gratuit pour les moins de 14 ans www.museoartespopulares.com*

CAC Málaga (Centre d'art contemporain) (plan 2, B4) Le musée d'Art contemporain, ouvert en 2003, a été aménagé dans les anciennes halles de Málaga, œuvre de l'architecte espagnol Luis Gutiérrez Soto (auteur notamment de l'aéroport de Barajas de Madrid, 1930). Il abrite une collection permanente d'œuvres, de l'impressionnisme jusqu'à nos jours, notamment des œuvres de Barceló, Chema Cobo, Broto… et accueille des expositions temporaires d'artistes locaux et internationaux. *Calle Alemania Tél. 952 12 00 55 www.cacmalaga.org Ouvert été : mar.-dim. 10h-14h et 17h-21h ; hiver : mar.-dim. 10h-20h Entrée gratuite*

☆ **Cathédrale (plan 2, B2)** La construction débuta au xviᵉ siècle, comme souvent, sur le site de l'ancienne mosquée principale. Diego de Siloé, architecte de la cathédrale de Grenade, aurait dessiné les plans. Les travaux durèrent plus de deux siècles, d'où un évident mélange de styles : gothique tardif et surtout Renaissance pour l'intérieur, baroque pour la façade. Une façade qui a d'ailleurs un drôle d'air, avec son unique tour, l'autre étant restée à jamais inachevée faute de financements. On donne d'ailleurs familièrement à la cathédrale le nom de *"manquita"* ("la manchotte"). À l'intérieur, on est frappé par l'aspect insolite des voûtes, qui reposent sur un système complexe de piliers, répartis sur deux étages. En face de l'entrée, les stalles du chœur en bois sculpté attirent le regard par le raffinement de leurs formes : on y reconnaît le talent de Pedro de Mena (1628-1688), l'un des plus brillants sculpteurs du baroque andalou. Le même artiste a réalisé la *Mater Dolorosa* de la Capilla de los Caídos (chapelle des Morts au champ d'honneur), dédiée aux victimes de la guerre civile, dont certaines sont enterrées dans la crypte. Les orgues colorés et les chaires en marbre surplombant le chœur sont également baroques. De l'autre côté du chœur, la Capilla de la Virgen de los Reyes doit son nom à une belle statuette de la Vierge offerte par les Rois Catholiques, à l'occasion de la reconquête de Málaga. Des représentations de Ferdinand et Isabelle encadrent la Vierge. Ce sont des ébauches de Pedro de Mena, qui servirent de modèle à celles que l'on peut voir dans la Chapelle royale de Grenade. À gauche de l'entrée, dans la Capilla de Nuestra Señora del Rosario, la *Vierge du Rosaire* est l'une des plus belles toiles d'Alonso Cano (1601-1667). En revenant vers le guichet, on accède à l'escalier menant au musée de la cathédrale : intéressante collection de peintures religieuses des xviᵉ et xviiᵉ siècles, partitions de musique sacrée gothique (xvᵉ siècle) et objets rituels illustrant la maîtrise des orfèvres locaux. En ressortant, prenez le temps de visiter El Sagrario, petite église du xviᵉ siècle en bordure des jardins de la cathédrale. La façade donnant sur la rue et surtout son portail sculpté de style gothique isabélin valent à eux seuls le détour, sans parler de l'intérieur baroque (xviiiᵉ siècle), avec son chef-d'œuvre de retable maniériste. *Entrée par les jardins donnant sur la Calle Molina Lario* **Cathédrale et musée** *Tél. 952 22 84 91 Ouvert lun.-ven. 10h-18h, sam. 10h-17h Fermé dim. et j. fér. Entrée : env. 3,50€* **Iglesia del Sagrario** *Ouvert lun.-sam. 9h30-12h30 et 18h-19h30*

☆ **Museo Picasso (plan 2, C2)** C'est le grand œuvre de la ville, qui a comme prévu favorisé l'augmentation du potentiel touristique. Ses portes se sont ouvertes fin octobre 2003. Installé dans le vaste et élégant Palacio de Buenavista datant du xviᵉ siècle, près de la cathédrale, il rassemble une importante collection d'œuvres (200 environ : 155 en fonds permanent et des œuvres prêtées sur une longue durée) de l'enfant chéri de Málaga, la ville natale du peintre. Peintures, sculptures, céramiques et esquisses issues des collections privées de Christine et Bernard Ruiz Picasso forment un ensemble splendide, couvrant toutes les périodes du peintre de génie. *Calle San Augustin, 8 Tél. 902 44 33 77 www.museopicassomalaga.org Ouvert mar.-jeu. 10h-20h, ven.-sam. 10h-21h, dim. et j. fér. 10h-20h Entrée 6€ pour*

GEORGION

PROVINCE DE MÁLAGA

la collection permanente, 4,50€ pour les expositions temporaires Forfait à 8€ combinant les 2 Gratuit pour les moins de 10 ans

Alameda Principal et Paseo del Parque

L'Alameda Principal (Allée principale) est une belle avenue bordée de bananiers et de ficus, et d'élégantes demeures aristocratiques du XIXe siècle. L'édifice des Archives municipales (*Archivo Municipal*) date lui de la fin du XVIIIe siècle. Au-delà de la Plaza de la Marina, l'Alameda cède la place au Paseo del Parque, un boulevard dont le terre-plein central accueille un vaste parc. Construit à la fin du XIXe siècle, il fut conçu comme un jardin botanique. Malgré le vacarme des voitures, il est toujours agréable de se promener le long de ses sentiers, au milieu des arbres tropicaux et des gloriettes décorées de monuments à la gloire des personnages *malagueños*. Sur la gauche, jetez un œil à l'hôtel de ville (*Ayuntamiento*, plan 2, C2), étonnant palais baroque. Le Paseo débouche sur le Paseo de Reding, qui se distingue par ses charmants bâtiments historiques du début du XXe siècle. On y trouve en outre les arènes de Málaga (*Plaza de Toros*, plan 2, C2), érigées en 1876. On peut les visiter. En descendant vers le sud, vous atteindrez vite la plage de la Malagueta, et le Paseo Marítimo. **Arènes de Málaga** *Tél. 952 22 62 92 Ouvert lun.-ven. 10h-13h et 17h-20h Entrée : env. 2€*

Museo Interactivo de la Musica (plan 2, B3)

Sous la Plaza de la Marina, installé à côté du parking souterrain, un musée là où on ne l'attend pas… Ouvert depuis 2003, ce "musée interactif de la musique" abrite une vaste collection d'instruments de musique, des plus primitifs aux claviers électroniques, en passant par les cordes, les instruments à vent et les percussions. En parallèle, on redécouvre l'histoire du son enregistré, du gramophone jusqu'à nos jours. Une exposition permanente intéressante, qu'on aurait aimée plus complète encore. Le musée a été agrandi en 2007 afin d'améliorer ses infrastructures (salle de concert, boutique spécialisée, ateliers pédagogiques…) et nombre d'animations en accès libre sont prévues : concerts, conférences… *Muralla Plaza de la Marina www.musicaenaccion.com Tél. 952 21 04 40 Ouvert lun.-ven. 10h-14h et 16h-20h, sam.-dim. et j. fér. 11h-15h et 16h30-20h30 Visites guidées sur rdv Entrée 3€ TR 2€ Gratuit moins de 10 ans*

MUPAM (plan 2, C2)

Au début de l'année 2007, le musée municipal de Málaga est devenu le MUPAM, Museo del Patrimonio Municipal. Il retrace l'histoire de Málaga grâce à des toiles, des photographies, des sculptures d'artistes originaires de la ville ou l'ayant représentée. Les œuvres des XIXe et XXe siècles (et dans une moindre mesure du XIVe-XVIIIe siècle) sont organisées de façon thématique : vie quotidienne, scènes de rue… Deux salles sont consacrées à Picasso. *Paseo de Reding, 1 Tél. 952 22 51 06 Ouvert été : 11h-21h ; hiver : 10h-20h Entrée gratuite*

Profiter de la plage en ville

La playa de la Malagueta, plutôt agréable pour une plage urbaine, débute au bout du Paseo de la Farola, à 10min à pied du centre. L'été, les bars et restaurants du Paseo Marítimo, un peu plus à l'est, sont très animés. Des kiosques, ou *chiringuitos*, vendent aussi du poisson grillé aux estivants. En continuant vers l'est, cette fois-ci en voiture ou en bus, vous longerez d'autres plages, pas nécessairement plus tranquilles : celles de Pedregalejo, la Caleta, los Acacias, puis du Palo. Pour plus de tranquillité, préférez les plages les plus éloignées du Palo.

Assister à une corrida

Plaza de Toros "La Malagueta" (plan 2, C2). La saison taurine de Málaga bat son plein pendant la feria (10 premiers jours d'août) et à Pâques. Places de 20 à 70€. *Paseo de Reding Tél. 952 22 17 27 et 952 22 21 72 Fax 952 22 25 57 Consultez www.plazalamalagueta.com pour vous informer sur les dates et les tarifs*

Où faire une pause déjeuner ?

Café Central (plan 2, B2 n°20). Sur la Plaza de la Constitución. Un grand classique *malagueño*. Vaste choix de tapas (de 2,20 à 3€ env.), *platos combinados* à env. 7,50€. Sur le mur sont affichés les différents types de cafés que l'on peut commander, en fonction de la quantité de café et de lait désirée ; une coutume que l'on retrouve dans d'autres bars de la ville. En fin d'après-midi, la petite terrasse qui donne sur la Plaza de la Constitución prend le soleil, et attire la foule. Le moment de goûter aux *churros*, qui sont ici délicieux. Possibilité de dîner au restaurant midi et soir. *Tél. 952 22 49 72/73*

Où flâner à Málaga ?

À l'ouest de la Calle Marqués de Larios commence un quartier de rues piétonnes et commerçantes, où il fait bon se balader pendant la journée. La Calle Puerta del Mar, la Calle Nueva et la Calle San Juan (plan 2, B2-B3) comptent parmi les plus agréables. Des boutiques de mode et d'artisanat côtoient de petits bars de quartier et quelques belles églises. Le dimanche matin, un marché aux puces de fripes et de pseudo-antiquités, très animé, déroule ses étals près du stade de football de La Rosaleda.

Où s'habiller à la mode andalouse ?

Ceylán (plan 2, B2). Vous trouverez dans cette boutique ouverte depuis près de 50 ans les classiques de la Semaine sainte – éventails, châles brodés, peignes et mantilles. *Calle Nueva, 2 Tél. 952 22 98 91 Ouvert lun.-ven. 10h-13h30 et 17h30-21h (17h-20h30 l'hiver), sam. 10h-14h*

Casa Pedro Mira (plan 2, B2). Dans une rue qui part de la Plaza de la Constitución, une chapellerie fondée en 1880, qui traverse les âges, sans prendre une ride. Une vaste palette de castagnettes, couvre-chefs et éventails. *Calle Especerias, 18 Tél. 952 21 29 51 Ouvert lun.-ven. 10h-13h30 et 17h-20h30, sam. 10h-13h30*

Où trouver des disques de flamenco ?

Flamenka (plan 2, B2). Près de la rivière et du musée d'Artes Populares. Incontournable pour celui qui souhaite acheter des disques flamencos, du *"puro"* au *"nuevo"*, en passant par la musique traditionnelle *malagueña*. Le maître de maison, Paco, affable, passionné et source inépuisable d'informations, organise des spectacles flamencos dans la ville (le mer. à 21h30, 10€). La boutique vend aussi des vêtements de flamenco, des affiches, des livres, des DVD… *Pasillo de Santa Isabel, 5 Entrée par la rue Carretería Tél. 952 21 47 78 et 687 60 75 26 www.flamenka.com*

GEORGION

PROVINCE DE MÁLAGA

Où faire son marché ?

Mercado Central de Atarazanas (plan 2, B3). Au sud-ouest de la Calle Marqués de Larios, le marché dresse ses jolies armatures métalliques ornées d'arches et de sculptures aux influences musulmanes. Construit au XIXᵉ siècle sur le site d'un hangar à bateaux de l'ère musulmane, il en conserve l'arche principale. On déambule entre les échoppes chargées de légumes, de fruits et de tous les poissons de la Méditerranée. *Marché 9h-14h30 Fermé dim. et j. fér.*

Où acheter des souvenirs gourmands ?

Une des spécialités gourmandes de Málaga est le *pan de higo* (pain de figue), qui n'a de pain que le nom, car il s'agit d'une délicieuse pâte de figues séchées sucrée aux amandes, relevée de douces épices de cannelle et d'anis. Vous en trouverez dans les petites épiceries de quartier.

La Panaderia (plan 2, B2). Et aussi *pasteleria* (pâtisserie) ! D'ailleurs c'est avec des douceurs que le málaga *dulce* et le *lágrima* se marient le mieux ! Aussi, cette minuscule boulangerie (*panaderia*) artisanale aux délicieuses odeurs de pain frais est-elle doublement intéressante, c'est l'un des endroits où vous trouverez ces vins au meilleur prix (de 4 à 11€ la bouteille). Petit conseil pour les gourmands : goûtez la *tarta malagueña*, pâtisserie moelleuse aux amandes, raisins secs, cannelle et *vino dulce*, une spécialité de Málaga. *Calle Granada, 84 Tél. 952 21 60 08*

Bodegas Quitapenas. Une bonne adresse également pour acheter du vin (cf. Où déguster un verre de málaga ?).

Covap (plan 2, B2). Une adresse pour les gourmets : fromages de brebis à pâte dure ou marinés à l'huile d'olive, pattes de *jamón* doudes… Ceux qui n'ont pas peur des suppléments bagages opteront pour le coffret cadeau spécial gourmet, un assortiment de fromages, de terrines et autres spécialités ibériques à partir de 60€. *Calle Granada, 17, à l'angle de la Calle Angel Tél. 952 60 60 31 www.covap.es*

Où manger des *churros* ?

Casa Aranda (plan 2, B3 n°1). Une vieille institution : depuis 1932, la recette des *churros* et du *chocolate* a eu tout le temps de se perfectionner. Dans l'agréable quartier piétonnier, à l'ouest de la Calle Marqués de Larios. Il y a toujours du monde en fin d'après-midi. Un succès qui a permis aux propriétaires d'agrandir peu à peu les lieux, envahissant littéralement toute la rue. Un garçon en uniforme viendra prendre la commande mais ici, tout le monde déguste la même chose… *Calle Herrería del Rey (perpendiculaire à la rue piétonne Puerta del Mar) Tél. 952 22 12 84*

Où siroter un thé à la menthe ?

Une mode bien plaisante que celle des *teterías*, qui se sont multipliées à Málaga. Très fréquentés par les jeunes, ces salons de thé se distinguent par leur déco aux influences musulmanes, souvent très belle, et l'ambiance décontractée qui y règne. Idéal pour faire une pause.

Tetería La Baraka (plan 2, B2 n°10). Dans une ancienne boulangerie musulmane. L'une des plus accueillantes. *Calle Horno, 10 À l'angle de la Calle Cisneros Tél. 952 21 47 38 Ouvert tlj. 17h-0h (2h ven.-sam.)*

☺ **Café con libros (plan 2, C2 n°11).** Installé sur une balancelle ou un petit tabouret de bois, on est aussi bien ici pour lire que pour siroter un thé à la menthe. Une *tetería* débordant de livres et d'inventivité, du menu collé sur un bâton de pluie au savoureux café Barrakito (additionné d'un soupçon de liqueur 43, de lait concentré sucré, de cannelle et de citron). Douce ambiance musicale, personnel décontracté et souriant. *Plaza de la Merced, 19 Ouvert tlj. 16h-2h*

La Tetería Alcazaba (plan 2, C2 n°12). Au calme, dans une petite rue piétonnière à deux pas du musée Picasso et en face de l'église colorée de San Augustin. La décoration orientale soignée, à l'intérieur, et quelques tables dehors rendent ce coin romantique à la tombée de la nuit, avec la vue sur la cathédrale illuminée. Un vaste choix de thés et de pâtisseries marocaines. *Calle San Augustín, 21 Ouvert tlj. 16h-minuit*

Où déguster un verre de málaga ?

Ne quittez pas la ville sans avoir bu un verre de vin de Málaga. Ce vin était déjà très réputé dans l'Antiquité : l'aristocratie romaine en raffolait. Au XIXe siècle, il devient le vin préféré de la haute bourgeoisie anglaise, ce qui fait de Málaga une puissante région viticole. Malheureusement, une épidémie de mildiou détruit le vignoble à la fin du siècle, et le vin de Málaga disparaît des marchés pendant quelques années. Il s'en relèvera à grand-peine. Les meilleurs vins de l'appellation málaga sont les vins doux, forts en alcool (15 à 23°), notamment le málaga *dulce* et le *lágrima*, parfaits pour accompagner un dessert ou à l'heure de l'apéritif !

Antigua Casa de Guardia (plan 2, B3 n°13). Sur l'artère principale du centre, juste au bord du quartier historique. Un incontournable quand il s'agit de déguster les vins de Málaga. Cette bodega vieille école a ouvert ses portes en 1840, ce qui en fait de loin la plus ancienne adresse de la ville. Une longue salle sombre, dont la décoration se résume au superbe comptoir et quelques tonneaux empilés. Le moscatel de la maison passe plutôt bien. On peut l'accompagner de quelques tapas de crevettes et autres fruits de mer, assez chers (à partir d'env. 5€), mais on ne vient pas là pour manger. *Alameda Principal 18 Tél. 952 21 46 80 Ouvert tlj. 9h-22h (10h j. fér.) Fermé dim. (sauf Semaine sainte et feria)*

El Pimpi (plan 2, C2 n°14). En passant la vieille porte cochère, on n'imagine pas un intérieur aussi vaste. Dans ces anciennes caves à vins datant du XVIIe siècle a été aménagé un dédale de salles décorées avec force affiches de corridas et de ferias. Vous pourrez vous installer devant un interminable comptoir ou plus intimement à l'étage supérieur pour déguster un vin doux à 1,60€. *Calle Granada, 62 (autre entrée sur la Calle Alcazabilla) Tél. 952 22 89 90 Ouvert tlj. 12h-2h (3h en fin de semaine), lun. à partir de 19h*

Bodegas Quitapenas (plan 1, hors plan). Fondée en 1880, cette rustique taverne est un classique – de surcroît bon marché – pour savourer le vin doux de

Málaga, accompagné d'une succulente tapas de poisson (env. 1,50€). Profitez-en pour repartir avec quelques bouteilles de leur propre bodega, une valeur sûre. On peut également visiter la cave avec une dégustation offerte. *Ctra Guadalmar, 12 (près de l'aéroport) Tél. 952 24 75 95 www.quitapenas.es Visites sur rdv 10h-14h et 16h-18h (août 10h-14h) Entrée gratuite*

Trujal Vinos (plan 2, B2 n°15). Pour les amateurs de bon vin servi à bonne température, voici l'endroit idéal. Le maître des lieux sait de quoi il parle, il fut à trois reprises finaliste du célèbre concours de sommelier *"nariz de oro de Andalucía"* (nez d'or d'Andalousie). La carte des vins propose une sélection de près de 800 bouteilles du monde entier, dont bien sûr des vins blancs de Málaga. N'hésitez pas à demander conseil, ici la passion du vin se partage, des cours de dégustation sont même organisés. Pour accompagner vos découvertes œnologiques, un *plato del día*, chaque jour différent, est proposé à environ 4€. Au verre, une sélection de 28 vins de 1,20 à 3,50€. *À deux pas du pont de Santo Domingo, Plaza Arriola, 1 Tél. 952 21 24 08 www.trujalvinos.net*

Où boire un verre au coucher du soleil ?

El Antiguo Balneario del Carmen (plan 1, B1 n°1). Dans les années 1920, ce bar doté d'une grande terrasse était un lieu élégant et à la mode, où la jeunesse dorée de bon goût venait prendre ses premiers bains de soleil. Des travaux de rénovation n'ont pas entamé le charme du lieu qui reste une halte originale pour boire un verre à l'heure où le soleil se couche sur Málaga. *En arrivant du Paseo marítimo Pablo Ruiz Picasso, sur l'avenue Pintor Joaquin Sorolla, sur la droite, côté mer*

Découvrir les environs

Au nord de Málaga

Jardín Botánico-histórico La Concepción Quelques kilomètres au nord de la ville. Ce jardin, créé en 1850, mérite une excursion pour le charme de ses grands arbres et sa vaste collection de plantes. C'est l'un des plus importants jardins tropicaux européens. Araucarias, ficus géants, palmiers, cycas, bambous vous accompagnent au cours d'une bien agréable balade. Le jardin fut d'ailleurs conçu pour accueillir les promenades dominicales de la grande bourgeoisie. Fontaines, statues et un temple néoclassique abritant la collection archéologique des fondateurs du parc sont également au programme. *Route de Las Pedrizas (CN331) km166 (à la sortie de Málaga en direction d'Antequera, puis suivre indications) Tél. 952 25 21 48 Ouvert mar.-dim. 9h30-19h (16h oct.-mars) Fermé lun., 25 déc. et 1er jan. On peut rester dans le jardin 1h30 après la fermeture Visite guidée (en français) sur rdv Durée 1h15 environ Billet : env. 3,25€ TR env. 1,75€ Service de bus (ligne 61, "Ciudad Jardín") Départ Alameda Principal sam., dim. et j. fér. toutes les heures 10h-16h (17h en été) Retour toutes les heures 11h30-17h30 (plus tard en été)*

Parque natural de los Montes de Málaga Au nord de Málaga, à environ 20min en voiture, ce parc de 5 000 hectares, connu pour ses splendides forêts de pins et de cyprès, est idéal pour se mettre au vert. La route qui grimpe au parc vaut à elle seule le détour pour ses vues panoramiques sur Málaga et la mer. Jalonnée de *ventas*, vous n'aurez que l'embarras du choix pour faire une pause déjeuner et déguster une savoureuse cuisine du terroir. *De la Plaza de la Victoria, prendre l'Avenida Cristo de la Epidemia direction Colmenar, l'ancienne route de Grenade connue sous le nom de Cuesta Reina (C345). Pas de liaison par bus. Point d'information à l'intérieur du parc "Aula de Naturalez Las Contadoras", 2-3km après la fuente de la Reina sur la Carretera Colmenar Tél. 952 11 02 55 Visite sur rdv*

Le long de la Costa del Sol

Torremolinos Une grande station balnéaire, dont les immeubles ont désormais opéré la jonction avec ceux de Benalmádena, le long de la plage. La meilleure raison de visiter Torremolinos est gastronomique (cf. Manger dans les environs). Après le repas, le Paseo Marítimo longeant la jolie plage de la Carihuela offre une balade qui n'est pas sans charme, avec les montagnes en arrière plan.

Benalmádena Une station balnéaire divisée en trois entités. Benalmádena-Pueblo, installé sur les pentes des montagnes côtières, en retrait de la plage, correspond au village originel. Ses quelques rues aux maisons blanchies et, sur l'esplanade, la ravissante petite église Santo Domingo, ont su garder un parfum d'Andalousie, un exploit si près de la côte. Le vieux quartier possède un très beau musée archéologique consacré à l'art précolombien (unique en Andalousie). À mi-chemin des montagnes et de la plage, Arroyo de la Miel est une banlieue résidentielle où l'on trouve la gare Cercanías, des commerces, des restaurants et des bars. À quelques kilomètres en contrebas, Benalmádena-Costa, la station balnéaire proprement dite, avec ses hauts immeubles alignés sur 9km le long de la plage. Le contraste avec l'atmosphère du vieux village est particulièrement frappant dans le Puerto Marina, sorte de ville flottante en toc, dont on ne sait plus très bien si elle s'inspire de Venise, d'Istanbul ou de la *Guerre des étoiles*. Un gigantesque complexe de canaux accueille des centaines de bateaux, du canot à moteur au yacht de milliardaire. Au total, plus de mille points d'amarrage... C'est l'une des marinas les plus réputées de la côte méditerranéenne. À l'intérieur de cette ville dans la ville, l'immense aquarium de Sea Life. Les enfants adoreront voir nourrir les requins ou donner eux-mêmes à manger aux raies. C'est l'un des rares aquariums à posséder des serpents marins, animaux très venimeux. *À 15km au sud-ouest de Málaga par la route côtière (N340)* **Office de tourisme** *Avenida Antonio Machado, 10 Tél. 952 44 24 94 Ouvert lun.-ven. 9h-20h30 (19h30 l'hiver), sam. 9h-15h30, dim. 10h-14h* **Museo arqueológico de Benalmádena - Coleccion Precolombina** *Av. Juan Luis Peralta, 49 Tél. 952 44 85 93 www.benalmadena.com Ouvert mar.-sam. 9h30-13h30 et 17h-19h (18h-20h juil.-sept.), dim. et j. fér. 10h-14h Entrée gratuite* **Aquarium de Sea Life** *Tél. 952 56 01 50 Ouvert tlj. 10h-18h (0h l'été) www. sealife.es Adulte env. 12€ TR env. 9€*

Teleférico Benalmádena Ce téléphérique digne d'une station de ski vous transporte en 15min à presque 800m au-dessus de la mer. Du sommet du mont Calamorro, la vue est grandiose sur toute la côte et permet de juger des ravages de l'urbanisation. Au loin, par temps clair, les falaises blanches de l'Afrique. Un peu cher pour un panorama ? Les enfants, eux, y trouveront leur compte grâce aux démonstrations de dressage de chevaux, aux balades à dos d'âne, aux exhibitions de rapaces, parmi les attractions gratuites incluses dans le prix du billet. Les plus fauchés pourront toujours payer moitié prix et descendre à pied (compter 2h à gambader sur les sentiers sillonnant la garrigue andalouse). *Départ du téléphérique Esplanada Tivoli à* **Arroyo de la Miel,** *près de la gare Cercanías Tél. 902 19 04 82 www.teleferico.com Ouvert tlj. 11h-0h (17h en hiver, horaire variable selon la saison) Fermé début jan.-mi-fév. Entrée : env. 13€, env. 9,50€ moins de 7 ans*

Mijas Ah, le petit village andalou typique, accroché aux flancs de la sierra de Mijas, qui surplombe la Costa del Sol, à quelques minutes à peine des stations balnéaires... Si cette description de Mijas vous fait rêver, vous en serez d'autant plus choqué en arrivant sur place. Car la surexploitation touristique, entre embouteillages de caravanes et d'autobus et marchands de souvenirs, a eu raison du charme de ce village autrefois unique. Certes, les ruelles pavées, avec fleurs et plantes vertes pendues aux balcons en fer forgé, n'ont pas tellement changé. Mais il y a tant de monde et d'attrape-touristes qu'il vaut mieux passer son chemin, et chercher son bonheur plus en retrait de la côte.

Aller à la plage

De Benalmádena à Torremolinos s'étend sur près de 9km l'une des plages les plus appréciées de la région, en raison de sa largeur. Le sable brun n'est pas des plus attirants, mais en juillet-août on n'en voit même plus la couleur : vous aurez bien du mal à trouver un coin où poser votre serviette. La plage d'Arroyo de la Miel, à l'ouest du Castillo de Bil-Bil, est l'une des plus séduisantes, car moins urbanisée. Tout à fait à l'ouest, la Playa de Carvajal débute par une petite portion sans immeuble. Mais ce sont les nudistes qui ont le plus de chance : entre les plages de Yucas et de Viborilla (à l'ouest de Benalmádena), la plage naturiste de Benalnatura ressemble à un petit coin de paradis. La végétation descend jusque sur la plage, sorte de minuscule calanque protégée. Les immeubles ne sont pas loin mais la nature semble ici avoir gagné une bataille.

Manger à Málaga

Les bars et restaurants de Málaga mettent à l'honneur les produits régionaux : les fruits de mer, bien sûr, mais également de délicieuses viandes grillées. Pour manger du poisson et des fruits de mer à bon prix, promenez-vous le long du Paseo Marítimo, longez la plage des anciens quartiers de pêcheurs de Huelin (en direction de Torremolinos) ou de Pedregalejo (environ 2km à l'est du centre-ville). Vous y trouverez bon nombre de *chiringuitos*, ces petits restaurants de fortune installés en front de mer, spécialisés dans les fritures de poissons et fruits de mer. Même si le cadre n'est pas toujours enchanteur, les produits sont frais et ce sont les seuls endroits où vous pourrez encore voir des barques de pêcheurs remplies de sable, où grillent les *espetos* de sardines, embrochées sur la tranche et plantées dans le sable au-dessus des braises afin de ne pas les dessécher. Sur la plage de Pedregalejo, essayez par exemple El Caleño, une valeur sûre. N'oubliez pas de consulter la rubrique Où faire une pause déjeuner ?, où vous retrouverez une adresse de restauration à petits prix.

très petits prix

Mesón Cortijo de Pepe (plan 2, C2 n°21). Sur la Plaza de la Merced, au numéro 2. Une taverne rustique tout en longueur, dont les tapas délicieuses et bon marché (env. 2€) font le succès. Accoudé au bar ou attablé en terrasse (en août), goûtez aux crevettes à l'ail (*langostinos al ajo pimentón*), à la salade de crabes ou à la *porra* (équivalent du *salmorejo, gaspacho*). *Tél. 952 22 40 71 Ouvert tlj. sauf mar. 12h-16h et à partir de 20h le soir*

petits prix

Cafetería El Jardín (plan 2, C2 n°22). Cette charmante cafétéria se distingue par sa jolie terrasse, au pied de la cathédrale, face aux jardins de la cathédrale. En mai, elle se pare de croix fleuries, comme il est de coutume à Cordoue, ville d'origine des propriétaires. À l'intérieur, colonnes en fonte, dorures et statuettes baroques. Même si l'ensemble dégage une atmosphère de salon de thé, les spécialités sont on ne peut plus andalouses. Essayez par exemple la perdrix au jerez ou, comme à Cordoue, le *rabo de toro* et le *flamenquín*. Menu env. 15€. Vendredi et samedi soir, à 21h30, un musicien vient détendre l'atmosphère au piano pendant le dîner, suivi d'un spectacle de flamenco (carte majorée de 20%). *Calle Cañón, 1 Tél. 952 22 04 19*

El Tintero II (plan 1, B1-B2 n°10). En continuant 1 km à l'est de Pedregalejo, dans le quartier d'El Palo sur la plage d'El Dedo. Plus pour l'expérience que pour le cadre, où les niveaux sonores peuvent atteindre des sommets lorsque plus de 300 tables sont pleines ! Véritable ballet de serveurs entre les tables, qui annoncent à la volée le nom des poissons ou des fruits de mer sortis des cuisines : *calamares, huevas fritas* (œufs de poisson frits), *almejas salteadas* (palourdes), *jibia* (sèche)… Pour obtenir l'addition, il suffit d'arrêter le serveur qui crie inlassablement *"yo cobro"* (j'encaisse), il comptera vos assiettes ! Tous les plats sont à env. 7,50€, hors gambas ou homard (prix selon le marché). *Tél. 952 20 68 26 et 952 29 28 81 Ouvert tlj. 12h30-17h (16h30 l'hiver) et 20h-1h (0h l'hiver)*

☺ **Orellana (plan 2, B2 n°23).** L'enseigne rouge de ce minuscule bar à tapas n'attire pas le badaud. Mais vous avez ici affaire à l'une des meilleures adresses de la ville, tenue par la même famille depuis trois générations. Midi et soir, on se presse devant le comptoir et jusque dans la rue pour commander les succulentes spécialités de cet incontournable. En amuse-gueules, les *ligeritas*, petits sandwichs variés, sont parfaits. Mais ne partez pas sans avoir goûté au *bartolo*, une recette de poisson pané aux herbes dont la seule évocation fait saliver les habitués. Les téméraires essaieront le *picante malayo*, un plat épicé dont le patron affirme qu'il est "vraiment trop fort pour la nouvelle vague". Il n'a pas tort. *Moreno Monroy, 21 Tél. 952 22 30 12 Ouvert mar.-dim. 13h30-16h et 20h30-0h*

Clandestino (plan 2, B2 n°24). Pour une cuisine méditerranéenne créative, le Clandestino est une petite cantine moderne à l'ambiance décontractée, et qui a l'avantage d'avoir une cuisine qui reste ouverte tard. Vaste choix de salades, de viandes et de poissons. Par ailleurs, les amateurs de desserts gourmands seront servis. Menu (lun.-ven.) env. 9€, à la carte 15-20€. *Calle Niño de Guevara, 3 Tél. 952 21 93 90 Ouvert tlj. 13h-1h*

prix moyens

Mesón Ibérico (plan 2, B4 n°25). Au sud de l'Alameda Principal. Une bonne adresse pour déguster les charcuteries ibériques, et notamment d'excellents jambons et chorizos de Huelva, au comptoir ou à table. Essayez aussi les *pinchitos de cordero* (env. 3,50€), savoureux sandwichs d'agneau grillé. Commandez un verre du vin rouge du patron, un bon rioja, on vous le servira accompagné d'une tapas. Les blasés de la viande se rabattront sur la morue (*bacalao al pil-pil*) ou les anchois marinés. Environ 25€/pers. À l'angle des Calles Pinzón et San Lorenzo Tél. 952 60 32 90 Fermé sam. soir, dim. et j. fér.

prix élevés

Entremares (plan 1, B1-B2 n°11). Difficile de trouver un restaurant en bord de plage qui ne soit pas un *chiringuito* ! Celui-ci est un bon compromis, avec nappe blanche et cuisine raffinée, en terrasse parmi les plantes vertes ou dans son intérieur rustique et chaleureux. Une des spécialités de la maison est le célèbre "*arroz malagueño*", délicieux riz cuisiné comprenant langoustines (env. 15€) ou homard (env. 20€). À cela, ajoutez un poisson en croûte de sel exquis et des sorbets divins. Si vous souhaitez déjeuner face à la mer, réservation indispensable, les tables en terrasse sont très prisées. Av. *Salvador Allende, 292 (au bord de la plage El Chanquete, quartier El Palo, bus 11) Tél. 952 29 69 62 Ouvert tlj. 14h-16h et 21h-0h (23h en hiver) Fermé dim. soir et lun.*

Mesón Mariano (plan 2, B2 n°26). Les tables de ce restaurant élégant mais très couru sont prises d'assaut le soir en fin de semaine. Popularité entièrement justifiée par la qualité du service et des tapas, dont d'excellents artichauts et des plats du jour cuisinés, les *callos caseros*. Pour accompagner le tout, la maison propose de très bons vins. Comptez 35-40€. *Calle Granados, 2 (entre les Calles Méndez Nuñez et Beatas) Tél. 952 22 97 65 Ouvert lun.-sam. 13h30-16h et 20h15-0h*

Mariano (plan 2, B2 n°27). Ce restaurant, fréquenté par les "*famosos*" de Málaga, est installé dans les murs d'un ancien palais du XVIIIe siècle, celui de María Eugenia de Montijo, épouse de Napoléon III. Salle lumineuse et décorée de peintures d'artistes *malagueños*. Entre autres plats de poisson, la spécialité du chef, la "*rape de Mariano*" (env. 20€), lotte servie avec une sauce de crevettes persillée et aillée à souhait, est délicieuse. Carte de vins chic et chère. Comptez environ 40€/pers. avec le vin. *Plaza del Carbon, 3 Tél. 952 22 90 50 www.restaurantemariano.com Ouvert tlj. sauf dim. soir*

Sortir à Málaga

Où aller au cinéma ?

Multicines Albéniz (plan 2, C2 n°30). Dos au théâtre romain, l'un des rares cinémas de la ville projetant de temps à autre des films en V.O. sous-titrés en espagnol. 2 à 4 séances/ jour. *Calle Alcazabilla, 4 Tél. 952 21 58 98*

Théâtre Cervantès (plan 2, C1 n°31). Ce bel édifice classique de 1870 accueille chaque année, en mars ou en avril, le Festival de Cine de Málaga, célèbre festival du cinéma espagnol créé en 1998 (www.festivaldemalaga.com). La salle programme également de la danse, du théâtre, des opéras, des concerts et un festival de jazz (en novembre). *Calle Ramos Marín Tél. 952 22 41 09 www.teatrocervantes.com*

Où écouter du flamenco ?

Museo de Arte Flamenco-Peña Juan Breva (plan 2, C2 n°32). La plus ancienne *peña* d'Andalousie, avec la Plateria de Grenade, s'est agrandi en 2006 grâce à l'immeuble attenant, cédé par la mairie. Il a permis ainsi d'étendre l'exposition des collections, qui composaient autrefois ce petit musée, à l'aide d'extraordinaires pièces comme ces enregistrements datant du XIXe siècle. Le vendredi, des concerts de flamenco sont organisés et chaque premier samedi du mois, d'octobre à mai, on y sert la traditionnelle *berza*, une copieuse potée de légumes. Un classique des *peñas flamencas*. Il est préférable de téléphoner avant pour connaître les horaires d'ouverture. *Calle Ramón Franquelo, 4 Tél. 952 21 08 76 et 952 25 49 38 Le 1er étage du Museo de Arte Flamenco ouvre en principe début 2008*

Onda Pasadena Jazz (plan 2, C1 n°33). Une petite porte à peine éclairée et sans enseigne ouvre sur le meilleur club musical de la ville. À gauche en entrant, la minuscule salle de spectacle accueille régulièrement des concerts jazz, soul et folk. Des soirées flamencas sont en général organisées le jeudi. Concerts vers 23h "heure locale", soit plus probablement minuit. Arrivez en avance si vous voulez être assis. L'entrée est gratuite, et le prix des consommations au bar très raisonnable. *Calle Gómez Pallete, 5 (près de la Plaza de la Merced, face au marché)*

Kelipé (plan 2, B1 n°34). Dans une rue située derrière le Théâtre Cervantès, une école de flamenco petite mais complète (guitare, danse, percussions) tenue par un couple d'origine gitane, professionnels reconnus. Une bonne introduction au monde flamenco, par une approche également culturelle (organisation d'expositions, de conférences…). Cours tous niveaux à partir d'un mois (de 1h à 5h/ sem.). Pour ceux qui restent un peu à Málaga, la formule initiation de 5 jours (1h/j.) à 130€ (min. 3 pers.) est un avant-goût instructif. Et pour le plaisir, on pourra assister à l'un des spectacles organisés par l'école. *Calle Peña, 11 Tél. 692 82 98 85 www.kelipe.net Spectacles jeu.-sam. à 21h30 (21h nov.-fév.) Entrée 10€, étudiants 8€ (boissons et tapas comprises)*

Où danser ?

Le centre-ville rassemble un très grand nombre de bars et de pubs, entre la Plaza de la Constitución et celle de la Merced. La foule des noctambules est dense en fin de semaine et la Plaza de la Merced accueille tous les jeunes qui préfèrent boire et discuter (mais avant tout boire) en plein air. En été, l'activité se déplace quelque peu vers la Costa del Sol, et notamment dans le complexe Puerto Marina, à Benalmádena. Accessible en bus jusqu'à 0h30-1h (et de 2h25 à 6h40 le samedi !), avec un premier retour tôt le matin. Entre les deux, à vous de jouer. L'arrêt se trouve au début de l'Avenida Manuel Agustín Heredia. À noter : la rubrique *AD (Al Día)* du journal *Sur* recense chaque jour les principaux concerts et événements. Vous trouverez dans les bars des journaux gratuits ou fanzines type le *Youhthing*, qui sélectionne les spectacles et concerts de la scène alternative.

Chill house Club (plan 1, B1). Lieu branché et très agréable avec terrasse en plein air et deux étages programmant de la musique différente (house, électro, années 1980...). *Paseo de Sancha, 61 Ouvert à partir de minuit*

L'Abisinia (plan 2, B2). Ce bar organise des concerts session DJ hip-hop et black music. *Calle Beatas Concerts jeu.-sam. 0h-4h*

El Liceo (plan 2, B2). Installé dans un palais du XVIIIᵉ siècle, ce bar, ouvert très tard le soir, est le lieu de rdv des étudiants étrangers. *Calle Beatas Ouvert tlj. le soir*

Sala Factoria. Installée dans l'enceinte même de la feria, organise des concerts et des sessions DJ de qualité lors de la feria.

ZZ Pub (plan 2, B1). Pour une ambiance musicale à la Blues Brothers, ce pub propose aux beaux jours de danser sur la plage, puisque le club a ouvert un *chiringuito*. *Calle Tejón y Rodríguez, 4bis À la sortie de Málaga, direction Torremolinos*

Dormir à Málaga

Le logement n'est pas le principal attrait de Málaga. Les prix sont dans l'ensemble assez raisonnables, mais de nombreuses pensions se révèlent trop médiocres (propreté, accueil) pour figurer ici. Il n'en reste pas moins de bonnes adresses dans toutes les gammes de prix, pour lesquelles il est fortement conseillé de réserver. Plusieurs mois à l'avance pour la Semaine sainte et quelques semaines à l'avance pour l'été.

très petits prix

Albergue Juvenil Málaga (plan 1, A1-A2 n°20). Une grande auberge de jeunesse (200 places). Chambres de 1 à 4 personnes, dont certaines équipées d'une sdb. Repas sur place à env. 6€. Également un service de laverie (env. 2,50€). Assez excentré (20min à pied de la cathédrale), mais le bus 14, qui part de la gare routière, s'arrête juste devant l'entrée (arrêt : Plaza Pío XII). 13,50-18€ environ par pers. (env. 15,50-20€ mi-juin-mi-sept.). *Plaza Pío XII (en face de l'église) Tél. 951 30 81 70 Réservation 902 30 85 00 Fermé 15 j. à Noël*

petits prix

Hostal Derby (plan 2, B3 n°40). Dans l'immeuble des bureaux Unicaja, en face du McDonald's. Ne vous laissez pas impressionner par l'imposante porte cloutée, car une fois arrivé au 4ᵉ étage, c'est une pension accueillante à des prix très compétitifs que vous découvrirez, denrée rare en centre-ville. Une vingtaine de chambres spacieuses et impeccables, toutes dotées de la climatisation, qui possèdent pour la plupart une douche ou un bain. La 7 avec ses deux balcons, la 17 à la vue imprenable sur le port, la 16 sans sdb mais mignonnette. Le salon, servant de salle

TV commune, s'ouvre sur une terrasse qui domine la Plaza de la Marina. Chambre double de 44€ environ (sans sdb) à environ 46€ (avec sdb) et triple à environ 62€. Une bonne adresse. Réservation deux mois à l'avance lors de la feria ou la Semaine sainte. *Calle San Juan de Dios, 1 (une petite rue qui part de la Plaza de la Marina) Tél. 952 22 13 01 et 952 22 13 02*

prix moyens

Hotel Castilla y Guerrero (plan 2, B3 n°41). Au sud de l'Alameda Principal. Les chambres, rénovées en 2006, sont convenables et propres, et l'accueil plutôt souriant. Mais le bon plan, ce sont les six studios que possède le patron dans une rue voisine. Loués à la nuit, au même prix qu'une double, dans les périodes où ils ne sont pas réservés par une agence de voyages. Quand ils sont libres, c'est la meilleure affaire de la ville : corridor, salle de bains impeccable, grande salle tout équipée, avec frigo et évier, et parfois même une terrasse ! Chambres doubles avec sdb, a/c et TV à partir de 55€. Le bar au rez-de-chaussée est idéal pour les petits déjeuners. *Calle Córdoba, 7 (29001) Réception au 2ᵉ étage Tél. et fax 952 21 86 35 www.hotelcastillaguerrero.com*

Hotel Alameda (plan 2, B3 n°42). Au sud de l'Alameda Principal. Une pension tranquille, au 8ᵉ étage (avec ascenseur). Chambres refaites en 2007. Réservation conseillée. Double avec sdb à 58€ environ. *Casas de Compos, 3 (entrée par la Calle Córdoba, 9) Tél. 952 22 20 99*

Hotel Carlos V (plan 2, C2 n°43). À deux pas de la cathédrale. Très central, et pourtant calme. Sur 2 étages, les chambres ont été rénovées en 2006-2007 ; les autres, un peu défraîchies mais quand même tout à fait correctes et d'une propreté sans défaut, devraient l'être pour l'été 2008. Accueil très professionnel. Double à partir de 65€. Parking privé env. 10€/j. *Calle Císter, 10 (29015) Tél. 952 21 51 20 Fax 952 21 51 29 www.hotel-carlosvmalaga.com*

☺ **Hotel Sur (plan 2, B3 n°44).** Dans la première rue parallèle à l'Alameda Principal, mais très calme. Une bonne adresse : propreté parfaite et grand sens de l'hospitalité sont au rendez-vous. Des chambres spacieuses et confortables. Dans cette gamme de prix, c'est le meilleur choix de Málaga. Réservation indispensable. Chambre double à 64€ (73€ en août, sept. et pendant la Semaine sainte). Parking dans l'hôtel (12,50€, 13,50€ en saison). *Calle Trinidad Grund, 13 (29001) Tél. 952 22 48 03, 04 ou 05 Fax 952 21 24 16 www.hotel-sur.com*

prix élevés

☺ **Hotel California (plan 1, B1 n°21).** Tout près de la plage de la Malagueta, à l'est des arènes. Ce 2-étoiles de charme occupe une ancienne villa, au pied du mont de l'Alcazaba. Vingt-six chambres joliment décorées, dont l'équipement comprend sèche-cheveux et petit coffre-fort individuel. Quelques travaux, effectués en 2007, ont réduit le nombre de chambres pour agrandir la taille de certaines. Chambre double à partir de 78€ environ. Le centre-ville est à 10-15min à pied, la plage à 100m. Réservation conseillée toute l'année. *Paseo de Sancha, 17 (29016) Tél. 952 21 51 64, 5 ou 6 Fax 952 22 68 86 www.hotelcalifornia.es*

prix très élevés

Parador de Málaga Gibralfaro (plan 2, C2 n°45). Sur les hauteurs de Málaga, au pied de la forteresse du Gibralfaro. Des chambres, luxueuses et décorées avec goût, on embrasse une vaste partie de la vieille ville et de la côte. Service et équipement de grand standing. Si vous n'avez pas le courage de descendre jusqu'à la plage, observez-la depuis le bord de la piscine. Accès un peu fastidieux si vous n'êtes pas en voiture, car le bus 35, qui dessert le Gibralfaro, n'est pas très fréquent, contrairement au bus rouge touristique. Parking gratuit pour les clients de l'hôtel. Doubles de 149 à 159€ HT. Petit déjeuner 15€ HT. *Au bout du Camino de Gibralfaro Adresse postale : Apd de Correos 274 DP 29016 Tél. 952 22 19 02 Fax 952 22 19 04 www.parador.es*

Manger, dormir dans les environs

Manger dans le parc de los Montes de Málaga

petits prix

Venta El Mirador. Une cuisine du terroir, plus copieuse que raffinée mais le principal atout de ce restaurant est sa vue sur Málaga et la mer. Les spécialités sont parfaites pour se remettre d'une bonne marche dans le parc : le *picadillo*, bouillon de viande mêlant croûtons, *jamón* et menthe, *el plato de los Montes*, un assortiment de chorizo, viande de porc, œuf, pomme de terre et poivrons grillés, ou encore la *campera*, sorte de tortilla de viande aux légumes. Ambiance familiale. Comptez environ 15€. *Carretera del Colmenar, 552 Tél. 952 11 07 34 Ouvert tlj. 11h-0h (2h le week-end)*

prix élevés

Humaina. Hôtel 3 étoiles niché au cœur du parc à 900m d'altitude, véritable bulle d'oxygène et de sérénité. Très agréable pour boire un verre en pleine nature ou mieux, y dormir une nuit pour se remettre de ses folles nuits *malagueñas*… 12 chambres doubles de 76 à 82€, suites (avec Jacuzzi) de 114 à 125€ selon la saison. *Carretera de Colmenar, Parque Natural Montes de Málaga Tél. 952 64 10 25 Fax 952 64 01 15 www.hotelhumaina.es*

Manger, dormir à Torremolinos

Curieusement, il n'y a aucun camping à Málaga et Benalmádena. Deux campings aux alentours pourront vous dépanner, de même que celui de Marbella (cf. Dormir à Marbella).

camping

Camping de Torremolinos. Compter de 20,50 à 25€ environ pour 2 pers. *Au bord de l'autoroute vers Málaga, km228. Tél. 952 38 26 02*

prix élevés

La Lonja. Une première terrasse face à la mer et une autre qui donne sur le quartier piéton : au fil du temps, les tables de ce vieux restaurant de Torremolinos ont colonisé quelques ruelles… Les bras chargés de poissons ou de fruits de mer, les serveurs passent de terrasse en terrasse, interpellés par les habitués qui s'enquièrent des suggestions du jour, en fonction des arrivages. Une idée : en entrée, partagez des *raciones* de clovisses, couteaux ou crevettes, puis commandez un plat de poisson (baudroie *a la malagueña*). C'est très frais et hyper copieux. Comptez environ 30€ le repas. *Calle San Ginés, 11 y Mar, 12 Tél. 952 37 58 86 et 952 37 01 59 Fermé mer.*

Manger, dormir à Benalmádena

En été, les *chiringuitos* de Benalmádena-Costa permettent de savourer de bons poissons grillés, les pieds dans le sable. Essayez par exemple la Playa Fuente de la Salud, tout près de la marina et fréquentée par les touristes anglo-saxon, ou, plus sympa avec une ambiance espagnole, la Playa Arroyo de la Miel.

camping

Camping de Fuengirola. Bondé en été, environ 28,50€ pour 2 pers. (23€ l'hiver). *N340, km207. Tél. 952 47 41 08*

petits prix

Casa Manolo. Dans le vieux quartier de Benalmádena-Pueblo. Un petit restaurant de poissons et fruits de mer bon marché. *Gambas al Pil-Pil* (spécialité de crevettes, env. 8€) et poissons grillés savoureux, salades copieuses. Ne pas manquer les *pinchos morunos* (brochettes d'agneau aux saveurs marocaines). Terrasse agréable sous les palmiers de la Plaza de Andalucía, quand il fait beau. Assez touristique. *Calle Real, 14 Tél. 952 44 89 23 Fermé lun en été et sam. en hiver*

Pension Luque. Idéalement située à l'entrée du vieux quartier, cette pension est tenue par une adorable grand-mère. Très propre, même si la déco intérieure n'a rien de révolutionnaire. Un peu cher, mais bien mieux que le confort approximatif, standardisé et sans âme que vous trouverez sur la côte pour le même prix. Doubles sans salle de bains de 40 à 44€, de 45 à 48€ avec. La meilleure option reste la n°1, qui combine sdb et joli balcon. Possibilité de s'installer à la terrasse pour grignoter. En haute saison, il faut réserver (3 nuits minimum) et envoyer des arrhes. *Calle Real, 19 Tél. 952 44 82 20*

prix élevés

La Fonda. Un hôtel de charme avec vue sur la mer, dans le vieux quartier de Benalmádena-Pueblo. Chambres coquettes, service impeccable, calme olympien, piscine et restaurant de qualité. Avec une architecture originale faite d'une succession de terrasses et de patios, sur plusieurs niveaux. Que demander de plus ? Réservation indispensable. Doubles d'env. 72 à 103€ selon la saison, avec petit

GEORGION

PROVINCE DE MÁLAGA

déj. Location de studios (36€ hors saison et 75€ en saison) et d'appartements pour 4 à 5 pers. (avec 1 chambre, de 48 à 98€, avec 2 chambres de 59 à 103€). *Calle Santo Domingo, 7 Tél. 952 56 83 24 Fax 952 56 82 73 www.fondahotel.com*

★ Marbella

29600

Sauf à venir aux périodes les plus touristiques, c'est-à-dire les week-ends ou en août lorsque la population de la ville triple, on se laisse prendre malgré soi au charme de Marbella. Il y a plusieurs raisons à cela : un très beau centre historique, de bons restaurants, un front de mer animé et une vie nocturne trépidante. Finalement, la Marbella qui plaît n'est pas forcément celle des clichés faciles sur la Costa del Sol. La présence de la jet-set passe somme toute assez inaperçue, n'en déplaise aux amateurs de la presse à sensation.

D'*AL-ANDALUS* À LA JET-SET La médina de Marbella était une ville importante d'*Al-Andalus*. Elle a laissé derrière elle le tracé sinueux des ruelles de la vieille ville, et quelques restes de murailles aux abords du "Castillo". Il n'y a pas si longtemps, Marbella était encore un petit port de pêche coincé entre les monts de la sierra Blanca et l'azur de la mer. Mais en 1953, avec la construction du somptueux Marbella Club Hotel, la jet-set commence à affluer des quatre coins d'Europe. Stars, milliardaires et émirs se font construire de délirants palais en bord de mer, à portée de leur yacht, et Marbella fait les beaux jours des paparazzi.

JESÚS GIL Y GIL Après un lent déclin dans les années 1980, Marbella vit arriver son "sauveur" : Jesús Gil y Gil. En 1991, cet homme d'affaires remporte les élections municipales, à la tête d'un parti modestement nommé le GIL. Il entreprend de redorer le blason de la station balnéaire, expulsant au passage les indésirables, au premier rang desquels les vagabonds et les délinquants. Soigner les apparences (trottoirs en marbre, parkings flambant neufs) et maintenir un ordre de fer sont les deux règles de ce conservateur, admirateur de Franco. Il est aussi à l'origine d'une fièvre immobilière sans précédent. Mais à la fin des années 1990, les affaires le rattrapent : gestion douteuse des marchés immobiliers, détournement de fonds publics au profit de l'Atlético de Madrid (dont il était président), suspicion d'activités illégales liées au crime organisé... Il perd son mandat de maire en avril 2002 et décède, deux ans plus tard, à 71 ans, d'une embolie cérébrale. Mais la gestion sans scrupule de la ville lui a survécu. En 2006, l'essentiel du conseil municipal, maire compris, ainsi que des entrepreneurs sont emprisonnés, impliqués dans un vaste scandale de corruption immobilière, et les démêlés judiciaires continuent...

Marbella, mode d'emploi

accès

EN VOITURE À 59km au sud-ouest de Málaga par l'AP7 (section Fuengirola-Marbella payante : env. 6€ pour 30km !). On arrive par le nord de la ville, où se trouvent la gare routière et l'auberge de jeunesse. Quant à la route A7 (CN-340A), elle traverse Marbella d'est en ouest. En été, avec l'afflux des touristes, la circulation et le stationnement, déjà difficiles le reste de l'année, peuvent devenir cauchemardesques.

EN CAR
Portillo. De Málaga, départs très fréquents, certains directs, de 6h45 à 21h45. À savoir : la compagnie assure également une liaison directe avec l'aéroport de Málaga. De la gare routière (plan B1), pour rejoindre le centre, prendre le bus n°2. *Tél. 902 14 31 44 www.ctasa-portillo.com*

orientation

L'Avenida Ramón y Cajal, qui traverse le centre-ville d'est en ouest, est le meilleur point de repère. Au sud se trouve un quartier moderne qui donne sur la marina (Puerto Deportivo) et la Playa de Venus. Au nord commence la vieille ville, dont les ruelles pentues s'organisent autour de la Plaza de los Naranjos.

informations touristiques

La ville compte plusieurs offices de tourisme. Également un à San Pedro de Alcántara et un autre à Puerto Banús.
Office de tourisme de la Glorieta de la Fontanilla (plan A2). À la hauteur du Parque de la Constitución. *Av. Duque de Ahumada Tél. 952 77 14 42 Ouvert lun.-ven. 9h-21h, sam. 9h30-14h30*
Office de tourisme de la Plaza de los Naranjos (plan B1). Dans la vieille ville. *Tél. 952 82 35 50 Ouvert lun.-ven. 9h-21h, sam. 9h30-14h30 Fermé certains j. fér.*
Office de tourisme del Arco de Marbella. *À la sortie de Marbella (dir. Carretera de Cádiz, km183,5) par l'Av. Severo Ochoa, sous l'arche qui enjambe la route. Tél. 952 82 28 18 www.turismomarbella.es Ouvert tlj. 9h-21h*

adresses utiles

Hospital Costa del Sol. À l'entrée de Marbella, face à l'hôtel Los Monteros. *Ctra A7 (CN-340A), km186 Tél. 951 97 66 69*
Bureau de poste (plan A1). Situé à l'écart du centre-ville, au nord-ouest de l'Av. Ramón y Cajal. *Calle de Jacinto Benavente, 14 Tél. 952 77 28 98 Ouvert lun.-ven. 8h30-20h30, sam. 9h30-13h*
Taxi Sol. *Tél. 952 77 44 88*

Découvrir Marbella

☆ **À ne pas manquer** La vieille ville de Marbella **Et si vous avez le temps...** Dégustez du poisson grillé à la Relojera face au port, essayez de pénétrer dans l'antre du Club Olivia Valère et à défaut régalez-vous du spectacle, terminez la soirée dans une discothèque de Puerto Banús

☆ **Casco antiguo** Malgré l'afflux touristique, la vieille ville de Marbella mérite une visite. Les rues pavées qui partent au nord de l'Avenida Ramón y Cajal ont gardé

GEOREGION

PROVINCE DE MÁLAGA

PROVINCE DE MÁLAGA ■ GEOREGION

Marbella

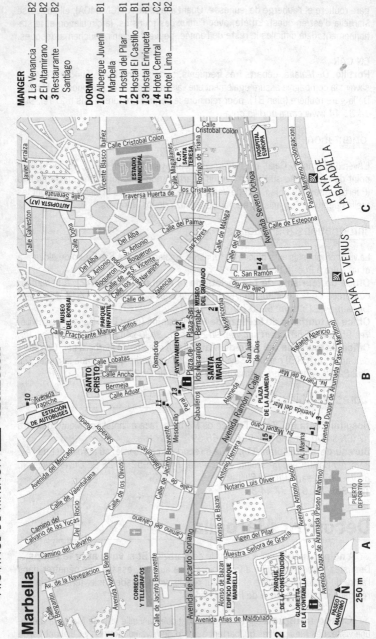

le charme de leurs édifices blanchis à la chaux, de leurs balcons fleuris. En s'éloignant un peu des artères principales, on parvient à trouver un semblant de tranquillité. Le cœur du *casco antiguo* est la belle Plaza de los Naranjos (plan B1-B2), avec ses palais restaurés, sa fontaine en pierre (1704) entourée de parterres de fleurs exotiques et ses petites terrasses à l'ombre des orangers. La place fut tracée en 1485, après la reconquête de la ville par les Rois Catholiques, sur le modèle des villes castillanes. L'hôtel de ville (plan B1) du XVIe siècle vaut le coup d'œil, ainsi que la Casa del Corregidor (XVIIe siècle) et l'Ermita de Santiago (XVe siècle), la plus vieille église de la ville. À deux pas de la place, vers l'est, le quartier surélevé de l'ancien château musulman de Marbella est organisé autour de la Plaza San Bernabé. Quelques pans de murailles et une tour constituent les seuls vestiges des imposantes fortifications érigées au Xe siècle. Juste au sud, l'église baroque de Santa María de la Encarnación (XVIIe siècle, plan B2) domine la Plaza de la Iglesia. Au sud de l'église, dans la Calle San Juan de Dios, ne manquez pas le mélange de styles de la chapelle San Juan de Dios (XVIe siècle), avec ses élégantes portes en bois abritant des figures saintes, objets d'une grande vénération. En continuant vers l'est, on accède à l'ancien hôpital de Bazán (XVIe siècle), qui abrite désormais le Museo del Grabado Español Contemporáneo (musée de la Gravure espagnole contemporaine, plan B1-B2). La collection comprend des œuvres de Tàpies, Picasso, Dalí, Miró ou encore Chillida. En remontant la pittoresque Calle Ancha, vous atteindrez la Plaza Santo Cristo (plan B1), si belle avec ses petits palmiers. La destruction d'une vieille demeure avoisinante et les travaux qui s'ensuivent n'empêchent pas d'admirer la façade en pierre et le clocher aux tuiles bleues et blanches de l'Ermita Santo Cristo. **Museo del Grabado Español Contemporáneo** *Calle Hospital de Bazán Tél. 952 76 57 41 www.museodelgrabado.com Ouvert lun.-ven. 9h-21h, sam. 9h-14h30*

Faire une balade en bord de mer

Au sud de la vieille ville, la rue piétonne Avenida del Mar (plan B2), ombragée et décorée de statues contemporaines, descend vers le bord de mer. Elle débouche sur la longue Playa de Venus, très belle pour une plage urbaine. L'esplanade de l'Avenida Duque de Ahumada se prête merveilleusement à une balade en bord de mer. À l'est de l'Avenida del Mar, au-delà des limites de la Playa de Venus, on accède au quartier de la Bajadilla, avec une plage plus tranquille. Outre une seconde marina, le quartier compte un petit port, en face duquel subsistent miraculeusement, sur deux rues, quelques maisons de pêcheurs. Une bonne raison de marcher jusque-là ? La Relojera, un excellent restaurant de poissons grillés, populaire et d'un bon rapport qualité-prix (cf. Manger à Marbella).

Se mêler à la jet-set

Puerto Banús Sur la route, on aperçoit les propriétés de milliardaires, qui abondent le long de cette partie de la Costa del Sol. Le roi Fahd d'Arabie y possédait par exemple l'une de ses nombreuses résidences secondaires, un vrai palais. Puerto Banús est un complexe touristique de grand standing, organisé autour d'une des marinas les plus huppées d'Europe. Si l'on n'a pas les moyens d'y garer un bolide hors de prix et d'y amarrer un yacht, on y va essentiellement pour admirer ceux des autres. Outre quelques voiliers de luxe et des hors-bord aux cuivres rutilants, on trouve de véritables paquebots flottants, avec équipage en tenue blanche et salles de bal géantes.

Au bord de la marina, boutiques de grands couturiers, bars et boîtes de nuit de prestige attirent la jet-set espagnole et cosmopolite, tandis que les touristes anglais se retrouvent entre eux dans des pubs très *british*, où passent en boucle les exploits des footballeurs de la Premier League. À *6km à l'ouest de Marbella par la A7 (CN-340A)*

Où sortir le soir ?

La vieille ville de Marbella regorge de pubs et autres bars, parfaits pour commencer la soirée. En été, l'essentiel de l'activité se déplace en bord de mer, le long du Paseo Marítimo et aux abords de la marina. Pour des fins de soirée animées, surtout le week-end et *a fortiori* en été, l'idéal est de prendre la route de Puerto Banús, où se trouvent les discothèques et bars de nuit les plus prisés. Attention, vous êtes au royaume de la jet-set : si la musique et l'ambiance sont souvent de bonne qualité, les prix ont tendance à être plus élevés qu'ailleurs, et le code vestimentaire plus strict. Pour obtenir des informations sur les sorties, lisez la rubrique *"AD"* (*"Al Día"*) du quotidien *Sur*, le supplément *Ocio* de ce même journal, paraissant le mercredi ou procurez-vous *Marbella dia y hoche* à l'office de tourisme. Il y a souvent des concerts dans les bars et salles de spectacle de Marbella et Puerto Banús.

Sinatra Bar. Sur la marina de Puerto Banús, à l'angle près du bureau de change. Un bar un peu moins surfait que ses voisins, avec son zinc sans prétention et ses journaux pendus au mur. Mais sur la petite terrasse en bois blanc, vous êtes quand même avec le gratin de Puerto Banús, dans l'ambiance festive du port de plaisance. Idéal avant de sortir en boîte. Le demi-pichet de sangria à 10,50€, les cocktails à partir du même prix. *Tél. 952 81 90 50 Ouvert tlj. 9h-3h*

Club Olivia Valère. Au sommet de l'échelle du standing, ce club sélect mérite le coup d'œil. Le bâtiment, imitation d'une forteresse musulmane, est scrupuleusement gardé par des cerbères aux regards inquisiteurs. Le parking bondé ressemble à un salon de l'automobile de luxe, et l'arrivée des premiers clients, vers 2h, à la cérémonie des Grammy Awards. Aucune chance d'entrer en fin de semaine sans un gros effort vestimentaire, et une attitude savamment étudiée. *Route d'Istán, km0,8 (entre Marbella et Puerto Banús) Tél. 952 82 88 61 et 952 82 88 45 www. oliviavalere.com Entrée 70€ en saison, 30€ hors saison*

Manger à Marbella

Proximité de la mer et tourisme haut de gamme obligent, on mange vraiment bien à Marbella, et dans toutes les gammes de prix.

petits prix

La Relojera (hors plan). Un peu excentré, à l'est du centre-ville. Dans un minuscule quartier de pêcheurs, miraculeusement préservé, en face du port. Ambiance familiale et peu touristique. Le dimanche, on se presse dans la grande salle pour déguster d'excellents poissons grillés. Simple, bon et pas cher. *Calle Fuengirola, 16 (Urb. La Bajadilla) Tél. 952 77 14 47 Ouvert 13h-16h et 20h-0h (19h-23h déc.-avr.) Fermé lun. et nov.*

☺ **La Venencia (plan B2 n°1).** À 30m de la plage. Une salle aux voûtes basses, décorées de lustres en fer forgé, et serveurs en costume noir et blanc. Au menu : de succulentes charcuteries, dont un assortiment gargantuesque (*plato combinado* à 13,50€), des brochettes de crevettes et une longue liste de tapas bon marché (1,70-2,80€). Commandez donc un petit verre du rioja maison, accompagné d'une tapas gratuite. Une bonne adresse, fréquentée par les touristes autant que par les gens du coin, et toujours bondée en fin de semaine. Bonne nouvelle, il y a deux autres Venencia à Marbella et on y sert du poisson. *Avenida Miguel Cano, 15 Tél. 952 85 79 13 Fax 952 82 15 57 www.lavenencia.com*

prix moyens

El Altamirano (plan B2 n°2). Sur la toute petite place du même nom, au sud du Museo del Grabado. Un bel éventail de fruits de mer et de poissons, le tout d'une grande fraîcheur. À 14h, une ambiance de cantine espagnole avec télévision allumée et écharpes d'équipes de foot accrochées aux murs. Le lieu est beaucoup plus touristique le soir et certains peuvent attendre longtemps pour une table en terrasse. C'est le prix à payer pour une cuisine simple mais réputée. Copieuses, les *raciones* (crevettes au sel, *gambas al pil-pil*, de 9 à 12€) s'accompagnent parfaitement d'une grande salade à partager. On a envie de tout goûter ! *Plaza Altamirano, 3 Tél. 952 82 49 32 Ouvert lun.-mar. et jeu.-dim. 13h-16h et 20h-0h (19h30-23h30 l'hiver) Fermé mer.*

prix élevés

Restaurante Santiago (plan B2 n°3). Une bonne table, spécialisée dans les fruits de mer et la cuisine méditerranéenne en général. Le chef, Santiago Domínguez, s'est vite fait un nom parmi la clientèle branchée de Marbella. La terrasse, très agréable, ouvre sur le Paseo Marítimo. Comptez un minimum de 30€, vin non compris. Réservation recommandée. *Paseo Marítimo, 5 (près de l'Avenida Miguel Cano) Tél. 952 77 00 78 www.restaurantesantiago.com Ouvert tlj. 13h-17h et 19h-1h Fermé en nov.*

Dormir à Marbella

Tous les hôtels et pensions sont situés dans le centre. Les tarifs pratiqués à Marbella sont élevés. La meilleure solution pour les budgets serrés reste l'auberge de jeunesse. De manière générale, pensez à réserver longtemps à l'avance pour les mois d'été et la Semaine sainte.

camping

On trouve trois campings à l'est de Marbella, le long de l'A7 (CN-340A) et, accessoirement, de la plage.

Camping Marbella Playa (hors plan). C'est le terrain de camping le plus agréable mais également le plus éloigné (à 11km du centre). Comptez pour 2 pers., voiture et tente, d'env. 14 à 26€ HT. *Sur l'A7 (CN-340A), km192,8 Tél. 952 83 39 98*

GEORGION PROVINCE DE MÁLAGA

très petits prix

Albergue Juvenil Marbella (plan B1 n°10). Située sur les hauteurs de la ville, en direction de la gare routière. Une auberge de jeunesse de grande qualité, calme et bien tenue. Chambres de 2 à 4 personnes, toutes équipées de salles de bains privées. Parmi les points forts, on retiendra la grande piscine avec vue sur la mer ! Pour rejoindre le centre-ville : prendre le bus n°2 (nombreux arrêts) ou marcher 10min. Réservation indispensable. Pour les moins de 26 ans : 10€ petit déjeuner compris (14€ le week-end et en saison) ; pour les autres : 14€ (19€ le week-end et en saison). Location de serviettes 1,30€, repas 7€. *Av. Trapiche, 2 Tél. 951 27 03 01 Fax 951 27 03 05*

Hostal del Pilar (plan B1 n°11). Dans une petite rue de la vieille ville. Plus proche de l'auberge de jeunesse à l'anglo-saxonne que de la pension. Les patrons sont d'ailleurs écossais, et très hospitaliers. Des chambres au confort élémentaire, une ambiance décontractée et joyeusement cosmopolite. Ici, on ne réserve pas : il faut arriver tôt le matin. On refuse rarement du monde. S'il le faut, en été, on installe des matelas sur le toit (12€) ou on réquisitionne le canapé du salon en attendant qu'une chambre se libère. Compter 15-20€/pers. *Calle Mesoncillo, 4 (part de la Calle Peral) Tél. 952 82 99 36 et 952 85 85 48*

petits prix

☺ **Hostal El Castillo (plan B1 n°12).** De la Plaza de la Iglesia, prendre la ruelle grimpant vers l'enceinte de l'ancien château qui forme aujourd'hui un minuscule quartier surélevé. On pénètre dans cette vieille demeure aux balcons fleuris par un imposant portail en pierre. Intérieur accueillant, plein de caractère. Chambres simples mais vraiment plaisantes avec climatisation et sdb : carrelage à l'ancienne, bois sombre, murs blancs. La 39, plus grande que les autres, se distingue aussi par son balcon qui donne sur les arbres de la Plaza San Bernabé. De la terrasse, sur le toit crénelé, on embrasse du regard la mer et les toits de la vieille ville. Le plus pour les automobilistes : le patron connaît les bons tuyaux de stationnement gratuit. Doubles de 38 à 52€ selon la saison. *Plaza San Bernabé, 2 Tél. 952 77 17 39 Fax 952 82 11 98 www.hotelelcastillo.com*

prix moyens

Hostal Enriqueta (plan B1 n°13). Une bonne adresse. Cette pension confortable occupe un bel édifice blanc et ocre, donnant sur une rue piétonne. Calme, sauf en été : mais où trouve-t-on le calme en été, dans une ville où tout le monde vit sur sa terrasse ? Certaines chambres ont un petit balcon surplombant le patio, d'autres donnent à l'extérieur. Doubles d'env. 50 à 65€ (en haute saison). Un bon plan : la triple d'env. 65 à 85€. Des machines à café permettent de prendre un petit déjeuner léger. Lors de la Semaine sainte et en été, inutile de venir si vous n'avez pas réservé... un, voire deux mois avant ! *Calle de los Caballeros, 18 Tél. 952 82 75 52*

☺ **Hotel Central (plan C2 n°14).** Installé dans un quartier très calme, au sud-est du centre-ville de Marbella et à 2min de la plage, ce petit hôtel de charme est tenu par un couple d'Espagnols qui a longtemps vécu à Paris. Ils en ont rapporté un français impeccable et les antiquités du XIXᵉ siècle qui meublent les chambres et les couloirs. Chambres au confort douillet, avec carrelage noir et blanc. Celles de l'étage ont un balcon, celles du rez-de-chaussée ont vue sur un petit patio. Elles possèdent des connexions Internet gratuites et la climatisation. Chambres doubles à 50, 60 et 78€ pour 2 personnes selon la saison. *Calle San Ramón, 15 Tél. 952 90 24 42 Fax 952 90 25 56 www.hotelcentralmarbella.com*

Hotel Lima (plan B2 n°15). Un bon hôtel 2 étoiles, à 50m de la Playa de Venus. Service plus efficace qu'attentionné. Les chambres sont vraiment spacieuses, confortables et calmes, surtout au 7ᵉ étage. Demandez celles qui ont un grand balcon avec table et chaises pour profiter des premiers ou derniers rayons de soleil. Seul problème : en été, le stationnement est difficile, car l'hôtel n'a pas de parking. Les prix s'envolent en août (96,30€ pour une double, 62€ en basse saison). *Avenida Antonio Belón, 2 (près de l'Avenida Miguel Cano) Tél. 952 77 05 00 Fax 952 86 30 91 www.hotellimamarbella.com*

Dormir dans les environs

Hotel rural Los Jarales. Perdu dans la sierra de las Nieves, à 20min de Marbella par une route en lacets qui vaut le détour. Tout comme l'hôtel : un grand chalet tout de bois décoré dominant le lac d'Istán et la côte. L'accueil est sympathique et les chambres irrésistibles. Elles donnent soit sur la mer soit sur la montagne et sont équipées de la climatisation et du chauffage. Décoration rustique avec poutres apparentes, beaux tissus et coloris doux. Demandez la chambre n°3 ou la n°4, qui sont orientées vers la mer. Par temps clair, on aperçoit le roc de Gibraltar et les côtes africaines. Prix raisonnables : doubles à 67€, accès à la piscine compris. Au rez-de-chaussée, le restaurant est chaleureux et sert une appétissante cuisine régionale à des prix très abordables. *Route A7176, km14 (juste avant Istán) Tél. 952 86 99 42 et 610 88 18 93 www.losjarales.com*

Casares

29690

Un petit bourg andalou agrippé aux parois escarpées des gorges du río Manilva, à 420m d'altitude. En arrivant, la vision de cet amas de maisons blanches, comme empilées en désordre au milieu des montagnes, ne peut laisser indifférent. La silhouette rassurante d'une forteresse domine le tout. Le lieu devient touristique en plein été, mais sans excès. Bonne base pour les randonneurs, mais pas loin non plus de la plage de Casares.

UN PEU D'HISTOIRE Si le site de Casares fut peuplé depuis la préhistoire (voir les ruines de la ville de Lacipo, 4km à l'ouest), le tracé actuel des rues du village remonte à l'époque musulmane, ainsi que l'enceinte de la forteresse, tour de guet au sommet d'un piton rocheux contrôlant la vallée. Le nom de Casares vient de l'arabe *caxar* (forteresse). Le village fut l'un des derniers bastions de résistance face à l'avancée des troupes chrétiennes. Ce n'est qu'en 1485 que Luis Ponce de León le reconquiert pour le compte des Rois Catholiques, et prend le titre de marquis de Casares. En 1570, c'est à Casares qu'est signé le pacte mettant fin à la rébellion mauresque qui avait mis à feu et à sang la serranía de Ronda. Les habitants, retranchés dans la forteresse, opposeront, de 1810 à 1813, une résistance farouche aux troupes napoléoniennes installées à Ronda. Enfin, plus près de nous, Blas Infante (1855-1936), qui deviendra le père du nationalisme andalou en rédigeant son *Idéal andalou*, est l'enfant chéri de Casares.

Casares, mode d'emploi

accès et orientation

À 24km d'Estepona par la N340 puis l'A377. Si vous ne réussissez pas à vous garer dès l'entrée du village, optez pour les deux nouveaux parkings (plaza du Llano de la Fuente et calle Camachas), la place centrale (Plaza de España) n'offrant aucun stationnement, de même que les rues impraticables du centre. La rue principale du village, par laquelle on arrive, traverse la Plaza de España, puis monte vers la forteresse.

informations touristiques

Office de tourisme. Situé à la Casa Museo Blas Infante, à l'entrée du village. Informations sur les hôtels, restaurants et activités de la ville. *Calle Carrera, 51 Tél. 952 89 55 21 www.casares.es Ouvert été : lun.-ven. 9h-15h, sam. 9h-14h ; hors saison : lun.-ven. 11h-14h et 16h-18h30, sam. 11h-16h*

fêtes et manifestations

Marché médiéval. Au château. *2e week-end de juillet*
Feria. La foule dans les rues. *Premier week-end d'août, pendant 4 jours.*
Fêtes de la Virgen del Rosario. Ici comme dans la plupart des petits villages blancs d'Andalousie, tous les habitants descendent dans la rue en l'honneur de la Patronna, la Virgen del Rosario. *1er week-end de septembre*
Feria del Cristo. *2e semaine de septembre*

Découvrir Casares

☆ **À ne pas manquer** La Plaza de España **Et si vous avez le temps...** Observez le vol des rapaces de l'esplanade au sommet de la forteresse, surfez sur la Playa Chica

On peut sans peine passer une demi-journée à flâner dans les ruelles du village. La **Plaza de España** est le lieu de rendez-vous par excellence avec ses cafés et sa fontaine. Elle est dominée par le sobre campanile de l'église de San Sebastián (XVIIe siècle). À l'intérieur se trouve la statue de la Virgen del Rosario, que toute la ville célèbre le dernier samedi de mai lors d'un pèlerinage vers l'Ermita del Campo. Le premier week-end d'août, pendant quatre jours, il y a foule sur la place : c'est la grande Feria de Agosto, célébrant la résistance face aux troupes napoléoniennes. En montant vers la forteresse, on parcourt des rues étroites qui ont gardé un fort parfum de médina. Au pied de la forteresse, sous une arche en pierre, se trouve le Museo de Etnohistoria, consacré à l'histoire et aux coutumes de la région. La forteresse est un quartier à part entière, délimité par des remparts et organisé autour d'une église en ruine. De l'esplanade du sommet, le vaste panorama sur la côte est un peu gâché par la présence en contrebas d'un vaste champ d'éoliennes. Dans la chaleur de l'après-midi, il n'est pas rare d'observer le vol au ralenti d'un groupe de vautours.

Profiter de la plage

Playa de Casares La Torre de la Sal, tour de guet arabe, divise en deux une plage de 2km de long, assez fréquentée en été. Avis aux surfeurs : quand le vent est à l'est, il soulève une houle généreuse qui vient se briser aux abords de la Playa Chica. *À 14km par la MA546 ou la MA377*

Manger, dormir à Casares

De par sa situation, Casares offre un mélange de gastronomie montagnarde et côtière. Ragoût de haricots et de viande (la délicieuse *pringá*), charcuteries mais aussi poisson frit ou gaspacho sont au menu des nombreux restaurants et bars à tapas que vous trouverez dans le village. Le pain traditionnel de Casares est par ailleurs réputé dans les environs. Il y a également plusieurs bars à tapas sur la Plaza de España. Les routes des alentours (notamment la MA546, vers la plage) comptent bon nombre de *ventas*. Enfin, de mai à septembre, plusieurs *chiringuitos* vendent leur délicieux poisson grillé sur la plage de Casares, Carretera de Casares, km121,5.

très petits prix

Hostal Plaza. Cette petite pension aux volets colorés donne sur la place principale du village. Chambres simples mais correctes à env. 25€ la double, sdb dans le couloir. *Plaza de España, 6 Tél. 952 89 40 88*

petits prix

Bodeguita de Enmedio. On trouve ici de bons petits plats à des prix modérés. *Plaza de España, 15 Tél. 952 89 40 36 Ouvert 11h-16h30 et 19h30-22h30*

La Terraza. Un peu à l'écart du centre, sur la route de Puerto de la Cruz, ce restaurant donne sur la forteresse et les toits du village. *Tél. 952 89 51 56 Fermé à midi hors saison*

prix moyens

☺ **Hotel rural Casares.** Dans une ruelle escarpée, qui part de la Plaza de España, tellement étroite que, si vous voulez y monter en voiture, il vous faudra le faire sur deux roues ! Ce petit hôtel offre un confort et une tranquillité rares. Les jolies chambres sont meublées avec goût : briques apparentes, bois et plafonds voûtés. Hormis celles du rdc, les chambres possèdent toutes un balcon avec vue sur le village, la forteresse et, au-delà, la côte. Doubles à partir d'env. 60€ (toute l'année), petit déj. compris. *Calle Copera, 52 Tél. 952 89 52 11 www.hotelcasares.com*

Gaucín

29480

Accroché au versant d'un piton rocheux, dans l'écrin de la sierra del Hacho, Gaucín est le village blanc andalou par excellence. Véritable balcon sur la Méditerranée, dominant les gorges du río Genal, il bénéficie d'un panorama qui s'étend jusqu'au Maroc. Une perle rare qui mérite le détour.

Gaucín, mode d'emploi

accès

EN TRAIN 4 trains/j. au départ de Ronda ou Algésiras (1h de trajet environ). *www.renfe.es*

EN VOITURE Gaucín est facile d'accès de Ronda (37km au sud par l'A369, magnifique route panoramique) ou de la Costa del Sol (25km au nord-ouest d'Estepona par la N340 puis l'A377).

EN CAR
Comes. La ligne Ronda-Algésiras s'arrête à Gaucín. Départ de Ronda : 13h30, lun.-ven. *Tél. 956 65 34 56*

informations touristiques

Point d'informations touristiques. Il se trouve au museo Etnográfico qui expose des outils agricoles et des objets de la vie quotidienne. *Av. Ana Toval Tél. 952 15 11 86 Ouvert lun.-ven. 11h-14h*

fêtes et manifestations

Fiesta del Toro de Cuerda. *Dimanche de Pâques*
Feria. *1er week-end d'août*
Fête de Santo Niño. Processions solennelles en l'honneur du patron du village. *Entre le 7 et le 9 septembre*

Découvrir Gaucín

☆ **À ne pas manquer** Le village de Gaucín **Et si vous avez le temps...** Grimpez au Castillo del Aguila pour la vue époustouflante sur Gibraltar et le Maroc, passez une soirée hors du temps à l'Hotel Casablanca

☆ Les ruelles pittoresques du village, bordées de maisons basses et blanches aux évidentes influences arabes, méritent qu'on s'y attarde au moins une demi-journée. Le village épouse les formes accidentées de la montagne. Sur les hauteurs, les maisons sont littéralement imbriquées entre les blocs rocheux. Les ruelles communiquent entre elles par des escaliers en pierre ou de minuscules passages s'insinuant entre les mai-

PROVINCE DE MÁLAGA   GEORÉGION

sons. Ici, on ne cherchera pas de monuments marquants, mais plutôt une atmosphère nostalgique et envoûtante. Les stores toujours fermés pour protéger des fortes chaleurs estivales ajoutent encore au mystère. Au sommet du village, un sentier mène au **Castillo del Aguila**. Ce château, perché sur la pointe d'un éperon rocheux, a été construit au XIe siècle par les musulmans. La légende veut que Guzmán El Bueno, célèbre héros de la Reconquête, qui s'illustra notamment à Tarifa, y soit mort sous les coups des troupes musulmanes. Du château, panorama à couper le souffle sur la côte, Gibraltar et le Maroc. À voir, également, l'autel dédié au Santo Niño (Enfant Jésus), du XVIIIe siècle. Bon à savoir : à l'occasion du dimanche de Pâques, un taureau de combat est lâché dans les rues de Gaucín. Certains trouvent amusant de courir devant la bête ! *Castillo del Aguila Ouvert mer.-dim. 10h30-13h30 et 16h-18h (juin-sept. : 18h-20h) Entrée gratuite*

Manger, dormir à Gaucín

de très petits prix à prix élevés

Complexe touristique Salitre. Un vaste camping et un hôtel standing 3 étoiles dans un cadre spectaculaire, face aux sommets de la sierra de Grazalema. Le complexe loue également des bungalows, avantageux si vous êtes nombreux. L'hôtel est doté d'un observatoire, pour admirer le ciel en compagnie d'un spécialiste (7€). Location de chevaux (12€/h). Camping : 18€ env. pour 2 pers. avec voiture et tente. Bungalows : env. 60€ pour 2 ; env. 90€ pour 4 ; env. 120€ pour 6 (plus de 6 : 20€ par pers. supp.). Hôtel : double à partir de 75€. Petit déjeuner compris. *Route de Cortes de la Frontera, à 14km au nord de Gaucín (prendre la route de Ronda sur 6km, puis à gauche sur l'A373) Tél. 952 11 70 05 et 952 11 70 07 www.turismosalitre.com*

prix moyens

☺ **Restaurant La fructuosa.** Un excellent restaurant s'est installé en bas de l'hôtel du même nom, en lieu et place d'un ancien pressoir à raisin. Le dispositif pour moudre les grains trône toujours au milieu de la salle à manger. Une cuisine méditerranéenne aux couleurs du métissage du chef, Luis. Menu env. 30€. Accueil très souriant. *Calle Convento, 67 Tél. 952 15 10 72 www.lafructuosa.com*

prix élevés

☺ **Hotel La Fructuosa.** La maison figure dans plusieurs magazines de décoration et les journalistes ne tarissent pas d'éloges à son sujet. L'endroit nous a bien plu aussi : cinq chambres qui parlent d'art et de nature, chacune à sa manière avec des décorations qui varient régulièrement : tapis marocains et gravures anciennes, résolument contemporain… et une vue spectaculaire sur la sierra, Gibralbar et le Maroc. Goût prononcé pour les objets chinés et l'équipement haut de gamme : minibar et Jacuzzi dans quatre des chambres. Il s'en dégage une quiétude propice à la sieste, quasi obligatoire selon les dires du patron. Pris au jeu de la rénovation, ce dernier a récemment ouvert sa "maison-terrasse" dans la même rue, ouverte sur l'extérieur au dernier étage, avec une petite piscine dominant le paysage alentour. Environ 100€ la chambre double avec petit déjeuner pantagruélique. De 500 à 880€ la maison pour 4 pers. *Calle Convento, 67 Tél. 952 15 10 72 et 617 69 27 84 www.lafructuosa.com*

prix très élevés

☺ **Hotel Casablanca.** Une merveille, tenue avec flegme et sourire par un couple d'Anglais tombés amoureux du village. Cette ancienne presse à raisin médiévale fut restaurée par une marquise, qui en fit une résidence luxueuse. Aujourd'hui, son confort, son charme et ses prix dépassent de loin son unique étoile. Chambres décorées avec style, chacune dédiée à un peintre. Au total, seulement neuf chambres, dont certaines avec balcon panoramique. En traversant le patio, avec sa piscine à l'ombre des palmiers et des jacarandas, on parvient à une terrasse romantique à souhait. Assis sur des coussins, profitez donc du coucher de soleil sur Gibraltar et, au-delà, sur les montagnes du Rif marocain. Réservation indispensable l'été et le week-end. Doubles d'env. 200 à 300€ selon la saison, petit déjeuner compris. Les lieux ont été rénovés en 2005. *Calle Llana, 12 Tél. 952 15 10 19 www.casablanca-gaucin.com Ouvert mi-mars-fin oct.*

★ Ronda

29400

"La ville entière, et aussi loin que porte le regard dans le paysage alentour, tout n'est que décor romantique." La formule est de Hemingway, et on ne saurait le contredire. Perchée à 725m d'altitude, à cheval sur les gorges abruptes du río Guadalevín (surnommé "El Tajo"), Ronda semble défier les lois de la pesanteur, avec son pont vertigineux et ses *casas colgadas*, maisons suspendues au-dessus des falaises. Un charme renforcé par la légende des *bandoleros* (bandits) montagnards dont les histoires ont fasciné les romantiques européens, et celle des grands toreros *rondeños* qui surent révolutionner leur art et attirer Orson Welles ou encore Hemingway. Ce dernier s'inspira d'une histoire survenue à Ronda pendant la guerre civile pour une scène de *Pour qui sonne le glas*, dans laquelle des partisans de Franco sont lynchés par la foule et précipités du haut d'une falaise. Bref, cette ville moyenne (36 000 hab.) continue de séduire à chaque visite. Bien sûr, le secret est depuis longtemps ébruité, et en haute saison la fréquentation touristique en journée est telle que certains habitants parlent de "Disney-Ronda". Cependant, quand les bus repartent vers la côte en fin d'après-midi, quand on s'éloigne du pont et des arènes, et plus encore si l'on vient hors saison, il reste possible d'apprécier pleinement son charme. Mais Ronda ne serait pas la même sans l'extraordinaire région qui l'entoure : la serranía de Ronda. Ce qui en fait la base idéale pour explorer les sierras de las Nieves ou de Grazalema, les petits villages de montagne des alentours de Gaucín ou de Benaoján et les villages blancs du nord-est de la province de Cadix.

UN BASTION NASRIDE Les premiers noyaux urbains des environs sont l'œuvre des Celtes (Arunda), puis des Romains (Acinipo ou Ronda la Vieja).

Au VIIIᵉ siècle, les musulmans s'emparent du site, y créent une médina qu'ils nomment Izna-Rand-Onda. Elle deviendra vite l'une des cités les plus importantes d'*Al-Andalus*. Après la chute du califat de Cordoue, elle est capitale d'un taifa, puis passe aux mains du royaume nasride de Grenade, dont elle sera l'un des bastions de résistance les plus avancés face à la reconquête chrétienne. Plusieurs sièges ont lieu en vain, avant que les troupes des Rois Catholiques ne prennent Ronda en 1485. Les chrétiens transforment et agrandissent la ville. Après la Reconquête, la serranía de Ronda sera au XVIᵉ siècle le théâtre de sanglantes émeutes, déclenchées par les Maures restés sur place. Au XVIIIᵉ siècle, Ronda connaît un grand essor avec la construction du Puente Nuevo et des arènes.

Ronda, mode d'emploi

accès en voiture

À 50km au nord de la Costa del Sol (San Pedro de Alcántara) par l'A397 puis l'A376. En saison, partez très tôt ou attendez la fin d'après-midi, lorsque la longue file de bus et de voitures redescend vers la côte. Le stationnement peut s'avérer difficile dans le centre et notamment autour des arènes. Un bon truc pour se garer sans problème et gratuitement : l'esplanade à côté de l'ancien Colegio El Castillo. Accès par une allée située à l'opposé de l'église Santa María, sur la Plaza Duquesa de Parcent (plan B4). C'est autorisé, et ouvert la journée (mais souvent plein). Ne laissez rien dans votre véhicule. Si vous venez pour la journée, avec des bagages, préférez l'un des parkings surveillés de la ville moderne.

accès en car

Amarillos. Séville-Ronda (de 3 à 5 départs/j., 2h45 environ). Málaga-Ronda (de 5 à 10 cars/j.) dans les deux sens. Cars directs (sauf 2/j.). *Tél. 952 18 70 61 www. losamarillos.com*
Portillo. Liaisons Ronda-Málaga (2h environ), comprenant des arrêts à Marbella, Benalmádena ou Torremolinos, entre autres. De 4 à 5 cars/j. *Tél. 952 87 22 62 www.ctsa-portillo.com*

accès en train

Le train, moins pratique et avec des départs plus espacés, est cependant un bon moyen de profiter des superbes paysages de la ligne Algésiras-Bobadilla. Cinq à six trains/jour entre Ronda et Algésiras. De Grenade (*via* Antequera), 2h50 de trajet : 3 trains/j. De/vers Cordoue, 2 trains/j. (env. 2h30). Pour **Séville**, 4-6 trains/j., changement obligatoire à Bobadilla avec une attente assez longue.

orientation

La ville est divisée en deux par les gorges du río Guadalevín. Au nord, la partie la plus moderne, sur les hauteurs de laquelle se trouvent la gare routière et la gare Renfe. C'est dans ce quartier que sont situés les arènes et la rue piétonne Espinel, ainsi que le quartier plus ancien du Mercadillo, qui descend jusqu'au fleuve. Au sud, la Ciudad, quartier historique de Ronda, où se trouvait l'ancienne médina. Plus au sud, en contrebas de la vieille ville, le quartier populaire de San Francisco, à l'extérieur des remparts.

informations touristiques

Office de tourisme municipal (plan A2). Face aux arènes et toujours bondé. Un abonnement touristique (7€) permet de visiter plusieurs sites (Puente Nuevo, Casa del Gigante, Palacio de Mondragón et bains arabes). En vente à l'office de tourisme et à l'accueil des lieux de visite. *Tél. 952 18 71 19 www.turismoderonda.es Ouvert tlj., horaires se rens.*

Office de tourisme régional (plan A2-A3). Plus pratique. Près du Parador, sur la Plaza de España. *Tél. 952 87 12 72 www.andalucia.org Ouvert lun.-ven. 9h-20h (19h30 oct.-juin), sam.-dim. 10h-14h*

location de voitures

Agence Ford. Dans le quartier industriel de la ville, assez loin du centre. Demandez à ce qu'on passe vous prendre dans le centre. *Calle Genal, 20 Tél. 952 87 90 97*

adresses utiles

Les banques munies de distributeur sont regroupées le long de l'avenue longeant les arènes : Calle Virgen de la Paz (plan A2). Le cybercafé du quartier du Mercadillo, Central Corner, est ouvert jusque tard le soir (Calle Remedios, 26).
Bureau de poste (plan A2). Situé près des arènes. *Calle Virgen de la Paz, 18 Tél. 952 87 25 57 Ouvert lun.-ven. 8h30-20h30, sam. 9h30-13h*

fêtes et manifestations

Semaine sainte. Si vous désirez vivre une Semaine sainte plus décontractée qu'à Séville, mais assez solennelle tout de même pour en conserver l'esprit, Ronda peut s'avérer un bon choix. La procession El Silencio, le Jeudi saint, plonge pendant quelques heures les vieilles ruelles du centre-ville dans un silence impressionnant, interrompu seulement par quelques *saetas* (chants flamencos).
Romería de la Virgen de la Cabeza. Les femmes en costume andalou portent la Vierge le samedi soir. Chants et danses. *1er week-end de juin*
Fiestas de Pedro Romero. Festival de *cante grande* et corrida goyesque. *Fin août-début septembre*

Découvrir Ronda

☆ **À ne pas manquer** Le Puente Nuevo, la Plaza de Toros, les Baños Arabes et la sierra de Grazalema **Et si vous avez le temps...** Assistez à une corrida goyesque dans les arènes de Ronda, dégustez un *rabo de toro* chez Pedro Romero à Ronda, allez admirer les peintures rupestres de la Cueva de la Pileta à la sortie de Benaoján, explorez les villages blancs des environs

La ville moderne

Tout est relatif… C'est par opposition au quartier plus ancien, situé de l'autre côté du pont, que l'on utilise ici l'adjectif "moderne". Car outre les superbes arènes du XVIIIe siècle, cette partie de Ronda, où sont regroupés la plupart des hôtels, restaurants, bars et magasins, recèle de charmants petits coins. Elle s'est développée autour du Mercadillo : le quartier où s'étaient réfugiés à l'époque musulmane tous les artisans et commerçants désireux d'échapper aux taxes en vigueur dans la Ciudad, et que les chrétiens développèrent après la Reconquête. Près du pont, la Plaza de España (plan A2) s'étend au pied de l'ancien hôtel de ville, transformé en un luxueux Parador. À gauche de ce dernier part un sentier qui longe les gorges, et offre de somptueuses vues sur le pont et la vieille ville. Il passe ensuite derrière les arènes et débouche sur le grand parc de l'Alameda del Tajo (plan A1), lieu de rendez-vous familial en fin d'après-midi. En face des arènes débute la Carrera Espinel, rue piétonne commerçante très animée en journée. À droite de cette rue, on pénètre dans la partie plus ancienne du Mercadillo. Dans la Calle Virgen de los Dolores (plan B2), ne manquez pas le temple (1734) du même nom. Une chapelle en plein air, aux piliers ornés de figures anthropomorphes effrayantes. Sans doute une réminiscence de l'ancienne fonction du site, où avaient autrefois lieu les pendaisons publiques. La Calle de los Remedios, perpendiculaire à la Carrera Espinel, descend vers la partie basse du Mercadillo. En arrivant près du fleuve, on découvre l'un des endroits les plus pittoresques de la ville : en face de l'église Padre Jesús (plan B2-B3) et de sa tour gothique (XVe siècle), les huit bouches d'une fontaine (*Fuente de los ocho caños*) chantent tranquillement, face à la campagne. De là, vous pouvez gagner les magnifiques bains arabes en traversant le Puente Viejo, ou remonter vers la Plaza de España par le sentier des Jardines de Cuenca, surplombant les gorges.

☆ **Puente Nuevo (plan A3)** L'un des monuments les plus spectaculaires d'Espagne, et l'un des plus photogéniques. La vision de ce miracle de pont, semblant se fondre dans la roche, ne peut laisser indifférent. Longtemps, la hauteur des gorges et leur verticalité obligèrent à ne construire des ponts qu'en contrebas de la ville. Mais au XVIIIe siècle, on ose enfin relever ce défi. En 1735, un premier pont s'effondre. La seconde tentative, achevée en 1793, sera la bonne. Elle est l'œuvre de l'architecte Martín de Aldehuela. La partie centrale du pont a servi un temps de prison et abrite aujourd'hui un Centro de interpretación qui présente l'environnement de Ronda… *Accès en face du Parador Ouvert lun.-ven. 10h-19h (18h l'hiver), sam. 10h-13h45 et 15h-18h, dim. et j. fér. 10h-15h Entrée env. 2€*

Assister à une corrida goyesque

La Real Maestranza de Caballería de Ronda, école équestre destinée à l'entraînement militaire des cavaliers nobles, ordonne le début des travaux des arènes de Ronda (plan A2) en 1769. Les plans sont de Martín de Aldehuela (l'architecte du Puente Nuevo). L'inauguration a lieu en 1785, avec une corrida dans laquelle toréa le plus illustre personnage de Ronda : Pedro Romero (1754-1839). Il fut l'un des pionniers de la tauromachie moderne. Lui et sa famille remirent au goût du jour les joutes à pied, supplantant peu à peu les cavaliers (cf. GEOPanorama, Corrida). Pedro Romero aurait ainsi mis à mort 5 600 taureaux sans jamais se faire encorner,

Ronda

■ 11

Calle Molino
Calle Pozo
Calle Pozo
Calle Sevilla
Calle de los Infantes
Calle Naranja
ESTACIÓN AUTOBUSES
RENFE ESTACIÓN DE RONDA
Cruz Verde
■ 10
Montrejas
Setenil
MADRID
Plaza de los Descalzos

1

CÁDIZ, ZAHARA
SEVILLA
Calle Molino
Calle Sevilla
M. Soubirón
Calle Almendra
■ 2
María
Cabrera-Prim
LOS DESCALZOS
Capitán Cortés

Pza de la Merced
El Niño
MERCADILLO
Carrera Espinel

ALAMEDA DEL TAJO
Marina
L. Borrego
Calle Sevilla
Plaza del Socorro
Plaza de C. Abela
Santa Cecilia
■ 1
TEMPLE VIRGEN DE LOS DOLORES

Virgen de la Paz
Pasaje de Correos
Carrera Espinel
Río Rosas
Los Vicentes
Santa Cecilia

■ 6
Calle Pedro Romero
C. Virgen de los Remedios
■ 3
Las Tiendas
Ermita
Los Vicentes
Santa Cecilia
Ríos

2

PLAZA DE TOROS
Carrera Espinel
Plaza Teniente Arce
Calle Nueva
Canillo
Santa Cecilia

Paseo de Blas Infante
C. J. Aparicio
Plaza de España
Calle Villanueva
C. Virgen de los Remedios
NUESTRO PADRE JESÚS

FALAISES
🛈
PARADOR NACIONAL DE TURISMO
Puente Nuevo
PADRE JESÚS

3

La Mina
JARDINES DE CUENCA
JARDINES DE FORESTIER
PUENTE VIEJO

CASA DEL REY MORO
Cuesta
Santo Domingo
■ 5
PUENTE ARABE

RÍO GUADALEVÍN
San Antonio
PALACIO DEL MARQUÉS DE SALVATIERRA
PUERTA DE FELIPE V

Tenorio
MUSEO LARA
D. Elvira
Ruedo
Marqués de Salvatierra
■ 12
BAÑOS ARABES

ARCO DEL CRISTO
CASA DEL D. JUAN BOSCO
Plaza Beato Diego José de Cádiz
Calle Armiñán
MUSEO DE CAZA

4

Camino a fondo del Tajo
■ 13
LA CIUDAD

Tenorio
C. José María Holgado
Moctezuma
González Campo
MINARETE DE SAN SEBASTIÁN
C. de Los Tramposos
Carmen

Plaza María Auxiliadora
Gameros
SANTA-MARÍA LA MAYOR
MUSEO DEL BANDOLERO
Escalona

Ruedo
Plaza Mondragón
■ 4
Plaza Duquesa de Parcent
Armiñán
Escalera

PALACIO DE MONDRAGÓN
AYUNTAMIENTO
Manuel Montero

BARRIO DE SAN FRANCISCO, IGLESIA MOZÁRABE, COSTA DEL SOL, MARBELLA, MÁLAGA, ALGECIRAS,

▲ N
100 m

A

B

stupéfiant la foule par sa hardiesse doublée d'un grand sens esthétique. Avec d'autres toreros, il transforme cet événement autrefois chaotique en un spectacle ordonné, organisé en trois actes bien distincts, toujours observés aujourd'hui. Au xxᵉ siècle, Ronda donna naissance à une autre grande dynastie de matadors : les Ordóñez, Cayetano et son fils Antonio. Parmi leurs plus fervents admirateurs, ils comptaient Hemingway, qui leur dédia *Mort dans l'après-midi*, ou encore Orson Welles. Ce dernier demanda même à ce que ses cendres soient dispersées dans cette arène, mais elles le furent finalement sur les terres des Ordóñez. Pourquoi un tel engouement ? Parce qu'à la différence des arabesques spectaculaires et exagérées des toreros sévillans, le style *rondeño* est digne, austère et tout en maîtrise. Enfin, c'est ce qu'on vous dira... à Ronda !

☆ ☺ **Plaza de Toros (plan A2)** C'est le monument le plus mythique de Ronda, avec le pont bien sûr. Le problème, justement, ce sont les hordes de touristes qui viennent le visiter chaque jour en saison. Un conseil : allez-y à l'heure du déjeuner ou, mieux, en fin d'après-midi. Vous vivrez alors pleinement le choc d'une première entrée dans ces arènes légendaires. Le sable ocre se marie à merveille avec les barrières en bois et la pierre des colonnes soutenant les tribunes supérieures et le toit. Inspirée du palais de Charles Quint, dans l'Alhambra de Grenade, l'architecture noble des lieux leur confère un air de mystère que certains jugent presque religieux. Ce sont peut-être les plus belles arènes du monde. Elles font en tout cas partie des plus anciennes, et des plus respectées. Un cadre à la hauteur des corridas goyescas, uniques en leur genre. En 1954, pour le bicentenaire de la naissance de Pedro Romero, Antonio Ordóñez eut l'idée d'organiser des joutes tauromachiques à l'ancienne, en habits du xviiiᵉ siècle, en s'inspirant des gravures de Goya : une suite gravée et nommée *Tauromachie*, où l'on voit les Romero en train de toréer. Le nom des corridas était tout trouvé. Depuis, leur succès ne s'est jamais démenti. Rares sont ceux qui peuvent cependant s'enorgueillir de les avoir vécues car il n'y a qu'une seule corrida goyesque chaque année pendant les fêtes, début septembre. Les billets sont en vente sur place vers le mois de juillet (rens. à l'office de tourisme), et disparaissent en quelques heures. Des dizaines de personnes passent même la nuit devant les guichets ! Au marché noir, certains n'hésitent pas à payer plusieurs centaines d'euro. Mais l'ambiance solennelle et simple de l'événement, qui rassemble bien sûr les meilleurs toreros et taureaux du moment, ne saurait avoir de prix.

Museo Taurino (plan A2) Situé dans les coulisses des arènes, à droite de la porte d'entrée. Un excellent musée consacré à l'histoire de la tauromachie en général, et à Ronda en particulier. On y apprend que la corrida prend ses racines très loin dans l'Antiquité, chez les Sumériens. Que la tenue des toreros, ou "habit de lumière", est le fruit d'une longue évolution (cf. GEOPanorama, Corrida). On apprend aussi que les capes de parades s'inspirent des manteaux liturgiques. On regarde avec émotion la veste de Manolete. On découvre le personnage de Cayetano Ordóñez, le premier à sortir sous les bravos par la porte principale des arènes, en 1923. Il n'avait alors que dix-neuf ans. Au passage, jetez un œil aux reproductions des célèbres gravures de Goya consacrées à l'art des Romero. Explications traduites en anglais. En sortant du musée, vous pouvez continuer la visite des coulisses, et découvrir les enclos réservés aux chevaux des picadors et le toril. *Calle Virgen de la Paz, 15 Tél. 952 87 15 39 www.realmaestranza.org ou www.rmcr.org Ouvert avr.-sept. : tlj. 10h-20h ; mars et oct. : tlj. 10h-19h ; nov.-fév. : tlj. 10h-18h Entrée env. 6€*

Où faire une pause déjeuner ?

Café-Bar Faustino (plan B1-B2 n°1). Dans la ville moderne, à côté de la Plaza Carmen Abela. Un bar-restaurant apprécié des habitants du quartier. Il règne une bonne ambiance au comptoir ou dans la salle, meublée de tables et chaises en bois peint. Sur le mur, les affiches des dernières corridas goyesques. Tapas et plats sont proposés à des prix bon marché. La *purpeta* (viande farcie en sauce) est une valeur sûre. Aux heures d'affluence, veillez à ce qu'on vous remarque, mais ne soyez pas trop pressé. *Calle Santa Cecilia, 4 Tél. 952 87 67 77 Ouvert mar.-dim. 11h30-2h*

La ville ancienne, La Ciudad

Le quartier le plus ancien de la ville, dont le tracé remonte à l'époque musulmane. Peu étendu, il se parcourt assez vite, même si ses ruelles anciennes, bordées d'édifices historiques, méritent qu'on s'y attarde. La Plaza María Auxiliadora (plan A4), avec son jardin suspendu au-dessus des falaises, est idéale pour faire une halte à l'écart de la foule. Non loin de là, un sentier descend le long des falaises jusqu'à l'un des meilleurs points de vue sur le pont. Tout au bout du quartier, la Plaza Duquesa de Parcent (plan B4) est dominée par les silhouettes harmonieuses de la cathédrale et de l'hôtel de ville, et les frondaisons des arbres centenaires. La visite ne serait pas complète sans une excursion jusqu'aux bains arabes (plan B3), en bas de la Cuesta Santo Domingo, qui débute à la sortie du Puente Nuevo. L'occasion de découvrir un point de vue stupéfiant sur les gorges, depuis les deux anciens ponts de Ronda : le Puente Viejo et, en contrebas, le Puente Arabe. En route, vous apercevrez sur votre droite l'ancienne porte de la ville musulmane : la Puerta de Felipe V, reconstruite au XVIIIe siècle.

Santa María la Mayor (plan B4) Sa façade asymétrique, dotée d'une seule tour de style mudéjar, surplombe l'ancienne place principale de Ronda. Dès l'époque musulmane, un grand marché s'y tenait, entouré des principaux édifices publics et religieux. D'ailleurs, en entrant dans l'église, on aperçoit un *mihrab* coloré (XIIIe siècle), seul vestige de la mosquée qui occupait les lieux. Comme souvent, on l'a consacrée et profondément remaniée dès la Reconquête (1485), pour affirmer le pouvoir des Rois Catholiques. Pour être juste, disons que les musulmans avaient eux-mêmes bâti cette *aljama* (mosquée principale) sur les vestiges d'une église wisigothe, installée sur les fondations d'un temple romain dédié, dit-on, à César… L'intérieur de la collégiale, mélange de gothique et de Renaissance, est assez harmonieux. Mais on est surtout frappé par le maître-autel, relevant du baroque le plus luxuriant. À voir, également, les stalles du chœur en bois ciselé, et de belles chapelles abritant d'émouvantes figures saintes. À droite de l'entrée, un escalier monte vers le balcon de la façade, duquel l'aristocratie de Ronda pouvait observer les événements publics organisés sur la grand-place, notamment des corridas à cheval. Fin 2007, la crypte, qui abrite des expositions de cartes et de livres médiévaux, a ouvert au public. *Tél. 952 87 22 46 Ouvert 10h-18h (10h-20h l'été) Fermé à la visite pendant le culte Entrée : env. 3€*

Palacio del Marqués de Salvatierra (plan B3) Dans la Calle Marqués de Salvatierra, près du bas de la Cuesta Santo Domingo. La façade de ce palais du XVIIIe siècle n'est pas sans intriguer : quels sont donc ces personnages nus, sculptés dans des postures désopilantes, et supportant le tympan du portail ? Il s'agit en fait de deux couples aztèques ou incas, car la famille qui fit construire le palais tenait son nom de la ville mexicaine de Salvatierra.

Palacio de Mondragón (plan A4) Sans doute le plus bel édifice civil de Ronda. On dit qu'à l'époque musulmane, déjà, le palais du roi Abd el-Malik se dressait sur ce site. Mais le palais actuel a été en grande partie bâti au XVIIIe siècle, sur les bases d'un édifice chrétien de 1485. La façade en brique et en pierre a d'évidentes influences mudéjares. En passant son imposant portail, on accède au guichet. La visite commence sur la droite, par un patio élégant avec son puits en pierre et ses fines arcades en briques peintes. À l'extérieur se trouve un minuscule jardin. À gauche du bâtiment, le patio mudéjar, harmonieux et frais, est plus intéressant. Observez notamment les restes de fresques murales, les vieux azulejos et les arcades du premier étage. Au fond du patio, une arche en arc brisé ouvre sur le jardin principal, merveilleux au printemps. À l'étage, des salles sont consacrées à la préhistoire, avec la reconstitution d'une grotte et d'un dolmen, aux rites funéraires musulmans, à la métallurgie antique ou encore au milieu naturel de la serranía de Ronda. En passant, admirez le plafond en bois du Salon Noble. *Plaza de Mondragón Tél. 952 87 84 50 Ouvert lun.-ven. 10h-19h (18h l'hiver), sam. 10h-13h45 et 15h-18h, dim. et j. fér. 11h-15h Entrée : env. 3€*

Casa del Rey Moro (plan B3) La légende veut que le roi musulman Almonated ait habité là. Cruel et un brin mégalomane, il avait la réputation de boire son vin dans le crâne des ennemis vaincus. On peut voir son portrait, en céramique, près de l'entrée. La partie la plus intéressante de la visite est la Mina de Agua, une incroyable construction taillée au cœur de la roche au XIVe siècle, sur l'ordre du roi Abomelic. Une structure militaire secrète, réalisée à une époque où Ronda jouait le rôle de bastion avancé du royaume nasride, menacé par les troupes chrétiennes. Depuis sa découverte lors de la reconquête de Ronda en 1485, l'imagination a prêté bien des légendes à ce lieu hors du commun. C'est vrai qu'il y a de quoi être impressionné. L'escalier de la Mina descend jusqu'au río Guadalevín, plus de 60m en contrebas. En passant, on découvre différentes pièces, plus mystérieuses les unes que les autres. Aux deux tiers de la descente, la Sala del Manantial (salle du Puits) comportait autrefois une noria qui récupérait l'eau de la rivière. Des esclaves étaient ensuite chargés de remonter les seaux jusqu'à la surface. Depuis, la "Mine du roi maure" est devenue une expression proverbiale, comme métaphore d'un labeur insupportable. Arrivé au niveau du fleuve, une plate-forme permet de découvrir les fortifications qui protégeaient l'ensemble et de mesurer l'ampleur de la

réalisation. En ressortant de la Mina, le visiteur accède aux Jardines de Forestier, qui entourent la Casa del Rey Moro. Commandés en 1912 par la duchesse de Parcent, propriétaire de la maison, ces jardins furent dessinés par le Français Jean-Claude Nicolas Forestier (1861-1930), célèbre paysagiste qui réalisa entre autres les jardins de Montjuïc à Barcelone, du Parque María Luisa à Séville ou encore ceux du sultan du Maroc à Casablanca. La vue sur la ville et les gorges du fleuve est superbe. *Cuesta de Santo Domingo, 9 Tél. 952 18 72 00 Ouvert tlj. 10h-19h (20h en été) Entrée : env. 4€*

Museo del Bandolero (plan B4)

Cet agréable musée est consacré aux bandits de grand chemin, personnages hauts en couleur qui participent depuis des siècles à la légende de la serranía de Ronda. Le phénomène du brigandage a toujours existé dans ces montagnes isolées. Mais c'est la pauvreté succédant à l'invasion française (1810-1813) qui déclenche l'explosion du banditisme. Les embuscades, menaçant diligences et voyageurs imprudents, se multiplient alors entre Jimena de la Frontera et Ronda. Une réalité qui participera à l'attirance des romantiques pour l'Andalousie. Certains de ces bandits sont devenus de vraies légendes : on leur prête mille histoires, et des chanteurs de flamenco ont composé quelques *coplas* en leur honneur. Ainsi El Tempranillo, bandit au grand cœur surnommé le "roi de la sierra Morena", et auquel même les courriers du roi devaient payer leur tribut. Ou encore El Tragabuches, né à Arcos en 1781, torero gitan de grand talent, devenu hors-la-loi par la faute de la malchance et d'une femme infidèle. Et que dire d'El Pernales, qui mourut en 1907 à Albacete, tué par les soldats alors qu'il s'apprêtait à rejoindre l'Amérique ? Dans les années 1930, Pasos Largos sera le dernier grand bandit de la serranía de Ronda. Outre de nombreuses vitrines où sont exposés les armes, les habits et autres objets en rapport avec les *bandoleros*, la galerie de photos à l'étage vaut à elle seule le déplacement. Regard sombre, cheveux noirs de jais, bacchantes épaisses descendant jusqu'en bas des joues, le *bandolero* avait fière allure… Les notices, nombreuses, sont traduites en anglais et en français. *Calle Armiñán, 65 Tél. 952 87 77 85 www.museodelbandolero.com Ouvert tlj. 10h30-20h30 (19h hors saison) Entrée : env. 3€*

Casa del Gigante (plan B4)

Un palais en miniature construit au XIVᵉ-XVᵉ siècle, joyau de l'architecture nazari et s'articultant autour d'un patio. Stucs et plafonds à caissons. La maison tire son nom de deux statues de géants, probablement d'origine phénicienne, dont l'une est toujours visible sur place. *Plaza del Gigante Tél. 678 63 14 45 Ouvert lun.-ven. 10h-19h, sam. 10h-13h45 et 15h-18h, dim. et j. fér. 10h-15h Entrée env. 2€*

☆ ☺ Baños Arabes (plan B3)

Tout en bas de la ville, aux portes de la campagne. Des bains arabes, construits au XIIIᵉ siècle dans le quartier des artisans, et magnifiquement conservés. Sans doute parce que les chrétiens ne dédaignaient pas s'y détendre après la Reconquête. À l'intérieur, tout n'est que fraîcheur et harmonie. Les voûtes des différentes salles, soutenues par des piliers octogonaux, sont percées de minuscules lucarnes, qui dessinent sur les murs leur forme d'étoile. Parmi les plus beaux bains arabes d'Espage. *Calle San Miguel Tél. 656 95 09 37 Ouvert toute l'année lun.-ven. 10h-18h, sam. 10h-13h45 et 15h-18h (19h mai-oct.), dim. 10h-15h Entrée payante, se rens.*

Le Barrio San Francisco

Au pied de la Ciudad, en direction du sud. Un petit quartier, mélangeant le résidentiel à l'historique. Si vous avez le temps, découvrez la Plaza Ruedo Alameda, immense place où les habitants du quartier se retrouvent le soir. En chemin, vous passerez au milieu des vestiges d'anciennes fortifications et au pied de la massive Iglesia del Espíritu Santo.

Découvrir les environs

☺ **Ermita rupestre de la Virgen de la Cabeza** Cet incroyable monastère a été taillé dans la roche au Xe siècle, par des chrétiens sans doute hispano-wisigoths, qui avaient conservé leur culte après la conquête musulmane (mozarabes). L'endroit vaut le déplacement, non seulement pour le monument lui-même, mais également pour les superbes vues sur Ronda. Les fresques que l'on distingue à l'intérieur de l'église n'ont été réalisées qu'au XVIIIe siècle. *Du quartier de San Francisco, prendre la route d'Algésiras (A369) sur 400m, puis une piste en terre sur 2km Tél. 649 36 57 72 Visite sur rdv auprès de l'office de tourisme (tél. 952 18 71 19) Entrée : 2€*

Cueva de la Pileta Une grotte comprenant 2km de galeries, dont on ne visite qu'un quart environ. Néanmoins très intéressante par la grande variété de peintures rupestres qui ornent les murs : elles s'étendent du paléolithique au néolithique. Profitez-en pour découvrir la région de Benaoján, dont le paysage minéral semble taillé à la hache (notamment aux alentours de Montejaque, vers le nord). *À la sortie de Benaoján, à 22km au sud-ouest de Ronda Tél. 952 16 73 43 Ouvert tlj. 10h-13h et 16h-17h (18h l'été) Visite toutes les heures (durée 1h) Entrée : env. 7€*

Ronda la Vieja Il s'agit en fait du site archéologique d'Acinipo, ville romaine située à 20km au nord-ouest de Ronda. Sur place, on découvre les vestiges d'un important théâtre romain ainsi que des ruines plus anciennes, notamment celles d'une muraille phénicienne. Quelques travaux en 2006 ont permis de mieux accueillir les visiteurs tout en laissant se dérouler le travail des fouilles. *Tél. 630 42 99 49 Ouvert mar.-sam. 10h-17h (parfois 15h), dim. 9h-14h30 Entrée gratuite*

☺ **Serranía de Ronda** La région de Ronda est traversée par des chaînes montagneuses de toute beauté, parsemées de villages séduisants et regroupant un grand nombre de parcs naturels. Au sud, la sierra de las Nieves domine la Costa del Sol. La route de Gaucín longe cette sierra, et offre des vues époustouflantes sur la mer et les montagnes du Maroc. Plus impressionnante encore, la route qui conduit de Ronda à El Burgo (A366), longeant le parc naturel (Parque natural Sierra de las Nieves) par le nord, est l'une des plus belles d'Andalousie. À l'ouest de Ronda, la **sierra de Grazalema** est l'un des espaces naturels les mieux préservés et les plus spectaculaires de la région. Les faces déchiquetées de ses pics (caractéristiques d'un relief karstique) surplombent d'immenses forêts, toujours vertes grâce aux précipitations régulières : cette chaîne, qui arrête les nuages remontant de la côte, est l'endroit le plus humide du Sud espagnol. La route secondaire qui part vers Zahara permet de profiter pleinement de ce spectacle majestueux (emprunter l'A374

GEOREGION

PROVINCE DE MÁLAGA

vers Arcos ; à 20km, prendre une intersection sur la gauche direction "Grazalema", puis continuer tout droit, en laissant sur la gauche un second panneau "Grazalema"). Toujours au bord de la sierra de Grazalema, on trouve une vallée attachante, qui a su conserver les traditions régionales, et notamment la fabrication du jambon ibérique : la vallée du río Guadiaro, organisée autour de Benaoján et Montejaque. Une région champêtre, dominée par les formes torturées et souvent irréelles des hautes montagnes. La sierra de las Nieves et la sierra de Grazalema se prêtent à merveille à la pratique de la randonnée. Certains sentiers permettent de combiner marche à pied (à l'aller par exemple) et train pour se reposer au retour. Les paysages que traverse la ligne de chemin de fer valent à eux seuls une petite marche ! De nombreuses autres activités sont proposées (promenade à cheval, VTT, parapente...). Rendez-vous au centre des visiteurs d'El Bosque (cf. Province de Cadix, Grazalema). Mais cette région ne saurait être limitée à ses espaces naturels. Elle compte aussi de remarquables petits villages, que l'on peut explorer au départ de Ronda : Gaucín ou Casares au sud, et l'ensemble des villages blancs situés à l'est d'Arcos de la Frontera (cf. Province de Cadix, Arcos de la Frontera). *Itinéraires disponibles sur le site Internet www.turismoderonda.es Pour ceux qui n'ont pas accès au Web, l'office de tourisme de Ronda met en vente un petit dépliant où l'on retrouve les mêmes informations*

Manger à Ronda

N'oubliez pas de consulter la rubrique Où faire une pause déjeuner ?, où vous retrouverez une adresse de restauration à petits prix.

très petits prix

Restaurante El Patio (plan B1 n°2). L'ambiance bon enfant est contagieuse dans ce cadre qui prête à sourire : que viennent faire ces colonnes grecques à l'entrée ? Et ces grandes fleurs peintes à même les murs, à côté d'affiches de flamenco ?... Ici, la fantaisie côtoie le plus typique, dans un joyeux mélange de styles. Un grand comptoir en zinc, auquel vous parviendrez après quelques efforts, précède une salle à manger plus chic mais tout aussi pleine et un petit patio extérieur pour les soirées d'été. Deux menus sont proposés à 10-12€ sans la boisson. Comptez environ 15€ à la carte. *Carrera Espinel, 100 Tél. 952 87 10 15*

petits prix

☺ **Casa Moreno, dit El Lechuguita (plan A2 n°3).** Dans la partie moderne de la ville, près de la Plaza del Socorro. Ici, ce n'est pas le genre d'endroits où débarquer en groupe si vous ne parlez pas l'espagnol. Un bar à tapas qui semble avoir toujours été là, et qui a ses habitués. La déco n'est pas le point fort de l'établissement, mais l'ambiance compense largement. Les tapas sont succulentes, notamment la *lechuguita* (cœur de laitue), la *tomate* (tomates à l'huile d'olive) et le *filete* (filet de porc). Un prix unique pour les tapas ! Après quelques verres en si bonne compagnie, on se mettrait bien à chanter. Mais, comme l'indique un panneau accroché au mur, c'est interdit : "*prohibido el cante*". *Calle Virgen de los Remedios, 35 Tél. 952 87 80 76*

Restaurante Almocábar (plan B4 n°4). Un bar à tapas convivial qui a installé, en guise de restaurant, quelques tables sur la grande place animée, de l'autre côté de la rue. Et malgré ce décor planté à la va-vite, la cuisine est travaillée et la présentation des assiettes remarquable. Laissez-vous tenter par les pâtés ou les salades maison, vous vous régalerez. Pour un repas complet, comptez de 20 à 30€, pour les tapas, environ 2€. *Calle Ruedo Alameda, 5. Tél. 952 87 59 77 Fermé mar. ; 15 août-15 sept.*

prix élevés

La Casa Santa Pola (plan B3 n°5). Avis aux amoureux ! L'option la plus sympathique (et la plus économique) pour un dîner à deux face au Tajo illuminé… Le restaurant occupe la plus ancienne maison arabe de la ville, dont l'aménagement en demi-étages crée une atmosphère intimiste. Et le chef, récompensé, a réussi son pari : allier cuisine raffinée et style décontracté. Seul bémol : dans un souci de rentabilité, les tables en terrasse sont vraiment un peu trop proches les unes des autres. Menu gastronomique à env. 35€. *Cuesta Santo Domingo, 3 Tél. 952 87 92 08 Ouvert tlj. midi et soir*

☺ **Restaurante Pedro Romero (plan A2 n°6).** Un grand classique. Service au cérémonial bien réglé, ambiance feutrée et décoration taurine. Normal, les arènes sont juste en face, et le restaurant porte le nom du père de la *corrida rondeña*. De 28 à 38€ à la carte. Il existe également un *menú del día*, plus économique, servi seulement à midi (env. 18€). En saison, il est prudent de réserver. *Calle Virgen de la Paz, 18 Tél. 952 87 11 10 Fermé dim. soir hors saison*

Où trouver une auberge dans les environs ?

La serranía de Ronda est un pays riche en *ventas*, ces auberges de grand chemin qui jalonnaient autrefois les routes royales.

Bar Clemente. Déjà dans la campagne, à l'angle du chemin partant sur la gauche 100m après les bains arabes. Ne cherchez pas l'enseigne, bien inutile car il n'y a qu'un seul bâtiment dans ces parages. Cet ancien moulin à huile du XVIIIe siècle a été reconverti en un bar pas comme les autres. Décoration des plus rudimentaires, plus proche de la buvette champêtre que du bar à cocktails. Le patron est accueillant, mais vraiment peu bavard. Ses horaires d'ouverture restent un peu aléatoires. Ce qui est sûr, en revanche, c'est qu'en fin de semaine, il cuisine pour les familles en goguette : porc le samedi midi, paella le dimanche. *Calle San Miguel, 12*

Venta El Tropezón. Perdue dans la campagne, celle-ci est notre préférée. Dans la salle minuscule de cette maisonnette paysanne, les agriculteurs du coin viennent à toute heure boire un verre autour de la grande table recouverte d'une nappe à carreaux, et surtout discuter avec la patronne. Les sandwichs et tapas de charcuterie sont réalisés à base de produits du terroir, que l'on peut aussi acheter sur place : excellent chorizo ou *jamón* de Benaoján, fromages savoureux. Formules à midi à partir de 10€ et comptez environ 15€ à la carte. En parlant un minimum d'espagnol, vous trouverez peut-être votre place dans la famille. *Route de Zahara de la Sierra Prendre la route A376 vers Séville sur 15km, puis à gauche direction*

Grazalema, continuer tout droit (en laissant la route de Grazalema sur la gauche) sur 7km Tél. 952 18 41 07 Ouvert 7h-22h30 Fermé jeu.

Dormir à Ronda

Ronda dispose désormais de quelques très bons hôtels, et il n'est en général pas difficile d'y trouver une chambre. Si vous désirez découvrir de l'intérieur la vie des petits villages de la serranía de Ronda, pourquoi ne pas louer une maison ou une chambre à la campagne ? Le centre de tourisme rural gère une liste d'adresses à des prix variables mais très raisonnables (à partir de 20€ par personne et par nuit). *Calle Molino, 6B Tél./fax 952 87 07 39 www.serraniaronda.org*

très petits prix

Hostal Ronda Sol (plan B1 n°10). Des chambres sans salle de bains, basiques, mais très correctes pour le prix : env. 22€ la double. La 202 est une double lumineuse qui donne sur les toits du quartier. Une bonne adresse dans cette gamme de prix. *Calle Almendra, 11 (perpendiculaire à la Calle Naranja) Tél. 952 87 44 97*

petits prix

Hotel Morales (plan A1 n°11). Tout près de la Carrera Espinel et du centre historique. Tenu par une famille amoureuse de la région, qui n'hésitera pas à vous donner conseils et bonnes adresses, surtout en ce qui concerne les parcs naturels et les randonnées. En espagnol, évidemment. Tout est écologique et le lieu appartient au label "Parque Natural". Sans rien avoir d'extraordinaire, les chambres sont très correctes avec air conditionné, et toutes équipées d'une salle de bains moderne. Doubles 39-42€, et jusqu'à 50€ lors des fêtes. *Calle Sevilla, 51 Tél. 952 87 15 38 Fax 952 18 70 24 www.hotelmorales.es*

Hotel Arunda (hors plan). Tout en haut de la rue piétonne Carrera Espinel. Un quartier animé en journée, mais très calme le soir. La décoration des chambres est accueillante, avec un mobilier en bois noble et beaucoup de lumière. Prix raisonnables : d'env. 44 à 47€ la double. L'annexe "Arunda 2", en face de la gare routière, qui présente les mêmes caractéristiques, peut être pratique en cas d'arrivée tardive ou de départ matinal. *Calle Tabares, 2, à l'angle de la rue Espinel Tél. 952 19 01 02 Fax 952 19 05 98 hotelesarunda1@serraniaderonda.com* **Hotel Arunda 2** *Calle José Castelló Madrid, 10/12 Tél. 952 87 25 19 hotelesarunda2@serraniaderonda.com À partir de 48€ la double avec petit déjeuner*

prix élevés

☺ **Alavera de los Baños (plan B3 n°12).** Situé au pied de la vieille ville, à côté des bains arabes, ce petit hôtel de charme à la décoration d'inspiration marocaine diffuse une ambiance intimiste et romantique à souhait. Installé depuis 1999 dans une ancienne maison paysanne rénovée, il est décoré avec raffinement : tons chauds, poutres apparentes, mobilier ancien et lits douillets cachés derrière de légers voiles. Du jardin, on peut voir les chevaux de la Maestranza. Restaurant gastronomique au

PROVINCE DE MÁLAGA **GEOREGION**

rez-de-chaussée et terrasse ombragée au bord de la piscine. Que demander de plus ? Doubles à partir de 85€ petit déj. compris (95€ en haute saison). *Calle San Miguel Tél./fax 952 87 91 43 www.alaveradelosbanos.com*

☺ **Hotel San Gabriel (plan B4 n°13).** Si les paysages de Ronda sont parfaits pour une lune de miel, l'Hotel San Gabriel est l'archétype même du nid d'amour. Cachée dans un recoin de la vieille ville, cette maison de maître, datant de 1736, est absolument superbe. Accueilli avec prévenance et hospitalité, on se sent davantage invité que client. Meublées d'antiquités héritées des générations précédentes, les chambres ont un charme irrésistible. Gonzalo, le fils cadet, est passionné de cinéma : il a installé un minicinéma, avec d'excellents DVD en accès libre. Chambres doubles à partir de 82 ou 96€ et suite "Lune de miel" à 150 ou 165€ HT selon la saison. Petit déjeuner 6-6,50€ HT. *Calle Marqués de Monctezuma, 19 Tél. 952 19 03 92 Fax 952 19 01 17 www.hotelsangabriel.com Fermé 1re sem. de jan., fin juil. et fin déc.*

Antequera

29200

Située en plein centre géographique de l'Andalousie, Antequera a longtemps été un lieu de passage obligé pour toutes les civilisations qui s'y sont succédé. D'où un patrimoine archéologique, historique et architectural impressionnant pour une ville de cette taille (44 000 hab.). De la préhistoire, Antequera a conservé un ensemble de dolmens unique en son genre, de l'Antiquité une superbe sculpture en bronze romaine qui fait l'orgueil du Musée municipal. Les musulmans ont bâti une puissante forteresse qui domine le centre. De son âge d'or, qui s'étend du XVIe au XVIIIe siècle, subsistent une extraordinaire densité d'églises Renaissance ou baroques, ainsi qu'un immense patrimoine d'art religieux. Ajoutez à cela un environnement naturel exceptionnel, alternant entre les défilés et le site d'escalade mondialement connu d'El Chorro et le repère de flamants roses de Fuente de Piedra, et vous avouerez qu'il y a de quoi se laisser séduire.

LA LÉGENDE DE LA PEÑA DE LOS ENAMORADOS Ce piton rocheux aux parois vertigineuses, que l'on aperçoit à l'est de la ville, répond au doux nom de "mont des Amoureux". Il lui vient d'une légende fort ancienne. Un prince musulman, tombé amoureux d'une belle chrétienne, déclencha les foudres de son père : un tel amour était interdit. Les deux amants s'enfuirent. Poursuivis par les soldats du père, ils gravirent la montagne et se jetèrent ensemble dans le vide.

Antequera, mode d'emploi

accès

EN VOITURE À 48km au nord de Málaga par l'A45/N331. À 160km au sud-est de Séville et 95km au sud-ouest de Grenade par l'A92. Le stationnement est payant dans presque toutes les rues du centre-ville (marquage bleu). Une exception : une partie de la Calle Nájera (rue de la Poste). Deux parkings publics payants dans le centre-ville.

EN TRAIN De Ronda, la seule solution est le train (3 départs/j., 1h15 de trajet, env. 6€). Liaisons Renfe régulières avec Grenade (7 trains/j., 1h30 de trajet, 7-9€), Séville et Algésiras. Pour se rendre au cœur du site d'El Chorro, départ de Málaga (2 trains/j., env. 40min de trajet, env. 4€). De Ronda : 1 train/j., 1h15 de trajet, env. 6€. **Renfe** *Tél. 902 24 02 02 www.renfe.es*

EN CAR
Alsina Graells. Liaisons Séville-Antequera (de 5 à 6 cars/jour, tlj.), Grenade-Antequera (de 3 à 5 cars/j.) et Cordoue-Antequera (2 cars/j.). *Tél. 952 84 13 65 www.alsinagraells.es*
Automóviles Casado. De/vers Málaga (env. 12 cars/j. dans les 2 sens en semaine, un peu moins le week-end). *Tél. 952 84 19 57*

orientation

Le centre-ville, où sont regroupés les hôtels, restaurants et magasins, ainsi que les principaux monuments, est peu étendu. On y accède par la Calle Infante Don Fernando, large rue commerçante qui débouche sur la Plaza San Sebastián. Vers l'est, la vieille place du Coso Viejo accueille l'élégant palais du Museo municipal. Plus au nord, la Plaza de San Francisco occupe le centre d'un quartier populaire qui rassemble quelques bars et pensions bon marché. Au sud, dominant l'ensemble, la colline escarpée de l'Alcazaba. La gare routière est à 20min au nord-ouest de la Plaza San Sebastián, à côté de la Plaza de Toros. La gare Renfe se trouve un peu plus loin au nord.

informations touristiques

Office de tourisme. *Plaza de San Sebastián, 7 www.antequera.es Tél. 952 70 25 05 Ouvert lun.-sam. 11h-14h (10h30-13h30 en hiver) et 17h-20h (16h-19h en hiver), dim. et j. fér. 11h-14h*

adresses utiles

Les banques et les distributeurs sont regroupés sur la Calle Infante Don Fernando, au nord-ouest de la Plaza San Sebastián.
Bureau de poste. *Calle Nájera (près du Musée municipal) Tél. 952 84 20 83 Ouvert lun.-ven. 8h30-20h30, sam. 9h30-13h*
Radio Taxi. *Tél. 952 84 55 30*

fêtes et manifestations

Semaine sainte. Dans une ville aussi riche en églises et en figures saintes, les fêtes religieuses sont si nombreuses que la liste en serait trop longue. On ne peut cependant ignorer la Semaine sainte d'Antequera, l'une des plus anciennes et des plus fastueuses d'Andalousie. Les figures saintes et les chars sont d'une grande beauté, grâce au riche passé baroque de cette ville. Le moment le plus fort de la semaine a lieu le Vendredi saint avec la sortie de la Virgen de la Paz. Au cours de la procession, les porteurs réalisent en courant l'ascension des rues escarpées de l'Alcazaba, dans un silence impressionnant. Cet événement, traditionnellement appelé *correr la Vega*, est connu dans toute l'Espagne. *Fin mars-début avr.*

Feria. Foire agricole et d'élevage. *Dernier week-end de mai ou 1er de juin*

Feria de Agosto. Fête locale, avec ses *casetas* typiquement andalouses. *Autour du 20 août*

Découvrir Antequera

☆ **À ne pas manquer** La Torre del Homenaje, le Museo Municipal, l'église del Carmen, les Dólmens de Menga y Viera et le parc d'El Torcal **Et si vous avez le temps...** Observez les flamants roses sur la lagune de Fuente de Piedra, pratiquez l'escalade sur le site d'El Chorro, baignez-vous dans les eaux turquoise du lac del Conde de Guadalhorce

Le patrimoine architectural d'Antequera est d'une richesse sidérante : outre les grands classiques détaillés ci-dessous, dix-huit églises et monastères sont ouverts au public. Le choix dépendra des horaires de visite, restreints et variables d'un édifice à l'autre, mais aussi de vos goûts. Si vous préférez le style Renaissance, visitez les églises San Sebastián, San Juan ou San Pedro. Les fans de baroque privilégieront celles de Los Remedios (une de nos préférées), Santiago, Madre de Dios, San José (Descalzas), ou Belén. Ouf ! Liste détaillée, horaires et plan sont à votre disposition à l'office de tourisme.

Colline de l'Alcazaba Les vestiges de l'ancienne forteresse musulmane, prise par les chrétiens en 1410, trônent au sommet de la grande colline qui domine le sud de la ville. Depuis la Plaza de San Sebastián, on monte le long des ruelles pittoresques d'un quartier médiéval. Au sommet de la Cuesta San Judas se dresse l'Arco de los Gigantes (arc des Géants), portail en pierre de 1585. Attardez-vous un moment sur le belvédère qui offre une vaste vue sur la ville, et amusez-vous à compter les clochers. Sur la droite, la Peña de los Enamorados, romantique à souhait au crépuscule. De l'autre côté de l'arc, la Plaza Santa María s'étend timidement dans l'ombre de l'Alcazaba. On aperçoit en contrebas les vestiges des thermes romains. Mais le principal monument reste la collégiale de Santa María la Mayor (XVIe siècle), dont la façade Renaissance aux lignes étonnamment dissymétriques surplombe la place. Elle offre un intérêt architectural, avec son plafond mudéjar et ses piliers ciselés, mais surtout historique. Santa María la Mayor fut un pôle culturel primordial de l'humanisme espagnol. Dès le Moyen Âge, les travaux de ses scribes (*escribanos*), en particulier dans le domaine de la grammaire, jouirent d'une grande renommée. Sur le côté de la place partent des allées ombragées qui montent vers la forteresse proprement dite, ou Alcazaba. De celle-ci, il ne reste que les vestiges des puissantes murailles, ainsi que quelques tours. La plus connue et la plus imposante est le donjon ou **Torre del Homenaje**. Surmontée d'un clocher qui rythme depuis des siècles la vie des habitants, cette tour emblématique d'Antequera a acquis le surnom familier de "Torre de Papabellotas". Très beau panorama depuis les murailles et la tour.

GEO**REGION** PROVINCE DE MÁLAGA

☆ ☺ **Museo Municipal** Installé dans le superbe palais de Nájera, ce musée rassemble une formidable collection mêlant archéologie et art religieux. Une richesse dont la visite guidée (obligatoire), très rapide – plus détaillée en cas de moindre affluence –, ne permet malheureusement pas de profiter pleinement. Au fond du patio, la section archéologique contient la pièce majeure du musée : un **éphèbe romain en bronze** du Iᵉʳ siècle. Il n'en existe que six à travers l'Europe, et celui-là est le plus remarquable. Sa grande beauté justifierait à elle seule la visite. Mais d'autres merveilles vous attendent à l'étage, avec la vaste **collection d'art religieux** du XVIᵉ au XVIIIᵉ siècle. Elle puise dans le vaste patrimoine des églises de la ville, et rassemble de nombreux chefs-d'œuvre Renaissance et baroques. Parmi les plus importants, citons une chasuble taillée dans la bannière des troupes musulmanes battues en 1410. Ou encore des retables du XVIIᵉ siècle, et un saint Christophe curieusement sculpté en habits mudéjars. Mais la sculpture la plus marquante reste le *Saint François d'Assise* de Pedro de Mena (1628-1688). La salle consacrée à l'art contemporain expose notamment des œuvres de Cristóbal Toral (né en 1940), un peintre espagnol qui a passé son enfance et son adolescence à Antequera. Enfin, au fil des salles, on découvre d'innombrables pièces d'orfèvrerie (couronnes, reliquaires) et textiles appartenant aux différentes processions religieuses. Visite guidée toutes les 30min. Visites en français mar.-ven. 10h-13h30 et 16h30-18h30 (horaires variables en été, se rens.) *Plaza del Coso Viejo Tél. 952 70 40 21 Ouvert sam. 10h-13h30, dim. 11h-13h30 Entrée : 3€ Groupes à partir de 15 personnes : 1€*

☆ ☺ **Iglesia del Carmen** Si vous ne deviez visiter qu'un seul édifice religieux à Antequera, ce serait celui-là. Un émerveillement que cette église somptueuse à l'extérieur et surtout à l'intérieur. Construite aux XVᵉ et XVIIᵉ siècles, elle appartenait autrefois à un couvent aujourd'hui disparu. En entrant dans la nef, on retient son souffle. Du carrelage ancien au plafond ouvragé dans le plus pur style mudéjar, en passant par les grandes fresques murales et les angelots baroques des lustres, tout attire le regard. Mais à l'autre extrémité de l'église, on touche au sublime. Le retable du maître-autel (XVIIIᵉ siècle), qui monte jusqu'au milieu de la haute coupole, est d'un raffinement stupéfiant. Réalisé en pin rouge par l'artiste local Antonio Primo, il met en valeur un ensemble de statues en bois peint et de peintures : angelots colorés, personnages saints encadrant une niche précieuse qui abrite la Vierge, on ne peut plus baroque. De part et d'autre de la nef, de belles chapelles baroques avec une statuaire de qualité et de riches dorures. Dans la première chapelle à droite en entrant, on remarque une étrange sculpture gothique du XVᵉ siècle, encastrée dans un pilier. Il s'agit de la Virgen del Socorro, réalisée en carton-pâte et offerte par les Rois Catholiques pour l'Iglesia del Salvador. La plus ancienne sculpture religieuse d'Antequera. Belle vue sur la Peña de los Enamorados depuis le parvis de l'église. *Plaza del Carmen (à l'est du centre-ville) En travaux*

☆ **Dólmens de Menga y Viera** Antequera possède l'un des plus importants ensembles mégalithiques d'Europe. Situés à 1km au nord du centre-ville, ces deux imposants tombeaux du IIIᵉ millénaire av. J.-C. méritent d'être visités. Ils furent réalisés à l'aide d'énormes blocs de pierre taillés dans les collines des environs et recouverts de terre. Le plus ancien et le plus grand est le dolmen de Menga (vers 2500 av. J.-C.), long de près de 25m. La plus lourde des quelque 32 dalles qui le composent pèse 180t ! Un puits d'une profondeur de 20m, que l'on peut voir aujourd'hui, y a été découvert en 2005. Le dolmen de Viera, érigé sur le même site, est un peu plus récent : environ 2 000 ans av. J.-C. Un troisième tombeau, le dolmen del Romeral (vers 1800 av. J.-C.), se visite également à l'extérieur de la ville (continuer sur 2,5 km après les précédents dolmens, puis suivre les indications). *Tél. 670 94 54 53 Ouvert mar.-sam. et j. fér. 9h-18h, dim. 9h30-14h30 Accès gratuit*

Découvrir les environs

☆ ☺ **El Torcal de Antequera** Une merveille géologique à voir absolument, 13 km au sud d'Antequera. La route d'accès au site (A7075 puis MA9016) serpente sur 14 km au milieu de vertes prairies, jusqu'à l'intersection "El Torcal" à droite. On monte alors sur 4 km à travers un décor minéral à couper le souffle, avec en arrière-plan les montagnes de la sierra Tejada et même la sierra Nevada par temps très clair. Arrivé au centre d'information, on est impatient de pénétrer dans le parc d'El Torcal, pour voir de plus près tout cela. Le sentier ouvert au public ("*ruta verde*") part du fond du parking, sur la droite. Long de 1,5 km et balisé en vert, il ne présente aucune difficulté, mais le sol pierreux et irrégulier exige de bonnes chaussures. Comptez une heure pour bien en profiter. Vous vous promenez au milieu de blocs rocheux aux formes capricieuses, au sommet desquels pointent souvent les cornes d'un troupeau de chèvres sauvages. Le phénomène karstique a creusé cette gigantesque œuvre d'art. Il existe des sentiers plus longs, mais ils ne sont ouverts qu'à certaines dates, et ne se parcourent qu'en compagnie d'un guide. Pour accéder au site, deux solutions : la voiture ou le taxi. La seule ligne de bus dans les parages s'arrête à l'intersection "El Torcal". Problème : il repasse une heure plus tard pour le retour. Une heure pour gravir les 4 km vous séparant du parking puis parcourir le sentier "ruta verde", c'est impossible, à moins de s'entraîner pour le marathon. Autre solution, moins éprouvante, le taxi. Pas si onéreux à plusieurs : environ 30€ aller-retour, avec 1h sur place. *Se rens. à l'office de tourisme d'Antequera Tél. 952 70 25 05*

Lagune de Fuente de Piedra Cette immense lagune, située à 20 km à l'ouest d'Antequera en direction de Séville, partage avec la Camargue le privilège d'être un immense site de reproduction pour le flamant rose. Les meilleures années, près de 18 000 couples se rassemblent sur le lac, de février à août. Renseignez-vous auprès de l'office de tourisme ou du centre des visiteurs, car à certaines époques les flamants peuvent être très éloignés de l'observatoire. Jumelles conseillées, ne serait-ce que pour observer les quelque 170 espèces d'oiseaux qui volent dans les parages. *Au départ d'Antequera, Automóviles Casado (tél. 952 84 19 57) ou Alsina Graells (tél. 952 84 13 65), un départ par heure* **Centre des visiteurs** *à la sortie du village de Fuente de Piedra et près du lac Tél. 952 11 17 15 Ouvert tlj. 10h-14h et 18h-20h (16h-18h d'octobre à avril) Fermé pour travaux en 2008, se rens. au kiosque sur le parking Visites guidées sur rdv auprès du centre des visiteurs ou au 670 94 38 94 Durée : env. 3h Tarif 4€*

Se mettre au vert

El Chorro Le village attire les visiteurs pour son environnement naturel exceptionnel. À commencer par une vraie merveille creusée au cœur de la roche par les

eaux du río Guadalhorce : la Garganta del Chorro (gorge d'El Chorro). Également connue sous le nom de Desfiladero de los Gaitanes, elle mérite vraiment le coup d'œil. Les parois de la gorge culminent à plus de 400m, et l'impression de vertige est renforcée par l'étroitesse du défilé, qui n'est par endroits large que de 10m. Le meilleur point de vue se trouve à l'extérieur du village, au début de la route menant à Ardales. Pas étonnant que le site d'El Chorro soit par ailleurs mondialement connu pour la pratique de l'escalade. Les amateurs se pressent sur ses parois escarpées de novembre à avril, le reste de l'année étant trop chaud pour grimper. Des dizaines de voies tous niveaux (du 4 au 8b+) sont tracées sur une roche très propre. La plupart d'entre elles sont équipées, mais mieux vaut se renseigner auprès des habitués, qui vous mettront en garde contre les voies moins sûres. Si les falaises verticales vous donnent le vertige, vous pouvez parcourir à vélo les sentiers de la région : vous pourrez par exemple rejoindre par la route le lac d'Ardales et, pour les athlètes, le château de Bobastro. Il est à noter que bon nombre des sentiers de la région reprennent le tracé des sentiers qu'utilisaient les mozarabes à l'époque musulmane. La boutique Aventur El Chorro vend du matériel et des topos détaillés des différents massifs. Elle propose également la location de matériel d'escalade.
Garganta del Chorro À 35km au sud-ouest de Antequera par l'A343 puis la MA226 *En train au départ d'Antequera via Bobadilla. Au départ de Málaga : 1 train/j. (trajet 44min, aller-retour : env. 8€)* **Aventur El Chorro** *Entre le camping et l'hôtel La Garganta Tél./fax 952 49 52 18 www.aventuraelchorro.com*

Bobastro

Au départ d'El Chorro, une balade chargée d'histoire dans un cadre naturel de toute beauté, le massif de Las Mesas de Villaverde. Elle peut se réaliser en voiture, ou en vélo si vous êtes en forme : la route de montagne qui mène aux ruines de Bobastro est vraiment escarpée. Suivez la route d'Ardales sur 3km, jusqu'à l'intersection sur la gauche indiquée par le panneau "Bobastro". Le sommet se trouve 6km plus loin. Le panorama sur le mont de La Huma et les montagnes au loin est spectaculaire. Garez-vous tout au bout de la route. Sur la droite, un sentier monte vers un piton rocheux. Là, perdues dans les herbes, se dressent les quelques ruines du château de Bobastro. Une forteresse d'origine romaine, mais qui connut son heure de gloire à la fin du IXe siècle. Elle est alors reconstruite par le légendaire Omar ibn Afsûn, qui sera pendant plusieurs décennies le meneur de la plus grande rébellion de l'ère musulmane d'*Al-Andalus*. À la tête de milliers de muladies, de muwwallads et de mozarabes, il défiera dès 880 le pouvoir des émirs omeyyades et régnera sur un royaume s'étendant de Murcie à Algésiras. En prenant Aguilar de la Frontera, aux portes de Cordoue, il menacera même un moment de renverser le pouvoir en place. Les paysans des montagnes, outrés par l'autoritarisme du pouvoir central et les taxes qu'il imposait, avaient trouvé en Ibn Afsûn un chef habile et déterminé. En 899, celui-ci se convertit au christianisme, religion de ses ancêtres hispaniques, et perd alors l'appui d'une partie des musulmans. La rébellion va de victoire en victoire jusqu'en 912, date de l'arrivée au pouvoir de l'émir Abd al Rahman III. Ce dernier réduira vite la résistance au seul château de Bobastro. Ibn Afsûn meurt en 918, et ses fils ne se rendront que dix ans plus tard. Ayant désormais rétabli l'ordre dans tout *Al-Andalus*, l'émir de Cordoue pourra désormais affirmer son pouvoir, et prendre le titre de calife en 929. À 3km du sommet, un panneau indique un chemin qui mène en quelques minutes à une superbe église mozarabe. Taillée à même la roche, elle garde un air de mystère et de recueillement. La légende veut qu'Omar ibn Afsûn ait choisi cette église pour se convertir.

Embalse del Conde de Guadalhorce Ce vaste lac de barrage est la principale source d'eau potable et d'électricité de la région. On peut y accéder en voiture ou à vélo. Devant les eaux turquoise du lac (quand il est plein !), on résiste difficilement à l'envie de piquer une tête au milieu des canards, ou de faire une promenade en kayak (location sur place). Le parc d'Ardales se prête bien à la randonnée. Au bout de la piste menant au bar-restaurant El Mirador débute un beau sentier. Il vous emmène jusqu'au pied du Desfiladero de los Gaitanes, ou Garganta del Chorro (5km, 2h AR). Le meilleur endroit pour se baigner est la "Zona 3, La Isla". Des hébergements confortables vous permettront de passer la nuit sur place (cf. Dormir à Antequera, dormir à Ardales). Plusieurs restaurants se sont installés en bordure du lac. Attention : si le calme des lieux en juin et en septembre favorise une escapade romantique, les rives peuvent être bondées en été, notamment le week-end. *Accès au site par la ville d'Ardales (40km au sud-ouest d'Antequera) ou par son autre extrémité, le parc d'Ardales (10km à l'ouest de El Chorro)*

Manger à Antequera

Autre bonne surprise : la ville regorge de bons restaurants. Produits frais, tapas délicieuses et bien servies, et de savoureuses spécialités régionales. Essayez par exemple la *porra antequerana*, crème à base de tomate, poivron et mie de pain, rafraîchissante en été, ou le *bienmesabe*, un dessert aux amandes.

très petits prix

☺ **Bar Castilla-Vidal.** Au rez-de-chaussée de l'Hotel Castilla. La carte variée donne l'eau à la bouche. Grand choix de *bocadillos* (env. 2,50-4€) et de plats du jour (*platos combinados*, 4,50-7€). Les amateurs de poissons se régaleront d'une demi-ration de *rosada frita* (env. 5€). Bon et pas cher. Le comptoir du bar est idéal pour le petit déjeuner. Menu du jour à 8€ (lun.-ven.). *Calle Infante Don Fernando, 40 Tél. 952 84 30 90 Ouvert lun.-sam. 6h-23h Fermé 3 sem. juil.*

prix moyens

☺ **Hospederia Restaurante Madrona.** Près de la Plaza de San Francisco. Savoureux et sympathique, compter env. 30€. Une nouvelle salle (un patio attenant) permet de déguster les mêmes plats dans une ambiance plus proche du resto classique. Depuis 2006, des chambres doubles (40€) ont été aménagées dans une maison du XVIIe siècle attenante. *Calle Calzada, 25 Tél. 952 84 00 14 Ouvert tlj. 13h-1h (minuit en hiver)*

prix élevés

El Angelote. Au rez-de-chaussée d'un édifice historique, en face du Musée municipal. Dans une grande salle à la fois rustique et chic, on vous sert une cuisine traditionnelle soignée, privilégiant les produits du terroir et les spécialités régionales. Le chef Francisco Ortiz a reçu en 1999 un important prix national de gastronomie. Comptez env. 32€ par personne. *Plaza Coso Viejo Tél. 952 70 34 65*

Dormir à Antequera

Antequera pourrait donner des leçons à la plupart de ses voisines en ce qui concerne l'hôtellerie : sens de l'hospitalité, propreté et prix très raisonnables.

Agence Sondytour. Elle propose des gîtes ruraux répartis dans toute la région, jusqu'à la serranía de Ronda et la région de la Axarquía, et dans toute l'Andalousie. *Calle Merecillas, 31 Tél. 952 70 65 10 et 952 70 30 48 Fax 952 70 30 90 www. sondytour.net*

très petits prix

☺ **Pensión Camas El Gallo.** Sur la Plaza de San Sebastián. Le couple qui tient cette pension depuis des lustres est très accueillant. Tendez l'oreille : l'accent andalou est inimitable ! Chambres monacales mais irréprochables. Une salle de bains pour 3 chambres. La 15, intérieure, est calme. La 20, donnant sur la place, est plus lumineuse. Tout cela à des prix inégalables : 20-23€ la double ! Réservez, ou arrivez tôt le matin : c'est vite complet. À noter qu'en raison de l'âge des propriétaires, cette bonne adresse pourrait fermer en 2008, alors profitez-en vite ! *Calle Nueva, 2 Tél. 952 84 21 04*

petits prix

☺ **Hotel Residencia Colón.** Une bonne adresse dans cette gamme de prix. 35-40€ avec sdb, et un confort que peu d'hôtels 2 étoiles proposent. Des vases et des lampes rétro dans les montées d'escalier et des canapés confortables dans les salles communes. Demandez de préférence une chambre intérieure. Entre autres commodités : un ascenseur et l'Internet gratuit. Parking privé 7€. *Calle Infante Don Fernando, 29 Tél./fax 952 84 00 10 www.antequerahotelcolon.com*

prix moyens

Hotel Coso Viejo. Un 3-étoiles de charme face à la place du Coso Viejo. Certaines chambres donnent sur l'Alcazaba. Le cachet de l'ancien dans le confort moderne. Les chambres sont parfaites et le patio à arcades fort joli. Mais le restaurant-bar à tapas du rez-de-chaussée avec ses spécialités de viandes grillées au feu de bois est très fréquenté le week-end : beaucoup de bruit jusque tard en soirée. Doubles 62-78€ (Semaine sainte). *Calle Encarnación, 5 Tél. 952 70 50 45 Fax 952 70 48 42 www.hotelcosoviejo.es*

Dormir dans les environs

Dormir à El Chorro

Pour dormir dans les refuges du village, il faut compter environ 12€ la nuit par personne. Se renseigner auprès des trois établissements ci-dessous, auxquels ils sont rattachés.

camping

Camping El Chorro. En bas du village, au pied des falaises. Un confort assez sommaire, mais le cadre vous le fait vite oublier. Sur place, un bar-épicerie, des activités de plein air, des animations pour les enfants. Environ 14,50€ pour 2 personnes et une tente, parking gratuit à l'extérieur. Location de cabanes de 2 à 6 personnes (53-83€/pers.). *Tél. 952 49 52 44 www.alberguecampingelchorro.com Ouvert toute l'année*

petits prix

Finca La Campana. Un cadre enchanteur au milieu des rochers et des champs d'oliviers. Cette ancienne ferme, réaménagée, propose des appartements pour 2, 4 ou 8 personnes (de 38 à 88€), des chambres doubles (26€) dans un refuge, parfait pour les petits budgets (11€ le lit). Draps et couvertures fournis, salle à manger et cuisine à disposition. En hiver, les grimpeurs s'y retrouvent, et en été, on peut profiter de la piscine et faire des randonnées dans les environs. Leçons et sorties d'escalade tous niveaux, canoë, spéléologie et location de VTT. Réservation indispensable de novembre à la Semaine sainte. *El Chorro (dans le village, passer devant l'hôtel Garganta, puis continuer sur la route et suivre les indications) Tél. 952 11 20 19 et 626 96 39 42 www.el-chorro.com*

prix élevés

La Garganta. Au cœur du village, à deux pas de la gare. Au rez-de-chaussée, des chambres simples mais confortables (à partir de 75€ la chambre double) et des appartements pour 5 personnes (à partir de 110€). À l'étage, des appartements jouissant d'une terrasse avec vue sur la vallée. Couleurs chaudes, poutres apparentes, salon et coin cuisine (à partir de 110€ pour 4 personnes). Piscine, restaurant ouvert tous les jours de l'année et activités diverses (escalade, randonnées pédestres et à VTT avec des moniteurs diplômés). *Tél. 952 49 50 00 Fax 952 49 52 98 www.lagarganta.com*

Dormir à Ardales

prix moyens

Hôtel Posada del Conde. Cet établissement très accueillant propose des chambres doubles d'environ 63 à 83€ HT. *Barriada Conde del Guadalhorce, 16-18, 29550 Ardales Tél. 952 11 24 11 Fax 952 11 28 05 www.laposadadelconde.com*

Nerja

29780

Longtemps considérée comme la perle de la Costa del Sol, la petite ville de Nerja suscite aujourd'hui des sentiments mitigés. Certes, sa magnifique esplanade du Balcón de Europa domine une portion charmante de la côte, avec ses calanques pittoresques. Certes,

GÉOREGION

PROVINCE DE MÁLAGA

il est agréable de déambuler le soir dans les rues du centre, très animées l'été. Mais le développement touristique à outrance a quand même endommagé le charme, et en saison Nerja fait figure d'enclave anglo-saxonne surpeuplée au pays de Don Quichotte.

Nerja, mode d'emploi

accès

EN VOITURE À 56km à l'est de Málaga par l'A7. Si vous visitez Nerja pour la journée, le mieux est de laisser votre voiture dans le parking municipal souterrain du centre-ville, à deux pas du Balcón de Europa (1h : env. 1,80€, 24h : 16€) : au rond-point situé à la sortie est de la ville, suivez la direction *"centro"* puis les indications menant au parking.

EN CAR
Alsina Graells. Chaque jour, 15 à 22 liaisons dans les deux sens entre Málaga et Nerja (env. 4€), puis la grotte de Nerja (env. 0,95€). De Grenade, en semaine, 5 à 6 cars directs quotidiens (env. 9€). Almuñecar-Nerja : 15 cars quotidiens (env. 2,40€). Almería-Nerja (env. 11,50€) : 7 liaisons. L'arrêt de car se trouve à 10min à pied au nord du centre-ville sur l'Av. Pescia (N340), à l'angle de la Calle Herrera (près de la Plaza Cantarero). *Tél. 952 31 82 95 (Málaga) et 952 52 15 04 (Nerja)*

orientation

Le centre-ville est organisé autour de l'esplanade du Balcón de Europa. C'est là que se trouvent l'office de tourisme, les restaurants et les pensions.

informations touristiques

Office de tourisme. *Puerta del Mar, 2 Tél. 952 52 15 31 www.nerja.es Ouvert oct.-mai : lun.-ven. 10h-14h et 17h-21h, sam. 10h-13h ; juin-sept. : lun.-sam. 10h-14h et 18h-22h, dim. 18h-22h*

fêtes et manifestations

Festival de la Cueva. De bons concerts et des spectacles de danse classique et flamenca sont organisés dans le cadre et l'acoustique exceptionnels de la grotte de Nerja. *3e semaine de juillet*

adresses et numéros utiles

Bureau de poste. *Calle Almirante Ferrándiz (juste au nord du Balcón de Europa) Tél. 952 52 17 49 Ouvert lun.-ven. 8h30-20h30, sam. 9h30-13h*
Station de taxis. *Au nord du centre-ville, près de la Plaza Cantarero (8h-20h, après 20h, arrêt à Castilla Pérez). Plaza Ermita Tél. 952 52 05 37 et 952 52 45 19*
Café Internet Medweb. *En bas de la Calle Málaga, près de la Plaza de los Cangrejos, à l'ouest du Balcón de Europa Ouvert en journée et assez tard le soir*

Découvrir Nerja

☆ **À ne pas manquer** Le Balcón de Europa et la Cueva de Nerja **Et si vous avez le temps...** Passez un après-midi farniente sur la Playa de Burriana, dînez dans la plus ancienne *venta* d'Andalousie, la Venta de Alfarnate

Centre-ville Centre d'intérêt majeur de Nerja, le **Balcón de Europa** est une belle esplanade s'avançant sur la mer, ouvrant sur les calanques. Il occupe le site d'une ancienne forteresse arabe du XIe siècle. De part et d'autre s'étend le vieux quartier de Nerja. À l'ouest se trouvent l'église del Salvador (XVIIe siècle), de style gothique-mudéjar, la Plaza de Cavana et la jolie Calle del Barrio où exposent quelques artisans. Plus loin, en bas de la Calle Málaga, la Plaza de los Cangrejos est une agréable promenade en bord de mer. À l'est du Balcón débute la vieille Calle Hernando de Carabeo, où l'on trouve encore des maisons traditionnelles blanchies à la chaux. La rue débouche sur le belvédère du Mirador de Bendito, puis en contrebas sur la promenade du Paseo Marítimo, au bord de la Playa de Burriana. Au nord du Balcón, on peut aussi flâner dans le quartier piétonnier de la Calle Almirante Ferrándiz. Une des plus belles balades de Nerja consiste à emprunter le sentier côtier qui serpente à flanc de falaise, de la Playa de Calahonda, au pied du Balcón de Europa, jusqu'à la Playa de Burriana. Mais le Paseo de los Carabineros (chemin des Carabiniers) est fermé suite à une chute de pierres. Sa réouverture n'est toujours pas à l'ordre du jour.

☆ **Cueva de Nerja** C'est la principale attraction de cette partie de la Costa del Sol, et l'un des sites touristiques les plus fréquentés (en saison, on se croirait dans un grand magasin au moment des soldes...) : une immense grotte aux salles décorées de formations géologiques, découverte en 1959. La présence de la mer il y a des millions d'années a entraîné le dépôt d'épaisses couches de sédiments. Suite à des plissements de l'écorce terrestre, ces derniers se sont transformés en marbre, dont la dissolution due aux infiltrations d'eau a donné naissance à la grotte. Même si la visite est limitée à sa partie la plus praticable, on sera frappé par le gigantisme des lieux. Visite libre (30min env.). L'ouverture d'un musée exposant les résultats des fouilles réalisées dans la grotte est en projet (il s'installerait Paseo Nuevo, derrière la mairie). *Accès : 4km au nord-est de la ville, sur la route d'Almuñecar En bus : une dizaine de bus/j., ligne Nerja-Cueva-Maro d'Alsina Graells (tél. 952 52 15 04) de 7h à 21h30 Départ : arrêt de bus de Nerja, Av. Pescia (N340) ou de Málaga ttes les heures avec Alsina Arrivée : en contrebas de la grotte Tél. 952 52 95 20 www.cuevadenerja.com Ouvert juil.-août : tlj. 10h30-19h30 (les horaires changent pendant la semaine du festival) ; sept.-juin : tlj. 10h-14h et 16h-18h30 Fermé 1er jan. et 15 mai Entrée env. 8€ (6-12 ans env. 4€, moins de 6 ans gratuit)*

Aller à la plage

Nerja domine l'une des plus jolies portions du littoral et une série de petites plages se succèdent au pied des falaises. Tout à l'est, la Playa de Burriana est la plus grande et la plus animée. Les restaurants et bars se sont multipliés le long du Paseo Marítimo. Le sable brun tranche sur l'émeraude de la mer et l'arrière-plan montagneux ne manque pas de majesté. À l'extrémité ouest de la plage, les barques traditionnelles des pêcheurs sont tirées sur le sable. Un peu plus loin commence la Playa de

Carabeo, plus tranquille, et agitée de beaux rouleaux quand il y a du vent. Si vous disposez d'un véhicule, vous trouverez des plages plus familiales en prenant la N340 en direction d'Almuñécar. À 5km à l'est de Nerja, sur la N340, plusieurs panneaux indiquent des plages isolées. Autrefois accessibles par des pistes en terre, elles sont désormais interdites aux voitures. Vous pouvez parcourir à pied le petit kilomètre qui sépare la route de la belle plage de Alberquillas (depuis la N340, 200m après le km299, le chemin sur la droite au niveau du petit parking). Vous pouvez aussi filer jusqu'au km302, où la Playa del Cañuelo est desservie par une Jeep qui fait l'aller-retour (env. 2€, juil.-15 sept. et certains week-ends).

Où sortir le soir ?

C'est dans ce domaine que l'on ressent le plus l'influence du tourisme : des pubs anglais, rien que des pubs ! Ils sont pour la plupart regroupés, ainsi que quelques discothèques, à l'ouest du centre-ville, notamment à l'angle de la Calle Barrio et de l'Avenida Castilla. Pour les sorties, concerts et spectacles à Nerja et sur le reste de la côte, consultez l'hebdomadaire *Informaciones* à l'office de tourisme (sortie le jeudi) ou le bimensuel *Sol*.

Découvrir les environs

La Axarquía L'arrière-pays de Nerja, qui s'étend vers l'ouest au pied de la majestueuse sierra de Almijara, est une région aride. L'irrigation, initiée au temps des musulmans, a cependant permis de la recouvrir d'oliviers (l'huile locale est l'une des meilleures d'Andalousie), de vignes et d'arbres fruitiers. Le passé musulman a en outre laissé derrière lui quelques vieux villages aux murs blancs et aux ruelles étroites. Les paysages contrastés de l'Axarquía se prêtent bien à une escapade d'une journée ou à un séjour prolongé, à condition d'avoir un véhicule. De nombreux itinéraires thématiques ainsi qu'une importante infrastructure de tourisme rural (gîtes et chambres d'hôtes) ont été créés. Vous trouverez une documentation fournie auprès des offices de tourisme de Nerja ou Málaga. Parmi les villages les plus intéressants, citons Cómpeta, près de Nerja, ou encore Alcaucín et Comares au nord et à l'ouest de Vélez-Málaga. Pour profiter de superbes paysages de montagne, poussez jusqu'à Alfarnate. Outre le décor, il y a une bonne raison de monter jusque-là sur les petites routes de montagne : la Venta de Alfarnate. Située à la sortie d'Alfarnate, sur la route de Loja, cette *venta*, ou auberge de grand chemin, serait la plus ancienne d'Andalousie, puisqu'elle date de la seconde moitié du XVIIe siècle. Au menu, des plats montagnards revigorants à des prix raisonnables (20-25€ pour un repas complet). **Venta de Alfarnate** *Tél. 952 75 93 88 Ouvert mar.-dim. 11h-19h Fermé 15 juin-1er août*

Manger, dormir à Nerja

Comme souvent sur la Costa del Sol, il est plus facile de trouver un restaurant tex-mex qu'un bar à tapas. Si l'ambiance touriste ne vous fait pas peur, passez en revue les restaurants qui abondent le long des rues à l'ouest du Balcón de Europa, et sur la jolie Plaza Cavana. Si vous cherchez une terrasse, descendez la Calle Málaga jusqu'à la Plaza de los Cangrejos, près de la Playa de la Torrecilla.

Côté hébergement, il faut réserver pour la Semaine sainte et les mois d'été. Les prix sont alors au plus haut. Si vous rêvez de passer une nuit dans un Parador, ne choisissez pas celui de Nerja, loin d'être le fleuron de la chaîne.

très petits prix

Pensión Mena. Dans une rue partant derrière l'église du Salvador. La pension la moins chère de Nerja, et on ne le dirait pas : elle est centrale, dans un édifice charmant avec un patio ombragé, et l'accueil n'est pas désagréable. Même si les chambres n'ont vraiment rien du Ritz, elles restent correctes pour le prix et sont toutes climatisées. Attention, la pension est prise d'assaut en août. Doubles avec sdb de 28€ à 44€ env. Pour une chambre avec terrasse (et vue sur la mer !), compter 5€ de plus. *Calle El Barrio, 15 Tél./fax 952 52 05 41 hostalmena@hotmail.com*

petits prix

Merendero Morero. Un classique bien agréable, planté depuis plus de quarante ans au centre de la Playa de Burriana. Une plage sur laquelle il y a d'ailleurs plusieurs *merenderos*, la version locale du *chiringuito*. Installez-vous sur la terrasse ombragée. Spécialité de paella, cuite devant vous au feu de bois (5€/pers.). Vous pouvez aussi commander des *sardinas* grillées (5€). Rançon du succès : les touristes n'y résistent pas et débarquent en nombre. *Playa de Burriana Tél. 952 52 54 80 Ouvert tlj. 9h30-23h30 Fermé nov. et 1re sem. déc.*

Hostal Abril. Tout en haut de la Calle Pintada, qui monte vers le nord à travers le centre-ville. Un réel effort pour créer un environnement de caractère : bel escalier et certaines chambres décorées d'intéressants triptyques. Accueil sympathique et propreté irréprochable. À condition d'obtenir une chambre intérieure, car celles situées côté rue sont bruyantes et exposées au soleil estival. Cybercafé au rdc. Doubles 35-55€ env. Appartement pour 4 personnes env. 140€ en août. *Calle Pintada, 124 Tél. 952 52 61 67 Fax 952 52 23 29 www.hostalabril.com*

prix moyens

Marisquería La Marina. Sur la place du même nom, cet établissement sans prétention occupe tout un angle. Pas besoin du panneau "*típico*" à l'entrée : la salle et l'immense bar sont essentiellement fréquentés par des Espagnols, friands de bonnes choses venues de la mer. En vitrine, poissons et fruits de mer (crevettes env. 7€ les 100g et homard env. 7,50€ les 100g) au choix. Ambiance détendue. *Calle Castilla Peréz, 28 Tél. 952 52 12 99 Ouvert tlj. 12h-0h (23h en hiver)*

☺ **Hostal Tres Soles.** À 5min à pied, à l'est du Balcón de Europa, dans une rue pittoresque proche de la plage. L'édifice attire les regards avec ses grilles en fer forgé, ses azulejos et la vigne vierge qui descend le long de sa façade. Les chambres (d'environ 30 à 45€) sont vraiment bien équipées pour le prix : air conditionné, télévision satellite et sdb modernes. Deux appartements très agréables (2 à 4 personnes), avec vue et beaucoup de lumière (d'environ 55 à 75€). La chambre n°1 donne directement sur la rue, un peu bruyante. *Calle Carabeo, 40 Tél./fax 952 52 51 57 www.hostal3soles.com*

prix élevés

Hotel Balcón de Europa. Une grande façade tournée vers la mer avec, en contrebas, la plage de la Caletilla. L'hôtel est au cœur de Nerja, mais une chambre avec terrasse et vue illimitée sur la grande bleue vous permettra d'échapper à l'agitation de la station balnéaire. La décoration des chambres n'est pas des plus originales, mais celles-ci sont vraiment grandes et avec tout le confort. Service de très bonne qualité, très efficace. Doubles d'environ 94 à 133€ et d'env. 118 à 161€ avec balcon et vue sur la mer. *Paseo del Balcón de Europa, 1 Tél. 952 52 08 00 Fax 952 52 44 90 www.hotelbalconeuropa.com*

Dormir à la campagne

☺ **La Posada Morisca.** Une bonne adresse pour échapper à l'agitation de la côte. Cet hôtel est blotti à l'abri d'un vallon à 4km au nord de Frigiliana. Vous n'êtes qu'à 20min de Nerja, mais déjà dans un autre monde. Les couchers de soleil sont mémorables, et à la nuit tombée les grillons chantent dans la garrigue. Les chambres, disposant toutes d'une terrasse, sont décorées avec goût dans un style mélangeant les influences nord-africaine et méditerranéenne : grandes dalles en terre cuite, boiseries sombres, tissus chaleureux. Autres points forts : la piscine, l'accueil tout sourire et l'excellente cuisine servie par le restaurant de l'hôtel (parfois fermé), sur la terrasse face à la côte. Une bonne adresse, qui a déjà ses habitués (réservation conseillée). Doubles de 72 à 90€ (de 40 à 60€ nov.-fév.). *Loma de la Cruz, 29788* **Frigiliana** *(de Frigiliana, prendre la petite route montant vers Torrox, puis tourner à gauche) Tél. 952 53 41 51 www.laposadamorisca.com*

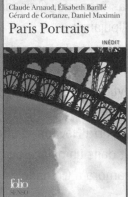

Grenade, haut lieu de la civilisation d'*Al-Andalus*, mêle charme suranné de pierres hantées de mille et une légendes, et agitation de ville étudiante, industrieuse. La dominant, les sommets de la sierra Nevada sont le toit de la péninsule. Un *must* pour marcheurs et, en hiver, pour skieurs. Le versant sud, la région de la Alpujarra, recèle de curieux villages, hérités des morisques. Au nord, Guadix et le château de la Calahorra sont les grandes attractions du Marquesado de Zenete. À l'ouest, le Poniente Granadino surprend par les plaisants villages de Montefrío et d'Alhama de Granada. Sur la Costa Tropical, on s'arrête volontiers à Salobreña.

À ne pas manquer Grenade et les Alpujarras

Et si vous avez le temps...
Découvrez les quartiers troglodytiques de Guadix, passez une semaine aux sports d'hiver dans la sierra Nevada et offrez-vous une nuit dans un palace au cœur de l'Alhambra à Grenade

Province de Grenade

GEO**MEMO**

Ville principale	Grenade (238 000 hab.), capitale de la province
Informations touristiques	OT de Grenade Tél. 958 24 71 28
Espace naturel protégé	parc national de la sierra Nevada
Station de ski	Pradollano (2 100m)
Spot de plongée	Salobreña
Spécialités	jambon et boudin de Trevélez

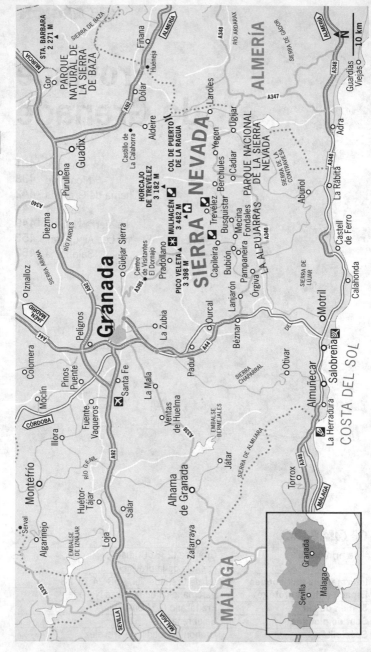

★ **Grenade** *18000*

Blottie au pied de la majestueuse sierra Nevada à 645m d'altitude, baignée par les eaux du Darro et du Genil, Grenade bénéficie d'un site naturel exceptionnel. Cette ville de contrastes impose d'emblée au visiteur son atmosphère romantique. La silhouette majestueuse de l'Alhambra la rouge et le lacis enchevêtré des ruelles blanches de l'Albaicín rappellent que Grenade fut l'âme du dernier royaume d'*Al-Andalus*. Mais la reconquête par les Rois Catholiques Isabelle et Ferdinand apporta avec elle son lot d'édifices chrétiens, qui introduisirent la Renaissance en Andalousie. Grenade la musulmane et Grenade la chrétienne se regardent depuis toujours, sous l'œil attendri de Grenade la moderne, qui occupe la plaine de la Vega. Une ville de 238000 hab., vivante et jeune, qui compte près de 80000 étudiants. Il fait bon flâner le long des rues commerçantes et des places du centre-ville, profiter des nombreux bars à tapas et restaurants, et de l'ambiance électrique d'une vie nocturne débridée.

UN PEU D'HISTOIRE Le peuplement du site remonte au ve siècle av. J.-C. Ibères et Romains installèrent des bastions sur ce site stratégique. La colonie romaine d'Iliberis, occupant l'actuel Albaicín, fut ensuite reprise par les Wisigoths. Grenade connaît un grand essor à l'époque d'*Al-Andalus*. La petite ville de *Gharnata*, vassale de l'omnipotente Cordoue des Omeyyades, devient, à la chute du califat (XIe siècle), le siège du taifa des Zirides, l'un des plus puissants d'*Al-Andalus*. Elle sera bientôt l'objet de luttes meurtrières, passant successivement aux mains des Almoravides (1090) puis des Almohades (au début du XIIe siècle). Mais c'est sous le règne de la dynastie nasride, du XIIIe au XVe siècle, que Grenade connaîtra sa splendeur. Son fondateur, le sultan Muhammad ben Nasr, plus connu sous le nom d'Ibn al-Ahmar, est en 1238 le seigneur d'Arjona, près de Jaén. Très vite, il s'empare d'une zone qui s'étend d'Almería à Gibraltar. Le puissant royaume nasride de Grenade est né. Lorsque le roi chrétien Ferdinand III entreprend la reconquête de l'Andalousie, Ibn al-Ahmar lui cède quelques territoires, l'aide à vaincre les Almohades à Séville (1348) et se déclare son vassal. Il préserve ainsi, en échange du versement d'un tribut annuel, son vaste royaume qui sera l'ultime bastion musulman de la péninsule, et résistera jusqu'en 1492. Il atteint son apogée sous le règne de Yûsuf Ier (1333-1354) et de son fils Muhammad V (1354-1359), qui édifient les palais somptueux de l'Alhambra et créent une université (*madraza*) dont le rayonnement s'étend à l'ensemble du monde musulman. La ville, renforcée par l'arrivée des musulmans chassés des territoires reconquis, prospère notamment grâce au commerce de la soie, dont elle a le monopole. L'irrigation de la Vega permet de cultiver fruits, légumes, canne à sucre, safran ou mûriers peuplés de vers à soie. Mais la pression des rois chrétiens sur les frontières du royaume et d'incessantes luttes intestines entre les sultans et l'aristocratie musulmane vont bientôt fragiliser ce bel édifice. Le mariage de la reine de Castille Isabelle Ire et du roi d'Aragon Ferdinand II en 1469, sonne le glas des Nasrides. Ceux qui deviendront quelques années plus tard les Rois Catholiques, soucieux de faire taire les conflits ébranlant leurs royaumes, entreprennent dès 1482 une véritable croisade contre le royaume de Grenade. Ils reprennent un à un les territoires musulmans. La chute de Málaga, en 1487, va précipiter les choses. En juillet 1491, les chrétiens bâtissent la ville de Santa Fe, juste à l'ouest de Grenade, afin de lancer l'assaut final. Après plusieurs mois de siège, Grenade tombe le 2 janvier 1492, marquant ainsi la fin d'*Al-Andalus*, une civilisation qui aura duré plus de huit siècles. Le dernier sultan nasride, Boabdil, s'en va la mort dans l'âme. La légende le représente se retournant une dernière fois sur Grenade au col qui porte depuis lors le nom de Suspiro del Moro (le Soupir du Maure, au sud de Grenade). Impitoyable, sa mère lui aurait alors glissé : "Tu pleures comme une femme ce que tu n'as pas su défendre comme un homme." Les capitulations de Santa Fe, qui établissent les conditions de la reddition (et par la même occasion celles du voyage de Christophe Colomb), accordent en principe une grande tolérance aux vaincus. Mais, dès 1499, les musulmans sont forcés à la conversion ou à l'exil. Les morisques (musulmans convertis) s'installent dans l'Albaicín, avant d'en être chassés après les émeutes de 1568, sous le règne de Philippe II. Aux XVIe et XVIIe siècles, Grenade fait l'objet de transformations profondes. On bâtit des couvents, des églises et la cathédrale. On trace de grandes avenues à la place des ruelles enchevêtrées des musulmans. Charles Quint, qui passe quelques mois à Grenade en 1526, fonde une université de grand renom. L'invasion des troupes napoléoniennes lors de la guerre d'Indépendance (1810-1812) est d'une grande violence, avec de nombreux actes de vandalisme et des expropriations massives. Au XIXe siècle, Grenade est le siège de luttes féroces entre libéraux et conservateurs. C'est également à cette époque que naît le mythe d'une Grenade mystérieuse et envoûtante, véhiculé dans toute l'Europe par les écrivains romantiques. Les années 1920 voient apparaître une génération d'artistes féconde, au premier chef desquels le grand poète Federico García Lorca (1899-1936) et le compositeur Manuel de Falla, né à Cadix en 1876 mais qui s'installe à Grenade en 1919. Cette période dorée s'achève dès les premiers jours de la guerre civile espagnole, en 1936. Les nationalistes insurgés s'emparent de Grenade et assassinent Federico García Lorca. Révolté par cet acte de barbarie, le poète Antonio Machado écrira alors : "Le crime eut lieu à Grenade, dans sa Grenade !"

Grenade, mode d'emploi

accès en voiture

À 262km au sud-est de Séville par l'autoroute A92 (gratuite), 129km au nord-est de Málaga par l'A92, 164km au sud-est de Cordoue par la N432. Depuis l'A92, on accède au centre-ville par l'Avenida de la Constitución puis la Gran Vía de Colón. Laissez votre voiture dès votre arrivée (nombreux parkings publics aux entrées de la ville), et prenez le bus ou le taxi jusqu'à votre hôtel. Sauf si vous optez pour un hôtel avec parking (dans ce cas, assurez-vous qu'il reste des places). La circulation est cauchemardesque dans le centre-ville, où les rues sont à sens unique. La Calle Reyes Católicos, voie d'accès principale à la zone des monuments et au bas Albaicín, est fermée de 8h à 22h. À noter également que seuls les résidents peuvent emprunter les rues San Matias et Tablas en voiture. Les parkings publics du centre-ville sont assez chers. Le parking San Agustin, près de la Plaza Nueva, ou celui de Puerta Real coûtent environ 20€ par jour ! Les moins chers (env. 11€/jour, env. 45€/semaine) et les plus faciles d'accès sont le parking Las Flores sur le Camino de Ronda

Grenade (plan 1)

MANGER
1 Restaurante _____ A2
La Pataleta
2 Las Titas _____ B2

DORMIR
10 Camping _____ A1
Sierra Nevada
11 Camping Granada ___ A1

12 Albergue Juvenil _____ A1
Granada

(formule très avantageuse du ven. 15h au dim. a.-m. : env. 15€), l'artère circulant au sud de Grenade et le parking Pedro Antonio de Alarcon, dans la rue voisine, Calle Pedro Antonio (cf. plan), à 10min à pied de la Puerta Real. N'hésitez pas à "oublier" votre véhicule au parking car les rues où le stationnement est gratuit (marquage blanc) sont pratiquement inexistantes et à Grenade, en voiture, on se perd facilement.

Grenade et ses environs

(en km)	Grenade	Guadix	Pradollano	Trevélez	Jaén
Guadix	56				
Pradollano	39	104			
Trevélez	84	97	63		
Jaén	95	112	129	175	
Málaga	129	177	163	154	203

accès en car

Gare routière (plan 1, A1). Située à 3km au nord-ouest du centre-ville, sur la route de Jaén, elle est reliée au centre-ville par les lignes de bus n°s 3 et 33, qui marquent plusieurs arrêts le long de la Gran Vía Colón, dont un près de la Plaza Nueva. *Tél. 958 18 54 80*

Alsina Graells. Grenade-Cordoue : 7 à 9 cars/j. dans les 2 sens (2h30, env. 13€). Grenade-Séville : 10 cars/j. dans les 2 sens (2h45, env. 19€). Grenade-Málaga : cars directs très fréquents (1h15, 2h15 en omnibus, env. 10€). *Tél. 958 18 54 80 www.alsinagraells.es*

Bonal. Au moins 3 liaisons quotidiennes en hiver (une en été) avec la station de ski du Pradollano dans la sierra Nevada (1h, env. 8€ aller-retour). *Tél. 958 46 50 22*

Maestra-Autedia. Grenade-Guadix : 15 départs/j. en semaine dans les 2 sens, le week-end 8 à 12 départs/j. (1h, env. 5€). *Tél. 958 15 36 36 et 958 18 54 80*

Bacoma. Grenade-Valence (5 départs dont 2 cars de nuit, 40 à 47€ env. l'aller) et Grenade-Alicante (4 départs/j. dont 2 de nuit, 27 à 33€ env. l'aller). *Tél. 902 42 22 42 www.alsa.es*

accès en train

Gare ferroviaire (plan 1, A1). Grenade-Cordoue (env. 2h30) : 2 trains directs par jour (env. 32€). Grenade-Málaga : 3 trains/j. dans les 2 sens (changement à Bobadilla, 3h, 13-23€). Grenade-Madrid : 3 trains/j. (4h30, env. 61€). Les bus urbains 3, 4, 6, 9 et 11, qui desservent la Gran Vía Colón près de la Plaza Nueva, ont un arrêt à 150m de la gare, sur l'Avenida de la Constitución (arrêt : Constitución). *À 1,5km à l'ouest du centre-ville, près de l'Avenida de la Constitución, sur l'Avenida Andaluces* **Renfe** *Tél. 902 24 02 02 www.renfe.es*

accès en avion

Aéroport international de Grenade. À 17km à l'est de Grenade par l'A92. *Informations Tél. 958 24 52 00 Liaisons pour le centre-ville en bus Un service de bus fonctionne tous les jours, avec une quinzaine de voyages par jour dans les deux sens (env. 3€). Dans le centre, arrêt sur la Gran Vía de Colón, près de la Plaza Nueva 14-16 Autocares J. González Tél. 958 49 01 64 Liaisons pour le centre-ville en taxi, env. 18€*

Iberia. Trois à cinq vols par jour de/pour Madrid et 7 à 8 par jour de/pour Barcelone dont la plupart *via* Madrid. *Tél. 902 40 05 00 www.iberia.com*

Air Europa. Un vol par jour de/pour Barcelone et Palma de Majorque. *Tél. 902 40 15 01 www.air-europa.com*

Ryan Air. Vols pour Grenade au départ de Girona, Londres, Liverpool, Francfort et Milan. *Réservation sur Internet : www.ryanair.com*

orientation

La colline de l'Alhambra occupe la partie nord-est de la ville. Juste en face, au nord du centre, se trouve le quartier de l'Albaicín. Les axes principaux du centre-ville sont l'Avenida de la Constitución, puis la Gran Vía de Colón au nord, la Calle Reyes Católicos à l'est et le Camino de Ronda au sud-ouest. À l'intérieur de ce périmètre se trouve la cathédrale. Au nord-est de la cathédrale, la Plaza Nueva occupe une place stratégique, entre l'Alhambra et l'Albaicín. Elle donne sur la Cuesta de Gomérez, qui monte vers l'Alhambra, la Calle Elvira et la Carrera del Darro qui longent l'Albaicín. Sur le versant sud de l'Alhambra s'étend le quartier du Realejo.

L'Alhambra C'est l'emblème de Grenade. Plus qu'un monument, c'est une ville dans la ville, perchée sur les crêtes d'une colline accidentée que les Arabes nommaient *Al-Sabika*.

L'Albaicín Le quartier de l'Albaicín ou Albayzín est le plus séduisant de la ville. Ses ruelles escarpées au tracé labyrinthique, bordées de maisons blanches, montent à l'assaut de la colline de San Miguel, face à l'Alhambra.

Le Sacromonte C'est l'ancien quartier gitan de Grenade. Installé sur les flancs d'une colline, il jouxte l'Albaicín. Il a la particularité d'être en grande partie troglodytique.

Le centre La partie la plus animée de la ville, mélange d'édifices Renaissance et baroques et de grandes avenues modernes.

Le Realejo À l'est du centre-ville de Grenade, ce quartier sympathique étend ses rues animées sur les pentes méridionales de la colline de l'Alhambra. Il occupe le site de l'ancien quartier juif de l'époque musulmane, investi par les artisans de la ville après la Reconquête.

transports urbains

BUS Le réseau des bus urbains Rober est bien organisé. La plupart des lignes comptent plusieurs arrêts le long de la Gran Vía de Colón, dont un tout près de la Plaza Nueva. Les lignes n[os]3 et 33 desservent la gare routière, les lignes 3, 4, 6, 9 et 11 la gare ferroviaire (arrêt av. de la Constitución). Très pratiques également, les "microbus" qui desservent les quartiers touristiques. Au départ de la Plaza Nueva, les lignes 30 et 32 montent jusqu'aux guichets de l'Alhambra, la 32 dessert aussi le quartier de l'Albaicín (Plaza San Nicolás). La ligne 31 (*circular*) fait le tour de l'Albaicín, la 34 passe par l'Alhambra, le Sacromonte et l'Albaicín (env. toutes les heures). Les tarifs sont identiques pour toutes ces lignes. Billet à l'unité : env. 1,10€. Forfaits (*credibús*) avantageux : *credibús* 8 trajets à env. 5€, *credibús* 17 trajets à env. 10€, *credibús* 36 trajets à env. 20€. Le *credibús* est vendu dans les bus (2€). Il existe également un forfait touristique (cf. informations touristiques). *Tél. 900 71 09 00*

TAXIS Stations de taxis dans les gares, sur la Plaza Nueva, la Pluera Real, la Plaza Mariana Pineda et la Plaza Aliatar dans le haut Albaicín (près de San Nicolás).
Télé-Radio Taxi. *Tél. 958 28 06 54*
Radio Taxi Genil. *Tél. 958 13 23 23*

informations touristiques

Office de tourisme principal (plan 2, A4-B4). Le personnel parle plusieurs langues et vous fournira une foule d'informations sur tous les aspects pratiques et culturels de la ville et de la province. *Plaza Mariana Pineda, 10 Tél. 958 24 71 28 www.turgranada.es Ouvert lun.-ven. 9h-20h, sam. 10h-19h, dim. et j. fér. 10h-15h*
Bureau de tourisme de la Junta de Andalucía. *Plaza de Santa Ana, 4 Tél. 958 57 52 02 Ouvert lun.-ven. 9h-19h30 (20h en été), sam. 10h-19h, dim. et j. fér. 10h-14h*

Pass touristique. Depuis 2002, le pass touristique (*bono turístico*, env. 26€) comprend 9 trajets en bus urbains, un billet valable 24h dans le bus touristique de Grenade (City Sightseeing) et l'entrée dans les musées et monuments principaux y compris l'Alhambra, où il vous faudra réserver votre horaire de visite. Vous pouvez acheter ce *pass* aux guichets de la Capilla Real, au parc des Sciences, au kiosque d'audioguides "This is Granada" sur la Plaza Nueva ou à l'avance avec un supplément de 2€ à la Caja General de Ahorros de Grenada (Banque de Grenade, Plaza Isabel La Católica, succursale 6). *Tél. 902 10 00 95 www.caja-granada.es*

Balades à pied. Environ 2h30 de marche, dans les rues du centre historique, notamment du quartier de l'Albaicín. L'option idéale pour ceux qui préfèrent se faire guider. *Promenades en anglais et en espagnol tlj. 10h30 (mars-oct.) et 11h (nov.-fév.). Rdv en face de la mairie, sur la Plaza del Carmen. Tél. 670 54 16 69 et 600 41 20 51 www.ciceronegranada.com La réservation n'est pas indispensable, il suffit d'arriver 5 ou 10min avant le départ Réduction en réservant par Internet 12€/pers., gratuit pour les moins de 14 ans*

presse et librairies

L'édition locale du journal *Ideal (www.ideal.es)* permet de se tenir au courant de l'actualité de la ville. Ses pages culturelles et pratiques contiennent une foule d'informations sur les sorties du jour, ou encore les pharmacies de garde. *Idem* avec le nouveau quotidien (depuis 2004) *Granada hoy*. Pour l'actualité culturelle, consulter le magazine *Guía del Ocio* ou *Guía de Granada (www.guiadegranada.com)*. On trouve de la presse française dans les kiosques du centre-ville (Plaza del Campillo, Plaza de la Pescaderia, Plaza Nueva, Calle Acera del Casino, à côté de la poste).

Metro (plan 2, A3). Cette librairie internationale propose un large choix de livres en français. *Calle Gracia, 31 Tél. 958 26 15 65*

Flash (plan 2, A2). Une bonne adresse pour les cartes et guides. *Plaza Trinidad*

banques, poste, accès Internet

Les banques principales, munies de distributeurs, sont rassemblées le long de la Calle Reyes Católicos et de la Gran Vía de Colón. Attention : il n'y en a pas dans l'Albaicín.

Agence de change American Express (plan 2, B3). *Calle Reyes Católicos, 31 Tél. 958 22 45 12*

Poste (plan 2, A3). *Puerta Real (en bas de la Calle Reyes Católicos) Tél. 958 22 11 38 Ouvert lun.-ven. 8h30-20h30, sam. 9h30-14h*

Uninet (plan 2, A2). 0,60€ la connexion d'une demi-heure. *Plaza de la Encarnación Ouvert tlj. lun.-ven. 9h30-23h, sam.-dim. et j. fér. 10h30-23h*

urgences et hôpitaux

Urgences. *Tél. 112*

Hospital Clínico. *Avenida de Madrid Tél. 958 02 30 00*

représentations diplomatiques

Consulat de France. *Calle Carlos Pareja, 5 Tél. 958 26 14 47*

Consulat de Belgique. *Calle Neptuno, 6-1er étage Tél. 958 25 16 31*

fêtes et manifestations

2 janvier	**Fiesta de la Toma** : commémoration de la conquête de Grenade par les Rois Catholiques. Une procession monte vers la tour de la Vela, dans l'Alhambra, pour en faire sonner les cloches.
Fin mars-début avril	**Semaine sainte** : très belles processions (Christ des Gitans, le mercredi, Silence dans la nuit du jeudi au vendredi, Virgen de las Angustias, le samedi). L'un des moments les plus attendus est la sortie de la Virgen de las Estrellas, dans l'Albaicín : la porte de l'église est si basse que les porteurs sortent le char à quatre pattes !
3 mai	**Fête de la Cruz de Mayo** : les patios et les places se parent de belles croix fleuries, et de nombreuses fêtes sont organisées.
Fin mai-début juin	**Corpus Christi** (Fête-Dieu) : c'est la fête de Grenade par excellence, avec ses processions parcourant les rues du centre, jonchées de plantes aromatiques. Pendant une semaine, on danse les *sevillanas* dans les *casetas* du parc férial, tandis que les plus grandes corridas de l'année sont organisées dans les arènes de la ville. Un important festival de flamenco a lieu en parallèle.
15 juin-15 juillet	**Festival Internacional de Música y Danza** : nombreux concerts (jazz, flamenco) et spectacles de danse classique, contemporaine et flamenca investissent les salles, les places de la ville, et des lieux magiques comme le Palacio de Carlos V ou les jardins du Generalife. Renseignements à l'office de tourisme. *Tél.* 958 22 18 44 www.granadafestival.org
Dernier dim. de sept.	**Virgen de las Angustias**, sainte patronne de la ville : processions, corridas et bals populaires.

Découvrir l'Alhambra

☆ **À ne pas manquer** Les palais nasrides **Et si vous avez le temps...** Assistez à un spectacle du festival international de musique et de danse dans les jardins du Generalife et déjeunez sur la terrasse du Restaurant du Parador qui leur fait face, offrez-vous une nuit au Parador de Granada au cœur de l'Alhambra

Alhambra, son nom vient de l'arabe *Qala al-Hamra*, la citadelle rouge, en référence à la couleur que prennent ses murailles et ses tours au soleil couchant. Ce vaste ensemble où s'entremêlent jardins, murailles et palais a été progressivement érigé du XIIIe au XVe siècle, même s'il atteint sa véritable splendeur sous les règnes de Yûsuf Ier (1333-1354) et de son fils Muhammad V (1354-1359). Une silhouette à la fois trapue et aérienne, que l'on ne se lasse pas d'admirer depuis les belvédères de l'Albaicín. L'Alhambra remplissait à l'origine une double fonction. Une fonction résidentielle, qui s'exprime dans la magnificence des jardins du Generalife et la décoration raffinée des *palacios nazaríes* (palais nasrides), clou de la visite. Une fonction militaire ensuite, d'où la sobriété et la puissance des remparts, de l'Alcazaba et des portes fortifiées. Mais l'Alhambra, c'est avant tout une ambiance, le parfum des jardins en fleurs, le bruit de l'eau dans les bassins et les canaux, les jeux de lumière. Autant d'éléments dont les architectes nasrides ont su faire des matériaux à part entière. *www.alhambra-patronato.es*

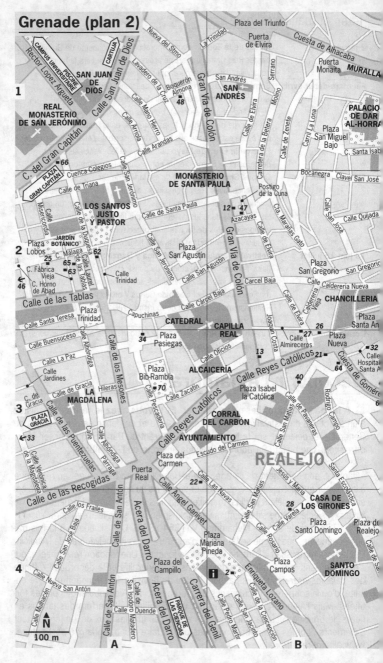

Grenade (plan 2)

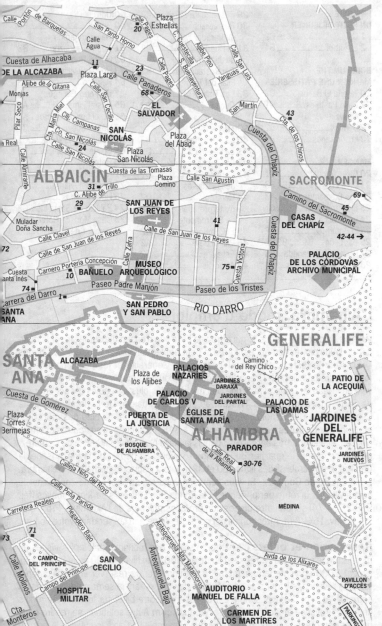

Calle Portón de Barquetas
Calle Pagés
Plaza **20**
Estrellas
San Pardo Horno
Calle Agua
Cuesta de Alhacaba
11
DE LA ALCAZABA
Plaza Larga **23** Calle Panaderos
Aljibe de la Gitana
68
Monjas
Calle María Miel
Cª. San Nicolás
Cta. Campanas
SAN
NICOLÁS
24
Calle San Nicolás
ALBAICÍN
Cuesta de las Tomasas
31 C. Aljibe de Trillo
29
SAN JUAN DE
LOS REYES
Muladar
Doña Sancha
Calle Clavel
72
Calle de San Juan de los Reyes
Carnero Portería Concepción
Cuesta
Santa Inés
10
74
Carrera del Darro
1
SANTA
ANA

Calle Pagés
C. Cuestilla
Aljibe Pino
Calle San Luis
Calle San Buenaventura
Yanguas
San Martín
EL
SALVADOR
Plaza
del Abad
Cuesta del Chapiz
Plaza
San Nicolás
Plaza
Comino
Calle San Agustín
41
Calle de San Juan de los Reyes
Calle Zafra
MUSEO
ARQUEOLÓGICO
BAÑUELO
75
Cuesta Victoria
Paseo Padre Manjón
Paseo de los Tristes
SAN PEDRO
Y SAN PABLO
RÍO DARRO

43
Cta. de los Chinos
SACROMONTE
Camino del Sacromonte
69
45
CASAS
DEL CHAPIZ
42-44 →
Cuesta del Chapiz
PALACIO
DE LOS CÓRDOVAS
ARCHIVO MUNICIPAL

GENERALIFE
SANTA
ANA
ALCAZABA
Camino
del Rey Chico
Plaza de
los Aljibes
PALACIOS
NAZARÍES
JARDINES
DARAXA
PATIO DE
LA ACEQUIA
Cuesta de Gomérez
PALACIO
DE CARLOS V
JARDINES
DEL PARTAL
PALACIO DE
LAS DAMAS
Plaza
Torres
Bermejas
PUERTA DE
LA JUSTICIA
ÉGLISE DE
SANTA MARÍA
JARDINES
DEL
GENERALIFE
BOSQUE
DE ALHAMBRA
ALHAMBRA
Calle Real de la Alhambra
PARADOR
JARDINES
NUEVOS
Calleja Niño del Royo
30-76

Calle Peña Partida
Carretera Realejo
Picadero Bajo
71
73
Calle Molinos
CAMPO
DEL PRÍNCIPE
Campo del Príncipe
SAN
CECILIO
Antequeruela Alta Matamoros
Antequeruela Baja
MÉDINA
Avda de los Alixares
PAVILLON
D'ACCÈS
HOSPITAL
MILITAR
Cta.
Monteros
67 ↓
AUDITORIO
MANUEL DE FALLA
CARMEN DE
LOS MÁRTIRES
PARKING

C   **D**

L'Alhambra, mode d'emploi

Accès La place de Carlos V, qui offre une belle vue d'ensemble sur le site et le quartier de l'Albaicín, est en accès libre. On peut également visiter le palais de Charles Quint. Pour le reste, c'est-à-dire l'Alcazaba, le Generalife et les palais nasrides, il faut prendre un billet (cf. Grenade mode d'emploi). Les guichets et l'entrée se trouvent au niveau du Generalife. L'une des manières les plus agréables d'y accéder est de partir du **Paseo de los Tristes**, au pied de l'Albaicín. De là, le chemin de la Cuesta del Rey Chico monte vers le sommet de l'Alhambra, au pied des murailles, et débouche tout près du pavillon d'accès, à 843 m d'altitude. Deux autres chemins d'accès, également très agréables : depuis la Plaza Nueva par la Cuesta de Gomérez, ou encore depuis le quartier du Realejo. À savoir : au départ de la Plaza Isabel la Católica, les "microbus" des lignes 30 et 32 montent jusqu'aux guichets de l'Alhambra, *via* la Cuesta de Gomérez. Si vous venez en voiture, le mieux est de contourner le centre-ville par la route périphérique et la Ronda Sur. Plusieurs parkings publics (tél. 958 22 64 74) sont à votre disposition près des guichets de l'Alhambra. Prix : env. 2€/h, env. 16€/24h. Attention : il est conseillé de ne rien laisser dans votre voiture.

Réservation et billets L'Alhambra est l'un des monuments les plus visités au monde. Or, le nombre d'entrées est limité à 6 300/j. en hiver, 7 700 en été, dont seulement 2 000 en vente le jour même. Il est impératif de réserver votre billet longtemps à l'avance, surtout si vous prévoyez de venir durant la semaine de Pâques ou entre juil. et sept. Le plus simple est de réserver votre billet sur Internet (au moins un mois à l'avance en août) : **www.servicaixa.com** Autre solution : se rendre dans une des nombreuses agences de la banque espagnole La Caixa, ou utiliser le service de vente par téléphone de cette banque au 902 88 80 01. N'oubliez pas de noter votre numéro de réservation (*número de localizador*), il vous sera demandé lors du retrait des billets. À noter que certains hôtels appartenant à la Federación de Hostelería peuvent se charger de la réservation des billets, se rens. sur place. Il existe trois sortes de billets : visite des jardins env. 5€, visite complète env. 10€ et visite nocturne env. 10€ (la réservation entraîne un surcoût d'env. 0,90€) : pour la matinée (8h30-14h), pour l'après-midi (14h-18h nov.-fév. et 14h-20h mars-oct.), et en nocturne (ven.-sam. 20h-21h30 de nov. à fév., mar.-sam. 22h-23h30 de mars à oct.). Le billet indique une tranche horaire de 30min pendant laquelle vous pouvez accéder aux palais nasrides (une fois entré, on peut y rester le temps désiré). Mais s'il s'agit par exemple d'un billet de matinée, avec un horaire de visite des palais entre 12h30 et 13h, vous pouvez arriver dès l'ouverture à 8h30, et visiter le reste de l'Alhambra auparavant, ce qui est la meilleure manière de procéder. La visite en nocturne, absolument féerique, ne concerne que quelques salles des palais nasrides, à l'exclusion de toutes les autres salles des palais, du reste de l'Alhambra et du Generalife. Elle se prête donc mal à une première visite. Le jour de la visite, arrivez au moins 30min avant l'ouverture des guichets, la file d'attente pour le retrait des billets réservés pouvant être assez longue. Si vous n'avez pas réservé de billet, il faut absolument faire la queue devant les guichets au moins une heure avant leur ouverture, car il est fréquent que tous les billets pour le jour même soient vendus en quelques heures. *Plaza Mariana Pineda, 10 (à l'est de la Plaza Bib-Rambla) Informations Tél. 902 44 12 21 www.alhambra-patronato.es et www.alhambradegranada.org Ouverture des caisses nov.-fév. : tlj. 8h-17h (et 19h30-20h30 ven.-sam. pour les visites nocturnes) ; mars-oct. : tlj. 8h-19h (et mar.-sam. 21h30-22h30 pour les visites nocturnes) Fermé 25 déc. et 1er jan. Entrée : env. 10€ Visite des jardins : env. 5€*

Visite L'itinéraire de visite le plus indiqué, que nous suivons ici, est le suivant : d'abord le Generalife et ses jardins, avant de redescendre vers l'Alhambra proprement dite, dont on traverse l'ancienne médina, puis la Plaza de los Aljibes, le palais de Charles Quint, la forteresse ou Alcazaba et enfin les palais nasrides.

Le Generalife

Le Generalife (plan 2, D3) fut conçu comme résidence d'été des derniers souverains nasrides, au début du XIVe siècle. Surplombant l'Alhambra depuis les cimes du Cerro del Sol, il est entouré de jardins en terrasse enchanteurs où l'eau, sacrée reine, investit les nombreux bassins, canaux et fontaines. Il faut prendre le temps de flâner au milieu des cyprès, des massifs fleuris, des tonnelles couvertes de lilas, et de profiter de vues émouvantes sur l'intimité de l'Alhambra. En remontant sur la droite l'allée des Cyprès en partant des guichets, on accède d'abord aux Jardínes Nuevos, jardins tracés en 1951 pour accueillir les spectacles du festival international de Grenade. Ils sont organisés autour d'un long bassin, puis l'eau disparaît dans un labyrinthe de haies taillées. Au bout des jardins, le sentier mène au très beau **Patio de la Acequia**, une cour tout en longueur entourée d'arcades sobres et légères. Au centre, un bassin dont les jets d'eau entrecroisés invitent à la rêverie. Le patio donne sur un pavillon dont le rez-de-chaussée comporte de beaux vestiges d'architecture nasride, tandis que l'étage a été remanié par les Rois Catholiques puis agrandi au XVIIe siècle. Sur l'arrière, on accède à l'intime Patio de la Sultana. Le bruit de la fontaine à quatre têtes étouffe celui des conversations, et l'on se sent presque seul. L'arbre mort qui se trouve là est le célèbre "cyprès de la Sultane", témoin des amours légendaires de l'épouse du roi Boabdil et d'un chef de la tribu des Abencérages (de l'arabe *Banu Sarrag*). La légende veut qu'ayant surpris les amoureux, Boabdil ait ordonné le massacre des Abencérages dans une des salles des palais nasrides (salle des Abencérages). La galerie couverte surplombant le patio est un ajout du xvıe siècle. Le pittoresque Escalera del Agua (escalier aquatique), dont les rampes servent de canaux d'irrigation, monte vers les Jardines Altos (jardins hauts), dont les massifs de fleurs composent au printemps une symphonie de couleurs. Ils abritent un ancien oratoire musulman, transformé en belvédère romantique au xixe siècle.

De l'ancienne médina à la Plaza de los Aljibes

Passé un petit pont enjambant la Cuesta del Rey Chico, on pénètre dans l'Alhambra proprement dite. Le chemin continue sur la gauche en longeant les ruines de l'ancienne médina, puis les profonds jardins de l'Alhambra, à la végétation si fournie qu'on n'aperçoit pas encore les édifices situés à l'autre extrémité de l'enceinte. Sur la gauche, le long des murailles, on passe la Puerta de los Siete Suelos, la tour de las Cabezas et les ruines du palais des Abencérages. De l'autre côté du point de contrôle, on accède à l'église de Santa María, érigée en 1581-1618 sur le site de l'ancienne mosquée de l'Alhambra. Non loin de là, le beau **couvent de San Francisco**, construit dès 1495 par les Rois Catholiques, abrite désormais le Parador de Grenade. Le chemin débouche sur la cour principale de l'Alhambra, la Plaza de los Aljibes, encadrée par les murailles imposantes de l'Alcazaba et la façade Renaissance du palais de Charles Quint. Les palais nasrides se trouvent sur la droite, en contrebas. Pour atteindre l'entrée de l'Alcazaba, on passe la superbe Puerta del Vino, dont l'arche est décorée d'azulejos et de stucs.

Le palais de Charles Quint

Lors de son séjour à l'Alhambra en 1526, l'empereur Charles Quint (Carlos V) décide de se faire construire un palais (plan 2, C3-D3) sur ces lieux enchanteurs, théâtre des exploits de ses grands-parents, les Rois Catholiques. Dès 1527, l'architecte Pedro Machuca, formé en Italie à l'école de Michel-Ange, commence les travaux. Le palais de Charles Quint ne sera jamais vraiment terminé, et l'empereur n'aura pas le loisir d'y habiter. Mais le résultat est tout de même l'un des chefs-d'œuvre de la Renaissance espagnole. L'extérieur de l'édifice, en forme de carré parfait, est massif à l'extrême. On remarque les anneaux monumentaux soutenus par des têtes d'aigles et de lions en bronze, destinés à attacher les chevaux. Un détail inspiré de l'architecture des palais florentins de l'époque. Les deux portails d'entrée, en marbre gris, de la sierra Elvira, sont d'un grand classicisme. Ils portent des fresques à la gloire de Charles Quint, l'emblème de l'empereur et sa devise "Plus Ultra" ou "PV". Mais la plus belle partie du palais est la **cour intérieure**. Dessinée en un cercle parfait de 30m de diamètre, elle se distingue par l'équilibre remarquable de ses deux rangées d'arcades, soutenues d'austères colonnes de pierre sombre. C'est Luis Machuca qui la réalisa de 1557 à 1568, sur les indications de son père. Le palais de Charles Quint abrite deux musées : le musée des Beaux-Arts et le musée de l'Alhambra.

Museo de Bellas Artes (Palacio de Carlos V) Une importante collection de sculptures et surtout de peintures (xve-xxe siècle), dont quelques œuvres de

Diego de Siloé et d'Alonso Cano. À ne pas manquer, la *Mise au tombeau*, sculpture de l'Italien Jacobo Florentino, *Bodegón*, belle nature morte de Sánchez Cotán (XVIIe siècle), et le *Triptyque du Gran Capitán*, une œuvre en émail de Limoges du début du XVIe siècle. Des travaux d'aménagement ont été effectués en 2007 et de nouvelles œuvres, notamment d'art contemporain espagnol, ont été acquises. *Tél. 958 57 54 50 www.alhambra-patronato.es Ouvert mar. 16h30-18h (20h mars-oct.), mer.-sam. 9h-18h (20h mars-oct.), dim. et j. fér. 9h-14h30 Entrée 1,50€ Gratuit pour les citoyens de l'UE*

Museo de la Alhambra (Palacio de Carlos V) Ce musée rassemble de belles pièces d'art de l'époque hispano-musulmane, issues des palais de l'Alhambra mais également d'autres demeures. À voir, de superbes céramiques, des panneaux d'azulejos et de stucs finement travaillés, des portes et pièces de charpente en marqueterie. Il propose également d'intéressantes expositions temporaires. *Tél. 958 02 79 00 www.alhambra-patronato.es Ouvert mar.-sam. 9h-14h30 Entrée gratuite*

L'Alcazaba

Ses hautes tours dominent l'ouest de la colline. Cette **citadelle** (plan 2, C3), érigée au XIIIe siècle, est la partie la plus ancienne de l'Alhambra. On y pénètre par une venelle étroite qui se glisse entre les deux lignes de murailles successives de ce bastion inexpugnable. La première tour, dont la silhouette imposante domine la Plaza de los Aljibes, est la Torre del Homenaje, où le sultan Muhammad Ier avait aménagé sa résidence à la fin des années 1230. Au-delà, on accède au Barrio castrense, le quartier militaire de la forteresse. Il ne reste que quelques vestiges des anciennes maisons en pierre, et le chemin de ronde reliant entre elles les différentes tours. Sur la droite se dresse la puissante Torre de las Armas, qui s'avance au-dessus de la vallée du río Darro. Du sommet, les ruelles entrelacées de l'Albaicín semblent à portée de main. À l'extrémité ouest de l'Alcazaba se tient sa tour la plus impressionnante, symbole de la puissance nasride pendant plus de deux siècles : la Torre de la Vela. Tout entière vouée à la défense de la ville, elle surprend par l'épaisseur de ses murs, qui ne laissent aucun espace libre à l'intérieur. Du sommet, on embrasse du regard l'ensemble de la ville et, par temps clair, les **sommets de la sierra Nevada**. Dès la Reconquête, les Rois Catholiques firent flotter les étendards chrétiens au sommet de la tour. Puis ils édifièrent un campanile, dont la cloche rythme depuis lors la vie quotidienne des Grenadins. En face, la Torre de la Pólvora porte les célèbres vers de Francisco de Icaza : "Femme, fais-lui l'aumône, car il n'est dans la vie de plus grand malheur que d'être aveugle à Grenade." En traversant la tour, on accède à l'agréable Jardín de los Adarves, planté de cyprès, d'orangers, de palmiers et de lilas, qui court le long des remparts.

☆ Les palais nasrides

Le moment fort de la visite est arrivé. Vous voilà prêt à pénétrer dans les palais privés (plan 2, C3-D3) érigés par les souverains nasrides, plus particulièrement par Yûsuf Ier et son fils Muhammad V au XIVe siècle. Comme il est fréquent dans l'architecture musulmane, tout entière vouée à l'intimité et au secret, l'extérieur nu et austère des bâtiments cache un intérieur luxueusement agencé et décoré. Au fil des salles des différents palais, étroitement imbriqués les uns dans les autres, le visiteur va d'émerveillement en émerveillement devant la finesse des lignes et l'emploi merveilleux que les concepteurs de ces édifices ont fait de la lumière et de l'eau. Les palais nasrides se distinguent surtout par leur ornementation d'un raffinement extrême, contrastant avec la fragilité des matériaux utilisés, essentiellement le plâtre et le stuc. On remarquera notamment l'importance de la calligraphie arabe, omniprésente sur les murs, qui vante la gloire des sultans et la beauté sans égale de leurs palais. Comme si la civilisation d'*Al-Andalus* s'était payé le luxe d'un dernier sursaut de splendeur avant de disparaître.

Mexuar (maswar) Édifié au début du XIIIᵉ siècle par le sultan Ismaïl Iᵉʳ, ce palais a été profondément remanié en 1365 par Muhammad V. On entre par la Portada del Mexuar, décorée de stucs ciselés et surmontée d'une belle corniche en bois et d'une frise. Cette dernière est encadrée d'écussons portant la devise des Nasrides, que l'on retrouve un peu partout dans les salles suivantes : "Dieu est seul vainqueur." À l'intérieur, l'opulence du décor est telle qu'on ne sait plus où donner des yeux : colonnes en marbre blanc soutenant des chapiteaux colorés, stucs portant motifs végétaux (atauriques) et calligraphie soignée, plafonds en bois précieux aux motifs géométriques. Charles Quint y a fait incruster sa devise : "Plus Ultra". Au fond de la salle, l'oratoire, construit en 1365 et destiné aux prières du sultan. Ils étaient nombreux dans le palais, et disposaient toujours d'un *mihrab* orienté vers La Mecque (là, sur la droite de l'oratoire). À droite, on accède au Patio del Cuarto Dorado, dont la clarté soudaine surprend. Au centre de ce patio, une petite fontaine silencieuse, entourée d'arches élégantes recouvertes de stucs et de *muqarnas*, reliefs caractéristiques en forme de stalactites. Sur la gauche, dans un renfoncement, la Chambre dorée ou Cuarto Dorado, qui doit son nom à un plafond superbe en marqueterie dorée. On resterait devant sa grande fenêtre donnant sur l'Albaicín, s'il n'y avait pas la ronde incessante des visites guidées. Au fond du patio, une porte ouvre sur le palais suivant. Elle est dominée par une façade splendide, de 1370, dont la richesse et la variété ornementales rappellent celles du palais de Don Pedro, dans l'Alcázar de Séville, réalisées à la même époque avec le concours d'artisans nasrides.

Palacio de Comares C'est la partie la plus étendue des palais nasrides. Ce palais somptueux fut érigé par Yûsuf Iᵉʳ, dans un style classique mais raffiné à l'extrême. On découvre d'abord le merveilleux **Patio de los Arrayanes**, appelé également patio des Myrtes, en raison des buissons de myrtes bordant son grand bassin central, dans lequel se reflètent les silhouettes légères de ses portiques et celles, plus massives, des tours qui le protègent. À l'arrière du patio, la Sala de la Barca, dont le nom serait une déformation de l'arabe *baraka* (bénédiction), omniprésent dans la calligraphie des murs de cette salle. Pour d'autres, il viendrait de son plafond en forme de coque retournée. Sous l'arche de l'entrée, de petites niches destinées à recevoir les jarres d'eau. Sur les parois intérieures des niches, on peut lire des poésies comme celle-ci : "Regarde cette jarre emplie d'eau, tu sauras l'abondance de vérité que recèlent mes paroles." C'était le quartier privé du roi Yûsuf Iᵉʳ. Il donne sur le Salón de Embajadores (salon des Ambassadeurs), installé dans la Torre de Comares. Avec ses 45m de haut, cette tour qui s'avance sur la vallée du Darro est la plus puissante de l'Alhambra. Son nom vient de l'arabe *qamariyya*, désignant les vitres colorées dont étaient parées ses fenêtres. Les yeux perdus dans la voûte incrustée de nacre, on se croirait vraiment sous un ciel étoilé. Les cérémonies officielles se tenaient dans le salon. Face à l'entrée, un renfoncement du mur accueille la petite salle du trône de Yûsuf Ier. On dit que c'est là que le sultan Boabdil rassembla sa cour pour discuter de la reddition de Grenade. La légende veut aussi que les Rois Catholiques y aient fait venir Christophe Colomb pour lui annoncer qu'ils soutenaient son projet de voyage.

Palacio de los Leones

Palacio de los Leones Lorsqu'il accède au trône en 1354, Muhammad V décide de faire construire un nouveau palais, selon une pratique courante chez les souverains musulmans. Ainsi naît le splendide palais des Lions. En entrant dans le légendaire **Patio des Lions** pour la première fois, on ne peut s'empêcher de retenir son souffle. Ses quelque 124 colonnes élancées et ses arcades finement découpées forment un jeu de perspective assez vertigineux. L'architecture nasride atteint là son apogée dans l'équilibre et la pureté, l'utilisation de la lumière, de l'eau et des stucs. Mais on remarque déjà des influences chrétiennes dans cette sorte de "cloître" musulman, et avec le retour de la nature dans l'ornementation. La belle fontaine du patio, soutenue par ses douze lions, est au carrefour de quatre petits canaux. L'ensemble évoque la source et les quatre fleuves du paradis. Juste sous la corniche qui domine les arches, une frise porte la devise nasride, "Dieu est seul vainqueur", répétée à l'infini. Sous les arcades de droite s'ouvre la salle des Abencérages, où cette tribu de guerriers légendaire aurait été massacrée, après que le sultan Boabdil eut surpris l'un d'eux avec son épouse. Les traces d'oxydation au fond de la petite fontaine qui s'y trouve seraient donc le sang des suppliciés. La coupole couverte de *muqarnas* et les stucs colorés encadrant les arches sont d'une grande beauté. Quant aux azulejos, ils ont été ajoutés au XVIe siècle. Au fond du patio, la Sala de los Reyes (salle des Rois), tout en largeur, se distingue également par ses arches et ses coupoles recouvertes de *muqarnas*. Dans le mur du fond, de petites alcôves portent sur leur plafond de superbes peintures, réalisées par un artiste chrétien anonyme à la fin du XIVe siècle. Enfin, sur la gauche du patio, on accède à la **Sala de dos Hermanas** (salle des Deux Sœurs). Cette aile du bâtiment accueillait la sultane et sa famille. Le nom de la salle vient des deux plaques symétriques qui forment son pavement et entourent une petite vasque. De nouveau, la coupole du plafond est à couper le souffle. Au fond de la salle, ne manquez pas le belvédère ouvrant sur un charmant jardin intime (Jardines de Daraxa), qui baigne dans une lumière magique en fin d'après-midi. Sur les murs recouverts de poésies vantant la beauté des lieux, on peut lire : "On dirait que la lune a quitté sa demeure pour la mienne." Sur le côté de la salle part une galerie qui mène aux quartiers aménagés par Charles Quint au XVIe siècle. La **chambre de Charles Quint**, aménagée pour accueillir l'empereur pendant les travaux de son palais Renaissance, se reconnaît aisément à son plafond, couvert d'inscriptions latines à sa gloire. Les salles suivantes sont désormais connues sous le nom de *habitaciones de Washington Irving*, car c'est là que l'écrivain américain (1783-1859) habitait en 1829, tandis qu'il écrivait ses célèbres *Contes de l'Alhambra*. Plus loin, une galerie à l'air libre offre une jolie vue sur le Paseo de los Tristes et l'Albaicín. Ensuite, un escalier descend vers le beau Patio de Lindaraja (ou de Daraxa). Sur le côté du patio, on aperçoit les bains arabes, installés dans les sous-sols de la Torre de Comares par Yûsuf Ier. L'entrée des bains, désormais fermée au public, se trouvait à l'origine dans le Patio de los Arrayanes.

Jardins du Partal

Jardins du Partal (plan 2, D3) On y accède en sortant des palais nasrides. Ces agréables jardins sont organisés autour d'un vaste bassin, au pied du bel édifice de la Torre de las Damas, édifiée au XIVe siècle par Yûsuf Ier. À voir, également, l'ancien cimetière des souverains musulmans, au pied du Palacio de los Leones : la Rauda. En remontant le long des murailles vers le Generalife, on longe plusieurs tours. Parmi elles, remarquez la Torre de la Cautiva (tour de la Captive), dont la légende dit que la favorite du roi Muley Hacén y était enfermée, et celle de las Infantas, aux salles richement décorées.

Silla del Moro Depuis le pavillon d'accès, un chemin monte vers la "chaise du Maure", un ancien bastion qui domine le Generalife et l'Alhambra, idéal pour jouir d'un panorama grandiose en toute tranquillité.

Où trouver des objets d'artisanat ?

De nombreux artisans vendent leurs produits le long de la Cuesta de Gomérez, qui monte vers l'Alhambra depuis la Plaza Nueva. En face de l'église Santa María, à l'Alhambra, vous verrez des artisans travailler sur de jolies marqueteries en nacre, coquillage ou argent (*taracea*).

Découvrir l'Albaicín

☆ **À ne pas manquer** Le dédale de ruelles de l'Albaicín **Et si vous avez le temps...** Admirez la vue époustouflante sur l'Alhambra et la sierra Nevada de l'ermitage de San Miguel Alto et buvez un thé à la menthe à la Tetería El Bañuelo

Au printemps, l'air embaume le jasmin, la fleur d'oranger et le citronnier. La physionomie générale du quartier, qui a peu changé depuis l'époque musulmane, rappelle les médinas marocaines. Le nom d'Albaicín viendrait, pour certains, de l'arabe *al-Bayazin*, le quartier des fauconniers. Pour d'autres, il tirerait son origine des musulmans de Baeza, qui se réfugièrent là après la prise de leur ville par Ferdinand III en 1227. La colline, déjà habitée aux temps préhistoriques, accueille dans l'Antiquité les populations ibères, puis romaines. Au VIIIᵉ siècle, les musulmans y installent la première forteresse de la ville, sur le site de l'actuelle Plaza San Nicolás. Elle restera le centre administratif et militaire de la cité, jusqu'à la construction par les Nasrides de l'Alhambra, au XIIIᵉ siècle. Quartier privilégié des artisans de la soie et des aristocrates musulmans, l'Albaicín sera au cœur des révoltes qui agitent le régime aux XIVᵉ et XVᵉ siècles. Après la reconquête de Grenade, le quartier accueille la vaste communauté des morisques (musulmans convertis), auxquels il était interdit d'acheter des terres dans la plaine. Poursuivis par les foudres de l'Inquisition, ils assistent à la construction de paroisses sur le site des anciennes mosquées. Cette politique des autorités religieuses et les conditions de vie misérables provoquent de nombreux soulèvements des morisques au cours du XVIᵉ siècle, jusqu'à leur expulsion en 1568, sous le règne de Philippe II. Les lieux sont alors investis par les seigneurs chrétiens, qui fondent aux XVIᵉ et XVIIᵉ siècles de riches demeures accueillant en leurs murs les jardins fertiles laissés par les exclus : les *cármenes*, de l'arabe *karm*, qui signifie vigne et potager. Ces asiles de verdure, cachés derrière de hauts murs, participent encore aujourd'hui à l'atmosphère romantique de l'Albaicín. Longtemps laissé à l'abandon, le quartier sera pendant la guerre civile de 1936 un bastion républicain assiégé et bombardé, avant d'être depuis quelques décennies l'objet de toutes les attentions et des spéculations immobilières.

Le long du río Darro

La meilleure manière d'aborder ce quartier de légende est de partir de la Plaza Nueva pour remonter la Carrera del Darro, courant le long du río Darro entre la colline de l'Albaicín et celle de l'Alhambra. Dans cette rue pittoresque à l'atmosphère médiévale, au 31, en face d'un pont du XIe siècle, le Puente del Cadí, on découvre les anciens bains arabes d'El Bañuelo (XIe siècle), parfaitement restaurés (plan 2, C2). Un peu plus loin, sur la gauche, la Casa Castril (1536) se distingue par son élégant portail plateresque, finement ciselé. Ce palais de la Renaissance accueille désormais le Musée archéologique de Grenade. Juste en face se dresse l'église San Pedro, édifiée en 1559-1567 dans un style aux influences mudéjares. Un peu plus loin, on atteint l'esplanade du Paseo de los Tristes, très animée les soirs d'été. En face, dans la Calle Horno del Oro, une demeure morisque (*casa morisca*) du XVIe siècle. De l'esplanade, on profite d'une large vue sur les remparts de l'Alhambra. En continuant un peu, on débouche sur la Cuesta del Chapiz, qui remonte vers les hauteurs de l'Albaicín. À l'angle du Camino del Sacromonte, qui mène sur la droite au célèbre quartier gitan et troglodytique de Grenade, se dressent deux riches demeures Renaissance (XVIe siècle), les casas del Chapiz. **El Bañuelo.** *Tél. 958 22 97 38 Ouvert mar.-sam. 10h-14h en principe Entrée gratuite*

Museo Arqueológico (plan 2, C2) La visite commence dans le patio à l'étage, par une collection de stèles romaines et de colonnes milliaires, qui marquaient à l'époque les distances sur les voies romaines. Juste à côté, quelques salles consacrées à la préhistoire, où l'on découvre la culture fascinante d'El Argar (1200-800 av. J.-C.). Au deuxième étage, des vestiges des peuples colonisateurs de l'Antiquité (Phéniciens, Grecs), et surtout de fabuleux ex-voto ibères. La salle consacrée à l'ère romaine contient une belle statue de Periate (IIIe siècle ap. J.-C.) et une émouvante Vénus en albâtre. L'espace réservé à l'époque nasride est étonnamment restreint, mais il est d'une grande qualité. On remarque des merveilles de stucs, de chapiteaux en pierre, de coffrets en marqueterie, de céramiques colorées. À voir également, une ancre ciselée, œuvre d'art à part entière, et un astrolabe du XIVe siècle d'une grande beauté. Cet instrument révolutionna les techniques d'orientation. Il avait une utilité dans plusieurs domaines : astrologie, religion (trouver la direction de La Mecque, déterminer l'heure des prières et les dates du ramadan), navigation. Il servait également à transcrire les dates chrétiennes dans le calendrier musulman. La visite s'achève par une collection intéressante d'épigraphies nasrides. *Carrera del Darro, 41 Tél. 958 22 56 03 Ouvert mar. 14h30-20h30, mer.-sam. 9h-20h30, dim. 9h-14h30 Entrée 1,50€ Gratuit pour les citoyens de l'UE (pièce d'identité)*

Où prendre son petit déjeuner ?

Près de la Pl. Nueva et de l'Albaicín, le **Café Ras** (Carrera del Darro, 6, plan 2, C2 n°1) s'avère parfait pour le petit déjeuner, avec de bonnes *tostadas con aceite y tomate*. Ses tables du fond donnent sur les murailles de l'Alhambra.

Où boire un thé à la menthe ?

☺ **Tetería El Bañuelo (plan 2, C2 n°10).** Dans la petite rue qui monte vers la Plaza de la Concepción depuis la Carrera del Darro, à deux pas des anciens bains arabes. Une de nos adresses préférées. Ce beau salon de thé à l'andalouse fleure bon le tabac à la rose et à la pomme. Le *té a la menta* est sucré à souhait et la décoration soignée : tables ornées de mosaïques, petits recoins douillets, patio fleuri recouvert de vigne avec vue sur la Torre Vela de l'Alhambra... *Placeta de la Concepción, 5 Tél. 958 22 41 97 Ouvert tlj. 15h30-1h (2h ven.-sam.)*

De la Plaza del Salvador à la Plaza San Miguel Bajo

Plus haut, la Cuesta del Chapiz mène à la Plaza del Salvador, dominée par l'église collégiale du même nom (plan 2, C1-D1). Il s'agissait à l'origine de la plus grande des vingt-sept mosquées de l'Albaicín, consacrée au rite chrétien dès 1501. Endommagée aux cours des révoltes morisques, elle est remaniée en 1543 par Diego de Siloé, qui construit le portail principal de style Renaissance. Détruite par un incendie au début de la guerre civile, en 1936, l'église a été reconstruite dans les décennies suivantes. Elle a cependant conservé le patio et la galerie occidentale de la mosquée. Derrière l'église, la Calle Panaderos permet d'accéder à la partie la plus vivante du haut Albaicín, peuplée de petits cafés et d'épiceries de quartier où les habitants viennent discuter en fin d'après-midi. La Plaza Larga accueille chaque matin (sauf dim.-lun.) un marché animé (plan 2, C1). De là, on peut remonter la pittoresque Calle Agua, et flâner au hasard des rues populaires des environs. Les plus courageux monteront jusqu'aux murailles nasrides (XIIIe siècle) qui veillent sur les hauteurs de la colline. À l'angle de la Calle San Gregorio Alto et de la Calle San Luis, un chemin part en direction de l'ermitage de San Miguel Alto, qui domine l'Albaicín, le Sacromonte, et offre une vue époustouflante sur l'Alhambra et la sierra Nevada. Depuis la Plaza Larga, on peut aussi passer sous l'arche élégante de la Puerta de las Pesas, porte taillée au cœur des murailles construites par les Zirides au XIe siècle. Sur la droite débute la Calle Aljibe de la Gitana, qui longe les murailles. Au bout de la rue, sur la droite, l'étroit Callejón de las Monjas mène au Palacio de Dar al-Horra (plan 2, B1), un palais nasride du XVe siècle. Son nom signifie "maison de la reine", car il appartenait aux souverains nasrides et la mère du dernier d'entre eux, Boabdil, y aurait habité. Un peu plus bas se trouve la Plaza San Miguel Bajo (plan 2, B1), l'une des places les plus agréables du quartier, avec ses terrasses ensoleillées que domine l'église mudéjare de San Miguel Bajo (1528-1556). À deux pas de là, sur la Calle Santa Isabel la Real apparaît le couvent éponyme, fondé en 1501 par la reine Isabelle. ***Église del Salvador*** *Tél. 958 27 86 44 Ouvert lun.-sam. 10h30-13h et 16h30-18h30 Entrée env. 1€* ***Palacio de Dar al-Horra*** *Ouvert lun.-ven. 10h-14h*

Points de vue sur l'Alhambra

Situé sur les hauteurs de l'Albaicín, près de l'église del Salvador, le mirador de San Nicolás (plan 2, C1) est le plus célèbre belvédère de Grenade. En fin d'après-midi, la foule se masse pour admirer au soleil couchant l'Alhambra et les monts de la sierra Nevada. Plus tranquille, et tout aussi spectaculaire, le mirador de San Cristóbal (plan 2, B1-C1) se trouve au nord-ouest de l'Albaicín, au-delà des murailles zirides. L'occasion de découvrir l'une des plus anciennes églises mudéjares de la ville, San Cristóbal, construite en 1501. Autre lieu particulièrement agréable en été pour voir s'empourprer l'Alhambra, les jardins de la mosquée, à côté de l'église San Nicolás (ouverts jusqu'à 21h). Enfin, romantique à souhait à la nuit tombée, la Plazeta Carvajales, en plein cœur du quartier (sur la Calle Rosal), est si proche des murailles illuminées de l'Alhambra qu'on a l'impression de pouvoir les toucher...

Où faire une pause déjeuner ?

☺ **Casa Torcuato (plan 2, C1 n°20).** Dans le haut Albaicín, non loin de la Plaza Larga. Il règne une ambiance presque campagnarde dans ce bar où l'on trouve toujours un petit vieux pour commenter le match de la veille. Vous saurez vite qui supporte Madrid, qui Barcelone. Une bonne adresse pour le petit déjeuner, avec notamment un *bocadillo de tortilla* (sandwich garni) à rassasier un ogre. Mais l'endroit est connu de tous pour son menu tradition du jour, servi du lundi au vendredi. Il comporte une soupe ou un potage, un plat de viande ou de poisson, un dessert et le pain, le tout pour env. 8€. Arrivez tôt, car il y a souvent foule. *Albaicín Calle del Agua, 20 Tél. 958 20 28 18 Fermé dim. soir*

Où savourer une pâtisserie ?

Casa Pasteles Albayzín (plan 2, C1 n°11). Sur la Plaza Larga, au cœur de l'Albaicín. Une très jolie pâtisserie, fondée en 1928, tout en briques rouges avec son architecture d'inspiration mudéjare. Bonnes glaces maison. *Tél. 958 27 89 97 www.casapasteles.com Ouvert tlj. 8h-21h (0h l'été)*

Autour de la Calle Aljibe de Trillo

En dehors de ces quelques sites, l'Albaicín est parcouru par des ruelles enchevêtrées dans lesquelles il fait bon flâner au risque de se perdre un peu, ce qui est finalement la meilleure façon de s'imprégner de l'atmosphère atemporelle des lieux. Parmi les ruelles les plus pittoresques, citons la Calle Aljibe de Trillo, le Callejón Aljibe de Trillo et la Cuesta Aljibe de Trillo. Comme bon nombre de rues de l'Albaicín, elles tirent leur nom d'une des citernes (*aljibe*) construites par les musulmans pour fournir de l'eau aux habitants du quartier. Vous en apercevrez plusieurs au cours de votre exploration. Un autre chemin d'accès privilégié à l'Albaicín, la Calderería Nueva, qui part de la Calle Elvira. Elle rassemble des échoppes artisanales version New Age et des *teterías* (salons de thé) aux allures nord-africaines.

Où boire un thé à la menthe ?

Fréquentées en grande partie par les étudiants et les touristes, la Calderería Nueva et la Calderería Vieja sont les rues des *teterías* (salons de thé) à l'orientale et des petites boutiques de thé. Une des plus jolies *teterías*, la Kasbah, organise certains soirs des concerts et des spectacles de danse orientale.

Découvrir le Sacromonte

☆ **À ne pas manquer** L'habitat troglodytique du Sacromonte **Et si vous avez le temps...** Admirez la vue sur l'Alhambra du Camino del Sacromonte et écoutez un concert de flamenco à La Chumbera

Depuis des générations, les habitants de ce quartier ont aménagé leurs maisons dans des grottes taillées à même la roche. Le Camino del Sacromonte, la rue principale, se glisse au cœur de cette curiosité architecturale. Les terrasses des grottes, accrochées aux pentes et entourées de figuiers de Barbarie et d'agaves, ne manquent pas de cachet. Les grottes prêtent aujourd'hui leur décor aux spectacles de *zambra* (cf. Sortir à Grenade, Où voir et écouter du flamenco ?) destinés aux touristes et à des bars-discothèques très populaires en fin de semaine, après 4h du matin. La grande majorité des gitans a dû s'exiler vers les quartiers défavorisés au sud de Grenade. Autres rues intéressantes du quartier : la Cuesta de los Chinos et la Vereda de Enmedio Alta, dont certains points de vue valent bien les miradors de l'Albaicín. Le Camino del Sacromonte passe devant l'église de San Cecilio (XVIIe siècle). Plus loin se trouve le centre d'études de flamenco La Chumbera : la vue sur l'Alhambra de la terrasse qui surplombe la route est merveilleuse. La route quitte ensuite le quartier et mène au chemin d'accès à l'Abadía del Sacromonte (1610-1762). Cette abbaye perchée sur les hauteurs accueille un musée peu visité et pourtant fort intéressant, qui rassemble une importante collection d'art religieux et des manuscrits d'Averroès, Maimonide ou encore saint Jean de la Croix. La visite parcourt des chapelles taillées dans la roche, les Santas Cuevas. Au passage, on découvre le four où saint Cecilio, l'un des patrons de la ville, fut brûlé vif avec plusieurs de ses compagnons chrétiens. **Abadía del Sacromonte** *Tél. 958 22 14 45 Ouvert mar.-sam. 11h-13h et 16h-18h, dim. visites guidées 11h, 13h et 16h-18h Visite guidée toutes les 45min Entrée : 3€*

Museo Cuevas del Sacromonte Ce musée relate l'histoire des gitans grâce à des expositions d'art, des concerts, des spectacles de danse, des projections de films (cf. Centre d'interprétation de Sacromonte)… Il présente également la vie que menaient les habitants des grottes au début du XXe siècle à l'aide de mises en scène. Il possède enfin un espace pédagogique sur l'environnement particulier (faune, flore et agriculture) du quartier où se tiennent les expositions. Également un bar avec une agréable terrasse. *Calle Barranco de los Negros s/n Accès : bus 34 de la Paza Nueva Tél. 958 21 51 20 www.sacromontegranada.com Ouvert avr.-oct. : 10h-14h et 17h-21h ; nov.-mars : 10h-14h et 16h-19h Fermé lun. Musée 4€ Expositions 1€*

Découvrir le centre

☆ **À ne pas manquer** La cathédrale, la chapelle royale, le monastère de la Cartuja **Et si vous avez le temps…** Goûtez les confitures d'orange concoctées par les nonnes du monastère San Jerónimo, rapportez de votre shopping quelques objets en marqueterie, détendez-vous au Hammam

Le quartier de Santa Ana

Au nord-est du centre-ville, la Plaza Nueva (et la Plaza Santa Ana qui lui est accolée) (plan 2, B3) occupe un site stratégique, au milieu des collines de l'Alhambra et de l'Albaicín. Elle est dominée par la façade maniériste de la Chancillería, palais de justice érigé en 1531, et la tour mudéjare de l'église Santa Ana (1537), qui comporte également un beau portail Renaissance. Au nord-est de la place débute la Carrera del Darro, rue pittoresque longeant le río Darro. Sur l'autre rive, le petit quartier médiéval de Santa Ana mérite une visite. À l'est de la place, la Cuesta de Gomérez monte à l'assaut des pentes de l'Alhambra. À l'ouest, la populaire Calle Elvira rassemble de nombreux cafés et des pubs blottis au pied de l'Albaicín. Elle aboutit à la Plaza del Triunfo (plan 2, B1), où se dresse la principale porte de la médina musulmane, construite au XIe siècle : la Puerta de Elvira.

Prendre un vrai bain arabe

Hammam (plan 2, B3). La visite des anciens bains arabes d'El Bañuelo a fait naître en vous des envies ? Sachez que non loin de là, dans le quartier de Santa Ana, a ouvert en l'an 2000 un hammam installé sur le site d'anciens bains musulmans. Bains de vapeur, piscine d'eau chaude et soins variés dans un cadre agréable. Réservation obligatoire. Massage + bains env. 27€/pers. (bains seuls 18€/pers.). *Calle de Santa Ana, 16 Tél. 958 22 99 78 www.hammamspain.com/granada*

Où faire une pause déjeuner ?

Sur la Plaza Nueva, le **Café Lisboa (plan 2, B3 n°21)**, un grand classique à l'heure du déjeuner et du goûter.

Où acheter des produits du terroir ?

Mantequeria Castellano (plan 2, B2-B3). Dans une petite rue perpendiculaire à la Gran Vía de Colón, une épicerie spécialisée depuis trois générations dans la charcuterie et le fromage. La maison propose sa propre production de jambon. Comptez 26,50-42,50€ le kg pour le *must*, la fameuse *pata negra*. *Calle Almireceros, 6 Tél. 958 22 48 40 Ouvert lun.-ven. 9h30-14h et 17h30-20h30, sam. 9h30-14h*

Le quartier de la cathédrale

La Calle Reyes Católicos descend vers le quartier de la cathédrale. Outre la Chapelle royale, on y trouve le palais de la Madraza (juste en face de la cathédrale), l'ancienne université musulmane fondée en 1349 par Yûsuf Ier, et complètement refaite dans un style baroque au XVIIIe siècle. À voir également, les venelles de l'Alcaicería, ancien marché de la soie désormais réservé aux échoppes touristiques. À deux pas, la Plaza Bib-Rambla (plan 2, A3), qui est, depuis des siècles, le cœur battant de la cité. On s'y retrouve le matin ou en fin d'après-midi pour prendre le café à l'ombre des platanes et des orangers, ou flâner autour de la grande fontaine centrale et des kiosques à fleurs. Autrefois, on y assistait à des spectacles de corrida à cheval, ou encore aux autodafés et aux exécutions publiques ordonnées par l'Inquisition. La Plaza Trinidad (plan 2, A2) et le quartier de l'université, un peu plus loin vers l'ouest, sont également très vivants. À l'est de la Calle Reyes Católicos débute une partie moins connue du centre-ville, dont les petites rues populaires et commerçantes sont pourtant séduisantes, en particulier autour de la Calle Las Navas. Le Corral del Carbón (XIVe siècle) est l'unique *funduq* musulman (mélange de marché, de grenier et d'auberge que l'on trouvait dans toutes les villes) conservé en Espagne du Sud. Il possède une belle porte musulmane et une cour intérieure harmonieuse, autour d'un vieux bassin. Plus au sud, la Plaza Mariana Pineda (plan 2, A4-B4) est dédiée à une figure légendaire de la ville. La jeune et belle Mariana Pineda, tuée en 1831 par les absolutistes pour avoir arboré la bannière des libéraux, représente depuis lors le courage et la liberté aux yeux des Grenadins. Federico García Lorca (cf. Au sud de la ville) lui consacra une émouvante pièce de théâtre, *Mariana Pineda* (1924), avant d'être lui-même victime de la barbarie des franquistes en 1936. Plus au sud, au bord du boulevard moderne et bruyant de la Carrera del Genil, l'église Nuestra Señora de las Angustias (XVIe siècle) mérite bien un petit détour (plan 2, A4). La Vierge qui lui donne son nom est en effet l'une des figures saintes les plus vénérées de la ville, et sa procession, le dernier dimanche de septembre, se déroule dans une ambiance de liesse populaire.

☆ **Cathédrale (plan 2, A3-B3)** Dès la Reconquête, les Rois Catholiques s'attachent à doter Grenade d'une cathédrale, afin d'affirmer le pouvoir retrouvé de la chrétienté. Ils investissent d'abord la mosquée de l'Alhambra, consacrée au rite chrétien. Mais bien vite, ils décideront de construire une grande cathédrale dans la plaine, en plein milieu de la médina musulmane, juste à côté de l'ancienne mosquée principale. L'ordre de la construction est donné en 1505, en même temps que commence l'édification, sur le même site, de la Chapelle royale. Mais les travaux de la cathédrale ne commencent qu'en 1521, sur des plans d'un gothique très classique signés Enrique Degás. À la mort de celui-ci, le projet est confié à Diego de Siloé, qui s'en chargera de 1528 à 1563. Formé à Tolède, cet architecte talentueux introduit à Grenade les canons du style Renaissance, qui s'imposera ensuite dans toute la région. La **Puerta del Perdón**, le plus beau portail de la cathédrale, orienté au nord, est sans doute son chef-d'œuvre en ce qui concerne la finesse de la statuaire. La façade principale, sur la Plaza de las Pasiegas, est d'un style Renaissance harmonieux et sobre. C'est Alonso Cano qui l'a réalisée en 1667. Les travaux de la cathédrale ne s'achevèrent qu'au début du XVIIIe siècle, ce qui explique le mélange de différents styles architecturaux, notamment à l'intérieur. On entre dans la cathédrale par un petit patio. Il faut un moment au visiteur pour comprendre l'orientation de l'imposante architecture Renaissance. L'élément le plus remarquable est la **Capilla Mayor** (sa restauration s'est achevée en 2007), l'une des réussites majeures de Diego de Siloé, dominant la nef centrale. Au milieu des piliers qui la soutiennent, on remarque deux statues colorées des Rois Catholiques, réalisées au XVIIe siècle par le grand sculpteur Pedro de Mena. À voir, également, dans la partie supérieure, les sept tableaux d'Alonso Cano illustrant la vie de la Vierge. Au centre de la Capilla Mayor trône un grand tabernacle en argent massif, installé en 1916. En levant les yeux, on découvre les orgues baroques (1747), chef-d'œuvre d'orfèvrerie. La cathédrale est entourée de chapelles Renaissance et baroque. À gauche de la Capilla Mayor, la **Capilla Nuestra Señora de la Antigua** est la plus riche de toutes, avec son autel doré et ciselé, et son bel ensemble de statues. Celle de la Vierge, réalisée au XVe siècle et restaurée au XVIIe, aurait été offerte à la ville par les Rois Catholiques. Ces derniers ont leur portrait de part et d'autre de la chapelle. En redescendant le long de la nef, on accède à la Capilla Nuestra Señora de las Angustias, patronne de la ville, dont la statue occupe le centre d'un bel autel en marbre rose. Plus loin, dans l'angle, se trouve le **musée de la cathédrale**. On y verra les livres de comptes des travaux de la cathédrale, avec juste au-dessus une petite *Vierge à l'Enfant* sculptée par Pedro de Mena. Ne manquez pas la *Vierge de Belén* et le buste de San Pablo par Alonso Cano. La collection d'objets rituels comprend de belles pièces d'orfèvrerie gothique, dont l'ostensoir en or incrusté de pierres précieuses, offert à la ville par la reine Isabelle au début du XVIe siècle. Il est depuis lors au centre de tous les regards pendant les processions du Corpus Christi. À voir également, la sacristie baroque (XVIIIe siècle), située à droite de l'entrée de la cathédrale. Elle abrite des œuvres d'art remarquables : un Christ crucifié du grand sculpteur sévillan Martínez Montañés (XVIIe siècle), un tableau de l'Annonciation et une belle statue de l'Immaculée Conception par Alonso Cano. *Tél. 958 22 29 59 Ouvert nov.-avr. : lun.-sam. 10h45-13h30 et 16h-19h, dim. et j. fér. 16h-19h ; mai-oct. : lun.-sam. 10h45-13h30 et 16h-20h, dim. et j. fér. 16h-20h Entrée : 3,50€ TR 2,50€ Audioguides en espagnol, allemand, anglais, français et italien : env. 3€*

☆ **Chapelle royale (plan 2, A3-B3)** Destinée à accueillir leur tombeau, la Capilla Real est commandée en 1504 par les Rois Catholiques. Le maître d'œuvre, Enrique Degás, est un architecte établi qui a déjà conçu de nombreux édifices à Saint-Jacques-de-Compostelle et Tolède. Les travaux s'achèveront en 1521, après la mort des souverains. Intégrée au corps de la cathédrale, la chapelle ne possède plus qu'une façade, œuvre platéresque richement ciselée. On pénètre dans la chapelle en traversant l'ancienne Bourse (*Lonja*) de Grenade, longue salle à l'architecture platéresque. *Accès par la Calle Oficios (attenante à la cathédrale) Tél. 958 22 92 39 Ouvert avr.-oct. : lun.-sam. 10h30-13h et 16h-19h, dim. et j. fér. 11h-13h et 16h-19h ; nov.-mars : lun.-sam. 10h30-13h et 15h30-18h30, dim. et j. fér. 11h-13h et 16h-18h30 Entrée : env. 4€*

La Capilla Real Elle est composée d'une nef unique, bordée de petites chapelles, avec la sacristie au fond à droite. Sur les murs, une fresque porte une épigraphe concernant les commanditaires de la chapelle. Au milieu de la nef s'élève une splendide grille en fer forgé peint et doré du maître Bartolomé de Jaén (XVIe siècle). Sa riche ornementation comporte les emblèmes des Rois Catholiques, d'ailleurs omniprésents dans toute la chapelle, et des scènes de la vie du Christ. De l'autre côté, on découvre, de droite à gauche, le mausolée en marbre de Carrare d'Isabelle et Ferdinand, œuvre de l'Italien Francelli (1517), et celui de leur fille Jeanne la Folle et de son époux Philippe le Beau, réalisé par Bartolomé Ordóñez (1519). On remarquera que la tête d'Isabelle s'enfonce davantage que celle de Ferdinand dans le dais sculpté qui la soutient. Une manière pour l'artiste de souligner le rôle d'éminence pensante de la reine, par opposition au courage guerrier de son époux. Sous les mausolées, une petite crypte où reposent dans des sarcophages les corps des souverains et de plusieurs de leurs descendants. Au fond de la nef, le retable platéresque du maître-autel (1520) dont les bas-reliefs représentent la reconquête de Grenade. À gauche, le dernier souverain musulman, Boabdil, s'en va tristement à cheval. À droite, la conversion des infidèles. Dans la riche statuaire du maître-autel, on s'amusera à chercher les Rois Catholiques, représentés au milieu d'une foule de saints. Ce n'est que bien plus tard que l'Église les sanctifiera, mais ils méritaient bien une petite exception à la règle ! À droite, une superbe grille gothique ouvre sur la sacristie, qui accueille désormais un musée.

Le musée Au centre, l'épée de Ferdinand et le sceptre d'Isabelle, à nouveau un éloquent symbole de la répartition des rôles. On remarque également les magnifiques habits funéraires de la reine. Sur l'arrière, la somptueuse collection de peintures flamandes et italiennes du XVe siècle rassemblées par Isabelle, l'une des premières collections artistiques privées de cette importance. Botticelli et Berruguete y sont représentés, mais la pièce maîtresse du musée reste le *Triptyque de la Passion* de Dierick Bouts (1521), sur le mur du fond, encadré, bien sûr, par les statues d'Isabelle et Ferdinand.

Où faire du shopping ?

Les rues commerçantes du centre-ville se prêtent bien au lèche-vitrines. Elles sont rassemblées autour de la cathédrale et de la Puerta Real : Calle Recogidas, Carrera de la Virgen, Acera del Darro et Calle Pedro Antonio de Alarcón. L'artisanat local s'est fait une spécialité des articles de marqueterie (coffrets à bijoux, tables, échiquiers…). De moindre qualité, les échoppes touristiques de l'Alcacería, près de la Capilla Real, vendent des objets artisanaux et des souvenirs.

Où trouver un disque ?

Gran Vía Discos (plan 2, B2). Pour acheter des disques (et même des cassettes), l'un des disquaires de flamenco les plus réputés de Grenade. Il pourra vous conseiller, du *flamenco puro* au *nuevo flamenco*. Également bonne sélection de musiques arabo-andalouses et musiques du monde. *Gran Vía de Colón 21 Tél. 958 80 43 24 www.granviaflamenca.com Ouvert lun.-sam. 10h-21h*

Festival Discos (plan 2, A3). Vaste choix de musique espagnole et de flamenco. *Près de la Plaza Bib-Rambla, Calle San Sebastián, 10*

Où acquérir une guitare ?

La Guitarreria (plan 2, B3-B4). Une boutique où vous trouverez aussi bien des guitares pour apprendre (à partir de 87€) que des guitares artisanales, façonnées par le maître luthier Miguel Ángel Bellido (env. 3 000€), des méthodes d'apprentissage, sous forme de livres ou de DVD, des castagnettes et des disques de flamenco et de musique classique espagnole. *Calle Navas, 22 Tél./fax 958 21 01 76 www.bellidoguitar.com*

Où savourer une pâtisserie ?

Bernina (plan 2, B2 n°12). Une des meilleures pâtisseries de la ville, célèbre pour ses *piononos*, biscuits sucrés à la crème et à la cannelle, typiques de Grenade, et ses *bollos de aceite*, viennoiseries au goût anisé. Quand il fait très chaud en été, on apprécie la salle climatisée. *Gran Vía de Colón, 38 Tél. 958 27 87 02 Ouvert lun.-ven. 8h-14h et 16h30-21h, sam., dim. et j. fér. 9h-15h et 16h30-21h*

Los Italianos (plan 2, B3 n°13). Cet artisan glacier, institution de Grenade depuis 1936, ne désemplit pas. On le comprend aisément après avoir goûté l'une des spécialités maison ! Laissez-vous tenter par la délicieuse *cassata* (chocolat-vanille-fraise-crème aux amandes croquantes…). *Gran Vía de Colón, 4 Tél. 958 22 40 34 Ouvert mi-mars-mi-oct. : 9h-0h (2h jeu.-sam.)*

San Jerónimo et la chartreuse

Au nord-ouest du centre-ville, passé le jardin botanique, on accède au monastère de San Jerónimo. De là, il suffit de remonter la Calle San Juan de Dios pour atteindre la très belle chartreuse de Grenade.

Monasterio de San Jerónimo (plan 2, A1) Le monastère fut fondé en 1496 par les Rois Catholiques. Dans le cloître principal, l'un des plus harmonieux de la ville, on retrouve l'empreinte de l'architecte Diego de Siloé, qui dirigea les travaux d'aménagement initiés en 1528. Le monastère, fermé en 1835 à la suite des lois de mise en vente des biens du clergé, accueille depuis 1973 des sœurs de l'ordre de San Jerónimo. Le clou de la visite est la magnifique **église**, à laquelle on accède par un beau portail plateresque, œuvre de Diego de Siloé. On découvre alors le délire des fresques colorées recouvrant l'ensemble des parois de la nef depuis le XVIIIe siècle. Une ornementation exubérante qui atteint son paroxysme au niveau de la croix du transept et de sa coupole. Cette partie de l'église, de style Renaissance, fut dessinée par Siloé, qui réalisa également l'élégant chœur de l'église surplombant l'entrée. Au fond, le splendide retable du maître-autel, qui servira de modèle à tous les retables andalous de la fin du XVIe siècle. De nombreux artistes participèrent à la réalisation de ce chef-d'œuvre, dont le grand sculpteur sévillan Martínez Montañés. De part et d'autre du retable, les statues du Gran Capitán, général héroïque des armées du roi Ferdinand (fin XVe-début XVIe siècle), et de sa femme. Au pied des escaliers montant vers le maître-autel, la pierre tombale du héros. De là, on peut admirer à loisir la beauté des voûtes et du chœur à l'autre extrémité de la nef. En revenant vers l'entrée, la première chapelle sur la droite est celle de Nuestra Señora de la Soledad. Elle abrite une belle figure sainte sculptée par Pedro de Mena (XVIIe siècle). En face, à côté d'une chaire en marbre rouge incrusté de pierres semi-précieuses, on découvre un tableau d'Alonso Cano, *L'Immaculée avec les âmes du purgatoire*. À savoir : les confitures d'orange concoctées par les nonnes du monastère San Jerónimo ont bonne réputation... *Calle Rector López Argüeta, 9 Tél. 958 27 93 37 Ouvert tlj. 10h-14h30 et 16h-19h30 (nov.-mars : 10h-14h et 15h-18h30) Entrée : env. 3,50€*

☆ ☺ **Monasterio de la Cartuja (plan 1, B1)** La chartreuse de Grenade mérite vraiment le détour pour son église dont l'ornementation luxuriante est l'un des chefs-d'œuvre de l'architecture churrigueresque, variante espagnole du baroque. Le monastère fut fondé en 1516. L'église fut ajoutée en 1600-1630, et ses éléments les plus remarquables (sanctuaire, sacristie) au XVIIIe siècle. La visite commence par le cloître planté d'orangers et de cyprès et dominé par un fin clocher. Il ouvre sur différentes salles : réfectoire (dont les tableaux ont été restaurés en 2005), chapelle de Legos et salle capitulaire. Mais l'essentiel vous attend dans l'église du monastère. Elle est composée d'une seule nef, divisée en plusieurs parties. La salle située au fond à gauche de l'entrée était réservée aux moines. Elle est séparée du reste par de remarquables retables churrigueresques dorés et colorés, et une porte en bois incrusté de marbre, d'argent, d'ébène et de nacre, un sommet de marqueterie. Les murs portent des stucs finement ciselés, et des niches où logent des statues baroques. À l'autre extrémité de la nef, à droite de l'entrée, le maître-autel dédié à la Vierge, sous un baldaquin de bois sculpté et doré incrusté de miroirs. Derrière lui s'élève une impressionnante paroi vitrée en cristal de Venise, qui cache un véritable joyau churrigueresque : le Sancta Sanctorum ou Sagrario (sanctuaire). On peut difficilement faire plus baroque. L'ensemble fut réalisé par Francisco Hurtado Izquierdo en 1704-1720. La coupole présente une fresque colorée mettant en scène saint Bruno, fondateur de l'ordre des Chartreux en 1084, la Vierge et saint Jean-Baptiste. L'ensemble est soutenu par des colonnes à l'ornementation luxuriante : chapiteaux dorés, volutes audacieuses, statues de saints entourées de voiles soutenus par des angelots. Au centre se dresse un tabernacle en marbre noir et rose. Il abrite un petit temple en bronze remplaçant l'original en argent, "emprunté" par les troupes napoléoniennes pendant la guerre d'Indépendance. Mais c'est à gauche du maître-autel que se trouve le clou de la visite : la **sacristie** (1727-1764), dessinée par le même Hurtado Izquierdo. Au-dessus d'un socle de marbre rose de Lanjarón, les murs et les piliers blancs sont parcourus de motifs géométriques tellement fournis qu'ils donnent le vertige et empêchent l'œil de se fixer en un point quelconque. Au fond, un retable abritant une statue de saint Bruno, par Tomás Ferrer, surmonté d'une représentation émouvante de la Vierge par le grand maître du baroque grenadin, Alonso Cano. Contrastant avec la luminosité éclatante de l'ensemble, la sombre fresque de la coupole est l'œuvre de Tomás Ferrer. *Accès : bus 8 depuis la Gran Vía de Colón, près de la Plaza Nueva, arrêt "Ciencias de Educación" Tél. 958 16 19 32 Ouvert tlj. 10h-13h et 16h-20h (15h-18h nov.-mars) Entrée env. 4€ TR env. 2,50€*

Au sud-ouest du centre

Parque de las Ciencias (plan 1, A2)
À 15min à pied de la Puerta Real, au sud-est de la ville, cette construction, qui n'a cessé de s'agrandir depuis son ouverture en 1995, s'étend désormais sur près de 70 000m². Cette "cité des sciences" regroupe un musée interactif, avec plusieurs salles dont une dédiée à l'exposition permanente et instructive *Al-Andalus y la Ciencia*, un planétarium, une tour haute de 50m, une splendide serre de papillons tropicaux, un pavillon consacré au corps humain, un autre à l'héritage andalou et de nombreuses autres installations ludiques et pédagogiques, une zone étant d'ailleurs réservée exclusivement aux 3-7 ans. *Avenida del Mediterráneo (plusieurs lignes de bus y mènent mais les bus n°1 et 5 s'arrêtent juste devant) Tél. 958 13 19 00 www.parqueciencias.com Ouvert mar.-sam. 10h-19h, dim. et j. fér. 10h-15h Fermé 15-30 sept. Entrée env. 5€ TR 4€ supplément de 2€ env. (TR 1,50€) pour le planétarium*

Huerta de San Vicente / Casa-Museo García Lorca (plan 1, A2)
Au milieu du parc García Lorca. Cette maison fut, de 1926 à 1936, la résidence d'été de la famille García Lorca, dans la plaine fertile du río Genil. Elle est aujourd'hui toute proche des immeubles du centre-ville, ce qui laisse entrevoir le développement urbain qu'a connu la ville au xxᵉ siècle. La maison a été réaménagée avec les meubles d'origine, sur les indications de la sœur du poète. Au rez-de-chaussée, on découvre les dessins de costumes réalisés par Lorca pour sa troupe de théâtre étudiant, La Barraca, et des œuvres de ses amis, comme Salvador Dalí. À l'étage, les chambres ont été transformées en musée, et exposent de nombreux manuscrits originaux et des dessins de Federico García Lorca. Les admirateurs de l'artiste découvriront avec émotion le bureau dans lequel il a écrit certaines de ses plus belles œuvres, comme les pièces *Bodas de Sangre* (*Noces de sang*, 1933) et *Yerma* (1934). La maison organise également de nombreuses manifestations : expositions, concerts, spectacles de danse, de théâtre, de marionnettes... *Calle Virgen Blanca Tél. 958 25 84 66 www.huertadesanvicente.com Ouvert avr.-sept. : mar.-dim. 10h-12h30 et 17h-19h30 (juil.-août : 10h-14h30) ; nov.-mars : mar.-dim. 10h-12h30 et 16h-18h30 Visite guidée 15min après l'ouverture puis toutes les 45min Durée 30min Entrée 3€ TR 1€ Gratuit le mer.*

Découvrir le Realejo

☆ **À ne pas manquer** Les rues et les places du quartier **Et si vous avez le temps...** Baladez-vous dans le Realejo sur les traces du compositeur Manuel de Falla, savourez un *chocolate con churros* chez El Fútbol, assistez à un concert de musique classique à l'auditorium Manuel de Falla

☆ Sur la Plaza del Realejo (plan 2, B4) se trouve le *Cristo de los Favores* (Christ des vœux). Censé exaucer les vœux des fidèles, il fait l'objet d'une grande vénération. La place donne sur la Calle Molinos, une rue commerçante très vivante, qui offre à voir une Grenade populaire et décontractée. À deux pas de là, les terrasses ensoleillées de la vaste Plaza del Campo del Príncipe (plan 2, C4), assez peu touristiques, sont l'une des destinations favorites des Grenadins pour le repas dominical. Mais le Realejo, ce sont aussi ces rues étroites et escarpées, bordée de maisons blanches aux balcons fleuris, qui partent à l'assaut des pentes de l'Alhambra : la Cuesta Santa Catalina, la Cuesta del Realejo ou encore le Callejón Niño del Royo. Au sommet de la colline, sur le Paseo de los Mártires, on accède au Carmen de los Mártires. Non loin de là, la Calle Antequeruela abrite le célèbre Carmen Ave María, où le compositeur Manuel de Falla vécut au début du xxᵉ siècle. Cette demeure charmante abrite désormais un petit musée (cf. ci-dessous).

Casa-Museo Manuel de Falla (plan 2, D4) Le piano et quelques partitions du compositeur Manuel de Falla sont exposés dans ce petit musée, ainsi que les dessins réalisés par Picasso pour le livret du *Tricorne*. *Tél. 958 22 21 89 Visites guidées mar.-dim. 10h-14h (dernier départ 13h30) Fermé j. fér. Entrée 3€ TR 1€ www.museomanueldefalla.com*

Carmen de los Mártires (plan 2, D4) Cette villa entourée de jardins splendides fut construite en 1842 sur le site d'un ancien monastère où saint Jean de la Croix officia de 1582 à 1588. Ce monastère avait lui-même remplacé un ermitage érigé après la Reconquête et dédié à la mémoire des chrétiens martyrisés à l'époque musulmane. Depuis 2006, l'espace de visite a été doublé avec une partie qui recrée le jardin tel qu'il se présentait au xixᵉ siècle. Seuls les jardins se visitent. *Tél. 958 22 79 53 Ouvert lun.-ven. 10h-14h et 16h-18h (18h-20h en été), sam.-dim. et j. fér. 10h-18h (20h en été) Accès libre*

Où faire une pause déjeuner ?

Los Diamantes (plan 2, A3 n°22). Situé près de la Plaza del Carmen. Un petit bar tout en longueur, dont le comptoir est pris d'assaut à l'heure du déjeuner. Il faut dire que ses tapas et *raciones* de poisson et de fruits de mer grillés sont aussi succulentes que bon marché. Excellents calamars ! *Realejo Calle Las Navas Fermé dim.-lun. et 3 semaines en août*

Où acheter des produits du terroir ?

☺ **La Oliva (plan 2, B4).** Au sud de la cathédrale, entre la Plaza del Carmen et la Plaza de los Campos. Une épicerie fine comme on n'en fait plus, tenue par

Francisco Lillo. Ce passionné de cuisine régionale arpente les terres de l'ancien royaume de Grenade pour y dénicher de petits trésors : galettes au chanvre, huiles d'olive et vins de petits producteurs, charcuteries et fromages des montagnes, herbes aromatiques de la sierra Nevada, un vrai paradis pour les gourmets. Copieuses et captivantes dégustations tous les jours, matin et après-midi (à partir de 15€/pers). *Calle Rosario, 9 Tél. 958 22 57 54 www.laolivagourmet.com Ouvert lun.-ven. 11h-14h30 et 19h-22h, sam. 11h-14h30*

Où faire une pause sucrée ?

Un autre grand classique à l'heure du goûter, **El Fútbol (plan 2, B4 n°2)**, sur la Plaza Mariana Pineda (à côté de l'office de tourisme), dont le *chocolate con churros* est le préféré des Grenadins.

Découvrir les environs

Museo-Casa Natal Federico García Lorca À Fuente Vaqueros, 17km à l'ouest de Grenade. Ce musée intéressant occupe la maison où est né le plus universel des poètes espagnols, le 5 juin 1899. Il y passa une grande partie de sa jeunesse. "Lorsque j'étais jeune, je vivais dans un petit village très silencieux et odorant de la Vega de Grenade", écrira-t-il plus tard. La visite guidée, qui dure 45min, plaira surtout aux amoureux du poète. Important fonds de manuscrits, de lettres, d'affiches, de dessins, et un film, court mais émouvant, qui le représente souriant, au cours d'une tournée de sa troupe de théâtre universitaire La Barraca. À voir également, le certificat de décès qui porte la terrible mention : "Décédé à la suite de blessures occasionnées par un fait de guerre." *Tél. 958 51 64 53 www.museogarcialorca.org Guichets et accueil dans la rue menant au Teatro García Lorca, dans le centre de Fuente Vaqueros. Les guichets ouvrent 15min avant le début de chaque visite guidée. Ouvert juil.-août : 10h-14h ; sept.-juin : mar.-sam. 10h-13h et 16h-17h (16h-18h avr.-juin) Fermé lun. et sept. Entrée 1,80€ La compagnie de cars Ureña (tél. 607 60 40 86) opère une liaison Grenade-Fuente Vaqueros (20min) : départs de l'Av. de Andaluces (près de la gare ferroviaire) toutes les heures de 9h à 21h (toutes les 2h le week-end) ; retours toutes les heures de 8h à 20h (toutes les 2h le week-end)*

Manger à Grenade

La gastronomie grenadine a su garder quelques racines musulmanes dans l'emploi des épices et la préparation des condiments. La plaine fertile de la Vega fournit les éléments de base des plats traditionnels, notamment les fèves (*habas* ou *habitas*), les aubergines (*berenjenas*) ou les artichauts (*alcachofas*). Partout, on trouve les délicieux jambons de Trevélez (cf. Las Alpujarras), réputés dans toute l'Espagne, et les bonnes charcuteries des villages de montagne alentour. Essayez aussi les ragoûts à l'ancienne (*olla* ou *cazuela*), revigorants dans le froid hivernal. Ou encore, pour les palais aventureux, la *tortilla del Sacromonte*, omelette au jambon, aux légumes, aux crevettes et aux abats de porc. La Costa Tropical toute proche fournit les fruits de ses vergers, mais surtout de délicieux poissons et fruits de mer. La tradition des tapas servies gratuitement avec les consommations est restée bien vivante dans les bars populaires de la ville. Évitez les restaurants de la Plaza Nueva et de l'Alhambra : il y a suffisamment de bonnes adresses ailleurs pour échapper aux attrape-touristes. N'oubliez pas de consulter la rubrique Où faire une pause déjeuner ? des différents quartiers de la ville, où vous retrouverez des adresses de restauration à petits prix.

très petits prix

El Ladrillo II (plan 2, C1 n°23). En haut du quartier, dans une ruelle qui débouche sur la Plaza Larga. Un restaurant dont l'agréable patio est décoré d'objets hétéroclites en cuivre. Ambiance sympathique. ***Albaicín*** *C/ Panaderos, 35*

petits prix

La Mancha chica (plan 2, C1 n°24). Au cœur de l'Albaicín, un petit restaurant qui ne paye pas de mine, mais bien tenu par un couple de Marocains qui prépare avec attention une cuisine de leur pays, authentique et goûteuse. Les produits sont frais et l'accueil chaleureux. Comptez env. 12€. ***Albaicín*** *Camino Nuevo de San Nicolás, 1 Tél. 958 20 26 23*

El Botánico (plan 2, A2 n°25). Près de la Plaza Trinidad, en face du jardin botanique de l'université. Cuisine méditerranéenne créative, dans deux salles (dont une non-fumeur) où sont exposés des artistes locaux. Carte variée, avec de bonnes salades et un menu du jour à env. 11,50€. Le week-end, il y a 3 ou 4 plats au choix, les *sugerencias del día*. Cuisine ouverte toute la journée. À la carte, compter env. 20€. Terrasse aux beaux jours. Réservation conseillée, surtout en fin de semaine. ***Centre*** *Calle Málaga, 3 Tél. 958 27 15 98 Ouvert tlj. 13h-1h (2h le week-end)*

Bar León (plan 2, B2-B3 n°26). À deux pas de la Plaza Nueva, dans une ruelle donnant sur la Calle Elvira. Déjà plus de quarante ans que les frères León ont ouvert ce bar devenu un classique du *tapeo* local. De bonnes tapas servies gracieusement pour accompagner la boisson, comme c'est la tradition à Grenade, et *raciones* (5-11€). Au choix : poisson frit, *migas* (spécialité à base de mie de pain et d'ail) ou encore gibier (cerf), spécialité des lieux. Pour une carte plus variée, le Restaurante León, en face, propose des menus complets très économiques (10-16€ env.). ***Centre*** *Calle Pan, 1 et 4 Tél. 958 22 51 43 Fermé mar. soir et mer.*

Bodegas Castañeda (plan 2, B3 n°27). Entre la Plaza Nueva et la Gran Vía de Colón. Une taverne du XIXe siècle, tout en longueur et souvent bondée. Jambons suspendus et gros tonneaux de vin, chaque verre est servi avec de petites tapas maison. L'ambiance bat son plein vers 22h30 en fin de semaine. Ça crie, devant et derrière le comptoir, pour commander des tapas délicieuses comme le *jamón iberico* de Trevélez (la demi-ration est suffisante pour deux). Un deuxième bar a ouvert tout près, Calle Elvira. ***Centre*** *Calle Almireceros Tél. 958 22 63 62 Ouvert tlj. midi et soir Calle Elvira, 5 Tél. 958 22 32 22*

Albahaca (plan 2, B4 n°28). Au sud du Realejo, près de la Plaza Mariana Pineda. Une petite salle de restaurant aux nappes blanches et au service attentionné. Le chef cuisine au fond de la salle, et concocte sous vos yeux une carte variée et adaptée aux produits de saison, incluant quelques spécialités végétariennes. Le menu du jour

PROVINCE DE GRENADE GÉOREGION

(servi midi et soir en semaine) à 12€ est très bien. Mais le mieux, ce sont les *recomendaciones del día* (suggestions du jour), des plats succulents à 8-14€, tels que les calamars cuits dans leur encre. Au total, on mange très bien pour 18-22€, vin compris. ***Realejo*** *Calle Varela, 17 Tél. 958 22 49 23 Fermé dim. soir, lun. et août*

prix moyens

☺ **Restaurante El Trillo (plan 2, C2 n°29).** On sonne, un peu impressionné, à la grille de ce *carmen* (demeure traditionnelle) du bas Albaicín. À l'intérieur, une belle salle rustique et accueillante, et un jardin verdoyant, très agréable à la belle saison. Service prévenant, sans être harcelant. Côté cuisine, on se régale, en entrée, avec le *pastel de puerro* (feuilleté aux poireaux, env. 11€) avant de savourer la spécialité du chef : le *bacalao al pil-pil* (morue sauce piquante, env. 15€). Compter 25-35€ pour dîner. Musique douce, grande intimité. Une bonne adresse. ***Albaicín*** *Callejón del Aljibe de Trillo, 3 Tél. 958 22 51 82 Ouvert 19h-23h Fermé mar.*

☺ **Restaurante La Pataleta (plan 1, A2 n°1).** Au sud du centre-ville, non loin du monastère San Jerónimo. Un escalier mène à la grande salle de restaurant de la Pataleta ("crise de nerf"), au sous-sol. Ambiance de taverne campagnarde, avec les murs de brique, le bois sombre, les nappes jaunes, les poteries et les jambons pendus par dizaines au plafond. D'excellentes charcuteries (assortiment *tabla pataleta* à env. 18€) et viandes grillées (notamment le *churrasco*, steak pimenté), mais aussi des plats de poisson ou la traditionnelle *salmorejo* (sorte de gaspacho plus épais). Une bonne adresse. Dîner env. 25-28€. ***Centre*** *Plaza Gran Capitán 1 Tél. 958 28 12 96 www.lapataleta.com Ouvert tlj. midi et soir*

prix élevés

Restaurant du Parador (plan 2, D3 n°30). Une grande salle chic, sous un plafond interprétant de manière moderne les motifs géométriques de l'art mudéjar. Les soirs d'été, la terrasse ouvrant sur les jardins du Generalife est un enchantement. Au menu, une cuisine traditionnelle de qualité : *habas fritas con jamón* (fèves frites au jambon ibérique), *choto al ajillo* (chevreau de lait) et pâtisseries conventuelles. Menus à partir de 30€ HT, à la carte comptez au moins 40€/pers. En raison des travaux qui ont lieu dans le Parador, le restaurant n'est ouvert qu'aux clients de l'hôtel jusqu'à mi-2008. ***Alhambra*** *Calle Real de la Alhambra Tél. 958 22 14 40*

Las Titas (plan 1, B2 n°2). Au bord du fleuve Genil, sur le Paseo de la Bomba. En terrasse côté jardin ou à l'intérieur sous son gigantesque lustre. *Las "Titas"* (les "taties") était le surnom donné à deux sœurs qui tenaient, il y a vingt ans, un petit kiosque à cet endroit. Très populaire pour sa sangria, le lieu était devenu un grand classique des week-ends grenadins. Aujourd'hui, seul le nom persiste, mais le lieu reste toujours aussi agréable. On y déguste une cuisine andalouse traditionnelle. Comptez pour déjeuner de 35 à 40€. ***Alhambra*** *Paseo de la Bomba Tél. 958 12 00 19 Ouvert tlj. 8h-3h*

El Huerto de Juan Ranas (plan 2, C2 n°31). Dans le haut Albaicín, juste sous la Plaza San Nicolás. La terrasse de ce restaurant romantique à souhait jouit sans doute de la meilleure vue du quartier sur l'Alhambra illuminée. Cuisine aux influences nord-africaines. En terrasse, compter 35€ environ et au restaurant, à la carte, environ 65€. ***Albaicín*** *Atarazana Vieja, 8 www.restaurantejuonranas.com Tél. 958 28 69 25 Terrasse ouverte 11h30-18h (1h en été), service à partir de 12h30 et 20h-23h Restaurant ouvert 13h-16h et 20h-0h en hiver, service à partir de 12h30 Ouvert tlj. midi et soir*

Bar-Restaurante Pilar del Toro (plan 2, B3 n°32). Dans le quartier de Santa Ana, en face de la Plaza Nueva. Un comptoir agréable à l'heure de l'apéritif, et un patio superbe, envahi par les plantes qui descendent des balcons du 1er étage. Comptez environ 35€ pour un repas. À défaut d'y déjeuner, passez boire un verre ou prendre un café. ***Centre*** *Calle Hospital de Santa Ana, 12 Tél. 958 22 54 70*

Las Tinajas (plan 2, A3 n°33). Au sud du centre-ville, près de la Plaza de Gracia. De l'avis général, la meilleure table de la ville. Cuisine andalouse de haute volée, avec notamment des spécialités de viandes excellentes. Réservation conseillée. À la carte, compter env. 40€/pers. Trois menus dégustation à 39, 42 et 45€ (5 plats et 2 desserts compris !) ***Centre*** *Calle Martínez Campos, 17 Tél. 958 25 43 93 Ouvert 13h-17h et 20h-0h Fermé 16 juil.-14 août*

Cunini (plan 2, A3 n°34). Un classique grenadin ! Ici, on vient pour déguster de délicieux poissons ou fruits de mer, debout dans l'ambiance animée du bar, dans la salle à manger du fond plus tranquille, ou sur la terrasse ombragée l'été. Dîner environ 50€ sans les vins. Cette institution de plus de 60 ans demeure l'unique témoin, avec sa minipoissonnerie adjacente, de l'ancien marché aux poissons qui se tenait sur la Plaza de la Pescaderia. ***Centre*** *Juste à côté de la cathédrale, Plaza de la Pescaderia Tél. 958 25 07 77 et 958 26 75 87 Réservation conseillée*

Sortir à Grenade

Grenade a beau être plus petite que Séville, sa vie nocturne est tout aussi animée du jeudi au samedi. La forte population estudiantine (près de 80 000 !) n'y est pas pour rien. Les concerts et les soirées animées par des DJ de qualité sont légion tout au long de l'année, et il règne une chaude ambiance dans les bars à tapas, les bars de nuit et les discothèques, jusqu'à une heure très avancée de la nuit.

Où boire un verre ?

La Brujidera (plan 2, B3 n°40). Près de la place Isabel la Católica, dans une ruelle donnant sur la calle de Pavaneras. Ce joli bar, agrémenté de boiseries couvertes de bouteilles, est une bonne adresse pour découvrir les vins espagnols. La maison maîtrise bien son sujet et propose une sélection de plus de 200 références. L'atmosphère est décontractée et la terrasse tout simplement délicieuse, à l'ombre d'un gros figuier. Idéal avant ou après le dîner. ***Centre*** *Monjas de Carmen, 2*

Où écouter de la musique classique ?

Auditorium Manuel de Falla (plan 2, D4). Cette salle de concert de grande qualité, créée en 1978, accueille de nombreux spectacles lors des cycles de musique classique organisés tout au long de l'année et du festival international de Grenade en juin-juillet. *Dans le quartier du Realejo, tout près de la maison-musée du compositeur.* **Realejo** *Paseo de los Mártires. Tél. 958 22 21 88 Billets en vente au Corte Inglés (tél. 902 40 02 22) ou au théâtre Isabel la Católica, à Puerta Real*

Où voir et écouter du flamenco ?

Grenade appartient de longue date à l'histoire du flamenco andalou. Le quartier gitan du Sacromonte a donné naissance à des générations entières d'artistes reconnus. La principale dynastie de Grenade est celle des Habichuela, dont le membre le plus connu est le grand guitariste Pepe Habichuela. Autre grand nom du flamenco grenadin actuel, le chanteur et compositeur Enrique Morente. D'un point de vue historique, le Concurso nacional de Cante Jondo organisé en 1922 à l'initiative du compositeur Manuel de Falla et du poète Federico García Lorca a contribué à imposer le flamenco comme un art à part entière. Les meilleurs spectacles sont ceux donnés à l'occasion du festival international de musique et des fêtes du Corpus Christi, et organisés par la mairie, même s'il y en a de nombreux tout au long de l'année. Le théâtre Alhambra (plan 2, C4), tout près de la place del Campo del Príncipe (Realejo), programme parfois des concerts flamencos (qui se déroulent au Teatro municipal José Tamayo pendant la durée des travaux). Le quartier du Sacromonte, ancien repaire des gitans de Grenade, est connu pour les spectacles de *zambra*, une forme très festive de flamenco, organisés depuis la fin du XIXe siècle dans les grottes aménagées du quartier. Parmi les salles les plus connues, citons La Rocío (plan 2, D2), Los Tarantos (plan 2, D2) et La Venta del Gallo (plan 2, D2). On peut passer un bon moment, même si l'ambiance ultra-touristique est peu propice au *duende*. Si vous passez quelques jours sur place, mieux vaut parcourir les pages culturelles des journaux ou du magazine flamenco gratuit à l'office de tourisme *Flama* pour trouver un concert dans l'un des bars de la ville. Eshavira (plan 2, B2 n°48), au pied de l'Albaicín, est sans doute l'adresse la mieux indiquée (cf. Où se passe la *marcha granadina*). Enfin, à découvrir pour leur ambiance flamenca, plus que pour des concerts à proprement parler : le Café Mercantil (Calle San Jerónimo, plan 2, A2) dans le centre (à partir de 23h), le bar La Bulería (Camino del Sacromonte, plan 2, D2) dans le quartier du Sacromonte, et El Niño de las Almendras (Calle de la Tiña, près de la Cuesta San Gregorio, plan 2, B-C2) dans l'Albaicín. Inutile de se rendre à l'une de ces trois adresses avant 3h ou 4h du matin. **Théâtre Alhambra** *Calle Molinos, 56 Tél. 958 02 80 00* **Théâtre municipal José Tamayo** *Centra Antigua de Málaga n°100 Tél. 958 29 21 92* **La Rocío** *Camino del Sacromonte, 70 Tél. 958 22 71 29* **Los Tarantos** *Camino del Sacromonte, 9 Tél. 958 22 45 25 et 958 22 24 92* **Venta del Gallo** *Barranco de los Negros, 5 Tél. 958 22 84 76 et 658 83 74 23*

La Platería (plan 2, D2 n°41). Dans l'Albaicín, cette respectable *peña flamenca* organise en saison des soirées de flamenco de bonne qualité, ouvertes à tous, en principe les jeudis et vendredis soir. Arrivez en avance pour grignoter quelques tapas au bar et profiter du jardin ouvrant sur l'Alhambra. **Albaicín** *Plazoleta Toqueros, 7 Tél. 958 21 06 50 Programme à l'office de tourisme*

La Chumbera (plan 2, D2 n°42). Dans le Sacromonte, cette belle salle accueille plusieurs sessions de concerts chaque année. Ils ont lieu en général le samedi et sont très populaires auprès de la communauté flamenca et étudiante.

Prévoyez de faire la queue au moins une heure à l'avance. Quand le rideau se lève, divine surprise, on découvre une vaste baie vitrée qui donne sur l'Alhambra. *Sacromonte Camino del Sacromonte Billets en vente au théâtre Isabel la Católica Acera del Casino Tél. 958 22 29 07*

☺ **Carmen de las Cuevas (plan 2, D1 n°43).** Une école d'espagnol et de flamenco, installée dans une superbe demeure traditionnelle (*carmen*) à l'orée du Sacromonte. Les cours de danse et de guitare se déroulent dans les grottes de la propriété. Depuis le patio et la terrasse ensoleillée, la vue sur l'Alhambra est superbe. La qualité des cours d'espagnol est attestée par de nombreux labels, et on peut travailler l'espagnol commercial ou encore préparer les diplômes officiels du DELE. Des cours tous niveaux et intensifs sont organisés toute l'année. Durée au choix, de 2 à 20 semaines (exemple : 5 semaines, 15h par semaine, 720€). En option, cours de culture, d'histoire et d'art espagnols. Côté flamenco, la qualité est là encore au rendez-vous : les professeurs sont tous des professionnels, avec l'intervention régulière de grands artistes ; vous découvrirez ainsi la communauté flamenca locale. Cours d'initiation à la danse et à la guitare, ainsi que des cours intermédiaires et avancés. Attention : les sessions commencent à dates fixes. Autres avantages de l'école : l'ambiance conviviale, l'accès de 8h à 23h au centre multimédia (bibliothèque, vidéothèque, discothèque, Internet), et l'hébergement à petits prix dans le charmant quartier de l'Albaicín (à partir de 200€ environ les 2 semaines en chambre individuelle). Dates, réservations et tests de langue sur le site Internet. *Sacromonte Cuesta de los Chinos, 15 (18010) Tél. 958 22 10 62 Fax 958 22 04 76 www.carmencuevas.com*

Centre d'interprétation de Sacromonte (plan 2, D2 n°44). À côté de la Chumbera, Barranco de los Negros. Perché sur les hauteurs de l'ancien quartier gitan, ce centre culturel regroupe un jardin botanique et un intéressant petit musée ethnographique (cf. Museo Cuevas del Sacromonte). Il organise aussi des spectacles de danse, de guitare et, en été, des projections de films de qualité en plein air. *Sacromonte Tél. 958 21 51 20 www.sacromontegranada.com Ouvert mar.-dim. 10h-14h et 17h-21h (16h-19h nov.-mars) Fermé lun. Entrée 5€*

Où se passe la *marcha granadina* ?

Il faut le savoir : les horaires de la *marcha granadina* (la fête, qui se dit aussi *juerga*) sont encore plus décalés qu'ailleurs, puisque les bars ne se remplissent en général qu'à partir de 2h, et les boîtes jamais avant 4h. Les plus jeunes apprécieront les bars-discothèques de la Calle Pedro Antonio de Alarcón, un peu excentrée au sud-ouest du centre-ville. Les autres sauront trouver leur bonheur dans les nombreuses adresses du quartier de la Plaza Trinidad, de la Plaza Nueva et de la Calle Elvira dans le centre. On trouve également une foule de bars de nuit le long de la Carrera del Darro (El Upsetter, plan 2, C2, pour des soirées reggae calypso) et du Paseo de los Tristes (très animé en été) dans l'Albaicín, ainsi que dans le petit quartier de Santa Ana, au pied de l'Alhambra. En fin de soirée (vers 4h ou 5h du matin), il est de coutume de remonter vers les bars-discothèques du Sacromonte, ouverts jusqu'aux premières heures de la matinée. Enfin pour les noctambules, les meilleurs *shawarma* (sandwichs) de la ville sont chez Al-Andalus (plan 2, B3), sur la Plaza Nueva dans le centre. Ouvert toute la nuit le week-end, de 11h à minuit en semaine.

Attention, en août, la ville étant désertée par les étudiants et par une bonne partie des *Granadinos*, beaucoup de lieux emblématiques ferment et vous n'aurez alors qu'un pâle reflet de la *marcha granadina*.

El Camborio (plan 2, D2 n°45). Au cœur du quartier du Sacromonte. Une des destinations les plus fréquentées en fin de nuit, c'est-à-dire à partir de 4 ou 5h du matin le vendredi et le samedi. Plusieurs salles de discothèque, dont une installée au sous-sol dans une grotte taillée à même la roche et une terrasse donnant sur l'Alhambra. Un incontournable pour les fêtards invétérés qui veulent aller jusqu'au bout de la nuit. *Sacromonte Camino del Sacromonte Fermé dim. et lun.*

Planta Baja (plan 2, A2 n°46). Un bar doublé d'une discothèque, où il se passe toujours quelque chose d'intéressant, notamment des concerts de groupes locaux et de stars internationales. Deux escaliers futuristes, évoquant les sas d'une navette spatiale, descendent vers la vaste salle de discothèque en sous-sol. D'excellents DJs investissent les lieux à partir de minuit. Atmosphère enfiévrée après 2-3h du matin. *À l'ouest du centre Calle Horno de Abad, 11 www.plantabaja.com*

☺ **Eshavira (plan 2, B2 n°47).** Dans une petite impasse, face au 98 de la Calle Elvira. Un petit bar très agréable, avec une programmation musicale de qualité : flamenco le dimanche, jazz le mercredi ou le jeudi. De grandes pointures, comme le saxophoniste de flamenco-jazz Jorge Pardo, s'y produisent de temps à autre. En bas, une cave voûtée parfaite pour prendre un verre. Ouverture vers 22h30, et concerts en général à partir de 23h-23h30. Entrée gratuite ou 10-15€ pour les concerts. Une excellente adresse. *Centre Postigo de la Cuna, 2*

Afrodisia (plan 2, A1 n°48). Dans une rue perpendiculaire à la Gran Vía de Colón, à 10min de la cathédrale. Un bar-discothèque fréquenté par la jeunesse bohème de Grenade. Chaude ambiance à partir de 1h. *Centre Calle Boquerón Almona*

Dormir à Grenade

Grenade a beau être très touristique, les prix de l'hébergement y restent raisonnables, moins élevés qu'à Séville à confort égal. Une situation due essentiellement à la politique des établissements qui, pour la plupart, appliquent un tarif unique toute l'année, y compris pendant la très haute saison (avril-juin). De mars à juin, et en septembre, il est conseillé de réserver, et plusieurs mois à l'avance pour la Semaine sainte. L'offre hôtelière étant immense, on trouve toujours une chambre en arrivant à l'improviste, à condition de renoncer aux meilleures adresses. Les pensions sont regroupées le long de la Cuesta de Gomérez, qui monte vers l'Alhambra depuis la Plaza Nueva, aux alentours de la Gran Vía de Colón, près de la Plaza Trinidad et de la Plaza del Carmen dans le centre-ville. Quelques adresses sont apparues récemment dans le quartier de l'Albaicín, pour l'essentiel des hôtels de caractère et très chers.

campings

Camping Sierra Nevada (plan 1, A1 n°10). Le plus central, tout près de la gare routière, 2km au nord-ouest de la cathédrale. Un camping ombragé et bien équipé (piscine, tennis, supermarché, restaurant), même si le site n'a évidemment rien de bucolique et est plutôt bruyant. Compter 24,50€ pour deux personnes, une voiture et une tente ou une caravane. *Avenida de Madrid, 107 Depuis Gran Vía, bus 3 ou 33. Tél. 958 15 00 62 Fax 958 15 09 54 Ouvert mars-oct.*

Camping Granada (plan 1, A1 n°11). Un camping relativement tranquille, dans le village de Peligros, 3km au nord de Grenade. Compter 20€ pour deux personnes, une voiture et une tente ou une caravane. *Cerro de la Cruz, Peligros (prendre la N323/A44 direction Madrid-Jaén, sortie 21) Bus Granada-Peligros depuis l'Arco de Elvira, à côté de la Gran Vía Tél. 958 34 05 48 Fermé 15 oct.-15 mars*

très petits prix

Hostal Navarro Ramos (plan 2, B3 n°60). Quinze chambres propres et confortables dont 7 avec sdb. La pension offre un bon rapport qualité-prix à deux pas de l'animée Plaza Nueva, au pied de l'Alhambra. Double à 35€ avec sdb, 26€ sans. *Alhambra Cuesta de Gomérez, 21 Tél. 958 25 05 55*

☺ **Hostal Landázuri (plan 2, B3 n°61).** Dans la rue montant vers l'Alhambra depuis la Plaza Nueva. Installée depuis 1956 dans une vieille demeure de caractère, cette pension ne paie pas de mine. Mais elle compte quelques chambres très accueillantes, à des prix raisonnables. Doubles sans salle de bains à partir de 30€ HT. Celles avec sdb (à partir de 40€ HT) nous ont séduits, comme la 303, la 202 et la 102, donnant sur le jardin, ressemblant à des suites (triple à partir de 54€ HT). Au 3e étage, une terrasse s'ouvre sur l'Alhambra. Réservation conseillée en saison. Parking privé 10€. *Alhambra Cuesta de Gomérez, 24 (18009) Tél. 958 22 14 06 www.hostallandazuri.com*

Hostal Duquesa (plan 2, A2 n°62). Près de la Plaza Trinidad. Une pension assez basique, aux chambres propres, sans rien d'exceptionnel. Le plus, c'est le patron qui parle couramment français. Il a vécu 37 ans à Orléans et en a gardé un accent sympathique. Doubles sans sdb à partir de 30€, chambres avec sdb à partir de 35€. Parking 10€. *Centre Calle de la Duquesa, 10 (18001) Tél. 958 27 96 03 www.hostalduquesa.com*

☺ **Hostal Sevilla (plan 2, A2 n°63).** Entre la Plaza de los Lobos et la Plaza Trinidad. L'une des pensions les moins chères de ce quartier sympathique du centre-ville, et pas la moins bien, loin de là. Chambres propres et tranquilles, accueil prévenant, le patron parle français. Doubles avec une salle de bains pour environ deux chambres à 29€. Doubles avec sdb individuelle à 36€. Triple avec sdb avantageuse pour les familles, 48€. Réservation recommandée. Cinq places de parking à disposition dans un garage privé à 10€/jour. *Centre Calle Fábrica Vieja, 18 (18002) Tél. 958 27 85 13 hostalsevilla@telefonica.net*

Pensión Gomérez-Gallegos (plan 2, B3 n°64). Une toute petite pension, propre et bien tenue, aux six chambres assez lumineuses. Bruyant en journée mais plus tranquille le soir. Bon accueil. Doubles sans sdb à 32-34€. *Centre Cuesta de Gomérez, 2 3e étage (18009) Tél./fax 958 22 63 98*

Albergue Juvenil Granada (plan 1, A1 n°12). À 2 km environ à l'ouest du centre-ville, au bord de l'avenue du Camino de Ronda. Le bus 11, qui dessert la Gran Vía de Colón près de la Plaza Nueva et de la cathédrale, s'arrête juste en face. Le bus 10 relie la gare routière à l'auberge. Logement en chambres allant de la simple à la quadruple, toutes avec salle de bains. Piscine bien agréable dans la chaleur de l'été. En saison et le week-end, 20€ (16€ pour les moins de 26 ans), hors saison 18€ (14€ pour les moins de 26 ans). *Av. Ramón y Cajal, 2 Tél. 958 00 29 00 et 902 51 00 00 Fax 958 00 29 08*

petits prix

Hostal Lima (plan 2, A2 n°65). À deux pas de la Plaza Trinidad, une petite pension fort bien tenue. Les chambres sont assez exiguës mais calmes et très confortables. Des doubles à partir de 40€, des suites à 65 et 78€ HT et un studio avec kitchenette à 44€. *Centre Calle Laurel de las Tablas, 17 (18002) Tél. 958 29 50 29 www.hostallimagranada.com*

Hotel Los Jerónimos (plan 2, A1 n°66). Juste en face du monastère San Jerónimo. Un hôtel moderne, fonctionnel et confortable, dont les chambres sont très satisfaisantes pour le prix. Une valeur sûre. Double de 45 à 75€ selon la saison (les tarifs sont beaucoup plus élevés lors des ponts, pour Pâques ou la feria). *Centre Calle del Gran Capitán, 1 Tél. 958 29 44 61 Fax 958 29 45 00 www.hotelosjeronimos.com*

Hostal Suecia (plan 2, C4 n°67). Dans le quartier du Realejo, en bas de l'Alhambra. Un peu excentré, mais très pratique si vous êtes en voiture car on peut se garer dans la rue. Un hôtel caché au fond de la Huerta de los Ángeles, ensemble de grandes maisons aux jardins luxuriants, construites dans les années 1940. D'avril à septembre, le parfum délicat des lilas envahit l'air. La gentillesse distinguée de l'accueil et le confort cosy de l'intérieur évoquent un peu l'Angleterre. Les chambres sont grandes et très agréables avec leurs meubles patinés. Certaines donnent sur le jardin. Le matin, on peut prendre son petit déjeuner (4,50€) au soleil, sur la terrasse du 2ᵉ étage. Réserver longtemps à l'avance. Chambres sans sdb à partir de 45€ (1 sdb pour 3 chambres), avec sdb à partir de 55€. *Realejo Calle Molinos, Huerta de los Ángeles, 8 Tél./fax 958 22 50 44 et 77 81*

prix moyens

Habitaciones Moni (plan 2, C1 n°68). Dans le haut Albaicín, tout près de la Plaza Larga. Une des seules adresses bon marché de ce quartier plein de charme. Si Moni, la souriante patronne, n'est pas là, demandez aux voisins. À l'intérieur, quatre chambres correctes partagent trois salles de bains, une cuisine tout équipée, un petit salon et une machine à laver. Quelques chambres de style pension, tenues par le même propriétaire, dans une rue voisine. Chambres doubles à partir de 50€. Pas de parking, mais on peut se garer sur la place San Bartolomé (ne rien laisser dans la voiture). Également trois studios qui se partagent une terrasse de 200 m² avec une vue panoramique sur la sierra Nevada, le Generalife, l'Albaicín… (60€ la nuit) *Albaicín Calle Panaderos, 18 Tél. 958 28 52 84 et 606 66 19 98 www.hostalalbayzin.com ou www.hostalgranada.com*

Cuevas El Abanico (plan 2, D2 n°69). Un hébergement plutôt original, en plein cœur du Sacromonte : si vous choisissez *las cuevas* pour ce soir, vous dormirez dans une grotte aménagée… à l'ancienne. Confort irréprochable et grande fraîcheur au cœur de l'été. Séjour de deux jours minimum (quatre jours en fin d'année et une semaine à Pâques). *Cuevas* deux personnes à partir de 65€ la nuit ou 390€ la semaine ; 3 pers. : 80-480€ ; 4 pers. : 100-600€ ; 5 pers. : 115-690€. Parking à proximité, env. 8€/j. *Sacromonte Verea de Enmedio, 89 Tél./fax 958 22 61 99 et 608 84 84 97 www.el-abanico.com*

Hotel Los Tilos (plan 2, A3 n°70). Un hôtel rénové en 2006, impeccable, sur l'une des places les plus animées du centre-ville. Un peu cher pour Grenade, mais la qualité est là… et la petite terrasse au 4e étage a une vue imprenable sur la ville ! Réservation indispensable en saison. Cinq parkings publics à proximité. Doubles de 50 à 75€. *Centre Plaza Bib-Rambla, 4 (18001) Tél. 958 26 67 12 Fax 958 26 68 01 www.hotellostilos.com*

Hostal La Ninfa (plan 2, C4 n°71). Dans le quartier populaire du Realejo, sur la place du Campo del Príncipe, à 10min à pied de la Plaza Nueva. Difficile de ne pas remarquer cette pension originale, envahie à l'extérieur comme à l'intérieur d'étoiles en céramiques multicolores. Facile d'accès en voiture, que l'on peut garer avec un peu de chance sur la place ou dans les rues voisines. Chambres parfois petites, mais confortables et soignées. Doubles à env. 55€. Pour les familles, une bonne option à env. 70€ la chambre avec 2 sdb et 2 lits doubles. Copieux petit déjeuner en supp. 5€. *Realejo Campo del Príncipe Tél./fax 958 22 79 85*

prix élevés

Casa del Aljarife (plan 2, C2 n°72). Une pension haut de gamme, dans l'Albaicín, sur une petite place en haut de la Cuesta de San Gregorio. Une demeure traditionnelle du XVIIe siècle refaite à neuf, enchanteresse au printemps avec ses arbres en fleurs. Quatre chambres séduisantes, avec poutres apparentes, salles de bains luxueuses et meubles anciens. Deux ont vue sur l'Alhambra. Le propriétaire, Christian Most, a ses habitués, et il faut donc réserver à l'avance. Double à partir de 91€ HT. *Albaicín Placeta de la Cruz Verde, 2 Tél./fax 958 22 24 25 www.casadelaljarife.com*

Hotel Molinos (plan 2, C4 n°73). Dans la rue principale du quartier du Realejo (zone d'accès restreint aux voitures, mais parking à proximité), à 15min à pied de l'Alhambra et de la cathédrale. Avec sa façade d'une largeur de 5,20m, voici l'hôtel le plus étroit au monde ! Un hôtel de qualité, aux chambres très agréables même si certaines sont un peu sombres. Accueil très professionnel, dans un quartier populaire et vivant. Double à env. 70€. *Realejo Calle Molinos, 12 Tél. 958 22 73 67/74 89 Fax 958 22 72 02 www.eel.es/molinos*

prix très élevés

Palacio de Santa Inés (plan 2, C2 n°74). Un hôtel superbe, dans le bas Albaicín, à deux pas de la Plaza Nueva. En y pénétrant, vous découvrirez l'un des plus beaux patios de la ville, entouré de balustrades en bois sombre, soutenues par de fines colonnes en marbre. Sur les murs, les vestiges de fresques datant de la construction du palais, au début du XVIᵉ siècle. Les doubles standard sont agréables, mais ce sont surtout les suites qui sortent du lot. En particulier la suite Alhambra, avec sa superbe charpente mudéjare, et la chambre Morayma, pour sa vue enchanteresse sur les remparts de l'Alhambra. Réservation indispensable. Chambre double de 115 à 170€ env. Suite à 170-250€. Parking public à proximité 16,80€/jour. **Albaicín** *Cuesta de Santa Inés, 9 (18010) Tél. 958 22 23 62 Fax 958 22 24 65 www.palaciosantaines.com*

Casa Morisca Hotel (plan 2, D2 n°75). Dans le bas Albaicín près du Paseo de los Tristes. Une demeure du XVᵉ siècle dont l'architecture mudejare est parfaitement mise en valeur : colonnes en brique et petite fontaine du patio, charpentes ouvragées des chambres, voûtes élégantes de la salle à manger. Les chambres, avec leurs jolis meubles et leurs tapis aux influences nord-africaines, leur carrelage patiné et leurs salles de bains colorées, ont beaucoup de cachet. Cher mais extrêmement romantique. Double intérieure à partir de 118€. Avec vue sur le quartier : 148€. Double panoramique "Mirador" : 198€ (même prix pour la suite). Petit déjeuner 12€. Prix HT. **Albaicín** *Cuesta de la Victoria, 9 www.hotelcasamorisca.com Tél. 958 22 11 00*

hors catégorie

Parador de Granada (plan 2, D3 n°76). L'un des joyaux de la chaîne espagnole, installé au cœur de l'Alhambra, dans un couvent franciscain construit juste après la reconquête de 1492. Voûtes en brique aux influences mudéjares, cloître harmonieux, atmosphère tranquille et hors du temps au crépuscule. La décoration mêle joliment ancien et contemporain, sans trahir l'esprit du lieu. De certaines chambres, on aperçoit les jardins du Generalife ou les tours illuminées de la forteresse. Un luxe qui a son prix : c'est le Parador le plus cher d'Espagne du Sud. Réservation indispensable, plusieurs mois à l'avance pour la haute saison. Doubles à environ 300€. À noter : une partie de l'établissement est en travaux jusqu'à mi-2008 : seules 20 chambres sont disponibles et le bar ainsi que le restaurant ne sont ouverts qu'aux clients de l'hôtel. **Alhambra** *Calle Real de la Alhambra Tél. 958 22 14 40 Fax 958 22 22 64 granada@parador.es www.parador.es*

Montefrío

18270

Un bourg montagnard (6 500 hab.), perché à 833m d'altitude au pied de la sierra de Parapanda (1 600m). Les vieilles rues du centre, montant à l'assaut du spectaculaire piton rocheux du Cerro de la Encarnación (plus communément appelé de la Villa), sur fond de vallons couverts d'oliviers, forment un paysage superbe. Bastion perdu aux confins du Poniente Granadino (confins occidentaux de la province de Grenade), Montefrío joua, du XIIIᵉ au XVᵉ siècle, un rôle stratégique aux frontières du royaume nasride, en contrôlant le passage qui sépare le bassin du Guadalquivir de la plaine de la Vega. Après la reconquête de la forteresse arabe en 1486, le village se développa rapidement et ses quartiers prirent peu à peu leur physionomie actuelle.

Montefrío, mode d'emploi

accès

EN VOITURE Montefrío est situé à 60km au nord-ouest de Grenade par l'A92 (direction Séville) puis par l'A335. De Grenade, le plus court chemin – et le moins sinueux – est par la N432 direction Cordoue, puis après avoir passé le village de Puerto Lope, prendre la déviation à gauche direction Montefrío.

EN CAR
Alsina Graells. Liaisons quotidiennes de Grenade : 3 départs/jour du lun.-ven., 2 départs le sam., 1 départ le dim. et j. fér. Environ 5€. *Tél. 958 33 62 38*

informations touristiques et adresses utiles

Office de tourisme. En plein centre. *Plaza de España, 1 Tél. 958 33 60 04 Ouvert lun.-ven. 10h-14h et 16h30-18h, sam.-dim. 10h30-13h30*
Poste. *Calle Enrique Amat, 112 Tél. 958 33 61 10 Ouvert lun.-ven. 8h30-14h30, sam. 9h30-13h*

fêtes et manifestations

Nuestra Señora de los Remedios. La fête de la sainte patronne de la ville est la plus importante. Processions, feux d'artifice et festival de flamenco Manuel Ávila, en hommage à ce poète et chanteur flamenco originaire de Montefrío. *13-17 août*

Découvrir Montefrío

☆ **À ne pas manquer** Le Cerro de la Encarnación **Et si vous avez le temps…**
Faites une balade à vélo jusqu'aux dolmens de la Peña de los Gitanos

La Plaza de España, au centre de Montefrío, est tapie au pied du piton imposant de la Encarnación, dominé par la silhouette audacieuse de l'église de la Villa. Sur la place se dresse la façade baroque de la mairie (XVIIIe siècle). Un peu plus bas, l'église néoclassique de la Encarnación (XVIIIe siècle), œuvre de Francisco Aguado, possède un dôme monumental, inspiré du Panthéon d'Agrippa de Rome. En montant vers le sommet du piton, on traverse le Barrio del Arrabal, quartier médiéval dont les maisons aux murs blanchis et aux boiseries colorées comportent souvent une jolie terrasse plantée d'un arbre centenaire. Installé au sommet de l'autre colline de Montefrío, le Monte del Calvario, le Convento de San Antonio date du XVIIIe siècle. De la Plaza de España, on y accède en remontant la Calle Enrique Amat, puis la Calle Veredas del Convento. L'esplanade du couvent donne sur l'église de la Villa, les ruelles du Barrio del Arrabal et les monts couverts d'oliviers à perte de vue. Photographes, à vos appareils ! Tout autour, le quartier a su garder une ambiance médiévale, avec ses rues étroites aux murs blancs. En redescendant par la Calle San Francisco jusqu'à l'Avenida de la Paz, on débouche sur El Pósito, ancien grenier à blé du village construit au XVIIIe siècle dans un style néoclassique par Francisco Aguado.

☆ **Cerro de la Encarnación (ou Cerro de la Villa)** Le Cerro de la Encarnación était, à l'époque d'*Al-Andalus*, couronné d'une forteresse puissante, construite en 1352 par l'architecte qui avait conçu l'Alcazaba de l'Alhambra à Grenade. Au XVIe siècle, les chrétiens décident d'ériger une église sur les ruines de la forteresse. Dessinée par l'architecte de la cathédrale de Grenade, Diego de Siloé, l'église de la Villa mêle le gothique au style Renaissance. Recroquevillée sous un clocher lancé à la verticale de la falaise, elle ne manque vraiment pas d'allure. La couleur de l'église se fond si bien dans celle du rocher qu'on la croirait presque surgie du sol. "*El Centinela*" ("la sentinelle"), comme on l'appelle ici, accueille un centre d'interprétation de la région et de son passé d'ultime frontière d'*Al-Andalus*. Tél. 660 04 84 56 *Ouvert mar.-sam. 12h-14h, dim. et j. fér. 12h-14h et 17h-19h (16h-18h en hiver) Tarif : env. 2,50€ Groupe (15 pers.) 1,50€*

Admirer le coucher de soleil

Les jolis points de vue ne manquent pas dans la ville, notamment si vous prenez la route en direction de Tocon. Juste avant la sortie de Montefrío, sur votre droite, un belvédère offre une vue spectaculaire du village perché et de son château, sur fond de collines couvertes d'oliviers. En continuant la route, au km24 à gauche, un autre beau point de vue ; arrêtez-vous avec prudence, vous êtes en sortie de virage.

Où boire un verre ?

Près de la Plaza de España, la Calle Enrique Amat et la Calle Virgen de los Remedios regroupent plusieurs bars à tapas et discothèques animés en fin de semaine.

Découvrir les environs

Casa de Paquita. Le seul endroit, semble-t-il, où l'on puisse louer des vélos ! Des VTT à disposition, 10€ la journée. Ici, on vous renseignera aussi sur les balades à cheval et les itinéraires d'escalade où il est possible de s'aventurer. Également deux gîtes ruraux. *À 6km de Montefrío, près de la Peña de los Gitanos Tél. 958 31 05 32 et 606 12 25 43 www.casasdepaquita.com*

Faire une balade idyllique

Peñas de los Gitanos Un site enchanteur, à 5km de Montefrío sur la route d'Illora. À mi-chemin, la route enjambe un pont romain. Se garer devant le panneau qui indique le chemin d'accès au site, réservé aux piétons. Le sentier (accessible aux enfants s'ils sont marcheurs) monte sur 200m, puis continue sur la gauche au niveau d'une ancienne carrière. On traverse une première prairie, avant d'arriver à une seconde, Peñas de los Gitanos. Planté de chênes, au pied de falaises granitiques, ce site possède un charme fou, surtout au printemps et à l'automne. Mais l'intérêt réside surtout dans la richesse archéologique : des dizaines de dolmens sont répartis aux quatre coins de la prairie (dans les environs également, les vestiges d'un ancien bastion romain et d'un village préhistorique). Propriété privée. *Pour visiter, prévenir Paqui, la propriétaire (tél. 628 30 53 37), qui vous guidera (env. 3h, bonnes chaussures et pantalon conseillés !) La visite peut être écourtée et un 4x4 utilisé* pour les personnes âgées ou handicapées www.laspeniasdelosgitanos.com Adulte env. 10€ Enfants (5-14 ans) env. 3€

Manger à Montefrío

Dans cette région où les familles ont souvent gardé la coutume d'abattre un cochon chaque année, les charcuteries et en particulier les saucisses sont délicieuses. Les montagnes environnantes sont riches en gibier : perdrix, lièvre, sanglier et cerf. Autre spécialité, surtout en hiver, les ragoûts de viande avec pois chiches (*garbanzos*) ou lentilles (*lentejas*). Enfin, les pâtisseries ont gardé leurs racines musulmanes, avec le pain de figues (*pan de higo*) et de nombreuses spécialités à base d'amandes et de miel.

très petits prix

Bar-Restaurante Justo. Ce bar populaire possède une terrasse avec vue sur le village et les montagnes qui l'entourent. Au comptoir, on se bouscule en soirée pour commander des tapas excellentes et les plats du jour bon marché. Le chorizo maison est un délice. Menu à env. 8€. *Av. de la Paz, 17 Tél. 958 33 67 36 Fermé jeu.*

Cafetería Iratxe. Tout près de la Plaza de España. Une cafétéria sans prétentions dont les tapas et les plats à petits prix sont très prisés des habitants. Idéale également pour le petit déjeuner. *Calle Enrique Amat, 5*

petits prix

Mesón Coronichi. Tout en haut de l'avenue. Une bonne adresse pour découvrir les spécialités de la région. Menu à 10€, à la carte compter 18-24€. *Av. de la Paz, 23 Tél. 958 33 61 46 www.coronichi.com Ouvert mar.-dim. 8h-18h*

Dormir à Montefrío

Le bourg et la campagne environnante comptent de nombreux gîtes ruraux (*casas rurales*). Vous pouvez en obtenir une liste sur *www.montefrio.org*. Idéal pour se mettre au vert après la *marcha* (fête noctambule) effrénée de Grenade ou Séville.

petits prix

Mesón Coronichi. Dans l'auberge du même nom, location de trois appartements de 2 à 4 personnes pour une nuit ou plus. 24€/pers., sinon 48€/appart./nuit. Réservation conseillée. *Av. de la Paz, 23 Tél. 958 33 61 46 www.coronichi.com*

prix moyens

☺ **Hotel La Enrea.** Sur l'A335, juste à la sortie du village (direction Tocón, A92). Le seul hôtel de la ville se révèle être une bonne adresse. Installé sur le site d'un ancien moulin, il possède pas mal de cachet, et ses chambres sont d'un confort étonnant pour le prix : à partir de 58€ HT (petit déj. compris) la double en basse saison (de nov. à mars), 70€ en haute saison. Le restaurant du rez-de-chaussée propose une cuisine traditionnelle de qualité, à des prix raisonnables (env. 23€ à la carte). Terrasse dans la cour intérieure. *Paraje de la Enrea Tél. 958 33 66 62 Fax 958 33 67 96 www.zercahoteles.com*

prix élevés

El Cortijo de la Fe. À 8km de Montefrío, sur la route de Tocón. Les maîtres des lieux, un couple de Français, ont le sens de l'hospitalité et le goût des belles choses. La propriété respecte le style du traditionnel *cortijo* andalou, au sein duquel ont été aménagés des bains arabes ornés de mosaïques et une petite chapelle colorée, touche spirituelle originale réalisée par deux jeunes artistes peintres. Les huit chambres lumineuses et soignées ont chacune leur ambiance. À cela, ajoutez une piscine avec vue splendide sur une mer d'oliviers, de succulents petits déjeuners (7€) et une foule de balades accessibles dans les environs. Doubles de 83 à 105€. Suite pour 4 pers. à 175€. Le Cortijo peut se louer en entier : 640€ la nuit (18 pers.) et on peut profiter d'un bain turc (18€/pers.). Table d'hôte le soir sur réservation (25€). *De Montefrío prenez la route direction Tocon pendant environ 7km. Passé le km30, prenez la piste sur votre droite après la ferme blanche "La Chapa" et suivez sur 2km la signalisation "La Fe" Tél. 958 34 87 63 et 639 72 17 40 www.cortijolafe.com*

Alhama de Granada
18120

Autre village de caractère (6 100 hab.) du Poniente Granadino, il tire son nom de ses bains d'eau thermale, connus depuis les Romains, et très prisés à l'époque d'*Al-Andalus* (*al-hamma*, le bain en arabe). Le centre du village, suspendu au-dessus des gorges vertigineuses du río Alhama, rassemble de vieilles ruelles musulmanes et quelques édifices chrétiens construits dès la reconquête du village par les Rois Catholiques, en 1482. Une destination bien agréable si vous passez dans la région.

Alhama de Granada, mode d'emploi

accès

EN VOITURE À 52km au sud-ouest de Grenade par l'A338. Autre itinéraire : prendre l'A92 direction Málaga, puis l'A335.

EN CAR Les cars desservent quotidiennement Alhama de Grenade et Vélez-Málaga : départs de Grenade lun.-ven. 3 cars/jour, sam.-dim. 2 cars/jour (env. 5€) ; de Vélez-Málaga : 1 car/jour (env. 3€). ***Alsina Graells** Tél. 958 18 54 80 www.alsinagraels.es*

informations touristiques

Office de tourisme. *À la porte du vieux quartier Paseo Montes Jovellar, dans l'immeuble de la mairie Tél. 958 36 06 86 www.turismodealhama.org Ouvert lun.-ven. 9h30-14h (15h en hiver) et 16h30-18h30, sam.-dim. 10h-14h et 16h30-18h30*

Découvrir Alhama

☆ **À ne pas manquer** Le belvédère et les bains romains des thermes **Et si vous avez le temps…** Empruntez le Camino de los Ángeles qui mène au fond des gorges du Río Alhama, détendez-vous quelques heures aux thermes d'Alhama

En arrivant dans le village, suivre "Centro ciudad", qui vous mène dans le vieux quartier, au sommet de la colline. De la vaste esplanade centrale (Paseo Montes Jovellar), le panneau "Tajo" indique la rue menant au clou de la visite : le **belvédère** dominant les gorges spectaculaires du río Alhama. Juste à côté se dresse l'église del Carmen, construite au XVIᵉ siècle dans le style maniériste, et remaniée deux siècles plus tard selon les canons du baroque. Un sentier, le **Camino de los Ángeles** – 4km aller-retour –, descend au fond des gorges et remonte le cours d'eau. On y accède par la pittoresque Cuesta de los Molinos, qui part juste au pied de l'église. En revenant sur l'esplanade, on aperçoit sur la droite le promontoire où est installée l'ancienne médina, dont les rues tortueuses abritent de belles demeures aristocratiques construites aux XVIᵉ et XVIIᵉ siècles. Surplombant l'ensemble de son haut clocher, l'église de la Encarnación fut fondée par les Rois Catholiques dès la conquête d'Alhama en 1482. Ce fut donc l'un des premiers édifices chrétiens érigés sur les terres du royaume nasride de Grenade, dix ans avant la chute de cette dernière. Son architecture mélange les styles gothique et Renaissance. L'église abrite une collection d'habits ecclésiastiques d'une grande valeur – certains d'entre eux auraient été brodés par la reine Isabelle en personne. Comme il se doit, cette église occupe le site de l'ancienne mosquée-forteresse, détruite *illico presto* et dont il ne subsiste plus rien. Histoire d'assurer la victoire sans partage de l'Église sur les infidèles, le palais de l'Inquisition fut érigé à deux pas de là quelques années plus tard. Sa façade est un bel exemple du style gothique isabélin. À voir également, dans le quartier, la pittoresque Plaza de los Presos, la prison du XVIIᵉ siècle et le grenier à blé installé au XVIᵉ siècle dans une ancienne synagogue du XIIᵉ siècle. En descendant la Calle Caño Wamba, on accède à une jolie fontaine Renaissance du XVIᵉ siècle, puis à l'église de las Angustias, dont les ruines dominent les gorges. En face de l'église, la Calle de la Mina descend vers d'étranges vestiges d'édifices musulmans, des cavités circulaires en partie creusées à même la roche, qui servaient de prison ou de silo à grains aux arabes.

Où prendre les eaux ?

Thermes d'Alhama À 1,5km du village, sur la route de Grenade (A335). Une route secondaire part sur la gauche et mène à l'établissement thermal, installé au bord d'une rivière. Les vertus des bains d'eau chaude (47°C) d'Alhama sont connues depuis l'époque romaine. L'établissement thermal actuel s'est établi sur le site des anciens bains romains et arabes. Il propose diverses formules : vous pouvez prendre un simple bain d'eau thermale (*baño relax*, env. 19€) ou bien la formule plus élaborée du *baño reina* (26€ env.) incluant un bain d'eau thermale, un bain de vapeur et divers soins. La salle d'attente des soins donne sur les superbes **bains romains** du Iᵉʳ siècle ap. J.-C., surmontés de voûtes musulmanes du XIIᵉ siècle. On peut aussi juste visiter les lieux. *Tél. 958 35 00 11 et 958 35 03 66 Fax 958 35 02 97 www. balnearioalhamadegranada.com Ouvert pour la visite simple tlj. 14h-16h Fermé mi-nov.-mi-mars Entrée 1€ Gratuit lun. Pour les soins ouvert tlj. 8h-12h30 et 17h-20h*

GÉOREGION

PROVINCE DE GRENADE

Où boire un verre, manger des tapas ?

Casa Ochoa. En contre-haut du Paseo Montes Jovellar, dans le vieux quartier. Un bar-restaurant comme on les aime, où règne une ambiance conviviale et accueillante. Tapas et rations à petits prix, notamment de savoureuses charcuteries de la région. À déguster au comptoir ou dans la salle plus intime du fond. Cette dernière accueille les réunions d'une *tertulia* (cercle d'amis réunis autour d'un thème, souvent tauromachique), dont les compagnons viennent simplement partager le plaisir de discuter autour de quelques verres. *Plaza de la Constitución, 28 Tél 958 36 01 64*

Manger, dormir à Alhama

petits prix

Hostal San José. Dans le vieux quartier, non loin de l'esplanade. Chambres doubles avec sdb à partir de 32€. *C/ Constitución, 27 Tél. 958 35 01 56 87*

prix moyens

Hotel Baño Nuevo. Tout au fond de la propriété des bains thermaux. Un hôtel calme et confortable, à des prix très raisonnables. Vous pourrez profiter de la piscine du complexe et, pourquoi pas, vous offrir quelques soins. Doubles à partir de 50€ HT env. *Carretera del Balneario Tél. 958 35 00 11 www.balnearioalhamadegranada.com Ouvert juin-sept.*

El Ventorro. À 3km au sud d'Alhama sur la route de Játar (GR41). Une pension charmante, dans un cadre bucolique. Chambres rustiques et agréables. Doubles avec sdb à 50€ env., petit déj. inclus. Huit chambres creusées à même la roche ont été ouvertes en 2007 (60-80€ la double, petit déjeuner inclus). Le hammam accueille aussi les non-résidants (mar.-dim., séance d'1h45 à 24€). Le restaurant propose de bons produits du terroir à des prix modestes ; préférez les tables installées dehors sous les vignes. L'intérieur étant haut de plafond, le niveau sonore peut atteindre des sommets… Menu env. 10€. *Carretera de Játar km 2 Tél. 958 35 04 38 www.elventorro.net Piscine publique à deux pas de l'hôtel (3€)*

La Seguiriya. Un hébergement d'inspiration flamenca avec beaucoup de cachet. Chambre double (petit déjeuner inclus) à 60€ et une double familiale à 90€. La salle du restaurant, surmontée de poutres en bois, est décorée de peintures d'artistes andalous et dispose d'une terrasse avec une vue splendide sur le "Tajo". Pour un dîner, compter 20-30€. *Calle las Peñas, 12 Tél. 958 36 08 01 15 www.laseguiriya.com*

Guadix

18500

Porte d'entrée des hauts plateaux arides du nord-est de la province, Guadix (20 000 hab.) est située au pied des premiers contreforts de la sierra Nevada, à 915m d'altitude. La splendeur que connut la ville

sous l'ère musulmane a laissé derrière elle des quartiers aux ruelles enchevêtrées, à l'ombre de l'immense cathédrale bâtie après la Reconquête. Mais la principale curiosité de Guadix, ce sont les innombrables maisons que les habitants ont aménagées à l'intérieur de grottes creusées dans les collines qui entourent la ville. Guadix compte ainsi près de 2 000 habitations troglodytiques, peuplées par quelque 8 000 personnes, ce qui en ferait le plus grand ensemble de ce type en Europe. Façades blanches surgissant du rocher et cheminées accrochées aux pentes des collines forment un paysage insolite. À la fois élégante et décontractée, Guadix est au bout du compte une ville bien agréable, destination parfaite pour une excursion d'une journée.

HISTOIRE D'*ACCI* QUI DEVINT GUADIX Les Phéniciens, qui connaissaient déjà au VIIIe siècle av. J.-C. l'existence du site, le nommèrent *Acci*. Au IIe siècle av. J.-C., les Romains y fondent une colonie destinée aux vétérans des guerres puniques. La cité se développe rapidement. Sous l'impulsion du prédicateur saint Torcuato, elle est l'une des premières en Espagne à se christianiser massivement, et à devenir siège épiscopal. L'arrivée des musulmans au VIIIe siècle est à l'origine du nom actuel de la ville, issu de l'arabe *Wadi As*. À l'époque nasride, les seigneurs locaux cherchent à se détacher de l'autorité de Grenade et créent un petit royaume indépendant. Guadix tombe aux mains des Rois Catholiques en 1489. Le XVIe siècle amènera de profonds changements dans la physionomie des lieux, avec la construction de la cathédrale, de la Plaza de la Constitución et de nombreuses églises. Le centre-ville a beaucoup souffert de l'invasion des troupes napoléoniennes en 1810 et des combats de la guerre civile en 1936.

Guadix, mode d'emploi

accès

EN VOITURE À 60 km au nord-est de Grenade et 110 km au nord-ouest d'Almería par l'autoroute A92 (gratuite).

EN CAR De Grenade, 12 départs/j. en semaine et de 7 à 9 départs/j. le week-end (1h). *Alsina Graells* Tél. 958 66 06 57

EN TRAIN 4 départs/j. de Grenade, 6 ou 7 d'Almería *Renfe* Tél. 902 24 02 02

orientation

Trois grandes avenues convergent vers la cathédrale située au nord de la vieille ville : Buenos Aires (qui vient du nord), Mariana Pineda (de l'ouest) et Medina Olmos (de l'est). Le quartier troglodytique se trouve au sud de l'axe Mariana Pineda. Le Barrio de Santa Ana s'étend au sud de l'Avenida Medina Olmos.

informations touristiques

Office de tourisme. À 300 m à l'ouest de la cathédrale, en direction de Grenade. Très bien documenté, il vous fournira cartes et informations sur Guadix et toute la région de Grenade. *Av. Mariana Pineda Tél. 958 69 95 74 www.guadix.es Ouvert lun.-ven. 8h30-15h30 Fermé sam.-dim.*

adresses utiles

Bureau de poste. Dans le vieux quartier. *Plaza Palomas, 13 Tél. 958 66 03 56 Ouvert lun.-ven. 8h30-14h30, sam. 9h30-13h*

Découvrir Guadix

☆ **À ne pas manquer** La cathédrale, le Barrio de las Cuevas et le Castillo de la Calahorra **Et si vous avez le temps...** Faites une pause en terrasse Plaza de las Palomas et découvrez une habitation troglodytique du xixe siècle à la Cueva-Museo de Alfarería

☆ **Cathédrale** On ne peut manquer cet édifice immense dont le clocher massif surplombe le reste de la ville. Elle fut construite, comme souvent, sur le site de l'ancienne mosquée principale. Un étonnant mélange de styles allant du gothique au baroque en passant par la Renaissance : les travaux s'éternisèrent du xvie au xviiie siècle. Le plan général de l'édifice et les voûtes en ogives que l'on aperçoit en entrant appartiennent au gothique. Mais à partir du transept, et surtout avec la coupole monumentale, la Renaissance triomphe, sur des plans dessinés par Diego de Siloé, le grand architecte de la Renaissance à Grenade. Dans le musée de la cathédrale, on remarquera des manuscrits, des pièces d'orfèvrerie et la relique du bras de saint Torcuato. *Tél. 958 66 50 89 Ouvert lun.-sam. 10h30-13h et 16h-18h (17h-19h en été) Entrée : 3€, 2€ plus de 65 ans, 1€ moins de 17 ans*

Judería et Barrio de Santiago Un quartier médiéval d'un grand intérêt, à l'ombre de la cathédrale. Partant de la Plaza de la Catedral, la Calle Largancha débouche sur une place superbe, entourée d'arcades du xvie siècle, la Plaza de la Constitución, familièrement connue sous le nom de Plaza de las Palomas (place des Colombes). Les terrasses de ses cafés invitent particulièrement à la pause. Vous êtes en plein cœur de l'ancien quartier des artisans musulmans de la soie et de l'ancienne communauté juive de Guadix, expulsée d'Espagne en 1492. À l'ouest de la cathédrale, l'Hospital de la Caridad fut aménagé par les Rois Catholiques sur le site de l'ancienne synagogue. Juste à côté, on remarquera les élégantes façades Renaissance du Palacio de Villalegre (1592) et du Palacio Episcopal (xvie siècle). Depuis la Plaza de la Catedral, en remontant la Calle Ramón Gómez puis la Calle Vilala, on accède au quartier de Santiago, du nom de l'église, construite au xvie siècle dans un beau style gothique-mudéjar. La façade, œuvre de Diego de Siloé, est de style Renaissance, avec un portail richement ciselé, caractéristique du plateresque. Mais l'édifice le plus intéressant du quartier est le Palacio de Peñaflor (xviie-xviiie siècle), dont la façade en brique dotée d'un surprenant balcon en bois est d'une grande finesse. Accolé au palais, un séminaire fondé en 1592, est l'un des plus anciens de la région.

Barrio de Santa Ana Ce quartier, qui occupe le sud-est du centre-ville, fut l'un des plus importants à l'époque musulmane, avant d'accueillir la communauté des morisques (musulmans convertis) après la Reconquête. Pour être franchement décrépites et poussiéreuses, ses rues étroites bordées de balcons fleuris n'en ont que plus de charme (un programme de réhabilitation est en projet). Centre du quartier, l'église Santa Ana fut construite au xvie siècle dans un style mudéjar, bien évidemment sur le site d'une ancienne mosquée. À ses pieds coule l'eau d'une jolie fontaine Renaissance du xvie siècle.

Barrio de San Miguel À l'ouest de la cathédrale, au-delà de la Calle San Miguel. Principal site de peuplement d'*Acci* à l'époque romaine, ce quartier se développa énormément sous *Al-Andalus*. Le long des ruelles pavées, de nombreuses maisons ont gardé les façades de brique et les arcs en fer à cheval hérités des musulmans. L'église San Miguel (ancienne église Santo Dominguo, xvie siècle) illustre à merveille le gothique-mudéjar. Non loin de là, en bas de la Calle San Miguel, le Torreón del Ferro est le dernier vestige de la muraille musulmane érigée au xie siècle pour protéger la ville. En s'enfonçant dans le quartier, on accède à la colline du Cerro Magdalena, plus à l'ouest. Au sommet, de l'esplanade de l'église de la Magdalena, on embrasse du regard la ville et les montagnes environnantes.

☆ **Barrio de las Cuevas** Un quartier très étendu, celui des grottes creusées dans les collines dominant le centre-ville. Profitant de la malléabilité de l'argile, les habitants creusèrent avant l'invasion musulmane. Sous *Al-Andalus* et après la Reconquête, le quartier prend de l'ampleur et regroupe les artisans, essentiellement les potiers. Au sud-ouest, la Calle Ermita Nueva rassemble les deux sites les plus intéressants. La Ermita Nueva, ermitage construit autour d'une grotte, et la Cueva-Museo de Costumbres Populares (grotte-musée), qui permet de découvrir une habitation du xixe siècle et d'en savoir plus sur ce mode de vie si particulier. Pour une vue saisissante sur l'ensemble des **habitations troglodytiques**, prendre la Calle Fuente Mejías jusqu'au nouveau mirador Cerro de la Bala. Plus près du centre, la Cueva-Museo de Alfarería abrite une collection de poteries traditionnelles, et une expo-vente d'artisans locaux. ***Cueva-Museo de Costumbres Populares*** *Ouvert en saison : lun.-ven. 10h-14h et 17h-19h, sam. 10h-14h ; hiver : lun.-ven. 10h-14h et 16h-18h, sam. 10h-14h Entrée env. 1,60€ TR 0,80€* ***Cueva-Museo de Alfarería*** *En haut de la Calle San Miguel Tél. 958 66 47 67 Ouvert lun.-ven. 10h-14h et 16h-19h, sam.-dim. et j. fér. 9h-14h Entrée env. 3€*

Découvrir les environs

Découvrir un château dans le désert

☆ **Castillo de la Calahorra** À 20km au sud-est de Guadix par l'A92 puis l'A337. Ce château construit au début du xve siècle domine la région désolée des hauts plateaux du Marquesado de Zenete, dans un cadre absolument grandiose dominé par la sierra Nevada. La démesure et la solitude de ce "château des Tartares" à l'espagnole forment un spectacle émouvant au possible, surtout quand le soleil couchant fait rougeoyer ses tours arrondies et ses hautes murailles aux créneaux acérés. C'est l'un des premiers exemples en Espagne d'architecture Renaissance, inspirée du Quattrocento. Son patio intérieur en marbre est d'une élégance rare avec ses deux étages ornés de bas-reliefs réalisés par des artistes italiens et son escalier majestueux. Le village de la Calahorra, au pied du château, mérite lui aussi une visite. Quelques kilomètres plus au sud, sur la route qui enjambe la sierra Nevada en direction des Alpujarras (A337), le col du Puerto de la Ragua offre l'un des panoramas les plus étonnants d'Andalousie. *Visite mer. 10h-13h et 16h-18h En arrivant, passez au vestibule et tirez la sonnette s'il n'y a personne, on viendra vous ouvrir Rens. à l'office de tourisme de Guadix Tél. 958 66 26 65*

En savoir plus sur l'architecture arabe

Centre d'interprétation de l'architecture arabe Dès la porte franchie, c'est un retour au Moyen Âge qui attend le visiteur. Installé dans le donjon restauré de l'ancienne forteresse médiévale (xiiie siècle) du village de Ferreira, ce musée raconte la vie quotidienne de l'époque et permet de découvrir, à travers les vestiges retrouvés dans la région, l'architecture arabe médiévale. Une maison seigneuriale annexe a également été restaurée pour accueillir la mairie. *Ferreira (à 20km au sud de Guadix par l'A92) Ouvert mar.-jeu. 11h-14h, ven.-dim. 11h-14h et 18h-21h Entrée 2€*

Manger, dormir à Guadix

très petits prix

Don Pepe. Qui aurait envie de s'attabler entre ces deux grands immeubles sans charme ? Tous les amateurs de bonnes tapas ! Traditionnelles (*jamón, queso*) ou plus élaborées (crevettes au gros sel, brochettes de chevreau) avec des rations gargantuesques. Le service est plein d'attention, la terrasse très gaie. Même au moment de l'addition, puisqu'on s'en sort pour moins de 10€ en ayant mangé comme des rois. *Calle Manuel de Falla, 1 (prolongement vers le nord de la calle San Miguel, après l'av. Mariana Pineda) Tél 958 66 46 27 Ouvert tlj. en été (midi et soir) Fermé mer. soir en hiver*

petits prix

Chez Juan y Julia. Au cœur du quartier des grottes. Parmi les milliers d'autres maisons semblables creusées dans la roche, un couple franco-espagnol a aménagé des chambres et un appartement simples, mais exemplaires de propreté. Murs blancs, avec quelques tissus de couleurs vives pour rehausser le tout. On s'y sent bien, l'accueil est franc, sans chichis. Chauffage partout, machine à laver et kitchenette bien pratiques dans les appartements. 38€ la chambre double et appartement de 68 à 83€ env. (pour 4 pers.). Contourner l'église Ermita Nueva par la gauche. Automobilistes, attention, révisez vos démarrages en côte ! Parking gratuit devant la maison. *Calle Ermita Nueva, 67 Tél. 958 66 91 91 www.altipla.com/jj*

prix moyens

Appartamentos Cuevas Pedro Antonio de Alarcón. À 2km au nord du centre-ville (au bout de l'Avenida de Buenos Aires, direction Murcie). Si vous n'avez jamais dormi dans une grotte, voici l'occasion tant attendue. Ces appartements troglodytiques récemment aménagés se révèlent très confortables, joliment décorés, frais et calmes malgré la proximité de l'autoroute. Les prix sont très intéressants si vous êtes nombreux. Grande piscine au pied des grottes. Réservation vivement conseillée. Grotte 2 pers. : de 63 à 75€ HT ; 4 pers. : de 99 à 114€ HT ; 5 pers. : de 111 à 127€ HT. Si vous passez 7 nuits, vous n'en paierez que 6. Haute saison : Noël, Semaine sainte et mois d'août. *Barriada San Torcuato Tél. 958 66 49 86 Fax 958 66 17 21 www.cuevasguadix.com*

prix élevés

Hotel Comercio. À l'est de la cathédrale, près de l'église San Francisco. Un charmant édifice datant de 1905, dont les grandes chambres sont décorées simplement mais avec goût. Boiseries et vitraux Belle Époque sont particulièrement mis en valeur depuis la rénovation de 2004. Au rez-de-chaussée, un restaurant gastronomique propose de délicieuses spécialités régionales, comme l'agneau au miel, à des prix raisonnables. Double à partir de 70€. Pour 10€ de plus, le petit déjeuner est compris et on peut profiter du Spa. *Calle Mira de Amezcua, 3 Tél. 958 66 05 00 Fax 958 66 50 72 www.hotelcomercio.com*

La sierra Nevada

La sierra Nevada est la chaîne la plus élevée d'Espagne continentale, et la deuxième en Europe après les Alpes. Elle culmine au mont Mulhacén (3 478m), suivi du Veleta (3 394m), et compte plusieurs autres sommets au-delà de 3 000m. Le Parque nacional de la sierra Nevada couvre 86 200ha. La faune sauvage du parc compte bon nombre de chèvres de montagne (*cabra montes*, proche du bouquetin), renards, sangliers, chats sauvages (plus rares), ainsi que de grands oiseaux de proie. La végétation change avec l'altitude : végétation désertique essentiellement composée de lichens sur les sommets, et forêt méditerranéenne dans les vallées. La sierra Nevada rassemble 2 100 espèces végétales différentes, dont près de 90 sont endémiques. La route qui monte vers Pradollano offre des vues époustouflantes sur la région. Autre destination de choix pour profiter au mieux de la sierra Nevada, le village de Güéjar Sierra (1 084m, 2 900 hab.), au nord-ouest de la chaîne, les régions du Marquesado del Zenete au nord-est et bien sûr la région des Alpujarras sur le versant sud.

☆ **PRADOLLANO** Nichée au cœur de la sierra Nevada, Pradollano (2 100m) est la plus importante station de sports d'hiver d'Espagne : elle a attiré plus de 1,3 million de visiteurs lors de la saison 2004-2005. Appelé aussi "station de ski sierra Nevada" ou "Solynieve", le domaine compte 86 pistes tous niveaux, pour un total de 86km, dont 32km équipés de canons à neige. Profitant d'un ensoleillement quasi permanent au cours de l'hiver, la station est également réputée pour sa vie nocturne débridée. La saison de ski se clôt traditionnellement début mai, et, l'été, Pradollano se vide et perd tous ses atours : les immeubles modernes concentrés au pied des remontées mécaniques à l'arrêt semblent bien tristes. De plus, la plupart des hôtels et des restaurants sont fermés. Mais le site se prête alors parfaitement à la pratique du parapente, du VTT et bien sûr, à la randonnée dans le magnifique parc de la sierra Nevada.

Pradollano et la sierra Nevada, mode d'emploi

accès

EN VOITURE Pradollano est à 39km au sud-est de Grenade, par l'A395 (direction sierra Nevada). Large route de montagne en parfait état, mais prévoyez tout de même des chaînes en hiver en fonction de la météo.

EN CAR Desserte quotidienne de Pradollano au départ de la gare routière de Grenade (1h, env. 8€ AR). En hiver, le car s'arrête dans la station ; en été, il continue jusqu'à l'Albergue Universitario, passant en chemin devant les principaux hôtels et l'auberge de jeunesse. Trois ou quatre allers-retours par jour en hiver, un en été. **Bonal** *Tél. 958 46 50 22 www.grupotocina.com*

station-service

L'unique station-service de la région est située juste en contrebas du centre d'informations El Dornajo (cf. informations touristiques), à 24km de Pradollano. *7h-23h*

orientation

Pradollano est agrippée à un versant de la montagne à 2100m. On y accède par le bas de la station où se trouvent plusieurs parkings, au pied des télécabines. Une zone piétonne accueille le centre d'information et de réservation ainsi que quelques hôtels, l'essentiel des restaurants et de nombreux commerces. La Calle Virgen de las Nieves remonte en serpentant vers le haut de la station, le long des hôtels. Au-dessus de Pradollano, à 3km, se trouve le lieu-dit Hoya de la Mora.

informations touristiques

Si vous venez pour la journée de Grenade, consultez auparavant le journal *Ideal*, qui fait le point quotidiennement sur l'état des pistes et les conditions d'enneigement.
Centro de visitantes El Dornajo. Il possède une foule d'informations sur la sierra Nevada, ainsi que les cartes et topo-guides nécessaires pour les randonnées. On peut y demander des conseils sur les itinéraires à suivre et, en principe, louer un VTT et même réserver les services d'un guide de montagne pour la randonnée ou l'escalade. Le centre propose par ailleurs en été des activités de plein air d'une demi-journée à 4 jours, à des prix très intéressants. *Route de sierra Nevada, km23 (en direction de Pradollano, à l'angle de la route de Güéjar Sierra) Tél. 958 34 06 25 www. nevasport/nivalis.com Ouvert mar.-dim. 10h-14h et 16h30-19h (16h-18h en hiver)*
Centre d'informations et de réservations sierra Nevada. Pratique pour obtenir tous types d'informations concernant la station de ski : accès, forfaits, location, état des pistes, météo, etc. *Tél. 902 70 80 90 www.sierranevadaski.com Fermé en été*

saison

La saison de ski dure généralement de décembre à début mai. La très haute saison ne s'étend que pendant les fêtes de fin d'année et les mois de janvier et février.

De mars à la fin du mois d'avril, les pistes et les hôtels deviennent moins bondés, sauf pendant les week-ends.

Découvrir la sierra Nevada

☆ **À ne pas manquer** Pradollano et le domaine skiable **Et si vous avez le temps...** Découvrez les pistes du domaine skiable de Pradollano/Solynieve à ski, randonnez entre lacs et ruisseaux dans les Lagunillos de la Virgen, survolez la sierra Nevada en parapente

☆ Découvrir le domaine skiable

Le domaine skiable de Pradollano/Solynieve, si bien équipé, a accueilli la coupe du monde de snowboard en 2005, celle de ski-cross en 2006 et la coupe du monde féminine de ski (slalom géant et slalom spécial) en 2007. Il se décompose en 86 pistes tous niveaux, pour un total de 86km, dont 32km équipés de canons à neige, deux pistes de ski de fond (4km) et un half-pipe pour les fanas de snowboard. La grande majorité des pistes vont de la verte à la rouge, les pistes de difficulté très élevée se faisant plus rares. Les pistes les plus hautes, sur les pentes du pic du Veleta, culminent à 3 300m. En journée, les installations de Borreguiles, sur les pentes du mont Veleta, sont le centre névralgique de la station. On y accède en télécabine de Pradollano. Elles rassemblent de nombreuses écoles de ski, des cafétérias et des restaurants. Les pistes les plus faciles se situent dans les alentours. La Pista del Río descend jusqu'à Pradollano, mais elle est complètement bondée en fin de journée, lors des retours vers la station. Parmi les pistes les plus belles et les plus tranquilles (des rouges essentiellement), citons celles qui mènent à la Laguna de las Yeguas, ainsi que la longue Pista del Águila, qui descend jusqu'à Pradollano.

Randonner en haute montagne

Les randonneurs invétérés ne quitteront pas la région sans s'être attaqués aux plus hauts sommets d'Espagne continentale. La carte *Sierra Nevada* des éditions Penibetica, accompagnée d'un guide très complet en espagnol, est parfaite pour découvrir l'ensemble des itinéraires et leur durée. On peut l'acheter au centre d'information El Dornajo. Ce dernier propose par ailleurs des randonnées avec un guide qui vont de la balade d'une demi-journée (à partir de 15€) à des itinéraires de haute montagne plus complets (cf. informations touristiques).

Conseils De mai à septembre, la plupart des sommets sont accessibles aux marcheurs. Les consignes de sécurité sont classiques mais nécessaires : ne pas s'éloigner des sentiers car le terrain est particulièrement abrupt, ne pas traverser de névés, éviter les lits de cours d'eau, prévoir nourriture et eau en quantités suffisantes et profiter des heures matinales (plus fraîches). Au-dessus de 2 500m, il est indispensable de prévoir des vêtements d'hiver en plus de la protection contre le soleil. En hiver, la randonnée se transforme en alpinisme et requiert expérience et équipement adaptés.

Principales randonnées, au départ de Hoya de la Mora

Randonnée	Durée/ Distance (AR)	Difficulté/ Dénivelé	Intérêt
Mulhacén	12h (éventuellement deux journées) 19km	De moyenne à haute 1 007m	Le point culminant de la sierra. Panorama sur le massif et la Costa Tropical. Possibilité de dormir en refuge.
Veleta	6h 9km	De moyenne à haute 919m	Une randonnée accessible, avec de beaux points de vue.
Elorrieta	6h 7,5km	Moyenne 675m	Laguna de las Yeguas (baignade possible).
Lagunillos de la Virgen	2h30 6km	Moyenne 475m	Petits lacs et cours d'eau. Possibilité de baignade.

Transports et refuges Tant que la neige ne l'empêche pas, l'administration du parc (cf. informations touristiques, Centro de visitantes) de la sierra Nevada organise un transport en minibus (itinéraire commenté sur la sierra) de Hoya de la Mora jusqu'à Posiciones de Veleta, ce qui fait gagner une heure de marche (juil.-début oct. : départ tlj. toutes les 45min, de 8h à 18h45, env. 8€ AR). À noter : il y a deux refuges dans le parc, celui de la Carihuela (3 200m), au pied du Veleta, ou celui de la Caldera (3 100m), au pied du Mulhacén. Ces refuges sont en accès libre et souvent bondés.

Se balader à VTT

Même si certains sentiers de randonnée s'étendant à l'intérieur du parc naturel sont interdits aux VTT, la région ne manque pas d'itinéraires spectaculaires. Au départ de l'Albergue Universitario, par exemple, au-dessus de Pradollano, on peut ainsi rejoindre le sommet du pic Veleta en 2h, sur l'ancienne route désaffectée qui traverse la sierra vers le sud. Dans les alentours de Güéjar Sierra, la région des Alpujarras et celle de Jerez del Marquesado, on peut emprunter des kilomètres de pistes forestières bien entretenues.

Randonner à cheval

Le parc national de la Sierra Nevada offre un décor de rêve pour les promenades à cheval et le parcours allant de Hoya de la Mora jusqu'à la laguna de Las Yeguas est particulièrement spectaculaire. Demandez à Nono qui le connaît bien. *Tél. 659 84 96 88 Insistez, il n'est pas facile à joindre !*

S'initier au parapente

De par son altitude et ses conditions météorologiques estivales, la sierra Nevada est l'un des meilleurs sites d'Espagne pour pratiquer le parapente. Au cours des championnats du monde 2001, certains ont réalisé des vols de 200km, jusqu'aux confins de la province de Jaén. S'envoler depuis le sommet du Mulhacén ou du Veleta est un bonheur réservé aux experts, tandis que le site d'El Purche est mieux adapté aux débutants. *Renseignements auprès du centre El Dornajo ou au 958 48 96 39 et 610 78 90 89*

Dormir à Pradollano

camping

Rappel : le camping sauvage est interdit dans le parc naturel.

Camping Las Lomas. Situé juste avant Güéjar Sierra. Piscine et eau chaude. 20€ pour 2 personnes avec tente et voiture. Une vue superbe, ce qui ne gâche rien. *Route de Güéjar, km6,5 Tél./fax 958 48 47 42*

très petits prix

Albergue juvenil Sierra Nevada. Sans conteste la meilleure solution. Située 3km au-dessus de Pradollano, elle est reliée à la station et aux pistes par un télé-siège (à 500m de l'auberge). Moderne, confortable et bien tenue, elle propose des repas à tout petits prix (env. 7€) et des locations de skis moins chères que dans la station. Si vous comptez venir à Noël ou en janvier, réservez à l'avance. Mais de février à début mai, il est facile de trouver une chambre hors week-ends. Tarifs (-26 ans/+26 ans) : déc.-avr. 25-30€/pers., mai-nov. 10-14€/pers. petit déj. inclus. *Calle Peñones, 22 Tél. 958 57 51 16 www.inturjoven.com Ouvert toute l'année*

Albergue Universitario. L'auberge universitaire est située au sommet de la route, en contre-haut de Pradollano, à Hoya de la Mora. Elle est le point de départ de nombreuses activités (ski, randonnée, VTT, etc.). Chambres doubles l'été à env. 27€ (petit déj. et dîner compris), env. 35€ en pension complète ; l'hiver env. 35€ et 45€. *Tél. 958 48 01 22*

prix élevés

Hotel Kenya Nevada. Hôtel de charme avec boiseries. Tout confort. Au cœur de la station et ouvert toute l'année. Chambres doubles de 100 à 185€ HT env., petit déj. compris. *C/ Virgen de las Nieves, 6 Tél. 958 48 09 11 www.kenyanevada.com*

★ Les Alpujarras

Cette région, appelée Las Alpujarras ou La Alpujarra, est l'une des plus attirantes d'Andalousie. Elle s'étend à flanc de montagne, le long de gorges encaissées et de vallées fertiles, entre la sierra Nevada au nord et les sierras de la Contraviesa et de Gádor au sud. Outre ses paysages grandioses, la région se distingue par l'architecture de ses vieux villages, adaptée aux contraintes du milieu : autres éléments caractéristiques, les passages couverts apportant de la fraîcheur dans les ruelles, et les cheminées cylindriques en terre, qui émergent des toits plats des maisons. La fréquentation touristique s'est développée rapidement ces dernières années. Les marcheurs affluent au printemps et à l'automne, pour éviter les grosses chaleurs. En été, c'est une excursion

populaire depuis la côte : il faut s'attendre à de sérieux bouchons sur les routes étroites, d'ouest en est le matin, et d'est en ouest en fin d'après-midi. Néanmoins, les Alpujarras restent une destination privilégiée pour les amoureux de nature et de nostalgie, à condition d'éviter Lanjarón, Pampaneira ou Órgiva. La partie orientale des Alpujarras, dans la province d'Almería, est beaucoup moins attractive, avec son relief plus modeste et sa végétation aride.

TERRE D'ISOLEMENT ET D'INSOUMISSION L'isolement des vallées des Alpujarras en a longtemps fait une terre oubliée, accueillant les exclus. Sous les Romains et les Wisigoths, de nombreux ermites chrétiens viennent s'y réfugier dans l'oubli du monde. À l'époque musulmane, les Berbères s'installent dans ces montagnes et y créent de petites principautés, les *Tahás*, dont les gouverneurs sont relativement indépendants des autorités d'*Al-Andalus*. Sous le règne des Nasrides, la région prospère grâce à la production de la soie, qui alimente les ateliers de Grenade et d'Almería. Une activité qui fait alors vivre près de 150 000 personnes, réparties dans des centaines de hameaux. Après la reconquête de Grenade en 1492, les Rois Catholiques accordent au sultan déchu Boabdil le fief des Alpujarras. Des milliers de musulmans se réfugient dans cette région. La répression religieuse et les expropriations exercées par les chrétiens provoquent vite des émeutes. En 1499, le soulèvement de l'Albaicín à Grenade est violemment réprimé. Il entraînera la conversion forcée des morisques. Les plus insoumis s'installent dans les Alpujarras. Ils se rebellent une nouvelle fois en 1568, sous l'impulsion du morisque Fernando de Valor, nommé roi par les insurgés sous le nom de Mohammed aben-Humeya. Avec l'aide de troupes venues d'Afrique du Nord et des morisques expulsés de l'Albaicín, il résistera pendant plus de trois ans aux armées chrétiennes. Après leur défaite en 1571, les morisques sont définitivement expulsés d'Espagne. Pour les Alpujarras, c'est un vrai désastre économique et démographique. La région est repeuplée par des populations venues du nord de l'Andalousie et de la Mancha, notamment des indésirables chassés par l'Inquisition. Pendant des siècles, ces communautés vivent dans l'isolement le plus total, développant une activité d'autosubsistance (cultures vivrières, artisanat). Avec l'exode rural des XIXe et XXe siècles, elle est en grande partie laissée à l'abandon.

UNE ARCHITECTURE ADAPTÉE Les maisons sont littéralement accrochées à la pente, avec des murs épais faits d'argile grise ou d'ardoises grossières. Les rares ouvertures se cachent sous des nattes tressées, afin de résister aux grandes chaleurs estivales et au froid hivernal. Là où la pente est forte, les habitants ont établi des plates-formes couvertes d'argile et soutenues par une charpente en bois (*terraos*, ou *terrados*) qui servent à la fois de terrasse à l'habitation en contre-haut, et de toit à celle qui est en dessous. De même, il n'est pas rare que les parties habitées de la maison soient au sous-sol par rapport à la façade. Dans les parties les plus anciennes des villages, les rues sont d'une étroitesse remarquable. Elles suivent la forme du relief, se glissant entre les façades blanchies à la chaux, les balcons couverts de fleurs et les affleurements rocheux.

HABITAT ET AGRICULTURE Les villages sont entourés de champs en terrasses, d'arbres fruitiers et de légumes destinés à la consommation locale. L'élevage des moutons et des chèvres est également très développé sur les hauteurs. Le système d'irrigation hérité des musulmans (bassins, rigoles, canaux, fontaines) fait résonner partout le bruit de l'eau, surtout à la fonte des neiges. Ainsi fertilisées, les vallées sont de vrais havres de verdure. Les fermes isolées (*cortijos*), longtemps laissées à l'abandon, sont aujourd'hui reconverties en gîtes ruraux souvent superbes, ou achetées par des étrangers.

GÉOREGION

PROVINCE DE GRENADE

Les Alpujarras, mode d'emploi

accès en voiture

Pampaneira se trouve à 62km au sud de Grenade. Prendre l'A44/N323 (direction Motril), puis la route de montagne A348 qui traverse les Alpujarras vers l'est et, après Lanjarón, bifurquer vers le nord par la GR421. Au-delà de Pampaneira se succèdent les villages les plus pittoresques de la région (Capileira, Trevélez). Même si la voiture reste le moyen le plus pratique pour visiter la région, les routes étroites des Alpujarras occidentales bouchonnent sérieusement d'ouest en est le matin, et d'est en ouest en fin d'après-midi. Principales stations-service : Lanjarón, Pórtugos, Órgiva, Torvizcón, Cádiar et Ugíjar.

accès en car

Alsina Graells. La ligne Grenade-Bérchules dessert plusieurs villages des Alpujarras au départ de la gare routière de Grenade. Trois cars quotidiens pour Pampaneira (10h, 12h et 17h, durée 2h), Capileira (durée 2h25) et Pitres (durée 2h45). Les cars de 12h et de 17h continuent vers Trevélez et Bérchules (passage à Pitres vers 14h45 et 19h45, 30min de trajet jusqu'à Trevélez et 1h jusqu'à Bérchules). Pour le retour, départs de Bérchules tlj. à 5h35 et 17h05, de Pitres à 6h25, 16h30 et 18h. *Tél. 958 18 54 80*

informations touristiques (à Pampaneira)

Nevadensis. Un centre d'informations ultracomplet sur la région. Géré par les guides de montagne, il propose, été comme hiver, de nombreuses sorties accompagnées (de 25 à 60€/pers.) et des activités de randonnée, VTT, canyoning, 4x4, escalade, ski de randonnée et raquettes. En été, l'itinéraire "Integral de Sierra Nevada" prévoit un trek de 5 jours sur les sommets de plus de 3000m (env. 315€/pers.). Vous pourrez également vous y procurer l'excellente carte *Sierra Nevada* des éditions Pénibetica, accompagnée d'un guide très complet, parfaite pour découvrir l'ensemble des itinéraires et leur durée. *Plaza de la Libertad, Pampaneira Tél. 958 76 31 27 Fax 958 76 33 01 www.nevadensis.com Ouvert mar.-sam. 10h-14h et 17h-19h (16h-18h en hiver), dim.-lun. 10h-15h*

Administration du parc de la Sierra Nevada. Un itinéraire commenté sur la sierra, en minibus, est organisé tous les jours à partir de Capileira. *Rens. au point d'information à l'entrée de Capileira sur la gauche. Juil.-sept., certains week-ends sans neige : 4 trajets/j. de 8h30 à 17h30 (env. 8€ AR) Réservation obligatoire Tél. 958 76 34 86 et 686 41 45 76*

banques

Distributeurs automatiques dans presque tous les villages. À Capileira, sur la rue principale. À Trevélez, sur la place principale après le pont. À Yegen, place de l'église, mais aussi à Bubión, Pitres, Portugos, Trevélez…

Découvrir les Alpujarras

☆ **À ne pas manquer** Trevélez **Et si vous avez le temps…** Composez vos pique-niques de jambon de Trevélez et de fromage de brebis, traversez la sierra par la route de la Calahorra, partez à la conquête du plus haut sommet des Alpujarras

Capileira Dominant les spectaculaires gorges de Poqueira, au pied du massif du Veleta, Capileira (600 hab.) est l'un des villages les plus agréables de la région. Perché à 1 436m, il est relativement préservé et tranquille, en comparaison avec ses deux voisins, Bubión et Pampaneira. Les ruelles entrelacées du village invitent à l'exploration. C'est également une base privilégiée pour explorer les sentiers de randonnée montant vers les sommets de la sierra Nevada. 72km au sud-est de Grenade par l'A44/N323, l'A348 puis la GR421. 2km après Pampaneira, prendre la route qui monte sur la gauche en direction de la sierra Nevada (Carretera de la Sierra). Remontant les gorges de Poqueira, elle passe par Bubión, avant de traverser le haut de Capileira. Elle continue ensuite pendant 5km (en mauvais état) jusqu'au point de départ de la randonnée du Veleta.

Mecina Fondales Un village minuscule, loin de l'agitation des principales destinations touristiques des Alpujarras. Parfait pour passer la nuit au calme, après avoir parcouru les ruelles tortueuses de son vieux quartier. 10km au sud-est de Capileira par la GR421, puis une rue secondaire descendant vers la vallée, 2km avant Pitres (direction : Mecina Fondales). En bus, descendez à Pitres, puis demandez aux habitants de vous indiquer le chemin de traverse descendant vers Mecina, c'est beaucoup plus rapide que par la route.

☆ **Trevélez** Une des destinations les plus plaisantes des Alpujarras. Accroché aux pentes encaissées du mont Mulhacén, à 1 476m d'altitude, Trevélez (850 hab.) s'enorgueillit d'être l'un des plus hauts villages d'Espagne. Mais la principale fierté des lieux est le fameux jambon ibérique de Trevélez. L'air pur qui baigne les séchoirs du village (les jambons viennent d'élevages situés dans d'autres régions) produit l'un des meilleurs *jamones ibéricos* d'Espagne, rivalisant avec celui de Jabugo dans la province de Huelva. Une qualité reconnue dès 1862, lorsque la reine Isabelle II donna l'autorisation aux producteurs locaux d'apposer le sceau royal sur leurs jambons. Désormais protégé par une appellation d'origine contrôlée, le Jamón de Trevélez est en fait produit dans plusieurs villages des Alpujarras, dont Capileira. Le meilleur moment pour visiter Trevélez est la célébration de la Virgen de las Nieves, le 5 août. Le pèlerinage rejoint le sommet du Mulhacén, où se trouve un ancien ermitage dédié à la Vierge des Neiges. Trevélez est divisé en trois quartiers, échelonnés le long des pentes. Le plus bas (Barrio Bajo), rassemblant les fabriques de jambon et quelques restaurants touristiques, n'a pas grand intérêt. En revanche, le quartier intermédiaire (Barrio Medio) est très séduisant, avec ses ruelles étroites comme des coupe-gorge, ses maisons épousant le relief, protégées de la chaleur par les traditionnels stores multicolores, ses toits en terrasse, ses portes basses entourées de fleurs et ses abreuvoirs où les paysans viennent faire boire leurs mules. Quant au Barrio Alto, surplombant l'ensemble à 1 600m, il se présente comme un témoin minuscule du temps jadis. Ses maisonnettes aux murs d'ardoises grossières furent conçues pour laisser l'étage inférieur aux étables, aujourd'hui remplacées par des poulaillers caquetants. Au pied du quartier, un lavoir ancestral où de vieilles dames en noir viennent bavarder dans l'odeur parfumée de la lessive. 20km au nord-est de Pampaneira par la GR421. Desservi par le bus Alsina Graells Grenade-Bérchules. En arrivant de l'ouest, juste avant le village, un embranchement part sur la gauche en direction du Barrio Medio et du Barrio Alto. Attention : il est impossible de traverser le Barrio Medio, et difficile de vous y garer. Essayez, à l'entrée du quartier, de trouver une place sur la Plaza de las Pulgas. Pour monter au Barrio Alto, partez à pied du Barrio Medio.

Yegen Yegen (prononcer "Ye-ren", avec le *r* guttural de la *jota*) doit sa relative célébrité à l'écrivain anglais Gerald Brenan, qui y vécut de 1923 à 1934 pour écrire *Au sud de Grenade*, consacré aux traditions et légendes des Alpujarras. Le meilleur point de départ pour explorer ce petit village typique est la rue qui descend sur la droite de la GR421, 50m après le bar El Tinao. Elle passe d'abord devant la fontaine puis, un peu plus bas, atteint la maison où Brenan habitait. Sur la gauche débute le sentier "Ruta de Brenan", parcourant les environs du village comme l'écrivain aimait, dit-on, à le faire. En descendant la rue, on accède à la place de l'église. De là, la Calle Iglesia continue vers la partie la plus basse et ancienne du village. Sur la gauche part un chemin longeant les rigoles d'irrigation héritées des musulmans, au milieu des cultures en terrasses ancestrales. En fin d'après-midi (le midi en été), de vieux paysans coiffés du traditionnel chapeau tressé reviennent des champs avec leur binette sur l'épaule. Plus loin, sur la gauche de la Calle Iglesia, la Calle de la Fuente recèle des recoins vraiment pittoresques, avec ses maisons surélevées installées au-dessus des étables. Avec les nombreuses parcelles cultivées au cœur même du village, on se croirait en pleine campagne. En cherchant un peu, vous trouverez les sentiers qui remontent vers la partie haute du village en longeant les rigoles. *À 36km de Trevélez par la GR421 (dir. Bérchules) puis la C332 (par Mecina Bombarón)*

Route de La Calahorra Quelques kilomètres à l'est de Yegen (C332 jusqu'à Mecina Alfahar puis GR431 vers Laroles) part la route de La Calahorra (A337), l'une des plus spectaculaires de la région. Elle traverse la sierra en direction du nord et passe le col du Puerto de la Ragua (2 000m). En redescendant sur le versant nord, on accède à l'insolite château de La Calahorra, perdu au milieu d'un décor grandiose. Une belle variante pour aller à Guadix ou retourner vers Grenade.

Randonner dans les Alpujarras

Les Alpujarras sont l'une des régions d'Espagne les plus propices à la randonnée. De nombreux chemins de traverse relient les villages, et le GR®7 traverse toute la région (de Puerto de la Ragua au nord-est jusqu'à Lanjarón au sud-ouest).

Conseils pratiques De mai à septembre, la plupart des sommets sont accessibles aux marcheurs. Les consignes de sécurité sont classiques mais nécessaires : ne pas s'éloigner des sentiers car le terrain est particulièrement abrupt, ne pas traverser de névés, éviter les lits de cours d'eau, prévoir nourriture et eau en quantité suffisante et profiter des heures matinales (plus fraîches). Au-dessus de 2 500 m, il est indispensable de prévoir des vêtements d'hiver en plus de la protection contre le soleil. En hiver, la pratique de l'alpinisme nécessite une expérience et un équipement adaptés. Réservations pour le refuge de Poqueira *Tél. 958 34 33 49 et 659 55 42 24 refpoqueira@hotmail.com Ouvert toute l'année*

Randonnée	Durée/dist. (AR)	Dénivelé	Intérêt
Capileira-Pueblos del Poqueira	4h/6km	400m	Découverte des villages, architecture locale.
Capileira-Cebadilla	3h30/6km	110m	Flore et faune, surtout au printemps.
Capileira-Mulhacén	2 jours/29km	2 300m	Itinéraire de haute montagne. Sommet le plus élevé des Alpujarras. Un *must*. Nuit au refuge de Poqueira.
Mecina Fondales Carihuela	7h/14km	350m	Découverte de la nature et des villages de la région.
Trevélez Siete Lagunas	8h/10km	1 390m	Multiples lacs de montagne. Faune et flore typiques.

Randonner à cheval

Les Alpujarras se visitent aussi très bien à cheval. La société Rutas a caballo Virgen de las Nieves, située en haut du village, organise des randonnées équestres avec un guide au départ de Trevélez : 15€/pers. (minimum 2h), 50€/pers. la demi-journée et 70€/pers. la journée. *Trevélez Tél. 958 85 86 01*

Où trouver des spécialités des Alpujarras ?

Outre le jambon de Trevélez, la région est réputée pour bien d'autres produits du terroir. Pour plus d'informations, le site Internet des artisans des Alpujarras est très complet : *www.artesanosalpujarra.com*

Ana Martínez. Vous apercevrez dans toutes les maisons de la région des textiles tissés à la main : tapis de sol épais aux brins multicolores (*jarapas*), rideaux protégeant portes et fenêtres (*cortinas*), couvertures… Ana Martínez en préserve le mode de fabrication à l'ancienne et propose des modèles originaux à des prix raisonnables. *Hilacar, à **Bubión**, à gauche de la route principale en montant Tél. 958 76 32 26*

Atelier Abuxarra. Une bonne excuse pour une balade dans les petits hameaux dispersés de *Tahá*. La céramique noire, sans vernis ni colorant, est une des spécialités de cet atelier. Les matériaux sont primaires, le style d'une grande simplicité et la technique ancienne (les ateliers se visitent). Très beau résultat ! *À droite avant d'arriver à **Pórtugos**, toute petite route qui descend dans la vallée. Cortijo La Umbría Tél. 958 34 30 03 Ouvert tlj.*

Cortijo Las Alberquillas. Dans son *cortijo* (ferme) perdu au milieu des fraisiers, Antonio prépare et vend un fromage de chèvre et de brebis (frais ou sec) au goût puissant. C'est idéal au petit déj., avec tomates et huile d'olive. Appelez avant de passer. *À 8,5km de* **Trevélez***, sur la route de Juviles (à 1km du croisement vers Cástaras sur la droite) Tél. 958 85 55 18 Ouvert tlj.*

Manger, dormir dans les Alpujarras

La gastronomie des Alpujarras est essentiellement fondée sur les délicieuses viandes (agneau, chevreau) et charcuteries de la région. Tous les restaurants servent le traditionnel *plato alpujarreño*, assortiment de pommes de terre frites, d'œufs, de jambon, de saucisse et de morcilla (boudin). La région est aussi le paradis des amateurs de gîtes ruraux et autres chambres d'hôtes, une forme de tourisme qui s'est bien développée ces dernières années. Gîtes et chambres chez l'habitant dans les villages, fermes ou chalets isolés (*cortijos*), elle se décline sous toutes ses formes.

Rustic Blue. Depuis 1996, la principale agence de location des Alpujarras a centralisé un grand nombre d'adresses, allant du *cortijo* isolé à la petite maison de village. Travail sérieux et offre de grande qualité, axée sur le rural et le rustique. Premiers prix pour 2 pers. et par semaine à partir de 250€. Maisons tout confort, souvent dotées de piscine. On pourra vous renseigner en français. Première maison sur la droite en montant dans Bubión. *Barrio la Ermita Tél. 958 76 33 81 Fax 958 76 31 34 www.rusticblue.com (tarifs en £) Pour les tarifs en euros, demandez à info@rusticblue.com*

Manger, dormir à Capileira

petits prix

El Cascapeñas. Au bord de la route dans le village. Chambres spacieuses, dotées de salles de bains agréables. Un vrai effort de décoration : azulejos et couvre-lits traditionnels en laine. Compter 38-43€ pour une double. Au restaurant, cuisine familiale. Formules à midi 8-15€ env. *Carretera de la Sierra Tél. 958 76 30 11*

prix moyens

El Asador. Le long de la route, à droite au milieu de Capileira. Dans le décor montagnard d'une maison traditionnelle ; la salle est grande, mais les habitués se serrent au bar. José Luis, qui semble prêt à entonner un chant flamenco à tout moment, sert une cuisine régionale de grande qualité. Spécialité de viandes cuites au four à bois. L'agneau de lait est sensationnel (*cordero lechal asado en horno de leña*, env. 18€). *Carretera de la Sierra Tél. 958 76 31 09 Fermé lun. et quelques soirs en hiver*

Los Molinillos. Un gîte-appartement sympathique, dont le chemin d'accès escarpé part à droite de la route entre Bubión et Capileira. Le propriétaire australien des lieux, John Yates, est d'une grande gentillesse. Vous avez tout intérêt à bien vous entendre avec lui : c'est un ancien grand chef, qui réalise des merveilles avec les produits de son potager. La propriété, qui possède sans doute la plus belle vue de la région, est entourée d'un parc luxuriant. En été, on se rafraîchit sous la cascade qui coule dans un coin. Capileira est à env. 10min de marche le long d'une *acequia* musulmane (rigole d'irrigation). 400€/sem. pour 2 pers. Réservation pour une semaine minimum. *Ctra-Sierra Nevada, entre Bubión et Capileira Tél. 958 34 30 79*

Cortijo Catifalarga. À 1km au-dessus de Capileira, sur la route de la sierra : guetter la pierre marquée "Cortijo Catifalarga" sur la gauche et prendre le chemin de pierre. Une ancienne ferme isolée (*cortijo*) réaménagée, avec le confort moderne, dans le respect du style régional afin de bien s'intégrer dans le paysage. Un cadre superbe, dominant les gorges de Poqueira au pied de la sierra Nevada, et beaucoup de tranquillité. Les chambres, simples et lumineuses, sont irréprochables. Les appartements (2-6 pers.) sont intéressants si vous êtes nombreux. L'agréable salle du bar accueille en saison, presque tous les jeudis à 22h, des concerts de flamenco, avec des musiciens de la région (et parfois des spectacles de danse ou de théâtre le samedi). Piscine. Le restaurant propose des plats très créatifs cuisinés avec les produits du coin (comptez 20-22€). Doubles 62-72€. Appartement 6 pers. env. 127-135€. *Cortijo Catifalarga Tél. 958 34 33 57 et 639 10 18 65 www.catifalarga.com*

Dormir à Mecina Fondales et dans les environs

prix moyens

Casa Sonia. Le calme absolu au cœur du petit village préservé de Busquístar (10km avant Trevélez). Dans une belle demeure traditionnelle, la grande salle commune, fraîche en été, est très accueillante. Les chambres, avec une vue superbe, sont pleines de charme : poutres apparentes, tapis discrets et sols aux couleurs chaudes. Parfait également pour les soirées d'hiver (chauffage et cheminée). Doubles de 49 à 56€ avec le petit déjeuner. Pas de paiement par carte. ***Busquístar*** *De l'église de Busquístar, descendre la ruelle étroite jusqu'en contrebas de la fontaine. Tél. 958 85 75 03 et 647 84 75 95 www.casasonia.eu*

☺ **L'Atelier.** L'établissement se trouve sur la gauche en arrivant dans le village, au centre du vieux quartier. Il offre des chambres d'hôtes de caractère, installées à l'étage d'une maison traditionnelle parfaitement restaurée. Poutres apparentes, mobilier rustique et surtout beaucoup de calme. Jean-Claude Juston, le propriétaire français des lieux, est également le chef du restaurant (non-fumeur) situé dans la salle du rez-de-chaussée. L'ambiance y est romantique à souhait (poutres basses, murs clairs, lumière tamisée) et la cuisine créative, puisant son inspiration aux quatre coins du monde : Méditerranée, Amérique du Sud, Malaisie... Tous les plats sont végétariens, et les desserts particulièrement savoureux. Vous pouvez aussi profiter de la bibliothèque-galerie ouverte depuis peu de l'autre côté de la ruelle, faire laver votre linge, ou réserver les services d'un guide local pour explorer la vallée (sur réservation obligatoire). Doubles à partir de 50€, petit déj. compris. Lit suppl. : 9€. *Mecina Fondales Calle Alberca, 21 Tél. 958 85 75 01 www.ivu.org/atelier Restaurant ouvert 19h-23h (fermé mar.) Fermé 20 déc.-10 mars et 1 sem. juil.*

prix élevés

Hotel de Mecina Fondales. Sur la droite en arrivant dans le village. Un hôtel 2 étoiles qui, une fois n'est pas coutume, les mérite amplement. Patios inondés de lumière et chambres spacieuses qui possèdent toutes une grande salle de bains et une petite terrasse privée. Piscine dans le jardin et restaurant de qualité au rez-de-chaussée. Héberge de nombreux marcheurs. Doubles à 88€ HT. Comptez 12€ pour le menu Alpujarreño et env. 20€ à la carte. ***Mecina Fondales*** *Calle La Fuente, 2 Tél. 958 76 62 41 Fax 958 76 62 55 www.hoteldemecina.com.es*

Manger, dormir à Trevélez

camping

Camping Trevélez. À 1km de Trevélez sur la GR421, vers l'ouest. Ce camping confortable est blotti dans un cadre splendide, sur le versant boisé d'une montagne sillonnée par les sentiers de randonnée. Sur place, une piscine, un bar-restaurant avec une terrasse, une petite supérette, une laverie et la connexion Internet à la réception. Intéressantes, les cabanes (*cabañas*) pour 4 personnes de 40 à 60€ env. selon la saison (de 22 à 55€ pour 2). Possibilité de se faire accompagner sur les sentiers alentour, et notamment vers le Mulhacén, le pic le plus haut de la péninsule Ibérique (3 482m). *Ouvert toute l'année Ctra Órgiva-Trevélez km32,5 Tél./fax 958 85 87 35 www.campingtrevelez.net*

très petit prix

Pension Castellón. Dans le Barrio Medio, près de la Plaza Las Pulgas et de l'église San Antonio. Attention à ne pas vous cogner la tête en passant le porche de cette maison traditionnelle ! Les chambres sont basiques mais propres et charmantes avec leurs murs et leurs poutres peints en blanc. Essayez d'en obtenir une avec balcon ouvrant sur la vallée. Environ 14€ par personne en chambre double ou simple. Certaines partagent la sdb. *Calle Cárcel, 4 Tél. 958 85 85 07*

petits prix

Hotel La Fragua. Dans le Barrio Medio, près de l'ermitage San Antonio. Une très bonne adresse, dans un grand chalet. Chambres spacieuses et confortables, toutes équipées d'une salle de bains. La 107 et la 104 offrent une belle vue sur le village. Doubles à partir de 38€ HT. Si c'est complet, demandez les disponibilités de l'autre hôtel, La Fragua II, à 100m de là (env. 38€ HT doubles plus spacieuses). *Calle San Antonio, 4 Tél. 958 85 86 26 www.hotellafragua.com Fermé mi-jan.-mi-fév.*

prix moyens

La Fragua. Une excellente réputation dans toute la région (le dimanche, c'est la cohue !). Le chef propose des spécialités régionales très bien préparées à des prix raisonnables. Essayez par exemple le copieux *plato alpujarreño* (env. 9€), ou le succulent chevreau de lait à l'ail (*choto al ajillo*, env. 13€). *Dans le Barrio Medio, près de l'ermitage San Antonio Tél. 958 85 85 73 Ouvert midi et soir Fermé mi-jan.-mi-fév.*

Où passer la nuit en chambre d'hôtes ?

El Balcón del Cielo. À 4km à l'est de Trevélez par la GR421. Situé en contrebas de la route dans la vallée fertile du río Trevélez, le "balcon du ciel" est l'endroit idéal pour se mettre au vert l'espace d'une nuit, au moins. Les appartements, construits en réinterprétant de manière moderne le style traditionnel de la région, sont grands et confortables. Ils sont tous équipés d'une cuisine et d'une cheminée. De nombreux sentiers de randonnée passent dans les environs. Pour les petites faims, un café-bar sur place en été. Appartement pour deux personnes à partir de 60€, pour 4 pers. à partir de 100€. *Tél. 958 34 31 45 et 679 70 11 81 www.elbalcondelcielo.com*

Manger, dormir à Yegen

très petits prix

Pensión La Fuente. En face d'une fontaine (*fuente*) où les paysans viennent abreuver leurs mules après une dure journée de labeur. Ce bar possède quelques chambres à l'étage, simples mais bien tenues : à partir de 24€ la double avec sdb. Il y a en outre un appartement pour six personnes, disposant d'une terrasse et d'une cuisine. Il est proposé à partir de 48€ et c'est une bonne affaire. Sur commande, possibilité de manger sur place (menu 9€ et petit déjeuner 3€) Calle Real, 46 *Tél. 958 85 10 67 www.pensionlafuente.com*

Salobreña   18680

La destination la plus séduisante de la Costa Tropical, appellation désignant les 100km de côtes que compte la province de Grenade. Un littoral étroit et fertile, serré au pied des montagnes. Station balnéaire à taille humaine, Salobreña possède en outre un vieux quartier pittoresque qui étend son lacis de ruelles médiévales au bas d'une forteresse musulmane, installée au sommet d'un promontoire rocheux impressionnant, à deux pas de la plage. Peuplée dès la préhistoire, la ville accueille à l'époque romaine une importante communauté de potiers. Elle se développe rapidement sous le règne des Nasrides de Grenade. Comme toutes les villes de la côte, elle prospérait il y a quelques décennies encore grâce à la canne à sucre. À l'ouest de la ville, on aperçoit la vaste sucrerie (*fábrica azucarera*), qui surplombe la plage. Construite en 1860, elle est unique en son genre en Europe. Aujourd'hui, ce sont surtout le tourisme et les vergers sous serres, produisant bananes, mangues, papayes et autres produits tropicaux, qui font la richesse de cette région.

Salobreña, mode d'emploi

accès

EN VOITURE À 63km au sud de Grenade par l'A44/N323 puis la N340 (direction Málaga), à 90km à l'est de Málaga par la N340 (direction Motril).

EN CAR
Alsina Graells. Grenade-Salobreña (9 cars/j.), Málaga (6 cars/j.) et Almería (2 à 4 cars/j.). *L'arrêt de car municipal, doté d'un kiosque d'informations (tél. 958*

61 25 21), est proche de l'office de tourisme, à l'angle de l'Av. del Mediterráneo et de la Calle Mayor Zaragoza Tél. 958 60 00 64

orientation

La ville est délimitée par la N340 au nord et la plage au sud. Au nord, s'étendent les quartiers modernes, où se trouvent la mairie (Plaza de Juan Carlos I), l'office de tourisme (Plaza de Goya) et l'arrêt de bus. Les deux principales avenues du centre-ville, l'Avenida García Lorca et l'Avenida del Mediterráneo, aboutissent toutes deux au Paseo Marítimo, qui longe la plage de Salobreña, à 1 km du centre. La vieille ville monte à l'assaut du piton rocheux situé à l'ouest, dominé par le château.

informations touristiques

Office de tourisme. Situé à l'est de la ville, près de l'accès à la route N340. *Plaza de Goya Tél. 958 61 03 14 www.ayto-salobrena.org/turismo Horaires variables suivant la saison, se rens.*

adresses utiles

Poste. Au nord du centre-ville, près de la mairie. *Avenida Antonio Machado Tél. 958 61 07 77 Ouvert lun.-ven. 8h30-14h30, sam. 9h30-13h*
Hospital Comarcal. *À Motril, à 3km de Salobreña Tél. 958 03 82 00*

Découvrir Salobreña et les environs

☆ **À ne pas manquer** Le Castillo Árabe, l'église de Nuestra Señora del Rosario et les ruelles de la vieille ville **Et si vous avez le temps...** Rassasiez-vous de fruits frais produits localement, plongez au milieu des épaves, dînez les pieds dans l'eau dans un des *chiringuitos* du front de mer

☆ La vieille ville

Le **Castillo Árabe** est une forteresse puissante veillant au sommet de la vieille ville de Salobreña. Édifiée au XIIᵉ siècle, elle est consolidée par les Nasrides et sera l'un des plus puissants bastions de la côte aux XIVᵉ et XVᵉ siècles, période de grande prospérité pour Salobreña. Au XVIᵉ siècle, il est remanié par les chrétiens, qui le dotent de deux réseaux de murailles supplémentaires. Au gré des vicissitudes historiques, il fut tour à tour résidence d'été des souverains nasrides, prison des sultans destitués, puis forteresse castillane. Du sommet des tours et les chemins de ronde, on embrasse du regard les toits de tuiles et les murs blancs de la vieille ville, les campagnes fertiles des environs et la plage. En contrebas du château, sur les pentes septentrionales, se trouve le Paseo de las Flores, une esplanade fleurie autrefois très chic, mais aujourd'hui un peu décatie. Le panorama sur la côte et les champs de canne à sucre mérite cependant le détour. C'est là qu'ont été découvertes les traces des plus anciens habitants du promontoire (3000 av. J.-C.). À l'entrée de l'esplanade se dresse El Postigo, une jolie porte musulmane en brique, taillée en fer à cheval, qui contrôlait autrefois l'accès à la ville. À l'est et au sud du château s'étendent les ruelles escarpées de la vieille ville, dont le tracé chaotique date du Moyen Âge. Les murs blanchis à la chaux, les portes basses et les balcons qui se parent au printemps de fleurs colorées, les venelles si étroites qu'on ne peut s'y croiser, tout invite à la flânerie. Juste au pied du château, l'Albaycín est l'un des quartiers les plus anciens. On y trouve la belle **église mudéjare de Nuestra Señora del Rosario** (XVIe siècle), et le Museo Histórico, installé dans l'ancien hôtel de ville, et qui retrace l'histoire des lieux depuis l'époque phénicienne. Le belvédère de l'Albaycín, à l'ouest du quartier, offre une belle vue sur la mer. Au pied de l'Albaycín, la Plaza del Museo, au deuxième étage accueille un centre d'artisanat (exposition-vente). Surplombant la place, vers l'est, le Barrio del Brocal installa au Moyen Âge ses venelles tortueuses le long des anciennes murailles de la ville. Plusieurs de ses rues ont gardé le nom d'*arrabal*, désignant en arabe les quartiers développés à l'extérieur des murs de la médina. S'y perdre à la nuit tombée, lorsque les murailles du château sont illuminées, est un enchantement. *Musée historique* Tél. 958 61 27 33 Ouvert tlj. 10h-13h et 16h-19h (plus tard en été, se rens.) Entrée musée + château : env. 3€ *Centre artisanal Zoco* Plaza del Museo Tél. 660 95 50 07 Ouvert tlj. 10h-14h et 17h-21h (10h-13h30 et 16h-19h l'hiver)

Le front de mer

La longue plage de sable brun se trouve au sud de la ville, à 1km à peine du centre historique. Le Paseo Marítimo, très animé en été, rassemble un grand nombre de bars, de restaurants et de *chiringuitos*, bars-restaurants de plage spécialisés dans le poisson et les fruits de mer grillés.

Plonger dans les environs

La Herradura À 23km à l'ouest de Salobreña par la N340. Une modeste station balnéaire qui n'a d'autre charme que celui de sa relative tranquillité par rapport à ses voisines Nerja et Almuñécar. Mais les calanques et les épaves de la région sont bien connues des plongeurs : c'est l'un des meilleurs sites d'Espagne. Plusieurs magasins et centres de plongée ont ouvert. Le Centro de Buceo La Herradura a reçu des prix récompensant son travail. *Marina del Este de La Herradura Tél. 958 82 70 83 Fax 958 83 73 12 www.buceolaherradura.com Nombreuses possibilités d'hébergement (rens. info@buceolaherradura.com) et restauration*

Manger, dormir à Salobreña

très petits prix

☺ **Pensión Mari Carmen.** Pension familiale charmante, propre et idéalement placée sur les pentes orientales de la vieille ville. Chambres propres et confortables. La patronne, enjouée et dynamique, a concocté une déco un peu kitsch à base de bibelots et rideaux à fleurs. Les chambres dotées de salles de bains, plus chères, ne valent sans doute pas la peine, car les autres se partagent une salle de bains pour deux chambres seulement. La 200 (avec sdb), la 201 et la 202 (sans sdb) possèdent chacune leur terrasse. Si elles sont occupées, vous vous consolerez en profitant de la vue depuis les deux terrasses communes, sur le toit. Une bonne adresse.

Accès Internet dans toutes les chambres. Doubles sans sdb 24-28€. Avec sdb 32-39€. *Calle Nueva, 32 Tél. 958 61 09 0 www.pensionmaricarmen.com*

petits prix

Taberna La Alhaja. Dans le recoin formé par une minuscule ruelle qui descend de l'église Señora del Rosario, s'est niché un bar avec une façade d'azulejos et quelques tables rondes entre les pots de fleurs. Une atmosphère romantique qui n'empêche pas la gourmandise : tapas de charcuterie essentiellement mais aussi de fromages locaux à arroser d'un délicieux *mojito* maison. Rations de 10 à 14€. *Calle Placeta Tél. 678 08 45 86 Ouvert à partir de 19h (et parfois dans la journée, ne pas hésiter à passer !)*

prix moyens

☺ **Restaurante El Peñon.** Au bord de la plage, à droite du croisement entre le Paseo Marítimo et l'Avenida del Mediterráneo. Ce *chiringuito* installé au pied du piton rocheux (*peñón*) qui domine la plage est l'une des adresses les plus séduisantes de la côte. Installé en terrasse, au pied du restaurant, on observe les gamins qui plongent depuis le sommet des rochers. On surveille également le vieil homme qui s'occupe de griller le poisson ou les calamars, plantés sur une tige de canne à sucre taillée en biseau, sur le feu de bois aménagé dans une vieille barque remplie de sable. Il prépare comme personne la daurade et le calamar (de 14 à 18€), relevés d'un simple filet de citron. Un vrai délice. On peut aussi commander quelques sardines grillées (8€), ou encore une *zarzuela*, spécialité régionale à base de poisson, de fruits de mer et de légumes (à partir de 34€ pour 2). Comptez env. 25€/pers. pour un repas complet. *Playa del Peñón Tél. 958 61 05 38 Ouvert midi et soir Fermé lun. hors saison*

Où louer un d'appartement ?

Une bonne solution si vous comptez passer plusieurs jours sur la côte. L'office de tourisme vous fournira une liste détaillée des agences de location.

Casas Faldas del Castillo. Idéalement situés au pied du château, ces appartements dominent le lacis des ruelles blanches de la vieille ville. Les chambres fraîches et joliment décorées sont au rdc, la cuisine, très bien équipée, au premier avec un petit salon. Pour finir, deux terrasses privées sur le toit avec une superbe vue sur la mer et les sommets enneigés de la sierra Nevada. Une excellente adresse, tout confort, à des prix très doux : 90-110€ l'appartement pour 6 pers. et 60-70€ l'appartement pour 2. Possibilité de chambres doubles à partir de 40€. Appelez avant d'arriver car Anunciación, la patronne accueillante et efficace, ne réside pas là. *Calle Faldas del Castillo, 15 Tél. 630 07 37 94 www.faldasdelcastillo.com*

GÉOREGION

Avec ses terres vallonnées, aux oliviers produisant la meilleure huile d'Espagne, la province de Jaén a l'allure d'ancien fief agricole un peu somnolent. Surtout lorsque l'implacable soleil écrase les champs et accable les hommes. Cette région séduira ceux qui rêvent de voyages hors des sentiers battus. Joyaux architecturaux dominant la plaine de la Loma, Baeza et Úbeda ont des airs italiens avec de splendides édifices Renaissance dont beaucoup portent l'empreinte du grand Andrés de Vandelvira. Bout du monde andalou, la sierra de Cazorla enthousiasmera le randonneur qui profitera des villages accueillants de Cazorla et de Segura.

À ne pas manquer Úbeda et le parc des sierras de Cazorla, Segura et Las Villas

Et si vous avez le temps…

Découvrez la région de Jaén du donjon de son château, goûtez l'une des meilleures huiles d'olive d'Espagne et baignez-vous dans les bassins que forme le Guadalquivir

Province de Jaén

GEOMEMO

Ville principale	Jaén (env. 116 000 hab.), capitale de la province
Informations touristiques	OT de Jaén Tél. 953 19 04 55
Espaces naturels protégés	parc des sierras de Cazorla, Segura et Las Villas (214 000ha), parc naturel de sierra Mágina, parc naturel de Despeñaperros
Spécialité	huile d'olive (Baeza)

PROVINCE DE JAÉN

GEOREGION

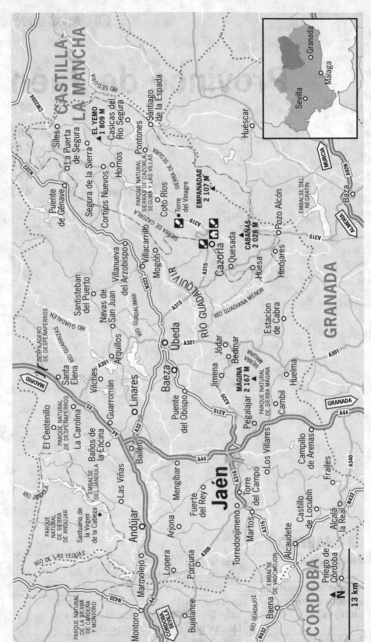

Jaén

23000

Capitale de province, Jaén est perché à 575m d'altitude au pied du Cerro de Santa Catalina, dont le château veille sur les vallons plantés d'oliviers de la région. C'est une grande ville (environ 116 000 hab., les Jienenses), moderne et dynamique, dont les immeubles alignés le long de grandes avenues effraient un peu de prime abord. Mais Jaén gagne à être connue. La gastronomie, l'architecture et la vie nocturne la plus animée de la province vous y feront facilement passer un ou deux jours.

YAYYAN, LES CARAVANES PASSENT... Quelques vestiges ibériques ont été retrouvés sur le site de l'actuel centre-ville. Conquise en 207 av. J.-C. par les armées romaines de Scipion l'Africain, *Auringi* acquiert quelques décennies plus tard le statut de municipalité romaine. En 712, les musulmans s'emparent d'une ville qu'ils nomment *Yayyan* (lieu de passage des caravanes). Cette cité fortifiée changera de mains plusieurs fois après la chute du califat de Cordoue (xie siècle). Le souverain Al-Ahmar, fondateur de la dynastie nasride de Grenade, remet la ville au roi de Castille Ferdinand III en 1246. Devenue siège épiscopal et capitale de province en 1249, Jaén joue un rôle prépondérant dans les projets de reconquête des terres nasrides, situées à l'est de l'Andalousie. Les combats se multiplient aux portes de la ville. À la fin du xve siècle, les Rois Catholiques en font l'une des bases logistiques de leur entreprise de reconquête du royaume musulman de Grenade. Après la chute de cette dernière en 1492, Jaén tombe progressivement dans l'oubli. Son isolement et le faible niveau de développement de son agriculture la plongent dans un lent déclin qui s'accentue aux xviie et xviiie siècles. Les habitants émigrent en masse vers les colonies d'outre-mer, comme en attestent les nombreuses villes portant le nom de Jaén au Pérou ou aux Philippines. Au début du xixe siècle, la guerre d'Indépendance met à bas les dernières ressources de la ville. Jaén a amorcé son redressement économique dans les années 1960, et la plupart de ses immeubles datent de cette époque.

Jaén, mode d'emploi

accès

EN TRAIN Moins pratique que le car en raison du nombre peu élevé de départs. Trois trains par jour pour Séville, quatre pour Cordoue et Madrid.
Gare Renfe. *Plaza de las Culturas Tél. 953 27 02 02 www.renfe.es*

EN CAR Grenade-Jaén : des cars très fréquents dans les 2 sens (de 7h30 à 21h30, durée 1h15), moins fréquent le dim. Séville-Jaén : 3 à 4 cars/j. dans les 2 sens. Cordoue-Jaén : 9 cars/j. dans les 2 sens. Úbeda-Jaén : 14 cars/j. (passe par Baeza). **Gare routière.** En plein centre-ville, entre le Paseo de la Estación et l'Av. de Madrid. *Plaza Coca de la Piñera Tél. 953 25 01 06*

EN VOITURE À 97km au nord de Grenade par l'A44 (4 voies, gratuite) et 121km à l'est de Cordoue par l'A4. En voiture, en venant de Grenade, on arrive par l'Avenida de Granada, à l'est du centre-ville, qui débouche sur l'Avenida de Madrid, avec juste à gauche la Plaza de la Constitución. En arrivant de Cordoue par l'ouest de la ville, on accède au centre par l'Avenida de Andalucía, qui donne sur l'Avenida de Muñoz Grandes. En prenant à droite, on débouche sur le Paseo de la Estación qui remonte (sur la droite) vers la Plaza de la Constitución. Mieux vaut ne pas s'engager dans le quartier historique, truffé de rues à sens unique. Garez-vous dans les parkings souterrains payants des alentours de la cathédrale ou de la place de la gare routière.

Jaén et ses environs

(en km)	Jaén	Údeba	Cazorla	Montoro	Zuheros
Údeba	58				
Cazorla	103	95			
Montoro	75	104	145		
Zuheros	70	131	174	71	
Grenade	95	142	148	171	105

orientation

Les quartiers modernes occupent tout le nord et l'est de la ville. Les deux avenues principales sont le Paseo de la Estación et l'Avenida de Madrid, qui se rejoignent au niveau de la Plaza de la Constitución, centre névralgique de Jaén. Juste au sud-est de ce grand rond-point s'étend le quartier de l'église San Ildelfonso. Au sud-ouest la cathédrale. Au nord-ouest de celle-ci, par la Calle Maestra, on accède au quartier historique de Jaén, blotti au pied du Cerro de Santa Catalina.

informations touristiques

Le site Internet de la province de Jaén, *www.promojaen.es*, est très bien fait, ainsi que *www.jewisheritage.org* et *www.redjuderias.org* qui fournissent de nombreuses informations sur l'ancien quartier juif de la ville.

Office de tourisme. Très bien organisé. Dans le centre historique, derrière la cathédrale. *Calle Ramón y Cajal, 4 Casa Almansa Tél. 953 19 04 55 et 953 31 32 81 www.aytojaen.es Ouvert lun.-ven. 9h-19h (20h en saison), sam.-dim. et j. fér. 10h-13h*

taxis

Stations de taxis. *Paseo de la Estación, 2-6 Plaza de San Francisco (au pied de la cathédrale), gare routière, Plaza de las Batallas*
Radio Taxi. *Tél. 953 22 22 22*

adresses utiles

Banques et distributeurs. Autour de la Plaza de la Constitución.
Bureau de poste. Près de l'église San Bartolomé et du monastère de Santa Clara. *Plaza de los Jardinillos Tél. 902 19 71 97 Ouvert lun.-ven. 9h-20h, sam. 9h30-14h*

urgences et hôpitaux

Urgences. *Tél. 112*

Hospital Neurotraumatológico. *Carretera Bailen Motril Tél. 953 00 80 00*
Hôpital Ciudad de Jaén. *Avenida Ejercito Español (200m au nord-ouest de la Plaza de las Batallas) Tél. 953 29 90 00*

fêtes et manifestations

Fête de Nuestra Señora de la Capilla. *11 juin*
Feria de San Lucas. *18 octobre*
Romería de Santa Catalina. Messe à 8h au château de Santa Catalina et repas en plein air dans les environs. *25 novembre*

Découvrir Jaén

☆ **À ne pas manquer** La cathédrale et le quartier historique de Jaén et les bains arabes du palais de Villardompardo **Et si vous avez le temps...** Flânez dans les ruelles du quartier populaire et animé de San Juan, montez au sommet du donjon du château de Santa Catalina pour la vue sur la région, buvez un verre le soir au bar El Pósito sur une adorable petite place

☆ À partir de la place de la cathédrale, la Calle Maestra permet de pénétrer dans le **quartier historique de Jaén**, qui s'étend au nord-ouest sur les pentes du Cerro Santa Catalina. Au bout de la rue, à gauche, on accède à l'Arco de San Lorenzo, belle arche gothique-mudéjare (XIIIe-XIVe siècle), unique vestige de l'ancienne église de San Lorenzo. Sur la droite, en contre-haut, part la Calle Almendros Aguilar qui donne sur les rues les plus pittoresques de la ville, venelles escarpées montant depuis l'ère musulmane à l'assaut de la colline au milieu des murs blancs aux balcons fleuris : Calle Postillo, Calle de las Cumbres, Calle Elvín, Calle Vicarión et Calle Alegría, toutes méritent un détour. Un peu plus loin, la pittoresque Plaza de San Juan, au cœur d'un quartier populaire animé en journée, le Barrio San Juan. En contrebas, le Palacio de Villardompardo et, dans la Calle San Andrés, la Capilla de San Andrés (1515). Cette église mudéjare de toute beauté abrite en son sein une merveille de chapelle plateresque, la Capilla de la Purísima Inmaculada, fermée par une grille somptueuse (XVIe siècle) de Maître Bartolomé. En continuant le long de la Calle Juanito El Practicante, on passe devant le couvent de Santo Domingo, fondé en 1382 sur le site de l'ancien palais des souverains musulmans. Après avoir tour à tour accueilli l'université de Jaén et le siège de l'Inquisition, il abrite désormais les archives municipales. La façade Renaissance, œuvre de Vandelvira (XVIe siècle), et le cloître (XVIIe siècle) méritent le coup d'œil. Plus loin, on atteint l'église de la Magdalena. C'est la plus ancienne de la ville, édifiée sur une ancienne mosquée dont elle a conservé le minaret, remanié au XVIe siècle, et le patio planté d'orangers. En face de l'église, la Fuente del Raudal est la plus célèbre de Jaén, car on dit qu'elle fournissait déjà de l'eau aux habitants à l'époque romaine. L'agréable quartier de la Magdalena est en effet l'un des plus anciens de la ville, développé successivement par les Romains et les musulmans. Les rues Zumbajarros et Bobadilla Alta sont parmi les plus plaisantes de la région. ***Capilla de San Andrés*** *Visite sur rendez-vous : tél. 953 23 74 22* ***Cloître du couvent de Santo Domingo*** *Tél. 953 23 85 00 Ouvert lun.-ven. 8h30-14h* ***Église de la Magdalena*** *Tél. 953 19 00 31 Ouvert lors des offices lun.-ven. 17h30-20h, sam. 20h, dim. 10h et 12h30 Fermé lun.*

☆ **Cathédrale** Un superbe édifice Renaissance (milieu XVIᵉ-fin XVIIᵉ siècle), dont les deux tours élancées dominent le sud de la ville. Il remplace l'édifice gothique d'abord installé après la Reconquête sur le site de l'ancienne mosquée et porte l'empreinte du grand Andrés de Vandelvira, l'un de ses principaux architectes. La façade principale ne manque pas d'allure avec sa balustrade sculptée et ornée de belles statues classiques. L'ensemble de la statuaire des trois portails fut réalisé au XVIIᵉ siècle par le grand sculpteur Pedro Roldán. À l'intérieur, les trois nefs aériennes illustrent le style Renaissance avec leurs colonnes corinthiennes soutenant des voûtes élancées. La coupole du transept, ciselée avec un grand raffinement, est l'œuvre des architectes Pedro del Portillo et Juan de Aranda. Au centre de la nef principale, le chœur se distingue par ses superbes stalles en bois sculpté. À voir également, l'imposant retable de la Capilla Mayor, abritant la célèbre relique du Santo Rostro (Sainte Face), le linge avec lequel Véronique aurait essuyé le visage du Christ pendant la montée au Golgotha, et où son image serait restée miraculeusement imprimée. Au fond de la cathédrale, on découvre la partie primitive de l'édifice, avec la sacristie et la salle capitulaire, sobres et harmonieuses, dessinées par Vandelvira. Ce dernier a également conçu le panthéon des chanoines, sous la sacristie. Il abrite désormais le **musée** de la cathédrale, rassemblant une belle collection de peintures et de sculptures essentiellement baroques (XVIIᵉ-XVIIIᵉ siècle). *Cathédrale Plaza de Santa María Ouvert lun.-sam. 8h30-13h et 17h-20h (17h-19h en hiver), dim. et j. fér. 9h-13h30 et 17h-19h Les visites ne sont pas autorisées pendant le culte Entrée gratuite **Musée, sacristie et salle capitulaire** Tél. 953 23 42 33 Ouvert mar.-dim. 10h30-13h et 17h-20h (16h-19h en hiver) Entrée : 3€ (musée ou sacristie seulement : 1,80€)*

Palacio de Villardompardo Sur la Plaza Luisa de Marillac, l'une des plus jolies de la vieille ville. Cet élégant palais Renaissance datant de la fin du XVIᵉ siècle fut construit pour Don Fernando de Torres y Portugal, vice-roi du Pérou et comte de Villardompardo, sur le site des anciens bains arabes du quartier. Après l'impressionnant patio d'entrée, on traverse un second patio avant de descendre vers le sous-sol où se trouvent les magnifiques **bains arabes** du XIᵉ siècle, restaurés avec brio dans les années 1970. Ce sont les plus vastes que l'on puisse visiter en Espagne. À la sortie des bains commence le musée des Arts et Traditions populaires, très bien fait. On découvre d'abord les outils de la paysannerie traditionnelle, avant de monter au 1ᵉʳ étage qui accueille la reconstitution des différentes salles d'une maison andalouse. Ensuite, belle collection d'ustensiles liés à la chasse et à l'artisanat, et images saintes et accessoires religieux émouvants, comme un mini-autel portatif ou un miroir incrusté d'une peinture naïve de la Vierge. En redescendant, on traverse une salle consacrée aux céramiques traditionnelles de la région. Le rez-de-chaussée et l'étage abritent en outre un étonnant musée de l'Art naïf, qui ravira les amateurs avec sa foule de tableaux réalisés par des artistes espagnols, haïtiens, brésiliens, africains et même tibétains. *Tél. 953 24 80 68 Ouvert mar.-ven. 9h-20h30 (21h30 en été), sam.-dim. 9h30-14h30 Fermé lun. et j. fér. Entrée gratuite*

Église San Ildefonso et ses environs Juste au sud de la Plaza de la Constitución. Une belle église de style gothique (XIVᵉ-XVᵉ siècles). Ses trois portails illustrent respectivement l'architecture gothique, Renaissance (œuvre de Vandelvira) et le néoclassique (XVIIIᵉ siècle). À l'intérieur, sous des voûtes gothiques d'une grande légèreté, on découvre de somptueux retables baroques. Au fond de la nef (à gauche en entrant), la belle statue gothique de la Virgen de la Capilla. Adossée à l'église, la Casa de la Virgen rassemble les parures brodées de la statue, et divers objets et documents liés à la dévotion intense dont elle fait l'objet depuis que la Vierge serait apparue là en juin 1430, tandis que les troupes musulmanes assaillaient Jaén. Une scène est représentée sur la façade gothique de l'église. À l'est de San Ildelfonso, en bas de la Calle Las Bernardas, on accède à la plaisante Alameda de Calvo Sotelo, esplanade ombragée très fréquentée en fin de journée. Elle est dominée par les arènes et la Puerta del Ángel, un des seuls vestiges des murailles musulmanes. **Église** *Tél. 953 19 03 46 Ouvert 9h-12h et 17h-20h* **Casa de la Virgen** *Fermé pour travaux*

Museo Provincial Un vaste bâtiment de 1920, intégrant le portail de l'ancien Pósito (grenier à blé, xviᵉ siècle) dans sa façade, et celui de l'ancienne église Renaissance de San Miguel (xviᵉ siècle) dans son patio principal. Une section archéologique (*fermée pour travaux pour une période indéterminée, se rens.*) est présentée dans l'aile gauche du rez-de-chaussée. Les salles consacrées aux Ibères sont d'un grand intérêt, avec de belles sculptures en pierre, ex-voto de bronze émouvants et surtout un remarquable coffre funéraire orné d'une sculpture de tête de loup (viᵉ siècle av. J.-C.). Les céramiques grecques retrouvées dans une nécropole ibère témoignent des importants échanges commerciaux de l'époque. Plus loin, un beau sarcophage paléochrétien en marbre de l'époque romaine, représentant des miracles du Christ. La salle consacrée à l'époque d'*Al-Andalus* comporte surtout des jeux et des pièces. À l'étage, une section dédiée aux us et coutumes à l'époque romaine. Tout en haut du bâtiment, la collection de beaux-arts contient un ensemble de sculptures et de retables en bois polychrome (xivᵉ-xviᵉ siècle), une belle représentation de la Vierge de Belén (1641) par l'artiste grenadin Alonso Cano et de remarquables bronzes du Valencien Mariano Benlliure (1862-1947). Depuis 2006, une annexe du musée présente l'ensemble sculptural ibère de Cerrillo Blanco, découvert en 1975 à Porcuna. Près de 1 500 fragments ont été restaurés pour reconstituer plus de 40 statues, représentants des guerriers, des chasseurs, des animaux fantastiques et autres personnages, datant du vᵉ siècle av. J.-C. *Paseo de la Estación, 27 Tél. 953 31 33 39 www.museosdeandalucia.es Ouvert mar. 14h30-20h30, mer.-dim. 9h-20h30, dim. 9h-14h30 Fermé lun. et j. fér. Entrée gratuite pour les ressortissants de l'UE (pièce d'identité) sinon 1,50€*

Castillo de Santa Catalina Ce puissant château veille sur la région de Jaén depuis le sommet de l'impressionnant piton rocheux de Santa Catalina. Une forteresse musulmane que le roi Al-Ahmar, fondateur de la dynastie nasride de Grenade, remit au souverain Ferdinand III en 1246. Ce dernier fit agrandir et renforcer les murailles de ce bastion stratégique, plusieurs fois pris au cœur des combats entre chrétiens et musulmans jusqu'à la chute de Grenade (1492). Sur place, on visite une chapelle dédiée à Santa Catalina (sainte Catherine), et surtout le donjon du château, qui offre des vues étonnantes. Au sommet de la colline, la grande croix érigée par Ferdinand III pour commémorer la prise de Jaén. *Calle Maestra, 18 Route en lacet depuis Jaén (4km) ou à pied par un chemin qui débute en face de la Calle Buenavista (en haut du vieux quartier, 1h de marche assez rude) Tél. 953 12 07 33 Ouvert en saison : mar.-dim. 10h-14h et 17h-21h ; hiver : mar.-dim.10h-14h et 15h30-19h30 Entrée 3€, enfants 1€*

Où boire un verre ?

Ville universitaire, Jaén connaît une vie nocturne assez animée tout au long de l'année. Le début de soirée se déroule dans les bars à tapas du quartier de la cathédrale (dans les petites rues donnant sur la Calle Maestra, les plus traditionnels sont la Casa Gorrión ou encore le Manchega) et dans ceux du quartier de l'église San Ildefonso, près de la Plaza de la Constitución. Puis les fêtards émigrent au nord de la ville, dans le quartier de l'Avenida de Ruiz Jiménez et de l'Avenida de Muñoz, entre le stade de la Victoria et la gare ferroviaire, qui rassemble de nombreux pubs et bars-discothèques, ouverts jusqu'au petit jour.

☺ **Bar El Pósito.** Sur une adorable placette, entre la cathédrale et la Plaza de la Constitución. L'une des terrasses les plus agréables de la ville en soirée, au pied d'une antique fontaine. À l'intérieur, pas mal d'ambiance en fin de semaine, une musique plaisante (flamenco, jazz et pop espagnole) et quelques tapas savoureuses. Une bonne manière de débuter la nuit. *Plaza del Pósito Ouvert tlj. jusqu'à 1h30, plus tard en fin de semaine*

Taberna El Toro. Repérez l'enseigne en forme de taureau. Parmi les pubs des abords de la gare, sans doute l'un des plus sympas : la jeunesse s'y retrouve autour du punch fait maison. Une décoration en clin d'œil à la corrida, mais sans excès, qui crée une ambiance chaleureuse, détendue. On se retrouve vite à discuter en terrasse, étant donné l'exiguïté des lieux. *Paseo de la Estación, sur la gauche en direction de la gare*

Manger à Jaén

On mange bien à Jaén, où la gastronomie régionale à base de morue notamment est délicatement aromatisée par la délicieuse huile d'olive produite dans les environs. Autre bonne surprise : les bars ont dans leur ensemble gardé la tradition des tapas offertes avec chaque verre.

petits prix

☺ **El Pilar del Arrabalejo.** Derrière les vitraux colorés de la porte se cache un intérieur décoré avec goût, qui donne beaucoup de cachet à cette adresse incontournable. Au rez-de-chaussée, le bar est souvent très animé. On se bouscule au comptoir pour commander de délicieux *prensaditos* (petits sandwichs, 2,50-3€) et autres tapas du jour, agrémentés (ô joie) d'une copieuse tapas gratuite. On peut aussi s'installer à une table et admirer les photos du Jaén d'antan, qui recouvrent les murs. Au sous-sol, une salle de restaurant plus chic. La carte met à l'honneur la cuisine régionale : *andrajos con liebre* (spécialité de lièvre, 8€). Intéressant, le menu dégustation comprenant huit spécialités de saison, à 26€. *Calle Millán de Priego, 49 Tél. 953 24 07 81 Restaurant ouvert 13h-16h30 et 20h30-0h Fermé mar.*

☺ **Gamba de Oro.** Dans une petite rue piétonne à deux pas de la Plaza de la Constitución. La Crevette d'Or est l'endroit rêvé pour déguster de délicieux fruits de mer grillés ou frits à l'huile d'olive vierge. Les produits du jour sont présentés sur le comptoir. Ici la *ración* (env. 9€) est si copieuse qu'elle se dit *platazo* (grande assiette) ou *fuente de* (plat de). Essayez les *chopitos* (petits calamars), les spécialités de morue (*bacalao*) ou les excellents *navajas* (couteaux). *Calle Nueva, 5 Tél. 953 24 17 46 Fermé mer.*

prix moyens

Casa Vicente. Sur une venelle donnant sur la Calle Maestra, tout près de la cathédrale. Cadre classique et élégant pour cet établissement accueillant une clientèle plutôt chic. Ce bar-restaurant de qualité n'a que vingt ans, mais déjà l'autorité d'un grand classique. Comptoir très animé en fin de semaine et salle de restaurant au fond. Comptez de 20 à 40€, menu dégustation à 27€. *Calle Francisco Martín Mora, 1 Tél. 953 23 22 22 Fermé mer. et dim. soir ; août*

Dormir à Jaén

petits prix

Pensión La Española. À deux pas de la cathédrale, dans une rue étroite donnant sur la Calle Maestra. Le charme d'une pension andalouse à l'ancienne, avec son patio fleuri décoré de bric et de broc, son escalier en bois biscornu qui vaut à lui seul le déplacement, et ses chambres aux salles de bains colorées. Notre préférée : la 211. Côté confort, c'est un peu moyen, car la literie est usée et l'eau chaude parfois capricieuse. Double avec sdb de 32 à 40€ (triple de 43 à 50€). *Calle Bernardo López, 9 Tél. 953 23 02 54*

Hostal Martín. Dans une petite rue, près de l'église San Ildelfonso. Il n'y a pas si longtemps, cet *hostal* était encore une pension mais Jesús, le propriétaire, a fait des travaux qui lui ont permis d'accéder à une catégorie supérieure. Aujourd'hui, les chambres, basiques, possèdent toutes une sdb neuve et la climatisation. Ne vous formalisez pas si Jesús vous réserve un accueil un peu râleur. Double à partir de 45€. *Calle Cuatro Torres, 5 Tél. 953 24 36 78*

prix élevés

Hotel Xauen. Idéalement situé entre la Plaza de la Constitución et la cathédrale. Peu d'imagination dans la décoration, mais un accueil soigné, un petit déj. généreux et des chambres spacieuses et accueillantes. Chambres doubles à partir de 84€ petit déjeuner inclus. *Plaza Deán Mazas, 3 Tél. 953 24 07 89 Fax 953 19 03 12 www.hotelxauenjaen.com*

Hotel Condestable Iranzo. En plein centre, avec vue sur le Parque de la Victoria. Un hôtel qui a du caractère avec sa reproduction de statue grecque dans le hall d'entrée et ses sols étincelants. Les chambres sont irréprochables et très confortables : au 8e étage, la vue est impressionnante. Service attentionné et souriant. Chambre double à partir de 94€ (145€ la suite). *Paseo de la Estación, 32 Tél. 953 22 28 00 Fax 953 26 38 07 www.hotelcondestableiranzo.com*

Baeza

23440

C'est, avec Úbeda (également classée au Patrimoine mondial par l'Unesco depuis 2003), l'un des deux fleurons de la belle province de la Loma, au nord-est de Jaén. Une terre aux vallons recouverts d'oliviers à perte de vue, qui est sans aucun doute le haut lieu de la Renaissance andalouse. Le poète Antonio Machado, qui enseigna à l'université de Baeza de 1912 à 1919, résuma ainsi ces parages enchanteurs : "Loma de las dos hermanas / Baeza pobre y señora / Úbeda reina et gitana" ("La Loma des deux sœurs / Baeza pauvre et grande dame / Úbeda reine et gitane"). Ville modeste (environ 17 000 hab.), tranquille et conviviale, Baeza possède un centre historique peu étendu et absolument magnifique, des pensions de qualité et des restaurants gastronomiques réputés. C'est sans aucun doute le meilleur point de chute pour visiter une région peu touristique mais vraiment attirante.

LES CLANS CONTRE ISABELLE La ville romaine *Biatia* devient siège épiscopal sous les Wisigoths (fin VIIe siècle). À l'époque d'*Al-Andalus*, *Bayyasa* est capitale d'une large province s'étendant du bassin du Guadalquivir à la sierra Morena. Elle est alors réputée pour la vitalité de son commerce. Après plusieurs essais infructueux, la ville est reconquise par Ferdinand III en 1227. Elle sera capitale religieuse et politique du haut Guadalquivir jusqu'à la chute de Jaén en 1246. La grande majorité de la population musulmane s'enfuit vers Grenade. Au XVe siècle, la noblesse locale, divisée en clans, s'oppose ouvertement au pouvoir castillan. À tel point que la reine Isabelle fait détruire en 1476 tous les châteaux de la ville et ses murailles musulmanes. Aux XVIe et XVIIe siècles, Baeza connaît une période fastueuse grâce à une agriculture et un artisanat prospères. De splendides édifices civils et religieux sont édifiés, et l'université exerce un grand rayonnement culturel. Au début du XIXe siècle, un grand tremblement de terre et l'invasion des troupes françaises causent des dégâts importants.

Baeza, mode d'emploi

accès

EN VOITURE À 50 km au nord-est de Jaén et 10 km à l'ouest d'Úbeda par l'A316. La circulation et le stationnement ne posent aucun problème, sauf dans le quartier de la cathédrale. Le mieux est de se garer sur le Paseo de la Constitución.

EN CAR
Gare routière. Sortie de la ville (dir. Úbeda). *C/ Coca de la Piñera* Tél. *953 74 04 68*
Alsina Graells. Jaén-Baeza : 6 à 15 départs/j. Úbeda-Baeza : 7 à 19 départs/j. Cazorla-Baeza : 3 départs/j. *Tél. 953 74 04 68*

orientation

En arrivant de Jaén, on traverse la ville du sud au nord. On passe d'abord devant la Plaza del Pópulo, porte du vieux quartier qui s'étend vers l'est. On accède alors au

Paseo de la Constitución, centre névralgique de la ville, qui aboutit à la Plaza de España, où se croisent les rues principales : au nord, la Calle San Pablo, piétonnière et commerçante, à l'ouest la Calle San Francisco (vers l'Ayuntamiento [hôtel de ville] et le couvent de San Francisco), à l'est la Calle Barreras (vers Úbeda).

informations touristiques

Office de tourisme. *Plaza del Pópulo, au sud de la Plaza de la Constitución Ouvert lun.-ven. 9h-19h, sam. et dim. 10h-14h Tél. 953 74 04 44 www.andalucia.org*

adresses utiles

Banques. Le long du Paseo de la Constitución et à l'angle des rues San Pablo et Barreras.
Poste. *Calle del Carmen, 20 Tél. 953 74 08 39 Ouvert lun.-ven. 8h30-14h30, sam. 9h30-13h*
Ciberway. Cybercafé. *Le long du Paseo de la Constitución, sous les arches de la Alhóndiga Tél. 953 74 03 55 Ouvert tlj 12h-14h et 17h30-22h30*
Speed Informática. Cybercafé. *Plaza de la Constitución, 2, à côté de las Casas Bajas Consistoriales Tél. 953 74 70 05 Ouvert lun.-ven. 10h-14h et 17h-21h, sam. 10h-14h*
Le centre d'urgences médicales est situé à la sortie de la ville, en direction d'Úbeda.

fêtes et manifestations

Semaine sainte. Les processions sont l'un des moments forts de l'année : Baeza compte 22 confréries pour 17 000 hab. ! *Fin mars-début avr.*
Corpus Christi. (Fête-Dieu). Une fête également très suivie. *Fin mai-début juin*
Feria de Baeza. On célèbre à cette occasion Santa María, la sainte patronne de la ville. *Mi-août*
Romería de la Yedra. Pèlerinage très populaire. *1er week-end de septembre*
Festival de Música Antigua. Concerts de musique ancienne dans des bâtiments seigneuriaux de Baeza et d'Úbeda. *www.festivalubedaybaeza.org Novembre-janvier*

Découvrir Baeza

☆ **À ne pas manquer** La Plaza del Pópulo, l'église Santa Cruz et le Palacio de Jabalquinto **Et si vous avez le temps...** Visitez le Museo de la Cultura del Olivo pour tout savoir sur l'olivier et l'huile d'olive, empruntez le Paseo de las Murallas au rythme des poèmes de Machado, détendez-vous face à une ration de crevettes et un bon verre de vin au café El Mercantil

Le quartier de la cathédrale

À l'entrée du centre-ville, la minuscule **Plaza del Pópulo** est un concentré d'architecture Renaissance. Au nord se dresse l'Antigua Carnicería, abattoirs municipaux. Au centre de la façade, l'écusson de Charles Quint. L'est de la place est délimité par la Casa del Pópulo, ancien tribunal érigé en 1535 dans un style plateresque, reconnaissable aux blasons et reliefs finement ciselés de la façade. L'édifice accueille aujourd'hui l'office de tourisme. Au centre de la place, la Fuente de los Leones (fontaine aux Lions), construite au XVIe siècle avec des éléments qui viendraient des ruines romaines de Cástulo. La figure féminine dominant la fontaine représenterait Imilce, épouse ibère de Hannibal. Accolé à la Casa del Pópulo, l'Arco de Villalar, construit en 1526 pour célébrer la victoire de Charles Quint sur les communautés de Castille entrées en rébellion. Il jouxte la Puerta de Jaén, construite à la même époque sur le site de l'ancienne porte musulmane de la ville. En la passant, on accède sur la gauche à la Calle Romanones, qui devient un peu plus haut la Calle Ávila et longe l'ancienne université. Cette dernière eut un grand rayonnement de 1538 à 1824 puis fut transformée en institut de lettres. C'est là qu'enseigna Machado de 1912 à 1924. En haut de la rue apparaît la silhouette trapue, dépourvue de clocher, de l'**église Santa Cruz**. Une merveille d'art roman tardif (1227), et l'un des très rares exemples de ce style en Espagne du Sud, puisque le gothique s'était déjà imposé quand la région fut reconquise. À l'intérieur, de hauts piliers de pierre pâle, surmontés de chapiteaux délicats et de voûtes harmonieuses. L'abside, remaniée dans un style gothique à l'emplacement de l'ancienne porte nord, porte les vestiges émouvants de fresques du XVe siècle. Juste derrière l'église se tient le musée de l'Hermandad de Santa Cruz (confrérie liée aux rites de la Semaine sainte, l'une des plus anciennes d'Andalousie, fondée en 1540). Les figures saintes et les objets rituels qui y sont exposés datent de l'après-guerre, car les originaux furent brûlés par les républicains pendant la guerre civile de 1936. En face de l'église, le spectaculaire Palacio de Jabalquinto. Juste à côté, la Plaza de Santa María est dominée par la cathédrale, la façade imposante de l'ancien séminaire de San Felipe Neri (XVIIe siècle) et les Casas Consistoriales Altas, l'une des plus anciennes demeures de la région, construite au XVe siècle et comportant de belles fenêtres gothiques. On remarque les écussons sculptés de Jeanne la Folle et Philippe le Beau. Au milieu de la place, la Fuente de Santa María, fontaine majestueuse du XVIe siècle. Derrière la cathédrale, on pénètre dans des ruelles inchangées depuis le Moyen Âge. La plus pittoresque d'entre elles, la Calle Alta, serpente entre les murs, passe sous des passerelles voûtées et débouche près d'un belvédère ouvrant sur les montagnes et les champs d'oliviers. Sur la droite, le Paseo de las Murallas, promenade suivant le tracé des anciennes murailles, vous ramènera vers le centre-ville en 15min. Des poèmes de Machado vous accompagneront le long du chemin. *Église Santa Cruz Plaza de Santa Cruz Ouvert lun.-sam. 11h-13h et 16h-18h, dim. et j. fér. 12h-14h* **Musée** *Ouvert lun.-sam. 11h-13h30 et 16h30-18h*

☆ **Palacio de Jabalquinto** L'édifice civil le plus séduisant de la ville. Construit à la fin du XVe siècle par Juan Alfonso de Benavides, parent du roi Ferdinand le Catholique, il devient au XVIIe siècle la propriété des marquis de Jabalquinto. Sa somptueuse façade, ouvragée avec une finesse extrême, constitue l'un des fleurons du style isabélin. Son ornementation luxuriante se divise en deux pôles : à droite, la partie masculine, avec les motifs évocateurs de la colonne du balcon (réservé au seigneur, tandis que l'autre était celui de son épouse), les deux garçons sculptés en haut à droite et les sept figures masculines encadrant la porte ; à gauche, une ornementation évoquant la féminité, expression d'une superstition liée à la fécondité. À l'intérieur, galerie Renaissance très classique, patio maniériste et escalier baroque. Depuis 2004, et après avoir été restauré, le palais accueille une partie de l'université. *Ouvert lun.-ven. 9h-14h Entrée gratuite*

Cathédrale Construite par Ferdinand III dès la reconquête de Baeza (XIIIᵉ siècle), sur le site de l'ancienne mosquée principale de la ville, et profondément remaniée au XVIᵉ siècle dans le plus pur style Renaissance, qui caractérise la façade principale. Du côté ouest, à droite du clocher, la Puerta de la Luna (XIIIᵉ siècle) se distingue par son élégante architecture gothique-mudéjare. Elle est surmontée d'une rosace gothique ajoutée deux siècles plus tard. Dans le mur sud, derrière la cathédrale, la Puerta del Perdón est un ajout gothique du XVᵉ siècle. Au pied de l'imposant clocher, on remarquera une plaque de marbre perdue dans la masse de la pierre. Ce vestige de l'ancienne mosquée a été creusé au fil des siècles par une coutume locale consistant à la toucher en faisant un vœu. L'intérieur de la cathédrale, à l'architecture Renaissance épurée, fut dessiné par le grand architecte d'Úbeda, Andrés de Vandelvira. À droite en entrant, on est impressionné par la superbe grille en fer forgé du maître forgeron de Jaén, Bartolomé. À découvrir, également, la chapelle de San José (1540), attribuée à Vandelvira, la *Sagrada Familia* de Valdés Leal (XVIIᵉ siècle), à droite de la sacristie, la chapelle du Sagrario (remarquable ostensoir) et le majestueux retable baroque du maître-autel. Dans le cloître, chapelles mudéjares du XIIIᵉ siècle. En gravissant la tour du clocher, restaurée, on découvre une jolie vue sur la ville et ses environs. *Tél. 953 74 41 57 Ouvert tlj. 10h30-13h et 17h-19h (10h30-13h et 16h-18h hors saison) Entrée gratuite (env. 2€ pour le cloître et 1€ pour la tour du clocher)*

Le Paseo de la Constitución et ses environs

Ancienne place du marché bordée d'arcades élégantes, le Paseo de la Constitución a toujours été le centre névralgique de Baeza. Côté est se dresse l'Alhóndiga (ancienne halle au grain du XVIᵉ siècle). Au nord, l'esplanade donne sur la Plaza de España, surplombée par la haute Torre de los Aliatares, seul vestige des anciennes fortifications musulmanes, avec la Puerta de Úbeda, un peu plus haut sur la Calle Barreras. En face de la place débute la rue piétonne et commerçante de San Pablo, qui rassemble plusieurs demeures aristocratiques. Au 18, le Palacio de los Saceldo fut construit au tout début du XVIᵉ siècle dans un style gothique tardif, même si sa façade richement décorée atteste de l'influence du plateresque. Juste à côté, le Palacio de Cerón date de la fin du XVᵉ siècle, et fut conçu comme la forteresse de López Sánchez de Valenzuela, chevalier de Saint-Jacques. Juste en face, l'église gothique de San Pablo (XVᵉ siècle) a été dotée au XVIᵉ siècle d'un portail Renaissance. Juste à l'ouest de la Plaza de España, sur le Pasaje del Cardenal Benavides, ne manquez pas l'extraordinaire façade de l'Ayuntamiento (hôtel de ville, XVIᵉ siècle), dont l'abondance de sculptures, de blasons et de reliefs, qui envahissent jusqu'à la corniche, en fait l'un des plus beaux exemples de l'architecture plateresque en Andalousie. L'édifice est divisé en deux parties, avec chacune son portail : à gauche, l'Antigua Cárcel (ancienne prison) de la ville et, à droite, l'ancienne Casa de Justicia (tribunal). Entre les balcons du 1ᵉʳ étage sont sculptés les emblèmes du roi Philippe II, surmontés d'un aigle, et ceux de la ville, un château à deux tours, avec deux clés au niveau de la porte. Non loin de là, sur la Calle de San Francisco, le couvent de San Francisco est l'un des chefs-d'œuvre de l'architecte Andrés de Vandelvira (1509-1575), conçu comme chapelle funéraire pour la puissante famille des Benavides. L'édifice essuya coup sur coup deux catastrophes au début du XIXᵉ siècle : un grand tremblement de terre, puis l'invasion des troupes napoléoniennes. Cependant, en admirant la porte Renaissance qui donne sur la Calle de San Francisco, et surtout les ruines de l'église, sur la rue latérale, on imagine aisément la splendeur passée du couvent. On y retrouve le classicisme sobre et élancé de Vandelvira.

Où trouver de l'huile d'olive ?

☺ **La Casa del Aceite.** La région de Baeza produit quelques-unes des meilleures huiles d'olive d'Espagne. Ici, elles sont classées par appellations, modes d'obtention (extra-vierge, vierge) et même degrés d'acidité. En vente également, des produits liés à l'huile d'olive : cosmétiques, bouteilles artisanales, objets traditionnels en bois d'olivier, conserves à l'huile d'olive, etc. Des prix attractifs : le demi-litre d'huile haut de gamme (extra-vierge, 0,2% d'acidité) coûte environ 4€. Un rayon bio bien achalandé. *Paseo de la Constitución, 9 Tél. 953 74 80 81 www.casadelaceite.com Ouvert lun.-sam. 10h-14h30 et 16h-20h30, dim. 10h-14h30 (et 16h-19h quelques dim. d'automne)*

Où boire un verre ?

El Mercantil. Une grande terrasse sur la Plaza de España, élégante avec ses fines arches de fer forgé. Le rendez-vous d'une foule de *Baezanos*, surtout en début de soirée. Une belle sélection de vins (au verre) d'env. 2 à 3,50€ (Rioja, Jerez, etc.). Pour un apéritif gourmand, vous pouvez commander une copieuse ration de crevettes, rafraîchissante après une journée torride. *Portal Tundidores, 16 Tél. 953 74 09 71*

Découvrir les environs

☺ **Museo de la Cultura del Olivo** Dans le complexe touristique de la Hacienda La Laguna, près de la localité de Puente del Obispo. Le musée se trouve au fond du premier bâtiment du complexe. C'est de loin le meilleur musée consacré à l'olivier et à l'huile d'olive de toute l'Espagne du Sud. Les salles, réparties autour d'une grande cour plantée d'oliviers appartenant à des variétés diverses, font vraiment le tour du sujet. Les explications, riches et plaisantes, sont écrites en anglais, français et allemand et un film, ventant l'importance de l'huile d'olive pour la santé, est projeté. La visite inclut une cave impressionnante, construite en 1846 pour contenir le produit des 100 000 oliviers que comptait alors la propriété. On découvre que l'olivier, arbre emblématique de toute la Méditerranée, fut probablement introduit en Espagne par les Phéniciens et que le mot *aceite* vient de l'arabe *az-zait* (jus de l'olive). On apprend à connaître le dur labeur qu'exigent les plantations tout au long de l'année, de la taille en février jusqu'à la récolte de sept.-oct. (pour les olives de table) à déc.-jan. (pour les olives à huile). Diverses presses du XIXᵉ siècle sont exposées sur place, dont une énorme presse à balancier (*viga*). À voir, également, les traditionnelles *tinajas* (jarres en terre cuite), enfoncées dans le sol pour obtenir la température favorable à la décantation de l'huile. La visite s'achève par quelques salles consacrées aux divers usages de l'huile d'olive : éclairage, gastronomie, cosmétique. *Sur la route de Jaén (A316), à 7km de Baeza. Au bout d'une route de campagne qui part à gauche juste à l'entrée du village (en venant de Jaén). Hacienda La Laguna, Puente del Obispo Tél./fax 953 74 43 70 et 953 76 51 42 Ouvert tlj. 10h30-13h30 et 16h-18h30 (17h30-20h en été, 16h30-19h en demi-saison) Entrée adulte 3€, enfant 1,50€*

Manger, dormir à Baeza

prix moyens

Palacete Santa Ana. Situé dans une rue étroite, derrière le joli couvent de San Francisco. Une merveille d'hôtel particulier du XVIᵉ siècle, restauré mais décoré à l'ancienne : meubles récents de style Renaissance, lustres au plafond, lourds rideaux… Double de 54 à 84€. Air conditionné. Dans le même esprit, Le restaurant, ouvert en 2006 dans les superbes salles du rdc, est en rénovation jusqu'à fin 2008, mais le service du petit déjeuner n'est pas perturbé. *Calle Santa Ana Vieja, 9 Tél./fax 953 74 16 57 www.palacetesantana.com*

prix élevés

Juanito. À la sortie de la ville, sur la route d'Úbeda. L'un des restaurants les plus courus de la région dans un édifice qui ne paie pourtant pas de mine, adossé à une station-service. La famille Salcedo fait depuis près de soixante ans déjà le bonheur des amateurs de cuisine traditionnelle andalouse. Spécialité de viandes, telles que l'excellent *cabrito al horno* (chevreau cuit au four), et de gibier (perdrix, faisan et caille). Menus de 35 à 50€. Réservation vivement conseillée. *Paseo del Arca del Agua Tél. 953 74 00 40 www.juanitobaeza.com Fermé dim. soir et lun.*

Dormir dans les environs

Hacienda La Laguna. Perdue au milieu des champs, une ferme seigneuriale du XVIIᵉ siècle, parfaitement réaménagée. Les chambres, petites mais confortables, sont organisées autour d'un beau patio. Le restaurant de l'école hôtelière propose des plats régionaux préparés avec l'huile du domaine. Juste en face, une vaste piscine. Double de 65 à 74€ HT, petit déj. compris. *Près de* **Puente del Obispo***, sur la route de Jaén (A316), à 10km de Baeza ; au bout d'une route de campagne qui part à gauche de la route juste à l'entrée du village (en venant de Jaén indication "Complejo la laguna"). Puente del Obispo Tél. 953 77 10 05 www.ehlaguna.com/hotel*

★ Úbeda
23400

Úbeda (34 000 hab.), la "reine et gitane" du poète Antonio Machado, trône à 750m sur un promontoire dominant la région de la Loma, plantée d'oliviers à perte de vue. Son extraordinaire patrimoine Renaissance, qui met en valeur le talent du grand architecte Andrés de Vandelvira, donne à cette ville cossue des airs d'Italie du Nord. L'architecture, la gastronomie, l'artisanat mais également l'hospitalité et la gentillesse de la population ubetense concourent à en faire une destination de choix.

TISSAGE D'UNE VILLE HAUTE EN COULEUR Au IIIᵉ millénaire avant notre ère, la civilisation dite d'"El Argar" s'installe sur le site de l'actuel centre-ville. Sous l'Empire romain, le village de *Betula* se développe. Mais c'est sous le califat de Cordoue, au xe siècle que la ville d'*Ubbadat-al-Arab* connaît un essor et devient l'un des principaux centres urbains et commerciaux d'*Al-Andalus*. Ses artisans sont réputés dans tout le monde musulman pour leurs céramiques colorées et surtout leurs tapis tissés à base de sparte (variété de genêt), les fameux *ubedíes*. En 1234, Úbeda est reprise par le roi de Castille Ferdinand III. Devenue ville royale et archiépiscopale, elle joue un rôle prépondérant dans la reconquête de la région. En 1506, les luttes intestines des nobles de la ville et leur opposition à la reine Isabelle pousse celle-ci, comme à Baeza, à faire détruire forteresses et murailles de la cité. Au XVIe siècle, les grandes familles d'Úbeda occupent des fonctions élevées dans l'administration de l'empereur Charles Quint puis de son fils, Philippe II. De somptueux palais Renaissance sont érigés aux quatre coins de la ville. C'est alors qu'apparaît la figure du grand architecte Andrés de Vandelvira (1509-1575). Ce disciple de Diego de Siloé va peu à peu imposer en Andalousie un style Renaissance sobre et harmonieux, d'un grand classicisme, proche de celui qui était apparu quelques décennies auparavant dans les grandes villes d'Italie du Nord. On lui doit les plus beaux monuments de la ville (Capilla del Salvador, Hospital de Santiago, Palacio de Vela de los Cobos).

Úbeda, mode d'emploi

accès

EN VOITURE À 58km à l'est de Jaén et 9km à l'est de Baeza par l'A316. Le centre historique est, pour l'essentiel, interdit aux voitures. Le plus simple est de garer son véhicule dans le parking souterrain de la Plaza de Andalucía.

EN CAR
Gare routière. À l'entrée de la ville, juste à côté de l'Hospital de Santiago. *Calle San José, 6 Tél. 953 75 21 57*
Alsina Graells. Jaén-Úbeda : 7 à 14 cars/j. Baeza-Úbeda : 7 à 19 cars/j. Cazorla-Úbeda : 4 à 5 cars/j. Grenade-Úbeda : 7 à 10 cars/j. *Tél. 953 75 21 57 www. alsinagraells.es*
Alsa. Séville-Úbeda : 4 cars/j. *Tél. 902 42 22 42 www.alsa.es*

orientation

En venant de Baeza et de Jaén, on pénètre dans le centre-ville par l'Avenida Cristo Rey, orientée d'ouest en est. Celle-ci passe devant l'Hospital de Santiago. Sur la droite, l'Avenida de la Constitución. Sur la gauche, la Calle Redonda de Santiago, qui débouche sur l'Avenida Ramón y Cajal (hôtels et pensions). En continuant tout droit, on arrive à la Plaza de Andalucía, aux portes du centre historique. Ce dernier s'étend au sud et au sud-est de la place. Il est organisé autour de la Plaza del Ayuntamiento, reliée à la Plaza de España par la Calle Real. Plus à l'est commence le quartier de San Millán.

informations touristiques

Office de tourisme. Il occupe le bel édifice du Palacio Marqués de Contadero, juste à l'ouest de la Plaza del Ayuntamiento, en plein quartier historique. *Calle Bajas* *del Marqués, 4 Tél. 953 75 08 97 www.ubedainteresa.com Ouvert lun.-ven. 9h-19h30 (20h en été), sam.-dim. et j. fér. 9h-14h*

adresses utiles

Poste. *Calle de la Trinidad, 4 Tél. 953 75 00 31 Ouvert lun.-ven. 8h30-20h30, sam. 9h30-13h.*
Banques. Vous trouverez quelques banques autour de la Plaza de Andalucía et en haut de la Calle Rastro, ainsi que sur la Carrera Obispo Cobos, près de l'Hospital de Santiago.
CiberNetWorld. Cybercafé, à côté du Parque Vandelvira. À la carte : on insère une pièce de 0,50€ pour 20min de connexion. *Calle Santo Domingo Savio, 14 Tél. 953 75 77 36*

urgences et hôpitaux

Centre d'urgences médicales. *À l'angle de l'Avenida Ramón y Cajal et du Parque de Vandelvira, au nord de l'Hospital de Santiago Tél. 953 02 86 54/45*
Hospital San Juan de la Cruz. *Route de Linares, km1 Tél. 953 02 82 00*

fêtes et manifestations

Feria. Depuis la reconquête de la ville en 1234, on célèbre San Miguel, saint patron de la ville. Défilés, fête nocturne et corridas. *Du 28 sept. au 4 oct.*

Découvrir Úbeda

☆ **À ne pas manquer** La Capilla del Salvador **Et si vous avez le temps...** Rencontrez les potiers d'Úbeda dans le quartier de San Millán, découvrez le patio de la Casa de las Torres, assistez à une soirée flamenco à la Casa Museo Andalusí

Mis à part l'Hospital de Santiago, l'essentiel des monuments est rassemblé dans un petit périmètre, au sud-est de la Plaza de Andalucía. À l'est de cette dernière, la Calle Real est le chemin d'accès privilégié au quartier historique. Bordée de vieilles demeures aristocratiques et de magasins artisanaux, c'est l'une des rues les plus agréables de la ville. À l'angle de la rue Juan Pascuau, sur la droite, ne manquez pas la façade élégante du **Palacio del Conde de Guadiana** (XVIᵉ siècle). La tour latérale, avec ses harmonieux balcons à colonnes et son ornementation fournie, fut ajoutée au XVIIᵉ siècle, dans le but évident de montrer la puissance des comtes de Guadiana. Les reliefs et la statuaire fourmillent de références à la généalogie de cette dynastie. En prenant sur la droite la Calle Juan Pascuau, on accède à l'une des plus jolies places de la ville, la Plaza San Pedro à l'ombre de l'église San Pedro (XVIᵉ siècle). En bas de la Calle Real sur la gauche, s'élève le Palacio de Vela de los Cobos, dessiné au milieu du XVIᵉ siècle par Andrés de Vandelvira, puis la Plaza del Ayuntamiento est dominée par la silhouette harmonieuse du Palacio de las Cadenas (palais des Chaînes), actuel hôtel de ville. Au sud de la place, l'église Santa María de los Reales Alcázares dresse sa façade d'une grande simplicité, dominée par deux campaniles symétriques. Elle fut érigée peu après la Reconquête sur le site de l'ancienne mosquée principale d'*Ubbadat*. Derrière Santa María, sur l'agréable Plaza de Carvajal, se trouve la Cárcel del Obispo (prison de l'Évêque), ainsi nommée car les religieuses de la ville venaient y purger les peines canoniques imposées par l'évêque. À gauche de l'église, séparé par la ruelle, un vaste édifice composé de l'Antiguo Pósito (ancienne halle au grain, à gauche) et du Palacio del Marqués de Mancera (fin XVIᵉ siècle). À l'est de la place, on accède au Palacio del Condestable Dávalos (XVᵉ siècle), qui abrite le Parador d'Úbeda. Vandelvira participa à sa construction. Juste à côté, la Capilla del Salvador. En face débute un quartier minuscule aux ruelles pavées, bordées de maisons basses. En continuant jusqu'au bout de la rue qui longe la Capilla del Salvador sur la droite, on accède à la Plaza Santa Lucía avec, sur la droite, une esplanade longeant les remparts de la ville, qui dominent la plaine de la Loma. Plus au nord se trouve la belle Plaza del Primero de Mayo, l'ancienne place du marché. Au centre, un monument dédié au poète mystique saint Jean de la Croix (1542-1591). À deux pas de là, au bout d'une rue qui part vers l'est, se trouve l'Oratorio San Juan de la Cruz. Au nord de la place, l'**église de San Pablo** (XIIIᵉ-XVIᵉ siècle), superbe édifice gothique. Son portail richement travaillé, réalisé en 1511, illustre le style gothique isabélin. La tour du clocher, elle, appartient au plateresque avec son ornementation chargée. Dans une rue qui part à l'arrière de l'église, ne manquez pas la façade du Palacio de la Calle de Montiel, dont le portail est un exemple superbe d'architecture plateresque. De l'autre côté de la place, l'ancien hôtel de ville (XVIIᵉ siècle), avec de belles arcades. Dans la Calle Cervantès, qui part au pied de San Pablo, se trouve une demeure mudéjare du XIVᵉ siècle, accueillant l'intéressant Musée archéologique de la ville. *Église de San Pablo* Tél. 953 75 06 37 Ouvert lun.-mer. 11h-12h et 17h-20h, jeu.-ven. 11h-13h et 17h-20h *Musée archéologique* Calle Cervantès, 6 Tél. 953 77 94 32 Ouvert mar. 14h30-20h30, mer.-sam. 9h-20h30, dim. 9h-14h30 Entrée gratuite pour les ressortissants de l'UE ou 1,50€

Palacio de Vela de los Cobos

Sur la sobre façade Renaissance, on remarquera les colonnes corinthiennes soutenant un balcon, ainsi que les arcades situées sous la corniche du toit. Autant d'éléments caractéristiques de l'architecture imposée peu à peu par Vandelvira. De part et d'autre du portail, des guerriers tenant les armes de Francisco Vela de los Cobos, régent d'Úbeda et capitaine de cavalerie lors de la reconquête de Grenade en 1492.

Palacio de las Cadenas

Une réalisation d'Andrés de Vandelvira, au milieu du XVIᵉ siècle, destinée à Juan Vázquez de Molina, secrétaire d'État de Charles Quint, puis de son fils, Philippe II. Entrez dans le patio, entouré d'un double niveau d'arcades soutenues par de fines colonnes qui ne sont pas sans rappeler le style florentin. La plus belle façade du palais est située à l'arrière, sur la magnifique Plaza Vázquez de Molina, au milieu de laquelle trône la statue de Vandelvira.

☆ ☺ Capilla del Salvador

Son harmonieuse façade Renaissance, finement ciselée et surplombée d'un clocher, domine l'est de la Plaza Vázquez de Molina. Francisco de los Cobos, secrétaire d'État de Charles Quint, ordonne sa construction comme panthéon familial au XVIᵉ siècle. L'architecte Diego de Siloé dessine l'édifice et en commence les travaux en 1536. Andrés de Vandelvira prend la relève de 1540 à 1556, et appose sa touche personnelle à l'ensemble. On entre par le portail latéral, richement ouvragé et surplombé d'un fronton classique. Le plus beau attend à l'intérieur. Le *presbiterio* réalisé par Vandelvira et recouvert de fresques et de sculptures abrite, sous une haute coupole, un magnifique retable encadrant un groupe de statues réalisé à l'origine par le sculpteur Berruguete. Seul le christ est d'origine, le reste ayant été refait au XXᵉ siècle. Sur la gauche, on accède à la sacristie, vraie merveille d'équilibre, réalisée par Vandelvira : voûtes ciselées, piliers aériens, figures classiques propres à l'esprit Renaissance. *Tél. 953 75 81 50 Ouvert lun.-sam. 10h-14h et 17h-19h (16h-18h30 en hiver), dim. 11h15-14h et 16h30-19h30 (16h-19h en hiver) Visites guidées en espagnol : 10h30, 11h15, 12h, 12h45, 13h30, 17h15 et 18h (16h15, 17h et 17h30 en hiver) Entrée (visite comprise) : 3€/1,50€ (enfants)*

Oratorio San Juan de la Cruz

L'oratoire Saint-Jean-de-la-Croix fut édifié en 1627 pour accueillir le sépulcre du plus grand poète mystique espagnol, mort à Úbeda en 1591. Il abrite aujourd'hui un musée consacré au saint. Moments forts de la visite, la sacristie du couvent contenant des reliques, la basilique baroque avec en son centre le sépulcre où le saint reposa de 1791 à 1793, le chœur (*coro alto*) installé sur le site de la chambre monacale où il mourut. Différentes salles comprenant des éditions originales du poète et des croquis d'artistes contemporains inspirés de son œuvre. *Calle Carmen, 13 (au bout de la Calle San Juan de la Cruz, qui part à l'est de la Plaza del Primero de Mayo) Tél. 953 75 06 15 Ouvert mar.-dim. 10h-13h et 17h-19h (16h30-19h en hiver) Sonner à la porte de droite Entrée 1,50€*

Quartier de San Millán

En remontant de la Plaza del Primero de Mayo la Calle del Losal, on accède à la Puerta del Losal, majestueuse arche musulmane du XIIIᵉ siècle, qui marque l'entrée du Barrio San Millán. Installé dès l'époque musulmane au-delà des murailles de la médina, c'est depuis toujours le quartier des potiers (*alfareros*). Ils ne sont aujourd'hui plus que cinq (dont les trois frères Tito) à perpétuer la tradition, et à partager les secrets de fabrication des remarquables céramiques d'Úbeda, dont les formes originales et les vernis colorés mêlent des influences musulmanes et wisigothes. À gauche de la Puerta del Losal, au 17 de la Calle Fuente Seca, l'Alfarería Melchor Tito est l'endroit idéal pour découvrir cet artisanat de grande qualité. Les autres ateliers se trouvent le long de la belle Calle Valencia, en contrebas de la Puerta del Losal. Au bout de cette rue pavée et pittoresque, on est déjà en pleine campagne.

Casa de las Torres

Au sud de la Plaza de Andalucía, en bas de la Calle Jurado Gómez. Cette demeure fortifiée du XVIᵉ siècle possède l'une des façades les plus impressionnantes de la ville, flanquée de deux puissantes tours. Ce fut la première grande demeure aristocratique de Úbeda, construite au début du XVIᵉ siècle, dans un style plateresque, privilégiant le travail de la pierre. Dans l'ornementation foisonnante de la façade, la coquille de l'ordre de Saint-Jacques revient plusieurs fois : Andrés Dávalo de la Cueva, qui fit construire ce palais, était un chevalier de cet ordre. Ses emblèmes figurent en bonne place au-dessus du portail. On remarque que les statues qui ornent ce dernier sont divisées en deux groupes : figures masculines à droite, féminines à gauche. Une superstition liée à la fécondité, que l'on retrouve dans le Palacio de Jabalquinto, à Baeza. À l'intérieur, l'un des plus majestueux patios Renaissance de la ville… Aujourd'hui, la Casa de las Torres abrite un lycée spécialisé dans les beaux-arts (où l'on peut entrer). *Tél. 953 75 05 18 Accès à la cour (en travaux) et à l'intérieur lun.-ven. 8h-14h30*

Hospital de Santiago Ses hautes tours aux tuiles bigarrées veillent sur l'entrée du centre-ville (en venant de Baeza). Pour les spécialistes, cet hôpital religieux est le chef-d'œuvre d'Andrés de Vandelvira. Il fut réalisé de 1562 à 1575, à l'initiative de Diego de los Cobos, évêque de Jaén. Le portail, sobre et majestueux, donne sur un vaste patio. Au fond, les deux clochers se détachent sur la forme triangulaire du fronton de la chapelle, dont l'intérieur curieusement tracé en H est recouvert de fresques Renaissance. Au fond à droite du patio, un escalier aux plafonds vertigineux mène à l'étage. De là, on découvre mieux la finesse des colonnes de marbre et des arcades en pierre. *Av. Cristo Rey Tél. 953 75 08 42 Ouvert lun.-ven. 8h-15h et 16h-22h30, sam.-dim. 11h-14h30 et 18h-21h30 Entrée libre*

Où écouter du flamenco ?

Casa Museo Andalusí. Un hymne à la culture andalouse. Cette superbe demeure aux plafonds recouverts de fresques abrite une merveilleuse collection d'objets d'art, évoquant la richesse des cultures qui se sont épanouies en Andalousie. Ce ne serait pas complet sans le flamenco. *Tél. 619 07 61 32 Ouvert avr.-oct. : tlj. 11h-14h et 17h-20h30 (18h-21h en été) Entrée 1€*

Manger à Úbeda

petits prix

Mesón Rincón del Jamón. Tout près de l'Hospital de Santiago. Si vous aimez les charcuteries ibériques, c'est là qu'il faut aller : elles se déclinent sous forme de *tapas, raciones* et *montaditos*, le tout à des prix très raisonnables. En fin de semaine, les tables de la terrasse sur le trottoir sont prises d'assaut de 21h30 à 1h du matin. *Av. de la Constitución, 8 Fermeture hebdomadaire, se rens.*

prix moyens

☺ **Museo Agricola.** Un lieu unique, dédié à la cuisine régionale et à la terre de Jaén en général. La famille Alcaide a ouvert en 1990 ce musée agricole-restaurant à la décoration délirante (5 000 outils de ferme accrochés aux murs !). Dans le patio, toutes les générations se retrouvent pour déguster des plats traditionnels venus de la campagne environnante : ration de *migas* (mie de pain) aux poivrons ou de fromage de la sierra à l'huile d'olive. Le tout cuisiné avec des produits d'une fraîcheur exceptionnelle. Comptez de 20 à 25€. Il est possible d'y dormir. Chambres de 86 à 95€ selon la saison. *Au sud de l'Hospital de Santiago, Calle San Cristobal, 17 (la façade se voit de loin…) Tél. 953 79 01 08 et 639 97 20 10 Ouvert tlj.*

☺ **Restaurante El Seco.** En plein centre historique, un établissement agrandi et rénové en 2007. On y discute ferme autour des tables, surtout à l'heure du déjeuner. Une très bonne adresse pour déguster des spécialités du terroir, comme les *judías con perdiz* (perdrix aux haricots verts, env. 8,50€) ou les *gachas* (flan au lait aromatisé). Le menu du jour à env. 14€ est irréprochable. À la carte, compter 30€. *Calle Corazón de Jesús, 8 Tél. 953 79 14 52 Ouvert tlj. le midi, ven.-sam. midi et soir Fermé en juil.*

La Puerta Graná. Au sud du centre historique, à côté de la Puerta Granada. Un lieu au charme oriental : en entrant, de petites alcôves séparées pas des arches et à l'extérieur, deux terrasses avec vue panoramique sur la vallée. Salades, tapas variées et bon café dans un cadre romantique. Un seul problème, les horaires d'ouverture un peu fantaisistes. *Plaza de la Puerta de Granada*

prix élevés

Restaurant du Parador. La meilleure table d'Úbeda, installée au fond du patio du Parador, dans un cadre très romantique. À la carte, des spécialités régionales de qualité, avec des ingrédients de saison. À partir de 35-40€/pers. Menu intéressant à env. 33€. Réservation conseillée en saison. *Plaza Vázquez de Molina Tél. 953 75 03 45 Ouvert tlj. midi et soir*

Dormir à Úbeda

Úbeda est une destination privilégiée si vous cherchez un hôtel de caractère à des prix corrects. Il n'en va pas de même pour les pensions : le choix est limité et les prix sont relativement élevés, pour un confort minimal.

petits prix

Hostal Victoria. La pension la plus proche du centre historique, la plus sympa aussi. Près de l'Hospital de Santiago et de la Plaza de Andalucía. Sonnez à la porte, et on vous dira de monter au 1er ou au 2e étage. Chambres minuscules et spartiates, mais climatisées. Accueil prévenant. Double avec sdb à 39-40€. *Calle Alaminos, 5 Tél. 953 79 17 18 Tél./fax 953 75 29 52*

prix moyens

Hotel la Paz. Un hôtel rénové récemment avec des murs clairs décorés de gravures en noir et blanc et de ferronneries. Un style qu'on aime ou pas, mais tout y est très soigné. Le neveu du patron se fera un plaisir de vous faire visiter ses chambres, spacieuses et bien équipées. Demandez de préférence les étages supérieurs. La 457, par exemple, dotée d'une large baie vitrée et d'une grande sdb neuve. Chambres doubles d'environ 65 à 70€ HT. *Calle Andalucía, 1-3 Tél. 953 75 21 40 Fax 953 75 08 48 www.hotel-lapaz.com*

prix élevés

Hotel María de Molina. Au cœur du centre historique. Un hôtel qui réussit à combiner la noblesse d'un patio aux belles arches de pierre avec le confort moderne de grandes chambres lumineuses. Elles sont décorées avec des touches d'ancien : bois sombre, rideaux épais et têtes de lit en bois peint. Au dernier étage, une jolie vue sur les toits et les palais Renaissance de la ville s'offre à vous. Les chambres 201 et 202 donnent sur la superbe place en contrebas. Chambres doubles de 81 à 103€ HT. *Plaza del Ayuntamiento Tél. 953 79 53 56 Fax 953 79 36 94 www.hotel-maria-de-molina.com*

GEO RÉGION

PROVINCE DE JAÉN

prix très élevés

Parador de Úbeda. Sur la plus belle place d'Úbeda, ce Parador est installé dans un somptueux palais Renaissance du XVIe siècle. Il appartenait à Ferdinand Ortega, doyen de la chapelle d'El Salvador. Deux patios enchanteurs, aux arcades soutenues par de fines colonnes, des chambres vastes et décorées avec goût, c'est l'un des fleurons de la célèbre chaîne, et l'un des plus anciens. L'un des patios dispose d'un système de fermeture pour la période froide et forme ainsi une salle agréable. On aime les hauts plafonds, les frises sculptées, le vieux dallage en terre cuite, la lumière douce et le mobilier à l'ancienne. Si elles sont libres, demandez l'une des six chambres donnant sur la place (167-178€ HT selon la saison). Double de 131 à 140€. Du dimanche au jeudi, 90€/pers. HT pour les moins de 30 ans et –35% pour les plus de 60 ans (petit déjeuner-buffet gargantuesque compris), à condition de réserver. *Plaza Vázquez de Molina Tél. 953 75 03 45 www.parador.es*

☺ Cazorla   23470

Ce très plaisant bourg montagnard (env. 8 000 hab.) est la porte d'entrée de l'immense parc naturel de la sierra de Cazorla, paradis des amoureux de nature et de randonnée. Perché à 885m d'altitude, il étend ses rues escarpées et ses places accueillantes au pied de la Peña de los Halcones et du Cerro de Salvatierra avec, dominant l'ensemble, la silhouette massive du mont Gilillo (1 845m). Si des vestiges préhistoriques ont été retrouvés dans les environs, qui accueillirent également de nombreuses villas romaines, le village lui-même n'apparaît que sous le règne des Nasrides de Grenade (XIIIe-XVe siècle). L'héritage musulman est palpable dans le tracé enchevêtré des ruelles. Situé sur la frontière des terres chrétiennes et musulmanes, Cazorla sera pendant deux siècles au cœur des combats entre ces deux puissances.

Cazorla, mode d'emploi

accès

EN VOITURE À 45km au sud-est d'Úbeda par l'A32/N322, puis l'A315 (au niveau de Torreperogil) et l'A319.

EN CAR
Alsina Graells. Liaisons quotidiennes entre Jaén et Cazorla à 12h, 16h30 et 18h. Se renseigner pour Grenade-Cazorla, Úbeda-Cazorla et Baeza-Cazorla. *L'arrêt des cars et les guichets se situent au niveau de l'ancienne station service, près des arènes Tél. 953 75 21 57 www.alsinagraells.es*

orientation

En venant d'Úbeda, on pénètre dans Cazorla par la Calle Hilario Marco, qui remonte jusqu'à la Plaza de la Constitución, au cœur du bourg. Juste à gauche en arrivant sur la place part la route qui mène au parc de Cazorla et passe devant les jardins du Paseo del Santo Cristo (office de tourisme). De l'autre côté de la place, la Calle Dr Muñoz se dirige vers la Plaza de la Corredera, où se trouve la mairie. Le vieux quartier du centre-ville s'étend de part et d'autre de cette place. Au fond à droite de cette dernière, la Calle Nubla permet de descendre en voiture jusqu'à la jolie Plaza de Santa María, tout au sud-est de Cazorla. La route continue ensuite jusqu'au parking situé au bord du río (là, point de départ de nombreuses randonnées et chambres d'hôtes), avant de remonter jusqu'au Castillo de la Yedra.

informations touristiques

Office de tourisme. Bien documenté. *Esplanade du Paseo del Santo Cristo, près de la Plaza de la Constitución (dir. parc de Cazorla) Tél. 953 71 01 02 www.cazorla. es Ouvert tlj. été : 10h-13h et 17h30-20h ; hors saison : 10h-13h et 17h-19h30*

adresses utiles

Plusieurs banques et distributeurs autour de la Plaza de la Constitución.
Bureau de poste. Près de la Plaza de la Corredera. *Calle Mariano Extremera, 2 Tél. 953 72 02 61 Ouvert lun.-ven. 8h30-14h30, sam. 9h30-13h*
Centre médical José Salcedo Cano. À la sortie de Cazorla, en direction du parc. *Avenida Ximénez de Rada*
Point Internet. Dans le magasin de location de DVD, à côté du café El Cura, sur la Plaza de la Constitución et à la Casa de la Cultura.

fêtes et manifestations

Février-mars	**Carnaval** : pèlerinages, bals, processions.
Dernier dimanche d'avril	**Romería de la Virgen de la Cabeza** (pèlerinage).
15 mai	**Romería de San Isicio** (pèlerinage).
14 au 19 septembre	**Feria de Cazorla**. Fête en habits traditionnels dans les *casetas* ouvertes à tous, bal et corridas. Le 17, la statue du saint patron de Cazorla est portée solennellement à travers les ruelles.

Découvrir Cazorla

☆ **À ne pas manquer** Le Castillo de la Yedra **Et si vous avez le temps…** Découvrez la ville pendant la feria, faites une promenade jusqu'à la fraîche cascade de la Malena, optez pour un lac de montagne et la vue sur les crêtes avec une randonnée sportive dans la laguna de Cazorla

Juste au nord-ouest de la Plaza de la Constitución, au cœur du village, les jardins du Paseo del Cristo del Consuelo sont la promenade préférée des habitants. De l'autre côté de la place, on accède par la Calle Dr Muñoz à la Plaza de la Corredera, dominée par l'église San José (XVIIe siècle) et dans le prolongement, par l'Ayuntamiento (hôtel de ville). Juste à gauche de ce dernier, la Calle Carmen monte vers le cœur du vieux quartier, longeant l'harmonieuse église del Carmen (fin XVIIe-début XVIIIe siècle), puis un ancien couvent du XVIe siècle (auberge de jeunesse). En contrebas de la Plaza de la Corredera, en bas de la Calle San Francisco, l'église de San Francisco a été construite à la fin du XVIIᵉ siècle dans un style Renaissance tardif. Son intérieur baroque abrite la plus importante figure sainte de la ville : le Cristo del Consuelo, patron de Cazorla, qui parcourt les rues et les places du centre le 17 septembre, jour de sa fête. Un peu plus bas, sur la gauche, la Calle La Matea offre de belles vues sur le château de la Yedra et la partie inférieure du bourg. Elle mène, en bas du village, en direction du Castillo de la Yedra, à la belle Plaza de Santa María. C'est la partie la plus ancienne du village, que les habitants appellent la Plaza Vieja (Vieille Place). Elle fut construite sur le cours du río Cerezuelo, pour unir le quartier du Castillo de la Yedra à l'autre rive. La rivière passe sous les ruines de l'église de Santa María, édifice Renaissance réalisé au milieu du XVIᵉ siècle par Andrés de Vandelvira. Il fut malheureusement détruit par les troupes napoléoniennes lors de la guerre d'Indépendance. Sur la place, on remarque une belle fontaine Renaissance (1605), la Fuente de las Cadenas. Les ruelles étroites situées derrière l'église ont gardé un air médiéval.

☆ **Castillo de la Yedra** Cette forteresse d'origine romaine, qui domine le sud du village, fut reconstruite à l'époque musulmane puis restaurée au XIVᵉ siècle par l'archevêque de Cazorla. Il abrite le Museo de Artes y Costumbres del Alto Guadalquivir, consacré à l'histoire et aux traditions de la région de Cazorla. Du sommet de la Torre del Homenaje, tour principale du château, la vue sur la ville et les montagnes à travers de délicates fenêtres vaut le déplacement. *Tél. 953 71 00 39 Ouvert mar. 15h-20h, mer.-sam. 9h-20h, dim. et j. fér. 9h-14h Entrée : 1,50€ Gratuit : citoyens de l'UE*

Où boire un verre ?

El Triunfo. Un bel édifice orné d'azulejos attire le regard. Installé au bar, ou sur les petites chaises en rotin qui donnent sur la place, vous pourrez grignoter quelques tapas en accompagnement de votre bière (pain, chorizo, anchois, boulettes de viande…). *Plaza de la Corredera, 7 Tél. 953 72 01 29 Fermé lun.*

Découvrir les environs

Partir en randonnée

Plusieurs itinéraires au départ de Cazorla permettent de découvrir les paysages sauvages et verdoyants de cette partie de la sierra de Cazorla, à l'intérieur des limites du parc naturel.

Randonnée	Durée/dist. (AR)	Niveau de difficulté	Intérêt
Cascada de la Malena	3h/9,9km	Faible	Deux belles cascades et découverte de l'ermitage de San Sebastián.
Monasterio Montesión	4h/15,6km	Moyenne	Passage à travers les bois et monastère de Montesión.
Laguna de Cazorla	6 à 7h/22km	Haute	Vue sur les crêtes qui descendent du mont Gilillo et lac de montagne.
Cazorla-Parador El Adelantado	6 à 7h/23km	Moyenne	Paysages superbes, vue sur les vallées du parc naturel.

Manger à Cazorla

Région de montagne oblige, on se régale toute l'année de charcuteries succulentes et, en saison, de gibier et de champignons.

petits prix

☺ **Café Bar El Cura.** La salle décorée d'azulejos et d'une tête de sanglier est vraiment exiguë, mais la terrasse, au pied des escaliers du vieux quartier, est idéale pour se prélasser en observant les passants un verre à la main, à l'ombre des arbres. Au menu, de succulentes tapas (à partir d'environ 1€) et des plats régionaux à petits prix (*raciones* de 8 à 13€). *Pl. de la Constitución, 12 Tél. 953 71 03 25 Ouvert midi et soir Fermé mar.*

Mesón Don Chema. Pour goûter aux spécialités de gibier sur des nappes à carreaux et sous le regard bienveillant de cerfs empaillés... La grande salle, souvent animée, invite à une petite étape gastronomique simple mais de qualité : demi-perdrix au vinaigre (env. 10€) ou *tacos de jabalí* (tranches de sanglier et huile d'olive, env. 10€). Un vrai goût de la sierra de Cazorla. *Callejón De Jose María, Don Chema Tél. 953 72 00 68 et 953 71 05 29 Ouvert tlj. 13h-16h et 19h30-23h30 (20h30-0h en été)*

prix moyens

Restaurante La Sarga. Sur la grande place située en contrebas de la Plaza de la Constitución. La meilleure table de la ville, installée dans une salle pompeuse dont la décoration frôle dangereusement le mauvais goût, mais récompensée de nombreux prix gastronomiques. Intéressant, le dégustation, qui permet de découvrir des spécialités de la région variant selon la saison : cinq plats et un assortiment de desserts pour env. 27-30€. À la carte, on hésite entre l'agneau farci aux truffes et aux pommes (*cordero relleno con trufas y manzanas*) ou l'aiguillette de chevreuil à la sauce de châtaigne (*lomo de ciervo en salsa de castaña*). *Plaza de Andalucía, 2 Tél. 953 72 15 07*

Dormir à Cazorla

camping

Camping Cortijo San Isicio. À 1,5km de la Plaza de Santa María, par la route du Camino San Isicio. Un camping agréable, en pleine campagne, sur des terrasses aménagées à flanc de coteau. Il évoque davantage le camping à la ferme que les grands complexes touristiques chers à l'Andalousie. Un lieu à l'ambiance écolo, qui propose de vieux fours traditionnels pour les barbecues et une jolie piscine en haricot qui séduira les enfants. Le sol herbeux est parfait pour les tentes, tandis que la pente très raide de l'entrée donnera des sueurs froides aux caravaniers, obligés de voir leur maison tirée à bon port par le tracteur du propriétaire. Compter 15€ pour une voiture, une tente et deux pers. *Camino de San Isicio L'accès le plus simple, évitant en voiture les ruelles du centre historique, se fait par la route qui part sur la* droite de l'A319 (en venant d'Úbeda), un peu avant l'arrivée à Cazorla (suivre les indications) Tél./fax 953 72 12 80 www.campingcortijo.com Ouvert mars-oct.

très petits prix

☺ **Albergue Juvenil Cazorla.** En haut de la Calle Carmen, qui monte de la Plaza de la Corredera. Cette auberge de jeunesse est installée dans un superbe édifice de 1513. Les chambres (2 à 8 pers.) ne disposent pas de salles de bains, mais sont irréprochables. En juillet et août, la piscine offre une fraîcheur bienvenue. Le restaurant propose des repas complets à 7€, midi et soir, et l'on peut même vous préparer des pique-niques si vous partez en randonnée. Pas de souci pour les fêtards : la porte est ouverte 24h/24. La réception, très accueillante, est une vraie mine d'informations sur les activités de la région et organise des excursions à prix réduits dans le parc de Cazorla (descente de canyon, kayak, tir à l'arc…). De mars à juin, il est impératif de réserver, car l'auberge accueille de nombreux groupes scolaires. Juin-sept. : 18-20€ ; oct.-mai : 14-16€ *Plaza Mauricio Martínez, 6 Tél. 953 71 13 01 Fax 953 71 13 05 Fermé à Noël*

Hostal Betis. Une pension de famille propre et accueillante, en plein centre du village. 26€ la double, sans salle de bains (pas plus de trois chambres par sdb). Si elle est libre, demandez la chambre 102 qui, pour le même prix, dispose d'une salle de bains privée et d'une belle vue sur les toits du quartier. *Plaza de la Corredera, 19 Tél. 953 72 05 40 et 646 28 14 02*

petits prix

Pensión Taxi. Dans une ruelle charmante montant de la Plaza de la Constitución. On entre sous une treille luxuriante. L'accueil est vraiment sympathique dans cette pension familiale, aux chambres modestes avec air conditionné et chauffage, mais dotées de salles de bains toutes neuves. La n°6, avec son balcon donnant sur la vieille ville, la Peña de los Halcones et le Castillo de la Yedra, est le meilleur choix. Double à partir de 38€ (triples disponibles à 47€). *Travesía de San Antón, 7 Tél. 953 72 05 25 et 606 58 76 57*

prix moyens

Hotel Peña de los Halcones. Sur les hauteurs du village, un grand hôtel tout confort aux chambres meublées de pin clair et égayées d'édredons colorés. Demandez celles avec vue : les larges fenêtres offrent un panorama de carte postale sur les montagnes, les oliveraies et les toits du village en contrebas. Un vrai bonheur au réveil. Doubles de 50 à 60€. *Calle Ingeniero Enrique Mackay Tél. 953 72 02 11 Fax 953 72 13 35 halcones@telefonica.net*

prix élevés

☺ **Casa Rural Molino de la Farraga.** Des chambres d'hôtes de caractère dans un moulin à eau vieux de 200 ans, simples mais charmantes, avec leurs lits à l'ancienne et leurs poutres apparentes. Elles sont toutes différentes. La suite aux tons ocre et dorés, avec sa terrasse privée, est un petit bijou. Situé à 200m du village, le moulin est perdu dans un coin bucolique, au bord du río Cerezuelo, dévalant les pentes vers la Plaza Santa María. Piscine et jardin labyrinthique… Réservation indispensable en saison : il n'y a que huit chambres. Double à partir de 75€ petit déjeuner inclus. *Parking situé au pied de la montée finale vers le Castillo de la Yedra. Si vous êtes en voiture, garez-vous là et continuez à pied en remontant le ruisseau sur 100m. Camino de la Hoz Tél. 953 72 12 49 www.molinolafarraga.com*

☺ La sierra de Cazorla

Avec sa superficie de 214000 ha, le parc naturel des sierras de Cazorla, Segura et Las Villas est le plus grand d'Espagne. Une région de montagne verdoyante, qui culmine à 2107m au Cerro de la Empanada et donne naissance aux deux grands fleuves d'Espagne du Sud, le Guadalquivir et le Segura. Elle relie la sierra Morena et la cordillère Bétique.
La végétation du parc est d'une richesse exceptionnelle : quelque 2170 espèces recensées. Vingt-quatre d'entre elles, comme la délicate violette de Cazorla, ne poussent qu'ici. Il existe aussi une plante carnivore survivante des temps préhistoriques, mais elle n'a encore jamais dévoré le moindre randonneur… Au printemps et au début de l'été, les prairies et les berges des nombreux ruisseaux sont ainsi couvertes de tapis colorés. Du point de vue de la faune, ce n'est pas mal non plus : 185 espèces d'oiseaux dont l'aigle royal, le percnoptère, le vautour moine et le hibou royal ; 51 espèces de mammifères dont la chèvre sauvage, le mouflon, le chat sauvage, le sanglier et le cerf, une importante population de salamandres et de tritons ; ou encore près de 112 variétés de papillons diurnes et nocturnes. La sierra de Cazorla est la partie la plus fréquentée du parc et rassemble la grande majorité des infrastructures touristiques.

La sierra de Cazorla, mode d'emploi

accès

EN VOITURE La visite du parc est plus pratique en voiture. Il s'étend entre Cazorla au sud et Segura de la Sierra au nord. La A319, qui le traverse du sud au nord, entre Cazorla et Cortijos Nuevos, est la principale route du parc. Elle dessert les plus importantes destinations touristiques, longe le grand lac de barrage d'El Tranco et permet d'atteindre les points de départ des randonnées les plus courues.

EN CAR La ligne de cars Cazorla-Coto Ríos traverse la partie méridionale du parc et permet d'accéder aux points de départ de plusieurs belles randonnées. Départs de Cazorla : 7h15 et 12h40. Départs de Coto Ríos : 9h et 16h15. Les cars ne circulent pas sam.-dim. *Carcesa Tél. 953 72 11 42*

informations touristiques

Le meilleur centre d'informations sur le parc est l'office de tourisme de Cazorla (cf. Cazorla). Il vous en fournira la carte et des suggestions de randonnées.

GÉOREGION

PROVINCE DE JAÉN

Centre d'information Torre del Vinagre. Exposition sur la faune et la flore du parc, cartes. *Sur l'A319, entre Arroyo Frío et Coto Ríos (km49) Tél. 953 71 30 17 Ouvert 11h-14h et 17h-20h (16h-18h en hiver) Fermé lun. matin*

sports et loisirs

Tierra Aventura. Cette compagnie, basée à Cazorla, offre un grand choix d'activités et d'excursions à l'intérieur du parc : randonnée écologique (12€/j.), circuit aventure (marche, rappel, tyrolienne, escalade, 25€), canyoning (30€), kayak (12€ pour 2h), promenade à cheval (1h, env. 14€) – prix maximum pour 4 à 20 pers., dégressifs pour les groupes plus nombreux. Vous pouvez réserver toutes ces activités à l'auberge de jeunesse de Cazorla. *Calle Ximénez de Rada, 17 Cazorla Tél. 953 72 20 11, 953 71 00 73 et 639 66 05 62 www.tierraventuracazorla.com Ouvert 9h-14h et 17h30-20h30 (18h-21h en été)*

Turisnat. Excursions en 4x4 pour visiter les falaises d'El Chorro et les sources du Guadalquivir. 28€/pers. (maximum 8 pers.). En voiture tout terrain 25€/pers. (maximum 27 pers.). *Paseo del Santo Cristo, 17 Tél. 953 72 13 51 Fax 953 71 01 02 www.turisnat.es Ouvert tlj. 10h-14h et 17h-20h30 Sorties à 8h et 15h*

Découvrir la sierra de Cazorla

☆ **À ne pas manquer** Le parc naturel des sierras de Cazorla, Segura et Las Villas **Et si vous avez le temps...** Baignez-vous dans les piscines naturelles que forme le Guadalquivir, randonnez jumelles à la main sur la Ruta del río Borosa, observez les rapaces sur les falaises d'El Chorro, profitez de la vue sur la région du château de Segura de la Sierra.

☆ Le parc naturel des sierras de Cazorla, Segura et Las Villas

La meilleure manière de découvrir le parc, outre la randonnée, est de parcourir la route A319 qui le traverse de Cazorla à Cortijos Nuevos, et les routes secondaires qui mènent aux principaux sites de la région. Au départ de Cazorla, l'A319 traverse le village de **La Iruela**, qui comporte les ruines d'un impressionnant château musulman et une église Renaissance construite par Andrés de Vandelvira, puis celui de Burunchel, avant d'entrer véritablement dans le parc au passage du col du Puerto de las Palomas (km12), d'où l'on a de belles vues sur les montagnes de la sierra de Cazorla (mirador Paso del Aire). La route descend alors vers l'aire de loisirs d'Empalme del Valle (km17). Là, une route secondaire part sur la droite. Elle croise quelques kilomètres plus loin la route d'accès au Parador de Cazorla (sur la droite) et continue jusqu'au site du **Puente de las Herrerías**. Ce minuscule pont médiéval enjambe le Guadalquivir, qui n'est alors qu'un modeste torrent de montagne. Il fait l'objet d'une légende tenace. En mai 1489, les Rois Catholiques traversent la région au départ de Cordoue pour aller reconquérir Baza et Guadix, bastions stratégiques des Nasrides. Bloqués par le Guadalquivir en crue, les soldats auraient alors construit ce pont, que la reine Isabelle aurait été la première à franchir. Une version plus extrême affirme même que, grâce à l'aide divine, le pont fut achevé en une seule nuit, hâtant ainsi la Reconquête. En fait, ce pont a bien été construit à cette époque, mais vraisemblablement pour faciliter la transhumance des moutons. Le site sert de point de départ à de belles randonnées le long du Guadalquivir et accueille un complexe touristique. En été, les bassins que forme le Guadalquivir sont envahis par les baigneurs. En revenant sur l'A319, on continue vers le nord le long de la vallée centrale du parc. La route traverse le petit village touristique d'**Arroyo Frío** (restaurants et hébergements), puis atteint 11km plus loin le Centro de Interpretación Torre del Vinagre (km49), qui comporte une exposition consacrée au milieu naturel du parc, un jardin botanique rassemblant les principales espèces végétales et un musée de la Chasse. En continuant vers le nord, après avoir passé le hameau de **Coto Ríos**, on atteint l'immense lac de barrage d'El Tranco. Au sud du lac se trouve la réserve de chasse du Collado del Almendral, idéale pour découvrir la faune du parc. La route longe ensuite la rive gauche du lac jusqu'au barrage, où sont rassemblées des infrastructures touristiques très fréquentées en été. Juste avant le barrage, le bar Arbol del Cielo loue des canoës et des pédalos. Passé le barrage, l'A319 continue vers le nord. À la sortie du lac, une route monte sur la droite vers le spectaculaire bourg médiéval de **Hornos**, d'où la vue sur le lac et la sierra de Cazorla vaut le détour (trouvez la petite porte, à gauche de la mairie, qui donne sur l'époustouflant mirador del Aguilón). Plus au nord, l'A319 traverse le village de **Cortijos Nuevos**, puis croise la JA-8106, qui part sur la droite en direction de Segura, principale destination de la sierra de Segura, partie la moins fréquentée du parc. *Excursions organisées* Des agences, basées à Cazorla, proposent diverses sorties dans le parc *www.cazorla.es (en espagnol)*

Randonner dans la sierra de Cazorla

La variété des paysages, de forêts luxuriantes en falaises vertigineuses, l'abondance de cours d'eau, la faune et la flore du parc en font l'une des destinations les plus prisées des randonneurs espagnols. Les itinéraires sont nombreux et adaptés à tous les niveaux. Les meilleures périodes pour randonner dans la région sont les mois de mai, juin et septembre. Si vous aimez la tranquillité, venez de préférence en dehors des week-ends. En juillet et surtout en août, période de forte affluence, les températures élevées sont peu adaptées à la marche. *Pour les circuits, renseignements à l'office de tourisme de Cazorla Tél. 953 71 01 02*

Randonnée	Départ	Durée/dist. (AR)/ Difficulté	Intérêt
Ruta del río Borosa	Torre del Vinagre	6-7h/24km Moyenne	Richesse de la végétation et de la faune ; cascade Salto de Los Organos.
Ruta del Nacimiento del Guadalquivir	Puente de la Herrería	6-7h/22km Faible	Torrent du Guadalquivir. Sources spectaculaires au printemps. VTT possible.
Parque Cinegético Collado del Almendral	Sud du lac El Tranco	1 à 2h/5km Faible	Point d'observation de la vie animale : mouflons, cerfs, daims. Idéal pour les enfants.
Empalme del Valle-Puente de las Herrerías	Empalme del Valle	4h/12km Moyenne	Peu fréquentée. Pont médiéval Herrerías et marche le long du Guadalquivir.

GEOREGION

PROVINCE DE JAÉN

Ruta del río Borosa La randonnée la plus populaire du parc (24km, 6-7h AR). Elle remonte le cours du río Borosa le long d'une piste forestière puis d'un sentier, jusqu'à la source du cours d'eau. Depuis le Centro de Interpretación Torre del Vinagre, sur l'A319, prendre la route secondaire menant deux kilomètres plus loin à la Piscifactoria (centre de pisciculture, accessible en voiture), point de départ de la randonnée. Cette dernière traverse des décors bucoliques, particulièrement beaux au printemps.

Ruta del Nacimiento del Guadalquivir Cette randonnée également très populaire (22km, 6-7h AR) remonte le cours du grand fleuve andalou, qui n'est alors qu'un modeste torrent de montagne, jusqu'à ses sources. Ces dernières ne sont vraiment spectaculaires qu'au printemps, mais la randonnée vaut surtout pour son cadre forestier exceptionnel, avec des pins millénaires et une faune très riche.

Parque Cinegético Collado del Almendral Au sud du lac de barrage d'El Tranco, cette réserve de chasse comporte une boucle de 18km, très agréable, qui permet de découvrir la faune du parc depuis des observatoires, tout en profitant de jolies vues sur le lac. À faire de préférence au lever du jour ou en fin d'après-midi.

Empalme del Valle-Puente de las Herrerías Cette randonnée en boucle (12km AR), peu fréquentée, est pourtant l'une des plus plaisantes, même si le retour se fait sur 6km le long d'une route de campagne. La randonnée part d'Empalme del Valle, aire de loisirs située au croisement de l'A319 et de la route qui monte vers le Parador. Sept kilomètres plus loin, on atteint le Puente de las Herrerías, pont médiéval légendaire enjambant le Guadalquivir. De là, on peut descendre directement vers l'A319 par la route secondaire, ou faire auparavant un petit détour par le superbe sentier de la Cerrada de Utrero, longeant le Guadalquivir (4km AR).

Observer des rapaces

À 12km au sud de Cazorla. Les falaises spectaculaires d'El Chorro, à l'intérieur du parc, permettent d'observer les évolutions des vautours moines et des percnoptères d'Égypte dans un cadre forestier splendide. De Cazorla, prendre la route du parc et entrer dans La Iruela. À l'entrée du bourg, prendre à droite la route de l'Ermita de la Virgen de la Cabeza. Suivre la route qui devient bientôt une piste forestière refaite en 2006 et donc praticable par un véhicule ordinaire. À la sortie d'une courbe, on passe le poste de contrôle de la piste (ouvert 9h-22h). Le refuge forestier d'El Chorro se trouve 8km plus loin. Garez-vous près du refuge (1 350m). Sur la droite de la piste, 50m en contrebas, on accède aux murets qui surplombent des falaises vertigineuses, où les grands oiseaux de proie ont élu domicile. Avec un peu de patience, vous les verrez s'élancer de leur nid et planer en silence quelques dizaines de mètres en dessous de vous. En continuant la piste sur 1km (prendre l'embranchement sur la droite), vous aurez un beau point de vue, face aux falaises. La piste principale continue sur la gauche : il s'agit en fait d'une boucle de 60km au départ de Cazorla, qui traverse un cadre impressionnant, sur les hauteurs du parc, et qui mène notamment aux sources du Guadalquivir et au Puente de las Herrerías. Remise en état en 2007, elle est praticable avec un véhicule classique. Plusieurs compagnies organisent des excursions en 4x4 le long de cette piste, incluant les falaises d'El Chorro et les sources du Guadalquivir (cf. La sierra de Cazorla, mode d'emploi).

Découvrir Segura de la Sierra

Ce village (1 800 hab.), perdu dans la sierra Segura, au nord du parc naturel, est littéralement accroché aux pentes d'une montagne escarpée, à 1 200m d'altitude. Le paysage des alentours, dominé par la masse imposante du mont Yelmo (1 809m), réserve au visiteur des couchers de soleil enchanteurs. Le village mérite également la visite. Située en plein centre, l'église abrite la Virgen de la Peña, belle statue gothique de Vierge à l'Enfant. La chapelle, pour sa part, accueille un Christ émouvant, sculpture de Gregorio Hernández. En face de l'église, une belle fontaine Renaissance du XVIe siècle, la Fuente Imperial, ainsi nommée parce qu'elle porte le blason de l'empereur Charles Quint. Près de l'église, on peut également voir la maison natale de Jorge Manrique (1440-1479), un poète et gentilhomme, dont les *Coplas*, poème émouvant sur la mort de son père, connut au XVe siècle un grand retentissement. La partie basse du village, en contrebas de l'église, est la plus intéressante. Ses ruelles escarpées et pavées de pierres irrégulières descendent vers les anciennes murailles médiévales de Segura, à l'intérieur desquelles des habitants ingénieux ont installé plusieurs maisons insolites. La Plaza de los Jesuitas est dominée par le portail platéresque de la Casa Consistorial (XVIe siècle) qui fut autrefois un collège de jésuites. La Calle Altozano passe sous une imposante porte médiévale et, devenue la Calle de los Caballeros Santiaguistas (rue des Chevaliers de Saint-Jacques), descend vers les anciens bains arabes (XIe siècle), parfaitement restaurés et ouverts à la visite en journée. Sur les hauteurs du village, les minuscules arènes de Segura sont construites en forme de trapèze. Une rareté en Espagne, qui ne compte que deux arènes non circulaires. Les seules corridas de l'année ont lieu les 6 et 8 octobre, à l'occasion des fêtes de la Virgen del Rosario (du 4 au 8 octobre), sainte patronne du village. Des arènes, une piste conduit à la forteresse musulmane, remaniée par les chrétiens après la Reconquête. Du haut de la **Torre del Homenaje**, la vue sur la région est à couper le souffle. On peut aussi se rendre au bout de la Calle Castillo où les bancs du mirador de los Diestros sont tout indiqués pour admirer au crépuscule les toits ocre du village, le décor géométrique des champs d'oliviers et les montagnes de la sierra de Segura. *155km au nord-est de Jaén ou 88km au nord de Cazorla* **Mairie** Tél. 953 48 02 80

Manger, dormir à Segura de la Sierra

petits prix

El Mirador de Messía de Leiva. Dans le centre de Segura, en contre-haut de l'église. Un restaurant traditionnel qui sert des plats régionaux de qualité : environ 16-21€ pour un repas. *Calle Postigo Tél. 953 48 08 87 Fermé jeu.*

prix moyens

La Mesa Segureña. Dans le centre du village, en contre-haut de l'église. Ce restaurant propose une cuisine régionale de qualité dans un cadre à la fois rustique et moderne. Comptez env. 25€. Idéal pour découvrir les spécialités de la sierra de

Segura. Le propriétaire propose également des chambres (doubles à 60€) et des appartements (75-90€ pour 2 à 4 pers.). *Calle Postigo, 2 Tél./fax 953 48 21 01 www.lamesadesegura.com Fermé mer. et dim soir*

☺ **Los Huertos de Segura.** Sur les hauteurs du village, au pied du château. Ces chambres d'hôtes proposent 4 studios impeccables (55€) et 2 appartements plus spacieux (65€ pour 2 pers., 75€ pour 4). Tous sont décorés avec beaucoup de goût, bien équipés (cuisine, cheminée, télévision) et disposent d'une terrasse ouvrant sur les montagnes, parfaite pour profiter des couchers de soleil mémorables de Segura. Pas besoin d'air conditionné à 1200m d'altitude. Anton, l'adorable propriétaire, est une vraie mine d'informations sur le village, la sierra de Segura et les excursions et randonnées les plus intéressantes. *Calle Castillo, 11 En voiture, traversez le centre du village puis prenez à droite au niveau des arènes dans la Calle Castillo, qui vous emmène jusqu'au pas de la porte Tél. 953 48 04 02 Fax 953 48 04 17 www.loshuertosdesegura.com*

Dormir dans la sierra de Cazorla

Le camping sauvage est interdit dans tout le parc. Les risques d'incendie doivent inciter à la plus extrême prudence.

camping

Camping Fuente de la Pascuala. Un camping bien ombragé, avec de grands emplacements. Rien de superflu (mais une piscine et un supermarché), idéal pour une courte étape au contact de la nature. Comptez env. 15€ pour deux pers. une voiture et une tente. *6km après Torre del Vinagre en allant vers El Tranco. Carretera de la Sierra A319, km55 Tél. 953 71 30 28 www.turismoencazorla.com*

petits prix

Apartamentos Raisa. À l'entrée de Hornos, village du bout du monde perché sur un piton rocheux. Dans une jolie bâtisse, de petits appartements ou des chambres doubles (40€), avec vue sur la campagne ou le château tout proche. Une décoration gaie, de grandes chambres et des cuisines modernes dans les appartements. Accueil chaleureux et, au rdc, un restaurant avec un vieux four à bois qui fait des tapas d'enfer ! Comptez env. 10-15€ le repas. *Hornos Puerta Nueva, 35 Tél. 953 49 51 06, 953 49 50 23 et 689 97 36 34 www.apartamentosraisa.com*

prix moyens

☺ **Casa Rural Santa María de la Sierra.** Une adresse vraiment très sympa. Un ancien couvent perdu au milieu des bois, au cœur du parc. Parfaitement restauré, il dispose de chambres à la fois rustiques et modernes, hautes en couleur, d'un restaurant agréable et d'une piscine. À essayer : les chambres-cabanes perchées au milieu des arbres, insolites (env. 77€). Une quinzaine de chambres doubles à partir d'env. 55€ HT, petit déj. compris, et une demi-douzaine de quadruples à partir d'env. 95€. *De El Tranco, km39,8 Sur la route principale, prendre au lieu-dit "El*

Chaparral" (après la sortie d'Arroyo Frío) la route de campagne qui part sur la droite et suivre les indications sur 2,5km. (Code postal 23476) Tél. 953 12 40 70 Fax 953 12 49 78 www.crsantamaria.com

prix élevés

☺ **Parador de Cazorla "El Adelantado".** Perché en altitude, près d'un ancien refuge de chasseurs, le Parador de Cazorla peut s'enorgueillir du cadre le plus somptueux de la région : des forêts denses et mystérieuses de toutes parts, avec, en arrière-plan, les falaises érodées de la sierra de Cazorla. On resterait assis des heures au balcon des chambres avec vue ou à la terrasse du bar de l'hôtel (ouvert au public). Si l'édifice lui-même n'a pas de charme particulier, les chambres sont spacieuses, décorées avec goût et très confortables. En été, la grande piscine est appréciable. L'endroit idéal pour se retirer du monde. D'autant que, avec l'excellente cuisine régionale du restaurant gastronomique, vous ne risquez pas de vous laisser mourir de faim (le restaurant n'est pas réservé aux clients de l'hôtel). Un sentier de randonnée assez difficile mène à Cazorla. Doubles de 97 à 128€ pour une chambre basique sans vue. **À 24km de Cazorla,** *à l'intérieur du parc Prendre la route de Iruela Tél. 953 72 70 75 Fax 953 72 70 77 www.paradores.es*

complexe touristique

Complejo Turístico Puente de las Herrerías. Un cadre magnifique, au bord du Guadalquivir. Le camping est impeccable avec son sol herbeux et beaucoup d'ombre. L'hôtel-refuge comporte des chambres doubles tout confort à partir de 50€, et les *cabañas*, petits chalets en bois tout équipés, sont très économiques pour 4 à 6 personnes (à partir de 75€). Un bar-restaurant est ouvert tous les jours. Pensez à faire vos courses avant de venir car le complexe est vraiment au milieu de nulle part et seule une petite superette peut servir en dépannage. Vous serez à pied d'œuvre pour quelques-unes des plus belles randonnées du parc, et vous pourrez réserver sur place des activités allant de l'escalade au canyoning en passant par l'équitation, le parcours aventure, les excursions en 4x4 et les randonnées équestres. *Carretera del Nacimiento Río Guadalquivir, km2* **Puente de las Herrerías** *Tél. 953 72 71 11 Fax 953 72 70 90 www.puentedelasherrerias.com Ouvert mi-mars-mi-oct.*

GEO **REGION** PROVINCE DE JAÉN

GÉOREGION

Tapie au fond d'une large baie abritée, Almería est depuis l'Antiquité un port tourné vers la Méditerranée. Isolée aux confins orientaux de l'Andalousie, la ville gagne à être connue. Mais sa province, la plus aride d'Espagne, possède surtout des espaces naturels extrêmes. Plaines désertiques et montagnes tourmentées y ont des allures de western. Les côtes offrent aussi un profil fort contrasté. À l'ouest, les serres s'étendent à perte de vue. À l'autre bout, les plages de Mojácar ont depuis longtemps été annexées par les touristes. Au milieu, le parc naturel du Cabo de Gata possède des sentiers littoraux et des sites de plongée parmi les plus réputés du pays.

À ne pas manquer Le parc naturel Cabo de Gata-Níjar

Et si vous avez le temps… Retrouvez les décors de western dans le désert de Tabernas, assistez à la Feria Moros y Cristianos à Mojácar et passez un après-midi farniente à la plage

Province d'Almería

GEO**MEMO**

Ville principale	Almería (185 000 hab.), capitale de la province
Informations touristiques	OT d'Almería Tél. 950 17 52 20
Espaces naturels	parc national de la sierra Nevada, parc naturel Cabo de Gata-Níjar, désert de Tabernas
Site archéologique	Los Millares
Plages	Cabo de Gata, Mojácar
Plongée sous-marine	Cabo de Gata

PROVINCE D'ALMERÍA **GEOREGION**

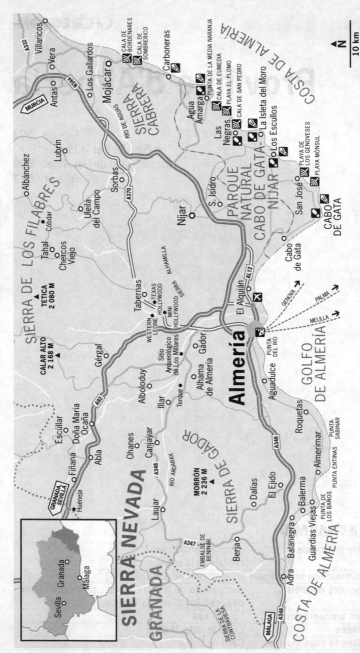

Almería

04000

Perdue aux confins orientaux de l'Andalousie et tout entière tournée vers la mer, Almería (185 000 hab.) n'a certes pas l'attrait de Séville, Cordoue ou Grenade. Mais sa majestueuse forteresse musulmane, son étonnante cathédrale, les ruelles enchevêtrées de l'ancienne médina et la vie nocturne du centre-ville méritent qu'on s'y attarde une journée ou deux. D'autant que le parc du Cabo de Gata n'est qu'à quelques kilomètres.

UNE HISTOIRE ENTRE TERRE ET MER Les Phéniciens puis les Romains, attirés par cette baie abritée, y établirent un port. Mais c'est en 955 que le calife de Cordoue, Abd al-Rahman III, fonde la cité d'*Al-Mariya*, et fait construire une puissante forteresse pour défendre ce qui deviendra le principal port commercial d'*Al-Andalus*. Il attire les marchands musulmans d'Égypte et de Syrie, et même les chrétiens venus de France et d'Italie. Après la chute du califat (1031), la ville devient capitale d'un taifa, sous le règne du roi Jairán, et prospère grâce au commerce de la soie. Brièvement conquise par les chrétiens, puis reprise par les armées musulmanes, la ville est intégrée au vaste royaume nasride de Grenade (XIIIe-XVe siècle), avant d'être reconquise par les Rois Catholiques en 1489. Au XVIe siècle, les attaques de pirates berbères et le grand tremblement de terre de 1522 détruisent une grande partie d'Almería, qui amorce un lent déclin. Au XIXe siècle, l'industrie minière de l'arrière-pays apporte de nouvelles richesses, mais le secteur s'effondre avec la Première Guerre mondiale. Le gigantesque embarcadère minier du port est le témoin de cette époque révolue. Aujourd'hui, le tourisme et l'agriculture intensive font revivre la région. On dit même qu'Almería est le verger de l'Europe, mais un verger sous serres : des km et des km de cultures sous plastiques, d'ailleurs ne l'appelle-t-on pas la "mer de plastique" ? De quoi affecter la beauté des paysages…

Almería, mode d'emploi

accès

EN VOITURE À 205 km à l'est de Málaga et 162 km au sud-est de Grenade.

Almería et ses environs

(en km)	Almería	Tabernas	San José	Mojácar	Trevélez
Tabernas	35				
San José	48	62			
Mojácar	90	60	79		
Trevélez	132	166	178	220	
Agua Amarga	66	35	48	90	132

EN CAR Cadix-Almería : 1 car/j. (env. 41€, 7h30). Grenade-Almería direct : 8 cars/j. (env. 12€, 2h-2h30). Málaga-Almería : 8 à 10 cars/j. (env. 16€, 5h). Séville-Almería : 3 cars/j. (env. 30€, 9h). *Alsina Graells* Tél. 950 23 81 97 *Gare routière* À l'est de la ville, près de la Plaza Barcelona

EN TRAIN Trains directs au départ de Grenade (4/j., env. 2h) et Séville (4/j., 5h30), avec arrêt à Guadix. La gare ferroviaire est située près de la gare routière.

orientation

Le centre-ville se trouve à l'ouest de la large Avenida de García Lorca, également appelée la Rambla. Sa principale porte d'accès est le vaste croisement de la Puerta de Purchena, où se rejoignent la Calle de Granada et le Paseo de Almería. C'est à l'ouest de ce dernier que s'étend le quartier historique d'Almería, qui rassemble l'ensemble des monuments, et dont l'axe principal est la pittoresque Calle Real. L'Alcazaba se dresse au sommet d'un promontoire, au nord-ouest des vieux quartiers. Plus au sud, la longue esplanade du Parque Nicolás Salmerón fait face à la gare maritime. Il croise la Calle Real au niveau du rond-point de la Puerta del Mar. Le Paseo Marítimo, longeant la plage, se trouve au sud-est du centre-ville.

informations touristiques

Aux adresses figurant ci-dessous s'ajoutent, en été, des points d'informations sur les plages (ouverts mer.-dim. le matin).

Office de tourisme. Il est situé près de la gare maritime, à l'est de la Puerta del Mar. Bien documenté, il fournit toutes les informations souhaitées sur la ville et sa province. *Parque Nicolás Salmerón (à l'angle de la Calle M. Campos) Tél. 950 17 52 20 otalmeria@andalucia.org Ouvert lun.-ven. 9h-19h30 (20h en été), sam.-dim. et j. fér. 10h-14h*

Point d'information municipal. *Sur la Rambla, au niveau de la Calle Rueda López Tél. 950 28 07 48 www.turismodealmeria.org Ouvert lun.-ven. 9h-17h (19h en été), sam. et j. fér. 9h-14h Fermé dim.*

adresses utiles

Plusieurs banques et distributeurs le long du Paseo de Almería. Ils se font très rares dans le centre historique, sauf vers l'Alcazaba.

Bureau de poste principal. *Plaza Juan Cassinello, donnant sur le Paseo de Almería Tél. 950 28 15 12 Ouvert lun.-ven. 8h30-20h30, sam. 9h30-14h*

Télé Taxi. *Tél. 950 25 11 11 et 950 22 61 61*

Urgences. *Tél. 112*

fêtes et manifestations

Semaine sainte. Une vingtaine de processions. *Fin mars-début avr.*

Feria. La ville est sens dessus dessous pendant une dizaine de jours. *Fin août*

Découvrir Almería

☆ **À ne pas manquer** L'Alcazaba et la cathédrale **Et si vous avez le temps…** Retrouvez le décor naturel des plus grands westerns dans le désert de Tabernas, flânez en fin de journée sur le Paseo marítimo d'Almería

☆ ☺ **Alcazaba** Construite à partir de 955 sur les ordres du calife de Cordoue Abd al-Rahman, cette puissante forteresse est l'élément majeur des fortifications protégeant le port de *Al-Mariya*. Sa visite constitue une promenade agréable avec vue sur la mer. Les deux premières enceintes, parsemées de murailles secondaires et de réservoirs d'eau (*aljibes*) datent de l'époque musulmane. La seconde d'entre elles abrite deux maisons musulmanes (Casa musulmana) reconstituées, des bains publics (Baños de la Tropa), les bains privés de la reine (Baños de la Reina) et un ermitage mudéjar construit juste après la Reconquête. Au nord de la forteresse, on peut admirer les imposantes murailles construites à l'époque du taifa de Jairán (Muralla de la Hoya, XIe siècle). La troisième enceinte, tout au sommet de la forteresse, correspond au château bâti sur les ordres des Rois Catholiques dès 1489, sur le site des anciens palais musulmans. Leurs armes figurent d'ailleurs au-dessus du portail gothique du superbe donjon (Torre del Homenaje) qui abrite le siège du Centre de la photographie d'Almería et qui présente une exposition permanente. Depuis l'esplanade centrale, le visiteur a l'impression d'être suspendu au-dessus de la mer. On peut redescendre vers la ville en prenant le chemin qui part à l'arrière de la troisième enceinte et longe les remparts. Depuis 2006, des pièces archéologiques, résultats de fouilles dans la forteresse, sont exposées dans les maisons musulmanes et un audiovisuel présente l'histoire de l'Alcazaba. *www.juntadeandalucia.es/cultura/ alcazabaalmeria Tél. 950 17 55 00 Ouvert mar.-dim. 9h-20h30 (9h-18h30 en nov.- mars) Entrée : 1,50€ Gratuit pour les citoyens de l'UE (pièce d'identité)*

Barrio de San Antón Le quartier le plus charmant de la ville, perché sur le flanc sud de l'Alcazaba. L'Ermita de San Antón, ancienne mosquée transformée en ermitage chrétien, lui a donné son nom. Maisons basses, ruelles escarpées pavées de pierres irrégulières, ambiance populaire. Parcourez les rues situées entre la Calle Almedina et les remparts de la forteresse, et surtout la Calle Demóstenes et la Calle Borja. Un parfum bien agréable de vieille Andalousie.

☆ **Cathédrale** Peu après la reconquête d'Almería, les Rois Catholiques font construire une première cathédrale sur le site de l'ancienne mosquée principale de la médina. Elle se trouvait tout à l'ouest du quartier historique, sur le site de l'actuelle église San Juan. Mais le grand séisme de 1522 détruit cet édifice, dont ne subsiste que le *mihrab* de la mosquée (on peut encore le voir dans l'église San Juan). En 1524, la construction de la nouvelle cathédrale commence. Cette dernière adopte d'abord le style gothique isabélin, très ouvragé. Mais l'architecte Juan de Orea, chargé des travaux à partir de 1550, opte pour le Renaissance. La cathédrale frappe par l'aspect massif et puissant de ses murs, flanqués de tours de défense, et de son clocher rectangulaire. Elle remplissait à l'origine la double fonction de cathédrale et de forteresse, où la population venait se réfugier lors des attaques de pirates berbères. Le portail principal, du plus pur style Renaissance, est surmonté des armes de Charles Quint (aigle à deux têtes), qui régnait à l'époque de la construction. À l'intérieur, mélange étonnant de gothique (voûtes), Renaissance (sacristie, chœur), baroque (ornementation des chapelles) et néoclassique (tabernacle, cloître). La Capilla Mayor résume à elle seule cette succession de styles. Ne manquez pas le cloître, dont les arches légères s'élèvent au milieu d'une végétation luxuriante, et la Capilla de la Piedad (chapelle de la Piété) abritant des tableaux d'Alonso Cano et de Murillo. Le chevet (Calle Cubo) porte un élégant soleil sculpté, symbole de la ville. Sur la place de la cathédrale se trouvent également le palais épiscopal et le couvent de

GEORGION

PROVINCE D'ALMERÍA

las Claras, tous deux du XVIIᵉ siècle. *À l'ouest de la Calle Real Ouvert lun.-ven. 10h-17h, sam. 10h-13h Entrée : 2€*

Plaza Vieja La "Vieille Place" est le nom courant de l'élégante Plaza de la Constitución. Une vaste place ombragée et entourée d'arcades, que domine la façade colorée de l'hôtel de ville (*Ayuntamiento*). Au milieu, une colonne en marbre à la mémoire des *coloraos*, libéraux assassinés par les monarchistes en 1824. *Au nord-ouest de la cathédrale Accès par la Calle Mariana*

Aljibe Árabes de Jairán Tout près de la Puerta de Purchena. Un édifice musulman du XIᵉ siècle, qui servait de réservoir d'eau potable pour les habitants de la médina. Ses belles arches en brique baignées d'une lumière fantomatique valent le coup d'œil si vous passez dans le quartier. *Calle Tenor Iribarne, 20 Tél. 950 27 30 39 Ouvert lun.-ven. 10h-14h Accès libre*

Calle de las Tiendas Juste à l'ouest de la Puerta de Marchena. Cette vieille artère piétonnière et commerçante est la rue la plus populaire de la ville.

Barrio de la Pescadería Un ancien quartier de pêcheurs, tout à l'ouest du centre historique, au-delà de l'Avenida del Mar. Le long des maisonnettes colorées des rues Azoque et Corbeta, les enfants jouent bruyamment, les vieux sortent les chaises sur le trottoir pour discuter en fin d'après-midi.

Paseo Marítimo Au sud-est de la ville. Cette esplanade longeant la plage municipale est très plaisante en fin de journée à la belle saison. On vient alors en famille y chercher un peu de fraîcheur dans la brise marine. Nombreux cafés et restaurants en terrasse.

Où sortir le soir ?

Le quartier où les gens sortent, très animé en fin de semaine, est situé en plein centre-ville. On l'appelle "Las Cuatro Calles" car il est délimité par quatre rues : le Paseo de Almería à l'est, la Calle Real à l'ouest, la Calle General Ricardos au nord et la Calle Trajano au sud. Bars à tapas, pubs, bars-discothèques, il y en a vraiment pour tous les goûts. En plein cœur de ce quartier, la Calle Guzmán rassemble quelques terrasses bien agréables en soirée. Pour les fêtards, le Mae West, discothèque très populaire, reste ouvert jusqu'au petit jour près de l'office de tourisme de la Junta de Andalucía.

Découvrir les environs

De l'âge du cuivre aux westerns

Désert de Tabernas À une trentaine de kilomètres à peine au nord d'Almería, le désert de Tabernas étend ses vallons désolés au pied des montagnes de la sierra de los Filabres au nord et de la sierra de Alhamilla au sud. L'aspect désertique des lieux est dû à l'extrême aridité du climat, le plus sec d'Espagne, mais également aux activités minières des siècles passés. Mais vous connaissez en fait déjà, sans le savoir, les paysages du désert de Tabernas, utilisé comme décor naturel dans de nombreux westerns et autres grands films américains. Les anciens décors ont été gardés pour accueillir des parcs d'attractions entre deux tournages de série B. Tous sont situés près de Tabernas, à 35km environ au nord d'Almería le long de la N340A, et proposent des visites des décors, ponctuées d'animations liées à la thématique du western. Leurs prix d'entrée sont très semblables. Le Parc Cinema Studio Fort Bravo (anciennement Texas Hollywood) est sans aucun doute le plus mythique. C'est en effet là qu'ont été tournés, tenez-vous bien : *le Bon, la Brute et le Truand* et *Il était une fois dans l'Ouest* de Sergio Leone, *les Sept Mercenaires*, certaines scènes de *Lawrence d'Arabie* et d'*Indiana Jones et la dernière croisade*. Visite de divers sites de tournage, et animations régulières. L'Oasys (ancien Mini-Hollywood), mieux entretenu que le précédent, est beaucoup moins légendaire. Son parc animalier et ses nombreuses animations attirent un public familial. **Parc Cinema Studio Fort Bravo** *Accès par une piste en terre qui quitte la N340 (km468) juste avant d'arriver au village de Tabernas, 35km au nord d'Almería Tél. 950 16 54 58 www.fortbravo.com Ouvert 9h30-20h (18h en hiver) Spectacle de cascadeurs 12h30, 14h30, 17h30 et en été 19h30 Restaurant et animations diverses Entrée env. 15€ TR 10€* **Oasys** *À 25km au nord d'Almería par l'A92 puis la N340A Tél. 950 36 52 36 Ouvert Pâques-oct. : tlj. 10h-21h environ ; nov.-Pâques : sam.-dim. et j. fér. 10h-19h Entrée 18€ TR 9€*

Site archéologique de Los Millares Un des sites archéologiques de l'âge du cuivre les plus importants d'Europe. Il accueillait, entre 2700 et 1800 av. J.-C., un village fortifié de 1 500 hab. On découvre les vestiges d'une vaste muraille, de maisons circulaires, et une nécropole impressionnante ainsi qu'une reconstitution, grandeur nature, sur 1 500m², du village préhistorique (muraille, maisons, atelier, tombes…). Un incontournable pour les amateurs. À noter : des vestiges et objets retrouvés sur le site sont exposés au Musée archéologique d'Almería (rens. à l'office de tourisme d'Almería). *Santa Fé de Mondújar (17km au nord-est d'Almería par la N340A, jusqu'à Benahadux, puis l'A348) Tél. 677 90 34 04 Ouvert mer.-dim. 10h-14h Gratuit*

Manger à Almería

petits prix

☺ **Casa Puga.** Si vous ne visitez qu'un bar à tapas à Almería, ce sera celui-là. Un grand classique, qui fait la joie des amateurs de tapas depuis 1870. La salle de ce bar à l'ancienne séduit par un mélange de nostalgie et de convivialité bruyante. Les murs sont couverts de bouteilles, dont une belle collection de brandies et de cognacs. Difficile de conseiller une spécialité : tout est succulent. Fruits de mer, poissons, charcuteries et viandes se déclinent en tapas et *raciones* (env. 13€) copieusement servies. Les plats se succèdent à une vitesse vertigineuse par la petite trappe des cuisines, derrière le comptoir où les serveurs enjoués prennent dix commandes à la fois. Au fond, une petite salle avec quelques tables, prises d'assaut à l'heure du déjeuner. *Dans une rue qui part de la Calle Real, sur la gauche, Calle Jovellanos, 7 Tél. 950 23 15 30 Fermé dim. et j. fér.*

prix moyens

Duque de Mar. La plus agréable terrasse de l'esplanade du bord de mer. Les rares jours où il fait mauvais temps, on se réfugie à l'intérieur. *Raciones* de fruits de mer, poissons et viandes : essayez les délicieux rougets grillés (*salmonetes*, env. 17€). Dans la liste des tapas, on goûtera aux *cherigans*, minisandwichs toastés. *Paseo Marítimo Tél. 950 23 12 74 Ouvert lun., mer.-dim. 9h30-0h*

Dormir à Almería

très petits prix

Albergue Juvenil Almería. Excentrée à l'est de la ville, dans une impasse située juste derrière le stade municipal (Estadio de la Juventud), quartier peu attrayant. Installée dans un bâtiment moderne, l'auberge possède des chambres de 2 à 4 pers., toutes équipées de douche. Peu pratique sans voiture. Les bus 11, 12 et 18 s'arrêtent tout près et rejoignent la Rambla (en passant devant la gare). La plage se trouve à 10min à pied. 14-16€/pers. pour les moins de 26 ans, 18-20€ pour les autres. *Calle Isla de Fuerteventura Tél. 950 17 51 36*

Casa de Huespedes "La Francesa". La pension la moins chère de la ville dans un quartier authentique, sur les pentes de l'Alcazaba. Elle doit son nom à l'ancienne propriétaire, originaire de l'autre côté des Pyrénées. Sans être miteuses, les chambres sont petites, spartiates et peu aérées. La 1 et la 7 ont une fenêtre sur la ruelle. À partir de 15€ par pers. *Calle Narváez, 18 Tél. 950 23 75 54*

petits prix

Hostal Nixar. Enfin un hôtel un peu sympa à Almería ! Une petite famille qui a le sourire, et quelques efforts de décoration pour rendre le tout agréable. Les chambres (43 à 55€) sont simples, certaines spacieuses, avec sdb, TV et air conditionné. Pas forcément très lumineuses, car elles donnent sur le patio ou la ruelle tranquille qui monte vers le Cerro San Cristobal. *Calle Antonio Vico, 24 Tél./Fax 950 23 72 55*

prix moyens

Hotel Sevilla. Dans une rue qui coupe la Calle Alcalde Muñoz, près de la Puerta de Purchena. Voilà un hôtel fonctionnel tout à fait correct, avec des chambres confortables. Elles sont climatisées et disposent toutes d'une salle de bains. Doubles d'env. 48 à 58€. *Calle de Granada, 25 Tél. 950 23 00 09*

Hoteles Torreluz. C'est la chaîne d'hôtels locale, avec un 2 et un 3-étoiles du même nom. Tout le confort, beaucoup de tranquillité et un accueil très agréable. Seule la présence de Canal + et d'un minibar dans les chambres fait la différence de standing. Doubles de 45 à 80€ dans le 2-étoiles, de 53,50 à 102€ dans le 3-étoiles. Un garage privé à env. 11€/jour. Vous pourrez aussi profiter des restaurants Torreluz (plusieurs dans le quartier), qui ont une bonne réputation. *Plaza de las Flores, 2 et 3 Tél. 950 23 43 99 Fax 950 28 14 28 www.torreluz.es*

San José

04118

Cette station balnéaire à taille humaine est la principale destination de la belle région côtière du Cabo de Gata. La plus pratique également, puisqu'elle rassemble le centre d'information sur le parc Cabo de Gata-Níjar, deux bons centres de plongée et sert de point de départ à de beaux sentiers côtiers.

★ **PARC NATUREL CABO DE GATA-NÍJAR** Créé en 1987, le Parque natural occupe une superficie de 38 000 ha le long de la côte est d'Almería, de part et d'autre du cap de Gata. Ces terres arides et pierreuses impressionnent par leur relief contrasté et leur végétation semi-désertique : palmiers nains, figuiers de Barbarie, jujubiers, lentisques. La côte, elle, alterne hautes falaises déchiquetées, calanques escarpées et longues plages de sable fin. Ses 12 000 ha de fonds marins protégés, baignés par une eau claire, riche en poissons, constitue l'un des meilleurs sites de plongée sous-marine en Espagne. Les destinations touristiques du parc ont perdu depuis longtemps leur allure de petits villages de pêcheurs. Ce sont des stations balnéaires sans beaucoup d'âme, même si le gigantisme immobilier est loin d'atteindre celui de la Costa del Sol. Mais les sentiers du parc permettent d'accéder à des plages et à des calanques vraiment séduisantes. La partie la plus intéressante du parc est située à l'est du cap de Gata, entre San José et Agua Amargua.

D'OR, DE SEL, DE CÉRAMIQUE ET DE POISSONS Ce promontoire volcanique est riche en minerais précieux, exploités depuis l'Antiquité. Les Romains créèrent des mines d'or dans les environs de Rodalquilar (près de Las Negras), un site qui connaîtra une grande prospérité après la découverte des filons. L'activité minière connut un grand essor au début du XXᵉ siècle, pour ne disparaître de la région qu'en 1996. L'immense embarcadère minier situé sur la côte au nord d'Agua Amargua est un témoin de ce temps révolu. Autre activité de la région, les marais salants de la partie occidentale du parc, déjà exploités par les Phéniciens dans l'Antiquité, et qui produisent toujours un sel d'excellente qualité, mis à profit dans la gastronomie locale (poissons et fruits de mer grillés au sel, *a la sal*). Le gros bourg de Níjar, à l'intérieur des terres, est réputé pour la qualité de son artisanat. Depuis le XIXᵉ siècle, on y produit de superbes céramiques, utilisant le kaolin extrait des mines de Rodalquilar. Autres spécialités des lieux, les *jarapas*, de belles couvertures colorées en coton tressé. La vannerie à base de sparte (variété de genêt), autrefois très répandue, se fait de plus en plus rare. Enfin, la pêche reste une activité notable des villages côtiers. Il s'agit d'une pêche traditionnelle, dans de modestes barques, car les eaux protégées du littoral sont interdites aux gros bateaux jusqu'à un mille nautique des côtes.

San José, mode d'emploi

accès

EN VOITURE À 35 min en voiture d'Almería par la E15/A7 (sortie 479) puis par une route secondaire. De San José, un réseau de routes permet de rejoindre l'ensemble des villages du parc naturel Cabo de Gata-Níjar. Mais pas de route directe, le long de la côte, entre San José et l'ouest du Cabo de Gata : la route fait un large détour par l'intérieur des terres.

EN CAR L'arrêt de car se trouve à l'entrée du village. Malheureusement, au départ de San José, aucune liaison avec les autres villages du parc naturel. Par contre, un bus de la compagnie Bernardo effectue le trajet Almería-La Isleta.
Bernardo. Almería-San José : lun.-sam. 3 cars/j. (4 pour le retour), dim. et j. fér. 2 cars/j. Almería-La Isleta : lun. 18h30 et sam. 14h15. Retour : lun. 6h30 et sam. 7h30. *Tél. 950 25 04 22*

orientation

En venant d'Almería, on pénètre dans le village par l'Avenida de San José. Celle-ci aboutit à la place principale, la Plaza de Génova, et à la Calle de la Playa qui mène à la plage. L'esplanade du Paseo Marítimo mène à la marina de San José.

informations touristiques

Centre d'informations du parc de Cabo de Gata. Cartes de San José et du parc, guide des éd. Alpina (env. 9€), informations sur l'hébergement, la plongée, la randonnée, les itinéraires en voiture. *À l'entrée du centre-ville, non loin de la Plaza de Génova. Avenida de San José, 27 Tél. 950 38 02 99 www.cabodegata-nijar.com Ouvert juil.-sept. : tlj. 9h30-22h30 ; hors saison : lun.-sam. 10h-14h et 17h-21h (20h en hiver), dim. 10h-14h*
Centro de visitantes Las Almoladeras. Informations sur le milieu naturel et l'histoire du parc. Exposition et documentation. *20km avant San José, sur la route d'Almería Tél. 950 38 02 99 Horaires, se rens.*

adresses utiles

Banques et distributeurs sont rassemblés le long de l'Avenida de San José.
Bla bla bla. Centre Internet sympa dans le Pasaje Curry (la rue à gauche après le centre d'informations). *Tél. 950 61 10 44 Ouvert tlj.*

se déplacer dans le parc

Taxi Vicente. Le taxi est un bon moyen pour se déplacer dans le parc. À titre d'exemple, un trajet San José-Las Negras coûte environ 20€. *Tél. 950 38 97 37 et 608 05 62 55*
Almericar. Autre solution : la location de voitures. *Rens. dans les Apartamentos Vistamar dans la partie haute de San José Tél. 950 38 00 19 Fax 950 36 05 38*

saisons

Le parc est très fréquenté pendant les mois de juillet et d'août et durant la Semaine sainte. Les meilleures périodes pour s'y rendre sont les trois premières semaines de juin et du 15 septembre à fin octobre. Attention, d'octobre à juin, de nombreux restaurants et pensions sont fermés.

★ Découvrir le Cabo de Gata

☆ **À ne pas manquer** Le parc naturel Cabo de Gata-Níjar **Et si vous avez le temps...** Observez les oiseaux migrateurs du haut du mirador de las Salinas de Cabo de Gata, admirez les fonds marins avec masque et tuba dans les calanques du parc, passez une nuit dans une ancienne maison de pêcheur à Las Negras

Le village principal de cette partie du parc, **San Miguel de Cabo de Gata**, ne présente en lui-même aucun intérêt. On peut cependant venir pour la journée depuis Almería (en voiture) pour profiter de sa longue plage de sable. Plus au sud-est, en direction du cap, les Salinas de Cabo de Gata (marais salants) rassemblent du printemps à l'automne plus d'une centaine d'espèces d'oiseaux migrateurs, dont l'avocette, la cigogne et le flamant. Fin août, plus de 2 000 flamants se rassemblent ainsi sur les lieux. Le mirador de Las Salinas est un très bon point d'observation des oiseaux migrateurs ou nicheurs. Au sud-est des salines, au niveau du hameau de La Almadraba de Monteleva, le sel est stocké en immenses dunes. Au bout de la plage, la route s'élève en lacet sur 4km jusqu'au Faro de Cabo de Gata, phare situé au sommet du promontoire, d'où la vue est superbe (accessible à pied depuis la plage de Mónsul, au sud de San José). Au pied du cap, la Calanque del Corralete est un site de plongée réputé, même avec un simple tuba. De San José à Mojácar, la route qui longe le littoral alterne villages traditionnels de pêcheurs et stations balnéaires branchées.

Los Escullos Rien qu'une longue plage sur laquelle veille le vieux Castillo de San Felipe (XVIIIe siècle). Beaucoup de calme en dehors des vacances d'été. *8km au nord de San José, sur la route de Las Negras*

La Isleta del Moro Un minuscule village de pêcheurs un peu décati. Le soir, on étend encore les filets le long de la grève, au centre du hameau. Peut-être plus pour longtemps puisque les grues des promoteurs ont fait leur apparition ! Bien pour s'arrêter une nuit. *10km au nord de San José, sur la route de Las Negras*

Las Negras Située à l'abri du Cerro Negro, promontoire volcanique, la baie de Las Negras accueille un ancien hameau de pêcheurs reconverti en station touristique très à la mode, qui s'emplit pour la Semaine sainte et les mois d'été, et reste quasi déserté le reste de l'année. C'est l'une des destinations les plus agréables du parc, avec sa plage abritée et les chemins de randonnée qui partent vers de belles calanques au nord et au sud. *À 20km au nord de San José*

Agua Amarga À l'extrême nord du parc de Cabo de Gata, cette station balnéaire attire une clientèle branchée et assez fortunée. Il faut dire que sa baie est l'une des plus belles du parc, protégée par de hautes falaises blanches. Une destination onéreuse mais assez plaisante pour une journée ou deux. *À 40km au nord de San José*

Route côtière Agua Amarga-Carboneras Elle donne accès à de très beaux points de vue. À 3km d'Agua Amarga, un embranchement monte sur la droite vers le phare de la Mesa Roldán, à 220m d'altitude, qui offre un panorama sur la côte. Un peu plus loin, au bord de la route, s'étend une longue plage, la Playa de los

Muertos, très fréquentée. Au niveau de Carboneras, la route sort du parc et rejoint la N341 qui devient la ALP118 et monte vers Mojácar (22km), en longeant le littoral.

Aller à la plage

Le parc compte près de 50km de côtes, de la longue plage à la calanque solitaire. Beaucoup ne sont accessibles qu'à pied, et certaines seulement par bateau. Au nord-est du cap, dans la partie la plus intéressante, chaque village ou hameau touristique possède sa plage, ainsi que d'autres, accessibles en voiture ou à pied. À noter : les plages naturistes ont des localisations changeantes, se rens. à l'office de tourisme.

L'ouest du Cabo de Gata Cette grande portion de côte sauvage offre une plage qui s'étend sur près de 14km entre Retamar et le cap. Le plus facile pour y accéder est de prendre, à la gare routière d'Almería, un bus de la compagnie Alsina Graells pour le village d'El Cabo de Gata. Bien pour passer un après-midi au bord de la mer, mais bondé en été. *Alsina Graells* Tél. 950 23 51 68 et 902 33 04 00

San José et ses environs La plage de San José, assez étroite, est bondée à la belle saison et ne présente qu'un intérêt limité. Mais, au sud du village, une piste en terre qui traverse un impressionnant paysage désertique permet d'accéder en voiture, à pied ou à vélo à deux des plus belles plages d'Andalousie. À 2,5km, au fond d'une baie protégée, la Playa de los Genoveses est très populaire. 2,5km plus au sud, la Playa de Mónsul est dominée par une immense dune mobile (interdiction absolue d'y monter). Toutes deux possèdent un parking (ne rien laisser dans la voiture). En dehors du mois d'août, elles sont vraiment agréables et assez tranquilles en semaine. Juste au nord de San José, la plage de la Cala Higuera n'est pas mal non plus, même si c'est une plage de cailloux.

Las Negras La Cala de San Pedro, calanque isolée au nord du village, est l'une des plus charmantes du parc. Elle possède une source d'eau douce, un château du XVIIe siècle et une plage idyllique. Le site a été envahi depuis pas mal de temps déjà par une communauté de hippies, qui font désormais partie du décor. Accès à pied le long du sentier littoral (1h env.). Au sud du village, un sentier littoral mène à la jolie Playa del Playazo, que l'on peut également atteindre en voiture par la route de San José puis une piste en terre de 2km.

Agua Amarga Plage assez séduisante, surtout quand la mer est calme et que l'on peut plonger au tuba. Les marcheurs pourront découvrir deux superbes sites accessibles au sud du village par le sentier côtier : la minuscule calanque rocheuse de la Cala de Enmedio (1h), et la jolie plage de sable de la Playa el Plomo (1h30).

Faire de la plongée sous-marine

Les fonds marins du parc sont très prisés. Le site le plus réputé est l'épave du *Vapor*, au large du cap de Gata : un bateau de 100m de long, abritant une abondante faune aquatique, par 40m de fond. Une plongée délicate, en raison des courants. Plus facile, et tout aussi riche en faune, le site du Laja, un roc situé à 18m. Mais le parc regorge de lieux de plongée le long des calanques isolées. Les destinations les plus recherchées varient en fonction de l'orientation du vent. On peut également profiter de la beauté des fonds marins en s'équipant d'un simple tuba. Les sites les plus indiqués par vent d'est (Levante) sont la Cala del Corralete (juste à l'ouest du cap de Gata), la Cala Higuera à San José et la plage d'Agua Amarga. Par vent d'ouest (Poniente), la plage de Los Escullos et la plage del Embarcadero, à côté. Deux excellents centres de plongée à San José proposent des sorties.

Alpha Centro de Buceo. Le plus important. *Puerto Deportivo (Edificio Alpha, tout au bout de la marina de San José, à gauche de la plage) Tél. 950 38 03 21 et 609 91 26 41 www.alphabuceo.com*

Isub Centro de Buceo. *Calle Babor, 3 (dans le centre-ville, depuis l'Avenida de San José, prendre la rue qui passe devant Hostal de Paco puis à gauche) Tél. 950 38 00 04 et 609 01 51 72 www.isubsanjose.com*

Randonner le long des calanques

Nombre de sentiers sillonnent le parc, que l'on peut traverser à pied. Les portions les plus plaisantes sont celles qui font découvrir des trésors de calanques isolées. La Ruta de las Calas va de San José au cap de Gata : 18km, 6 à 7h de marche (aller) en étant bien chaussé car le terrain des calanques est accidenté ; on peut ne faire que les 6 premiers km jusqu'à Mónsul. De San José à la Cala de los Toros, ce sont 14km (aller), soit 4 à 5h de marche, le long de la côte découpée, où vous pourrez observer le terrain volcanique (une partie du GR®92 en direction du nord). En été, des randonnées nocturnes avec observation des étoiles sont également organisées. *Renseignements au centre d'information de San José*

Explorer le parc en VTT

Certains sentiers sont adaptés au VTT (mais pas balisés) et permettent d'explorer les différentes plages. De San José à Los Escullos (20km AR, 2h, parcours difficile), on suit le GR®92. Pour découvrir l'intérieur du parc, un circuit de 42km (4 à 5h, difficulté haute), permet d'aller de La Isleta del Moro au Cortijo del Fraile et de revenir par Presillas Bajas. Les campings du parc louent des VTT à leurs clients, pour les autres, il faut aller à San José.

Deportes Medialuna. Location de VTT pour 13€/jour. *Calle del Puerto (près de la Plaza de Génova) Tél. 950 38 04 62 www.deportesmedialuna.com*

Explorer le parc en 4x4

J126 Rutas de la Naturaleza. Possibilité de suivre deux routes : l'une à l'intérieur des terres (randonnée pédestre et 4X4) et l'autre côtière. Un guide vous accompagne en expliquant la flore, l'histoire, la géologie… Observation d'oiseaux prévue au cours de la sortie. *Centre d'infos du parc de Cabo de Gata Durée 5h*

Où boire un verre ?

Casa Café La Loma. Dans un lieu isolé, sur une colline dominant un superbe paysage de cactus et de steppe pelée descendant vers la mer. Le lieu est très

PROVINCE D'ALMERÍA   GÉO**RÉGION**

convivial avec ses tables en pierre et ses coussins colorés. De quoi se prélasser avant un des concerts qui ont lieu régulièrement l'été. Ils sont généralement précédés d'un barbecue de poissons. Même sans musique, c'est un très bel endroit pour boire un verre le soir venu. On peut même rester dormir dans l'une des cinq chambres avec terrasse et vue sur la mer (50-55€ en fonction de la saison). *De La Isleta, prendre la route en direction de Las Negras et tourner à droite 100m plus loin Tél. 950 38 98 31 Ouvert juil.-août : tlj. à partir de 19h Pour la programmation : www.degata.com/laloma*

Manger à San José

Il existe de très nombreux restaurants aux abords de la plage et surtout de la marina de San José.

prix moyens

Cala Chica. Le plus petit des restaurants alignés le long de l'allée menant à la marina, à gauche de la plage, et sans doute le meilleur choix. Salades, poissons et fruits de mer du jour. Essayez par exemple l'assortiment de poissons grillés (*parillada de pescado*, 23€/2 pers.) ou la paella aux fruits de mer (*paella de marisco*, 12€). *Esplanada del Puerto, local 9 Tél. 950 38 05 00 Fermé en sem. hors saison ; mi-déc.-fév.*

Restaurante San José. D'immenses baies vitrées donnant sur la mer, une salle blanche et pleine de lumière. Le cadre soigné change de l'agitation de la marina. Les plats sont honnêtes, avec un brin d'originalité. Menu à 20€ HT. À la carte, comptez env. 30€. On profite de la vue et du calme. *Calle Correo, 51 Prendre la rue qui monte vers la droite Tél. 950 61 10 49 Fermé hors saison : mar. et dim. soir*

Manger à Las Negras

petits prix

Casa Diego. À 5min de la plage. Une adresse d'initiés, plus connue sous le nom de "Club Social" car elle est tenue par une association de retraités qui ouvre ses portes à toutes les générations. Une vaste salle centrée autour d'une télévision toujours allumée, et une agréable terrasse sous les eucalyptus. Préparez vos oreilles : la serveuse vous annonce à toute vitesse la liste des plats du jour. Excellents fruits de mer et poisson, notamment les sardines grillées. Portions généreuses. Comptez env. 12-15€. *Remonter la rue principale vers la sortie du village, et tourner à droite juste avant les vestiges de la tour. Accès par l'arrière (ce n'est pas indiqué, il faut passer son nez…) Tél. 696 63 39 31 Ouvert 9h-23h (2h en été) Fermé lun.*

prix élevés

Restaurante La Palma. L'une des plus anciennes maisons de pêcheurs de la ville, tout en bas de la rue principale, au bord de la plage. Une grande terrasse aérée. Paco, le chef et propriétaire, prépare d'excellents poissons et fruits de mer, différents chaque jour, en fonction de ce que lui rapportent ses frères, pêcheurs. Sa spécialité ? Le poisson *a la sal*, grillé sur un lit de sel marin (environ 22€ le plat). Bonne ambiance l'été en soirée. *Tél. 950 38 80 42 Ouvert midi et soir Fermé lun. ; nov. et mi-jan.-fév.*

Dormir à San José

On ne trouve qu'un camping à San José, de qualité très médiocre. Mieux vaut s'orienter vers les terrains du parc naturel (cf. Informations touristiques).

très petits prix

Albergue Juvenil San José. Sur les hauteurs du village. Des bâtiments blancs accueillants, qui restent assez frais en été. La solution la plus économique et pas la moins conviviale de San José. Le soir, on se rassemble sur la terrasse, autour du sympathique *chiringuito* où l'on peut prendre un petit déjeuner ou un dîner à des prix modiques. Séjour d'une semaine maximum. Chambres pour 4, 6 ou 8 personnes, env. 13€/pers. *Calle Montemar Tél. 950 38 03 53 www.alberguesanjose.com Fermé nov.-Pâques sauf lors des fêtes Réception fermée 13h-18h ou 19h*

prix moyens

Hostal El Dorado. Sur la route de la plage de Genoveses, au sud de San José. Cet hôtel moderne est situé en retrait de la côte. Mais depuis les terrasses des chambres, surtout au premier étage, ainsi que de la piscine, on profite de belles vues sur la grande bleue. Couleurs chaudes et beaucoup de lumière. Une bonne adresse. Pratique pour ceux qui ne parlent pas l'espagnol : les propriétaires sont français. Chambres doubles avec sdb de 50 à 78€ environ (petit déj. inclus). Deux suites de 88 à 110€ env. *Calle Agua Marina Tél. 950 38 01 18 Fax 950 38 02 46 www.hostaleldorado.com*

Hostal Las Olas. Sur les hauteurs du village, derrière le port. Juste à côté de l'Hostal San José, qu'on voit de loin. Ouvert en 2001, cet hôtel sans charme offre un confort et une propreté irréprochables. Chambres doubles d'environ 45 à 75€ selon la saison. Certaines possèdent une terrasse avec vue sur la plage, d'autres une cuisine équipée (env. 55-90€). *Calle Las Olas Tél. 950 38 01 94 et 610 33 68 98 Fax 950 38 03 42 www.lasolassanjose.com*

Dormir dans les environs

Dormir à Los Escullos

prix moyens

Complejo Turístico Los Escullos. Un kilomètre avant la plage de Los Escullos (en venant de San José), à l'intérieur des terres. Ce camping confortable (piscine, épicerie, restaurant, gymnase, sauna, Jacuzzi, Internet et même minibibliothèque) propose des emplacements pour tentes (2 pers. et voiture : de 17 à 26€ HT) et caravanes, mais également des bungalows (de 52 à 105€ HT env.) et des tentes familiales tout équipés à des prix très corrects. À côté de la piscine, un restaurant propose des menus économiques et un buffet alléchant (env. 12€). Réservation indispensable en été. Juste en face de l'entrée du complexe, le club Buceo Almería. *Tél. 950 38 98 11 Fax 950 38 98 11 www.losescullossanjose.com*

Dormir à Las Negras

camping

Camping La Caleta. Dans la vallée encaissée de la calanque del Cuervo. Prendre à droite à l'entrée de Las Negras, c'est indiqué. Un camping accueillant, idéal pour profiter de la région. Par le sentier littoral, Las Negras est à 15min à pied, et la belle plage d'El Playazo à 20min. Le camping organise des sorties de plongée avec le club local. En été, un agréable *chiringuito* ouvre sur la plage. Piscine, restaurant et magasin sur place. Un tuyau : c'est le bas du camping qui reçoit le plus d'ombre. Pas de réservation, mais il y a toujours de la place, sauf en août. Pour 2 pers., une tente et une voiture : env. 25€ (pas de cartes de crédit). *Cala del Cuervo Tél./fax 950 52 52 37 www.vayacamping.net/lacaleta Ouvert toute l'année*

prix moyens

Appartements Loli García Requena. En bas de la rue principale, prendre à gauche sur la plage. Les appartements sont installés dans une ancienne maison de pêcheurs avec pergola. Les appartements pouvant accueillir de 2 à 6 personnes sont bien équipés et tenus par Loli, une dame souriante et très serviable. Un agréable patio ouvert permet aux locataires de se rencontrer. Cinq ou six appartements avec vue, dont deux avec une terrasse agréable sur la plage à partir de 50€ pour 2 personnes. Location uniquement à la semaine de juillet à septembre : comptez environ 500€/2 pers. Ceux qui sont situés à l'arrière, sans vue, sont encore moins chers. Une bonne adresse. *Plage de Las Negras Tél. 950 38 80 76 bagaroli@yahoo.es*

Dormir à Agua Amarga

prix moyens

☺ **Hotel Family.** En arrivant à Agua Amarga en provenance de San José, prendre la route sur la droite qui traverse le lit asséché de la rivière. Une pension aux chambres charmantes, tenue par un couple de Français. Ils tiennent aussi le bon restaurant de cuisine internationale aménagé au rez-de-chaussée (menu complet à 21€). Une adresse tranquille, avec jardin et piscine. Double avec vue de 65 à 120€ en haute saison, sans vue de 45 à 80€ en haute saison. Petit déjeuner copieux inclus. *Calle La Lomilla Tél. 950 13 80 14 Fax 950 13 80 70 Restaurant ouvert lun.-sam. le soir et dim. midi et soir*

Mojácar

04638

Située à l'extrême nord-est de la province, Mojácar (6 400 hab.) allie les plaisirs de son interminable plage de sable fin à ceux d'un petit centre historique très séduisant, où l'on trouve de fort belles pensions. Autrefois isolé, le site s'est beaucoup développé depuis l'arrivée de l'autoroute, et la fréquentation touristique s'y révèle très élevée en été.

MUSULMANS, JUIFS, CHRÉTIENS : TOUS ESPAGNOLS Habité depuis la préhistoire, le promontoire de Mojácar a attiré l'ensemble des civilisations qui se sont succédé dans la région, en raison de sa situation stratégique. Les Grecs l'appellent *Murgis-Akra*, qui deviendra *Moxacar* pour les Romains et *Muxacra* pour les musulmans, qui développent le village à partir du VIIIᵉ siècle. Au XIIIᵉ siècle, il est intégré au royaume nasride de Grenade. Sur la frontière avec les terres chrétiennes, Mojácar sera pendant deux siècles le théâtre de combats sanglants. En 1435, une incursion chrétienne décime une partie de la population. En 1488, Mojácar tombe aux mains des chrétiens, après que le gouverneur de Mojácar eut signé avec eux un pacte de coexistence entre musulmans, juifs et chrétiens, partant du principe que tous étaient Espagnols.

Mojácar, mode d'emploi

accès

EN VOITURE À 85km au nord-est d'Almería par l'A7 (sortie 520) puis l'A370.

EN CAR Les cars s'arrêtent à Mojácar-Playa, à côté du centre commercial, puis au pied de Mojácar-Pueblo, le long de la route venant de la plage.
Alsa. Almería-Mojácar, au moins 5 allers-retours/j. *Tél. 902 42 22 42 www.alsa.es*

orientation

La station balnéaire, Mojácar-Playa, s'étend le long du Paseo del Mediterráneo. Le village ancien, Mojácar-Pueblo, est perché sur un promontoire, à 1,5km dans les terres : de la station, prendre la route au niveau du grand centre commercial, après le Parador. La place principale du village, la Plaza Nueva, occupe l'est du promontoire.

transports

Service de bus régulier entre Mojácar-Pueblo et Mojácar-Playa (bus locaux jaunes). Ils desservent les parties sud (hôtel Indalo) et nord (marina La Torre) de la plage. Départs au sommet de la colline, juste en face de la Plaza Nueva. Les bus circulent tlj., chaque demi-heure, de 8h à 23h45 en été, avec une pause à midi en hiver.

informations touristiques

Office de tourisme de Mojácar-Pueblo. Il est très bien documenté sur Mojácar et la région. *Calle Glorieta, en montant vers la Plaza Nueva Tél. 950 61 50 25*

www.mojacar.es Ouvert été : lun.-ven. 10h-14h et 17h-19h30, sam. 10h30-13h30 ;
hiver : lun.-ven. 10h-14h et 17h-19h, sam. 10h30-13h30
Point info de Mojácar-Playa. À l'angle du Paseo del Mediterráneo et de la route
de Mojácar-Pueblo. Ouvert été : lun.-sam. 9h-15h et 17h-20h ; hiver : lun.-ven. 10h-
14h et 17h-19h30, sam. 10h30-13h30 et 17h30-19h30
Point info de la Playa de Marina de la Torre. Ouvert lun.-ven. 9h-14h, sam.
et j. fér. 10h30-13h30

adresses utiles

Bureau de poste. Le plus important se trouve à Mojácar-Playa. Du Paseo del
Mediterráneo, au niveau du poste de secours, prendre la rue qui monte vers l'inté-
rieur Tél. 950 47 87 03 Ouvert lun.-ven. 8h30-14h30 et sam. 9h30-13h30
Point Internet. Le long du Paseo del Mediterráneo, local attenant à l'agence im-
mobilière Indalfutur, située près du poste de secours principal. Tél. 950 61 51 56
Ouvert 10h-14h et 17h-20h Fermé hors saison : sam. après-midi et dim.

fêtes et manifestations

Fiesta Moros y Cristianos. C'est la grande fête de Mojácar. Tout au long de
l'année, la ville se prépare pour commémorer le jour où les musulmans remirent
la cité aux Rois Catholiques. Danse et reconstitution de bataille assez grandiose.
Le week-end autour du 10 juin

Découvrir Mojácar

☆ **À ne pas manquer** Le centre historique de Mojácar **Et si vous avez le
temps...** Assistez à la Feria Moros y Cristianos en juin, dégustez du poisson en bord
de mer dans le chiringuito El Paso, profitez de la plage de Mojácar-Playa hors saison

☆ Le centre du village a toujours des allures de médina musulmane, avec ses ruelles
étroites et ses maisonnettes blanches, accrochées aux pentes escarpées du promontoire. La Plaza Nueva, place principale de la partie haute du village, ouvre sur l'aride
vallée de Las Pirámides. Pour un panorama à couper le souffle, montez vers le belvédère du Castillo, situé au sud de la place, sur le point culminant du promontoire.
De l'autre côté de la place, la Calle Alcalde Jacinto monte vers l'église Santa María
(1560), au centre des quartiers les plus pittoresques et enchevêtrés du village, qui
s'étendent vers le nord et l'ouest. Au centre, la Plaza del Ayuntamiento domine la
jolie Calle de Enmedio et, plus bas encore, la Plaza Flores, au cœur du Barrio del
Arrabal, ancien quartier juif de Mojácar. Partant de la Plaza Flores, la Cuesta de la
Fuente descend vers la partie basse du village et la Fuente Mora. Cette ancienne fontaine musulmane, joliment rénovée, porte l'inscription légendaire des paroles pro-
noncées par le gouverneur musulman de Mojácar devant les conquérants chrétiens.

Aller à la plage

La commune de Mojácar compte 17km de plages, dont seulement 5km urbanisés.
La plage de Mojácar-Playa, archibondée en août, est très agréable le reste de l'an-

née. Mais c'est au sud de Mojácar, sur la route de Carboneras, que vous pourrez dénicher quelques perles rares, comme la Cala de Bordenares ou la Cala de Sombrerico, restées sauvages malgré l'affluence des naturistes.

Manger, dormir à Mojácar

Mojácar-Playa compte de nombreux restaurants touristiques, le long du Paseo del Mediterráneo. En été, la plage accueille des *chiringuitos* (petits restaurants ou paillotes de bord de mer, proposant poissons et fruits de mer grillés en plein air). L'un des plus sympas est El Paso, 100m au nord du carrefour de la route de Mojácar-Pueblo.

petits prix

☺ **Pensión El Torreón.** En contrebas de l'église Santa María. Cette demeure du XVIIIe siècle perchée en équilibre sur un bloc rocheux est meublée avec un goût exquis. Couvre-lits en dentelle et nobles armoires dans les cinq chambres qui se partagent une sdb impeccable. Terrasse fleurie digne de Roméo et Juliette, au-dessus des pentes du village. Une vue extraordinaire sur la côte à l'heure du petit déjeuner. Double sans sdb de 40 à 54€. *Réservez en saison Calle Jazmín, 4/6 Tél. 950 47 52 59*

prix moyens

Casa Juana. À Mojácar-Pueblo, juste au sud de l'église Santa María. Ce restaurant propose des plats simples mais de qualité aux alentours de 15€. Une bonne adresse, qui a gagné une certaine reconnaissance. Possibilité de dîner sur la terrasse, au pied de l'église. Réservation conseillée en saison. *Calle Enmedio, 27 Tél. 950 47 80 09 Ouvert le soir uniquement à partir de 19h30 (20h en été)*

Mirador del Castillo. Très bien situé, au frais, sur le belvédère de Mojácar-Pueblo. Le restaurant combine cuisine locale (gaspacho, tortillas) et quelques spécialités arabes. Repas env. 18€. Accueil enthousiaste dans ce qui est également le Centro de Arte de Mojácar (des expositions et concerts sont régulièrement programmés). Cela n'apparaît dans aucune brochure touristique, mais quelques chambres de caractère sont disponibles dans un très beau bâtiment attenant (de 50 à 75€ la double), avec une vue imprenable (c'est le point culminant du village !). *Ouvert ven.-mer. matin 11h-23h (plus selon affluence) Tél 950 47 30 22 www.elcastillomojacar.com*

prix très élevés

☺ **Parador de Mojácar.** En bord de mer, juste au sud du croisement entre la route côtière et celle de Mojácar-Pueblo. Le vaste Parador ne passe certes pas inaperçu, mais ses modernes édifices, blancs et assez bas, n'ont rien de honteux. À l'intérieur, de vastes chambres décorées avec goût et très lumineuses vous attendent. Les plus plaisantes sont celles situées en bas du complexe, à 30 secondes de la mer à travers la pelouse du jardin. Intéressants, les tarifs réduits accordés aux couples de moins de 30 ans ou de plus de 60 ans, valables tous les jours (sauf en haute saison), si vous réservez. Piscine et restaurant gastronomique parachèvent le tout. Doubles 118-128€ HT. *Av. del Mediterráneo, 339 Tél. 950 47 82 50 mojacar@parador.es*

GÉOREGION

PROVINCE D'ALMERÍA

GEODOCS

Comprendre l'architecture
mauresque, relire García Lorca,
Mérimée et Hemingway, revoir
Carmen de Carlos Saura, connaître
les principales tapas à déguster en
apéritif, le vocabulaire de la cuisine
andalouse, apprendre quelques
mots de castillan pour communiquer
en toutes circonstances...
Bibliographie, **filmographie**,
glossaire et **lexique** : l'essentiel
pour approfondir vos connaissances
sur l'Andalousie ; et un **index
alphabétique général**.

Pour en savoir plus

GEO**MEMO**

Annuaire de sites Internet sur l'Espagne	www.espagne-espagne.com
Plans des grandes villes espagnoles	http://maps.google.es
Institut espagnol de statistiques	www.ine.es
Institut Cervantès (Paris)	7, rue Quentin-Bauchart 75008 Paris Tél. 01 40 70 92 92 www.cervantes.es

Bibliographie

ART ET ARCHITECTURE

Barrucand, Marianne
L'Architecture maure en Andalousie,
Taschen, 1992.
Hintzen-Bohlen, Brigitte
Art et architecture : Andalousie,
Könemann, 2000.

GUIDES DE VOYAGE
ET DE VOYAGEURS

Collectif Séville,
Gallimard, coll. Cartoville.
Collectif Le Grand Guide de
l'Andalousie, Gallimard, coll.
Bibliothèque du voyageur.
Collectif Séville-Andalousie,
Guides Gallimard.
Del Castillo, Michel Andalousie :
Séville, Grenade, Cordoue, Ronda...,
Seuil, coll. Points planète,
1991.
Del Castillo, Michel Séville,
Autrement, 1986.
Collectif Grenade, Autrement,
coll. Le Guide Autrement, 1997.
Zayas, Rodrigo de Séville, Séguier,
coll. Racines, 1998.
Guide du Flamenco en Andalousie,
Junta de Andalucia 2001.

ROMANS ET RÉCITS

Becquer, Gustavo Adolfo
Légendes et récits,
José Corti, 1989.
Colomb, Christophe
La Découverte de l'Amérique,
La Découverte, 2002.
Dumas, Alexandre
De Paris à Cadix,
François Bourin, 1989.
García Lorca, Federico
Œuvres complètes, Gallimard,
coll. Bibliothèque de la Pléiade,
2 vol., 1981 et 1990.

Machado, António Poésies,
Gallimard, 1973.
Molina, Tirso de Le Séducteur de
Séville, Nouvelles Éditions latines,
coll. Les Maîtres étrangers, 1972.
Gautier, Théophile
Le Voyage d'Andalousie,
L'Archange Minotaure, 2001.
Cervantès, Miguel de
Don Quichotte de la Manche,
Gallimard, coll. Folio, 2 vol., 1988.
Cervantès, Miguel de
Nouvelles exemplaires,
Gallimard, coll. Folio, 2001.
Hemingway, Ernest
Mort dans l'après-midi,
Gallimard, coll. Folio, 1972.
Irving, Washington Contes de
l'Alhambra, Phebus, coll. Domaine
romanesque, 1998.
Le Porrier, Herbert Le Médecin
de Cordoue, Seuil, 1982.
Mérimée, Prosper Carmen,
Gallimard, coll. Folio, 1990.
Yourcenar, Marguerite
Le Temps, ce grand sculpteur,
Gallimard, 1983.

HISTOIRE ET DOCUMENTS

**Bennassar, Bartolomé, sous
la dir. de** Histoire des Espagnols :
vɪᵉ-xxᵉ siècles, Laffont,
coll. Bouquins, 2001.
Cardaillac, Louis L'Espagne
des Rois Catholiques : le prince don
Juan, symbole de l'apogée d'un
règne, 1474-1500, Autrement, coll.
Mémoires, 2001.
Guichard, Pierre Al-Andalus 711-
1492, une histoire de l'Andalousie,
Hachette littérature, 2001.
Lemoine, Maurice, sous la dir. de
Andalousie : 929, 1492, 1992,
mémoires d'avenir, Autrement,
coll. Monde, 1989.
Lequenne, Michel Christophe
Colomb, amiral de la mer océane,
Gallimard, coll. Découvertes n°120.

GEODOCS

Martinez-Gros, Gabriel *Identité Andalouse*, Actes Sud, 1997
Martínez Shaw, Carlos, sous la dir. de *Séville XVI⁺ siècle : de Colomb à Don Quichotte, entre Europe et Amériques, le cœur et les richesses du monde*, Autrement, coll. Mémoires, 1992.
Perez, Joseph *Isabelle et Ferdinand, Rois Catholiques d'Espagne*, Fayard, 1988.

CULTURE ET SOCIÉTÉ

De Falla, Manuel *Écrits sur la musique et les musiciens*, Actes Sud, 1992.
Pelletier, Claude *L'Heure de la corrida*, Gallimard, coll. Découvertes, 1992.
Zumbiehl, François *Des taureaux dans la tête : Dominguín, Vásquez, Ordoñez, Paco Camino, El Viti, El Cordobés*, Autrement, 1987.

Filmographie

Saura, Carlos *Carmen*, 1983 ; *Sevillanas*, 1991 ; *Flamenco*, 1995 ; *Salomé*, 2002.
Gatlif, Tony *Vengo*, 2000.
Chahine, Youssef *Le Destin*, 1998.

Glossaire

Al-Andalus Nom donné à l'Andalousie par les musulmans (VIII⁺-XV⁺ s.).
Aljibe Citerne, réservoir d'eau.
Almohades Souverains berbères qui s'emparent de l'Andalousie en 1146, faisant de Séville la capitale de leur royaume. Avec eux, l'Espagne musulmane vit son dernier sursaut culturel (Giralda de Séville) et militaire. En 1212, la victoire des chrétiens à Las Navas de Tolosa sonne le glas des ambitions almohades.
Almoravides Souverains berbères qui régnèrent sur l'Afrique du Nord et l'Espagne musulmane (fin XI⁺-début XII⁺ s.). Appelée par les princes arabes d'Espagne (1085) pour faire face à la progression chrétienne (Alphonse VI de Castille et León avait pris Tolède), leur dynastie fut anéantie en 1146 par les Almohades.
Arc outrepassé Arc "en fer à cheval" caractéristique de l'architecture musulmane.
Azulejos Carreaux de céramique colorés (émaillés) employés pour le revêtement des murs ou des sols.
Botellón Rassemblement en plein air, généralement dans la ruë ou dans un parc, de jeunes "équipés" de sacs à glaçons, de gobelets en plastique et de bouteilles d'alcool, pour boire un ou plusieurs verres entre amis. Véritable phénomème culturel et social en Espagne !
Calife Souverain musulman, successeur de Mahomet (*khalifa* signifie "successeur") et investi du pouvoir spirituel et temporel.
Cante jondo "Chant profond", le chant flamenco dans sa plus grande pureté.
Carmen À Grenade, demeure traditionnelle (XVI⁺-XVII⁺ s.) recréant en plein centre de la vieille ville des espaces similaires aux *almunias*, maisons de campagne musulmanes avec fontaine et jardin.
Casetas Tentes colorées et décorées de taille variable, construites pour la feria de Séville, financées par des associations, des entreprises ou des institutions. Pourvues d'un bar, où l'on accueille ses amis ou relations, elles constituent le cœur de la fête mais sont réservées aux cercles sévillans.

GEO**DOCS**

Chiringuito Restaurant de fortune qui ouvre en été sur les plages, et où l'on grille le poisson devant vous.

Churrigueresque (style) Au début du XVIIIe s., la famille d'architectes des Churriguera donne son nom à ce style qui pousse jusqu'à l'extrême les lois du baroque. Très présent en Andalousie, il se reconnaît aux colonnes salomoniques (vrillées et décorées de motifs végétaux) qui encadrent les portails, aux stucs luxuriants et aux entrelacs de formes géométriques, extrêmement travaillées, qui dominent à l'intérieur.

Costumbrismo Style pictural apparu à la fin du XIXe s., centré sur les coutumes (*costumbres*) et l'âme des régions espagnoles.

Duende Dans le flamenco, désigne un moment d'exaltation des musiciens.

Ferias Fêtes populaires héritées des anciennes foires agricoles. Les plus réputées sont la *Feria de Abril* à Séville et la *Feria del Caballo* à Jerez.

Ganadería Élevage de taureaux de combat.

Herrerien (style) Style de la Renaissance dépouillé, monumental et équilibré, du nom de Herrera, architecte de l'Escurial de Madrid (XVIe s.).

Isabélin (style) Style gothique contemporain du règne d'Isabelle Ire la Catholique (fin XVe s.), caractérisé par une grande richesse ornementale.

Judería Ancien quartier juif des villes espagnoles.

Marranes Désigne les juifs d'Espagne (ou du Portugal) convertis sous la contrainte au christianisme à la fin du XVe s.

Mihrab Dans les mosquées, cette niche accueille l'imam, qui y prononce la prière du vendredi. Orienté vers La Mecque, le mihrab évoque la présence du prophète Mahomet.

Morisques (moriscos) Nom donné aux musulmans d'Espagne convertis de force au catholicisme (sur l'ordre des Rois Catholiques). 275 000 musulmans furent ainsi baptisés, avant d'être définitivement expulsés d'Espagne en 1609.

Moucharabieh Panneau de bois ou de pierre ouvragé avec art et incrusté dans l'ouverture des fenêtres.

Mozarabes Chrétiens d'Espagne non convertis à l'islam à l'époque d'*Al-Andalus*.

Mudéjar De l'arabe *mudayyan*, "soumis". Musulman ayant signé un pacte lui permettant de rester après la Reconquête, en conservant sa religion et ses coutumes. Les Mudéjars habitaient des quartiers séparés (les *aljamas*) et payaient un tribut aux Rois Catholiques.

Mudéjar (art) Style né de cette coexistence, qui adapte les techniques et les motifs hispano-musulmans aux évolutions de l'architecture chrétienne, du XIIe au XVIe s.

Muezzin Fonctionnaire religieux musulman attaché à une mosquée et dont la fonction consiste à appeler cinq fois par jour du minaret les fidèles à la prière.

Muladíes Chrétiens convertis à l'islam.

Muqarnas Petites niches disposées en alvéoles sous les voûtes et qui rappellent des stalactites.

Nasrides Dernière dynastie musulmane d'Espagne, qui régna de 1238 à 1492, du sud de la région de Murcie jusqu'à Málaga, avec pour capitale Grenade.

Novillada Corrida de jeunes toreros, ou *novilleros*, n'ayant pas encore reçu l'Alternative. Ils toréent de jeunes taureaux (*novillos*).

Omeyyades Première dynastie

musulmane d'Orient (661), détrônée et massacrée par les Abbassides. Son seul survivant, Abd al-Rahmân Ier, arrive à Cordoue après des mois de fuite. Il prend vite le pouvoir et rompt les liens politiques avec le pouvoir du calife abbasside de Damas en proclamant l'émirat indépendant de Cordoue (756). En 929, Abd al-Rahmân III instaure le califat de Cordoue, qui scelle définitivement l'indépendance religieuse et politique de la ville et d'*Al-Andalus*. Les Omeyyades règnent sur l'Espagne jusqu'en 1031. Ils inaugurent l'âge d'or d'*Al-Andalus*, et plus particulièrement de Cordoue. Leur règne est caractérisé par la tolérance (à l'égard des chrétiens et des juifs), une culture et un art raffinés : grands penseurs (Averroès, Maimonide...), artisanat, architecture (première phase de construction de la mezquita, Medina Azahara...). Le pouvoir califal s'effondre en 1031, laissant la place à un éparpillement de petits royaumes, les *taifas*.

Paradores de España Ce réseau hôtelier, contrôlé depuis le début du XXe s. par l'État espagnol, rassemble des hôtels de grand standing, souvent exceptionnels par leur architecture ou leur cadre.

Plateresque Style de la Renaissance espagnole, caractérisé par une ornementation riche et fouillée, à la manière du minutieux travail de l'orfèvre (*platero*).

Reconquête (Reconquista) Désigne la reconquête menée en Espagne par les chrétiens contre les musulmans au Moyen Âge. Elle s'étend de 722 (bataille de Covadonga) à 1492, date de la chute du dernier bastion musulman, le royaume nasride de Grenade. Le terme est cependant polémique aujourd'hui. Certains font remarquer qu'il n'existait pas une Espagne chrétienne unifiée à proprement parler avant l'invasion musulmane de 711.

Rejoneada Corrida à cheval.

Retable Partie postérieure et ornée d'un autel, qui surmonte verticalement la table. En Espagne, les retables sont un élément d'ornementation omniprésent, tendant à former un ensemble décoratif autonome somptueux.

Rois Catholiques (Reyes Católicos) Le couple royal formé par Isabel (Isabelle) Ire de Castille et Fernando (Ferdinand) II d'Aragon (mariés en 1469) reçut ce titre du pape en 1494, pour avoir reconquis le royaume nasride et étendu la chrétienté en Amérique (Christophe Colomb). Ils mirent en place une puissante Inquisition, firent expulser les juifs d'Espagne et entreprirent une véritable croisade contre le royaume nasride de Grenade, dernier bastion musulman d'Espagne.

Romería Pèlerinage. Le plus célèbre en Andalousie est la Romería del Rocío (province de Huelva).

Saetas Complaintes flamencas chantées *a cappella* au passage du Christ ou de la Vierge lors des processions de la semaine sainte.

Sebka Motif ornemental caractéristique de l'architecture almohade : des briques disposées en petits arcs entrecroisés forment losanges ou chevrons, donnant lieu à des jeux d'ombre et de lumière.

Siècle d'Or En peinture espagnole, désigne le XVIIe s., qui compte nombre de maîtres tels Pacheco, Zurbarán, Murillo, Valdés Leal, Vélazquez, El Greco...

Stuc Enduit principalement composé de plâtre, que l'on moule pour composer des motifs variés destinés à décorer murs, plafonds, etc.

Tablaos Cafés-cabarets de flamenco

GEO**DOCS**

spécialement destinés aux touristes.
Taifas À la chute du califat de
Cordoue (1031), le royaume
d'*Al-Andalus* s'émiette en une
multiplicité de petits royaumes,
les *taifas*.
Venta Restaurant de campagne,
héritier des auberges de grand
chemin autrefois installées le long
des voies royales.

Lexique
et phrases
usuelles

PRONONCIATION

L'accent tonique est marqué sur la
pénultième (avant-dernière syllabe)
sauf indication (accent écrit). Les
mots se terminant par d, l, r ou z
sont accentués sur la finale.
Sur l'accent andalou,
cf. GEOPanorama, Langues.

CONSONNES

ñ "gn" comme dans "grogner"
s "ss" comme dans "Suisse"
g "gu" comme dans "blague"
g devant e et i aspiré
v presque comme "b"
r roulé
c "k" comme dans "Pâques"
c devant e et i "th" anglais
ll "l" mouillé comme dans "alliance"
z "ss" comme dans sept
j aspiré (la "jota")
x comme le j de "joie"

VOYELLES

a "a"
e "é"
i "i"
o "o"
u "ou"
y "i"

Pas de diphtongues : au se prononce
"aou", oi "o-i", etc.

PREMIERS CONTACTS

oui sí
non no
bonjour buenos días
bonsoir buenas tardes
bonne nuit buenas noches
Salut ! ¡ Hola !
enchanté mucho gusto / encantado
Comment allez-vous ?
¿ Cómo está ?
s'il vous plaît por favor
merci gracias
Je vous en prie De nada
Excusez-moi Perdón
Je suis français soy francés /
francesa
Je ne parle pas l'espagnol
No hablo español
Je ne comprends pas No entiendo
Je m'appelle... Me llamo…
Comment vous appelez-vous ?
¿ Cómo se llama (Usted) ?
au revoir adiós
à bientôt hasta luego
bon voyage buen viaje

SE REPÉRER / SE DÉPLACER

LIEUX-CLÉS
avenue avenida
arènes plaza de toros
auberge de jeunesse
albergue juvenil
banque banco
bureau de tabac estanco
château castillo
épicerie tienda de comestibles
forêt bosque
gare ferroviaire estación de trenes
gare routière estación de autobuses
hôtel hotel
lac lago
librairie librería
mairie ayuntamiento
musée museo

office de tourisme
oficina de turismo
parking aparcamiento
pharmacie farmacia
place plaza
plage playa
port puerto
poste correos
police policía
restaurant restaurante
rivière/fleuve río
rue calle
station de métro estación de metro
supermarché supermercado
ville ciudad
village pueblo

DEMANDER SON CHEMIN

Y a-t-il … ? ¿ Hay… ?
Où est… ? ¿ Dónde está… ?
**Où est la pharmacie la plus
proche ?** ¿ Dónde está la farmacia
más cerca ?
Où est la route de… ?
¿ Dónde está la carretera de… ?
proche cerca
loin lejos
À combien de kilomètres
A cuántos kilómetros
Est Este
Ouest Oeste
Nord Norte
Sud Sur
à gauche a la izquierda
à droite a la derecha
tout droit todo recto
Tournez à droite
Gire a la derecha
**Prenez la deuxième rue à
gauche** Tome la segunda calle a la
izquierda
Je me suis perdu Me he perdido
Je cherche… Busco…

SUR LA ROUTE

voiture coche
moto moto / motocicleta
bicyclette bicicleta
autoroute autopista

sortie salida
péage peaje
station-service gasolinera
essence gasolina
sans plomb sin plomo

À LA GARE

train tren
wagon coche
place numéro… asiento número…
contrôleur revisor
quai andén
**À quelle heure part le prochain
train pour… ?** ¿ A qué hora sale el
próximo tren para… ?
consigne à bagages depósito
de equipajes
**Je voudrais acheter un billet
pour…** Quisiera comprar un
billete para…
aller-retour ida y vuelta

REPÈRES TEMPORELS

janvier enero
février febrero
mars marzo
avril abril
mai mayo
juin juni
juillet julio
août agosto
septembre septiembre
octobre octubre
novembre noviembre
décembre diciembre

lundi lunes
mardi martes
mercredi miércoles
jeudi jueves
vendredi viernes
samedi sábado
dimanche domingo

aujourd'hui hoy
hier ayer
avant-hier anteayer
demain mañana

GEODOCS

GEODOCS

après-demain
pasado mañana
ce matin esta mañana
ce soir esta noche
tard tarde
tôt temprano
plus tard más tarde

Quelle heure est-il ?
¿ Qué hora es ?
Il est 1h Es la una
Il est 8h Son las ocho
Il est 21h Son las nueve
de la tarde
Il est 7h30 Son las siete y media

SE LOGER

camping camping
tente tienda de campaña
douche ducha
chambre simple habitación
individual
chambre double habitación doble
avec salle de bains con baños
lit double cama de matrimonio
dortoir dormitorio común
lit cama
air conditionné aire acondicionado
toilettes servicios

Je voudrais réserver une chambre
Quisiera reservar una habitación
Avez-vous une chambre double ?
¿ Tiene una habitación doble ?
À combien est la chambre ?
¿ Cuánto cuesta la habitación ?
TTC IVA incluido
**La chambre a-t-elle une vue sur
la mer ?** ¿ Da al mar la habitación ? /
¿ Tiene vistas al mar la habitación ?
petit déjeuner inclus con desayuno
**Pouvez-vous me montrer la
chambre ?** ¿ Puede enseñarme
la habitación ?
Pouvez-vous me donner la note ?
La cuenta, por favor
Pouvez-vous me réveiller à 7h ?
¿ Me puede despertar a las siete ?

VISITE / SHOPPING

**À quelle heure ouvre / ferme le
musée / le magasin ?**
¿ A qué hora abre / cerra el museo /
la tienda ?
fermé(e) cerrado(a)
ouvert(e) abierto(a)
interdit(e) prohibido(a)
Combien coûte... cuánto cuesta
cher(ère) caro(a)
bon marché barato(a)
gratuit(e) gratuito(a)
tarif réduit tarifa reducida
**Acceptez-vous les cartes de
crédit ?** ¿ Accepta tarjetas de
crédito ?

SANTÉ ET HYGIÈNE

pharmacie farmacia
tampons tampones
serviettes hygiéniques toallas
higiénicas
préservatif preservativo
aspirine aspirina
J'ai besoin d'un médecin Necesito
un médico
urgences urgencias
pansement tirita®

SE NOURRIR

AU RESTAURANT
Je voudrais réserver une table
Quisiera reservar una mesa
Avez-vous une table pour deux ?
¿ Tiene mesa para dos personas ?
**Puis-je voir la carte s'il vous plaît
?** La carta, por favor
menu du jour menú del día
Plat plato
**Que me / nous recommandez-
vous ?** ¿ Que me / nos recomienda ?
serveur camarero
table mesa
chaise silla
L'addition s'il vous plaît
La cuenta por favor

LEXIQUE CULINAIRE

VERDURAS Y LEGUMBRES
LÉGUMES ET FÉCULENTS

alcachofa artichaut
arroz riz
bejenrena aubergine
cebolla oignons
ensalada salade garnie
garbanzos pois chiches
gazpacho gaspacho
habas fèves
judías haricots
lechuga laitue
pastas pâtes
patata pomme de terre
patatas fritas frites
patatas a lo pobre (recette
campagnarde avec du lard
et du fromage)
patatas bravas (avec une sauce
piquante)
patatas aliñadas
(en vinaigrette)
pepino concombre
pimiento poivron
pimiento relleno poivron farci
de morue
pipirrana (thon, salade, tomates,
oignons, poivron et concombre)
potaje potage
salmorejo gaspacho plus épais
et servi à température ambiante
avec des œufs durs effrités
setas champignons
sopa soupe
tomate tomate

CARNE VIANDE

buey bœuf
cabrito cabri
cerdo porc
chuleta / chuletitas
côtes / côtelettes
conejo lapin
cordero agneau
cordero lechal agneau de lait

filete escalope
flamenquín rouleau de jambon
et de veau pané
jabalí sanglier
lomo échine de porc, entrecôte pour
le veau et le bœuf
pierna gigot d'agneau
rabo de toro / cola de toro queue
de taureau
solomillo filet de porc,
aloyau de bœuf
ternera veau
vaca vache / viande de bœuf

AVES Y HUEVOS
VOLAILLES ET ŒUFS

codorniz caille
huevos de codorniz œufs de caille
huevos cocidos œufs durs
huevos fritos œufs au plat
huevos revueltos œufs brouillés
garnis de légumes, de charcuteries,
de viande, etc.
pato canard
pechuga de pollo blanc de poulet
perdiz perdrix
pollo poulet
pollo asado poulet grillé
tortilla omelette aux pommes
de terre, préparée à l'huile d'olive
tortilla de camarones omelette
très cuite aux petites crevettes

PESCADO POISSON

atún thon
bacalao morue
cazón chien de mer
corvina corbeau de mer
dorada daurade
emperador / pez espada
espadon
lenguado sole
lubina bar
rape baudroie
salmón saumon
sardinas sardines
trucha truite

GEO**DOCS**

GEODOCS

MARISCOS FRUITS DE MER

a la plancha grillés sur une planche
métallique
bogavante homard
calamar calamar
camarones petites crevettes grises
cámbaro tourteau
cangrejo crabe
cangrejo de río écrevisse
chipirones encornets
choco seiche (à Huelva)
cigalas langoustines
coquinas petites clovisses
en adobo marinés
fritos frits
gambas crevettes roses de taille
moyenne
langosta langouste
langostinos gros bouquets
mejillones moules
nécora étrille
puntillitas petites seiches grillées
sepia seiche

CHACINAS CHARCUTERIE

embutidos charcuterie variée
riñones rognons
jamón serrano (porc blanc)
jamón ibérico (porc noir, haut
de gamme)

DESAYUNO
PETIT DÉJEUNER

tostadas tartines grillées
mantequilla beurre
mermelada confiture

QUESOS, POSTRES Y FRUTAS
FROMAGES, DESSERTS
ET FRUITS

alfajores biscuits feuilletés
parfumés à l'anis, au citron
arroz con leche riz au lait
flan crème caramel
manzana pomme

naranja orange
natilla crème aux œufs
et à la cannelle
tocino de cielo flan très sucré
tortas de aceite galettes
à l'huile d'olive
yema flan épais au jaune d'œuf

ALGUNAS TAPAS
QUELQUES TAPAS

albóndigas boulettes de viande
aux herbes
croquetas croquettes de morue ou
au jambon
pimientos poivrons marinés, parfois
farcis (*rellenos*)
boquerones anchois marinés
ou grillés
montaditos / bocaditos / ligeritas
petits sandwichs
caracoles petits escargots
au court-bouillon
cabrillas grands escargots
au court-bouillon

BEBIDAS BOISSONS

agua eau
agua de grifo eau en carafe
agua mineral con gas eau
minérale gazeuse
agua sin gas eau plate
café café
café cortado café avec
un nuage de lait
café solo café noir
café con hielo café frappé
caña demi (25cl de bière
à la pression)
cerveza bière
clara panaché
jarra pinte (50cl) de bière
leche aparte avec le lait à part
tubo 33cl de bière
vino blanco vin blanc
vino rosado vin rosé
vino tinto vin rouge
zumo jus de fruits frais

Déposez, échangez, partagez
vos plus belles photos

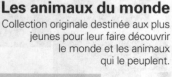

Aidez-nous à construire des GEOGuide qui répondent encore mieux à vos envies !

Chers lecteurs, toutes vos remarques et propositions sont les bienvenues. N'hésitez pas à nous en faire part et à répondre à ces questions : cela nous permettra de mieux vous connaître et d'améliorer encore le contenu de nos guides. Merci de retourner le questionnaire à l'adresse suivante : Éditions Gallimard / Questionnaire GEOGuide / 5 rue Sébastien-Bottin 75007 Paris

Pour commencer, dans quel GEOGuide avez-vous trouvé ce questionnaire ?

....

VOS VOYAGES

Combien de séjours à but touristique effectuez-vous chaque année ?

en France	❏ 1	❏ 2	❏ 3 et +
à l'étranger	❏ 1	❏ 2	❏ 3 et +

Vous partez pour (plusieurs réponses possibles) :

la France	❏ 1 semaine	❏ 2 semaines	❏ 3 semaines et +
l'étranger	❏ 1 semaine	❏ 2 semaines	❏ 3 semaines et +

Combien de week-ends à but touristique effectuez-vous chaque année ?
(hors visites parents et amis)

en France	❏ 1	❏ 2	❏ 3 et +
à l'étranger	❏ 1	❏ 2	❏ 3 et +

Vous partez (plusieurs réponses possibles) :

	Voyage en France	Voyage à l'étranger	Week-end
seul	❏	❏	❏
en couple	❏	❏	❏
en famille	❏	❏	❏
avec des amis	❏	❏	❏
en voyage organisé	❏	❏	❏

VOS GUIDES DE VOYAGE

Quand vous partez, combien de guides achetez-vous ?

	Voyage en France	Voyage à l'étranger	Week-end
Guides pratiques*	...	...	...
Guides culturels**	...	...	...

* axés sur les informations pratiques et les adresses, contenant plus de texte et de cartes que de photographies et d'illustrations
** axés sur l'histoire et la culture, contenant beaucoup de photographies et d'illustrations

Combien de temps avant votre départ achetez-vous votre (vos) guide(s) ?

	Voyage en France	Voyage à l'étranger	Week-end
entre 3 et 6 mois avant	❏	❏	❏
dans le mois qui précède	❏	❏	❏
sur place	❏	❏	❏

Avec les guides de quelles collections partez-vous le plus souvent ?
(plusieurs réponses possibles)

....

Cherchez-vous de l'information sur votre destination ailleurs que dans les guides de voyage ? ❏ oui ❏ non

Si oui, où : ❏ presse magazine ❏ offices de tourisme

❏ Internet ❏ autre : ....

VOTRE GEOGUIDE

Si vous avez acheté ce guide vous-même, pourquoi avez-vous choisi GEOGuide ?
(plusieurs réponses possibles)

- ❏ conseil de votre libraire
- ❏ publicité
- ❏ confiance dans les guides Gallimard
- ❏ vous l'avez découvert vous-même sur votre lieu d'achat
- ❏ conseil de votre entourage
- ❏ article de presse
- ❏ confiance dans le magazine GEO

Dans le dernier cas, quels sont les critères qui ont motivé l'achat de ce GEOGuide ?
(plusieurs réponses possibles)

- ❏ aspect extérieur de l'ouvrage (couverture, format, etc)
- ❏ présence de photographies couleur
- ❏ présentation intérieure
- ❏ contenu pratique
- ❏ prix
- ❏ présence de cartes dépliantes
- ❏ contenu culturel
- ❏ volume d'information
- ❏ autre : ....

Que pensez-vous de votre GEOGuide et de ses différentes rubriques ?

Concernant les informations culturelles, vous avez trouvé GEOGuide :

	Dans la partie GeoPanorama	Dans les parties GeoRégions
très complet	❏	❏
complet	❏	❏
assez complet	❏	❏
pas du tout complet	❏	❏

Concernant les informations pratiques (prix, horaires, coordonnées), vous avez trouvé GEOGuide :

❏ très fiable ❏ fiable ❏ assez fiable ❏ pas du tout fiable

Votre opinion sur la sélection d'adresses :	Suffisant	Insuffisant
nombre d'adresses d'hébergement	❏	❏
nombre d'adresses de restauration	❏	❏
nombre de visites culturelles (musées, églises, sites…)	❏	❏
nombre de balades et randonnées	❏	❏
nombre d'activités de loisirs	❏	❏
nombre d'adresses shopping	❏	❏

Avez-vous des remarques et suggestions ?

....
....

Repartirez-vous avec un GEOGuide ? ❏ oui ❏ non

VOUS

Vous êtes : ❏ un homme ❏ une femme

Votre âge :
❏ moins de 25 ans ❏ 25-34 ans ❏ 35-44 ans ❏ 45-64 ans ❏ 65 ans et +

Votre profession :
- ❏ agriculteur
- ❏ employé
- ❏ retraité
- ❏ profession libérale
- ❏ ouvrier
- ❏ sans activité professionnelle
- ❏ cadre supérieur
- ❏ encadrement et technicien
- ❏ étudiant

Vous pouvez nous indiquer votre adresse si vous le souhaitez :

Nom : ....

Adresse : ....

Code postal : .... Ville : .... Pays : ....

★ Index des incontournables touristiques
(cf. premier rabat de couverture)

Index général

GEODOCS

GEO**DOCS**

GEODOCS

Index des cartes et des plans

Légendes des cartes et des plans

GEODOCS

Autoroute et 2x2 voies	Axe urbain principal	Liaison maritime (standard)
Route principale	Zone urbaine	Liaison maritime (rapide)
Route secondaire	Espace vert	Gîte d'étape (randonnée)
Autre route	Cimetière	Départ de randonnée
Limite administrative	Liaison maritime	Station de sports d'hiver
Parc naturel	Voie ferrée	
Tunnel, col, défilé	Office de tourisme	Plage
Site remarquable	Aéroport	Site de plongée
Sommet	Gare ferroviaire	
	Gare routière	

AUTEURS. David Fauquemberg. Mise à jour : Anne Becel (GEOPratique, Huelva, Cadix, Málaga), Raphaële Bail (GEOPratique, Málaga, Grenade, Jaén, Almería), Celia Benisty (GEOPratique, Séville, Cordoue, Málaga, Grenade).
CRÉDITS PHOTOGRAPHIQUES. Couv. : © Patrick Léger / Gallimard. II : © H. Krinitz, hemis.fr. III : © F. Guiziou, hemis.fr. IV, ht : © C. Sappa, Hoa Qui, bas : © H. Krinitz, hemis.fr. V, ht : © C. Boivieux, Hoa Qui, bas : © A. Fiore. VI-VII : © Ch. Heeb, hemis.fr. VIII : © Photononstop. IX : © H. Hughes, hemis.fr X : bas : © A. Fiore. ht : © H. Krinitz, hemis.fr. XI, ht : © H. Krinitz, hemis.fr. bas : © J. Nicolas, Saola XII : © Zintzmeyer. XIII : © M. Renaudeau, Hoa Qui. XIV-XV : © Th. Borredon, hemis.fr XVI : © S. Boisse, Photononstop. XVII : P. Wisocki, hemis.fr XVIII-XIX : © S. Boisse, Photononstop. XX : © P. Royer, Explorer. XXI : © A. Fiore, et Ph. Royer, Hoa Qui. XXII-XIII : M. Renaudeau, Hoa Qui.
CARTOGRAPHIE INFOGRAPHIQUE. Édigraphie.
REMERCIEMENTS. Jordi Canal (conseiller scientifique), Alejandro Reina, Gonzalo (bandolero de Ronda), Anon Peer, Christian Most, Lucie Milledrogues.
MISE À JOUR 2008-2009. Florence Picquot.

GALLIMARD LOISIRS. 5, rue Sébastien-Bottin 75328 Paris Cedex 07.
Tél. 01 49 54 42 00 **Fax** 01 45 44 39 45 **Internet** www.guides.gallimard.fr

PRISMA PRESSE. Régie publicitaire : Prisma Presse 6, rue Daru 75379 Paris Cedex 08.
Directrice de la publicité : Valérie Ronssin. **Tél.** 01 44 15 34 32.
Responsable de clientèle : Évelyne Allain-Tholly. **Tél.** 01 44 15 32 77 **Fax** 01 44 15 31 44.

BOÎTE AUX LETTRES GEOGUIDE. GEOGuide 5, rue Sébastien-Bottin 75007 Paris. geoguide@guides.gallimard.tm.fr

École d'art équestre, Jerez de la Frontera.

Sommets enneigés, Sierra Nevada.

La Mezquita, mosquée-cathédrale de Cordoue.

L'Andalousie